Ben Chev

Remerciements

Ce n'est qu'une fois le travail terminé que l'on réalise l'ampleur de la tâche et le nombre de personnes qui ont participé, volontairement ou non, à la création d'un roman.

Pour commencer, merci à mes amis : Alexis, Armand, Guillaume, Nicolas, Sébastien, Michel, Michael et mon frère Antoine pour ces formidables nuits à faire des jeux de rôles. Ce fut la première pierre de la création, dans mon subconscient, des Wizards.

Merci à mes parents : ma mère qui en me laissant vivre mes passions a permis à mon esprit de créer le monde de Killian. Merci à mon père de m'avoir appris une chose importante dans la vie : « l'ambition d'un homme n'a d'égale que sa volonté et non l'inverse ».

Pour finir, merci à ma femme, Caroline, pour son soutien et son aide au quotidien. Pour m'avoir soutenu dans les épreuves et avoir transformé un rêve en réalité. Elle est mon Axelle… en mieux.

« Et, au premier jour, l'homme créa dieu… »

LIVRE 1
« L'enchanteur »

Prologue

Tindarius regardait autour de lui. Une douzaine de mages, morts, gisaient à ses côtés. Il ne put s'empêcher d'esquisser un sourire en voyant la créature s'évertuer à sortir de sa nouvelle prison. Treize mages allaient mourir pour mettre fin à cette folie, car à n'en pas douter, sa fin était proche. Jamais il n'aurait pensé devoir utiliser autant d'énergie pour créer cette rune, la plus grande jamais invoquée. D'une vingtaine de mètres de diamètre, elle parcourait le sol sur un grand cercle de métal, formant ainsi une prison.

Ce qui perturba le plus Tindarius, c'était le silence. Voir cette créature titanesque frapper contre la barrière magique sans que cela ne fasse aucun bruit, un effet non prévu du sort, était à la fois ironique et apaisant. Un Malachor, créature d'un autre monde, échoué sur terre à cause d'un mage plus fou que les autres, avait décimé des milliers de vies. Mais sa quête de massacres s'arrêterait aujourd'hui.

Pour combien de temps ? La question le fit frissonner. Arrivera-t-elle un jour à se libérer ? Il ne restait pas beaucoup de temps à Tindarius pour un dernier prodige. Il planta son épée dans le sol et commença une incantation, simple et courte. Le Malachor se mit alors à « couler » lentement, comme dans des sables mouvants, ce qui ne fit que décupler la colère de la créature, la transformant en frénésie. Ce ne fut que lorsque la dernière griffe du monstre disparut sous la surface que le dernier mage encore en vie sur la terre tomba à genoux, du sang coulant de ses lèvres, son nez et ses yeux.

Il ne fut jamais aussi serein qu'au moment où la mort vint le chercher.

Chapitre 1

Killian rasait les murs pour aller à son travail. « Trop de monde, trop de monde » n'arrêtait-il pas de se répéter à lui-même. La rue était bondée de piétons, chose normale à huit heures du matin en plein centre-ville de Marseille. Il prit une profonde inspiration et traversa la rue, « vite, dépêche-toi » pensa-t-il mentalement. Jamais il n'avait été aussi stressé, même lorsque sa femme avait donné naissance à ses filles. Il allait devoir trouver une solution, ou de l'aide.

Cela faisait maintenant huit mois que la magie était revenue dans le monde. Voir la déchéance de toutes les croyances et religions que cette apparition avait provoquées l'avait beaucoup amusé au début. Pour un athée comme lui, ce n'était que justice. Croire en une force supérieure, tiens donc ! Les gens n'avaient-ils pas des yeux pour regarder ce que l'être humain était devenu ? Ce qu'il infligeait aux autres ? Aux animaux et à la nature ? Ne voyait-il pas les guerres et les massacres successifs, bien souvent perpétrés au nom de divers « Dieux » depuis des siècles ?

Depuis huit mois, des hommes et des femmes, partout dans le monde, de tous les âges, de toutes les classes sociales, développaient des capacités bien particulières. Les différents pays, grâce à leur gouvernement, leur dictature et autre moyen de contrôle, tentèrent de garder l'information secrète. Mais cela devint rapidement incontrôlable, les réseaux sociaux étant le grand ennemi du secret absolu.

La deuxième action fut de regrouper ces êtres à part dans des centres spécialisés, mais là aussi, les pays du monde entier connurent l'échec. La raison principale fut que nous n'étions pas dans un film d'Xmen. Etudier des êtres capables de faire monter la température d'une pièce à 2000 degrés ou de faire pousser un chêne sous un lit peut refroidir un grand nombre de scientifiques. La première chose que le monde apprit sur ces nouveaux mages fut que, dans les premiers mois suivant l'apparition de leurs pouvoirs, ils avaient beaucoup de mal à contrôler leurs émotions et, par conséquent, leur magie, déclenchant ainsi catastrophe sur catastrophe.

Les premiers mages proposèrent une solution : créer des académies où les mages seraient isolés et d'où ils ne pourraient sortir qu'une fois leurs capacités contrôlées. Depuis, lorsqu'un humain « découvrait ses pouvoirs », il devait informer l'académie la plus proche de chez lui. Puis cette personne disparaissait... La plupart n'en ressortaient jamais et pour ceux qui avaient la chance de revoir la lumière du jour, ils quittaient leur vie précédente, travail, famille, pour se consacrer au développement de leur académie.

Et maintenant, Killian ne plaisantait plus. En se levant la veille, il avait vu une.... Une quoi ? Une petite fée qui se dandinait sur sa cuillère et, à priori, ni sa femme ni l'une de ses trois filles ne pouvaient la voir. Puis elle avait disparu. Depuis, il en voyait régulièrement, sur un lustre, sur sa télévision et même sur le guidon de sa moto, ce qui lui fit tellement peur qu'il préféra prendre le bus pour se rendre à sa boutique. Axelle, sa femme, lui avait conseillé d'aller travailler normalement, faire comme si rien ne s'était passé et lui avait promis qu'ils chercheraient une solution plus tard. Ce qui l'inquiétait, c'était sa fille ainée qui s'était enfermée dans un farouche mutisme depuis qu'elle avait compris. Il faudrait qu'il lui parle dès ce soir.

Sa boutique était dans une petite ruelle proche du Vieux-Port. C'était un héritage de sa famille. Le local n'était pas vraiment lumineux, mais très grand. A l'époque, c'était un entrepôt pour du textile, mais Killian avait toujours aimé les objets anciens ou inhabituels et, à la mort de ses parents, il décida de créer « l'Anti Standard ! ». La plupart de ses amis avaient semblé sceptiques sur la réussite d'un tel concept.

Mais très rapidement, l'affaire eut du succès et Killian développa une vraie clientèle de néophytes, toujours à la recherche de cadeaux loufoques, de décoration vintage ou atypique pour leur logement. Il adorait son travail, pensa-t-il lorsqu'il souleva la grille et pénétra à l'intérieur. Ce bazar qu'il connaissait par cœur. Il parcourut l'entrepôt avec amour ce matin, touchant des objets par ici et par là, laissant son esprit vagabonder.

C'est en rentrant dans l'allée principale qu'il la vit pour la première fois : ce n'était pas une fée, elle était plus grande, comme une fille d'une dizaine d'années, mais avec un corps de femme. Comme les fées, elle était enveloppée d'une aura bleutée, rendant son contour flou, et elle ne produisait aucun son. Elle le regardait fixement, mais Killian était pétrifié, il songea qu'il ne pourrait jamais s'y faire.

- Bonjour ? lui dit-il le plus faiblement possible pour se donner un peu de courage.

Elle pencha la tête sur le côté et lui sourit, puis elle se retourna doucement sans le quitter du regard et commença à marcher lentement dans l'entrepôt, s'arrêtant quelques mètres plus loin.

- Tu veux que je te suive ? lui demanda-t-il en commençant à avancer.

Elle sourit encore et lui fit signe que oui.

- Mais tu me comprends ? C'est super ! Ecoute, ne te vexe pas, mais j'adore ma vie et tout cela me perturbe énormément, tu ne pourrais pas faire ça ailleurs, ou choisir quelqu'un d'autre, vraiment, je ne veux pas tout perdre… s'il te plait.

La pression était tellement forte depuis vingt-quatre heures que cette toute petite phrase lui avait fait monter les larmes aux yeux.

L'apparition le regarda avec beaucoup de gentillesse, puis assez rapidement, se dirigea vers lui. Pour le coup, la panique l'envahit. Ce petit bout de femme éthérée se retrouva promptement à quelques centimètres de lui.

- OK, ne t'énerve pas.

Elle le regardait toujours gentiment et, sans prévenir, elle le prit dans ses bras. Killian se raidit de peur, mais rien d'autre ne se passa. Elle lui faisait un…câlin. Voilà, maintenant il faisait un câlin à une fée.

- Ça veut dire non, c'est ça ?

Elle leva la tête et lui fit un grand sourire.

- OK, dit-il d'un air résigné. Tu voulais me montrer quoi ?

Elle partit rapidement, elle ne marchait pas, mais elle virevoltait… elle avait l'air d'être de très bonne humeur et il faut bien admettre que cela était contagieux. Peut-être allait-il avoir des réponses ? Pourquoi lui ? Pourquoi maintenant ? Pourquoi de cette façon-là ? Il était apaisant de réfléchir à ça, de se demander s'il y avait une vraie raison pour que ce soit lui ou si cela était un pur hasard.

La fée s'arrêta devant un joli meuble en bois sur lequel étaient accrochées trois épées que Killian avait rachetées à un vieux monsieur l'an dernier. Deux n'étaient que des armes de décoration, factices, mais assez jolies. La dernière devait être une épée assez ancienne, certainement une épée de type claymore, longue, utilisable à deux mains ou une seule pour quelqu'un de vraiment bien bâti.

Elle posa l'un de ses bras spectral sur cette dernière épée, amoureusement, fixant Killian. Il comprit instinctivement qu'elle cherchait à lui faire passer un message et tout naturellement, il décrocha l'épée. Elle était lourde, sacrément lourde…

Il avait peu de connaissances sur le sujet, mais se dit qu'il fallait vraiment être un colosse pour manier une telle arme, même à deux mains. Si seulement elle pouvait faire trois ou quatre kilos de moins tout en restant aussi solide, elle aurait été particulièrement dangereuse. D'ailleurs, une poignée légèrement plus longue aussi afin d'améliorer l'équilibrage n'aurait pas été un luxe pour son porteur.

Bref, cette arme était particulièrement banale. Si la fée voulait lui faire passer un message, elle n'avait pas choisi un objet très éloquent. A moins que... son analyse changea, l'arme n'était pas si lourde finalement et la garde était assez longue. Il songea qu'il n'était pas de bonne humeur ce matin et qu'il fallait vraiment qu'il arrête de tout voir en noir.

Killian reposa l'épée sur son socle et se tourna vers la fée. Il s'apprêtait à lui dire quelque chose, mais il resta interloqué : la petite fille n'était plus aussi petite, elle était aussi mieux proportionnée, ses membres étaient plus fins, mais paraissaient plus musclés, elle se regardait d'un air très satisfait. Tout à coup elle se précipita sur lui pour lui faire un nouveau câlin.

- Ne me dis pas que c'est moi, ce n'est pas possible, je n'ai rien fait !

Elle leva la tête et lui fit encore son grand sourire. Visiblement, il était bien responsable de son changement.

Pendant qu'il était perdu dans ses pensées, le corps de la fée s'évapora doucement, créant un petit nuage de fumée bleue qui s'introduisit à l'intérieur de la lame de l'épée.

- Bonjour ?

Killian se retourna vivement. Il aperçut quelqu'un à l'entrée de la boutique, pourtant il n'avait pas entendu la clochette.

- Bonjour, soyez le bienvenu à *l'Anti Standard* ! En quoi puis-je vous aider ?

L'homme avait la quarantaine, il portait un costume sombre avec une chemise grise. Il avait une barbe courte et bien taillée, une paire de lunettes rectangulaires. Il affichait une assurance naturelle.

- C'est bientôt l'anniversaire de mon fils et je cherche quelque chose d'original. Il a emménagé il y a quelques semaines dans un studio, pas très loin et on m'a fortement conseillé cette...échoppe.

Echoppe ? Le nom sonna bizarrement aux oreilles de Killian et il décida de rester vigilant vis-à-vis de cet individu. Il y avait quelque chose chez lui qui le dérangeait et il comprit rapidement que cette impression était contagieuse ; la fée était à nouveau là, sur le meuble, mais dans une posture très agressive, féline même.

- Puis-je vous proposer cette partie-là du magasin, elle plait généralement beaucoup aux jeunes ?
- Bien sûr, je vous suis.

L'homme marchait d'un pas assuré et vif. C'était un homme de bonne taille et qui paraissait plutôt musclé. Killian le dépassait néanmoins d'une bonne dizaine de centimètres et devait avoir dix ans de moins, ce qui ne l'empêcha pas d'être anxieux durant tout le trajet jusqu'à la fameuse partie de la boutique, c'est-à-dire cinq secondes.

- Voilà, vous avez ici un large choix de lecteurs mp3 au design très vintage, des affiches de films version géante…
- Une vraie mine d'or, en effet.
- Je vous laisse regarder. Si vous avez des questions, n'hésitez pas, je me ferai un plaisir de vous aider.
- Pas la peine, je vais prendre ceci, c'est parfait.

L'homme désigna une chaine hifi en forme de « jukebox » des années 60, avec de beaux chromes.

- Très bon choix ! Je vous fais un paquet cadeau, j'en ai pour trois minutes.
- Pas la peine, je la prends comme ça, on ne s'embarrasse pas avec ces formalités dans ma famille.

L'homme eut un rictus très particulier, comme pour lui-même.

- Comme vous voulez.

Le client paya Killian et prit le carton sous le bras.

- Merci beaucoup, je n'hésiterai pas à revenir.
- Merci à vous et bon anniversaire à votre fils.

Il se retourna et se dirigea vers la sortie. Mais il s'arrêta après quelques mètres, son regard était fixé sur l'épée. Killian frémit, quelque chose n'allait pas, l'homme donnait l'impression d'être très concentré.

- Elle est superbe. Comment l'avez-vous eu ?
- Je l'ai acheté à un vieux monsieur, en fait il vendait les trois.

L'inconnu marcha vers l'arme ; la fée montra instinctivement les dents, comme un animal, mais cet individu ne la voyait pas, comme le reste du monde, excepté Killian. Il prit l'épée dans sa main.

- Mince… factice, pourtant de loin…et même de près, elle donne l'impression d'être d'époque, mais elle est trop légère. C'est de l'aluminium ?
- Je suis désolé, je n'en ai aucune idée.
- C'est bluffant…

L'homme dévisagea Killian longuement avant de reposer l'épée.

- Belle imitation, je vous souhaite une bonne journée.
- A vous aussi.

Puis il sortit et Killian resta un moment immobile, son regard fixé sur la sortie. La fée commença à s'évaporer pour rentrer dans l'épée et, elle non plus, elle ne quitta pas la porte des yeux durant tout le processus.

La journée continua normalement et vers 19h, Killian se prépara à fermer boutique. Une fois la caisse cachée, les allées rangées et un coup de balai passé devant la porte d'entrée, il prit ses clefs pour fermer le rideau métallique de l'entrepôt. Au moment de le baisser, il aperçut la fée, elle le regardait d'un air particulièrement triste. Killian fut mal à l'aise devant ce petit être :

- Un souci ?

La fée secoua vivement la tête de haut en bas.

- Tu ne veux pas… rester seule ?

Elle continua son assentiment, mais un grand sourire se dessina sur son visage. Killian réfléchit rapidement, personne ne pouvait la voir, donc la ramener chez lui ne poserait pas vraiment de soucis ? Et peut-être pourrait-il en apprendre plus sur elle ou ses capacités ?

- OK viens, mais pas de blagues ? reste discr…

Il n'eut pas le temps de finir sa phrase qu'un grand bruit éclata juste devant lui, le projetant par terre. Il lui fallut quelques secondes pour reprendre ses esprits. Il avait des morceaux de verre sur sa veste et un horrible mal de crâne.

Mais ce n'était rien comparé à sa poitrine : il avait une entaille près de son pectoral gauche qui remontait jusqu'à la naissance de son bras. Il regarda autour de lui. Personne. La ruelle était vide.

Il prit son temps pour se relever et fut rassuré de voir que sa veste en cuir avait amorti une grosse partie du choc. Il saignait, mais ça n'avait pas l'air trop profond. En revanche, son cœur s'arrêta lorsqu'il vit la devanture de sa boutique : l'épée était encastrée dans la vitrine, pointée vers lui. Heureusement que la garde avait stoppé l'arme, sinon elle l'aurait empalé.

La fée était à côté de l'arme, regardant Killian en se frappant la tempe avec l'index. Cela signifiait sûrement : « Tu es débile ou quoi ?! ». C'est lui qui avait fait ça : « ok viens » avait-il dit. Il commençait à comprendre. La fée et l'épée ne faisaient qu'un, a priori. Et il avait un certain contrôle dessus.

Il retira l'épée de la vitrine et l'enveloppa dans une couverture. Le retour à la maison fut encore plus stressant que sa journée. Il était dans un bus avec une épée d'un mètre vingt sur ses genoux. De plus, la fée était à côté de lui dans le bus, elle regardait partout, comme si c'était la première fois qu'elle voyait le monde.

Killian arriva chez lui dix minutes plus tard, il ouvrit le portillon de sa maison afin de remonter l'allée. Il était épuisé et avait très mal à l'épaule. Ce fut un vrai soulagement de franchir la porte d'entrée. « On est vraiment bien chez soi » pensa-t-il immédiatement.

Sauf que… quelque chose n'allait pas, pas de bonsoir, pas de petites filles, en particulier la plus jeune, Laurana, pour se jeter sur lui en criant « Papaaaaaaaa !».
Il avança prudemment dans le couloir menant au salon, il trouva Axelle, sa femme, sur le canapé avec ses filles, très calmes, personne ne parlait.

- Bonsoir chérie, ça va ?

Elle n'osa pas répondre et lui désigna simplement du regard l'opposé de la pièce. Il se tourna lentement pour regarder dans la même direction qu'elle : une créature se tenait à côté de la table à manger. Elle était plus grande que lui, atteignant les deux mètres, avec un corps assez fin. Elle faisait penser à … un insecte, un mélange de fourmis et de sauterelles. Elle lui glaça le sang.

La fée était de nouveau là, collée à lui, s'excitant comme une folle en lui désignant l'épée qu'il tenait toujours sous son bras dans la couverture. La créature ne bougea pas, elle le fixait, mais ne montrait aucun signe d'agressivité.

- Chérie, tu vas doucement sortir par la cuisine avec les filles, je vais essayer de distraire cette chose. Prends la voiture et va chez tes parents.

Il sortit avec précaution l'épée de la couverture. Il vit la surprise de sa femme et de ses enfants quand il brandit l'arme devant lui. La créature, elle, ne bougeait toujours pas, mais le regardait avec un nouvel intérêt, sans montrer le moindre signe de peur.

- Posez ça, Killian, et dites à cette chose de se calmer.

Killian sursauta en découvrant dans l'encadrement de la cuisine son premier client de la journée. L'homme était adossé à la porte et le regardait très calmement, puis son regard passa sur la fée. Il la voyait !

- Sincèrement Killian, posez ça. Mon démon ne va pas rester calme très longtemps, il se maitrise pour le moment, mais je ne voudrais pas qu'il fasse peur à vos enfants.
- C'est déjà le cas, répliqua Axelle terrorisée.

Killian baissa lentement son arme en se tournant vers l'homme.

- Faites sortir cette chose de chez moi.

L'homme regarda Killian, puis sa créature et lui fit un signe de tête. Elle disparut dans les ombres.

- Merci.
- De rien, mais nous devons parler. Serait-il possible d'avoir du thé ?

La question le prit au dépourvu.

- Qu'est-ce que vous faites chez moi ?!

Il s'aperçut à ce moment-là que tout le monde le regardait, sa femme avait des yeux ronds, ses filles aussi et l'inconnu sourit.

- Mon cher, vous avez un don pour transformer un doute en certitude.

Killian baissa lentement les yeux… son épée crépitait, des éclairs bleus dansaient sur la lame et la fée était dans le même état. De peur, il lâcha l'arme et elle redevint instantanément normale. Killian resta immobile, il était pétrifié.

- Asseyez-vous Killian, ma chère, puis-je insister pour une tasse de thé ? Vous devriez en faire pour vous aussi et mettez la télé pour les enfants afin que nous puissions discuter tranquillement.

Axelle se leva comme un robot et partit dans la cuisine. Killian alla embrasser ses enfants avec beaucoup de tendresse puis s'assit à table, le visage entre ses mains. Il entendit l'inconnu s'asseoir en face de lui. Sa femme revint quelques minutes plus tard avec un plateau, la bouilloire, trois tasses, du sucre et des cuillères.

- Earl Grey ? Ça vous ira ? La voix d'Axelle était méconnaissable. Killian ne savait pas si c'était la peur ou juste l'émotion.
- Parfait. Merci beaucoup.

Un lourd silence s'installa dans la pièce.

- La télé…pour les enfants, s'il vous plait.

Axelle alluma la télé. Killian releva la tête pendant qu'elle revenait s'asseoir à côté de lui et son visage se crispa, son épaule commençait à lui faire vraiment mal. L'inconnu s'en aperçut.

- Que s'est-il passé ? On vous a agressé ?

On pouvait clairement distinguer l'inquiétude dans sa voix.

- Non, un accident bête, c'est moi tout seul, avec cette épée.

Il désigna l'arme qui était restée par terre. L'homme enleva ses lunettes et regarda l'arme avec insistance, puis regarda Killian :

- Mon nom est Garance, je suis un recruteur de l'académie de magie de Lyon et j'ai détecté votre pouvoir hier. Je vous ai trouvé ce matin. J'ai préféré attendre ce soir pour vous parler librement afin de ne pas vous perturber et surtout pour que ma démarche soit la moins dangereuse pour vous comme pour votre famille.

- En amenant cette chose chez moi ? Killian regardait autour de lui en disant cela, s'attendant à voir le « démon » réapparaitre à tout moment.
- Cette chose s'appelle Mandibulum, mais appelez-la Mandy, c'est une fille.
- Alors c'est un....une...démon, démonette ?

Garance sourit :

- Oui, on peut dire ça. C'est mon démon, mon obédience est la démonologie.
- Votre obédience ?

Garance recula sur sa chaise et commença à se gratter la barbe. Axelle était silencieuse, mais attentive.

- Lorsqu'un mage découvre ses pouvoirs, on appelle cela une naissance dans notre jargon, et chaque naissance octroie à son mage une obédience, un type de magie si vous préférez.
- OK, donc vous c'est les démons, et moi, les fées ?

Garance regarda Killian, il prit son temps et prépara bien sa réponse. Il savait que sa prochaine phrase pouvait le faire échouer, il n'aimait pas ce passage.

- Moi ce ne sont pas les démons, c'est UN démon. Mandy est mon démon, ma magie passe par elle, nous ne faisons qu'un.
- Mais moi je vois des fées... pas une seule.
- Mon problème vient de là Killian, je ne connais pas votre obédience, c'est la première fois que je vois un mage faire ce que vous avez fait et je n'avais jamais vu ce type de créature avant, dit Garance en désignant du menton la fée qui était assise sur l'épée. En plus ce n'est pas une fée, elles sont généralement petites, méchantes et réelles c'est-à-dire qu'elles sont faites de matière. Cette créature n'est pas « matérielle », je la placerais plutôt dans la catégorie des esprits. Vous dites en voir plusieurs ?
- Oui, mais c'est la première qui reste avec moi, les autres disparaissaient rapidement et elles étaient plus petites.
- Très bien, nous verrons cela plus tard même si j'ai hâte d'en apprendre plus.

Garance se tût un moment. Killian sentit un malaise s'installer. Axelle lui prit tendrement la main, elle avait les yeux rouges, elle était à la limite de craquer...lorsque Garance reprit la parole :

- Killian, vous savez qu'il y a une procédure...
- Non ! Killian se leva brusquement, renversant sa chaise.

Axelle mit ses mains sur sa bouche et les larmes se mirent à couler.

- Killian, asseyez-vous, je ne souhaite pas vous faire de mal, surtout pas devant votre femme et vos enfants... nous faisons cela pour votre bien, votre sécurité.
- Ma sécurité ! Vous vous foutez de moi ? Et qui va subvenir aux besoins de ma famille si je disparais ?! Je n'en ai rien à foutre de votre académie !
- Votre sécurité, je m'en fous ! C'est de leur sécurité que je parle !

Garance montrait du doigt ses enfants. Ses trois filles les regardaient, apeurées, la télé n'avait pas couvert les hurlements de Killian.

- Vous pouvez leur mentir autant que vous voulez, mais pas à moi ! Votre épaule, ce n'est pas un accident.

Killian le dévisagea. Comment savait-il ? Il n'avait vu personne dans la ruelle.

- Vous êtes très pâle Killian.... Asseyez-vous, s'il vous plait. Voilà, calmez-vous. Maintenant, je vais vous dire ce qu'il s'est passé : vous avez utilisé votre magie. Et comme à chaque fois, pour chacun d'entre nous à nos débuts, vous n'avez rien contrôlé et quand je vois votre état, je me dis qu'on n'est pas passé bien loin de la catastrophe.

Killian resta silencieux, il sentait lui aussi venir les larmes. Garance se leva et se dirigea vers la fenêtre, il se mit à regarder la noirceur de la nuit.

- Vous savez pourquoi je suis devenu recruteur ?

Garance avait dit cela d'une voix tendue, Killian en eut froid dans le dos.

- Non...
- J'avais un fils, il aurait eu 18 ans dans quelques jours.

Le ton de sa voix annonçait clairement qu'il avait vécu un drame.

- Lorsque j'ai découvert mes pouvoirs, vous n'imaginez pas mon état. J'étais chômeur, avec une vie bien triste. Ma femme m'avait quitté depuis cinq ans, me laissant avec un garçon, adorable. Il était ma vie. Je vous laisse imaginer ma tête lorsque je découvris Mandy dans un coin de ma chambre un matin. (Il eut un petit rire) Sacré choc ! Elle me suivait partout alors que j'essayais de lui échapper. Mais elle me fit comprendre, par l'esprit, ce qu'elle était. Il me fallut deux jours pour pouvoir la regarder sans être terrorisé. En revanche, mon fils n'était pas dégouté, il trouvait Mandy... attachante. Et d'un côté, il avait raison, elle l'est.

Garance fit une pause, sa voix tremblait sur la dernière phrase.

- Un démoniste a le contrôle total sur son démon, il peut lui imposer ce qu'il veut. Cinq jours plus tard, nous étions dans ma chambre tous les trois et je m'aperçus que Mandy avait des ailes cachées dans son dos. Je lui ai demandé de me les montrer et elle a refusé, j'ai pris cela pour un caprice alors... je lui ai ordonné. Les ailes de Mandy sont dans une matière s'assimilant à une lame de rasoir et elles se déploient par deux tendons qui ont la puissance d'une balle de revolver. Chacune des extrémités de ses ailes a transpercé les murs de ma chambre. Mon fils était sur la trajectoire...

Garance se retourna, il avait le visage fermé, celui d'un homme qui n'avait plus de larmes à verser. Il regarda dans un coin de la pièce, Mandy était là, courbée, elle produisait un bourdonnement. Il reprit la parole :

- Mandy ne faisait pas un caprice, elle me disait simplement qu'elle ne devait pas le faire à côté de mon fils. A l'époque, je ne maitrisais pas du tout son langage mental.

Killian et Axelle restaient silencieux.

- Je suis recruteur pour éviter à qui que ce soit de vivre ça. J'y consacre désormais ma vie. Je ne veux pas vous faire venir de force. Je veux protéger votre famille. C'est temporaire, ne croyez pas les médias, vous les retrouverez. L'académie s'occupera du côté financier, votre femme percevra une somme équivalente à votre rémunération pendant votre absence.

Killian réussit à sortir de sa torpeur :

- Combien de temps ?
- Ça va dépendre de vous. Nous sommes au début de la naissance de la magie, chaque personne s'adapte à un rythme différent. Nous obligeons les mages à réussir une épreuve pour sortir à nouveau de l'académie.
- Une épreuve ? De quel genre ? interrogea Axelle.
- Je n'ai pas le droit d'en donner la nature. De plus, les pouvoirs de Killian me sont inconnus. C'est sans danger et rien ne l'empêchera de la passer plusieurs fois, c'est comme un examen. En cas d'échec, un nouvel essai est possible un mois plus tard.
- Vous l'avez passée ?
- Non, je fais partie des membres fondateurs des académies. Mais je suis en mesure de réussir l'épreuve sans problème aujourd'hui. Nous avons mis en place ce système afin d'avoir la certitude que les mages ne causeraient plus « accidentellement » des catastrophes.

Killian sentit que Garance lui cachait quelque chose

- Il y a des catastrophes qui ne sont donc pas accidentelles ?

- C'est un sujet que nous évoquerons à l'académie, mais...oui. Certains mages ne voient pas les choses comme nous. En voyant votre blessure, j'ai cru qu'on vous avait attaqué afin de vous empêcher de rejoindre une académie.
- Il y a donc des mages... méchants ? Il y a une guerre secrète entre vous ? demanda Killian d'une façon ironique.
- Je préfère le mot conflit.
- Et pourquoi n'aurais-je pas envie de les rejoindre, eux ?

Garance sourit, il y avait presque de la sympathie dans son regard :

- Les « Corporems » n'acceptent que les mages de leur obédience et ils ont comme idéologie principale... l'éradication des non-mages.

Killian ne sut quoi répondre.

- Nous parlerons de cela plus tard, Killian, il faut que nous y allions. Justement pour éviter qu'un Corporem vous détecte et fasse connaissance avec votre famille. Elle est une faiblesse pour vous, elle vous rend vulnérable.

Killian regarda Axelle et ses enfants. Il y avait donc des mages qui pourraient en vouloir à leur vie... Son regard se déplaça sur la fée ou quel que soit ce qu'était cette créature.

- Elle peut venir avec moi ?
- Je n'ai pas vraiment la possibilité de l'en empêcher. Je ne peux rien contre elle.
- Je suis obligé de prendre l'épée pour qu'elle puisse venir.
- Très bien, elle pourra peut-être apporter des réponses. Sincèrement, je n'ai aucune idée de ce qu'elle est.

Killian tendit les doigts et tenta mentalement de parler à l'épée. La fée sourit d'un air carnassier, et l'arme vola vers lui avec une précision remarquable, atterrissant de façon parfaite dans sa main.

- Remarquable...

Garance était comme médusé par ce qu'il venait de voir.

- Ce n'est que de la télékinésie, dit Axelle qui avait du mal à comprendre l'admiration que Garance montrait devant les capacités de son mari.
- Nous verrons cela à l'académie, mais je pense que c'est autre chose. Killian, allez préparer vos affaires, je vais vous attendre dehors, prenez votre temps.

Garance se dirigea vers la sortie, ouvrit la porte d'entrée, puis se retourna vers Axelle :

- Il reviendra ma chère, vous avez ma parole.

Chapitre 2

L'académie de Lyon se situait à moins de 10 kilomètres de la ville. L'état français avait le premier proposé son soutien aux mages. Il avait octroyé à ces derniers un immense terrain abandonné, sur lequel était située une ancienne usine désaffectée avec un hangar.

Killian n'avait pas eu le droit à une visite, il avait juste aperçu les bâtiments, ainsi qu'un arbre, de taille prodigieuse, à quelques dizaines de mètres du bâtiment principal. On aurait dit l'arbre de Tule mais en deux fois plus large. Quant à la hauteur, il mesurait le double, dépassant même l'ancienne cheminée de l'usine.

Garance le conduisit à l'intérieur du hangar qui avait été reconditionné en logements. Après quelques minutes, il arriva devant une série de petites portes en bois. Il y en avait cinq. Son guide s'arrêta devant la dernière :

- Voilà votre chambre. Installez vos affaires et détendez-vous. On va venir vous chercher pour vous présenter au Conseil. Cela risque d'être un peu long, il faut du temps pour les réunir. On risque de ne pas se revoir avant un moment, alors je vous souhaite bonne chance.
- Vous ne restez pas ?
- Non. Vous allez être assimilé à un groupe de jeunes mages. On s'est aperçu qu'on progressait plus facilement ensemble. Mais il vous faut d'abord rencontrer le Conseil, c'est une formalité. J'ai l'assurance que vous êtes un mage, mais peut-être que quelqu'un du Conseil saura quelle est votre obédience.
- OK, vous avez un dernier conseil ? Et comment je peux contacter ma femme ?

- Restez vous-même, ne cherchez pas à les impressionner. Ils vont l'être déjà assez comme ça. Pour votre femme, vous allez être coupé de votre ancienne vie pour un moment... On interdit aux élèves d'avoir des contacts avec les personnes en dehors de l'académie.
- Quoi ? Mais pourquoi ?!

Garance se plaça devant lui et le saisit par les épaules :

- Pour que vous vous focalisiez sur votre magie. Votre unique objectif doit être cela. Maitrisez-la, assimilez-la, passez l'épreuve le plus vite possible. Faites-en une obsession. C'est à cette condition que vous reverrez votre femme justement, alors autant en faire votre motivation principale.

Killian était silencieux. Garance ne sut s'il s'était contrarié ou s'il réfléchissait. Il le laissa ainsi. Dans ses pensées.

L'installation dans sa chambre ne lui prit pas bien longtemps. La pièce était composée d'un lit une place, d'une armoire et d'un bureau. C'était plutôt sommaire. Une porte donnait sur une petite salle de bain, la plus simpliste du monde.

- Eh bien, on ne peut pas dire que la déco soit leur fort à ces gens-là.
- Et encore vous n'avez pas vu les repas !

Killian se retourna d'un coup, mais ne vit personne.

- Qui est là ?

Il y eu quelques secondes de silence, pesantes.

- Regarde en haut, à gauche de ta fenêtre, la grille d'aération.

...

- Je suis votre voisin de chambre, je m'appelle René.
- Bonjour René, moi c'est Killian. Ça fait du bien de parler à quelqu'un, c'est oppressant comme endroit.
- On est bien d'accord. Vous venez d'être recruté ?
- Oui.
- Vous avez déjà vu l'un des maîtres ?
- Vous parlez du Conseil ? Non pas encore.

Il y eu un moment de silence puis René reprit la parole :

- Ils vont réunir le Conseil ? Pour vous ?
- A priori. Pourquoi est-ce une mauvaise chose ?
- Vous avez causé une grosse catastrophe ?
- Pas que je sache, mais il semblerait que mon obédience ne soit pas connue, je ne vois que cette raison.
- Une nouvelle obédience ? Tiens donc. Hé ! Ambre, tu as entendu ?

Killian entendit une nouvelle voix, mais de trop loin, il n'arrivait pas à comprendre ce qu'ils se disaient. Il remarqua néanmoins que la dénommée Ambre n'avait pas le droit au vouvoiement.

- Vous arrivez à faire quoi avec vos pouvoirs ?
- Je ne sais pas vraiment, j'espère que le Conseil pourra m'en dire plus.

Killian n'était pas très fier de ce mensonge, mais il n'était pas prêt à faire confiance à n'importe qui ici. Il procèderait par étape, la première étant de voir le Conseil.

La porte de sa chambre s'ouvrit, ce qui le fit sursauter. Une femme se tenait dans l'encadrement. Elle devait avoir la quarantaine, brune, d'une rare beauté.

- Bonjour, mon nom est Terra. Le Conseil est prêt à vous recevoir, veuillez me suivre, dit-elle avec un fort accent, espagnol ou portugais.
- Terra ?
- C'est mon nom de mage, une fois l'épreuve passée, tu devras t'en trouver un. Suis-moi et prends ton épée.

Elle partit sans lui laisser le temps de répondre. Killian la suivit pendant de longues minutes. Ils traversèrent le hangar et rentrèrent dans le bâtiment principal de l'usine. Ils montèrent au sixième et dernier étage.

Elle le fit entrer dans une pièce, très éclairée. Il y avait de grandes fenêtres sur sa droite. Une chaise était placée au centre de la pièce, face à des tables disposées en « U ». Sept personnes, hommes et femmes, le regardaient. Terra se joignit à eux, formant ainsi le Conseil. Killian se plaça au centre de la pièce, mais ne s'assit pas.

- Bonjour Killian.

Celui qui venait de parler était un vieillard d'au moins quatre-vingts ans. Il n'avait plus de cheveux et il ne portait qu'une grande robe de prêtre, blanche.

- Bonjour.

Killian aurait dû être intimidé. Mais il préféra suivre le conseil de Garance. Se focaliser sur la réussite de l'épreuve et pour cela, il lui fallait des réponses.

- Ton recruteur nous a fait part de ton cas. Il semblerait que ton obédience lui soit inconnue. Pourrais-tu nous faire une démonstration mon garçon ?

Killian trouva cet homme agréable, franc et direct. Et il ne décela aucune arrogance dans ses propos. Il le regardait avec de grands yeux bleus qui dégageaient plus de sympathie que tous les autres réunis.

- Je vais faire ce que je peux, je ne sais pas exactement comment ça fonctionne.

- Prends ton temps, fais le vide et ne cherche pas du grandiose. Laisse juste la magie s'échapper de toi.

Killian réfléchit quelques instants avant de regarder l'épée qu'il tenait dans sa main. Il aurait aimé que le spectre ou la fée, bref peu importe son nom, apparaisse. Comme par magie, ce qui le fit sourire, l'être en question apparut, sortant de l'épée. La réaction fut instantanée, l'ensemble du Conseil se figea.

- Qu'est-ce que cela ? dit le vieil homme qui semblait subjugué. Un fantôme ? Un spectre ?
- Elle est en fait… l'épée. J'ai, sans faire exprès, changé le poids et la taille de l'arme. Son apparence a changé en même temps. J'en ai conclu qu'elle était une sorte de représentation de l'esprit de l'objet…
- Je suis assez d'accord avec tes conclusions. Tu dis avoir un pouvoir sur la matière en elle-même ?
- Je ne maitrise pas vraiment le phénomène. Mais je vais essayer de vous montrer.
- Nous te regardons. Mais une fois de plus, ne cherche pas l'incroyable, ne prends pas de risque.

Killian se concentra, il essaya de visualiser l'arme dans sa tête. Il s'était déjà fait la réflexion que la lame était émoussée. Lui rendre un coup de jeune n'aurait pas été un luxe. Mais ceci aurait un effet visuel plutôt limité. Il décida de tenter de changer la poignée ainsi que la garde de l'arme, créant une tête de dragon au bout de l'arme et des ailes de dragon au-dessus de sa main.

La fée se crispa. De petits éclairs la parcoururent et quand ce fut fini, elle avait une belle paire d'ailes dans le dos ainsi qu'un visage plus reptilien. Killian baissa son regard sur l'épée. Elle était parfaite. Exactement comme dans son esprit. Il fut envahi par un vague sentiment de fierté, il semblait contrôler assez bien ses nouveaux pouvoirs finalement. En revanche, la tête lui tourna légèrement et l'un des mages s'en aperçut.

Ce dernier était grand, très maigre, des yeux petits et sombres rappelant ceux des vautours et sa tête était disproportionnée par rapport au reste de son corps.

- Assieds-toi, tu es victime d'un retour de sort.

Il ne se fit pas prier, l'effet était très désagréable. Il avait la nausée et il se sentait très faible. Il se concentra sur la conversation qui venait de naitre entre les membres du Conseil.

- C'est sans précédent. Il est évident que nous devons le garder ici. Vérifier si sa magie fonctionne comme la nôtre et lui faire passer l'épreuve si c'est le cas, dit le vieillard avec bienveillance.
- Sa magie est différente, il n'a pas eu besoin de se concentrer ou de parler pour lancer son sort. C'est surprenant, intervint Terra.
- Balivernes, il est comme nous. Regarde le retour de sort. Il s'est précipité et voilà le résultat.

Celui qui venait de parler était un homme aux cheveux roux, d'une carrure impressionnante, avec une énorme barbe, il était torse nu avec un immense tatouage de lance-flamme sur ses deux bras.

- Pour une fois, je suis d'accord avec toi Braise, ajouta le vieil homme. En revanche, il est doué. Etre capable de faire cela aussi vite… ton recruteur a fait mention d'autre chose. Tu pourrais faire cela avec d'autres objets ?

Killian releva la tête, il était pâle et la nausée ne voulait pas le quitter.

- Je pense que oui, mais cette épée a montré le désir de rester avec moi. J'ai pensé qu'en la gardant, j'obtiendrais peut-être des réponses.

Personne ne répondit. Il s'aperçut que tout le monde le fixait. Ils avaient tous une tête bizarre. Alors que lui se sentait mieux. C'est alors qu'il vit les deux mains spectrales de l'esprit de l'arme. Elles lui massaient le crâne, avec beaucoup de douceur. Il ne sentait absolument rien, excepté un engourdissement au niveau du visage. La sensation était très agréable, la nausée était partie. Lorsque son état s'était dégradé, il avait surpris la grande asperge rouler des yeux avant de dire au Conseil pour le retour de sort. Killian vit qu'il était dans le même état, il prit la parole :

- Elle l'a guéri ! Elle a annulé le retour de sort ?

Au moment où il finissait sa phrase, l'esprit tomba à genoux, fit un petit sourire à Killian et se dématérialisa pour rentrer dans l'épée. Ce dernier fut mal à l'aise. L'esprit était très pâle, presque blanc avant de se dématérialiser. Il n'avait pas eu envie de lui faire du mal.

- Ça suffit mon garçon. On va te reconduire à ta chambre et à partir de demain, tu commenceras ton entrainement avec le groupe. Tu ne me parais pas dangereux. Bienvenue parmi nous.
- Attends Lumio ! Il faut que nous comprenions ce qui vient de se passer. Un mage capable de soulager les retours de sort c'est … incroyable. Il faut que j'étudie cela au plus vite, je propose qu'on me l'envoie dès demain…
- J'ai dit ça suffit !

Killian sursauta. Il n'aurait jamais pensé que le vieux mage avait la capacité de hurler de cette façon. Il lui sembla même que la lumière de la pièce s'était intensifiée lorsqu'il avait crié.

- Nous avons créé cette académie pour arrêter d'être des rats de laboratoire ! Ce n'est pas pour recommencer ici. On vient déjà de l'arracher à sa famille et même si c'est pour son bien, je n'en éprouve aucun plaisir. Je ne tiens pas à enfermer les mages plus que nécessaires. C'est déjà bien assez compliqué comme ça. Ai-je été clair ?

L'asperge répondit par l'affirmative, mais il transpirait la peur. Les autres mages ne bronchèrent pas et Terra prit la parole :

- C'est moi l'instructeur demain normalement. Vu le cas atypique, peut-être devrais-tu prendre ma place Lumio ?
- Non, j'ai rendez-vous avec notre cher gouvernement. Je te fais confiance. Killian, nous allons vous raccompagner dans votre chambre. Profitez-en pour bien vous reposer. Demain sera certainement une journée difficile. Vous avez connu votre premier retour de sort et j'ai bien peur que ce ne soit ni le dernier ni le plus violent de la longue série qui vous attend.

Killian se ressaisit, prit son courage à deux mains avant de répondre :

- Pardonnez-moi, mais… j'ai aussi beaucoup de questions.
- Demain. Nous avons le temps. Terra pourra répondre à toutes tes questions. Sois patient, c'est un trait de caractère que tu devras développer si tu veux passer l'épreuve.

Killian sortit de la pièce accompagné de Terra. Le retour jusqu' à sa chambre promettait d'être particulièrement silencieux. Ce qui ne lui convenait pas :

- Je suis désolé d'avoir créé une dispute entre vous.
- Ne le sois pas. Cela faisait un moment qu'on se disputait. Tu ne pouvais juste pas nous entendre.
- Vous délibériez mentalement ? Je n'ai donc pas assisté à toute la discussion ?
- Non.

Vraisemblablement, elle n'en dirait pas plus sur le sujet.

- Vous étiez huit. Est-ce en rapport avec les obédiences ?
- Oui.
- Il y en a donc huit ?
- Non.
- Il y en a combien ?
- A priori neuf. Avec toi.

Killian se maudit d'être aussi stupide. En effet, il y avait désormais neuf obédiences avec la sienne. Peut-être qu'il siègerait un jour au Conseil puisqu'il était le seul de son ordre ?

- A part la mienne, quelles sont les différentes obédiences ?
- Il y a quatre obédiences élémentaires : le feu, l'air, l'eau et la terre. Cela représente environ cinquante pour cent des mages existants. Il y a ensuite les démonistes, comme ton recruteur, les mages blancs de la lumière, les Mentalus, celui qui voulait t'étudier et les Corporem.
- Aucun mage n'a réussi à développer deux obédiences ?

Terra s'arrêta et se retourna :

- Pourquoi faire ?
- Je ne sais pas, pour développer deux types de magie...ne pas être limité par une seule.

Elle le regarda fixement pendant de longues secondes avant de répondre :

- Ta question est perturbante. Personne ne se l'est jamais posée. On vit pour notre obédience. Je suis une mage de la terre et je n'aurais aucune envie d'apprendre à utiliser une autre forme de magie. C'est mon élément.

Elle reprit la marche. Mais Killian avait touché une corde sensible. Il garderait cela pour plus tard. C'est à ce moment-là qu'ils arrivèrent devant la porte de sa chambre.

- Je vous laisse ici Killian. Ecoutez Lumio et reposez-vous. Demain nous commencerons votre entrainement afin de vous familiariser avec la magie. Même si, d'après ce que j'ai vu, vous avez de bonnes prédispositions naturelles. Ce qui n'est pas vraiment le cas de votre groupe...
- C'est-à-dire ?
- Disons qu'à ce rythme-là, ils ne sont pas près de nous quitter.

Elle lui fit un sourire forcé, lui tourna le dos et partit comme elle était venue. Killian se retrouva à nouveau seul. Il posa délicatement son épée sur son bureau.

- Elle est toujours aussi aimable à ce que je vois. Alors vous avez survécu ?

C'était la voix de René.

- Il semblerait. Je dois commencer l'entrainement avec un groupe à partir de demain pour passer l'épreuve, si mon obédience le permet.
- Bon courage alors. Le groupe dont vous parlez : c'est nous.
- Vous ?
- Nous sommes quatre. On se présentera demain. On a beaucoup de mal avec notre magie. Peut-être qu'avec un membre en plus, on va s'améliorer.
- Cela fait longtemps que vous êtes ici ?

- Moi ? Non pas vraiment. Dix jours. Ambre est là depuis presque un mois. Elle est arrivée presque en même temps que Jacques. La petite est là depuis plus longtemps, mais je ne sais pas combien de temps exactement.
- La petite ?
- On ne connait pas son prénom, elle ne veut pas parler. Elle refuse aussi de s'entrainer. Je pense qu'elle veut rester ici. Un peu comme nous tous d'ailleurs…
- Vous ne voulez pas rentrer chez vous ?
- Je laisserai les autres vous raconter leur histoire. Pour ma part, j'étais prêtre. L'Église catholique nous a clairement reconnus comme des monstres. Il y a deux siècles, on m'aurait jeté sur le bûcher. Je ne suis plus autorisé à exercer ni à rentrer dans une église.
- J'imagine le choc. Vous n'avez jamais pensé que vos pouvoirs étaient l'œuvre de Dieu ?
- Je me pose encore la question. Nous avons attendu pendant des décennies un signe concret de Dieu. Quelque chose défiant les lois de la nature, qui imposerait aux hommes la foi divine. Maintenant que c'est là…je ne sais pas. Je n'ai pas le sentiment, en mon for intérieur que…
- Qu'IL est responsable de tout ceci.
- En effet.
- Dois-je vous appeler « mon père » ?

Killian avait essayé de ne pas dire cela d'un ton sarcastique. Mais il se dit qu'il n'avait pas vraiment réussi.

- Non. J'ai été banni de l'ordre. Maintenant je suis René, mage de lumière.
- Hé bien René, on va essayer de savoir ce qui nous arrive. Ne vous vexez pas, mais j'ai très envie de retrouver mon ancienne vie. Donc dès demain, en ce qui me concerne, c'est entrainement intensif.
- Ça veut dire que demain, on ne va pas vous voir longtemps.
- Pourquoi dites-vous cela ?
- Vous verrez demain. Juste un conseil. Ne forcez pas trop. Il y a ce qu'on appelle les retours de sort. Ça peut vous clouer au lit plusieurs heures.
- J'en ai eu un en effet tout à l'heure devant le Conseil. Je dois bien admettre que c'est très désagréable.
- Il devait être léger. Sinon vous ne seriez pas là à me parler. Vous devriez vous reposer pour être en forme demain.
- OK. Merci René, c'est ce que je vais faire. Alors on se voit demain ?

- A demain.

Killian s'en voulait un peu d'avoir encore menti à René. Mais le Conseil lui-même avait eu l'air très surpris de son rétablissement après le retour de sort. Il laissa passer quelques minutes, puis il sortit un gros pull de sa valise pour le coincer dans la bouche d'aération. Il se retourna et regarda en silence l'épée. Instantanément, l'esprit apparut.

- Salut ma grande, dit Killian en chuchotant. Tu as l'air d'aller mieux ?

Elle lui sourit et lui fit signe que oui.

- Merci pour tout à l'heure. Grâce à toi, ils ne m'ont pas gardé longtemps. Merci aussi pour le retour de sort, tu n'avais pas du tout l'air bien après.

Elle balaya la remarque de la main. Comme si ce n'était rien pour elle.

- Dis-moi, es-tu l'épée ? Son esprit ?

Elle acquiesça.

- Ça, c'est un bon début. Est-ce que chaque objet a un esprit comme toi ?

Encore oui. Killian réfléchit un instant et se concentra sur le bureau en bois sur lequel était posée l'épée. Rien ne se produisit. Il s'assit sur la chaise, un peu désespéré et porta son regard sur le tiroir du meuble. Un petit esprit sorti de la poignée...en fer.

- Salut toi...

Le petit esprit le regardait et lui fit un grand sourire. Killian se tourna vers celui de l'épée qui le regardait en applaudissant.

- Merci, mais j'ai un bon professeur, lui dit-il en lui faisant un clin d'œil.

Elle lui fit une révérence en souriant.

- Je sens que la nuit va être longue...

Chapitre 3

Toc toc toc...

Killian fut réveillé, il faisait jour dehors.

- Hé le nouveau, tu n'es pas venu pour faire la grasse matinée !

Il ne connaissait pas cette voix. Il regarda l'épée, l'esprit apparut aussitôt sous la forme d'un dragon de la taille d'un chien. Il sourit.

- Bon alors ? Y a quelqu'un ?

Mais à qui était cette voix ?

- Oui, je suis là. C'est qui ?
- Je m'appelle Jacques, on va prendre le petit déjeuner. Tu nous rejoins ? C'est au fond à droite. Dépêche.
- Oui, j'arrive.
- OK.

Il entendit l'homme s'éloigner. Il devait être monstrueux pour faire autant de bruit en marchant. Il se prépara rapidement et observa sa chambre. Il avait quasiment tout modifié. Son petit lit en fer était désormais truffé d'ornement. C'était la même chose pour sa poignée de porte, les robinets de la salle de bain.

Mais le plus incroyable était l'épée. L'arme était devenue... majestueuse. Grande, fine, légère, mais très solide avec une lame très travaillée. L'esprit était couché dessus, il n'avait plus l'apparence d'une petite fille, mais d'un dragon. Ce dernier se leva et se dirigea vers la porte.

- Toi, tu as envie de venir avec moi, dit-il en souriant.

La créature secoua vivement la tête de haut en bas.

- Ne t'inquiète pas ma belle. Tu ne me quittes pas d'une semelle. L'autre tordu serait capable de venir te voler pour t'étudier. Au fait, j'ai pensé te donner un nom, ça te dérange ?

Elle pencha la tête sur le côté

- Fangore ? Ça te va ?

Elle s'approcha doucement de lui, il se mit à genoux.

- Si ça ne te convient pas, on peut en trouver un autre, il y a aussi...

Killian se tut. Elle venait de frotter sa tête contre son torse. Elle finit par la caler contre son cou. Killian ne sentait rien physiquement. Mais il se dégageait de ce geste une grande tendresse.

- OK ma belle. Content que ça te plaise.

Ils sortirent tous les deux, traversèrent le couloir pour atteindre le réfectoire. La pièce était immense, elle devait faire un bon quart du hangar. Il y avait des tables et des chaises pour au moins deux-cents personnes.

En revanche, Killian ne compta qu'une trentaine d'individus installés. Par petits groupes de quatre, cinq ou six. Tout le monde le dévisageait, ou plutôt dévisageait Fangore. Un homme se leva d'une des tables pour se diriger vers lui. Il était immense, sa peau était noire, mais il avait des tatouages blancs qui dépassaient de sa chemise au niveau du torse. Il était chauve, ce qui accentuait le côté molosse du personnage. Il devait avoir la trentaine, comme lui-même.

- Bah alors, t'as du sang de marmotte ! Tu dois être Killian ? Le nouveau ?
- La nuit a été courte et oui c'est moi.
- Bienvenue à la grande académie de magie ! dit Jacques en levant les bras comme s'il présentait la tour Eiffel. Bon ce n'est pas si grandiose que ça, je te l'accorde. Allez, suis moi, mais avant que je te présente, tu peux me dire pourquoi y a un bébé dragon fantôme qui te suit ?

Killian aima instinctivement le personnage, il était enjoué. Ce qui manquait clairement dans l'ambiance générale de la salle.

- Elle vit dans mon épée. Elle s'appelle Fangore, répondit-il en lui montrant l'arme.
- La vache ! Elle est superbe ! Tu l'as trouvée où ? J'en n'ai jamais vu des comme ça ... Bon j'arrête sinon j'en ai pour la journée avec mes questions, viens !

Ils marchèrent droit sur une table où étaient assis trois individus. Il y avait un homme d'une cinquantaine d'années, aux cheveux blancs et avec une barbe bien taillée. Il portait une paire de lunettes sur le bout du nez et lisait un livre.

Juste à côté, il y avait une jeune fille d'environ vingt-cinq ans, elle avait les cheveux rouges et un piercing sur le nez. Le plus choquant était sa tenue, un soutien-gorge et un short en cuir rouge. Elle était pieds nus.

La troisième personne était une petite fille. Elle lui fit tout de suite penser à Laurana, sa plus jeune fille, elle devait avoir sept ou huit ans. Elle était brune avec plein de fleurs dans les cheveux. Elle avait les yeux vert émeraude. Son attitude montrait clairement qu'elle ne voulait pas manger malgré l'insistance de celle qui devait sûrement s'appeler Ambre.

- Bonjour. Je m'appelle Killian.

Les trois personnages le regardèrent, ainsi que Fangore. L'homme l'observa avec sympathie :

- Bonjour Killian, c'est quand même plus sympa de se parler face à face non ?
- Je suis bien d'accord René. Et, Je suppose que tu es Ambre ?
- En effet. C'est quoi ça ?

Elle désigna Fangore qui venait de monter sur un banc pour s'asseoir à côté de la petite fille qui lui fit un grand sourire.

- C'est mon épée. Du moins son esprit.
- Alors c'est vrai ? Tu as une nouvelle obédience ?
- Vu comment tout le monde me regarde, je pense qu'on peut dire ça.

En effet, l'ensemble de la salle le fixait, et les messes basses allaient bon train. Killian s'assit à côté de Fangore qui essayait d'attraper un doigt de la petite fille. Le jeu avait l'air de beaucoup lui plaire. Killian fit une tentative d'approche avec elle :

- Elle s'appelle Fangore, et toi comment tu t'appelles... ?

Jacques allait intervenir lorsque...

- Emilie.

Ambre faillit lâcher sa tasse de café et René ferma tout doucement son livre sans arriver à fermer sa bouche.

- A peine arrivé et déjà il nous pond un miracle, dit Jacques en riant bien fort.

Ils regardèrent Emilie jouer avec Fangore pendant quelques instants. Killian aima instinctivement ce groupe. Ils avaient tous des caractères bien différents, mais Fangore s'était immédiatement sentie à l'aise, et lui aussi. Il sentit comme une vraie cohésion entre eux. Il avait envie d'en faire partie.

- Il y a du café ?

René lui répondit sans s'arrêter de regarder Emilie :

- Oui, il y a un distributeur de boissons chaudes, là-bas. Il y a aussi des viennoiseries.

Killian partit se servir en laissant l'épée sur la table. Lorsqu'il revint, Jacques l'examinait :

- Je peux la prendre ?

Fangore dressa l'oreille, observant Jacques. Mais elle ne bougea pas.

- Ça n'a pas l'air de la déranger. Mais fais attention... je l'ai aiguisée.

Jacques prit l'épée, la surprise était visible dans ses yeux.

- Elle est super légère ? C'est quoi comme métal ? Elle parait très solide alors qu'elle ne pèse presque rien. Elle est en carbone ?
- Non, j'ai altéré la matière pour la rendre plus légère, mais aussi plus solide. Je n'ai pas réussi ne serait-ce qu'à rayer la lame depuis.
- Ah bon ? Tu permets ? Jacques s'adressait à Fangore.

Elle lui fit signe que oui puis alla se placer à côté de Killian. Il banda les muscles, une main sur la lame et l'autre sur la garde afin de tenter de tordre la lame. Sans succès. Néanmoins lorsqu' il rendit l'arme à son propriétaire, il avait la main droite en sang.

- Mince, je t'avais dit de faire attention, la vache. C'est profond.
- T'inquiète. Jacques avait dit cela en lui faisant un clin d'œil.

Il se concentra quelques secondes et quand il rouvrit la main, celle-ci n'avait déjà plus rien.

- On a tous nos petits secrets hein ?
- Tu fais ça comment ?

Killian était en admiration.

- Je suis un Corporem. Mon obédience, c'est mon corps. Je peux me provoquer des mutations et me guérir.

Killian recula d'un pas, assurant sa prise sur son arme.

- Du calme. René venait de se placer à côté de lui. Jacques n'est pas un Corporem en conflit avec l'académie.
- Ha, désolé. On ne m'a pas précisé qu'il y avait de bons corporems. Je te demande pardon.
- Pas de soucis, sache juste qu'il n'y a pas de mauvais corporems. Beaucoup des miens n'ont pas rejoint les académies car les mages de mon obédience ont servi pour des expériences. Les « libérés » en veulent beaucoup aux humains. Un grand nombre d'entre nous pense qu'il y a encore des corporems emprisonnés.
- Pourquoi as-tu préféré rejoindre une académie ?

- La plupart des nouveaux corporems le font. Je n'ai pas été enfermé ou soumis à des tests. Je n'ai pas leur haine et je ne les considère pas spécialement comme des frères. C'est tous ensemble qu'on fera avancer les choses. J'en ai la conviction.
- On a décidément beaucoup de choses à apprendre les uns des autres.

Tous se turent en voyant Terra avancer vers eux.

- Bonjour, tout le monde est prêt ?
- Oui m'dame, répondit Jacques. C'est toujours un plaisir de te voir.

Elle ne releva pas. Ambre se dirigea vers la sortie sans dire un mot.

- Le petit dragon peut venir avec nous ?

Emilie venait de poser la question tout naturellement, prenant Terra au dépourvu.

- Mais tu parles ?! s'exclama-t-elle en regardant René. C'est nouveau ?
- Il semblerait que l'arrivée de Killian, mais surtout de Fangore ait eu un effet bénéfique sur Emilie.
- Tu t'appelles Emilie alors ? Qui est Fangore ?

Se sentant concernée, elle sauta sur la table. Ne causant aucun bruit, mais imposant sa présence. Terra regarda en direction de Killian :

- C'est toi qui as fait ça ?
- Oui, c'est le même esprit qu'hier, je l'ai juste modifié cette nuit.

Elle porta instinctivement son regard sur l'épée. Killian n'arriva pas à définir l'expression de son visage, mais pour lui, il n'y avait rien de positif.

- Nous verrons cela plus tard.

Elle se tourna et partit dans la même direction qu'Ambre.

- Tu viens tout juste de nous rejoindre et tu as déjà réussi à faire parler Emilie et à agacer Terra. Je vais t'adorer toi.

Jacques emboita le pas à la jeune femme avec sa bonne humeur habituelle, suivi d'Emilie et René. Ce dernier avait du mal à ne pas rire.

Ils se retrouvèrent tous dehors, dans un grand champ au sud de l'usine. Terra les regroupa pour leur parler :

- Bien. On fait comme d'habitude. Je vais rester un moment avec Killian. Il doit avoir beaucoup de questions et comme vous le savez, les premiers jours sont perturbants quand on arrive à l'académie.

Ambre ne dit pas un mot et alla s'asseoir dans l'herbe une vingtaine de mètres plus loin. Sa tenue légère marquait ses formes qui étaient quasi parfaites.

- Elle n'a pas froid ? Il doit faire même pas dix degrés ?

Killian avait dit cela tout en la fixant pendant qu'elle s'éloignait.

- C'est une mage du feu. Je ne te conseille pas de t'y frotter, elle est trop chaude pour toi, dit Jacques en s'esclaffant tout en s'éloignant.

René et Emilie étaient déjà installés. Ils formaient un cercle d'une trentaine de mètres de diamètre autour de Killian et Terra.

Ambre s'était assise par terre et regardait le soleil. René était assis en tailleur. Emilie jouait avec Fangore et Jacques regardait ses mains comme s'il ne les avait jamais vues.

- Killian, reculez un peu s'il vous plait.

Terra avait dit cela avec beaucoup de sérieux, sortant Killian de ses réflexions. Ce dernier recula de deux bons mètres. Il vit Terra fermer les yeux. Elle se mit à genoux, les paumes des mains sur le sol. Au bout de quelques secondes, une déflagration d'énergie sortit du corps de Terra, faisant reculer légèrement Killian, puis elle cria :

- Barrière de pierre !

Juste derrière Jacques, la terre se souleva sur trois bons mètres. La vague continua, formant un cercle qui passa derrière Ambre, René, Emilie et à nouveau derrière Jacques. Terra venait de les enfermer. Elle se releva doucement, mais Killian ne vit aucun retour de sort sur elle ou le moindre signe de fatigue.

- Impressionnant, souffla-t-il.
- As-tu senti une vague d'énergie juste avant que je lance le sort ? Comme une onde de choc ?
- Oui, c'était quoi ?
- On appelle cela un cercle de puissance. Plus ton sort sera puissant, plus tu devras en produire. L'épreuve est basée là-dessus. Tu dois réussir à contrôler un sort du premier cercle, sans avoir de retour de sort.
- C'est tout ?
- Crois-moi, ce n'est pas aussi facile que tu l'imagines.

Elle leva les bras, la barrière de pierre rentra dans le sol. Dégageant un grand nuage de poussière.

- Les mages les plus puissants maitrisent des sorts du troisième cercle. Certains sont morts en voulant dépasser ce stade, on en a conclu que c'était le maximum. Le retour de sort est proportionnel à la magie dépensée. Pour le premier cercle, c'est l'évanouissement. Au deuxième cercle, on a constaté des dégâts internes, parfois bénins, parfois assez graves. Le troisième a toujours été la mort. Souviens-toi de cela.
- OK...

Killian venait de subir une douche froide, il y avait donc des mages qui étaient morts en utilisant leur magie.

- Il y a un autre danger qui guette un mage : la Furia.
- La Furia ?
- C'est une maladie. Du moins un état dans lequel un mage peut se retrouver s'il perd le contrôle. Reste toujours calme et ne laisse pas tes émotions avoir le dessus. Si tu es atteint par la Furia, tu mourras et tu tueras beaucoup de monde avant. Tu n'arriveras pas à te contrôler. On devra t'abattre.
- Comment reconnait-on quelqu'un atteint de Furia ?
- Tu le sauras. Par son comportement dans un premier temps. Il ne cherchera qu'à tuer toute forme de vie. Ensuite, il y a un seul signe physique. Les yeux, ils brillent car ils sont remplis de magie.
- Très bien… la magie est bien plus dangereuse que ce à quoi je m'attendais.
- On est tous passés par là. C'est pour cela que je n'ai pas apprécié que tu exerces la magie seul cette nuit. Tu as pris des risques. Tu n'as pas eu de retour de sort ?
- Non, aucun.
- Très bien. C'est un bon début. As-tu d'autres questions ?

Killian réfléchit quelques secondes.

- deux. C'est quoi cet arbre ? Et faut-il toujours parler pour lancer un sort ?

Il désigna l'immense végétal à côté de l'usine.

- C'est… ma création. Un lieu pour tous les mages de la terre comme moi. Je vis dans cet arbre.
- Il est…magnifique.
- La magie peut être création. Mais elle peut aussi être destruction. Il faudra que tu choisisses ta voie. Pour ce qui est de parler, ce n'est pas une obligation. Mais pour certains d'entre nous, cela nous aide à nous concentrer. Je te laisse avec ton groupe. Je ne serai pas loin. Prends ton temps. Ne brûle pas les étapes.

Elle lui sourit. Pas comme d'habitude. Il y avait de la chaleur et de la sincérité.

- Très bien.

Quand Terra fut partie, Killian se sentit un peu perdu. Par où commencer ? L'objectif était donc de maitriser un sort du premier cercle. Mais comment en créer un ? A priori, ces derniers occasionnaient des retours de sort. Donc il lui fallait apporter de grosses modifications à un objet ? C'est en faisant cela qu'il s'était senti mal devant le Conseil. Jacques le fit sortir de ses pensées :

- Alors ? On commence par quoi les gars ? Je m'ennuie là !
- Transforme-toi en chien et je t'enverrai un bâton, lui répondit Ambre en souriant de toutes ses dents.
- Chiche !

Killian le vit se concentrer, puis crier :

- Transformation en chien !

La suite n'eut pas du tout l'effet escompté. Les jambes de Jacques se dérobèrent sous lui pour faire place à deux pattes de chien, mais de deux races différentes. Pour le reste de son corps, rien ne changea et pour finir, il se mit à vomir.

Tout le monde se mit à courir vers lui. Ambre arriva la première avec un bâton à la main :

- Si je te le lance, tu vas le chercher à deux, ou quatre pattes ?

Jaques ne put répondre que par un gros aboiement.

- Excellent ! Au moins tu vas arrêter avec tes blagues pendant un moment.
- Laisse-le, Ambre.

René venait d'arriver avec les autres, il posa la tête de Jacques sur ses genoux.

- Allez mon grand, il faut te retransformer. Plus tu vas attendre, plus ça sera dur, ne laisse pas le temps à ton corps de modifier tes gènes.

Jacques fit signe que non de la tête, il avait l'air de souffrir le martyre. Killian regarda Emilie, elle pleurait. Même Ambre avait arrêté de rire.

- Allez Jacques déconne pas, pense à la dernière fois ! s'écrira-t-elle.
- Il s'est passé quoi la dernière fois ? demanda Killian.
- Il a trop attendu et il n'a pas réussi à reproduire exactement le sort à l'inverse. On a dû lui couper le bras. Il a dû le faire repousser. Ce n'était pas beau à voir. Je vais ramener Terra, elle va encore l'engueuler, mais on ne peut pas le laisser comme ça.
- Attends, dit Killian en la retenant par le bras.
- Quoi ? Justement, il ne faut pas attendre !

Killian vit un médaillon accroché à une chaîne de Jacques. On aurait dit une vielle pièce de monnaie. Il invoqua l'esprit de l'objet qui sortit instantanément.

- Je veux que tu le soignes, ou que tu prennes une partie de sa douleur. Tu peux faire ça ?

L'invocation gesticula dans tous les sens et Killian fut désemparé, il ne comprenait pas du tout la créature. Mais Fangore l'aida. Elle prit sa main dans sa gueule afin de la diriger sur le médaillon.

- Je fais quoi maintenant ?

Fangore fit mine de fermer les yeux et de se concentrer. Killian l'imita. Il tenta de visualiser l'effet qu'il voulait mettre dans son sort. Une multitude de signes apparurent dans son esprit, il y en avait des centaines, non, des milliers. Ils ressemblaient à des runes, brillantes comme des étoiles. L'une d'elles l'interpella, elle brillait plus que les autres. Il se concentra sur elle, se laissant envahir par la magie. Mais il y en avait trop, il avait peur, il entendit les autres autour de lui crier, mais il n'arrivait plus à arrêter le phénomène. Il sentit une énorme vague d'énergie rentrer en lui et voulut la stopper, sans résultat. Il sentit sa barrière mentale se faire balayer et cela lui causa une douleur sans précèdent à l'arrière du crâne.

Lorsqu'il rouvrit les yeux, il découvrit ses compagnons à terre. Ils avaient l'air choqué, mais pas par lui. L'esprit de l'amulette était désormais brillant. C'était une petite fée armée juste d'un petit bouclier. Il rassembla ses dernières forces :

- Soigne-le…

Ce furent ses dernières paroles avant de s'évanouir.

Killian avait mal à la tête. Il tenta d'ouvrir les yeux, mais sans succès.

- Je lui avais dit qu'on ne le verrait pas longtemps aujourd'hui, dit René avec ironie.
- Je ne vais pas m'en plaindre, répondit Jacques. Il a assuré.
- On va se faire tuer par l'autre morue encore.

Maintenant Killian était certain qu'Ambre détestait vraiment Terra.

- On va peut-être échapper à cela. Regarde, il revient à lui.

Il réussit enfin à ouvrir les yeux.

- Salut tout le monde. Quoi de neuf ?

Il avait du mal à articuler. Il avait l'impression qu'un camion lui était passé dessus.

- Toi tu es un grand malade. Mais merci. Je t'en dois une.

Jacques l'aida à s'asseoir. Fangore se plaça dans son dos et commença son massage spectral. L'effet fut instantané, le brouillard se dissipa rapidement.

- Stop ma grande, je ne veux pas que tu souffres à cause de moi.

Elle le regarda un instant avant de se coucher en boule contre lui.

- Il s'est passé quoi ?

René regarda les autres et prit la parole.

- Tu as lancé un sort du premier cercle. Il y a eu comme un signe brillant qui est apparu devant la petite créature que tu as invoquée. Et ils ont…fusionné. Quand tu t'es évanoui, elle est rentrée dans le corps de Jacques et il s'est senti tout de suite beaucoup mieux. Il a pu reprendre sa forme normale. Il y a autre chose. Jacques, dis-lui.

Jacques tendit l'amulette à Killian.

- Tu l'as gravée. Il y a une rune maintenant dessus. Elle était terne. Mais au bout de dix minutes elle est devenue brillante. Depuis c'est comme ça.
- Je me suis évanoui combien de temps ?
- Presque une heure.
- Et depuis elle ne s'est pas éteinte ?
- Non.

Killian prit l'amulette et invoqua son esprit. Il se matérialisa instantanément. Il avait toujours la forme d'une petite fée avec un bouclier.

- Soigne-moi.

La rune sur l'amulette brilla encore plus fort puis s'éteignit d'un coup.

- Ça n'a pas du tout fait cela tout à l'heure, dit René.

Mais Killian ne l'écoutait pas. Il se sentait particulièrement bien. Voir même, en forme. Il se leva d'un coup, surprenant tout le monde.

- Je crois que j'ai enchanté ton amulette, dit-il en lui tendant l'objet. Il faudra vérifier, mais a priori l'enchantement se rechargera, je n'ai plus besoin de lancer le sort. Il me suffit d'utiliser la rune.

Ambre prit l'amulette de ses mains pour la regarder.

- C'est extra. Tu as réussi à lancer un sort du premier cercle.
- J'en ai payé le prix.
- Oui, mais c'est déjà énorme. Tu es là depuis vingt-quatre heures ! Aucun d'entre nous n'y arrive. Tu ne te rends pas compte, mais tu es vraiment doué.

Jacques tapota l'épaule de Killian :

- Je crois qu'Emilie veut te parler.

La petite fille le regardait avec passion. Les bras tendus vers lui. Il la prit dans ses bras et lui fit un gros câlin. Son cœur s'arrêta lorsqu'elle lui chuchota à l'oreille :

- Merci pour Jacques. Il est gentil. C'est mon ami.

Tout le monde regardait Killian. Il avait les larmes aux yeux. Sa femme, ses enfants.... Elles lui manquaient. René se plaça à côté de lui :

- Ça va mon grand ?
- Ça va. C'est juste que mes enfants me manquent. Ma femme aussi. En fait ma vie me manque.
- Tu es doué Killian. Tu ne vas pas rester longtemps parmi nous.
- Et vous ?
- Moi, tu connais mon histoire. Je suis bien ici.
- Plus de « vous » ?

René le regarda, puis sourit :

- Non. Tu es des nôtres maintenant. Grace à toi Emilie réapprend à vivre parmi nous, tu as aidé Jacques et Terra n'a pas l'air de t'apprécier. Que des critères qui me laissent penser que tu es quelqu'un de bien.

Killian les regarda un moment. Il hésita avant de prendre la parole. Pourquoi se sentait-il autant en confiance avec eux ?

- Je pense pouvoir vous aider. Je crois avoir compris comment éviter le retour de sort en fait.

Tous le regardèrent avec stupéfaction. Il savait qu'il ne pouvait plus faire marche arrière et de toute façon il n'en avait pas envie.

- Peut-être que c'est parce que je suis le seul mage à fonctionner comme ça ou peut être que c'est pour une autre raison... Mais je n'ai pas confiance dans le Conseil ni dans cette académie. En revanche, j'ai confiance en vous. Je ne sens pas de méchanceté ni de jalousie. Je sais que vous n'avez pas spécialement envie de quitter cet endroit, et vous avez vos raisons. Mais on pourrait faire tellement plus dehors. On n'est pas obligés de vivre pour l'académie.
- Tu proposes quoi ?

C'était la première fois que Killian sentait Ambre vraiment intéressée.

- Je propose qu'on passe tous l'épreuve le même jour et qu'on se retrouve dehors. Je n'ai pas envie d'être le jouet du Conseil. On va bien se préparer et les surprendre. Qu'ils ne voient rien venir.

Ambre le regardait avec des yeux excités, comme un chat qui regardait une grosse pelote de laine.

- Ça me plait bien ça ! C'est quoi ton plan pour réussir l'épreuve ?

Killian posa doucement Emilie.

- Ecarte-toi ma puce.

Elle s'exécuta. Il saisit son épée à deux mains et la planta dans le sol.

Fangore vint instinctivement se placer à côté de lui. Il se concentra sur l'arme et sur le sort qu'il voulait lancer. Il fallait que ce soit aussi puissant que pour l'amulette et il ne voulait pas vraiment changer l'apparence de Fangore.

- Bon allez, c'est parti.

Il ferma les yeux, pensa à la même rune que pour l'amulette de Jacques. Cette dernière se matérialisa instantanément dans son esprit, au milieu des autres. Il sentit la vague d'énergie le submerger, mais au lieu de former une barrière mentale pour la stopper, il la laissa se déverser dans corps. Il se sentait bien, en harmonie avec lui-même, avec la magie.

Elle ne voulait pas lui faire du mal, c'est en formant le barrage avec son esprit qu'il y avait un risque de retour de sort. Il ouvrit les yeux au moment de la formation du premier cercle. La rune dansait devant ses yeux, Fangore était dans une espèce de stase, elle attendait la rune. Killian eut la volonté d'aller encore plus loin, il pouvait faire plus et sentit la deuxième vague de magie le submerger, c'était enivrant.

La deuxième déflagration jeta tout le monde à terre sauf lui. Il décida d'arrêter là. La rune se dirigea vers le front de Fangore et fusionna avec cette dernière. Sa couleur n'était pas comme l'autre mais dorée. Elle était magnifique. Le visage du dragon rayonnait comme un petit soleil. Killian sentit la magie se dissiper, il se sentait bien. Il ne s'était jamais senti aussi vivant.

Tout était calme. Aucun d'entre eux n'osait bouger. Le silence devint presque oppressant. Il ne savait pas s'il leur avait fait peur ou s'ils étaient en admiration. Il s'approcha doucement d'Emilie :

- Ça va ma grande ?

Elle opina du chef, hébétée.

- Comment t'as fait ça ?

Ambre était à genoux, devant son épée. L'arme était comme avant, excepté la rune qui trônait sur l'une des faces de la lame. Comme sur celle de Fangore, elle brillait, mais avec douceur. Ce n'était pas une lumière agressive. On aurait dit un petit néon.

- Tu...tu as lancé un sort du deuxième cercle. A part les mages du Conseil, rares sont ceux qui le peuvent. Tu ne devrais pas être capable de le faire aussi vite.
- Ça me surprend moi aussi. J'ai même peur de vous apprendre comment faire. Imaginez que vous ne puissiez pas assimiler l'énergie comme moi. Ma magie est peut-être différente.
- Tu as raison, intervint René. C'est pour cela qu'on va faire un essai demain. Sur moi. Si ça marche, on sera fixés. Si ça ne marche pas, mon rôle est de protéger la future génération... vous êtes jeunes. Vous avez toute la vie devant vous.
- Je ne suis pas d'accord, répondit Jacques. Tuer un Corporem est très compliqué. Je pourrai me régénérer.

Killian regarda Jacques, puis René. Il était perplexe. Il se posait beaucoup de questions. Pourquoi les mages du Conseil ne donnaient pas l'information aux autres mages ? Faisaient-ils autrement ? Voulaient-ils volontairement garder des mages faibles ? Ne pas se faire dépasser ?

- Comment les membres du Conseil sont choisis ?

La question prit tout le monde au dépourvu. Comme d'habitude c'est René qui se ressaisit le plus vite :

- Ils sont les membres fondateurs de l'académie. Pour une durée de cinq ans. Puis les mages voteront pour élire un membre par obédience.
- Donc ils n'ont pas vraiment d'intérêt à faire de mauvais choix. De vous cacher comment ils arrivent à lancer des sorts du premier et second cercle.
- Non, en effet. Ils prendraient de gros risques. De plus, ils semblent réellement vouloir l'indépendance des académies. Pour cela, il leur faut des mages puissants. Ils nous montrent déjà assez souvent à quel point...notre groupe est mauvais.

Killian réfléchit. L'argument se tenait.

- Comment ça se passe quand vous voulez lancer un sort ? Il se passe quoi en vous ?
- Ambre, dit René. Tu es la seule à avoir presque lancé un sort du premier cercle. Qu'est-ce que tu as ressenti ?

Ambre réfléchit un moment.

- J'ai essayé de visualiser le sort dans ma tête. Une fois que cette étape a été réussie, j'ai senti comme une vague de puissance voulant me traverser. En théorie, on doit dresser une barrière mentale pour stopper le surplus de magie. La seule fois où j'ai essayé, ma barrière n'a pas été assez solide et elle s'est brisée. J'ai lancé le sortilège à moitié et j'ai eu un gros retour de sort. Je n'ai pas réessayé depuis.
- On vous a donc bien dit de dresser une barrière mentale ?
- Oui, afin de ne laisser passer qu'une partie de la puissance et éviter la Furia.

Killian regarda Fangore. Elle était superbe avec sa rune sur le front. Il fallait qu'il parle au Conseil avant de faire prendre le moindre risque à l'un des membres du groupe.

- Jacques, garde bien le médaillon. Demain, je fais un essai avec toi. René, ne te vexe pas. Mais si je me trompe, il aura l'amulette. Peut-être qu'elle ne fonctionne que sur lui.

René n'était pas vexé. Mais il avait l'air inquiet.

- Très bien. Faisons un essai de l'amulette sur moi, dit-il en relevant la manche de son pullover. Blesse-moi avec ton arme, puis utilise le médaillon de Jacques. Je suis d'accord pour laisser ma place demain si ta rune ne me guérit pas.
- OK. Puisque c'est une journée d'expérimentation...autant aller jusqu'au bout.

Killian saisit son épée. Il prit aussi l'amulette de Jacques et vérifia que la rune brillait. Emilie se couvrit les yeux avec ses mains.

- Ne t'inquiète pas. Il n'y a pas besoin de lui faire une grosse blessure.

Il saisit le bras de René et le lui entailla sur quelques centimètres, plus profondément que ce qu'il avait souhaité.

- Mince. Décidément c'est trop tranchant. Ça pisse le sang.

René était blême, mais il tenait le choc. Killian invoqua rapidement la rune du médaillon afin de le soigner. Il s'illumina puis s'éteignit aussi rapidement. L'esprit était à peine apparu le temps de rentrer dans le corps de l'ancien prêtre. La plaie se referma en quelques secondes et il reprit des couleurs. La rune du médaillon devint terne.

- Bien. Nous sommes fixés, dit René. Demain, tu testeras sur moi. Jacques, c'est non négociable. Je t'ai déjà vu souffrir plus que nécessaire.

Jacques ne répondit pas, mais on sentait clairement son angoisse. Il s'inquiétait pour René. Il ne restait plus qu'une chose à faire pour que Killian puisse aider René demain :

- Il faut que je parle au Conseil. Ou au moins à Terra. Faisons comme si de rien n'était. J'ai besoin d'être sûr avant de faire cet essai.
- De quoi veux-tu leur parler ? demanda Ambre.
- De la Furia. Je voudrais connaitre leur théorie afin de ne pas vous faire courir de risque. Pour moi aussi. J'ai peut-être simplement eu un coup de chance.

Ils discutèrent une bonne partie de la journée. Les quatre nouveaux compagnons de Killian lui posèrent beaucoup de questions. Sur sa vie, sa famille. Il y eut beaucoup de rires lorsqu'il leur raconta comment il avait découvert ses pouvoirs et sa rencontre avec Fangore.

- Et vous ? Comment cela s'est manifesté la première fois ?

Tout le monde se regarda, un peu gênés. René prit la parole en premier :

- Mon histoire sera certainement la plus amusante de nous cinq. C'est arrivé pendant que je célébrais un mariage. Au moment où j'ai crié « embrassez-vous ! » une lumière a jailli de mes mains. Tout le monde s'est enfui de l'église sauf une vielle dame. Elle était persuadée que le mariage était béni de Dieu. Elle est restée assise, à côté de moi, à parler de sa foi, jusqu' à ce que mon recruteur vienne me chercher.

Ambre rit de bon cœur avec Jacques. Emilie préféra aller jouer avec Fangore, mais Killian la surprit plusieurs fois à les regarder. Ils continuèrent de discuter, abordant parfois des passages de sa vie. Cela lui fit beaucoup de bien de parler de sa famille, de son travail. Ils répondirent aussi à une question qui l'intriguait depuis que Terra lui avait parlé de l'épreuve :

- Quelle est la différence entre les sorts des différents cercles et les autres ? Je veux dire, je n'ai pas besoin de cercle de puissance pour modifier l'aspect d'un objet. Mais pour y graver une rune, oui. Pour vous, ça marche comment ?
- C'est pour tout le monde pareil, répondit Ambre. En fait, manipuler un élément n'est pas vraiment un sort. Par contre, lui faire faire quelque chose de « pas naturel » nécessite un sort du premier, deuxième ou troisième cercle.
- Et pour toi ça se manifeste comment ?
- Regarde.

Elle lui présenta la paume de sa main. Quelques secondes plus tard, avec le froid de ce mois de novembre, Killian vit rapidement un brouillard se former autour de l'avant-bras d'Ambre.

- Je fais grimper ma chaleur corporelle à 60 degrés. Ceci n'est pas contre nature, je ne fais qu'amplifier ce que mon organisme est déjà capable de faire. Et maintenant…

Ambre était désormais entièrement entourée de brouillard. Elle rapprocha sa main gauche de sa main droite et se concentra. Killian aperçut une petite flamme naitre entre ses paumes. Puis, tout s'arrêta. Ambre était essoufflée et pâle. Le brouillard de chaleur se dissipa.

Killian vit que la rune du médaillon de Jacques était à nouveau éclairée et il l'utilisa sur Ambre afin de lui rendre des forces. Rapidement elle reprit des couleurs. Malgré qu'ils aient vu trois fois le phénomène, l'ensemble du groupe était émerveillé devant la capacité de Killian.

- Ça ne te demande pas d'énergie d'utiliser tes runes ? demanda Jacques.
- Bizarrement, non. J'ai l'impression que je pourrais faire ça toute la journée. Par contre une question se pose : combien de fois la rune peut-elle être utilisée ?

Jacques décrocha son médaillon et lui tendit.

- Tiens. Cadeau. Il n'y a que toi qui puisses l'utiliser. Alors autant que tu le portes.
- C'est à toi… ça me gêne.

Le colosse balaya l'argument de la main.

- Laisse. Je ne te cache pas que j'y tiens. Mais c'est purement sentimental, il n'a pas de valeur. En revanche, cela pourrait te servir un jour. Et tu pourras tester la durée de vie de la rune. Si elle ne marche plus, tu pourras toujours me le rendre.

Killian appréciait vraiment Jacques. Il n'y avait pas de malice en lui. Il lui fit signe de la tête pour lui dire merci, mais ne dit pas un mot.

Peu de temps après, ils virent Terra se diriger vers eux. Une fois arrivée à leur niveau, le regard qu'elle posa sur l'épée de Killian n'échappa à personne. La rune flamboyait.

- Alors cette journée ? Elle a été productive ?

Une fois de plus, Killian apprécia le regard complice qu'il eut avec ses camarades. Et pour ne pas déroger à la règle, c'est René qui intervint en premier :

- On a surtout répondu à beaucoup de questions de Killian. Je pense d'ailleurs que certaines nécessitent vos lumières ma chère, voire celles du Conseil.

Killian bénit le vieil homme. Il venait de lui trouver une excuse parfaite pour parler au moins avec Terra. Cette dernière mit du temps à répondre. Elle analysait la situation, comprenant que quelque chose se tramait. Mais elle savait aussi que leur forcer la main ne servirait à rien.

- Eh bien, on va voir ce que l'on peut faire. Suivez-moi.

Elle le conduisit dans l'usine, comme la veille au soir. Mais au lieu d'aller dans la salle du Conseil, elle le conduisit dans une autre pièce du dernier étage. Killian fut immédiatement séduit. Cela ressemblait à un grand salon. Les murs étaient remplis de livres et de beaux canapés en cuir marron trônaient au centre. Il remarqua que deux personnes était assises avec une tasse de thé et le fixaient.

- Killian. En voilà une agréable surprise.

C'était le mage qui avait voulu l'étudier. Grand, mince. Le regard vif. Il avait l'air détendu et le regardait en souriant. Le deuxième était le roux, toujours torse nu avec ses tatouages.

- Neuro, arrête. Tu vas lui faire peur.

Terra s'assit dans l'un des canapés et invita Killian à faire de même.

- Veux-tu boire quelque chose ?
- Non. Merci, répondit Killian.

Terra se servit de l'eau dans une tasse et la tendit au dénommé « Braise ». Ce dernier la saisit et quelques secondes plus tard, l'eau fumait.

- Il semblerait que notre nouvel élève ait des questions à nous poser. En tout cas, il semble s'être très bien intégré à son groupe. Ou c'est l'inverse…

- Tiens donc, répondit Neuro. Comme c'est étonnant.

Ce dernier avait un sourire sur les lèvres. Killian comprit qu'il y avait de la complicité entre ces deux-là. Il n'oublia pas non plus la capacité de Neuro à communiquer par l'esprit et donc à le priver d'une partie de la future discussion.

- Les autres membres du Conseil ne sont pas ici à l'heure actuelle. Mais peut être que nos trois esprits réunis pourront t'apporter quelques réponses.

Terra ne l'aimait pas. Neuro et Braise n'avaient pas l'air de l'apprécier non plus. Il allait devoir faire attention afin de ne pas dévoiler ses intentions.

- J'aimerais savoir... comment ça se passe pour vous quand vous lancez un sort ? Un de ceux qui nécessitent un cercle de puissance. Quel est le processus ? Afin de de savoir si ma magie est comme la vôtre.
- On se concentre et lorsque la magie nous submerge, on la freine avec une barrière mentale. Mais il faut faire attention à ne pas la briser. C'est le principe du retour de sort, répondit Braise.
- C'est un résumé bien court, continua Neuro. Mais dans les grandes lignes c'est comme cela que fonctionne la magie pour nous. Entraine-toi à avoir une barrière mentale efficace, solide et malléable.
- Dans un premier temps, enchaina Terra, apprends à la visualiser. Lance des sorts peu puissants et augmente petit à petit.

Killian était surpris de la réaction du groupe. Ils lui parlaient avec...passion ! Ils avaient l'air de lui donner de vrais conseils. Son étonnement devait se lire sur son visage car Neuro se mit à rire :

- Il est surpris de notre honnêteté !

Il reprit plus calmement.

- Ne nous juge pas trop vite, jeune mage. Tu n'étais pas là au début, il y a huit mois. Tu n'as pas vu tous ces mages se détruire les uns les autres. Toutes ces Furia. Toutes ces horreurs. On n'est pas durs et désagréables avec vous par envie, mais par nécessité. Afin que le monde ne nous regarde pas QUE comme des catastrophes ambulantes.

Killian se sentait un peu honteux. Il avait en effet peut-être mal jugé les membres du Conseil. En proposant la formation des académies, ils avaient réussi à assurer la sécurité de leurs semblables. A défaut de leur faire confiance, il ne fallait peut-être pas les condamner...

- Merci. Ça serait en effet un bon début, répondit Neuro, laissant Killian sans voix.
- Vous pouvez... lire dans mes pensées ?

Terra se leva pour se diriger vers une fenêtre. Elle semblait être troublée par la tournure de la discussion.

- Pas vraiment. Uniquement des brides. Plus tes pensées sont claires, plus je peux en avoir une vision. C'est très dur avec les humains. Nous réfléchissons trop vite et à trop de choses à la fois. Le temps que je décrypte une pensée, son propriétaire pense déjà à autre chose.
- Vous y arrivez mieux avec les animaux ?
- Bien mieux. Leurs pensées sont souvent très simples et linéaires. Sauf les chats... finit-il par dire en souriant. Je suis un Mentalus. L'esprit est mon obédience.

Terra revint s'asseoir :

- Nous sommes devenus arrogants.
- De quoi parles-tu ? répondit Braise.
- De nous. Nous devrions faire plus pour les nouveaux. Ils ne devraient pas poser ce genre de questions. Nous devrions mieux les informer. Nous sommes devenus ...négligents. Ils en viennent à croire que nous ne voulons pas qu'ils réussissent.
- N'importe quoi. Les résultats parlent d'eux-mêmes ! Ça fait des semaines que nous n'avons pas eu de cas de Furia.
- Et combien de semaines sans qu'un apprenti réussisse l'épreuve ?!

Braise ne répondit pas et regarda Killian d'un air mauvais :

- D'autres questions le fouteur de merde ?

Il n'eut pas le temps d'en dire plus. Fangore se trouvait déjà à côté de Killian. Ce dernier n'avait pas peur du rouquin. Il était temps qu'il le comprenne :

- Une dernière. Comment attrape-t-on la Furia ?

Killian dit cela en le regardant droit dans les yeux. Mais c'est Neuro qui répondit :

- C'est lorsqu'un mage perd le contrôle. Ça pervertit le mage. Connais-tu la légende sur les berserkers ?
- Un peu. Des guerriers qui ne vivent que pour le combat ? Un truc du genre ?
- C'est nordique. Les berserkers étaient les favoris d'Odin. Ils étaient sous l'effet de l'hydromel, mélangé à des drogues. On les envoyait sur le champ de bataille avant les armées car ils ne faisaient pas de différence. Ils tuaient les ennemis comme les alliés. La Furia c'est la même chose.
- Donc, du moment qu'on maitrise ses émotions, on ne peut pas attraper la Furia ?

- En effet, avec toi on est plutôt tranquille de ce côté-là, ricana Braise.

Killian sourit, ce qui surprit tout le monde. Il avait sa réponse. Il pouvait aider ses amis. Ils n'attraperaient pas la Furia.

- Il a sa réponse. Il était venu pour ça, intervint Neuro.
- En effet. Je vous souhaite une bonne soirée.

Killian voulut faire demi-tour et sortir mais Braise s'interposa :

- Pourquoi désirais-tu en savoir plus sur la Furia ?
- Tu devrais me laisser passer.
- Ah oui ? Sinon quoi ?
- Braise, ça suffit ! intervint Terra. Tu veux peut-être que je fasse intervenir Lumio ?

Killian remarqua que cette dernière phrase fit mouche. Le colosse roux libéra l'accès à la porte tout en lui disant :

- Elle ne sera pas toujours là…
- J'espère bien. Par contre, évite la boucle en métal sur ta ceinture et ce collier la prochaine fois, ça t'évitera d'être trop ridicule contre moi.

Killian sortit de la pièce. Suivi par Fangore qui ne lâcha pas Braise du regard jusqu' à la dernière seconde…

Chapitre 5

Killian se leva tôt pour sa deuxième journée. Sa confrontation avec le rouquin ne l'avait pas laissé indiffèrent. La prochaine fois qu'il voudrait jouer les gros bras, Killian serait prêt.

Pour commencer, il avait fabriqué une attache pour son arme. Elle était désormais accrochée dans son dos et avec le médaillon de Jacques, il se sentait rassuré.

En rentrant dans le réfectoire, il ne trouva qu'Ambre assise à leur table. Elle était toujours habillée de la même façon.

- Salut ! lui dit-elle d'une façon bien plus enjouée que la veille.
- Bonjour Ambre. Bien dormi ?
- Très bien même. Et toi ? Nouveau look ?
- Plus confortable. J'en avais marre d'avoir une épée à la main en permanence. Ça faisait un peu trop serial killer.

Il partit se faire un café et vint s'asseoir en face d'elle. Il commença à boire sa boisson, perdu dans ses pensées, quand il s'aperçut qu'elle le fixait.

- Un souci ?
- Non… ça s'est passé comment avec le Conseil ?

Killian remarqua son impatience. Il n'avait pas l'impression d'être en face de la même fille que la veille.

- Plutôt bien. Sauf avec Braise. Il m'a vraiment dans le nez lui.
- Il n'aime pas grand monde. Et comme c'est le plus puissant mage de l'académie… il roule des mécaniques.
- Le plus puissant ?

- Oui. En duel, il est invaincu.
- Il y a des duels ?
- Ce n'est pas vraiment officiel. Mais, il arrive que des mages se battent...comme les humains sans pouvoirs. Mais ça fait plus de vagues. Et pour le moment, Braise est invaincu.
- Mince...
- Quoi ?
- Je lui ai fait comprendre que j'étais son homme si le cœur lui en disait.

Killian crut que les yeux de la jeune fille allaient lui sortir des orbites.

- Mais tu es malade ?
- On verra ça plus tard. Et toi ? Tu ne veux pas me dire pourquoi tu arrives la première ce matin ? Je te sens tendue.

Ce changement de sujet soudain la déstabilisa. Elle faisait la tête d'une petite fille prise en faute.

- Ça se voit tant que ça ?

Killian sourit. Ambre était certainement pleine de qualités, mais la patience n'avait pas l'air d'en faire partie. Ambre dut comprendre sa pensée, elle lui répondit par un sourire :

- Tu sais, j'ai grandi en foyer. Rien de bien sympa. Tu sors de là, tu n'as pas vraiment d'amis. Pas de famille. Lorsque ma magie est apparue pour la première fois, je vivais dans un squat avec une connaissance. C'est la première fois que je suis dans un groupe pour lequel je compte. On est ensemble depuis peu de temps. Mais il y a quelque chose en moi qui ne veut pas les quitter. C'est pour cela que ton idée de tous nous faire sortir d'ici me plait et que je veux y croire. Je me suis mise à espérer... de ne plus être seule. De faire enfin quelque chose qui compte.
- C'est bizarre ce que tu me dis. J'ai la même sensation. Comme si on devait rester ensemble.

Ils se regardèrent. Un peu mal à l'aise.

- On va faire le test avec René aujourd'hui. Il faudrait un endroit où on sera sûrs de ne pas être vus.
- Dans la forêt. Beaucoup d'élèves préfèrent s'isoler pour s'entrainer. Là-bas on sera tranquille. Tu penses que c'est sans risque ?
- Sincèrement ? Je ne sais pas. Pour moi ça me parait évident, mais comme je suis un peu...unique. En tout cas, on ne devrait pas avoir de risque de Furia. Pas si on avance doucement.

- Et ta famille ? Tu sais que tu pourrais passer l'épreuve ? Et rentrer chez toi.
- Ma famille peut attendre quelques jours. Je préfère revenir chez moi en ayant accompli quelque chose en lequel je crois. Ma femme saura si j'ai des regrets. Elle me connait trop bien et elle sait que j'aime aller au bout des choses.
- Tu crois que... quand on sortira...

Killian sentit qu'elle n'osait aller plus loin. Il patienta afin de lui laisser le temps. S'il avait compris une chose sur Ambre, c'était qu'il ne fallait pas la brusquer.

- Tu pourras m'héberger... avec Emilie ? On n'a pas vraiment d'endroit où aller toutes les deux.
- Comment ça ? Toi, je vois pourquoi. Mais Emilie, elle n'a pas de famille ?
- Emilie a tué ses parents. Elle ne sait pas que le groupe est au courant. C'est Terra qui me l'a dit afin que je m'occupe d'elle. Elle n'a pas dit un mot jusqu' à ton arrivée et elle n'a pas utilisé une fois la magie depuis. Nous allons avoir beaucoup de mal avec elle. Si elle refuse de passer l'épreuve, je resterai ici.

Killian était sous le choc. Garance l'avait pourtant prévenu que ce genre de drame existait. Il se promit que la prochaine fois qu'il verrait le démoniste, il lui devrait des excuses.

- Alors elle passera en deuxième.
- Tu n'as pas écouté ce que je viens de dire ? Il faut la faire passer en dernière. Qu'elle prenne confiance.
- Non. Je ne crois pas. Il faut au contraire qu'elle soit rassurée. J'ai peur qu'elle panique si René, Jacques et toi vous réussissez à lancer un sort du premier cercle. La peur de vous voir partir ou de sentir que c'est à cause d'elle que tu restes.
- Je ne sais pas. Il faudra en parler avec les autres.
- Tu as raison. Tu la connais mieux que moi. Mon analyse n'est peut-être pas la bonne.

Ambre le fixait. Il se sentit comme transpercé par ses yeux.

- Tu me fais peur. Tu veux me cramer ?
- Non, répondit-elle en souriant. Quand je t'ai vu la première fois, je me suis dit « c'est qui encore ce petit bourgeois ? ». Mais tu es un leader Killian. Tu es celui qu'on attendait. René t'apprécie et Jacques aussi. J'ai confiance en leurs jugements. Hier...ce que tu as réussi. C'était juste énorme ! Tu nous as bluffés. J'ai été une perdante toute ma vie. J'en rigole avec René, s'il y a un

dieu, il m'a oubliée sur sa checklist. Mais aujourd'hui, je vais peut-être pouvoir faire quelque chose de ma vie. Et pour ça...merci.

Killian ne savait pas quoi répondre. Il se doutait que ça ne devait pas être facile pour Ambre de se livrer comme cela. Heureusement, leur discussion prit fin avec l'arrivée de Jacques qui portait Emilie dans ses bras. René les suivait de près.

- Alors c'est le grand jour ou pas ? commença Jacques en déposant Emilie.
- Si vous avez une dernière volonté René ? C'est le moment, répondit Killian avec un grand sourire.
- Trop bien ! Hé Papi, tu as intérêt à assurer !
- Alors déjà, tu ne m'appelles pas Papi. Et je stresse assez comme ça alors si tu pouvais ne pas en rajouter.
- Oui excuse-moi René, répondit Jacques en lui mettant la main sur l'épaule. Je vais prier pour toi.

Killian eut du mal à ne pas rire. Ambre, quant à elle, s'en donnait à cœur joie. Emilie se cala dans les bras de cette dernière et lui dit un timide « bonjour ». Ambre lui fit un énorme sourire :

- Bonjour ma puce. Tu as bien dormi ?
- Non j'ai fait des cauchemars. Je ne veux pas que René souffre.

Tout le monde resta silencieux. Killian se mit à genoux devant elle :

- On va y aller doucement. Je te promets de le protéger. Tu sais, ça me ferait plaisir qu'on puisse tous se retrouver dehors et je sais que Fangore t'adore. Elle sera triste sans toi. Je te propose de t'aider comme lui après si tu veux, ajouta-t-il en regardant Ambre. On ne partira pas sans toi. On ne va pas t'abandonner.

Fangore frotta son cou spectral contre la joue d'Emilie qui lui fit un gros bisou.

- Je veux partir avec vous. Avec Ambre.
- Alors allons faire un peu de magie, lui répondit Killian avec un grand sourire.

Killian et ses compagnons sortirent du réfectoire, pour se diriger vers la forêt encadrant l'immense terrain de l'usine.

- On n'attend pas le mage référent du jour ? Je crois que c'est Braise, dit Jacques.
- Raison de plus pour partir, répondit Ambre. Killian lui a fait comprendre qu'il n'était pas contre un duel.
- Tu plaisantes ? Killian, ne fais pas l'imbécile. Braise est aussi impulsif que doué. Une combinaison remarquable en duel.

Killian ne répondit pas. Il commençait vraiment à se dire qu'il n'avait pas eu le bon comportement la veille au soir. Braise était expérimenté, pas lui.

- On va se concentrer sur René aujourd'hui, non ?
- Merci de penser un peu à moi, répondit René.

Killian avait effectivement remarqué le silence de René. Il était vraiment stressé. Il devait réellement se sentir responsable des autres pour faire cela en premier.

En quelques minutes, ils arrivèrent dans une grande clairière.

- On sera bien ici, dit Killian. Les autres, allez là-bas sur les rochers. Je vais préparer René.

Ils ne dirent rien et se dirigèrent vers le lieu que Killian leur avait indiqué. Sauf Emilie qui se jeta dans les bras de René.

- Allez ma puce. Va rejoindre les autres. Il ne m'arrivera rien.

Il lui fit une bise sur le front et elle partit en courant vers les autres.

- Bien, qu'est-ce que je dois faire ?
- C'est beaucoup plus simple que ce que tu crois. Je vais le refaire une fois pour être sûr de mon coup et après, ce sera à toi, ok ?
- Vas-y, je te regarde.

René recula de quelques mètres. Pendant ce temps, Killian laissa la magie l'envahir. Il avait besoin de se préparer à la future confrontation avec Braise. Un bouclier magique ne serait pas de trop. Il visualisa la rune qu'il lui fallait et laissa la magie se déverser en lui. Le premier cercle de puissance fit sourire tout le monde.

Pour le deuxième, René dut mettre une main devant ses yeux et faillit tomber. Killian se dit qu'il allait donner confiance à ses camarades et laissa la magie continuer d'affluer. Le troisième cercle craquela la terre autour de lui et cette fois, René fut projeté au sol. Même les autres durent faire attention de ne pas perdre l'équilibre. Killian stoppa ensuite l'afflux de magie.

Devant lui se tenait une rune d'une couleur rouge sang, brillante comme un brasero. Il l'inscrivit juste au-dessus de l'autre sur l'arme et Fangore se retrouva avec deux runes sur le front. Une, dorée comme le soleil, l'autre rouge sang. Killian sentit ses jambes le trahir et il se retrouva sur le postérieur. Tout le monde arriva en courant, de peur d'un retour de sort. René arrivant le premier lui cria :

- Killian ! Ça va ?
- Oui super. Grosse dépense d'énergie. C'est tout. Mais ne t'inquiète pas, ce n'est pas un retour de sort. J'ai juste été un peu gourmand. Le stress de me retrouver face à Braise, j'ai voulu m'équiper de quelque chose de plus costaud.

Les autres arrivèrent à ce moment-là. Ils furent rassurés lorsqu'ils virent Killian sourire. Ambre ne put s'empêcher de s'exclamer :

- Tu as réussi un sort du troisième cercle ? C'est extra ! Elle fait quoi cette rune ?

Killian se remit debout, ses jambes étaient encore très faibles. Il n'utilisa pas la rune du médaillon préférant la garder avec celle de son épée pour René.

- On va le savoir tout de suite. Ecartez-vous un peu. On ne sait jamais.

Tous s'écartèrent de quelques mètres. Killian invoqua la rune couleur feu et une seconde plus tard, il fut entouré par un bouclier ressemblant à une bulle de savon.

- C'est tout ? dit Ambre visiblement déçue. Ça dure combien de temps ?

Killian n'en savait rien. En revanche, la rune sur l'épée n'était pas éteinte. Elle brillait toujours.

- Jacques. Tu peux essayer de la casser s'il te plait ?

Le colosse sourit de toutes ses dents et retroussa ses manches. Ils le virent se concentrer afin de faire légèrement grossir ses muscles et son poing.

- C'est parti.

Il frappa de toutes ses forces. Du moins c'est ce que Killian se dit lorsqu'il vit Jacques se rouler par terre en tenant sa main et hurler de douleur. Lui n'avait rien senti. La bulle n'avait pas bougé. Cela n'avait même pas fait de bruit.

- Eh bien, c'est sacrément efficace, dit René. Jacques, calme-toi et soigne-toi.

Jacques se détendit et se concentra. L'énorme hématome sur la main disparut en quelques secondes. Mais il resta assis. Il semblait tout de même épuisé. Killian se concentra pour désactiver le bouclier. Ce dernier disparut instantanément. Mais la rune était toujours de couleur vive. Même si elle l'était moins qu'au début.

- Bizarre. Elle ne s'est pas entièrement consommée.
- Avec toi, au moins, on ne s'ennuie jamais, répondit Jacques.
- Je suis désolé. Ça n'avait pas l'air aussi solide que ça.
- T'inquiète. C'est juste que le poignet n'a pas résisté. Même si je me soigne, l'esprit prend quand même une claque.

Ça n'empêcha pas le jeune homme de lui faire un clin d'œil. Ce qui rassura Killian. Le groupe se dirigea ensuite à nouveau vers les rochers, laissant Killian avec René.

- Bon. Écoute-moi. Visualise ton sort. Quand tu as bien défini ses limites, laisse ta magie t'envahir et….ne fait aucune barrière mentale.

René le regarda comme un demeuré. La bouche ouverte. Si une mouche était passée par là, il l'aurait gobée.

- Tu es sûr de toi ? C'est LE truc qu'on nous a surtout dit de ne pas faire.

- Limite-toi au premier cercle et tout...devrait bien se passer.
- Tu ne me rassures pas beaucoup là.
- Je sais. Tu vas avoir de l'appréhension, mais surtout laisse ton esprit ouvert à la magie. Ne la limite pas.

Killian le laissa là pour rejoindre les autres. René resta seul au milieu de la clairière.

- Ne pas former de barrière, se chuchota-t-il à lui-même. Reste calme. Tu laisses la magie t'envahir et le tour est dans le sac.

Il regarda une dernière fois ses compagnons. Ambre avait les mains jointes, comme Emilie. Un geste de prière. Il trouva cela particulièrement ironique vu la situation. Il se refusa à faire de même. Sa foi ne l'aiderait pas. Sa confiance en Killian, oui. Il ferma les yeux et se concentra sur l'effet voulu. Cette partie-là était assez facile.

Il ouvrit son esprit afin d'être envahi par la magie. Il fut rapidement submergé et la peur s'empara de lui. Le premier cercle se forma et l'angoisse prit le dessus, l'obligeant non pas à fermer les vannes de la magie elle-même, mais à protéger son esprit avec une barrière qui fut balayée très rapidement. Du point de vue des compagnons, ils virent René se concentrer, quelques secondes plus tard le premier cercle de puissance apparut et des rayons de lumière jaillirent de ses doigts. Malheureusement, au bout de deux autres secondes, les rayons disparurent et René s'effondra au sol.

Lorsque les autres arrivèrent près de lui, il était plié en deux. Etant prévenant, il n'avait pas pris de petit déjeuner et n'avait donc rien à vomir à part de la bile. Killian utilisa rapidement la rune du médaillon. René reprit des couleurs et se détendit. Il ouvrit les yeux et vit les visages inquiets des membres du groupe.

- Je suis désolé René. Peut-être que ma magie ne fonctionne pas comme la tienne. C'est trop bête...
- Non mon grand... laisse-moi quelques minutes et on réessaye. C'est de ma faute. Comment fais-tu pour résister ? J'ai eu tellement peur d'avoir autant de magie en moi que j'ai craqué. J'ai voulu protéger mon esprit...
- Tu me rassures. C'est donc que ça peut marcher. N'aie pas peur de la magie. Elle ne te fera pas de mal. Quand tu auras accumulé assez de puissance pour lancer le premier sort, stoppe tout le processus. N'essaie pas de protéger ton esprit.
- OK, aide-moi à me relever veux-tu ?

Killian s'exécuta. René était à nouveau opérationnel. Mais la rune du médaillon n'était toujours pas activable.

- On peut faire encore une tentative. La rune sur mon épée peut encore te soigner. Après il faudra un peu attendre.

Le cinquantenaire se sentit coupable de ne pas avoir réussi. Pour lui, comme pour les autres. Il vit dans leur regard la déception et surtout la tristesse. Ils se disaient que le rêve prenait fin.

- Retournez là-bas. Je vais réessayer.

Killian vit cette fois de la détermination dans le regard de son ami. Ils s'éloignèrent avec beaucoup moins d'entrain que la première fois. René se concentra à nouveau. Il fallait qu'il arrête d'avoir peur. Toute sa vie, il avait laissé la foi diriger son existence. Cette foi l'avait empêché de prendre le moindre risque. Vivant dans son église, on le chouchoutait. On lui préparait de petits plats, les bénévoles faisaient quasiment toutes les tâches ingrates.

Il était temps qu'il ne se comporte plus comme un homme de foi, mais comme un homme tout court. Il sentit la magie envahir son esprit, il la laissa faire, brûlant son cerveau et inondant son visage d'une puissance qu'il n'imaginait même pas avoir. Le premier cercle de puissance fut instantané et il résista à l'idée de créer la barrière pour se protéger. A la place, il stoppa net le sort. Coupant l'arrivée de la magie et se concentra sur l'effet de son sort.

Lorsqu'il rouvrit les yeux, ses doigts étaient prolongés par des faisceaux lumineux. Il était littéralement en admiration devant sa création. Levant ses bras, pointant ses doigts vers le ciel, il exultait de voir ces rayons transpercer la cime des arbres. Il était tellement concentré qu'il ne vit pas ses amis arriver vers lui et quand il baissa les bras, les rayons transpercèrent Ambre. Tout le monde s'arrêta net. Mais la jeune fille ne semblait pas avoir souffert. Avec la surprise, René perdit sa concentration et le sort s'arrêta. Killian se dirigea vers elle :

- Tu n'as rien ?
- Non, je ne crois pas. Je n'ai rien senti.

René venait d'arriver, il avait l'air à la fois inquiet et très heureux.

- Pardon Ambre, ça va ?
- Oui ça va. Mais toi ? Tu as réussi !
- Oui ! C'est une sensation incroyable, je ne sais pas si je pourrais le refaire de suite, j'ai les jambes qui ont du mal à me porter, mais sinon c'était très exaltant.
- Je te l'avais dit, rétorqua Killian. C'est bon signe. Très bon signe même.
- Je suis d'accord. Par contre je n'ai pas tout à fait procédé de la même façon que toi. J'ai formé mon sort après avoir dosé la magie nécessaire. Pas avant.

C'est un détail, mais cela m'a permis de me concentrer sur l'afflux de la magie et non sur le sort en lui-même.

- Pas bête. Il faudra que j'essaie. En revanche, ton sort était supposé faire quoi ?

René avait l'air gêné :

- Il était censé…brûler le mal.

Jacques se glissa entre les deux :

- Bon c'est à moi là non ? C'est bon ? En plus l'amulette est déjà régénérée. Ça veut dire : let's go !

Killian se tourna vers Ambre. Aborder le sujet en présence d'Emilie allait être compliqué. Heureusement, René, sans le savoir, leur sauva la mise :

- Emilie ?

La petite fille le regarda avec ses grands yeux verts.

- Tu veux essayer ? Si on y arrive tous, on va partir d'ici. Ensemble. Et j'aimerais être sûr que tu y arrives. Comme l'a dit Killian, on ne partira pas sans toi.
- D'accord.

La réponse était aussi courte que possible, mais elle ne montra aucune émotion.

- Euh…très bien. Jacques ? Ça te dérange ?
- Je vais finir par croire que c'est un complot ! répondit ce dernier avec sa bonne humeur habituelle.

Il se pencha vers Emilie.

- Tu vas y arriver et quand on sera tous dehors, on ira à la plage. C'est promis. OK ?

Elle lui fit un grand sourire.

- Comme sur la photo ?
- Oui.
- Chouette.

Elle se planta devant Killian. Les autres commencèrent à s'éloigner.

- Tu fais comment toi ?

Killian fut très surpris par la formulation de la question.

- Et bien… je vais te demander de te concentrer. Lorsque tu vas sentir de l'énergie rentrer en toi, il ne faudra pas l'arrêter. Tu sais, quand tu essayes de la bloquer avec ton esprit ?
- Pourquoi ?
- Pour éviter d'être malade avec le retour de sort.
- D'accord. C'est presque comme moi alors ?

- Comment cela comme toi ? Tu y arrives déjà ?

Emilie ferma les yeux et Killian sentit la magie se former autour d'elle. Un premier cercle de puissance lui fit comprendre qu'il devait s'écarter rapidement. Le deuxième cercle fit crier Ambre :

- Emilie arrête !

Les deux pieds de la petite fille ne touchaient plus le sol, l'énergie qui l'entourait était phénoménale. Killian se demanda si cela avait le même effet pour lui lorsqu'il se concentrait. Des dizaines de lianes sortirent du sol sur la gauche d'un chêne immense, puis s'enroulèrent autour de ce dernier.

Emilie tenait son poing fermé devant elle, puis l'écarta vivement. Les lianes se tendirent avec une force prodigieuse, déracinant l'arbre. Le spectacle était incroyable, Killian en était pétrifié. Lorsque l'arbre tomba au sol, le bruit résonna dans toute la forêt. Elle chuta au sol quand ce fut fini, les jambes tremblantes.

- C'est rigolo, ça tremble. En tout cas, c'est beaucoup plus facile avec ta technique. Merci.

Killian n'osait pas parler. Cette petite était prodigieuse et elle cachait son pouvoir depuis le début. Les autres arrivèrent en contournant de façon exagérée l'arbre au sol. Ambre se jeta sur Emilie :

- Tu n'as rien ? Mon Dieu mais… comment ? Pourquoi ? Depuis quand ?

René posa la main sur l'épaule de la jeune fille afin de la calmer. Il se mit à genoux devant Emilie :

- Je suis fier de toi. Mais pourquoi ne l'as-tu pas fait plus tôt ?

La petite fille les regarda avec un air coupable :

- Au début, c'était pour qu'on me laisse tranquille. Puis Ambre est arrivée avec les autres et comme vous n'y arriviez pas… Je savais que si je leur montrais mes pouvoirs… ils m'auraient dit de partir. Et moi je voulais rester avec vous.

Ambre pleurait. Elle qui s'angoissait depuis le début pour trouver un moyen de partir avec Emilie. ELLE était responsable depuis le début par son incompétence. Les yeux rougis par la colère, elle regarda Killian :

- Je suis la prochaine, crache le morceau.

Jacques faillit s'étrangler :

- Ah non ! Toi aussi tu vas t'y mettre ?! Il se tourna vers Killian. Mon ami ! Toi tu me comprends ? Je sais que tu ne me trahiras pas. Explique-lui que c'est mon tour. Pitié !

Killian regarda Jacques, puis Ambre. Son regard était incandescent, la colère qu'elle avait en elle le fit frémir :

- Désolé mon grand, mais je crois que pour notre sécurité, on va te faire passer en dernier. Ou alors je te laisse voir ça avec elle ?

Jacques se tourna vers Ambre, prêt à commencer une négociation, mais il s'arrêta net en voyant le visage d'Ambre.

- OK. Mais je veux ton dessert ce soir alors !

Bizarrement, Ambre eu un petit sourire lorsqu'elle s'approcha de lui. Elle le serra fort contre elle.

- Merci, lui chuchota-t-elle.
- Pas de quoi ma grande, mais recule un peu… tu me brûles.

Le torse de Jacques était mouillé. Il avait transpiré. Sa peau sombre avait des cloques au niveau de son cou.

- Pardon. Je n'aurais pas dû me laisser aller.
- Laisse, ce n'est pas grave.

Il se retourna et partit à la lisière de la clairière. Laissant les autres membres du groupe sur place.

- Félicitations. Tu as réussi à perturber notre gros nounours, dit René avec humour. Je pense qu'on devrait tous lui donner notre dessert ce soir.
- J'ai des gâteaux dans ma poche, répondit Emilie. Je vais lui donner.

Elle partit en courant vers Jacques, suivie par René qui préféra une marche tranquille. Ambre resta seule avec Killian, fixant l'arbre au sol. Elle voyait mal comment elle allait pouvoir faire aussi bien. Elle avait vu plusieurs fois Braise à l'œuvre et elle n'avait jamais pensé pouvoir égaler le personnage.

Son regard se porta ensuite sur Jacques. Pourquoi l'avait-elle étreint comme ça ?

- Concentre-toi Ambre, dit Killian. Tu avais l'air plus motivé il y a deux minutes.
- La dernière fois que j'ai vraiment essayé, ça s'est mal passé. Ça semble tellement facile pour les autres, pour toi.
- Tu vas y arriver. Je n'ai aucun doute là-dessus et crois-moi, je ne pense pas que René ait trouvé cela facile.
- Peut-être pas, mais il a réussi au deuxième essai. Il faut que tu saches que je n'ai jamais été douée. J'ai plus ou moins écouté ce que vous disiez. Je ne sais pas si je vais réussir à ne pas protéger mon esprit de la magie. La seule fois où j'ai essayé de lancer un sort du premier cercle, j'ai eu la peur de ma vie.

Killian la regarda comme s'il la voyait pour la première fois. Sa colère s'était évaporée. Il ne restait que de la peur et de l'angoisse. C'était peut-être elle qui allait poser le plus de soucis ? Il savait qu'il devait faire attention à ne pas lui faire prendre de risques.

- Il faut que tu te détendes. Ne te laisse pas envahir par cette peur justement. Tu peux me croire, tu ne crains rien. Je préfère l'Ambre sûre d'elle, avec le regard de tueuse que tu avais il y a deux minutes. Elle sourit, il était sur la bonne voie. Lorsque tu vas utiliser ta magie, laisse-la couler en toi. Protéger ton esprit est justement contre nature. Je pense que tous les problèmes viennent de là. Je ne sais pas pourquoi nous avons été choisis, mais ce qui est sûr, c'est que nous ne devons pas freiner nos pouvoirs. C'est un peu comme… il chercha la bonne comparaison, comme si on voulait faire un barrage devant un fleuve. Ce n'est pas naturel et quand ça casse, les dégâts sont considérables.

Elle le regarda puis acquiesça.

- OK, je vais voir ce que je peux faire. Tu devrais t'écarter. Pour le coup, moi, je ne fais pas pousser des plantes. Si ça réussit, il va y avoir des étincelles.

Il ne se fit pas prier et rejoignit ses camarades cachés derrière l'immense tronc d'arbre qu'Emilie avait eu la bonne idée de mettre là. Il interpella d'ailleurs cette dernière :

- Simple question, en tant que mage de la terre, vous ne devez pas protéger la nature ou un truc du genre ? Ce n'est pas grave que tu déracines un arbre ?
- Il était déjà mort, lui répondit Emilie sans même le regarder.

En effet. Il n'avait même pas fait attention au fait que l'arbre n'avait plus du tout de feuilles au milieu de ses congénères. L'automne était plutôt doux et la forêt avait ses couleurs orange, marron et jaune.

Tout le monde était focalisé sur Ambre qui ne bougeait pas. Immobile au centre de la clairière, elle était en pleine concentration. Petit à petit, ils sentirent une vague de chaleur. La température ambiante montait doucement. Jacques ne put s'empêcher de plaisanter :

- Je vous l'avais dit : elle est chaude comme la braise !
- Chut ! le reprit René. Ce n'est pas le moment de la déconcentrer.

Quelques secondes plus tard, elle poussa un cri déchirant et un cercle de puissance apparut, puis…plus rien. Elle se tenait toujours debout, mais les bras écartés, comme si elle voulait ne pas perdre l'équilibre.

- Waouh !! J'ai réussi ! C'est énorme cette sensation !

Les quatre compagnons cachés derrière leur arbre se regardèrent sans comprendre.

- Ambre ? Ça va ? lui cria Killian. Tu n'as pas lancé de sort, c'est normal ?

Elle paraissait en mauvaise posture sur le plan physique, mais elle arborait un sourire radieux.

- Comment ça ? Je n'ai pas encore pensé à ce que j'allais faire. Je ne vais pas balancer du feu dans une forêt ?

Killian hésita puis chuchota à René :

- J'y vais. Tu les surveilles s'il te plait ?
- D'accord, mais que vas-tu faire ?
- Je vais prier que mon bouclier soit aussi résistant avec la magie du feu qu'avec les poings de Jacques.
- Ce n'est pas raisonnable mon garçon.
- Je sais, mais on ne peut pas la laisser comme ça ?
- Si, c'est marrant, on pourrait voir combien de temps elle tient, plaisanta Jacques.

Killian se demanda s'il lui arrivait de temps en temps d'être sérieux. Il sortit de derrière l'arbre et se dirigea doucement, son épée à la main, vers Ambre.

- Ambre ? Ça va toujours ?
- Pas vraiment. J'ai la tête qui me tourne, j'ai...beaucoup... de puissance. Faut que ça sorte !
- Ecoute. Je vais déployer mon bouclier et tu lâches tout d'accord ? Comme ça la forêt ne risquera rien.
- Non, mais tu es malade ?
- Vas-y je te dis, tu vas finir par perdre le contrôle ! Ambre, maintenant !

Killian déploya son bouclier. Ambre ne pouvait plus tenir et pointa sa main droite sur lui. Quatre projectiles magiques fusèrent dans sa direction et le frappèrent de plein fouet. Chacun d'eux déclenchèrent une déflagration de plusieurs mètres de diamètre et Killian fut propulsé jusque dans la forêt, heurtant un arbre au passage.

Plus personne n'osait bouger. Les explosions avait fait un tel raffut, que le silence qui s'ensuivit était pesant. Ambre haletait au milieu de la clairière, à genoux, elle respirait fort. Son visage était contracté et elle se mit à sangloter. Devant elle se tenait une scène de guerre, les explosions avaient ravagées la clairière et la lisière de la forêt.

Là où aurait dû se trouver Killian, seul un amas de terre et de feuilles brulées était encore là. René, Jacques et Emilie étaient figés et cette dernière se mit à pleurer.

- Jacques, il est où ? Pourquoi il n'est plus là ?

Ses pleurs se transformèrent en gros sanglots. Jacques ne répondit pas, se contentant de regarder René.

- On a été complètement inconscients. L'euphorie nous a fait perdre la raison. Comment avons-nous pu en arriver là... il va falloir....

Il s'arrêta de parler en entendant un bruit de branche cassée dans les arbres.

- C'est moi ou c'était vraiment puissant ? J'ai bien cru que j'allais y rester !

Tous virent Killian sortir d'un énorme buisson, recouvert de terre et de feuilles. Il boitait, s'appuyant sur son épée pour avancer. Ambre se précipita vers lui et, emportée par l'émotion, le percuta. Ils tombèrent tous les deux à terre.

- Si c'est pour m'achever, je préférais les boules de feu... mais, tu pleures ?

Ambre pleurait à chaudes larmes. Il la prit dans ses bras.

- Du calme, je n'ai rien. J'ai percuté un arbre en retombant, mais tes projectiles ne m'ont rien fait. Je n'ai même pas eu chaud. Ce sont les impacts qui m'ont surpris, vu que je n'avais rien senti avec le coup de poing de Jacques...

Elle releva la tête :

- J'ai cru que je t'avais tué, je n'ai pas réussi à me retenir plus longtemps et j'ai tout lâché, pardon !

Ils se remirent debout et les autres arrivèrent. René en tête du cortège. Il lui tapota l'épaule en arrivant.

- Si le but était de nous faire peur, c'est réussi. Vraiment efficace ton bouclier.

Fangore sortit toute seule de l'épée pour aller à la rencontre d'Emilie. La petite fille la prit dans ses bras. Jacques se contenta de lever le pouce vers lui, mais ses yeux rougis n'échappèrent à personne. Killian regarda son épée, la rune brillait un peu moins, mais elle était loin de l'extinction. René surprit son regard.

- N'oublie pas que c'est une rune du troisième cercle. Tu dois pouvoir encaisser bien plus que cela finalement ? Non ?
- Il semblerait. Je n'ai vraiment rien senti. Si j'avais baissé mon centre de gravité et si j'avais été sur mes appuis, je n'aurais même pas bougé.
- Mais qu'est ce qui se passe ici !?

Tous se retournèrent. Braise venait de faire irruption dans la clairière avec Terra et Neuro. Les compagnons se regardèrent rapidement. Il est vrai que les apparences n'allaient pas jouer en leur faveur, la clairière ressemblait à un champ de bataille, entre l'arbre couché et la fumée qui s'échappait des explosions causées par Ambre.

Killian regarda René, plein d'espoir. Ce dernier sourit puis se tourna vers les membres du Conseil :

- Désolé. Une expérience qui a mal tourné. Enfin pour la forêt. Mais nous allons très bien. On voulait éviter de faire ça près des autres élèves, au cas où. Et nous avons bien fait.

René désigna les restes de la clairière. Braise avança vers lui, accompagné des autres membres du Conseil.

- Qui a fait ça ?! Ambre c'est toi ? On a entendu les explosions jusqu' à l'académie.

Il regarda aussi l'arbre au sol.

- Et ça c'est toi ? demanda-t-il en s'adressant à Emilie.

Les deux jeunes filles ne répondirent pas et René continua à s'adresser à lui comme si de rien n'était.

- Comme je vous l'ai dit, nous nous entrainions. Il n'y a pas de blessé, désolé pour le vacarme, on va faire plus attention la prochaine fois.

Mais Braise ne le regardait même pas. Il se dirigea d'un pas déterminé vers Emilie.

- Toi, viens là.

La petite fille allait avancer, tête baissée, quand une masse imposante s'interposa. Jacques faisait face à Braise. Les deux hommes étaient de même corpulence avec un léger avantage au Corporem.

- Elle n'a pas envie de répondre. Et sauf erreur de ma part, rien ne l'y oblige. On vous a déjà dit tout ce que vous deviez savoir.

Les visages des deux hommes n'étaient séparés que de quelques centimètres. Killian était impressionné par le sang froid de son ami. Il avait vu dans ses yeux la panique quand il avait appris pour son conflit avec Braise et malgré cela, il n'avait pas hésité une seconde à s'interposer pour protéger Emilie.

- Écarte-toi Jacques. Ne m'oblige pas à m'énerver.

Jacques ne bougea pas d'un pouce, souriant de toutes ses dents.

- Essaye, juste pour voir. Montre-nous qui sont vraiment les maitres de cette académie ! Montre-nous comment un professeur est prêt à violenter ses élèves ! Mais tu feras cela sur un homme et non sur une petite fille !

Jacques hurlait, obligeant Braise à reculer de plusieurs pas. Ce dernier regarda autour de lui. Tout le monde le fixait, il sentit le mépris dans les yeux du groupe et lorsqu'il croisa le regard de Killian, il s'emporta :

- Comment oses-tu me parler ainsi… vermine !

Il leva son bras et ses tatouages se mirent à briller. Jaques avait commencé à lever son bras pour se protéger et attendait le châtiment, mais rien ne vint. Lorsqu'il rouvrit les yeux, il trouva Braise immobile, comme figé par la peur. La lame de Killian était sur son épaule et ce dernier se trouvait dans son dos.

- Je pense qu'on devrait tous se calmer. Je ne suis pas ici depuis très longtemps, mais ce qui est certain, c'est que vous êtes tout sauf des professeurs. J'aurais honte à votre place.

Braise se retourna et planta son regard dans celui de Killian. Il voulut rétorquer, mais c'est Terra qui s'interposa :

- Ça suffit, Braise. Killian, range cette arme. Nous avons entendu des explosions et nous avons eu peur pour vous. Braise n'aurait pas dû s'emporter, mais nous ne pensions qu'à votre sécurité.
- Ça ma chère, j'en doute, répondit René. Il va falloir arrêter de vous comporter comme des geôliers. Killian a raison, vous deviez être des professeurs. Mais vous êtes lamentables. Je sais qu'en passant l'épreuve on obtient un document nous permettant d'être « libre », mais à ce rythme, les gens vont fuir votre académie pour en rejoindre d'autres. Ou pire, ils n'oseront pas se déclarer et chercheront à fuir pour vivre dans la peur et la solitude.

Neuro intervint pour la première fois. Sa discrétion lui avait permis d'être oublié de tous.

- Nous sommes désolés René. Les choses sont plus compliquées que ce que vous pensez. Nous sommes un peu tendus en ce moment. L'académie survit difficilement, mais nous devrions être plus attentifs à vous. Killian, range cette épée. Nous avons besoin de nous entraider. Pas de nous entretuer.
- Dites cela au psychopathe en face de moi, répondit Killian en fixant Braise.

Néanmoins il baissa son épée, sans détourner le regard.

- Je n'ai jamais voulu faire de mal à la gamine. Mais cet imbécile n'avait pas à s'interposer, répondit le rouquin.
- Cet imbécile a eu raison et je regrette de ne pas avoir eu son courage. Vous avez posé des questions et on y a répondu. Et la « gamine » s'appelle Emilie !
- Pas vraiment, vous pensez qu'on va en rester là ? Il faut un sort au moins du premier cercle pour faire ça, répondit Terra en montrant les cratères au sol. Hors, aucun d'entre vous n'a l'air d'avoir eu de retour de sort.
- Et bien vous devriez être ravis. C'est que nous progressons. N'est-ce pas le but de cette académie ? A moins que de nous voir réussir vous pose un problème ?
- Ne dis pas n'importe quoi, répondit Neuro. Tu n'y crois pas toi-même. Je le sens. Nous avons manqué d'empathie avec toi, et ce, depuis le début. Tu as eu un impact sur ce groupe que nous n'avions pas du tout prévu. Nous savons que tes pouvoirs augmentent, mais comme nous ne connaissons pas ton

obédience, nous avons du mal à appréhender le phénomène. Nous allons vous laisser travailler tranquillement. Si vous avez besoin de conseils, n'hésitez pas. Nous serons ravis de vous aider pour passer l'épreuve.

- Pas besoin, répondit Jacques. Nous avons déjà un vrai professeur.

Son regard se porta sur Killian, qui s'empourpra. Le compliment était réel. René vint se placer près de lui avec Ambre. Il se sentit plus fort et plongea son regard dans celui de Braise. Ce dernier vit rouge :

- Il te faudrait une bonne leçon !
- Braise ça suffit, l'interrompit Terra.

Mais Killian en avait marre de se faire protéger et il était temps que le Maitre du feu cesse de les tourmenter. Il ne serait pas toujours tous les cinq et il fallait que quelqu'un lui fasse comprendre qu'il n'était pas tout puissant.

- Laisse Terra, il a raison.

Ses compagnons le regardèrent sans comprendre, René lui fit un signe discret de la tête pour le faire taire. Mais Killian n'avait bizarrement pas peur ni envie d'arrêter :

- Depuis le début tu veux me terroriser. Tu veux montrer que tu es le plus fort. Et bien soit, je relève le défi. Demain soir, à dix-huit heures. je t'avais promis d'être ton homme, c'est chose faite.

Braise regarda Terra, puis Neuro. Bizarrement il se radoucit :

- Je ne me battrai pas contre toi. Affronter un élève qui n'a pas encore passé l'épreuve est sans intérêt et dangereux. Je ferai comme si je n'avais rien entendu.

Il y eu un grand éclat de rire et tout le monde se retourna. C'était Jacques, qui riait aux éclats :

- Alors...pour me réduire en cendres, pas de soucis. Mais pour l'affronter lui ? C'est non ? Je savais bien qu'il y avait une arnaque quelque part. La peur te ronge Braise, tu es pitoyable.

Les mots claquèrent comme un coup de fouet. Personne ne pouvait savoir si le colosse avait vu juste. Mais maintenant que l'idée était lancée, Braise était pris au piège et il le savait. Personne n'osa répondre. Ambre dévisagea Jacques comme s'il était fou.

- Ne me regarde pas comme ça. Regardes-les, ils sont terrorisés par Killian. En arrivant ici, il savait à peine ce que le mot « magie » voulait dire. Quarante-huit heures plus tard, il est déjà meilleur professeur que le Conseil lui-même.

- Bon là ça suffit, s'énerva Braise. Demain dix-huit heures, je suis ton homme Killian. Tu as intérêt à être en forme car je ne vais pas te ménager ! Si tu veux annuler c'est maintenant !

Killian n'avait même pas tourné la tête vers ce dernier. Il fixait Jacques sans dire un mot. En arrivant à l'académie, il pensait faire son maximum pour en repartir le plus vite possible. Maintenant, il n'avait qu'une idée en tête : sortir d'ici avec tout son groupe. Il savait qu'une force invisible les reliait les uns aux autres.

Jacques se serait sacrifié pour Emilie et il le défendait coûte que coûte. Il ne pouvait pas les laisser tomber. Il se tourna lentement vers Braise :

- Je te donne à nouveau le conseil : ne porte aucun objet en métal demain. Je ne veux pas que ce soit trop facile. Si tu t'excuses, peu importe le moment, je stopperai le duel.

Même Terra fut pétrifiée. Killian les fixait tous les trois. Sa détermination était contagieuse car Emilie vint aussi se placer à côté de lui. Après un moment de silence gênant, Neuro invita les autres membres du Conseil à le suivre. Laissant les compagnons seuls dans la clairière. René se tourna vers Killian :

- Tu joues un jeu dangereux Killian. Braise a beaucoup d'expérience. Il est vraiment fort et je pense que tu le sous-estime. Quand à toi Jacques, ce n'est pas malin. Braise a raison. Un duel avec un élève ne montre pas le bon exemple.
- Laisse René, répondit Killian. Jacques, merci pour ton intervention. En fait pour tes interventions. Je n'ai jamais vu quelqu'un d'aussi courageux que toi…
- C'est de l'inconscience, l'interrompit Ambre. Mais elle souriait à Jacques.
- Peut-être. Mais… quand il s'est interposé face à Braise pour Emilie, j'ai compris l'importance de notre groupe. René ?
- Oui mon garçon ?
- On va aider Jacques. Il a attendu toute la journée et si je reporte à demain son essai, on va devoir lui donner nos desserts pendant un mois.

Jacques se mit à rire :

- Même pas en rêve ! Je vous ai tous laissé passer ! A mon tour.
- Oui, mais demain j'aimerais rester seul. Il faudra que je me prépare. Je dois gagner ce combat contre lui. Sinon, il va nous rendre la vie impossible.

René lui posa la main sur l'épaule. Killian sentit tout le poids de la sagesse du cinquantenaire. Son regard était profond, il arborait un sourire compatissant.

- Depuis ton arrivée Killian, tu ne fais que t'occuper de nous. Demain, on va s'occuper de toi. Tu peux compter sur nous. N'est-ce pas les amis ?

Chapitre 6

Ils se retrouvèrent le lendemain matin et malgré l'imminence du duel, la bonne humeur était au rendez-vous. Il y avait plusieurs raisons à cela. Pour commencer, il suffisait de se remémorer les tentatives de Jacques la veille pour réussir à lancer un sort du premier cercle. N'arrivant pas à être sérieux (mais surtout pour détendre l'atmosphère), il avait réussi à se changer en différents monstres plus moches les uns que les autres afin de faire rire Emilie.

Il avait fallu que René intervienne, faisant son maximum pour cacher son hilarité, afin que le Corporem lance un sort sérieusement. Il s'était transformé en un magnifique tigre aux poils bleus et à la corpulence nettement supérieure à la normale. Tout le monde en avait conclu que le test était réussi.

En rentrant le soir, Killian avait intercepté Jacques :

- Tu pourrais me donner un coup de main ?
- Oui, tu as besoin de quoi ?
- Derrière le hangar, j'ai vu deux grosses plaques de fer. Tu pourrais m'aider à en monter une dans ma chambre, je prends l'autre, s'il te plait ?
- Pas de soucis. Allons-y maintenant pendant que tout le monde mange.

Ils avaient porté les deux énormes plaques de fer, Killian souffrant bien plus que Jacques.

- Pratique d'avoir de gros muscles !

Jacques avait souri et avait déposé la plaque contre le mur adjacent à sa chambre. Killian avait fait de même et s'était effondré sur le sol, assis contre sa porte. Il lui avait fallu deux bonnes minutes pour être capable de se relever.

- Ouvre ta porte, je vais te les rentrer.

- Merci, pose-les sur le lit, je me débrouillerai pour le reste.

Mais Jacques ne l'avait pas écouté. Il avait remarqué le mobilier somptueux de Killian.

- Et ben mon salaud ! Tu te fournis pas chez les suédois toi ! On n'est pas logé à la même enseigne.
- Toi tu as de gros muscles, moi un peu d'imagination. Chacun son talent, avait répondu Killian avec un clin d'œil.

Jacques s'était dirigé vers la sortie et s'était arrêté sur le pas de la porte :

- J'ai le droit de te poser une question ?
- Tout ce que tu veux.
- C'est pour le duel de demain ?
- Oui. Je ne compte pas me laisser faire. Il va devoir donner tout ce qu'il a. Je ne gagnerai pas je pense, mais si un élève lui donne beaucoup de fil à retordre, alors peut-être que cela changera les choses. Il sera forcé de nous respecter et de nous craindre un minimum.
- Je suis bien d'accord.
- Moi aussi j'ai une question.
- Vas-y, envoie la sauce.
- Tu savais que tu n'aurais aucune chance face à lui. Et pourtant, tu n'as pas hésité. Pourquoi ?

Jacques l'avait regardé droit dans les yeux.

- Tu ne t'es pas vu Killian. Je l'ai fait pour toi. Ta main serrait tellement fort ton épée et… tes yeux, j'ai cru que tu allais le découper sur place. J'ai juste voulu désamorcer la situation. Mais cet abruti m'a mis en colère et je n'ai fait que l'envenimer.
- Ne t'en fais pas, ça va bien se passer. Il n'osera pas me tuer. Il perdrait tous les élèves dans la journée.

Jacques s'était mis à rire et Killian l'avait regardé sans comprendre :

- Je pense aussi que ça va bien se passer. Je n'aimerais pas être à la place de Braise demain.
- On verra. Je ne suis pas aussi confiant que toi.

Et maintenant, la surprise était générale. Killian arriva avec Fangore. Cette dernière arborait une série de runes bleues, du premier cercle, sur toute sa colonne vertébrale. Une rune dorée était sur chacune de ses pattes et deux magnifiques runes couleur rubis trônaient au centre de ses ailes.

Le spectacle aurait pu s'arrêter là, mais Killian portait une magnifique cuirasse ainsi que deux protèges-bras. Le plastron avait plusieurs runes gravées, comme le reste de l'armure. Tout le monde le regarda rentrer dans le réfectoire et les ragots allèrent bon train.

L'accueil par ses camarades lui fit oublier les regards des autres élèves.

- Waouh ! s'exclama Ambre. J'en connais un qui devrait se porter pâle cet après-midi.
- Carrément, continua Jacques. C'était ça toutes les secousses qu'on a entendu cette nuit ?
- Oui, répondit Killian. Je suis désolé.

René le dévisagea un moment :

- Tu as vu tes cernes ? Tu dois être en forme pour tout à l'heure. Ce n'est pas raisonnable. On te laissera te reposer un peu cet après-midi.

Emilie admirait Fangore. Cette dernière était parcourue de dizaines de runes la rendant multicolore. Elle brillait et se mélangeait à l'aura spectral de l'esprit, créant un vortex de lumière. L'effet était impressionnant. La main de la petite fille traversa le petit dragon qui s'amusait à tourner autour d'elle. Ambre regarda le manège un moment, mais quelque chose n'allait pas :

- Killian ?
- Oui, répondit-il, voyant son regard sceptique sur Fangore.
- Pourquoi n'as-tu pas fait seulement des runes du troisième cercle ?

René se tourna vers l'esprit et remarqua à son tour que Killian avait utilisé des runes des différents cercles.

- C'est une question d'énergie. J'ai commencé par les runes que vous voyez sur ses ailes. Une fois finies, j'ai dû me reposer une bonne heure avant de pouvoir recommencer. Et encore, je n'ai réussi qu'à lancer un sort du premier cercle. Je pense que notre esprit est comme un muscle. Je pourrais faire plus en l'utilisant plus souvent. Mais pour le moment, j'ai fait mon maximum.
- Moi aussi ça m'a fait ça hier, répondit Jacques. J'étais épuisé en allant me coucher. Il faut faire attention à ne pas épuiser nos réserves. Le fait de ne pas former de barrière mentale est très efficace, mais ça utilise aussi une grande quantité de magie.

Ils prirent leur petit-déjeuner dans la bonne humeur et les discussions sur le duel allèrent bon train, mais Killian se faisait un plaisir de garder le secret sur ses nouvelles runes.

- La seule chose que je peux vous dire, c'est que j'ai maintenant trois runes de bouclier.
- Oui, ça on avait remarqué, répliqua Jacques, celles sur les ailes sont identiques à celles du bouclier qu'elle a sur le front. D'ailleurs, ça donne quoi sur l'épée ?

Killian décrocha l'arme de son dos pour la lui tendre. Une rune rouge trônait sur chaque tête de dragon qui constituait la garde et les quatre nouvelles dorées étaient sur le manche. La lame était parcourue d'une multitude de runes bleutées.

- Ah oui, quand même. Honnêtement, tu brandis ça devant moi, ça me suffit. Même pas je tente ma chance.

Il rendit l'arme à son propriétaire. Lui faisant par la même occasion un petit signe de tête pour l'informer qu'il y avait quelqu'un derrière lui. Killian se retourna et vit un petit garçon d'environ cinq ans qui le regardait.

- Bonjour ? Je peux t'aider ?
- Bonjour, je m'appelle Mathias. Il est marrant votre petit dragon. Comment vous avez fait pour en avoir un ?
- Et bien... je ne sais pas trop en fait. C'est plutôt elle qui m'a choisi. C'est en rapport avec ma magie. Et toi c'est quoi ton obédience ?

Le petit garçon leva une main et Killian sentit un courant d'air sur son visage.

- Je suis un Aéro. J'utilise l'air comme élément.

Une femme d'une quarantaine d'années les rejoignit :

- Mathias, laisse-les tranquille. Viens finir ton petit déjeuner.
- Bonjour madame, pas de problème. Il est gentil. A son âge j'aurais aussi adoré avoir un petit dragon à moi. En fait, même aujourd'hui c'est plutôt cool.
- Oui, mon fils a toujours aimé les dragons. Il en a un gros en peluche.

Killian fut surpris par la réponse :

- C'est votre fils ?
- Oui. C'est l'amour de ma vie.
- Mais vous êtes, vous aussi...enfin... une mage ?
- Ah non, pas du tout. Mais ils n'ont rien pu y faire. Mon fils, c'est toute ma vie. Alors je suis venu le rejoindre. En fait, rien ne m'empêche, légalement, d'être là. J'ai signé un document sur la confidentialité et une décharge de responsabilité en cas « d'accident ». Mais au moins, je suis avec lui.
- En arrivant ici, ils m'ont dit qu'on devait être à l'isolement. Pour la sécurité de notre famille. Pour se concentrer sur notre magie afin de pouvoir sortir d'ici.

- C'est en partie vrai. Mais pas pour un enfant de cinq ans qui a peur, ce n'est pas la bonne méthode. Et le décret de loi ne mentionne rien sur les visites des familles. Alors... Au fait, moi c'est Karen.
- Killian, enchanté. Nous aurons certainement l'occasion de nous reparler.
- Oui, certainement.

Elle partit rejoindre son groupe avec son fils. Laissant Killian dans ses pensées. Il pouvait donc voir sa famille si elle venait ici. Encore une omission du Conseil.

- Killian ?

C'était René, il avait senti le trouble chez son ami.

- Oui, désolé. Vous saviez pour lui ? Que sa mère était là ?

Ils se regardèrent, un peu gênés. C'est Ambre qui rompit le silence :

- Oui, mais ce n'est pas une bonne idée. Elle le couve trop. Il est arrivé il y a quatre mois ici, c'est l'un des premiers. Et il va rester ici un moment. Je ne sais pas pourquoi, mais elle fait tout pour qu'il ne passe pas l'épreuve. Depuis le Conseil isole un peu plus les nouveaux arrivants, et pour le coup, je trouve que c'est une bonne idée.
- Moi aussi, enchaina René. Cette femme est bizarre. Son fils voit tout le monde partir au bout d'un moment et lui reste. De plus elle parait très heureuse ici.

Killian était un peu perdu. Car l'envie de voir ses enfants était très présente. Sa femme aussi. Mais il ne donnait pas forcément tort à ses amis. Avec sa famille à ses côtés, jamais il ne se serait autant concentré sur sa magie.

- En tout cas il est sympa ce petit.
- Mathias ? il est adorable. Parfois le soir elle l'emmène dehors pour qu'il joue avec un cerf-volant. Faut voir ce qu'il arrive à faire avec.

Jacques se leva pour s'étirer puis posa ses mains sur ses hanches.

- Bon, on y va ? Faut préparer notre poulain ! Je ne voudrais pas lui mettre la pression, mais comme il a décidé pour son premier duel d'affronter le meilleur mage de l'académie, on a du pain sur la planche.

Il regarda Killian avec un sourire carnassier. Ambre le fixa un moment avant d'enchainer :

- Toi, tu as une idée derrière la tête.

Jacques leur fit un clin d'œil :

- Pas ici. Allons dans la forêt. J'ai l'impression que tout le monde nous observe.

Ce n'était pas vraiment une impression. L'ensemble des mages les regardait en coin et en chuchotant. Killian remarqua aussi que la salle était au moins à moitié pleine.

- C'est moi où il y a beaucoup plus de monde ?

René se mit à rire avec Ambre. Il les regarda sans comprendre et il s'expliqua, un peu embarrassé :

- Le duel de ce soir. Ça a fait le tour de l'académie. Pas mal de mages sont revenus juste pour ça.
- Tu plaisantes ? Mais comment l'ont-ils su ? Son regard se porta instinctivement sur Jacques. C'est toi ?
- Quoi ? Pourquoi ce serait moi ? Il regarda autour de lui, voyant le regard accusateur de tout le monde, il continua. OK...oui c'est moi ! J'en ai parlé peut-être à deux, trois mages susceptibles de, comment dire... faire un petit pari. Je ne pensais pas que ça prendrait cette ampleur !
- Comment ça un pari ? Vous avez parié sur le duel ?
- Oui, répondit le colosse avec un grand sourire. Et je suis le seul à avoir parié sur toi, autant te dire que t'as intérêt à gagner, tu es a un contre trente !

René posa la main sur son visage, comme désespéré. Ambre sortit un billet de vingt euros de sa poche :

- On peut encore parier ? Elle tendit le billet à Jacques. Vingt euros sur Killian.
- T'es vache là ! Je vais devoir partager avec toi.

Killian était en panique, il pensait que le duel se tiendrait à huis clos. Mais cette information ne signifiait qu'une chose : il allait y avoir beaucoup de monde.

- Jacques, tu n'es pas sérieux ? Je ne suis pas du tout au niveau de Braise. Je te l'ai dit hier, je pense que je vais perdre, mais je veux lui donner du fil à retordre.
- Raison de plus pour aller s'entrainer. Je n'ai pas envie de perdre mon argent et celui d'Ambre.

Il partit devant. Les autres le suivirent, mais Killian avait l'estomac noué. Ils tombèrent sur Terra à l'extérieur.

- Bonjour à vous tous. Killian, puis-je te parler ?

Killian regarda ses compagnons, quoi qu'elle veuille lui dire, il préférait que ce soit en leur présence :

- Je t'écoute.
- En privé s'il te plait.
- Je préfèrerais éviter. J'en ai un peu marre des manigances et des mensonges.

Terra hésita, mais en se taisant, elle lui aurait donné raison.

- Le duel n'aura pas lieu. J'ai prévenu Lumio. Il est en chemin.
- Pourquoi as-tu fais cela ? Je ne t'ai rien demandé !
- Pour commencer, je fais ce que je veux. Tu oublies que je suis un membre du Conseil, Killian. De plus, je ne me suis pas battue comme une dingue pour fonder cette académie et voir les professeurs se battre avec les élèves. Je ne dis pas que tu as eu raison, mais je veux bien admettre que nous avons eu nos torts. Lumio va régler le problème avec Braise, tu peux en être certain. Il viendra te voir après, petit message de sa part.

Killian se dirigea vers la forêt, au moment de passer à côté d'elle, il lui rétorqua :

- Tu peux lui dire que je serai ravi de discuter avec lui. Après le duel. Braise ne voudra pas faire marche arrière par fierté et moi non plus.
- Tu ne sais pas ce que tu dis. Braise va te massacrer. Tu n'as aucune idée de ce dont il est capable. Il n'est pas qu'un gros tas de muscles, il est doué avec son obédience.

Killian s'arrêta. Il ne voulait pas que cette discussion s'éternise. En revanche, Terra avait l'air de connaitre parfaitement la puissance du Maitre du feu, et il avait besoin d'en savoir plus.

Il prit son épée et la pointa vers un endroit du terrain vague entourant l'usine. La poignée de l'arme se mit à briller, la lame crépita et un éclair jaillit, allant frapper un rocher situé à plus de cinquante mètres. Le bruit fut identique à la foudre et le rocher explosa. Emilie avait les mains sur ses oreilles. René et Ambre se jetèrent à terre, Jacques se contenta de croiser les bras. Killian observa Terra. Son visage était blême, elle avait mis ses bras devant son visage pour se protéger. Elle tenta de faire bonne figure, mais elle était terrorisée. Il avait sa réponse :

- Maintenant vous savez aussi de quoi je suis capable.

Il continua de marcher en direction de la forêt. Les autres le suivirent, laissant Terra statufiée sur place. Plusieurs mages étaient sortis en entendant la foudre tomber, mais ils ne virent qu'un nuage de fumée au loin.

Killian avançait résolument au milieu des arbres lorsqu'il sentit la main de Jacques sur son épaule :

- Arrête-toi une minute. Tu nous as fait quoi là ? Ça ne te ressemble pas de faire étalage de ta puissance.

Les autres le rattrapèrent et le regardèrent avec anxiété. En faisant cela, il n'avait pas du tout pensé à leur réaction. Il s'en voulut de ne pas leur avoir révélé son plan.

- Vous savez, commença-t-il par dire. Je n'en ai rien à faire de ce que pensent les autres. Mais Terra, elle connait vraiment les pouvoirs de Braise. Je voulais voir sa réaction. Si elle n'avait pas bougé et qu'elle était restée indifférente, j'aurais su que le duel était perdu. Maintenant, vu sa réaction, je pense avoir mes chances.

Jacques le regarda d'un air impressionné :

- Finement joué. En effet, elle avait l'air perturbé.
- Non, elle était terrifiée, répondit René.
- Je suis d'accord, intervint Ambre. Terrifiée ce n'est même pas assez fort. Elle n'avait jamais vu ça de sa vie, c'est certain.

Ils continuèrent de marcher jusqu'à la clairière, ce qui leur pris facilement dix minutes. Killian regarda son épée, la rune qu'il avait utilisée était toujours terne.

- Mince. Si ça se trouve elle était à usage unique. Pas comme les autres ?
- Je ne pense pas, répondit René. C'est une rune du deuxième cercle. Je pense qu'il lui faut plus de temps.
- J'espère que tu as raison. Jacques, c'est quoi alors ton idée ?

Le colosse se plaça devant lui, façon professeur. Les mains dans le dos. Il commença à marcher de droite à gauche devant lui, comme un officier, ce qui fit rire tout le monde :

- Mon cher Killian, au vu de vos états de service, nous avons constaté un cruel manque de pratique et nous avons peur de votre défaite cet après-midi. Considérant le risque important de perte financière pour ma personne ainsi que cette ravissante jeune femme (il désigna Ambre, qui lui répondit par une révérence), nous allons vous entrainer. Pour se faire, nous allons exécuter un exercice à balle réelle ! Ambre, s'il te plait ?

Jacques lui désigna le centre de la clairière. La jeune femme le regarda sans comprendre.

- Killian va affronter un mage du feu. Voyons comment il se débrouille face à toi ? S'il ne passe pas cette épreuve, on aura notre réponse pour tout à l'heure. Qu'en pensez-vous ?

Killian voulu protester, mais René lui coupa l'herbe sous le pied :

- Tu n'es pas sérieux Jacques ? Nous n'allons pas mettre la vie d'Ambre et de Killian en danger. Le risque est trop grand.
- René. Dans quelques heures, il va affronter le mage le plus puissant de cette académie. Avec tout ce qu'il a fait pour nous, on lui doit bien ça !
- Mais c'est de la folie ! Imagine que l'un des deux soit blessé, voire pire…

Ambre se dirigea vers le centre de la clairière à la surprise de tout le monde :

- Jacques n'a pas forcement tort. De plus, ceci nous servira d'entrainement réciproque. Killian ? Ça te dit ? On se fixe comme objectif de se contrôler. Vaincre l'autre sans le blesser… un beau challenge non ?

Killian hésitait. L'idée était loin d'être bête en soi. Affronter Ambre pouvait lui donner un aperçu du duel de cet après-midi. Mais le risque était présent. Il ne fallait pas que l'un des deux en ressorte les pieds devant.

- OK. Mais tu me promets de ne pas faire de folie. On ne prend pas de risque. On va faire un essai et on voit ce que cela donne. Si on trouve que le risque est trop grand, on arrête. Ça te va ?
- Parfait. Elle prit une position de combat, les mains ouvertes près de ses cuisses.

Emilie, Jacques et René s'éloignèrent. Ce dernier montrait clairement sa désapprobation. Killian s'installa à une dizaine de mètres d'elle. Il n'avait jamais eu besoin de se battre. Il comprit une première chose : il n'avait aucune idée de ce qu'il devait faire et rien que pour cela, il se dit que Jacques avait eu finalement une bonne idée.

Ambre avait l'air à l'aise, en position, prête à frapper. Il n'était pas surpris d'une telle attitude. Elle avait eu une enfance bien plus dure que lui, en foyer. Elle avait dû apprendre à jouer du poing très jeune. Il prit son épée en main et invoqua Fangore. Cette dernière semblait excitée à l'idée du combat, elle était en position, comme un félin chassant une souris.

Jacques les interpella :

- Prêts ?

Killian et Ambre lui firent signe que oui.

- Go !

Ambre n'attendit pas une seconde et un cercle de puissance apparut quasiment instantanément. Killian se prépara à invoquer son bouclier et attendit les projectiles magiques. Au lieu de cela, il vit Ambre lever les bras vers le ciel et une boule de feu se forma.

- Tu es prêt ?

Elle voyait vraiment cela comme un entrainement, ce n'était pas une lutte et Killian se détendit.

- Vas-y, montre-moi qu'une femme aussi peut faire un barbecue.

Jacques se mit à rire avec Emilie et même René se dérida un peu. Ambre se plaça comme un lanceur de balle au baseball.

- C'est parti !

La boule de feu se dirigea droit sur Killian. Ce dernier n'utilisa pas une rune du troisième cercle, mais une rune bleue, créant un bouclier spectral juste devant son bras gauche. L'explosion fut gigantesque et Killian sentit son membre supérieur trembler.

Lorsque la fumée disparut, tout le monde fut rassuré de voir Killian derrière un bouclier de la taille d'Emilie devant lui. Killian regarda Fangore et vit que la rune s'était totalement éteinte. De plus, le bouclier était craquelé de partout.

- Il y a une grosse différence d'efficacité, cria Killian à Ambre. Avec cette rune, je ne pourrai pas bloquer deux sorts.
- Je vois ça. De plus il est beaucoup moins grand, répondit Ambre. Allez vas-y, à toi d'attaquer. Mais doucement, ne refais pas le coup de l'éclair ok ?

Killian regarda ses compagnons en souriant. Il avait bien envie d'essayer quelque chose.

- Ambre ?
- Oui ?
- Ne bouge pas s'il te plait. Je vais essayer quelque chose.

Killian visualisa un endroit derrière Ambre et utilisa une autre rune du premier cercle. Son corps disparut dans un nuage spectral pour réapparaitre juste dans son dos. Il plaça ensuite son arme sur l'épaule de son adversaire. Ambre ne put s'empêcher de pousser un petit cri de surprise :

- Waouh c'était quoi ça ?
- Une rune de téléportation. Pas mal non ? Je crois que tu as perdu ?
- Je me rends, sans aucun problème. Honnêtement, je ne vois pas vraiment ce que je peux faire contre toi. Ta magie semble sans limite. Tu peux créer des runes qui sont capables de faire tout et n'importe quoi.
- J'admets que je ne connais pas vraiment de limite, pour le moment. L'ennui c'est que je suis comme un fusil. Quand je n'ai plus de cartouche, c'est fini.

Les autres membres du groupe les avaient rejoints. Jacques arriva excité comme une puce :

- Je vous l'avais dit ! En plus Killian, regarde le manche de ton arme, les quatre runes dorées brillent à nouveau.

Killian vérifia, il avait raison. La rune d'éclair était rechargée, ce qui était une bonne nouvelle. C'était un peu plus long que pour une rune bleue, mais elles n'étaient pas à usage unique.

Les compagnons s'entrainèrent toute la matinée, affrontant Killian les uns après les autres, à l'exception de René qui ne voulait pas utiliser sa magie de cette façon. Killian comprit le point de vue de l'ancien prêtre. Il avait choisi une vie de paix et de tolérance. Aujourd'hui il avait un don, il n'allait pas l'utiliser pour se battre.

Jacques fut le seul qui obligea Killian à utiliser son bouclier supérieur. Transformé en animal, il était trop rapide et faillit le prendre par surprise. Ils se reposèrent vers midi en regardant Emilie réaménager la clairière. Elle modela un grand arbre à la lisière de la forêt pour leur aménager un bon point d'observation. Elle faisait cela avec beaucoup de douceur et de minutie, prenant son temps pour courber les branches.

Killian trouva le phénomène très intéressant et la petite fille vraiment douée. Elle utilisa l'arbre mort pour leur faire des fauteuils sur mesure et Jacques, accompagné de René, les testèrent pour faire une sieste. Ambre en profita pour se rapprocher de Killian :

- J'ai une hypothèse…
- Vas-y, je t'écoute.
- Ta magie, elle est unique, on est bien d'accord. En fait, tu peux enchanter les objets. Leur faire gagner des capacités. Si je devais nommer ton obédience, j'opterai pour : runique. Maintenant j'ai une question. Pourrais-tu enchanter un objet pour quelqu'un d'autre ?

Killian la regarda sans comprendre.

- Bah oui. Tu arrives à créer des runes qui s'utilisent. Mais arriverais-tu à faire des runes qui enchanteraient l'objet en permanence ? Lui octroyant un effet continu ?

Il trouva l'idée pleine de sens. Il n'avait dans son esprit que des runes avec des effets instantanés. Mais rien ne l'empêchait d'avoir une autre approche.

- Je n'avais pas envisagé ma magie de cette façon, mais je trouve que c'est à creuser. Quand j'aurai un peu de temps j'essayerai. Pour mon obédience, tu as eu aussi une bonne idée. Runique ça sonne bien.

Il laissa passer quelques secondes avant de reprendre :

- Tu sais, pour ton idée d'hébergement ? J'y ai réfléchi. J'ai un loft dans le centre de Marseille. Je m'en sers pour ma boutique, mais il y a un appartement au-dessus que je n'utilise pas. Vous n'aurez qu'à le prendre avec Emilie. Il faudra peut-être lui mettre un coup de peinture. Mes parents habitaient dedans, il y a longtemps.

Ambre détourna le regard. Il la sentit renifler avant de répondre :

- Merci, c'est vraiment très gentil. Je trouverai du boulot et je te paierai un loyer, je te le promets.

Killian lui posa une main sur l'épaule. S'il y a bien une chose qu'il ne voulait pas, c'était de parler d'argent dans ce moment-là. Il fallait qu'il change de sujet avant que les deux autres ne se réveillent.

- Tu sais, on est prêts pour passer l'épreuve. Je pense qu'on devrait en parler au Conseil et quitter cet endroit le plus vite possible. Peut-être même fonder notre propre académie ? Qu'en penses-tu ?

Elle se tourna vivement vers lui :

- Sérieusement ?
- Et bien… je ne sais pas quelles sont les modalités en fait. Mais nous avons clairement les compétences. J'ai comme le pressentiment que nous allons bouleverser le Conseil. Combien y a-t-il d'académies actuellement ?

Elle réfléchit un moment et se mit à compter sur ses doigts, puis répondit :

- Douze. C'est Terra qui me l'a dit. Je lui avais posé la question.
- Douze… il faudra se renseigner. Mais si cela est possible, nous devrions tenter l'expérience.
- Moi, professeur de magie. On aura tout vu.
- Oui, c'est sûr, répondit Killian en souriant. Il faudra juste régler un petit problème moral.

Ambre le regarda sans comprendre. Killian lui attrapa les mains, il avait l'air très sérieux :

- La façon dont nous lançons les sorts est clairement différente de l'enseignement de cette académie. Je vous en ai parlé car j'ai confiance en vous. Ne me demande pas pourquoi, cela m'est apparu comme une évidence. Mais si on enseignait cela à de mauvaises personnes, nous devrions en porter la responsabilité. Que devrons-nous faire ? Accorder le savoir à tout le monde ou ne divulguer l'information qu'aux personnes dont nous sommes sûrs ?

Ambre regardait au loin. Elle semblait soucieuse par son discours. Séchant ses larmes, elle finit par répondre :

- Il faudra en parler aux autres. Ta question est une priorité. Tu ne le sais peut-être pas, mais l'académie survit grâce aux subventions de l'Etat. En contrepartie, les membres du Conseil doivent chasser les mages causant des problèmes ou qui vendent leurs services aux truands. Nous devons effectivement faire attention…

Chapitre 7

L'après-midi passa rapidement et Killian sentit l'angoisse monter en lui. L'approche du duel avait tout de même un avantage. Le groupe s'était consulté, et quelle que soit l'issue du combat, ils allaient passer l'épreuve. Il allait bientôt rentrer chez lui. René se dirigea vers lui et le tira de ses pensées :

- Il est cinq heures, on devrait y aller. Lumio doit être arrivé et tu sais que tu ne vas pas échapper au sermon.

Killian savait qu'il avait raison. Lumio avait une véritable autorité sur le Conseil. Pourquoi ? Killian n'en avait aucune idée, mais si Braise se résignait, il n'y aurait pas de duel et le statu quo perdurerait.

- Alors quand faut y aller...

Le groupe commença sa marche dans la forêt et Jacques se mit à siffloter un air que Killian connaissait.

- Eyes of the tiger... tu ne pouvais pas choisir mieux. Espérons que la fin ressemble à celle du film.

Ambre et René rirent de bon cœur, seule Emilie ne comprenait pas la référence musicale. Killian inspecta son épée afin de s'assurer que toutes les runes étaient actives. Dans moins de quinze minutes, il arriverait à l'académie et il allait se battre en duel avec le meilleur mage qu'il connaissait. Il pensa, le temps d'un instant, qu'il était fou. Puis il repensa au visage de Terra lorsqu'il avait utilisé sa rune d'éclair. Non, il avait ses chances.

Perdu dans ses pensées, il ne vit pas Jacques s'arrêter et le percuta.

- Bah alors ? Tu t'es perdu ?

Jacques lui fit signe avec un doigt sur les lèvres et tout le monde se tut. Emilie attrapa la main d'Ambre. Quelques instants passèrent sans que rien ne se passe. Puis, il y eu un rugissement, suivi d'une explosion. Le tout venant de l'académie. Les membres du groupe se figèrent :

- C'était quoi ça ? demanda Ambre.
- Aucune idée, répondit Jacques. Mais pour hurler comme ça, ça doit être énorme. Ça vient de l'académie, il faut aller voir.

Les compagnons entendirent une deuxième explosion, plus importante que la première, puis à nouveau un rugissement. Un combat faisait rage à l'académie.

- Vite, ils ont certainement besoin d'aide !

Killian réfléchit quelques secondes :

- OK, Ambre et Emilie, vous restez ici. René, Jacques, avec moi.

La jeune femme se plaça devant lui :

- Je peux vous aider, quoi que ce soit, une mage de feu vous sera utile.
- Je le sais bien, répondit Killian en lui posant une main sur l'épaule. Mais on ne peut pas laisser Emilie seule. S'il te plait.

Ambre n'eut rien à répondre. Les trois hommes partirent au pas de course. Ils arrivèrent près du hangar et entendirent les bruits du combat qui devait se dérouler entre ce dernier et le bâtiment principal. Ils se plaquèrent contre la paroi et longèrent l'entrepôt.

La vision qu'ils eurent en arrivant au coin de ce dernier leur glaça le sang. Une créature d'une dizaine de mètres de haut se tenait devant une sphère de lumière avec en son centre Lumio, les bras tendus vers le ciel. Killian remarqua que le bouclier ne protégeait pas que le maitre de la lumière, mais aussi Neuro, Braise et Terra. Cette dernière était allongée sur le sol. Le Mentalus lui prodiguait un massage cardiaque. Braise était assis, une énorme plaie sur le torse.

La situation semblait critique. Killian observa la créature et remarqua qu'elle possédait une aile, la deuxième étant empalée sur un pic de terre a quelques mètres de lui. Elle avait aussi une épaule totalement couverte de suie, certainement due à une boule de feu de Braise.

Son corps était couleur bordeaux avec deux énormes cornes noires sur le front, ses jambes, puissantes, se terminaient par deux pieds colossaux. Mais ce sont les bras du monstre qui perturbèrent le plus le groupe : ils ne se terminaient pas par des mains, mais par deux os en forme de lame dentelée. La créature en leva une, prête à frapper. L'arme rebondit sur le dôme de lumière de Lumio, produisant un flash de lumière et projetant le vieil homme au sol. Ce dernier garda néanmoins les bras vers le ciel et resta allongé.

- Il leur faut de l'aide, dit René. Ils ne vont pas tenir longtemps.
- Tu as raison, répondit Killian. Jacques, fais le tour pour prendre la créature à revers. On va attirer son attention avec René. Je regrette finalement qu'Ambre ne soit pas là…

Jacques partit en courant pour faire le tour du hangar.

- C'est quoi le plan, mon garçon ?

Killian lui répondit sans quitter la monstruosité du regard :

- Tu vas essayer de l'aveugler, moi je te protège avec mon bouclier. Lorsque Jacques frappera, je ferai pareil et on croise les doigts que cela suffise.

La créature leva son autre bras et frappa. L'impact fut encore plus violent et le bouclier de Lumio se brisa, faisant glisser ce dernier sur plusieurs mètres.

- Maintenant, go !

Ils sortirent de leur cachette. En un éclair, des rayons de lumière fusèrent vers la créature. René tenta de les diriger vers le visage de la créature, mais il y eu un effet surprise : les rayons causaient de grandes plaies dans leur sillage. Le monstre hurla, cherchant d'où provenait l'attaque.

Il découvrit les deux hommes et se rua sur eux. Killian brandit son épée et invoqua sa rune de bouclier du troisième cercle. La créature frappa bien plus vite que ce à quoi Killian s'attendait et l'impact le surprit, mais le bouclier tint bon. Il sentit un cercle de puissance derrière lui et de nouveaux rayons frappèrent la créature au torse.

Elle hurla de douleur en reculant, du sang jaune coulait de la nouvelle blessure, mais aussi de la bouche du monstre. Il leva à nouveau son bras, prêt à frapper et Killian se prépara à recevoir le choc. Mais un éclair bleu atterrit sur son épaule et le coup manqua sa cible. C'était Jacques, sous sa forme de tigre, qui lacérait le bras du monstre. Le sang coula à nouveau, inondant le félin.

La créature leva son autre bras, prête à couper en deux le Corporem, mais ce dernier fit un bond de côté au dernier moment et le coup sectionna le propre bras du monstre. Hurlant de rage, la créature ouvrit la bouche et Killian vit une lumière monter du fond de sa gorge.

- Jacques, tire-toi de là !

La créature allait cracher quelque chose et il ne voulait pas que son ami se trouve sur le chemin du projectile. Mais une explosion dans le dos de la créature la projeta au sol face contre terre. Elle voulut se relever, mais de grosses lianes s'enroulèrent de partout autour de son bras restant, ses jambes et elle hurla de rage et de frustration. Killian tourna la tête et vit Emilie et Ambre à bonne distance, cette dernière lui cria :

- Vas-y Killian ! Frappe !

Le visage de la créature n'était qu'à quelques mètres de lui. Il pointa son épée dans sa direction et activa les quatre runes d'éclair. Le bruit et les déflagrations projetèrent tout le monde au sol, même lui. Lorsqu'il rouvrit les yeux, il s'aperçut qu'il était couvert du sang jaune du monstre. Ce dernier était allongé sur le sol, la tête et une partie du torse en moins. Il était inerte. Killian se redressa pour s'asseoir et René fit de même :

- Bien joué mon garçon, quoi que ce soit, cette chose a eu son compte.
- Oui...mais à quel prix ?

Killian regardait autour de lui, il compta au moins sept corps autour du lieu du combat. Ambre les rejoignit, accompagnée d'Emilie qui chevauchait Jacques. Il ne voulait pas reprendre forme humaine immédiatement, au cas où. Plusieurs mages sortirent de leur cachette pour approcher timidement.

- On a besoin d'aide !

C'était Neuro. Il était apparemment le seul à être en état de parler. Il tenait Terra dans ses bras, toujours évanouie. Braise et Lumio gémissaient non loin de là. René se releva difficilement :

- Je vais m'occuper de Lumio, il me reste encore un peu de force. Va t'occuper de Terra et de Braise.

Il se dirigea vers le vieil homme dont les blessures ne semblaient pas graves. Il plaça ses mains sur son torse et se concentra. De la lumière jaillit de ses mains en même temps qu'un cercle de puissance et le vieil homme se sentit rapidement mieux. Killian utilisa son pendentif sur Braise et sa blessure au torse cicatrisa, mais pas entièrement. Néanmoins le rouquin avait repris des couleurs :

- Va t'occuper de Terra, elle a été frappé de plein fouet par cette chose.

Killian se pencha sur le corps de la magicienne. Elle avait une énorme balafre au visage. Il chercha son poul, il était faible, il fallait faire vite. Il invoqua la rune de soin de son épée, plus puissante que le talisman, il pouvait espérer de meilleurs résultats qu'avec Braise. La lumière du symbole de l'arme disparut. Neuro observa le phénomène sans y croire : la balafre se referma et la magicienne se réveilla en sursaut, respirant vite et fort.

- Où suis-je ? La créature ? Où est-elle ?

Elle paniquait et le Mentalus la serra plus fort :

- Du calme. Elle est morte. On l'a eu.

Elle enfouit son visage dans ses mains et commença à sangloter:

- Mon dieu, j'ai cru que c'était la fin...

Killian se dit qu'elle n'avait pas idée à quel point il s'en était fallu de peu. L'ancienne usine était éventrée, il y avait de la fumée de partout. Des gens pleuraient, à côté des corps étendus. Son cœur se serra lorsqu'il vit Mathias et sa mère, gisant sur le sol. Il tomba à genoux devant eux. Il prit le petit garçon dans ses bras et le serra fort. Ambre s'accroupit à côté de lui :

- Ça va ? Tu ne devrais pas rester là Killian. Viens. On va te nettoyer...

Il baissa ses yeux rougis. Le sang de la créature avait coagulé, formant de grosses croûtes jaunes sur tout son corps.

- Il faut faire quelque chose pour eux. On ne peut pas les laisser comme ça.

Lumio se dirigeait vers lui, aidé par un jeune homme qu'il ne connaissait pas.

- Killian... pose-le. Nous allons nous occuper de cela. Tu devrais écouter ton amie. Va dans ta chambre et prends une douche. J'aimerais vous voir après, avec ton groupe. Et... merci. Pour ce que vous avez fait. Sans vous, nous serions tous mort.

Killian posa délicatement le corps du petit garçon. Il n'arrivait plus à contenir ses larmes. Cette créature avait tué sans distinction, sans état d'âme. Le vieil homme lui posa la main sur l'épaule. Durant tout le trajet jusque dans sa chambre, il pensa au corps du petit Mathias. Sous la douche, son esprit s'éclaircit et il se posa de nouvelles questions : qu'était cette créature ? Pourquoi avoir attaqué l'académie ? Pourquoi à cinq, ils avaient réussi à la vaincre alors qu'il y avait plus de cent mages dans l'académie ? Il lui fallait des réponses.

C'est en sortant de la douche qu'il entendit les hélicoptères. La seule petite fenêtre de sa chambre ne donnait pas sur le bon côté du bâtiment et Killian s'habilla précipitamment, enfila son armure et ses brassards et installa son arme. Fangore sur ses talons, il courut jusqu' à la cour située entre les deux bâtiments. Trois appareils étaient posés avec une dizaine de soldats autour. A la place du corps du monstre se tenait un amas de cendres fumantes.

- Hé ! Killian !

C'était Jacques qui courait vers lui. Torse nu, son grand tatouage blanc le rendait impressionnant.

- Ça va mieux ? C'est un sacré bazar, tu as vu le débarquement ?
- Impressionnant.... en effet. Où sont les autres ? Tout le monde va bien ? J'ai cru que tu allais y rester, je vais finir par penser comme Ambre, tu es inconscient.

Jacques lui répondit par un sourire timide :

- On parlera de ça plus tard. Tout le monde nous attend dans la salle du Conseil. Lumio est parti avec un militaire, ça semblait sérieux, regarde les hélicoptères. Ils sont armés jusqu'aux dents.

Il avait dit cette dernière phrase presque en chuchotant. Comme s'il avait eu peur que les militaires l'entendent. Killian suivit le Corporem jusqu'au dernier étage du bâtiment principal. Là, il découvrit René, Ambre et Emilie qui attendaient déjà. Ils l'accueillirent chaleureusement, Ambre le serra fort pendant que René lui serrait la main. Il prit ensuite Emilie dans ses bras et l'embrassa tendrement.

- Vous n'avez rien ? Je ne pensais pas te le dire, mais... merci de ne pas m'avoir écouté. Sans vous on n'y serait jamais arrivés.
- En fait, on avait encore plus peur toutes les deux dans la forêt après votre départ, on vous a rejoint par couardise.

Elle sourit en remettant une de ses mèches rouges derrière l'oreille. Killian la trouva à ce moment-là vraiment belle et surprit Jacques à la regarder d'une drôle de façon.

- Ah bon ? J'ai cru que c'était comme Jacques, de l'inconscience. Ça vous aurait fait un point commun...

La jeune fille devint toute rouge. Elle voulut répliquer, mais la porte derrière elle s'ouvrit, laissant apparaitre Terra. Cette dernière s'était changée, elle arborait une mine sérieuse.

- Entrez, nous vous attendions.

Ils rentrèrent dans le beau salon qu'avait vu Killian deux jours auparavant. Les quatre membres du Conseil étaient assis dans les canapés avec un homme en tenue de militaire.

Il y avait aussi une femme dans un coin de la pièce, près des livres. Cette dernière l'intrigua, elle portait une grande robe bleu sombre avec une fourrure blanche autour du cou. Elle ne les regarda même pas entrer.

L'homme en uniforme se leva à leur arrivée. Dans la quarantaine, il était bien bâti, même si à côté de Jacques et de Braise, il faisait gringalet. De nombreuses décorations trônaient sur sa veste. Ses cheveux courts, blancs, son visage glabre et ses lunettes de soleil donnaient au personnage une allure d'acteur de cinéma. Killian et son groupe s'installèrent dans le canapé restant ainsi que sur deux chaises disposées sur le côté.

- Bonjour. Je suis le général Boison. Merci de nous rejoindre pour cette petite réunion.

Personne ne dit mot. L'homme se tenait devant eux sans vouloir leur imposer son autorité. Il avait l'air plus fatigué qu'autre chose. Il porta son regard sur Killian :

- Vous devez être Killian ? Le spécimen différent ?

A ces mots, Lumio se racla la gorge et Braise fit mine de se lever. Mais la main de Terra sur son bras l'apaisa.

- Pardon… le mage avec une obédience différente. Son regard se porta sur Emilie. Et toi… tu te souviens que c'est moi qui t'ai amenée ici ?

La petite fille fit un léger oui de la tête et se blottit contre Ambre. Cette dernière la serra fort et en profita pour lancer un regard au militaire qui en dit long. L'homme voulut lui dire quelque chose, mais Killian le prit de vitesse :

- On est ici pour s'échanger des politesses ? Il y a eu des morts aujourd'hui ici. Je n'ai pas vraiment la tête à ça.

Il fit mine de vouloir se lever, mais Lumio intervint :

- Reste assis mon garçon. Général, soyez bref, ce jeune homme a raison, nous avons beaucoup de choses à faire et nous voudrions pleurer nos morts.

Le militaire se rassit, les coudes sur les genoux. Il prit une profonde respiration avant de continuer :

- Je suis désolé. Nous sommes arrivés trop tard. Trois académies ont été attaquées, vous êtes les seuls à avoir réussi à vaincre cette chose.

Killian ne cacha pas sa surprise. Il regarda lentement toutes les personnes de la pièce afin de déceler la moindre parcelle de plaisanterie. Mais il n'en vit aucune.

- Vous voulez dire que cette chose a attaqué trois académies ?
- Non… je veux vous dire que trois de ces créatures ont attaqué des académies.

Killian fixa Lumio un moment. Le vieil homme semblait épuisé. Il regardait dans le vague. Le général poursuivit :

- L'académie de Londres et celle de Budapest n'existent plus. Vous êtes désormais la seule académie d'Europe. Préparez-vous à une grosse affluence, tous les mages qui ne se trouvaient pas sur place vont venir se réfugier chez vous. Et certainement avec leurs familles.
- Et les monstres ? Ils sont…
- En vie. On a perdu leur trace.

Le groupe se regarda un moment sans comprendre.

- Comment ça « perdu » ? Ces machins font plus de dix mètres de haut ! Ils massacrent tout sur leur passage !
- Pour commencer, jeune homme, ces « machins » ce sont des démons. Ils sont apparus un peu partout dans le monde en même temps que vos foutus

pouvoirs et pour finir, nos armes sont inefficaces contre eux. A Londres, l'armée a perdu près de trente soldats contre cette chose. Vous êtes les premiers à en avoir tué un. Comment avez-vous fait ?

- Il semblerait que notre magie les affecte, intervint Lumio. Particulièrement la magie de Killian et de la lumière. René (il désigna l'homme de la main) a réussi à le blesser à deux reprises. Killian l'a achevé.

Le militaire se leva :

- Je vais rentrer à la capitale. Nous allons mettre en place un périmètre de sécurité et l'armée va prendre place autour de l'académie. Ça ne servira pas à grand-chose à part vous prévenir si ces créatures approchent de votre position.
- Pourquoi faire ? répondit Killian. Vous pensez que les deux autres vont venir ici ?
- C'est une possibilité.

La femme en bleu se retourna. Sa voix était forte, presque masculine. Killian la reconnut, elle était à la table du Conseil le jour de son arrivée. Son visage était froid, des cheveux bruns, presque noirs, assortis à son regard.

- Freya ? Tu as quelque chose à ajouter ? dit Lumio.

Elle s'avança lentement vers le reste du groupe. Sa démarche était précise, de façon à ce que sa grande robe bleue ne la gêne pas. Elle caressait sa fourrure avec tendresse. Killian la prit pour une folle lorsqu'elle prit cette dernière comme pour la renifler. Elle s'installa dans un fauteuil libre et prit son temps, comme pour faire languir son public. Néanmoins, elle avait l'air beaucoup plus préoccupé que ce qu'elle voulait laisser croire, ce qui rendait son manège un peu ridicule.

- Comme le général vient de vous le dire, ces créatures sont bien des démons. A leur mort, ils se consument comme les nôtres, par le même procédé de combustion. Cela peut être une coïncidence, mais je n'y crois pas. Maintenant, il nous faut trouver leurs maitres, du moins les deux restants. Celui qui a envoyé son démon ici ne va pas être un danger pendant un long moment.

Killian pensa à son recruteur, Garance. Ce dernier lui avait expliqué que sa magie passait par son démon. Une idée lui traversa l'esprit, peut-être y avait-il un autre moyen de…

- Killian ? Une idée ?

C'était Neuro. Sa capacité à être dans son esprit commençait à fortement le déranger. Il devrait trouver un moyen de contrer ça le plus rapidement possible. Ne pas pouvoir garder ses pensées pour soi devenait...agaçant.

- Hé bien... un démoniste ne pourrait-il pas dupliquer son démon ? Sont-ils tous les trois identiques ?
- Ils le sont, répondit le militaire.

Freya le regardait comme une bête curieuse et il se sentit mal à l'aise. Mais elle détourna le regard afin de faire un signe discret à Lumio ainsi qu'aux autres membres du Conseil.

- Général, dit le vieil homme, merci pour votre réactivité. Nous ne vous retenons pas plus longtemps. Je pense que vous avez aussi beaucoup de dispositions à prendre avant de repartir.

Bien que la formule soit polie, un « merci de sortir » aurait eu le même effet. Il mit d'ailleurs un certain temps avant de comprendre qu'il était congédié.

- Vous savez que je suis habilité à entendre ce que vous allez dire ? dit-il d'un air vexé.
- Vous l'êtes, en effet, mais il y a des choses que je me refuse à dire devant un non « spécimen ». Il n'y a rien contre vous, vous le savez. Il va nous falloir du temps pour apprendre à se faire confiance les uns les autres.

Le général se leva, réajusta sa veste et serra la main de Lumio :

- J'espère que ce jour arrivera bientôt. Ne le prenez pas mal, mais risquer ma vie pour entendre cela fait mal au cœur.

Il sortit sans dire un mot de plus. Le vieil homme semblait préoccupé. Il ne fallait pas être devin pour comprendre que mettre dehors le militaire de cette façon n'allait pas être sans conséquences. Il regarda la démoniste afin que cette dernière poursuive :

- Je ne connais pas de démoniste capable d'un tel prodige. De plus c'est une idée plutôt...loufoque, nous sommes en symbiose avec notre démon. Le dupliquer serait, comment dire, comme un acte de trahison. On risquerait de casser ce lien entre nous.
- Pourtant, Garance m'a expliqué que vous pouviez obliger votre démon à suivre vos ordres.
- En effet, vous semblez bien renseigné (elle le regarda d'un air surpris, mais satisfait). Mais pas assez...en effet, nous pouvons obliger notre démon à nous obéir, mais cela ne renforce pas notre lien. Notre magie grandit avec notre empathie. Plus nous sommes en symbiose, plus nos pouvoirs sont efficaces.

Néanmoins, nous ne pouvons pas négliger cette piste, même si je n'y crois pas. Outre le fait d'être contraire à la logique, comment un mage aurait pu, seul, coordonner trois attaques quasiment simultanément. Il faut que tu saches qu'aucun démoniste n'a un démon identique à un autre, alors trois ?

- Et bien il est peut-être temps de penser qu'il n'est pas seul ?

Tout le monde se tourna vers celui qui venait de prendre la parole. Killian avait les mains croisés devant son menton. Il avait dit cela à voix haute sans réfléchir :

- En imaginant qu'un mage ne fonctionne pas comme vous. Si dupliquer son démon ne lui pose pas de problème, on peut imaginer que l'assigner à un autre mage non plus ? Avec deux complices et les démons sous leurs ordres, quoi de plus facile ?

Tout le monde eu l'air choqué par l'argument, y compris ses amis. Freya se mit à rire et prit un air narquois :

- Ridicule... mais où l'avez-vous trouvé celui-là ?
- Ce n'est pas la première fois qu'il fait ça, il ne semble pas envisager la magie, et les obédiences, de la même façon que nous.

Terra venait de couper le rire de la démoniste, même Lumio eut l'air perturbé par cette déclaration.

- Son premier jour, continua-t-elle, il m'a posé une question vraiment bizarre. Il m'a demandé pourquoi il n'y avait pas de mage avec plusieurs obédiences ? Je n'ai pas relevé, prenant cela pour... de l'inexpérience. Mais Killian, il faut que tu réalises que pour un mage, son obédience a une importance particulière.

Ne faisant pas confiance aux paroles d'un membre du Conseil, il chercha confirmation dans le regard de ses amis et malheureusement, la trouva. Ils avaient l'air gênés. Ambre n'osait même pas le regarder, René et Jacques donnaient l'impression de vouloir être ailleurs. Seule Emilie avait l'air de s'ennuyer fermement.

- Je ne sais vraiment pas quoi vous dire. Ces idées me viennent comme ça. J'adore mon obédience et Fangore, mais pourquoi ne se limiter qu'à cela ? Vous parlez comme si votre dogme était sacré. Il y a peut-être des mages qui n'ont pas la même vision que vous. De plus, il faut bien commencer à chercher quelque part non ?

Lumio se leva pour se diriger vers la fenêtre. L'avenir de l'académie, voilà tout ce qui lui importait. Préserver la sécurité des mages contre le système avait été une première épreuve. Celle-là, en revanche, lui semblait insurmontable. Il n'aimait pas la violence et n'avait aucun goût pour les questions de sécurité de l'académie.

- Terra ?
- Oui…
- Les mages de la terre doivent nous aider à fabriquer des baraquements en bois. Il faut contacter des entreprises pour la réparation du bâtiment. Neuro, tu t'occuperas de les recevoir et de sélectionner celle qui est la plus honnête. Braise, Freya, rappelez le reste du Conseil, nous allons avoir besoin de tout le monde. Moi je vais prendre contact avec les familles des victimes. Il avait dit cette dernière phrase avec beaucoup de tristesse. Killian, merci à toi et ton groupe. Vous avez été impressionnants.

Killian ne répondit pas. En fait, il n'avait pas du tout le même sentiment que le vieux mage. Leur réussite ne tenait qu'à un mélange d'improvisation, de chance et d'inconscience. Le regard de ses compagnons lui confirma sa version, il ne respirait pas la fierté. En revanche, Braise avait le regard baissé, comme préoccupé.

- Et c'est tout ? intervint Freya. Je suis désolé Lumio, mais ça ne peut pas en rester là. Je ne suis pas d'accord avec vos félicitations, il faut qu'il entende la vérité. Lumio voulut la couper, mais elle leva la main pour l'en dissuader. Elle se tourna lentement vers Killian. Il faut quand même que tu réalises que le démon nous a attaqués quand tout le monde était rassemblé pour votre duel de gamins ! En temps normal, nous aurions pu faire la même chose avec beaucoup moins de morts ! Les membres du Conseil ont dû concentrer leurs efforts sur la protection des mages et non sur l'annihilation du monstre. Les actes ont des conséquences et Lumio est bien trop gentil avec toi, comme avec lui (elle désigna Braise).

Killian avait les yeux fixés sur elle et instinctivement elle recula. La fourrure blanche qu'elle avait autour du cou se mit à gonfler et deux yeux noirs apparurent. Elle tomba au sol, laissant apparaitre quatre pattes courtes. Fangore, bien que totalement immatérielle, vint se placer entre son maitre et cette créature, la gueule grande ouverte. Killian lui ordonna de s'écarter et doucement se leva.

Il sentit une présence à ses côtés : Jacques se tenait juste derrière lui, espérant pouvoir intervenir en cas de débordement. Mais il préféra se tourner vers Lumio :

- Nous passerons l'épreuve dans une semaine et nous quitterons cet endroit. Ce n'est pas une demande, je vous informe, c'est tout.
- Comment …
- Comment j'ose ? Killian venait de hurler sur la démoniste. J'ose parce que depuis mon arrivée j'ai affaire à une bande misérable de pseudo professeurs qui ne cherchent qu'à en mettre plein la vue aux personnes qui sont

amenées de force ici ! Même si je comprends la démarche, votre façon de faire m'écœure ! Vous voulez me faire culpabiliser ? Killian avait les yeux rouges de colère, les larmes qui lui vinrent en pensant à Mathias venaient nourrir cette dernière. Je pense que toute ma vie je me souviendrai de cette journée. Et vous ? Saurez-vous vous remettre en question ? Pensez-vous que je sois le responsable de la situation ? Et par la même occasion vous devriez me dire merci. Sans cela, Terra n'aurait pas appelé Lumio pour nous raisonner, et d'après ce que j'ai vu, sans lui, il y aurait eu beaucoup plus de morts!

Le dernier argument lui fit détourner les yeux. N'ayant pas été présente au combat, Freya n'avait pas vu le courageux vieillard tenir tête à l'immonde créature. Lumio se rapprocha de lui, il semblait épuisé, à la limite de s'écrouler. Son regard était perçant, mais sans émotion, comme si son esprit était focalisé sur autre chose :

- Tu as raison mon garçon. Ni la colère (il lui sourit), ni les reproches (il tourna la tête vers Freya) ne nous aideront dans cette épreuve. La cohésion et l'entraide, en revanche, oui. Laissez-nous, je dois parler à Killian. Seul. Freya voulut protester, mais à son tour, il l'arrêta : ton venin a déjà été craché ! N'en rajoute pas. Je préfèrerais que tu emploies ton énergie à retrouver celui de ton ordre qui a causé la mort de plus de deux cents personnes aujourd'hui, dans trois pays différents. Et non pour t'en prendre à un jeune mage qui a conscience de ses pouvoirs depuis moins d'une semaine et qui a les yeux bien plus ouverts que nous, sur bien des sujets. Maintenant sortez !

Tout le monde sortit, les membres du Conseil gardèrent le silence, mais leur mine était sombre. Quant aux compagnons de Killian, ils avaient des regards compatissants pour leur ami et Emilie lui sourit. Il lui envoya un baiser imaginaire, ce qui sembla la rassurer. Une fois tout le monde sorti, le vieux mage s'affala dans un fauteuil. Son souffle était fort, son visage était écarlate :

- Vous vous sentez bien ? Killian était réellement inquiet, le vieil homme semblait à deux doigts de s'évanouir.
- Assieds-toi, nous devons discuter un peu. Et ne t'inquiète pas pour moi, je suis vieux et j'ai utilisé une grande partie de mon pouvoir.

Killian se mit à genoux devant lui et utilisa la rune du médaillon que Jacques lui avait donné. La respiration du vieil homme s'apaisa et il s'installa plus confortablement dans son fauteuil tandis que Killian alla s'asseoir dans un canapé.

- Ta magie, elle nous échappe. Ce que tu viens de faire, comme tout le reste, émerveille un vieillard comme moi. Mais cela fait peur aussi, comme à Braise et Freya…
- Je ne comprends pas pourquoi. Je n'ai jamais voulu cela… ni être mage, ni avoir une obédience unique…
- Je m'en doute. Je ne te raconterai pas mon histoire, elle est sans intérêt et d'un banal… à mourir d'ennui. Mais avant de trépasser, j'aimerais avoir accompli quelque chose de bien, de grand. Tout a failli s'éteindre aujourd'hui Killian. Freya ne réalise pas, mais on parle de deux académies disparues ! Il y avait des mages de grand talent, qui n'ont pas réussi à tenir tête à ces monstres. Nous avons échappé au pire, grâce à vous et principalement à toi.

Il s'arrêta un moment, cherchant ses mots. Il ferma les yeux, comme pour se concentrer et lorsqu'il les rouvrit, il avait l'air plus serein :

- Je voudrais te demander quelque chose. Je voudrais que tu intègres le Conseil.

Killian ne cacha pas sa surprise. Il était en désaccord avec presque tous ses membres, le Conseil ne voudrait jamais de lui. De plus, il avait promis de rester avec ses camarades. Lumio dut deviner toutes ses angoisses car il reprit :

- Ne prends pas de décision trop vite. Prends le temps d'y réfléchir. Je sens ton empathie avec ton groupe, elle est unique, je n'ai jamais rien vu de tel. Tu étais le maillon manquant, aujourd'hui votre chaine est complète. Mais surtout, elle est incassable. Personne ne te demande de les quitter. Il y a des solutions qui pourraient satisfaire tout le monde. Je ne te demande qu'une chose : réfléchis-y, et donne-moi une réponse après avoir passé l'épreuve.

Killian ne savait pas quoi répondre. D'un autre côté, rien ne pressait ? Lumio lui donnait une semaine.

- Donc pour l'épreuve ? Nous pourrons la passer tous ensemble dans une semaine ?
- Oui, bien sûr. Et je pense que vous la réussirez tous. Je ne te demande pas comment tu as fait, mais tu es un professeur de talent Killian.
- En fait, je n'ai pas beaucoup de mérite.

Le vieil homme lui sourit, il est clair qu'il ne le croyait pas. Mais contrairement à la grande majorité des mages du Conseil, Lumio n'avait que faire des secrets de Killian. Seule la sauvegarde de l'académie lui importait et en cela Killian l'appréciait.

- Va rejoindre tes amis. Ils ont besoin de toi, et j'ai encore beaucoup de travail avant de pouvoir trainer ma vieille carcasse dans mon lit.

Il se leva afin de se diriger vers un bureau, il en sortit un agenda papier, témoin d'une autre époque. Killian n'aurait voulu pour rien au monde être à la place du mage de lumière. Il allait devoir appeler toute la soirée des familles, pour les informer qu'une créature démoniaque avait massacré une personne de leur entourage. Il se leva et se dirigea en silence vers la porte, regardant une dernière fois le vieillard composer le premier numéro…

Chapitre 8

Killian rejoignit ses amis au réfectoire. Tout le monde avait déjà diné et l'ambiance était morose. Beaucoup de tables étaient occupées par des mages en pleurs, certainement dus à la perte d'un membre de leur groupe. Il se dirigea vers ses amis, mais surprit beaucoup de regards dans sa direction. Il vit quelques hochements de tête et y répondit, puis il entendit un merci, ce qui le gêna un peu. L'ensemble des mages de la salle se leva et les premiers « clap, clap » le surprirent, mais passées quelques secondes, c'est un tonnerre d'applaudissements qui résonna dans le réfectoire.

Killian était dans le désarroi le plus total. Pourquoi ces applaudissements ? Il vit ses amis au milieu de la foule qui l'applaudissaient. Il se dirigea vers eux aussi vite qu'il le put, remerciant les gens sur son passage. Il s'assit précipitamment à côté de René. Ce dernier lui tapota l'épaule. Ils attendirent que la salle redevienne silencieuse pour discuter :

- Alors ? commença René. Qu'est-ce qu'il te voulait ? Nous n'allons pas pouvoir passer l'épreuve c'est ça ?

Killian s'assit et regarda son ami. Il avait l'air anxieux, comme tous les membres du groupe.

- Ne vous inquiétez pas, Lumio va nous laisser passer l'épreuve la semaine prochaine. Mais il a, a priori, des projets pour nous. La seule chose dont je sois au courant, c'est qu'il veut que je prenne place au Conseil.

La surprise se lut sur tous les visages, même celui d'Emilie qui avait stoppé ses retrouvailles avec Fangore pour écouter la suite.

- Et bien... c'est plutôt une bonne nouvelle non ? répondit Jacques.

Killian les regarda sans comprendre :

- Une bonne nouvelle ? Et notre projet ? Nous devions tous sortir d'ici ! Nous retrouver dehors et fonder peut-être notre propre académie !

Ambre lui posa une main sur le bras. Killian n'avait pas remarqué ses yeux rougis, elle venait de pleurer il y a peu de temps :

- Nous devons rester ici. Ils vont avoir besoin d'aide. De plus… fonder une académie maintenant alors qu'il y a encore deux autres créatures dans la nature ? Autant être tous ensemble ici, tu ne crois pas ?

Killian n'avait pas du tout pensé au monstre et à l'éventualité d'une nouvelle attaque. Mais il était évident que s'isoler maintenant était une très mauvaise idée.

- Lumio m'a donné une semaine, en fait jusqu' à ce que je passe l'épreuve, pour lui donner une réponse. Il m' a dit que nous ne serions pas obligés de nous séparer, qu'il y avait des alternatives ou je ne sais quoi…

René se recula dans sa chaise et croisa les bras :

- Tu devrais y réfléchir. Etre au Conseil te donnerait la possibilité de faire changer les choses, en bien. Lumio l'a compris, il n'est pas comme les autres membres du Conseil. Quant à nous, nous pouvons rester ici, avec toi et voir comment les choses évoluent. Nous serons toujours à temps de partir si les choses ne tournent pas comme nous l'espérions ?

Le pragmatisme de René était sans faille. Une fois l'épreuve passée, ils pourraient tous sortir d'ici. Donc travailler pour l'académie (Killian ne voyait pas du tout ce que cela pouvait donner concrètement) aurait un sens si cela débouchait sur la possibilité d'offrir un avenir meilleur aux mages.

Emilie se décrocha la mâchoire, la journée avait été pleine d'émotion pour la petite fille (même si Killian se dit qu'elle tenait plutôt bien le coup, moralement) et il était temps qu'elle aille au lit. Ambre leur souhaita une bonne soirée, la prit dans ses bras et partit la coucher, laissant les trois compagnons à table. Ils discutèrent une bonne demi-heure, principalement pour réconforter Killian.

Même s'il savait au fond de lui qu'il n'était en rien responsable du massacre d'aujourd'hui. L'entendre de ses amis lui faisait du bien. Il put aussi éclaircir un point qui le contrariait :

- Vous pensez vraiment que mes questions sont bizarres ? La double obédience ? Dupliquer son démon ?

Les deux hommes se regardèrent et René fit signe à Jacques de commencer, ce qui surprit Killian car d'habitude le mage de lumière était toujours le premier à engager un dialogue :

- Je dois admettre que ça ne me viendrait pas à l'idée. Par exemple, ça ne m'arrive pas souvent, mais lorsque je croise un Corporem, je lui fais un signe de tête. Et je pense que René vit la même chose avec les membres de son obédience. Nous avons une certaine... fidélité naturelle. Donc effectivement cela parait contre nature. Néanmoins, tu es le seul dans ton cas. Donc c'est un peu normal que tu n'aies pas la même vision que nous. Tu en penses quoi René ?
- Je pense que l'apparition de ta nouvelle obédience ne peut pas être une coïncidence, répondit le mage de lumière en se grattant la barbe. C'est un peu comme dans la savane : il y a des troupeaux de différentes sortes, zèbres, antilopes et autres. Certes, ils sont à côté, mais ils ne mélangent pas les espèces. Et bien pour nous c'est pareil. On est tous ensemble, mais nous avons une attirance naturelle pour notre obédience. Comme un instinct de conservation. Mais toi, tu es le lion. Etant seul, tu n'as pas cette volonté d'appartenir à une race, un genre, une espèce. Tu es toi. D'un autre côté, ça rend ton jugement plus objectif je trouve, car tu arrives à avoir des idées que nous n'aurions pas.

Killian pesa l'argument. Il trouvait la comparaison un peu facile, mais pas forcément fausse. Ce qui était certain, c'est qu'il devait faire passer son obédience avant le reste... il était le seul représentant de cette dernière. En préservant sa vie, il la préservait aussi.

Les trois hommes partirent se coucher peu de temps après. Killian s'allongea sur son lit et put enfin souffler ainsi que pleurer. La mort avait trouvé un petit garçon aujourd'hui et il repensa à son aversion pour la religion :

- Si tu existes, s'adressa-t-il à Dieu, il faudra un jour que tu m'expliques pourquoi tu fais ce genre de chose ? C'est quoi le message que tu veux faire passer en tuant un petit garçon innocent ?

Puis Killian imagina ses filles... comment un parent pouvait supporter la perte de son enfant. La mère avait dû tenter de faire rempart de son corps. Il pensa à sa femme, qui devait être seule. Il ferma les yeux et se concentra, revoyant ses cheveux bruns tomber sur ses épaules, ses yeux noisette toujours pétillants de vie, son mauvais caractère qui le fit sourire, son collier qu'il lui avait offert pour leurs dix ans de mariage.

Killian eut soudain mal à la tête, le collier dansait devant ses yeux, il était dans le noir. La sensation était bizarre et il voulut écarter le bijou de son esprit, mais celui-ci bougea, chutant sur un sol mou. L'esprit de Killian commença à imaginer la pièce vue à partir du collier. Il reconnut la moquette de sa chambre. C'est à ce moment-là qu'il rouvrit les yeux. Sa tête lui faisait un mal de chien. Que venait-il de faire ? Etait-ce réel ?

Il partit dans la salle de bain afin de prendre un médicament contre la migraine et retourna s'asseoir sur son lit. Il se concentra sur le collier de toutes ses forces et la vision revint. Il tenta de bouger la chaine afin de lui faire prendre une certaine forme. Galvanisé par le résultat, il pensa à un autre bijou de sa femme, puis un autre... l'effort était titanesque et lorsque Killian bougea le dernier collier il s'effondra sur son lit, inconscient.

Axelle était dans son salon. Les enfants étaient au lit et comme tous les soirs depuis quatre jours, elle regardait la télévision, seule, angoissée comme jamais. Sans nouvelles de son mari, n'ayant goût pour rien, elle était au bord de l'effondrement psychologique.

Elle repensa à ces quatorze années avec Killian, son mari, l'homme qu'elle aimait aujourd'hui plus que tout. Comme tous les couples, ils avaient traversé de mauvaises périodes, des galères financières. Mais depuis deux ans, c'était le calme plat, l'amour avec un « A » majuscule.

Les filles étaient plus grandes, ils commençaient à avoir du temps pour eux et les soucis financiers étaient loin derrière. Pourquoi avait-il fallu que ça arrive aujourd'hui ? Elle était allée, pour commencer, sur des forums afin de trouver des témoignages de femmes ou d'hommes ayant vécu le départ de leur conjoint pour une académie.

Bizarrement, elle ne trouva rien. Les rares articles étaient plus douteux les uns que les autres, la plupart du temps venant de sites religieux dénigrant la magie. Elle tomba ensuite dans la psychologie de bas étage, allant de site en site sur les différentes étapes de la dépression suite à une rupture. Dans son désespoir, elle lut aussi des articles sur le divorce, ce qui la conduisit à ouvrir une bouteille de muscat, son vin préféré, et à regarder un film à l'eau de rose, mettant le son au minimum, attendant que le sommeil l'emporte. Elle fut tirée de sa torpeur par un flash spécial, l'animateur avait, comme à chaque fois un air grave et faussement attristé :

- Et voilà, à tous les coups il y a encore eu un attentat. Bourrée, triste et déprimée ça suffisait pas, même mon film pourri on va m'empêcher de le voir.

Mais les images du reportage télé montraient un bâtiment totalement ravagé. Il y avait des corps partout. Elle porta son regard à la légende inscrite sous les images :

« ***les académies de Londres et de Budapest détruites, premier bilan : 200 morts*** ». Axelle se rassit aussi vite que son corps le lui permit et elle se maudit d'en être à son troisième verre.

Elle chercha frénétiquement la télécommande de la télé, renversant bouteille et chips au passage. Ignorant le verre cassé, elle se mit à genoux pour chercher sous le canapé et trouva l'objet de ses désirs. Elle augmenta le son : « ***… ce sont de véritables images de guerre que nous découvrons avec vous. Les deux académies n'existent plus. La dernière d'Europe, celle de la France, aurait eu plus de chance. Nous n'avons pas eu les autorisations de filmer, mais d'après nos sources, des monstres auraient attaqué les académies et seule celle de notre pays aurait réussi à repousser la créature. Néanmoins, une dizaine de morts et plusieurs blessés sont à déplorer*** ». Le cœur d'Axelle se serra : dix morts.

Elle n'osait plus respirer, le son de la télé donnait l'impression d'avoir été coupé. Sentant les vomissements arriver, elle se dirigea vers les toilettes. Elle stoppa net sa progression lorsqu'elle entendit un bruit à l'étage. Forçant son organisme à se contrôler (et à s'empêcher de vomir) elle s'immobilisa (elle trouva que le sol tanguait beaucoup) et attendit. Il y eut deux autres petits bruits. Prise de panique, elle se précipita dans la cuisine et attrapa le plus gros couteau qu'elle trouva. Elle programma dans sa tête le parcours vers la porte de sortie et se prépara à courir lorsque son cerveau décida de remettre une partie en fonction :

- Les filles !

Perdant toute notion de sécurité, elle se mit à courir, à grimper les escaliers, insultant les murs qu'elle estimait être très agressifs avec elle, la cognant au niveau des épaules. Arrivée à l'étage elle se mit en position d'alerte, luttant pour rester debout et avança telle un apache sur la pointe des pieds jusqu'à la chambre de sa première fille. Celle-ci dormait à poings fermés.

Elle répéta l'opération avec les deux autres : même résultat. Elle baissa sa garde et souffla, lorsqu'elle entendit encore un bruit provenant de sa chambre. Elle sursauta et se retrouva par terre. Elle se remit debout et d'une démarche tremblante, avança vers sa chambre :

- S'il y a quelqu'un sortez de là !

Elle venait de chuchoter, son esprit toujours en état d'ébriété ne voulant pas réveiller ses enfants, ce qui était ridicule, car si quelqu'un se trouvait dans la pièce, il ne l'aurait pas entendue.

Elle poussa la porte et alluma la lumière. Il n'y avait personne, mais la boite à bijoux était par terre. Elle s'approcha doucement et tomba à genoux, des colliers étaient disposés sur le sol et formaient une série de lettres et de symboles : «je t'♥, K ». Elle tomba au sol, les yeux remplis de larmes, le couteau toujours devant elle. Le jetant au sol, elle courut jusqu'aux toilettes et vomit, ce qui lui éclaircit les idées. Elle sourit, assise à côté du petit lavabo, tout n'était pas fini, non...tout n'était pas fini.

Killian fut réveillé par deux belles gifles, suivies d'un cri de désespoir provenant de René.

- Killian ? Je crois qu'il revient. Tu nous as fait peur.

Il ouvrit les yeux. Son crâne lui faisait un mal de chien et il tenta de s'asseoir, mais sans succès. Il voulut utiliser la rune du médaillon, mais même cela, il en fut incapable. Il se sentait totalement vidé.

- Quelle heure est-il ? Même parler lui semblait être une épreuve.
- Presque neuf heures. Ne te voyant pas arriver, on est venu te chercher.

En effet, tout le groupe était là. Ils avaient tous une mine inquiète.

- René, tu n'aurais pas quelque chose pour me remettre sur pieds ?
- Pourquoi ? Tu ne peux pas utiliser tes runes ? répondit Ambre, rendant la scène encore plus dramatique.
- Non, trop mal au crâne. René ? S'il te plait.

Le mage de lumière posa une main sur son front et une lumière enveloppa Killian. Quelques instants plus tard, le mal de tête était passé, il se redressa et jaugea la situation. Il avait l'air d'aller bien, mais se sentait très faible.

René l'attrapa par les épaules :

- Que s'est-il passé ?

Killian se dégagea et ouvrit sa fenêtre afin de respirer de l'air frais.

- J'ai réussi à envoyer un message à ma femme.

Jacques se pencha vers Ambre, l'air faussement grave :

- Je savais bien qu'on sous-estimait l'impact des téléphones portables sur notre cerveau.

Elle le poussa, mais ne put s'empêcher un petit rire. Même Killian sourit, les voir tous les deux ainsi lui remontait le moral.

- Très marrant Jacques. J'ai réussi à bouger des objets, chez moi....

Pour le coup, il aurait pu leur annoncer qu'il avait tué le Président de la République que ses compagnons n'auraient pas été plus choqués. Aucun d'eux n'osait parler. Le fixant comme une espèce de singe savant. René réussit à légèrement se reprendre :

- Tu veux dire que tu as réussi à lancer un sort sur plus de trois cent kilomètres ?
- Alors en fait, je ne sais pas. Je pense que ça a marché... mais je n'en suis pas certain.

Le mage de lumière regarda les autres avant de reprendre la discussion :

- Si c'est le cas, c'est...unique. Encore une fois tu vas me dire, mais pour le coup, c'est juste énorme.

Killian se frotta la nuque, le mal de tête était parti, mais pas les courbatures :

- Enorme, peut-être. Epuisant et dangereux, certain. Il invoqua Fangore, cette dernière s'enroula à lui comme un serpent. Tu penses pouvoir m'aider un peu ma belle ?

L'esprit se dématérialisa et rentra dans le corps de Killian. Ce dernier sentit une vague d'énergie l'envahir et lorsqu'elle réapparut à nouveau, elle avait cet aspect blanchâtre que Killian n'aimait pas. Il prit son épée et lui présenta :

- Va te reposer. Merci beaucoup.

Elle le regarda avec beaucoup de tendresse et s'effondra sur le sol. Quelques instants plus tard elle avait disparu dans l'arme. Emilie avait l'air encore plus triste.

- Ne t'en fais pas, dans moins d'une heure elle aura récupéré et tu pourras à nouveau jouer avec elle. Il finit sa phrase avec un petit clin d'œil.

Maintenant qu'il se sentait mieux, son esprit se remit en état de marche :

- C'est quoi le programme aujourd'hui ?
- On doit aider un peu partout, répondit René. On a décidé de t'attendre, au cas où on doive utiliser la magie, on voulait avoir ton opinion sur un sujet.
- Je t'écoute ?

Killian était surpris de cette attention, ils auraient très bien pu commencer sans lui.

- Ambre nous a parlé d'une discussion que vous aviez eue. A propos de divulguer, ou pas, notre façon d'utiliser la magie et nous sommes tombés d'accord : nous devrions le garder pour nous.

Le groupe regardait Killian comme s'ils attendaient un consentement. Il est vrai que garder l'information pour lui ne le dérangeait pas, mais...

- Ça ne fait pas un peu...égoïste ? Je suis partagé sur le sujet. Je suis content qu'Ambre vous en ai parlé. Je dois bien admettre que je ne sais pas vraiment quoi en penser. Et vous ? Pourquoi penser cela ?

C'est Jacques qui parla le premier et Killian en conclut qu'il était peut-être l'instigateur de la décision :

- C'est à cause d'hier. Je me suis posé certaines questions… comment Freya ou Braise utiliseraient leurs pouvoirs s'ils en savaient plus ? Peut-être qu'en divulguant cette information, on va créer dix, vingt, cinquante mages qui vont être capables de faire pire que le démoniste qui a attaqué les académies. Je pense que tu as déjà été très imprudent de nous dévoiler ton secret aussi vite. Ne tentons pas le diable (il fit mine qu'il était désolé à René), enfin… bref. Vous m'avez compris.
- Ça me va. L'avantage c'est que nous serons toujours à temps de faire marche arrière. Alors qu'en divulguant ce secret, c'est sans retour possible. Nous sommes donc d'accord. Allons-y, avant qu'on se mette à nous chercher.

Ils se dirigèrent vers la sortie, à l'exception d'Emilie qui restait au milieu de la pièce, les bras croisés. Elle avait l'air en colère. Ambre les regarda, puis se dirigea vers Emilie :

- Il y a un souci ma grande ?
- Oui ! Elle avait les larmes aux yeux, sa voix tremblait. On devait partir, maintenant on reste. Je ne veux pas être séparée de vous ! Je veux qu'on reste ensemble. Je ne comprends rien à ce qu'il se passe et je ne comprends rien à ce qu'il ne faut pas dire !

Tous se regardèrent sans comprendre, à l'exception de Killian qui se mit à rire :

- OK, ça sent le caprice ou je ne m'y connais pas. On a tendance à oublier que tu es encore bien petite pour te mêler des histoires d'adultes. Il se mit à genoux devant elle. On va tous rester ensemble, on va trouver une solution. Tu as ma parole, d'accord ? Elle lui fit signe que oui. Pour ce qu'il ne faut pas dire… on parle de la façon dont je t'ai appris à lancer un sort. Si quelqu'un te demande, tu lui dis que tu fais comme avant. Tu as compris ?
- Donc on reste tous ensemble ? Et il ne faut pas dire qu'on lance la magie sans se protéger et qu'on peut attraper la Furia n'importe quand. C'est ça ?

Pour le coup, tout le monde se mit à rire.

- C'est ça, répondit Jacques.
- Alors il faut promettre. La petite fille tendit sa main, la paume vers le bas.

Killian sourit et posa sa main sur la sienne, Ambre se joignit à eux, suivie de Jacques et de René.

- Je promets ! cria Emilie.
- Je promets ! firent échos les autres en riant de plus belle.

La petite fille leur fit un grand sourire. Elle avait l'air rassuré, ses yeux verts fixaient Killian d'un air malicieux. Décidément, elle était comme Laurana, sa fille.

- Allons-y. Je n'ai pas envie de commencer cette journée par un sermon du Conseil.

Chapitre 9

La semaine passa plus vite que ce que Killian aurait voulu. S'investir dans la réparation et la construction de l'académie les galvanisa tous. La fatigue disparut, remplacée par la volonté de toujours en faire plus. Chacun voulait ajouter sa touche. Les mages de la terre réussirent à créer une centaine de petites cabanes. Elles entouraient le hangar et l'usine comme un mini village, avec des allées d'arbres et de rochers.

Killian avait fortement contribué à la réparation du bâtiment. Etant capable de manier à distance le métal, accompagné de la force de Jacques, ils réussirent des prouesses. En quatre jours l'académie avait changé de visage et même si personne n'osait parler d'une éventuelle attaque de démon, le moral remontait peu à peu.

Killian se reposait sur un rocher, satisfait de son dernier ouvrage avec Jacques. Il venait de poser une poutre en métal contre le bâtiment afin de renforcer un mur refait à neuf :

- Sacré engin, souffla-t-il. Je suis vidé. Ça pèse combien d'après toi ?
- Je dirais six...peut-être sept tonnes ? répondit Jacques ente deux gorgées d'eau.

Le temps était magnifique, le mois de décembre commençait avec un grand soleil, ce qui contribuait au moral de tout le monde. Jacques était torse nu malgré la température qui ne devait pas excéder les dix degrés. Ambre les rejoignit, leur apportant un déjeuner composé de divers sandwichs. Elle portait toujours le même soutien-gorge mais noir cette fois, avec une jupe en cuir noir aussi. Ses cheveux rouges brillaient au soleil :

- Salut les garçons ! Alors, vous avez enfin réussi à la mettre cette poutre ? J'ai cru que vous alliez y passer la journée.

Elle se mit à rire en donnant un coup de coude au Corporem. Ce dernier fit mine d'avoir mal en se tenant les côtes et fit semblant de se plaindre. Ambre était contente de les voir. Les mages du feu n'étaient pas les plus utiles dans ces moments-là, et elle s'ennuyait fermement.

Elle passait ses journées à s'entrainer, s'interrompant seulement pour préparer à ses camarades des repas qu'elle leur apportait. Killian sentait bien l'attirance entre ses deux amis, et lorsqu'Ambre fut partie, il engagea la conversation :

- Vous attendez quoi tous les deux ?

Le colosse se retourna vivement vers Killian, faisant mine de ne pas comprendre.

- Toi, et la belle Ambre. Vous vous dévorez du regard...tu lui plais et c'est réciproque. Vous êtes tous les deux dans le même groupe et coincés ici ? Tu veux quoi de plus ? Une autorisation écrite du Conseil ?

Pour la première fois, Killian vit son compagnon se fermer. Il ne pensait vraiment pas causer cette réaction chez son ami :

- Excuse-moi...ça parait juste tellement évident. Je ne voulais pas te blesser. On n'en parle plus si tu veux.

Son ami avait un regard vide d'expression, essayant une fois ou deux de parler, mais rien ne sortit. Il réussit, après un moment, à articuler une phrase :

- Je... je crois que je l'aime.

Killian le regarda comme s'il venait de lui dire : je suis noir et toi tu es blanc. L'évidence même.

- Ecoute...je ne suis pas forcément un expert de ce côté-là. Mais c'est plutôt un bon signe ça non ? Je veux dire, Jacques, ça se voit comme le nez au milieu de la figure ! Et à mon avis c'est la même chose pour elle.

Le colosse souffla, fort, ce qui fit un peu peur à Killian.

- Encore un truc que tu ne sais pas. La température du corps d'un mage de feu varie en fonction de son humeur. Elle ne touche que moi parce qu'elle sait que je peux me régénérer. La seule fois où on a failli s'embrasser, elle a foutu le feu à mon lit ! Souviens-toi lorsqu'elle m'a prise dans ses bras.

Killian était partagé entre l'envie de rire et de pleurer. Mais le visage de son ami faisait pencher la balance vers le deuxième choix. En fait, il vivait leur amour par des phases successives de frustration. Ce qui devait être horrible.

- On n'y fait même pas allusion pour ne pas qu'elle... bref, pour ne pas lui donner envie, elle ne pourrait même pas rester à côté de nous.

- Mais c'est comme ça pour tous les mages du feu ?
- A priori…oui. C'est de là que vient la réputation des mages qui quittent leur famille. Certaines obédiences sont assez problématiques. Comme pour les démonistes. Tu te verrais avoir une femme comme Freya ? Impossible de quitter ton démon, tu finis par l'aimer plus que tes enfants.

Killian n'avait pas du tout imaginé ce cas de figure. Pour lui, ça ne posait pas vraiment problème. Quoi que, il ne lâchait plus son épée d'une semelle. Est-ce que sa femme verrait cela d'un mauvais œil ? La question méritait d'être posée. Il chassa cette idée de son esprit afin de se concentrer sur son ami :

- Mais du coup, comment font-ils ? Les mages du feu, ils ne vont pas se priver toute leur vie ?

Le visage de Jacques s'assombrit et Killian comprit tout seul la réponse :

- Ils se mettent en couple, entre eux. La loi sacrée de l'obédience…
- Voilà, tu as tout compris, un jour, elle partira avec un de ses semblables.

Killian réfléchit un instant, mesurant l'impact de ses futurs propos. Donnez de l'espoir à son ami lui ferait du bien (il avait l'air totalement abattu), mais lui vendre du rêve pouvait aussi être à double tranchant.

- Ce soir, après le boulot. J'aimerais qu'on s'éclipse tous les deux. Tu penses pouvoir trouver un chalumeau ou un truc du genre ? Voire tu ne connais pas un autre mage du feu ?
- Je vais voir ce que je peux faire, mais pourquoi ?
- Ta chérie a émis une hypothèse sur mes pouvoirs. Peut-être a-t-elle trouvé une solution à votre problème sans même le savoir. Mais attention : je ne te promets rien.

Jacques le serra dans ses bras, ce qui fit comprendre à Killian la différence de carrure entre les deux :

- Oh merci ! Je vais voir si je peux trouver un autre mage du feu pour ce soir !
- Je dérange peut-être ?

Les deux compagnons se séparèrent et Jacques fit un clin d'œil à Killian. Lumio se tenait devant eux, il avait l'air amusé, mais préoccupé :

- Killian, pourrais-je te parler s'il te plait ?

Le Corporem regarda Killian d'un air amusé avant de se lever :

- Je vais vous laisser… entre membres du Conseil…

Killian le foudroya du regard, ce qui déclencha l'hilarité du colosse, qui partit satisfait de sa blague. Le vieillard s'assit à côté de lui, il souriait, mais il n'était pas annonciateur de bonnes nouvelles et Killian se prépara au pire :

- Les démons ont encore frappé ?
- Non, pas du tout, répondit le mage de lumière qui frottait son crâne dégarni. Killian, pourrais-tu décaler la date de ton épreuve d'un jour ?

Un jour ? Pourquoi avoir l'air si ennuyé pour une demande aussi banale ? Killian se doutait qu'une autre raison était responsable de cette demande :

- Puis-je en avoir la raison ? Les autres vont me demander pourquoi ils devront attendre trois jours pour être libres et non deux ?
- Ce n'est pas ce que je te demande. Seulement toi.

Killian ne cacha pas sa surprise. De tous les membres du Conseil, Lumio était de loin celui en qui il avait le plus confiance. Mais entretenir le mystère de cette façon l'obligea à réviser son jugement :

- Ma question reste valable… pourquoi ?
- Je dois partir, et je ne serai de retour que dans trois jours. J'ai confiance dans les autres membres du Conseil pour juger tes amis. Pas pour toi. Mais il y a une autre raison.

Il se leva et fit les cent pas devant Killian qui resta patient. Le premier argument ne tenait pas du tout. Il réussirait l'épreuve haut la main et personne ne pourrait le lui contester.

- Demain soir, j'aimerais que tu viennes avec moi. Rencontrer le Président ainsi que le ministre de la magie. J'ai rendez-vous dans deux jours avec eux. Ta présence m'aiderait beaucoup. Ton investissement pour cette académie depuis quatre jours me rassure un peu. Comme ma proposition tient toujours, afin de renforcer la confiance qu'il y a entre nous, j'aimerais que tu entendes ce qui va se dire.

Killian ne savait pas quoi répondre. Autant le premier argument était bidon, et Lumio le savait parfaitement, autant celui-ci avait fait mouche. Rencontrer le Président ne lui faisait ni chaud ni froid, il avait autant de passion pour la politique que pour la religion. Mais participer aux affaires importantes de la magie et avoir peut-être des informations sur les créatures qui en voulaient aux académies était une idée qui lui plaisait.

- Je viendrai avec vous. Il y aura qui d'autre ?
- A ton avis ?
- Je dirai Neuro. C'est le mage dont je ne me priverais pas pour ce genre de réunion. Tromperie et mensonge sont les deux piliers de la réussite des hommes politiques non ?

- Tu as raison. Mais c'est Freya qui m'accompagne généralement. Pour cette fois, il n'y aura que nous deux. Tu comprendras là-bas pourquoi. Alors, à demain soir.
- A demain.

Le mage de lumière laissa le jeune homme seul avec ses pensées. Il faudra attendre encore trois jours pour revoir sa femme et ses filles. Mais il se convainquit que ça en valait la peine. Il vit Jacques qui courait vers lui :

- Alors, « maître » Killian, quoi de neuf ? Il vient te caresser le dos pour avoir un nouveau membre à la table ronde ?

Son sourire disparut quand il vit la tête de Killian. Il regarda son ami un moment :

- C'est grave ?
- Non, il faudra que je vous parle d'un truc ce soir.
- Tout ce que tu veux, il regarda autour de lui pour être certain que personne ne l'espionnait. Si tu es en galère, tu sais que tu peux compter sur nous ?
- Oui et je vais justement avoir besoin de vous très vite...

Killian passa son après-midi à discuter avec un jeune mage de la terre, architecte de métier. Il trouvait la capacité de Killian extraordinaire et lui expliqua que combiner à un bon projet, ils pourraient défier les lois de la nature et modifier l'académie de façon spectaculaire.

L'idée plut à Killian et ils partirent dans une longue discussion. Le jeune mage dessinait au fur et à mesure en rajoutant des annotations sur les côtés. Il ne savait pas s'il était un bon architecte, mais en tout cas, il était un dessinateur de talent.

- Je vais faire un vrai plan. J'en ai pour une bonne semaine je pense. Je te le montrerai dès que j'aurai fini.
- Pas de soucis, et moi, c'est Killian.
- Jasper. Enchanté Killian, je pense que nous allons faire de grandes choses.

Killian rejoignit ses amis le soir au réfectoire. La bonne humeur était au rendez-vous, il ne savait pas si Jacques faisait le pitre afin d'évacuer son angoisse ou sa frustration. Il espérait vraiment pouvoir l'aider avec Ambre. Il avait décidé d'attendre le moment propice pour leur parler.

Annoncer qu'il passerait l'épreuve un jour plus tard qu'eux lui fendait le cœur. Il avait prévu de passer en dernier, quoi qu'il arrive. Mais pas le lendemain. Perdu dans ses pensées, il ne remarqua même pas que le silence régnait à sa table et que tout le monde le regardait :

- Killian ? dit René.

Ce dernier leva les yeux et trouva tous ses amis devant lui, prêts à l'écouter :

- Jacques vient de nous dire que tu avais besoin de notre aide ?
- Merci René, en effet. Il se leva pour se placer devant eux. Je vais être franc. Lumio m'a demandé de ne pas passer l'épreuve avec vous, mais le lendemain et je lui ai dit oui.

Ils restèrent tous là, à le regarder. Il ne vit pas de signe de colère, de tristesse, de joie, d'inquiétude… rien. René tourna la tête vers les autres avant de lui répondre :

- Il t'a dit pourquoi ?
- Euh…oui. Mais ça ne vous dérange pas que je lui ai dit oui sans vous consulter ?

Tout le monde le regardait avec beaucoup de gentillesse, Jacques s'avança vers lui :

- Killian, on te fait confiance. Notre groupe, c'est notre force. Tu ne vas pas nous lâcher, hein ?

Killian avait les larmes aux yeux. Pourquoi avait-il douté d'eux ? De leur capacité à comprendre les choses. Il ne le ferait plus jamais, il fallait qu'il se mette à leur hauteur :

- Jamais. Je dois juste accompagner Lumio voir le Président de la République et le ministre de la magie. Je serai de retour le lendemain, je passe l'épreuve et on reste tous ensemble.

Killian, en voyant la tête de ses amis, se dit qu'il fallait vraiment qu'il travaille sa communication. Un jour, René allait lui faire une crise cardiaque. Même Emilie s'était arrêtée de jouer avec Fangore pour regarder les autres :

- Il va voir le Président ? Waouh, trop fort !

Ils ne parlèrent que de ça le reste de la soirée. Jacques en plaisantait beaucoup, assurant que Killian allait devenir un membre du Conseil en moins de quinze jours, alors Président, il lui donnait trois mois. Ambre était impressionnée et le traita de futur bureaucrate. René n'arrêta pas de lui donner des conseils comme « reste calme » ou « ne laisse pas Fangore courir partout » ce qui alimentait les plaisanteries du colosse, transformant chaque phrase : « tu vas leur mettre le feu » et « tu devrais faire apparaitre les esprits d'objets de partout ».

A la fin de la soirée, tout le monde partit se coucher. Sauf Killian et Jacques qui réussirent à s'éclipser de leur chambre pour aller dehors :

- Chouette ! Ça me rappelle quand je séchais les cours au lycée, chuchota le colosse.

Ils s'arrêtèrent quand ils furent à la lisière de la forêt.

- Tu as ce que je t'ai demandé ?

- Normalement dans deux minutes, répondit Jacques en regardant sa montre.

Ils patientèrent même moins que ça. Killian vit une silhouette plutôt corpulente se diriger vers eux. Ses yeux s'écarquillèrent lorsqu'il reconnut le membre du Conseil :

- Mais tu es fou ? C'est Braise !

Jacques se mit à rire, mais resta droit comme un piqué, les bras croisés :

- Pas d'angoisse, je gère.

Le rouquin arriva à leur niveau. Killian n'était pas petit, ni maigrichon. Il avait toujours été assez sportif. Mais à côté de Jacques et Braise, il se sentit relativement chétif.

- Salut. Jacques m'a dit que vous aviez besoin d'un coup de main pour une expérience ?

Killian ne répondit pas. Oui, il avait besoin d'une source de chaleur. Mais pourquoi lui ? Qu'est-ce qui pouvait bien passer par la tête de son ami ? Braise sentit le malaise, il baissa la tête et marmonna quelque chose :

- Ecoute Killian, on est parti du mauvais pied. Lumio nous a fait part de sa volonté de t'intégrer au Conseil. Je pense qu'on devrait apprendre à mieux se connaitre dans l'intérêt de tout le monde.

Killian porta son regard sur Jacques :

- Tu lui as dit quoi ?
- Qu'on avait besoin d'un chalumeau.

Le Corporem sourit et Killian ne put s'empêcher de faire de même.

- Si tu veux que je te fasse confiance, tout ce que tu vas voir ce soir ne doit pas sortir d'entre nous trois. Car c'est pour Jacques que je fais ça. Hors de question que ça lui cause du tort.
- Pas de soucis, répondit le mage du feu. Tu as ma parole.

Killian se demanda ce que pouvait valoir sa parole. Mais c'était trop tard pour faire marche arrière.

- Allons dans la clairière.

Killian allait s'enfoncer dans la forêt lorsque Braise le retint par le bras.

- La magie du feu fait beaucoup de bruit. Souviens-toi. Je connais un endroit où ça ne posera pas de problème.

Ils suivirent Braise un bon quart d'heure dans la forêt, vers un endroit qu'il ne connaissait pas. Passées quelques minutes, ils commencèrent à entendre le bruit d'un cours d'eau. Ils débouchèrent sur les bords d'un petit torrent qui faisait effectivement pas mal de bruit.

- Ici on va pouvoir se lâcher un peu. On est plus bas que l'académie et le bruit du torrent masquera une grande partie du raffut.

Killian observa l'endroit. En effet, le lieu était adapté à la situation. Il consentit à donner un bon point à Braise. Il sortit de sa poche une pièce de métal et lui donna grâce à ses pouvoirs la forme d'un disque, de la taille d'un CD.

- Jaques, je t'ai promis d'essayer. Mais je ne te garantis rien, on est d'accord ?
- Vas-y mon grand. J'ai entièrement confiance en toi.

Braise les regardait sans comprendre, mais ne dit pas un mot, ce que Killian apprécia. Il fallait maintenant qu'il envisage sa magie autrement, avec un effet permanent et non un effet temporaire. Il ferma les yeux et visualisa dans son esprit l'effet désiré. Il fallait que le porteur de l'objet soit immunisé à la chaleur, au feu.

Il se concentra et une nouvelle série de runes se forma dans son esprit. Elles étaient toutes plus ou moins constituées d'un point, entouré par une forme. Il pensa à l'élément du feu et une rune brilla dans son esprit. Laissant la magie l'envahir, il produisit deux cercles de puissance avant de stopper le sort. Lorsqu'il rouvrit les yeux, le médaillon était agrémenté d'une énorme rune dorée représentant un point entouré d'une flamme.

Killian s'assit par terre une minute afin de récupérer un peu et invoqua l'esprit de l'objet. Une petite fée boulotte apparut, entourée par une petite bulle de verre rouge. Il ne pouvait pas vraiment savoir si l'effet était réussi. Il allait devoir faire un test grandeur nature. Braise le regardait comme s'il venait de voir de la magie pour la première fois. Il l'ignora et tendit l'amulette à Jacques :

- A vous de jouer, mais commence doucement. Je ne sais pas vraiment quel va être le résultat.

Le Corporem prit l'amulette dans sa main et s'écarta de son ami de quelques mètres. Il se tourna ensuite vers Braise :

- Bon, c'est parti. Vas-y doucement au début.
- Mais je dois faire quoi ? répondit le rouquin.

Killian ne savait pas vraiment de quelle façon commencer l'expérience, puis il repensa à Ambre :

- Augmente ta température corporelle et touche-le. Ça sera un bon début.

Le mage du feu se concentra et son corps dégagea rapidement beaucoup de fumée. La vitesse et la puissance du processus surprit Killian. Il ne lui avait fallu que quelques secondes. Il s'approcha ensuite de Jacques :

- Prêt ? Je dois être à quatre-vingt degrés. Si ça ne marche pas tu vas morfler, mais tu devrais pouvoir te régénérer sans problème.

Jacques déglutit lorsqu'il vit la main de Braise s'approcher de son avant-bras. Les doigts du rouquin se posèrent sur lui et les deux mages fermèrent les yeux, attendant de voir le résultat.

Killian les observa un moment, mais rien ne se produisit. Pas de bouclier, pas d'effet magique. Il vit Jacques ouvrir les yeux avec un grand sourire :

- C'est tiède.

Braise aussi regarda le Corporem un moment :

- Tu ne sens rien ?
- Rien du tout. Pour moi c'est à peine plus chaud que ma peau. Vas-y, augmente.

Braise se concentra et Killian vit les herbes autour du mage se flétrir et de la fumée se dégagea du sol autour des deux hommes. Killian distingua même du brouillard de chaleur comme sur le goudron en plein été.

- Je ne dois pas être loin des deux cent degrés, toujours rien ?
- Non rien du tout. Il se tourna vers Killian. Mais comment tu arrives à faire ce genre de truc ? Tu es un génie !

Killian était content pour son ami, le sourire qu'il avait lui prenait la moitié du visage. Du moins il y avait encore deux secondes. Le Corporem se dégagea vivement de Braise et plongea dans le torrent en hurlant. Lorsqu'il ressortit de l'eau, il avait le bras brûlé au troisième degré. Il s'effondra quelques mètres plus loin, Killian à ses côtés.

En l'observant avec Braise, ils virent d'énormes cloques sur son avant-bras. Il y en avait de plus petites sur tout le reste du corps. Un humain normal n'aurait jamais survécu. Killian remarqua qu'il serrait le disque de métal dans l'autre main, la rune était totalement éteinte. Il vit son ami retrouver peu à peu son calme et sa respiration devint plus régulière. Les plaies disparaissaient, cela commença par son visage, puis ce fut le tour de son torse. Les membres inférieurs et son bras reprirent leur aspect naturel.

Il se concentra plus fort et le membre le plus sévèrement touché guérit en quelques secondes. Killian était en admiration devant son ami :

- Bien joué. Vous trouvez mes capacités impressionnantes, mais vous n'avez rien à m'envier. Je n'aurais jamais survécu à ça. Tu vas mieux ?

Le colosse leur tendit les mains et ils l'aidèrent à se relever :

- Oui, beaucoup mieux. Je n'ai pas compris, tout allait bien et d'un coup, je me suis retrouvé comme dans un four !

Killian lui montra le disque de métal :

- La rune est éteinte. Elle n'a pas une durée illimitée.

Jacques regardait l'objet avec déception, mais il releva la tête et regarda Killian :

- C'est déjà un super début. Avec ça je devrais pouvoir l'embrasser.

A peine eut-il finit sa phrase qu'il comprit son erreur. Le visage de Braise était décomposé :

- C'est pour Ambre ?

Killian vit que son ami était embarassé, il devait déjà se maudire intérieurement d'avoir trop parlé :

- Tu as promis. J'espère que ta parole vaut quelque chose.

Braise se calma et posa son bras sur l'épaule de l'autre colosse :

- Bon courage, c'est une furie cette fille. Killian, ne t'inquiète pas. Tu peux me faire confiance.

Killian reprit le disque de métal à Jacques avant de s'éloigner :

- Et bien on va passer au test numéro deux.

Braise le regarda sans comprendre. Il fixa ensuite Jacques un moment, attendant une réaction, mais ne vit rien de particulier venant du Corporem.

- Comment ça un deuxième test ? Ça marche non ?
- Oui, mais pas assez bien je pense, répondit Killian. Je suis sûr que notre ami espère plus. Je me trompe ? conclut-il avec un clin d'œil.

Jacques avait retrouvé son grand sourire. Il répondit par le même geste. Braise les regardait sans comprendre et croisa ses bras, attendant de voir la suite du spectacle. Son corps se paralysa quand il sentit l'énergie affluer dans le corps de Killian. Il vit le premier cercle de puissance et le deuxième comme tout à l'heure, mais le troisième cercle de puissance le laissa interdit. Comment pouvait-il déjà être allé aussi loin dans la découverte de son pouvoir ?

Une fois l'œuvre terminée, Killian s'allongea un peu sur le sol, il semblait épuisé. Le disque de métal brillait d'une couleur rouge vif et non plus doré. Le mage du feu fit très rapidement le rapprochement avec les runes qu'il avait vues sur l'esprit qui accompagnait tout le temps Killian.

- Tu es capable de lancer des sorts du troisième cercle… comme ça ? Sans te préparer avant ?

Il n'avait même pas cherché à cacher sa stupeur. Il était blême devant la puissance qu'il avait ressentie. Mais le plus important, il réalisa qu'il n'était pas du tout certain de gagner face à lui. Alors que les deux autres mages le regardaient sans comprendre, il eut une réaction des plus improbables :

- Quand tu veux Killian ! cria-t-il. Je veux me battre contre toi ! Tu es incroyable ! Je regrette encore plus l'attaque du démon. Sans lui nous aurions fait un duel qui serait resté dans les annales ! Quand tu auras passé l'épreuve, tu as intérêt à me concéder un combat ! Sinon je vais devenir ton pire cauchemar !

Il n'y avait aucune méchanceté ni cruauté dans le ton de sa voix. Juste de l'admiration et une curiosité malsaine. Killian fut à la fois rassuré de voir que le géant roux pouvait avoir de l'admiration pour une autre personne que lui-même, et inquiet, de se dire qu'il n'avait pas du tout peur de l'affronter.

- On verra cela plus tard. Pour commencer, montre-moi ce que tu peux faire contre ça.

Il jeta le cercle de métal rougeoyant à Jacques qui l'attrapa sans mal. Ce dernier se mit à sautiller comme les boxeurs avant un match, se préparant psychologiquement :

- Allez, vas-y Braise ! Montre-moi ce que tu as dans le ventre !

Le mage de feu recula de plusieurs mètres, il estima la distance qui le séparait du Corporem, puis recula encore. Il leva ses deux mains au-dessus de sa tête et se concentra. Trois cercles de puissance se dégagèrent de lui en même temps, surprenant les deux autres mages. Killian activa même son bouclier pour éviter de se retrouver par terre. Il observa le rouquin qui souriait de toutes ses dents, son regard était celui d'un fou :

- Moi aussi je suis capable de te surprendre, j'ai hâte de t'affronter Killian !

Une boule de feu, pas plus grosse qu'un ballon de football apparut au-dessus de sa tête. Mais Killian sentit la chaleur du projectile alors qu'il était à plus de dix mètres de celui-ci.

- Jacques ! cria le mage de feu. Tu es prêt ?
- Quand tu veux ! Killian, si je n'en réchappe pas, dis-lui… tu sauras quoi lui dire, ok ?

Killian n'aima pas du tout cet humour noir :

- Tu lui diras toi-même ! Concentre-toi imbécile !

Braise lança la boule de feu. L'explosion projeta Killian au sol et un immense nuage de fumée envahit la zone. Il se dit qu'il était impossible que personne de l'académie n'ait entendu la déflagration. Dix secondes après, il entendait encore la résonnance du choc.

- Jacques ! Ça va ? Killian hurla pour couvrir le bruit.

Deux arbres avaient légèrement pris feu malgré l'humidité due au torrent.

- Ça va... mais je pense que ça a fait plus de bruit que prévu.

Jacques sortit de la fumée, couvert de suie. Son corps déjà noir brillait à la lumière de la lune. Braise et Killian étaient eux aussi complètement recouverts de suie, rendant le spectacle plutôt comique. Jacques leur présenta l'amulette. Elle ne brillait presque plus. Sa lumière était quasiment inexistante. Les trois mages se penchèrent dessus :

- C'était limite, dit son porteur.
- Super limite, répondit Braise.
- Méga limite, répondit Killian.

Ils s'esclaffèrent de bon cœur sur le chemin du retour. Rires qu'ils durent stopper en voyant l'intégralité de l'académie allumée. Des Jeep de l'armée circulaient de partout, rendant le site identique à une zone de guerre. Une dizaine de soldats pointèrent leurs armes sur eux :

- Armée de France ! Vous êtes dans une zone interdite au public ! Allongez-vous sur le sol les mains dans le dos !

Les trois hommes voulurent répondre lorsqu'ils virent Lumio et Terra se mêler aux hommes en uniforme :

- Laissez-les, capitaine... ils sont de l'académie.

Le vieil homme avait dit ces paroles d'un air désespéré. Secouant la tête de gauche à droite comme s'il avait à faire à trois adolescents dont il ne savait plus quoi faire. Terra, quant à elle, les regardait comme une mère qui venait d'attraper son fils avec de la drogue :

- Mais vous êtes malades ! Regardez-vous ! (ce qu'ils firent), mais...mais... qu'est-ce que vous avez fait ? C'était vous cette explosion ?!

Killian voulut répondre, ayant eu l'idée de leur petite escapade, il était hors de question que ses deux compagnons de sortie assument le désordre qu'ils avaient causé. Mais Braise le coupa dans son élan :

- C'est de ma faute. J'ai estimé que Killian et moi devions régler notre différent. C'est chose faite.

Les deux membres du Conseil restèrent bouche bée. Killian se demanda même si leur cœur battait toujours. Passés quelques instants, il réussit à dire timidement :

- Bon bah on va se coucher... bonne nuit tout le monde.

Il serra la main de Jacques et celle de Braise et se dirigea doucement vers le hangar. Arrivé à côté de Terra, il fit un léger détour, de peur d'une réaction non contrôlée de cette dernière. Elle leva le bras pour l'arrêter et tourna sa figure figée vers lui, elle souriait légèrement, comme si elle était gênée :

- Qui a gagné ?

Lumio ne réagit même pas, il semblait aussi intéressé par la réponse. Killian se tourna vers Braise, cherchant l'aide de ce dernier. Ils se regardèrent un moment et répondirent ensemble :

- Egalité.

Chapitre 10

Axelle se leva d'excellente humeur, mais avec un lancinant mal de tête. Elle descendit dans la cuisine afin d'y ranger le couteau qu'elle avait gardé avec elle toute la nuit. Ses filles se levèrent peu de temps après elle.

N'ayant pas classe aujourd'hui, elle apprécia leur présence pour un petit-déjeuner entre filles. Elle sifflotait en faisant griller des tartines.

Lana, la plus grande, avait de longs cheveux bruns. Athlétique de nature, elle adorait le sport et espérait faire carrière dans la danse. Elle marchait toujours sur la pointe des pieds et s'entrainait sans relâche. Son père lui manquait terriblement. Etant la plus grande avec ses douze ans, elle était fortement influencée par internet et les rares sites non filtrés par le contrôle parental lui faisaient douter de la possibilité de le revoir un jour.

Elle avait vu sa mère déprimer depuis son départ et c'était la première fois depuis plusieurs jours qu'elle avait l'air de bonne humeur. La regardant avec ses grands yeux marron, elle ne put s'empêcher de lui poser la question :

- Ça va maman ?

Axelle se retourna, un grand sourire aux lèvres. Elle regarda ses filles avec beaucoup d'amour. Elles étaient le centre de son univers. Même si Killian était l'amour de sa vie, ses filles seraient toujours sa priorité.

- Tout va très bien mon cœur. C'est une belle journée. Ça vous dirait un cinéma ?

Les trois filles se regardèrent sans comprendre. La veille au soir, leur mère les avait envoyé au lit avec à peine un « bonne nuit » et n'avait pas décroché un seul mot pendant tout le repas. Et voilà que ce matin, elle semblait d'excellente humeur, comme si tous les nuages de son esprit étaient partis dans la nuit.

- Tu as eu des nouvelles de papa ?

Lana avait dit cette phrase le plus faiblement possible, la peur au ventre d'avoir en retour une réponse négative. Mais sa mère se dandina sur elle-même avec un air de petite fille prise en faute :

- Peut-être, je crois que votre père va bien. Il m'a juste fait passer un message, enfin je pense…

Les trois filles se regardèrent en souriant. C'était, en effet, une belle journée. La perspective de revoir son père transporta Lana de joie. Elle porta son chocolat chaud à ses lèvres, la tête pleine de pensées. Elle imagina son père frappant à la porte, tel un militaire revenu du front, tout le monde lui sautant au cou. Il reviendrait en héros.

Constance, la benjamine, âgée de dix ans, était beaucoup plus calme et réservée que sa grande sœur. D'un naturel plus réfléchi, elle aimait le dessin, la peinture et raconter des histoires. Physiquement, elle était la plus typé avec une peau plus brune, des yeux presque noirs et une coupe au carré assez courte. Elle avait du mal à se faire des amis à l'école, comme si un blocage s'opérait, rendant ses camarades de classe plus insipides les uns que les autres. Elle était contente à la perspective de revoir son père. Elle devait vite aller dire tout ça à son journal intime…

La dernière, Laurana, 5 ans, était la tornade de la maison. Arrivée en dernier, elle avait rapidement imposé sa loi dans la famille. Ses longs cheveux frisés correspondaient parfaitement à son caractère. Intelligente de nature, elle savait parfaitement comment jouer avec les sentiments de tout le monde et obtenait toujours ce qu'elle voulait. Et dans les rares cas où quelqu'un lui résistait, elle avait toujours son arme secrète : sa mère. Il lui suffisait de la regarder avec ses grands yeux marron clair, d'enlever ses lunettes et faire mine de pleurer pour qu'Axelle intervienne telle une super héroïne et punisse tout le monde afin de protéger son petit bébé.

- Je vous propose de finir rapidement le petit-déjeuner. On range un peu la maison et on file au cinéma. Ensuite on pourrait même se faire un petit restaurant, ça vous dit ?

Les trois filles validèrent le programme avec de grands sourires. Les quatre derniers jours ayant été éprouvants pour toute la famille, une journée basée sur la bonne humeur était la bienvenue.

Tout le monde s'activa, comme une machine bien huilée et moins d'une heure plus tard, l'équipe était prête à partir. Axelle était dans le salon en train de lutter avec sa paire de baskets lorsqu'on sonna à la porte.

Elle souffla, sachant que c'était certainement sa mère qui avait dû prendre l'initiative de venir la voir afin de lui remonter le moral. « Bon allez, on l'embarque avec nous » se dit-elle mentalement, afin de ne pas gâcher la journée aux filles en les obligeant à rester à la maison. Elle lutta avec sa dernière chaussure et se dirigea vers la porte d'entrée. La sonnette retentit à nouveau et Axelle se dit qu'il fallait vraiment que sa mère arrête de vouloir toujours tout, tout de suite, sans tenir compte des envies des autres. Cela l'insupportait car à chaque fois, elle sonnait encore et encore si la porte n'était pas ouverte dans les cinq secondes.

Elle ouvrit le battant, prête à la sermonner lorsqu'elle trouva un vieux monsieur sur le paillasson. Il était grand avec de rares cheveux blancs, mais son regard était vif, d'un bleu éclatant. Le plus surprenant était sa tenue. Il portait un pantalon en lin blanc avec une longue tunique blanche dans laquelle il ne devait pas avoir bien chaud.

- Bonjour, c'est à quel sujet ?
- Bonjour, je m'appelle Lumio. Je suis l'un des membres du Conseil de l'académie de magie. Pourrais-je m'entretenir avec vous un moment ?

Axelle se sentit défaillir, repensant au reportage de la veille au soir.

- Il est arrivé quelque chose à Killian ? demanda-t-elle morte d'inquiétude.
- Pas du tout madame, il va bien. Néanmoins nous devons parler de son retour.

Ils s'installèrent dans le salon. Dire aux filles que le cinéma était reporté à l'après midi ne fut pas bien compliqué car l'annonce était accompagnée d'une bonne nouvelle : leur père allait bientôt rentrer.

- Dans combien de temps va-t-il rentrer ?
- Si tout va bien, dans trois jours.
- Trois jours, c'est super...alors ça veut dire que ça s'est bien passé ? Il a réussi l'épreuve ? Déjà ? C'est normal ? Et ce qu'on a vu à la télévision, c'est vrai ? Un monstre vous a attaqué ?

Lumio ne put s'empêcher de sourire. Comment répondre à ce genre de femme ? Elle était capable de produire un flot ininterrompu de questions.

- Votre mari se débrouille très bien. Il passe l'épreuve dans trois jours et je pense qu'il n'y aura pas de problème. Il est très doué. De plus, sa magie est unique. Il va certainement devenir un grand mage. Pour l'attaque, c'est vrai et Killian a abattu lui-même le monstre, me sauvant la vie par la même occasion.

Axelle le regarda avec des yeux ronds. Son mari avait tué un monstre de ses propres mains.

- Il a beaucoup changé et c'est le but de ma visite. Quand un mage est susceptible de réussir l'épreuve, on envoie généralement une personne afin de préparer la famille à son retour. Pour beaucoup de raisons, le cas de Killian est unique. D'où ma présence.
- Pourquoi son cas est-il si unique ?
- Pour commencer, son obédience n'a jamais été répertoriée. Aucune académie, dans le monde entier, n'a entendu parler d'un mage lui ressemblant. Dans un deuxième temps, il sera resté moins de deux semaines avant de passer l'épreuve.
- Et donc, en quoi votre présence aujourd'hui va nous préparer à son retour ?

Lumio n'aimait pas ce passage. Généralement il ne s'occupait pas de cela. Mais il n'avait réussi à déléguer la tâche à personne d'autre, de peur que les choses tournent mal.

- Il faut que vous sachiez qu'il a beaucoup changé. Sur le plan physique, dans un premier temps. Certains mages veulent afficher leur obédience, dans le cas de votre mari, c'est presque une nécessité. Il laissa le temps à Axelle d'assimiler l'information. Sa capacité à enchanter les objets l'oblige à en avoir sur lui. Le deuxième point qui va changer dans votre relation, c'est l'apparition de la magie elle-même. Elle va prendre une part importante de ses pensées, de son temps. Il va falloir vous habituer à cela.
- Cela parait évident. Du moins je ne vois rien d'extraordinaire dans ce que vous dites. Mon mari va revenir, mais ce sera désormais un mage. Je n'imaginais pas son passage chez vous comme « anecdotique ». Je connais Killian… notre place dans son cœur est faite. Pour moi, comme pour ses enfants.
- Je n'en doute pas. D'un point de vue professionnel, j'aimerais vous parler d'un autre changement.
- Professionnel ?
- Oui. J'ai proposé à Killian de devenir membre du Conseil. En fait, légalement, il y a sa place, mais il ne le sait pas. J'aimerais qu'il prenne une part active dans notre…organisation.
- Je comprends…ça parait logique. Pourquoi me dire cela ? Killian est libre de travailler où bon lui semble. Même si j'ai du mal à le voir fermer sa boutique, il l'adore.
- Rien n'est fait de ce côté-là. Je vous en parle autant pour vous préparer que pour avoir votre point de vue.

- Mon mari est un passionné. S'il aime ce qu'il fait, rien ne l'arrête.

Les discussions allèrent bon train et Lumio apprécia le cadre de vie de Killian. Il lui expliqua une grande partie du fonctionnement de la magie ainsi que de l'académie. Cela le rassura aussi afin d'aborder le dernier point, et non des moindres.

- Avant d'y aller, j'aimerais vous parler d'un dernier point.
- Je vous écoute.
- Il existe un mal, chez les mages. Une espèce de maladie. Nous n'avons que très peu d'information, elle frappe partout dans le monde. Un cas à la fois, ce qui est le plus bizarre. Cela s'appelle la Furia.
- Savez-vous comment ça s'attrape ? Est-ce grave ?
- Nous avons des théories, la plupart des mages l'ont attrapée après avoir perdu le contrôle de leurs émotions. Colère, haine, vengeance sont des facteurs de déclenchement.
- Très bien. Mais vous ne répondez pas à ma deuxième question.
- La Furia...ne se soigne pas. Les mages qui la contractent ne pensent qu'à une chose : anéantir toute forme de vie. Ce qui nous oblige à les abattre, et ce n'est pas une mince affaire car un mage atteint de Furia gagne en puissance.

Axelle réalisa soudain le message que le vieil homme essayait de lui faire passer.

- Et Killian est...doué. Non, en fait, il est puissant. S'il était atteint de Furia...
- ...nous ne pourrions peut-être pas l'arrêter. Il a accompli en dix jours tellement de progrès, que je n'ose imaginer ce qu'il pourrait faire dans quelques mois. Avec la puissance de la Furia, il pourrait devenir la plus grande menace de notre monde.
- On ne peut donc rien y faire ?
- Il n'y a eu qu'un seul cas de rémission. Mais nous ne savons absolument pas l'expliquer.
- Et donc ? Qu'attendez-vous de moi ?
- Rien, si ce n'est de nous prévenir si l'attitude de Killian venait à changer. Si certains évènements de sa vie venaient à lui donner l'envie de faire le mal. Je sens en lui beaucoup de bonté et de loyauté, de l'amour aussi. Des qualités qui peuvent rapidement devenir les instruments de la vengeance, s'il vous arrivait quelque chose par exemple...

Il partit en début d'après-midi, laissant Axelle à ses pensées. Elle avait hâte de retrouver Killian, mais il y avait tout de même une partie d'elle qui avait peur. La première raison était naturelle : la peur du changement.

Killian était devenu un mage, il allait peut-être s'investir pour une cause qu'elle ne comprendrait pas. Allait-elle baisser dans ses priorités ? Mais il y avait une autre raison, ce mage avait-il essayé de lui faire volontairement peur ?

Cette histoire de Furia la fit frissonner. Killian, son mari, le père de ses enfants, pourrait devenir la plus grande menace pour l'humanité. Son esprit chassa rapidement cette idée, elle ne voulait pas y croire.

Chapitre 11

Killian serra la main de ses amis, il allait partir pour la capitale alors qu'ils allaient passer l'épreuve aujourd'hui.

- N'en faites pas trop, dit-il en regardant Jacques d'un œil accusateur.
- Bien sûr, compte sur nous, répondit ce dernier en appuyant sur cette dernière phrase.

Il se tourna ensuite vers René :

- Je te les confie. Fais attention à eux.
- Tu peux compter sur moi.

René resta impassible lorsqu'il sentit quelque chose dans sa main après son contact avec Killian. Et lorsque celui-ci rentra dans la voiture avec Lumio, il lui fit au revoir en ne laissant rien paraitre. Puis, il lut le petit morceau de papier que Killian lui avait glissé discrètement : « sous mon oreiller ». Les compagnons partirent se préparer en faisant un petit détour par sa chambre et ils trouvèrent une lettre à leur intention. René la lut à voix haute à ses compagnons.

- Bien. C'est une bonne idée. Nous partirons pour Marseille après avoir passé l'épreuve.

En début d'après-midi, ils furent convoqués chacun leur tour dans un ordre qu'ils avaient eux-mêmes défini. L'épreuve pouvait se passer à huis clos, ou en public selon l'envie du candidat. Tous les quatre décidèrent de la faire en public afin d'être soutenus par leurs compagnons. Il était prévu la même chose pour Killian le lendemain.

L'académie étant remplie avec l'arrivée de certains membres des autres académies, c'est plus de deux cent personnes qui assistèrent au spectacle. Des bancs furent sortis du réfectoire et l'on déplaça l'épreuve dans le champ à côté de l'usine.

Emilie commença par un sort du deuxième cercle ce qui lui valut un tonnerre d'applaudissements. Il était déjà assez rare qu'une petite fille réussisse l'épreuve, mais avec un sort du deuxième cercle, cela relevait de l'incroyable. Elle créa un golem de terre ressemblant à un gros lézard qui devait faire deux fois la taille de Jacques, puis elle grimpa sur son dos et attendit le verdict. Il fallut plusieurs secondes au Conseil pour sortir de sa torpeur et valider l'épreuve.

Ambre passa en deuxième avec désinvolture, utilisant un sort du premier cercle. Levant un doigt au ciel, elle créa un projectile magique qu'elle téléguida ensuite vers une cible qu'elle avait défini : juste devant les membres du conseil. Ceci eut une double conséquence : les agacer, mais aussi leur prouver qu'elle contrôlait parfaitement ses pouvoirs. Ils validèrent l'épreuve.

René utilisa un sort du deuxième cercle. Il faisait un temps magnifique, il invoqua la lumière du soleil sous sa forme physique et un trident tomba du ciel. Il chuta comme un boulet de canon et s'enfonça d'un bon mètre dans le sol. L'arme n'était pas faite de métal, mais uniquement de lumière dorée. René saisit l'arme à deux mains et la sortit du sol. Elle brillait de mille feux et l'ensemble du public fut impressionné par ce spectacle.

Jacques fut le dernier à passer, il arborait un grand sourire :

- Qu'est-ce qu'il va nous faire encore…dit Ambre.
- Je n'en sais rien, mais je m'attends au pire, répondit René. Espérons qu'il reste raisonnable.

Jacques se tourna vers eux et leur fit un énorme clin d'œil.

- Je pense que tu peux oublier le côté raisonnable, répondit la mage du feu.

Le colosse enleva sa chemise et toisa le Conseil. Il se concentra un moment avant que le premier cercle apparaisse, puis un deuxième. Ambre et René comprirent qu'il n'allait pas en rester là lorsqu'ils sentirent l'énergie affluer dans le corps de leur camarade. Le troisième cercle eut pour effet de créer le silence absolu, ce qui permit à l'ensemble des spectateurs d'admirer le résultat. Jacques s'était métamorphosé… en dragon.

Il devait avoir la taille d'un rhinocéros. Sa couleur de jais tranchait avec la blancheur de ses crocs et de ses griffes. Ses ailes devaient faire dans les 15 mètres d'envergure. Il marcha afin de se placer à quelques mètres du Conseil et s'assit lourdement. Remuant avec grâce sa longue queue et articulant d'une voix grave et claire :

- Pensez-vous que je mérite votre bénédiction pour quitter ce lieu ?

Terra articula un faible « oui », faisant rire une grande partie des mages réunis pour assister à l'épreuve. Le dragon se dirigea ensuite vers ses amis, il vit la mine de René de loin et tout le monde vit les lèvres de la créature se retrousser.

- Tu es fier de toi ? Killian nous avait dit : discret !
- Dit-il après avoir scotché tout le monde avec son arme de lumière, répondit Ambre en souriant.

L'aine du groupe n'eut rien à répondre à part un sourire gêné :

- Oui bon... c'est fait maintenant. Tu reprends forme quand ?
- Je me suis dit que je pourrais t'emmener à Marseille comme ça ?

René regarda le dragon avec un œil déterminé :

- Moi, vivant, cela n'arrivera jamais !

Killian était dans ses pensées. Le TGV avalait les kilomètres aussi sûrement que le vent, laissant libre court aux réflexions du mage. Un rapide résumé de la semaine lui rappela à quel point sa vie d'avant avait été bien calme. Il se demanda aussi comment s'était passée l'épreuve pour ses amis. Il avait cru sentir l'aura de Jacques l'espace d'un moment, mais il avait certainement dû se tromper.

Son esprit continua de vagabonder jusqu' à se remémorer l'attaque, le démon, l'esprit dérangé qui avait dû organiser cela. Il se dit que lui aussi, s'il était animé de mauvaises intentions, il pourrait causer des catastrophes. Rien ne l'empêcherait, maintenant, de détacher un rail de la voie ferrée. Mais il aurait tué des centaines d'innocents... et d'inconnus. Pas comme le maitre des trois démons qui avait volontairement visé les mages des académies.

- Lumio ?

Le vieil homme était en train d'écrire dans un carnet. Il répondit sans même relever les yeux :

- Oui Killian.
- Pourquoi en vouloir aux académies ?
- Là est toute la question. Nous n'en avons aucune idée. Nous avons des ennemis, c'est certain. Principalement des groupes anti-mages. Mais ils nous jettent des pierres ou ce genre de choses. En utilisant la magie, ils se discréditeraient. Certains gouvernements aussi, mais attaquer un sol étranger reviendrait à une déclaration de guerre.

- Et si cela venait de notre Président, ou des trois présidents ?
- Je ne pense pas.
- Pourquoi ?
- Tu vas vite comprendre en arrivant. Il ferma son calepin et rangea son stylo. Ce sujet te tracasse ?

Killian était content de voir qu'il prenait la discussion au sérieux :

- Pas vous ?
- Si, c'est pour cela que je t'ai demandé de venir. Pour te résumer la situation, le Président voudrait que notre académie trouve une solution aux problèmes liés à la magie. La police ne peut pas gérer cela. De plus, laisser des mages dangereux dans la nature nous cause énormément de tort. L'opinion publique n'a que faire des « bons » mages. Comment rassurer les gens et nous forger une bonne réputation tant que certains d'entre nous causent de véritables carnages. A Budapest, dix-sept enfants sont morts. Ça a fait la une des journaux.
- Il est marrant. Une solution… typique des politiques ça. C'est beau de dire qu'il en faut une, ce n'est pas lui qui va la trouver…
- En fait, il en a déjà trouvé une. Mais je ne pensais pas cela réalisable. Jusqu' à ton arrivée.

Killian regarda le vieux mage sans comprendre. Comment pouvait-il être la solution ? Le combat avec le démon avait été un succès, mais avec du recul, on aurait aussi pu conclure à une simple succession de coups de chance.

- Je ne vous suis pas.
- Tu sais Killian, Neuro est un sombre imbécile. Mais c'est le Mentalus le plus brillant que je connaisse. Sais-tu que son obédience a la réputation d'être la plus faible de toutes ? Alors qu'elle devrait être la plus crainte ?

Il était encore plus perdu. Quel était le rapport avec Neuro ?

- Il est capable de voir les sentiments réels des gens. Leur trait de caractère dominant. L'information que je vais te révéler est confidentielle. En le répétant, tu mets notre vie en danger à tous. Le comprends-tu ?

Killian lui fit signe que oui.

- Les groupes ne sont pas formés au hasard. Vous avez tous les cinq des traits de caractère communs. On a formé une équipe, Killian. Une unité si tu préfères. Le projet allait tomber à l'eau, tes camarades ne faisant preuve d'aucune envie de développer leur pouvoir. Mais tu as été l'élément déclencheur. Pour être honnête, je n'y ai pas cru même une fois ton incorporation passée. Mais après l'attaque du démon, je n'ai plus eu de doute. Le Président et Neuro ont vu juste.

- De quels traits de caractère parlez-vous ?
- De la loyauté et de l'honnêteté. Vous êtes moralement au-dessus de nous. Il arrêta d'un geste Killian qui voulait l'interrompre. Ce n'est pas un compliment, c'est un fait. Crois-tu que ce soit le fruit du hasard cette empathie que tu as envers eux ? Crois-tu que tu dois à la chance d'être tombé avec des mages qui ont forcé aussi vite ton respect ? Au point de leur accorder ta confiance en leur révélant ta technique pour lancer des sorts aussi facilement ? Oh … ne me regarde pas comme ça…, bien sûr que j'ai compris. Tu ne lances pas des sorts comme nous, et eux non plus maintenant. Tu appréhendes la magie différemment.

Le vieux mage se passa la main sur le visage. Il avait l'air libéré. Comme si lui avoir caché cela aussi longtemps lui avait pesé.

- Vous nous avez manipulés…
- Appelle ceci comme tu veux. J'aime surtout à croire que nous avons peut-être trouvé une solution. Regrettes-tu ta rencontre avec eux ?
- Ça ne vous ressemble pas la fourberie. Je n'ai pas besoin de répondre à cette question, vous connaissez la réponse. Mais quand même, vous attendez quoi de nous ? Qu'on chasse les mauvais mages ?
- C'est exactement ça. Mais notre cher Président aura certainement de meilleurs arguments que moi. On ne se connait pas Killian, ou très peu. Mais penses-tu que je sois le genre d'homme à ne pas être certain de mes choix ? Votre groupe a la capacité de devenir la plus grande chance pour tous les mages d'avoir un avenir positif dans notre société.

Killian réfléchit un moment aux propos du vieil homme. Il devait lui reconnaitre qu'il portait son idée avec conviction. De plus, le mage responsable des attaques contre les académies devait être arrêté, mais pas par n'importe qui, le risque était trop grand.

- Il faudrait que j'en discute avec eux avant. Et Emilie ne fera pas partie de ça.
- Bien évidement. Pour Emilie, on la voyait plus comme un renfort dans quelques années. Avant d'en discuter avec tes amis, tu dois d'abord voir la personne à l'origine de cette idée, il a hâte de te rencontrer.

Ils furent accueillis par le ministre de la magie. Nouvellement créé, ce ministère n'avait que peu de budget et d'influence. Au moins avait-il le mérite d'exister.

L'homme était élégant avec son costume noir. De grande taille, il semblait plus flotter que marcher. Ses cheveux grisonnants et les rides autour des yeux indiquaient la cinquantaine. Il serra la main de Lumio avec chaleur, mais il portait son attention principalement sur Killian :

- Alors c'est lui ?
- En chair et en os, répondit le vieil homme.

Le ministre se dirigea vers lui, la main tendue :

- Alexandre De Berteuil. Ministre de la magie. C'est un honneur de pouvoir vous serrer la main. Et par la même occasion, merci.
- Killian, enchanté, mais pourquoi merci ?
- Mais pour avoir sauvé de nombreuses vies de nos congénères... Répondit l'homme avec un demi sourire.
- Vous êtes...vous aussi...
- Un mage ? bien sûr ! Ils peuvent mettre dans les autres ministères n'importe qui, mais pour la magie, il leur fallait une personne du milieu. Il se tourna vers Lumio. J'en conclus qu'il n'est pas au courant ?
- Pas du tout, répondit ce dernier. Néanmoins je lui ai parlé de notre projet.

Le ministre grimaça :

- J'aurai préféré que le sujet soit abordé ici, pour des raisons de sécurité. Suivez-moi.

L'Élysée, le palais présidentiel, était beaucoup plus grand que ce que Killian pensait. Ils furent escortés jusqu'au bureau du Président par deux hommes armés. Ce qui fit le fit rire intérieurement car il arrivait à voir les revolvers sous leur veste de costume. Il arrivait même à faire la distinction entre les différentes pièces des armes, les balles, le chargeur.

Il n'apprécia pas en revanche de devoir donner son armure et son épée en consigne, il tenta de garder le contact mental avec Fangore, mais il ne réussit pas longtemps. Il fut surpris que les deux agents ne rentrent pas avec eux dans le bureau.

Le Président, Patrick Forge, les attendait. Il était assez jeune, dans les quarante ans. Son accession à la plus haute fonction de l'Etat était un mystère pour beaucoup. Mais il s'était révélé être assez bon ces quatre dernières années et beaucoup de ses partisans espéraient sa réélection l'année prochaine. Il avait fait de la magie une priorité et surtout, il avait été le premier à créer une académie dans laquelle les mages étaient libres. Suivi par d'autres pays, il était devenu un exemple sur le plan international. Il était sportif, les cheveux courts, il avait un regard perçant. Son visage carré lui donnait un air de star américaine qui, d'après les sondages, l'avait beaucoup aidé auprès des électrices.

- Entrez messieurs !

Il se dirigea vers eux avec enthousiasme, la main tendue vers Lumio :

- J'ai l'impression qu'on ne se quitte plus !
- A qui le dites-vous !

Il porta son attention sur Killian :

- Et voici donc le fameux mage avec son obédience bien singulière. Killian c'est ça ?
- Oui Monsieur le Président.
- Patrick… pas de ça entre nous. Il regarda Lumio d'un œil entendu. Il n'est donc pas au courant ?
- Non, répondit le vieil homme. Je pensais que l'apprendre en votre présence serait une bonne chose.

Killian était un peu perdu dans la discussion. Il vit le ministre sourire alors qu'il faisait léviter un stylo au-dessus de la paume de sa main.

- Vous êtes de l'obédience de l'air ?
- Oui. Mais je ne suis pas vraiment doué. J'ai passé l'épreuve de justesse.

Il vit le Président ainsi que Lumio s'installer à une grande table de travail. Ils les rejoignirent rapidement. On leur apporta un plateau, composé de diverses sucreries et de boissons. Leur hôte renvoya le majordome, prétextant qu'ils étaient capables de se servir eux-mêmes.

- Venons-en au fait Killian. Lumio vous a donc parlé de notre projet ? Qu'en pensez-vous ?
- En fait, je trouve l'idée surprenante venant d'un homme politique, répondit-il en espérant ne pas faire trop de vagues. Je ne veux pas vous vexer, mais mettre au point une unité spécialisée dans la traque des mages qui auraient basculé du mauvais côté, c'est prendre un gros risque si ça ne réussit pas.
- Vous ne me vexez pas Killian. Au contraire, votre remarque est juste. Cette entreprise est risquée. Mais nous la préparons depuis plusieurs mois. Lumio m'a expliqué la cohésion de votre groupe et son efficacité. Les résultats sont surprenants, au-delà de nos attentes même. Vous êtes peut-être le seul à pouvoir nous aider, en avez-vous conscience ?

Killian réfléchit un moment. La responsabilité était énorme et il fallait qu'il en parle avec les autres. Puis son esprit vagabonda jusqu'à la dernière phrase de son interlocuteur, « le seul à pouvoir nous aider ». Il leva les yeux vers l'homme qui se tenait en bout de table. « Impossible » murmura-t-il à lui-même. Il vit ensuite les sourires de Lumio et d'Alexandre.

- Vous êtes un mage…

- Bingo, mon cher. On estime aujourd'hui la part des mages dans le monde à un être humain sur quarante-cinq mille. Je vous laisse imaginer la surprise, car l'apparition de mes pouvoirs est survenue en plein conseil des ministres. La discussion qui s'ensuivit fut interminable, mais nous avons voté le secret contre mon refus à me représenter. C'est pour cela que nous devons faire notre maximum tant que j'ai encore mes fesses sur ce fauteuil. Mon successeur pourrait ne pas avoir les mêmes velléités envers les gens de notre… nature.

Killian vit ses doutes s'envoler. Il n'avait pas devant lui une personne qui voulait se forger une réputation, mais bien un être qui se battait avec acharnement pour l'avenir des mages.

- Je dois bien admettre que cela change tout. Je vais en parler aux autres. Je ne garantis rien, je ne leur forcerai pas la main.
- Et c'est bien normal, répondit le ministre. Néanmoins, débloquer des fonds pour l'académie est un véritable parcours du combattant. Avoir comme argument la mise en place de cette unité donnerait de l'eau à notre moulin.

Killian réfléchit un moment. Le monde ne tournait-il pas à l'envers ? On allait lui demander de risquer sa vie pour régler des problèmes que le commun des mortels ne pouvait résoudre. Mais en plus de cela, il fallait mendier des fonds pour le faire ?

- En imaginant, et j'insiste sur le fait que ce soit une théorie, que mes amis soient d'accord pour mettre sur pied cette unité, nous interviendrons sur le sol de chaque pays qui versera à l'académie un euro pour chacun de ses habitants. Par an.

Lumio fixa Killian, puis éclata de rire :

- Alors celle-là, on ne l'a pas vu venir.

Même les deux hommes politiques souriaient.

- Vous êtes en train de marchander vos services.
- Non, je marchande le service que va fournir, peut-être, l'académie de magie. Le Conseil décidera de ce qu'il faut faire de cet argent. Mais si un pays refuse cet arrangement, il se débrouillera seul avec les éventuelles créatures qui fouleront son sol. Je sais que vous faites votre maximum. Mais je viens de vivre, ou plutôt de camper pendant une semaine à l'académie. Nous avons besoin d'être pris au sérieux. Nous devons pouvoir accueillir les mages et leurs familles dans de bonnes conditions. Leur assurer au moins un lieu sur cette terre où ils seront chez eux et en sécurité.

Lumio avait du mal à se contenir :

- Je vous avais dit qu'il était exceptionnel.
- Vous êtes sûr que ce n'est pas un Mentalus ? répondit le Président.
- Certain. Killian, est-ce que cela vous dérangerait de leur montrer ?

Killian fixa la montre du Président. Il utilisa un sort du premier cercle, le plus discrètement possible. L'objet se mit à briller, il y avait désormais, sous le cadran, une rune de protection contre le feu. L'homme porta le bijou devant sa figure :

- Qu'est-ce que cela ?
- Une rune. Avec cette montre, vous pourrez désormais résister à une forte température. Mais attention, son efficacité est liée à sa lumière. Si vous la voyez se ternir, c'est que son pouvoir s'affaiblit. Elle se rechargera ensuite toute seule.

Le Président appuya sur un bouton situé sous la table. Cinq secondes plus tard, l'un des deux hommes qui les escortait était à ses côtés :

- Vous avez confisqué des objets à cet homme à son arrivée. Veuillez les lui restituer.
- Monsieur, il y avait une arme…
- Et j'aimerais la voir.

Le garde partit rapidement, mouché. Il revint quelques minutes plus tard avec les effets de Killian. Ce dernier en fut soulagé et invoqua Fangore sans attendre. Cette dernière sauta sur la table et se coucha juste à côté de son maitre, qui s'empressa de lui gratouiller le ventre.

Les deux hommes politiques le regardèrent et Killian sourit en voyant leur stupéfaction pendant qu'il réinstallait son plastron et son épée.

- Equipé comme cela, on comprend un peu mieux comment vous avez réussi à vaincre ce démon. D'ailleurs, avons-nous des pistes sur sa provenance ? Son maitre ? Quelles étaient ses intentions ?
- Nous n'en savons absolument rien, répondit Lumio. Quant aux deux autres, on ne les a pas revus.
- Il faudrait se rendre sur place. Procédons par étape. Je vais devoir parler au parlement européen pour soumettre votre proposition. Cela risque de faire des vagues, mais les attaques de la semaine dernière ont laissé des traces dans les esprits. Je ne pense pas qu'un gouvernement refusera votre offre de peur de se retrouver isolé et surtout sans aide en cas de problèmes d'ordre magique. Ensuite, il nous faudra…

Le Président fut interrompu par deux hommes armés qui firent irruption dans le bureau :

- Monsieur le Président, veuillez nous suivre. Nous sommes attaqués.
- Mais par qui ? répondit-il.
- Une créature, monsieur, on ne sait pas ce que c'est.

Ils entendirent des coups de feu et des cris dans le couloir adjacent.

- On y va monsieur.

Ils saisirent le chef de l'Etat par le bras pour l'emmener lorsque la porte du bureau vola en éclats. Dans l'encadrement se tenait un démon identique à celui qui avait attaqué l'académie, mais en plus petit. Les deux gardes ouvrirent instantanément le feu, pour s'apercevoir que leurs armes étaient sans effet sur la créature qui émit un bruit similaire à celui d'un rire.

Elle parcourut la salle du regard et s'arrêta sur le Président. Satisfaite d'avoir trouvé sa proie, elle se mit en position pour bondir lorsqu'un éclair la frappa à l'épaule. Killian avait son arme pointée sur la créature :

- Vite ! Sortez le Président d'ici, on s'occupe de ça !

Les deux gardes retrouvèrent leur instinct de soldat et transportèrent le Président hors de la pièce par une autre ouverture. La créature hurla de rage et bondit sur Killian qui activa son bouclier.

Le choc fut rude, mais sans comparaison avec l'autre démon. Celui-ci, beaucoup plus petit, n'avait aucune chance de percer sa rune de défense. Néanmoins, malgré sa blessure, maintenant que la créature était au contact, comment lever le bouclier pour attaquer ? Elle frappait de son avant-bras encore valide en forme de lame sans relâche, obligeant Killian à reculer contre un mur.

Lumio et Alexandre n'avaient pas l'air de pouvoir l'aider. Tétanisés par le spectacle, ils n'allaient pas lui être d'un grand secours. La créature leva son bras pour frapper le plus fort possible, mais ne rencontra que du vide. Usant d'une rune de téléportation, Killian se retrouva sur la grande table de conférence et pointa son arme vers le monstre. Lorsque ce dernier se retourna, il fut frappé par deux éclairs dont un au visage. Réduisant la partie supérieure de son corps en bouillie.

Killian descendit de la table, les muscles raides par l'effort fourni. Le corps de la créature se décomposa assez vite, ne laissant qu'une marque au sol ainsi qu'une grande quantité de sang jaune.

Une dizaine d'hommes en tenue militaire firent irruption dans la salle. Ils stoppèrent leur progression lorsqu'ils virent les restes de la créature au sol. Killian se laissa tomber sur le sol et souffla un grand coup. Il entendit un soldat parler dans son talkie-walkie :

- Zone sécurisée. Je répète, zone sécurisée. Puis il s'adressa au ministre. Monsieur le ministre, tout va bien ? Vous n'êtes pas blessé ?
- Tout va bien soldat. Allez voir cet homme assit par terre. La créature l'a frappé je ne sais combien de fois.

Le soldat se porta au secours de Killian, mais ne trouva nulle blessure.

- Je n'ai rien. Je me sens juste un peu patraque, l'émotion je pense.

Le Président arriva deux minutes plus tard. Il paraissait encore sous le choc et se dirigea vers Lumio :

- Où est cette chose ? C'était quoi ? Vous n'avez rien ?
- Du calme Pat... (il regarda autour de lui) Monsieur le Président. Tout va bien, Killian nous en a débarrassé, encore une fois.

Ils entendirent le début d'un rire. Killian, allongé sur le sol ne pouvait s'empêcher de pester contre lui-même tout en s'esclaffant :

- Deux minutes avant, je n'avais pas mon épée. Si vous ne me l'aviez pas rendue, on serait tous morts. Mais comme ça arrange vos affaires, je sens qu'on va me demander « d'oublier » ce détail ?

Les trois hommes se regardèrent avec embarras et le Président lui répondit :

- On va dire quelque chose comme ça.

Chapitre 12

Axelle rentrait chez elle, les filles étaient à l'arrière de la voiture. La musique à fond comme d'habitude, transformant le véhicule en salle de karaoké. Arrivée à la maison, elle rangea ses courses et donna les instructions à ses enfants : douche, devoirs... le rituel du soir était bien rodé. Elle allait se mettre à faire le diner, la télévision allumée dans sa cuisine, lorsque la sonnette retentit.

Elle se dirigea vers la porte en tablier et fut surprise par la découverte d'une petite fille qui devait être un peu plus âgée que Laurana, sa cadette. Elle était habillée avec des vêtements usés et sales. Elle avait plein de fleurs dans les cheveux, mais ces derniers n'avaient pas été brossés depuis un bon moment.

- Bonjour ?
- Bonjour madame. Je suis bien chez Killian ?
- Oui... mais qui es-tu ?

La petite fille ignora sa question, elle regarda à l'intérieur et chuchota :

- Je suis la première ?

Axelle regarda derrière elle, ne comprenant absolument rien à sa question.

- La première ? De quoi parles-tu ?
- Youpi !

La petite fille bondit à l'intérieur de la maison, déambulant de gauche à droite, reniflant de partout et criant à tue-tête : « J'ai gagné ! J'ai gagné ! ». Laurana descendit en pyjama, une serviette de bain sur la tête pour se sécher les cheveux et découvrit sa mère décontenancée par un petit diable bondissant dans le salon.

- C'est qui maman ?
- Mais je n'en sais rien !

La petite fille s'arrêta et regarda Laurana :

- Je m'appelle Emilie. Je viens t'annoncer que demain, tu vas revoir ton papa !

La mère et la fille en restèrent bouche bée. Passé le choc, Axelle réussit à articuler :

- Répète-moi ça ? Killian revient demain ? Comment sais-tu cela ?
- Je crois que c'est nous qui allons le voir. Et je le sais car j'ai passé l'épreuve aujourd'hui et que lui la passe demain. Il nous a demandé de venir vous chercher. Je suis une amie de ton papa, dit-elle à Laurana. En fait je suis surtout une amie de Fangore, mais lui aussi je l'aime bien.

Axelle dut s'asseoir un moment. Laurana était aux anges, elle remarqua aussi la tenue d'Emilie :

- Tes vêtements, ils sont super sales ! Viens, on va jouer dans ma chambre et je vais t'en donner d'autres.
- Attends, lui dit Axelle. Qui est Fangore, et qui c'est, nous ?

Emilie parut exaspérée par la question, voulant clairement aller jouer avec Laurana, elle expédia le sujet :

- Fangore c'est son dragon fantôme. Mais vous ne pouvez pas le voir, vous n'êtes pas magicienne. Les autres ne devraient pas tarder, je suis arrivée la première grâce à Zigzag.

Les deux petites filles montèrent dans la chambre de Laurana, laissant Axelle sur sa chaise, totalement perdue. Elle lui aurait parlé mandarin qu'elle n'aurait pas plus compris ce qu'elle venait de lui dire. Elle se dit qu'un verre de vin devrait pouvoir l'aider dans cette situation.

- Allez ma grande, positive ! Demain tu revois ton mari.

Cette pensée lui réchauffa le cœur et elle trouva la force d'aller dans la cuisine afin de se servir à boire. Mais la sonnette retentit à nouveau alors qu'elle était à mi-chemin. Ça devait être « les autres ». Elle pria intérieurement que ce ne soit pas d'autres petites filles excentriques et totalement dénuées d'intérêt pour les discussions rationnelles. Elle ouvrit la porte sur un géant à la peau couleur de jais, qui arborait une mine particulièrement inquiète.

- Bonjour madame. Je m'excuse de vous déranger. Je cherche une petite fille… assez mal fagotée, d'à peu près sept ans. Elle a des fleurs dans les cheveux.
- Elle est ici. Du moins, je l'espère car elle est partie à l'étage avec ma fille et Dieu seul sait ce qu'elles font. Qui êtes-vous ?

Le géant parut soulagé d'entendre ces paroles.

- Je m'appelle Jacques. Elle, c'est Emilie. Elle nous a faussé compagnie à la gare, voulant jouer à qui vous trouvera en premier. On s'est séparés pour la retrouver. J'étais mort d'inquiétude. On vient de la part de Killian.

- C'est ce qu'elle m'a dit, alors c'est vrai ? On va pouvoir le voir demain ?
- Oui, c'est grâce à lui qu'on a réussi à passer l'épreuve. Alors on lui doit bien ça. Je peux vous demander un verre d'eau s'il vous plait ? J'ai dépensé beaucoup d'énergie pour retrouver Emilie. C'est qu'elle va vite sur son truc.
- Elle a parlé de Zigzag ?
- Je crois qu'il est derrière votre maison. Au moins, elle ne l'a pas laissé devant la porte.

Axelle partit en trombe vers la baie vitrée donnant sur le jardin et découvrit un immense...lézard. Il était composé de terre et de pierre. Gros comme sa voiture, il dormait sur le dos, faisant le même bruit que deux rochers qui rouleraient l'un sur l'autre à chaque respiration.

- C'est elle qui a fait ça ?

Il s'assit sur le canapé, il semblait épuisé.

- Oui.
- Je vais vous chercher de l'eau. Vous voulez manger quelque chose ? On a plein de biscuits.
- Avec plaisir.

Elle lui apporta de quoi se restaurer lorsqu'on frappa, encore, à la porte.

- C'est vos amis ?
- Je pense que oui.

Axelle ouvrit la porte sur deux personnages bien différents. Le premier était un homme âgé d'une cinquantaine d'années, très propre sur lui, une barbe courte et bien taillée.

L'autre était une femme assez jeune, habillée d'un short et d'un soutien-gorge en cuir de la même couleur que ses cheveux : rouge vif. Elle avait un piercing au nez. Axelle, malgré ses trois accouchements, avait su garder la ligne et était une très belle femme. Mais se retrouver face à une jeunette habillée comme dans un magazine porno lui fit retrouver ses instincts de prédatrice contre quiconque aurait la volonté de lui voler son mari. Elle détailla la jeune fille de la tête aux pieds :

- Vous êtes ?

René intervint, sentant la naissance d'un conflit inutile et inapproprié :

- Je m'appelle René et voici Ambre. Ne vous formalisez pas de sa tenue. Elle a de petits problèmes de régulation de température, et le coton comme beaucoup d'autres matières, ne supporte pas la surchauffe.

Axelle assimila l'information et se détendit un peu :

- Pardonnez-moi. C'est juste que je ne m'attendais pas vraiment à votre visite et pour être honnête, à cette...tenue.
- Ne vous en faites pas, répondit Ambre. J'ai l'habitude.

Elle invita tout le monde dans le salon, excepté Emilie qu'on entendait à l'étage, jouant avec Laurana. Maintenant que les présentations étaient faites, René résuma leur rencontre avec Killian ainsi que la plupart des évènements de ces derniers jours. Axelle buvait ses paroles, découvrant une partie de la nouvelle vie de son mari afin de savoir si cela serait compatible avec elle et ses enfants. Le groupe sentit son inquiétude et c'est Jacques qui tenta de la rassurer :

- Ne vous stressez pas. Killian ne pense qu'à vous revoir. Je suis certain qu'il sera aux anges en vous voyant demain. Il va faire des étincelles pendant l'épreuve.
- Comme toi ? répondit Ambre d'un air moqueur.
- En quoi consiste l'épreuve ? demanda Axelle.
- Nous devons lancer un sort du premier cercle, sans subir de retour de sort, répondit Ambre. Pour faire simple, les sorts les plus puissants nécessitent que nous utilisions un niveau de magie bien supérieur. Ceci est assez dangereux quand on ne maitrise pas le phénomène.
- Et Killian le maitrise?
- C'est lui qui nous a appris à le faire. Donc vous pouvez considérer que l'épreuve de demain n'est qu'une formalité pour lui.

Ambre lui sourit et Axelle regretta le mauvais accueil qu'elle lui avait fait.

- Je suis désolée pour tout à l'heure. Lorsque je vous ai vue... disons que j'ai réagi bêtement.
- Pas de problèmes, je ne sais pas quelle aurait été ma réaction à votre place. Si je le pouvais, je porterais une garde-robe plus discrète.
- Ça doit être difficile.

Elle surprit un coup d'œil furtif vers Jacques :

- Plus que ce que vous pensez. Ma température réagit avec mes émotions. Il faut donc prévoir le pire à chaque moment.

Jacques ne réagit pas à la remarque. Il fixait René qui lui-même fixait la télévision :

- Axelle, pourrais-je vous demander de monter le son. Je crois que je viens de voir Killian à la télé.

Tout le monde se tourna vers le téléviseur et Axelle monta le volume. On voyait les images d'une conférence de presse où se tenait le Président de la République qui allait commencer un discours. Légèrement en retrait, se tenaient Killian et Lumio, qui donnaient l'impression d'être en pleine séance de torture.

Le Président s'avança près du pupitre et prit la parole : « ***Chers concitoyens, concitoyennes, nous avons été attaqué ce jour, dans mes propres appartements, par l'une des créatures ayant participé aux attaques contre les académies de magie. Le monstre a été rapidement maitrisé, non sans mal, puisque sept soldats ont péri durant cette attaque. Les mages que vous voyez derrière moi (il désigna Lumio et Killian), ont mis sur pied un dispositif ayant stoppé la créature. Je me réjouis de voir que la France, premier pays ayant aidé les mages et à avoir créé une académie de magie, se retrouve la seule puissance dans le monde à être capable de répondre de manière efficace à une attaque de ce type, et cela deux fois de suite. La magie est aujourd'hui une réalité et nous devons nous adapter au nouveau monde dans lequel nous nous trouvons. »***

Il continua par un discours bien plus politique et inintéressant, laissant l'ensemble du groupe à ses réflexions :

- Et voilà, à peine on le laisse une journée qu'il décide de trucider un démon de plus, commença Jacques en souriant. Et comme si ça ne suffisait pas, c'est pour sauver notre cher Président.
- Que s'est-il passé ? répondit René.
- Je pense qu'il nous le dira dès demain. Le principal, c'est qu'il ne soit pas blessé, continua Ambre.

Axelle ne répondit pas. Elle avait comme un mauvais pressentiment, comme si leur vie allait changer après cela. Elle avait hâte d'être à demain pour serrer son mari contre elle et avoir la certitude qu'elle n'avait pas tout perdu.

Elle coucha les enfants après le diner, Emilie avec Laurana, ces deux-là semblaient dorénavant inséparables. Tous les adultes étaient dans le salon, avec une boisson chaude. Le groupe avait voulu prendre des chambres à l'hôtel, mais Axelle refusa. Ressortant les matelas gonflables, elle installa tout le monde dans le salon.

Ambre sortit quelques instants, l'air frais lui faisant du bien. Elle ne voulait pas montrer au reste du groupe la difficulté qu'elle avait à voir la famille de Killian. Ce qu'elle ne pourrait jamais avoir pour elle-même. L'une des premières choses qu'on lui avait appris lorsqu'on avait découvert ses pouvoirs, c'était son incapacité à avoir un enfant. Son corps le tuerait à la moindre contrariété.

Si on rajoutait à cela son incapacité à avoir une relation avec un homme qui ne soit pas de son obédience, ses perspectives d'avenir sentimental et familial étaient quasiment nulles. Elle s'efforça de ne pas craquer, refreinant ses larmes, elle souffla un grand coup lorsqu'elle entendit « Tu es là ? Ça te dérange si je me joins à toi ? ».

C'était Jacques qui se dirigeait vers elle. « Oh non, pas maintenant » se dit-elle à elle-même, ne voulant surtout pas se retrouver juste maintenant en face de quelque chose qu'elle ne pouvait pas avoir.

Jacques s'assit par terre, juste en face d'elle. Il arborait ce sourire qu'elle adorait tant, celui qui voulait dire « Je vais encore te surprendre ». Elle lui sourit et il vit ses yeux rougis :

- Ça ne va pas ?
- Si, ne t'inquiète pas. C'est juste la fatigue.
- OK.

Il lui posa une main sur sa joue, caressant avec son pouce sa pommette. Elle ferma les yeux et accepta le geste, patientant jusqu'au moment fatal où sa main romprait le contact car elle sentait déjà son cœur s'emballer et donc, sa chaleur corporelle augmenter. Mais il continua un peu plus longtemps et elle sentit ses lèvres se poser sur les siennes.

Elle le repoussa violemment, pas par dégout, mais par peur. Ce baiser enflamma ses sens, elle suffoquait déjà, ce contact avait même du le brûler se dit-elle. Mais elle découvrit un Jacques en parfaite santé, toujours souriant. Il était juste à côté d'elle, mais ne semblait pas souffrir de la radiation. Pourtant, elle voyait bien les feuilles au sol se flétrir :

- Comment fais-tu ?

Il ouvrit son autre main et elle vit un médaillon, un simple cercle de métal. Il y avait en son centre une rune couleur rubis d'où irradiait une douce lumière.

- Petit cadeau de Killian, pour nous. Ça ne dure pas éternellement, comme toutes ses runes. Mais c'est un bon début, tu ne trouves pas ?

Elle n'en croyait pas ses yeux, il était là, devant elle, sans souffrir. Elle porta une main à son visage et vit comme une sorte de bouclier entre sa main et la peau de Jacques.

Cette barrière suivait les traits du visage du colosse et elle s'amusa à faire le tour de sa mâchoire, puis descendit le long du torse. Sa chemise ne résista pas et elle partit en lambeaux, brulée par le contact d'Ambre. Mais la peau du Corporem était intacte. Elle porta ses lèvres contre les siennes, pour la première fois, avec passion.

Elle rompit le contact quand elle s'aperçut que de la fumée s'échappait du sol, le tapis de feuilles mortes autour d'elle prenait feu. Se relevant d'un bond, elle se mit à faire les cent pas en respirant très fort et Jacques se mit à rire :

- J'espère que ça te fera toujours le même effet...
- Espèce d'enfoiré, répondit-elle avec un large sourire. Je n'y étais pas préparée !

Elle voulut se jeter sur lui, mais il l'arrêta d'une main. De l'autre, il lui montra le médaillon, la lumière n'était pas éteinte, mais elle avait perdu une grande partie de sa luminosité :

- On va devoir y aller étape par étape. Mais c'est déjà un bon début, je n'ai jamais été aussi heureux de ma vie.
- Je suis d'accord, il faudrait que j'arrive un peu plus à me contrôler.
- Et trouver un lieu...plus adéquat.

Chapitre 13

Killian se réveilla d'excellente humeur. Il y avait plusieurs raisons à cela et pour commencer, celle de retrouver sa famille. Il y avait ensuite le passage de l'épreuve, qui allait lui donner le droit de sortir de l'académie. Il s'étira et invoqua Fangore qui sauta immédiatement sur son lit, partageant sa bonne humeur :

- Prête ? C'est un grand jour pour nous. On va devoir assurer.

Elle roula sur le lit et s'étira, il comprit qu'elle n'en doutait absolument pas. Il se demandait si ses amis avaient réussi à voir sa femme et à ramener sa famille aujourd'hui.

Il avait réfléchi une bonne partie de la nuit sur le projet du Conseil de former une unité spécialisée dans la résolution des problèmes liés à la magie. En fait, l'idée ne lui déplaisait pas. Cela nécessiterait pas mal d'organisation et des moyens, mais faire la chasse aux mauvais sorciers avait un côté excitant. Il n'avait, en revanche, aucune idée de comment allait réagir ses amis. Pour lui, cela se ferait en groupe, avec eux.

Il se prépara rapidement et rejoignit les autres mages qui continuaient à remettre l'académie en l'état. La matinée passa relativement vite. Il aidait partout, faisant de son mieux pour faire avancer les travaux, même si l'ensemble des mages voulait surtout lui serrer la main ou faire un selfie avec lui. Il entendit toute la matinée des « bonne chance pour tout à l'heure », « on est avec toi », « bravo pour hier ». Tout le monde avait l'air au courant de son « exploit » de la veille.

Il mangea un sandwich seul, laissant le soleil d'hiver lui réchauffer les os, Fangore à ses côtés. Allongé dans l'herbe, il apprécia ce moment de calme et de sérénité. Une petite voix qu'il connaissait bien brisa ce beau moment, mais il garda le sourire :

- Coucou papa !

Il se redressa et vit ses trois filles se jeter sur lui. Ils roulèrent dans l'herbe et Killian les couvrit de baisers. Il avait l'impression que cela faisait une éternité qu'il ne les avait pas vues.

- Mes amours ! Comment allez-vous ? Je suis content que vous ayez pu venir aujourd'hui.

Elles étaient collées à lui, ne voulant plus le lâcher. Il vit Axelle, un peu plus loin, qui lui fit un petit signe. Elle semblait à deux doigts de s'effondrer, des larmes coulaient déjà sur ses joues. Il se releva tant bien que mal et se dirigea vers elle, ses trois filles accrochées à son jean. Elle lui sauta littéralement au cou.

- Ne me refais plus jamais ça... lui dit-elle.
- Promis. D'un autre côté, je ne vois pas ce qu'il pourrait m'arriver de plus que devenir mage.

Elle rit et l'embrassa. Il aurait voulu que ce moment dure beaucoup plus longtemps, mais ils étaient un peu mal à l'aise, surtout quand il s'aperçut que ses amis le regardaient. Ils étaient tous là et cela lui fit chaud au cœur. Ils se dirigèrent vers eux, main dans la main.

- Merci, vraiment. Ce soir, on va tous au restaurant. C'est pour moi.
- Commence par réussir l'épreuve, on en reparle après, répondit Jacques en riant.
- Tu veux dire la réussir comme toi ? répondit Killian.

Tout le monde se mit à rire sauf Axelle :

- Pourquoi comme lui ?
- J'ai entendu dire qu'il s'était transformé en dragon...

Elle dévisagea le Corporem un moment avant de comprendre :

- Tu peux faire ça ?
- Il peut faire bien plus, dit Ambre en l'embrassant sur la joue.

Killian fixa Jacques avec un grand sourire et leva son pouce en signe de victoire. Voir sa famille ainsi que ses amis lui avait donné de l'énergie à revendre, même s'il devait avoir une discussion importante avec eux. Heureusement pour lui, c'est René qui aborda le sujet le plus compliqué :

- Content de voir que tu vas bien mon garçon. Tu nous as fait un choc hier soir, à la télé.

Killian leur raconta toute l'histoire, sans omettre le moindre détail. Expliquant le pourquoi de sa visite et l'attaque. Il y eut un moment de silence après son récit et ses compagnons mirent un moment à assimiler toutes les informations.

- Je sais que tout cela arrive d'un seul coup, commença Killian. Pour moi, ça sera uniquement avec vous car je pense que c'est le genre de projet qui n'obtiendra des résultats que si le groupe se fait confiance. Je ne voudrais personne d'autre que vous pour couvrir mes arrières et réciproquement. Le deuxième point sera de créer une entité indépendante de l'académie, pour que nous restions autonomes dans le choix de nos actions, si vous vous joignez à moi...

Axelle avait le cœur lourd, voilà donc les fameux changements... son mari n'allait plus être un vendeur d'objets en tous genres, mais un mercenaire qui allait risquer sa vie pour une cause qu'elle ne comprenait pas :

- Pourquoi ? Je veux dire, qu'est ce qui te pousse à faire ça ?

Il la regarda avec plein de tendresse :

- Tu n'étais pas là... tu n'as pas vu le chaos après l'attaque. Les morts... ces créatures nous en veulent mon amour. Je ne sais pas pourquoi, sincèrement. Je n'ai pas envie d'attendre la prochaine attaque sans rien faire et revoir ce massacre. Je suis un mage aujourd'hui, et pour une raison que j'ignore, nous tous, ici, nous avons la capacité d'arrêter ça. Voudrais-tu que je tourne le dos à cela, que je recommence ma vie comme si de rien n'était? Est-ce ce genre d'homme que tu veux à tes côtés ?
- Non, mais j'ai peur de te perdre. Ce que tu entreprends est dangereux...
- Tu as raison Axelle, le coupa René. Et c'est pour cela qu'il pourra compter sur moi pour ne pas être seul dans cette épreuve. Je pense qu'il a raison. Tu peux te moquer de moi autant que tu le voudras Jacques (il fit un clin d'œil au colosse), mais nous ne sommes pas réunis ici par hasard.

Killian ne sut pas si Axelle était rassurée, mais lui, oui. Il comprit que la question était réglée lorsqu'Ambre prit la parole :

- Casser du démon ou du mage renégat... ça me va. En plus, Killian va nous négocier un bon salaire. Je marche.
- Carrément, enchaina Jacques, d'ailleurs, ça va nous faire combien ?

Killian réfléchit une minute et enchaina :

- Chaque pays devra verser un euros par habitant pour pouvoir réclamer notre aide à l'academie. Chaque année. Et je compte demander cinq pour cent de cette somme pour nous. Donc, si on regarde le dernier recensement de la population européenne, environ vingt-cinq million d'euros...

Ambre se mit à rire comme jamais, suivie par les autres. Aucun d'eux n'avait envisagé que cela puisse faire autant d'argent, mais Killian n'avait pas fini :

- En fait, nous allons aussi avoir d'énormes frais. Beaucoup de voyages, besoin de matériaux, de différents endroits pour se poser, selon les pays. Il va nous falloir aussi un lieu adapté pour s'entrainer et développer notre magie.
- Tu disais vouloir créer une entité indépendante. Il va nous falloir un nom ? On ne va pas nous appeler « les quatre mages » ou un truc du genre ? dit René.

Killian n'avait absolument pas pensé à ça. René venait d'évoquer un point assez important. Comment allait-il se faire appeler ?

- Par tous les diables... tu as raison. Quelqu'un a une idée ?
- « Les destructeurs » ! hurla Jacques.

Tout le monde le regarda de travers :

- Super, on va passer pour une bande de barbares décérébrés, répondit Ambre.
- Mince, j'allais dire les « purgateurs », mais tu vas dire la même chose n'est-ce pas ? lui dit René.
- J'ai peur que ça fasse un peu...croisade non ?

Il y eu un long silence et elle finit par dire :

- « Les sorciers » ?

Killian aima l'idée, mais il lui manquait quelque chose :

- C'est un bon début, même si je trouve ça insuffisant, mais on tient le bon bout.

Axelle lui caressait la main tout en se prêtant au jeu, enfin une question où elle pouvait participer. Pour elle, il fallait surtout un nom qui fonctionne à l'international. Elle était conceptrice de sites web, elle avait l'habitude de voir les choses en grand, la notion d'anglais était importante...

- Les « Wizards ».

Tout le monde se tourna vers elle, l'air ébahi :

- Bah quoi ? C'est un nom qui marque, et le fait qu'il soit en anglais lui donne une envergure mondiale. Quand quelqu'un aura besoin de vous, il faudra qu'il fasse appel aux « Wizards ».
- J'adore, dit Ambre.
- Pareil, répondirent Jacques et René.

Killian regarda sa femme avec fierté, son intelligence, sa capacité à régler les problèmes rapidement et efficacement l'avait toujours impressionné.

- Il semble que nous ayons trouvé le nom de notre organisation. Bien joué mon amour.

- Et moi alors !

Emilie se tenait debout devant eux, les mains sur les hanches. Elle avait l'air particulièrement énervé, ses yeux lançaient des éclairs :

- On avait dit qu'on resterait ensemble. Moi aussi, je veux être une Wizards ! J'ai passé l'épreuve comme vous. J'aurais même pu la passer bien avant !
- On reste ensemble, lui répondit Killian. Tu nous aideras pour les entrainements et quand tu seras plus âgée, on verra, d'accord ?

Emilie lui jeta un regard suspicieux. Ce petit manège dura un moment puis elle finit par dire :

- Bon d'accord....
- De toute façon on reprendra cette discussion plus tard. Jacques, j'aurais besoin d'un coup de main pour l'épreuve s'il te plait. Les autres, on se retrouve tout à l'heure ?

Il embrassa sa femme et partit avec Jacques, laissant le reste des compagnons dans l'ignorance :

- Qu'est-ce qu'il nous prépare ? demanda René.
- Aucune idée, répondit Ambre. On devrait aller s'installer. Il va y avoir un monde de fou à priori. Après le spectacle d'hier, ils veulent tous voir Killian à l'œuvre.
- Tant que ça ? demanda Axelle. Il est si fort ?
- Je pense qu'il l'est même bien plus. Sa magie est différente de toutes les autres. On a l'impression qu'elle n'a pas de limite.

Ambre avait raison, il y avait un monde incroyable. Killian suscitait la curiosité, principalement chez les jeunes. Il y avait presque cinq cent personnes réunies dans le champ. Des mages de la terre avaient utilisé leur magie pour créer des gradins de terre et de pierre, créant un petit Colisée. Une rumeur circulait, disant que Terra elle-même avait aidé à sa création.

Il y avait beaucoup de bruit et Axelle était dévisagée par beaucoup de monde, certains regards étaient amicaux, mais beaucoup d'autres étaient hostiles :

- Ne t'en fais pas, dit Ambre. Ils se demandent pourquoi une « non mage » est ici. Maintenant tu sais ce qu'on ressent dans le reste du monde et l'importance que peuvent avoir pour nous les académies. Ce sont nos sanctuaires, des lieux où nous pouvons relâcher notre garde.
- Je ne comprends pas pourquoi. Je ne leur ai rien fait !

Elle serra ses filles contre elle. Ambre remarqua son geste :

- Ne t'inquiète pas. Personne ne vous fera rien. Aucun n'osera t'approcher avec nous à tes côtés.

Axelle observa plus attentivement les gens, il y en avait beaucoup qui saluaient Ambre et René. Certains venaient même leur serrer la main, des étoiles dans les yeux. Elle réalisa que Killian faisait partie d'un groupe vraiment spécial.

Le silence se fit d'un seul coup. Les membres du Conseil étaient rentrés dans l'arène. Ils s'installèrent sur des chaises et attendirent en silence. Killian se présenta moins de cinq minutes plus tard. Jacques le talonnait, avec deux énormes poutres de métal sur les épaules. Il avait dû lancer un sort pour les porter car il avait un corps démesuré. Faisant dans les deux mètres cinquante, avec des muscles saillants. Son pantalon s'était transformé en bermuda, attaché avec une corde au niveau de la taille. Les deux poutres devaient faire dans les cinq mètres de long et peser une tonne chacune.

Killian se plaça au centre de l'arène pendant que Jacques installait une poutre de chaque côté de lui avant de rejoindre ses compagnons. Il le suivit du regard afin de repérer sa femme et ses enfants. Il était vraiment heureux de les avoir revues et sentait la puissance affluer en lui, conduite par la joie. Axelle le dévisageait, les mains jointes devant elle, il pouvait sentir son angoisse. Il était hors de question qu'il la déçoive, elle devait comprendre qu'il avait les capacités nécessaires pour faire partie des Wizards.

Il porta son regard sur les membres du Conseil et Lumio lui fit signe qu'il pouvait y aller. La surprise fut générale quand il mit un genou à terre, posant une main sur chacune des poutres de métal. Elles ressemblaient à des rails de chemin de fer. Tout le monde sentit la magie envahir les lieux, à l'exception d'Axelle et de ses filles. Les deux poutres commencèrent à changer de forme, se transformant en deux épées. Le résultat était loin du rendu de Fangore, mais la forme générale était là. Killian transpirait et pris quelques secondes pour récupérer de l'effort fourni. Il fut interrompu par Freya :

- Je suis désolée, mais cela ne suffit pas. Ce n'est pas un sort du premier cercle.

Cette phrase provoqua de l'agitation dans la foule. La déception était au rendez-vous. Axelle commença à entendre des « c'est tout ?» ou « c'est déjà fini ?», elle se pencha vers Ambre :

- Il a raté l'épreuve ?
- Je ne sais pas à quoi il joue. Mais à mon avis, c'est loin d'être terminé, répondit-elle le sourire aux lèvres.

Lumio se leva, il semblait gêné par la situation :

- Killian ? Y a-t-il un souci ?

Freya voulut lui répondre, mais un simple regard du vieil homme l'en dissuada.

- Aucun, répondit enfin Killian. J'avais besoin d'accessoires pour mon sort. Je suis désolé pour l'attente.

Killian parlait fort. Il remarqua Braise qui s'esclaffait. La soirée qu'ils avaient passée ensemble avait l'air d'avoir porté ses fruits. Le rouquin le regardait autrement. Il était impatient de voir Killian à l'œuvre une nouvelle fois, et il ne fut pas déçu. Killian avait travaillé en secret cette technique et il espérait bien surprendre tout le monde avec.

L'assemblée ressentit un changement dans l'atmosphère lorsqu'il commença sa concentration. Les deux premiers cercles de puissance surprirent tout le monde car ils se dégagèrent de la main droite de Killian qui était toujours posée sur une poutre. Les membres du Conseil attendirent le sort lui-même, mais rien ne vint. Un troisième cercle de puissance apparut dans la main gauche de Killian, suivi d'un quatrième. La foule retint son souffle, n'y croyant pas. Elle assistait à une prouesse encore jamais réalisée, celle d'un mage réussissant à dépasser le troisième cercle, du moins, le crut elle.

Killian n'avait pas bougé. Il était calme et maitrisait parfaitement son énergie. Deux superbes runes dorées apparurent sur les immenses épées.

Personne n'osait émettre le moindre son. Axelle regarda autour d'elle sans comprendre et voulut poser une question, mais René lui posa une main sur l'épaule. Son visage exprimait l'admiration, mais aussi une pointe d'inquiétude.

Killian se releva lentement. Il utilisa discrètement la rune du médaillon pour se rendre un peu de force. Après tout, rien ne l'interdisait ? Il devait réussir sans avoir de retour de sort, c'était chose faite. Tout le monde se détendit en voyant le jeune homme debout et calme, il n'y avait aucun signe d'un éventuel retour de sort. Néanmoins, la déception était au rendez-vous. Pas de dragon ou de lance de lumière tombée du ciel ? Killian s'amusa de voir cette réaction et il leva les bras à mi-hauteur.

Les deux épées décollèrent du sol. Il tourna ses poignets et les lames suivirent le mouvement, tournant sur elles-mêmes comme les aiguilles d'une horloge. Les mouvements étaient simples, mais d'une rapidité et d'une précision extrêmes. Il accéléra le geste et les armes augmentèrent leur vitesse de rotation, comme deux hélices d'hélicoptère, puis subitement, il leva les mains au-dessus de sa tête. Les épées, malgré leur taille titanesque, filèrent dans le ciel, pour retomber à deux mètres du Conseil en se plantant dans le sol.

La plupart de ses membres tombèrent de leur chaise à l'exception de Lumio qui ne cilla même pas et de Braise qui s'amusait de la situation. Une fois la fumée dissipée, tout le monde vit le résultat, les armes formaient une croix perpendiculaire au sol. Killian passa en-dessous pour se présenter au Conseil, il s'adressa à Freya qui se relevait maladroitement avec l'aide de son démon :

- Est-ce que c'est assez pour vous ?

Son ton était cassant. Il n'attendit même pas la réponse et se dirigea vers ses amis et sa famille. Les spectateurs, eux, se mirent à crier de joie et il fut accueilli par une foule en délire. Des gens qu'il ne connaissait même pas lui tapèrent dans le dos, ou voulaient lui serrer la main. Il eut du mal à rejoindre Axelle qui l'appelait dans la foule. Elle le serra contre elle :

- Tu as été incroyable ! Je savais que tu étais fort, mais je ne pensais pas à ce point...
- Et maintenant, es-tu rassurée ? Penses-tu que je devrais faire partie des Wizards ?

Elle comprit le trouble qui l'habitait. Il allait mener une vie bien plus dangereuse que la précédente. Il ne fallait pas qu'elle soit une préoccupation, il cherchait sa bénédiction et cette démonstration de force n'avait eu qu'un seul but : la rassurer.

- Promets-moi d'être prudent.
- Je te le jure mon amour.
- Alors, fais-le. On a toujours été là l'un pour l'autre et ce n'est pas ça qui va nous éloigner. Elle appuya un doigt sur son torse. Mais je t'interdis de mourir !

Il prit son visage entre ses mains et l'embrassa :

- Bien madame...

Killian attendait devant la salle du Conseil. Convoqué par Lumio, il avait une vague idée de la discussion à venir. Plusieurs points allaient être abordés. Allait-il passer membre du Conseil ? La mise en place des Wizards... il espérait néanmoins que ça ne soit pas trop long. Il avait hâte de retrouver ses amis et sa famille et de passer enfin une vraie soirée entre amis.

On le fit rentrer et sa première surprise fut la disposition de la salle. Neuf chaises, disposées en cercle, étaient placées au centre de la pièce. On l'invita à s'assoir sur la dernière de libre, au milieu des autres.

Il se dirigea vers cette dernière et remarqua les regards des membres du Conseil : impassibles. Killian se demanda si c'était bon ou mauvais signe. Lumio ne laissa rien paraitre non plus, même Braise était d'un calme olympien.

- Bonjour Killian, commença le mage de lumière. Merci de nous avoir rejoint. Pour commencer, félicitation pour l'épreuve, même si tu aurais pu avoir le même résultat avec un peu moins de panache.
- Merci, mais je pense que cela a mis les choses au clair pour certains, répondit-il en regardant Freya, qui détourna le regard.
- Ce n'est pas faux. Il fit une pause de quelques secondes. Killian, lorsque nous avons été autorisés à créer cette académie, nous avions décidé de mettre en place ce Conseil pour décider des règles qui pourraient être imposées aux mages afin de ne pas être victimes d'une chasse aux sorcières et favoriser leur intégration dans la société. Le Conseil doit être composé d'un membre de chaque obédience, c'est notre première règle, et donc, ton obédience doit avoir un représentant.
- Et comme j'en suis le seul membre connu...
- Ta place est acquise d'office. J'ai aussi expliqué aux autres membres comment tu avais réussi à négocier nos services. Tu as changé la donne. Et pour cela, nous devons te remercier. Sept pays se sont déjà pliés à tes conditions. Nous allons avoir des fonds pour construire la plus grande académie de magie, et même aider les autres. Nous allons devoir décider de comment organiser tout cela. Heureusement, certains mages étaient comptables avant, finit-il par dire en riant.

Killian vit que les membres du Conseil souriaient.

- Tu seras dans toutes les confidences et dans les prises de décisions. Nous faisons deux réunions par semaine pour parler de tout ce qui est à l'ordre du jour. On t'expliquera cela plus tard. As-tu parlé aux autres membres de ton groupe ?
- Oui, nous allons adhérer à votre projet. Mais à notre façon. Nous allons créer une organisation indépendante afin de ne pas être assujettis aux décisions du Conseil. Nous agirons si nous estimons que la situation l'exige. Notre indépendance sera aussi une garantie pour vous. Nous demandons aussi cinq pour cent de la somme versée par les états.

Plusieurs membres du Conseil voulurent protester, mais Braise intervint avant eux, à la grande surprise de Killian :

- Ce que veut dire notre nouveau membre, c'est qu'en contrepartie de leur indépendance, cette nouvelle organisation nous laissera quatre-vingt-quinze pour cent de ce qu'elle a négocié avec les gouvernements. C'est bien cela Killian ?

Ce fut au tour de Killian de sourire. Il pensa à l'époque où Braise était son pire cauchemar.

- C'est exactement cela. Les Wizards vont avoir besoin de fonds pour leur entrainement, les nombreux voyages, leur sécurité car nous allons aussi nous faire des ennemis.
- Les Wizards ? dit Lumio.
- Oui, c'est le nom que nous nous sommes choisi.

Le reste de la séance permit au tout nouveau membre du Conseil de comprendre à quoi servait plus précisément le Conseil et ses derniers membres lui furent présentés : Zinc, le Corporem, avait un corps athlétique avec une coupe de militaire. Son visage ne laissait paraitre aucune émotion. Il avait été libéré d'un centre de recherche en Pologne et il entretenait encore des liens avec les corporems qui refusaient d'entrer dans les académies. Diane et Mystral étaient deux sœurs, Diane était la responsable des mages de l'eau, avec ses seize ans. Mystral avait dix-huit ans, et était la représentante des mages de l'air.

Killian rejoignit tout le monde le soir et ils dinèrent au restaurant. La soirée remonta le moral du jeune homme, il y avait tant de choses à faire. Mais il préféra se concentrer sur l'instant présent, du moins pour la soirée.

Ils rentrèrent ensuite à la maison et lorsque Killian voulut dire bonne nuit à tout le monde, il s'aperçut que ses filles restaient avec ses amis :

- Les filles, vous venez ?

Ses amis le regardèrent d'un œil coupable.

- Les filles restent avec nous pour cette nuit, vous avez beaucoup de choses à vous dire avec Axelle, dit Ambre avec un grand sourire.

Avant qu'il ne puisse répondre quoi que ce soit, ils étaient partis. Le mage regarda sa femme un instant et ouvrit la porte d'entrée de sa maison, il la prit dans ses bras et se dirigea vers leur chambre :

- Tu m'as manqué…
- Tiens donc…nous allons voir à quel point.

Chapitre 14

Six mois passèrent sans aucune attaque. L'académie de magie en profita pour se métamorphoser. Chaque obédience construisit un bâtiment à l'image de sa magie et chaque membre du Conseil avait la responsabilité de ses nouveaux arrivants. L'arbre majestueux se dressait encore plus haut, et plus beau, pour la magie de la terre.

La magie de l'eau était un immense dôme avec en son centre un bassin, grand comme trois piscines olympiques.

La magie du feu avait récupéré l'usine à la demande de Braise. La cheminée avait été rallumée ainsi que les forges.

Une tour immense avec un balcon démesuré au dernier étage représentait l'air.

Un bâtiment entièrement vitré abritait les mages de la lumière et les rares Corporem.

Les Mentalus investirent la forêt, demandant aux mages de la terre de leur créer des infrastructures dans les arbres.

Les démonistes firent construire un bâtiment moderne, fait de rouge et de noir, dépourvu de courbes, il ressemblait à une griffe émanant du sol.

Killian récupéra le hangar. Son aménagement surprit l'ensemble de la communauté. Il commença par le diviser en trois parties.

La première servit de loft pour tous les Wizards. Même Axelle et les enfants vinrent s'y installer. Cette dernière quitta son emploi et ils vendirent la maison. Axelle s'avéra une organisatrice implacable et s'occupa de toute la gestion informatique de l'académie. L'ensemble des mages s'habituèrent à sa présence et certains commencèrent même à lui faire confiance. Elle aida dans les relations entre l'académie et les familles des nouveaux arrivants, les accueillant, les rassurant.

La deuxième partie fut une salle d'entrainement. Les murs avaient été enchantés par Killian afin d'être quasiment indestructibles et insensibles à la magie.

La troisième partie s'appelait « l'Atelier ». Seul endroit où Killian pouvait exercer sa magie à l'abri des regards et créer de nouveaux enchantements.

Les membres des Wizards trouvèrent facilement leurs marques. Ils étaient la majeure partie du temps avec les autres mages de leur obédience. Mais ils se retrouvaient tous les soirs, à la salle d'entrainement, puis au loft. Chacun développa sa magie à sa façon, comprenant qu'ils devenaient bien plus puissants que leurs semblables.

Ils réglèrent aussi de nombreux conflits mineurs. Des mages voulant cambrioler des banques, des démonistes qui terrorisaient des villages, des Mentalus qui manipulaient des conseils d'administration pour avoir la présidence de grandes sociétés. La seule fois où ils connurent la peur, c'est lorsqu'un mage un peu délirant avait eu comme idée de réveiller une chaine de volcans en Irlande, « the ring of Gullion ». Ce pays n'avait pas voulu adhérer à la protection des Wizards, mais avait rapidement changé d'avis en réalisant la catastrophe à venir. Le groupe était intervenu *in extremis*.

Killian devait aussi gérer son statut de membre du Conseil, ce qui n'était pas une mince affaire. Il réussit tout de même à créer « le rite de l'assemblée ». Une fois par mois, l'arène qui avait servi pour le passage de son épreuve, après un réaménagement, servait à procéder à un vote sur les points les plus importants abordés dans les réunions du Conseil. L'ensemble des mages présents pouvait y participer.

Une multitude de règles furent acceptées de cette façon et l'ambiance dans la communauté s'améliora nettement. C'est grâce à cela que les mages, même avant d'avoir passé l'épreuve, pouvaient quitter l'académie pour se marier ou voir un parent malade.

Il y eut aussi beaucoup de règles mises en place sur l'utilisation des budgets. C'est près de deux mille mages qui séjournaient en continu à l'académie, qui devint un phare pour l'ensemble des mages de l'europe.

Le seul point noir était l'enquête concernant les démons. Elle piétinait. Il n'y avait plus eu d'attaque depuis six mois et Killian devenait de plus en plus inquiet. Avoir vaincu deux créatures avait dû faire réfléchir leur ennemi et aujourd'hui, ils attendaient la riposte. Une position que le jeune homme n'aimait pas vraiment.

Il n'était pas le seul à avoir du mal à supporter cette situation. Le Conseil craignait une attaque et les Wizards auraient préféré éviter de combattre dans l'académie, ne voulant pas mettre en danger les membres de la communauté.

Killian travaillait dans l'Atelier, son armure s'était étoffée. Des bottes ainsi que des épaulettes avaient fait leur apparition.

Axelle s'était habituée à le voir équipé ainsi. Elle avait compris que la magie de son mari était différente, sans cet équipement, il était vulnérable. Elle frappa à la grande porte de métal et entra. Elle le trouva torse nu, assis à plusieurs mètres du sol sur l'un des immenses objets, cachés par une bâche. Elle voulut regarder dessous, mais il l'arrêta :

- Pas touche ! Ce n'est pas encore fini.
- C'est quoi ? répondit-elle contrariée.
- Une surprise mon cœur. Quel est l'objet de ta visite ?
- Lumio voudrait voir « l'Enchanteur ».

Le chef des Wizards pesta. Chaque mage ayant passé l'épreuve pouvait choisir un nom d'emprunt. Lui n'avait pas eu cette chance. Il ne savait pas d'où venait ce surnom, mais il lui collait à la peau comme une verrue et les Wizards, comme sa femme, se moquaient bien de lui avec ça.

- Je déteste ce nom.
- Peut-être, mais ça te va bien. Tu devrais te dépêcher. Le mage qui m'a porté la nouvelle avait l'air inquiet.

Il sauta souplement au sol pendant qu'Axelle le regardait en coin. Elle « appréciait » le nouveau Killian, il était resté presque le même à tout point de vue, sauf sur le plan physique. S'entrainant régulièrement, il avait acquis un vrai corps d'athlète. Ce qui n'était pas pour lui déplaire.

Killian mit un tee-shirt et invoqua son armure, une nouvelle capacité qu'il avait acquise, il y a peu. Il tendit ensuite la main et son épée se téléporta dessus. Axelle ne comptait plus le nombre de runes que portait son mari sur lui. Il embrassa sa femme et partit rejoindre Lumio. Ce dernier l'attendait dans la salle de conférence du bâtiment des mages de lumière, avec tous les autres membres du Conseil et il reconnut le général Boison. Cet accueil n'augurait rien de bon :

- Bonjour Killian. Ou maitre Enchanteur ? Comment dois-je vous appeler ?
- Killian suffira.

- Très bien. Heureux de vous revoir. Je vois que vous avez accompli de grandes choses en très peu de temps. Le résultat est impressionnant.
- Merci général, mais je doute que vous soyez venu ici pour voir comment nous dépensions notre argent ?
- En effet…

Il alluma une tablette qu'il brancha sur un écran. Il prépara une vidéo avant de s'adresser au Conseil :

- Nous avons réussi, grâce aux caméras de vidéo-surveillance et à des satellites, à reconstituer une partie du parcours du démon avant qu'il ne vous attaque avec le Président.

Killian regarda la vidéo avec attention. On voyait le démon avancer de cachette en cachette dans les rues de Paris avant de rentrer par une fenêtre du bâtiment.

- D'où venait-il ? commença Neuro.
- D'un quartier mal famé à dix minutes du palais présidentiel. Et coïncidence, c'est là-bas que se trouve le groupe le plus actif « anti- mages » de la ville. On s'est dit que nous tenions là une bonne piste et je suis parti en personne vous porter l'information.

Le maitre des runes dut bien admettre que le militaire venait de monter dans son estime. Il leur offrait la première information exploitable dans cette enquête.

- Général, dit-il, je vous remercie. Nous allons partir ce soir. Je vais prendre un autre membre des Wizards avec moi pendant que deux autres resteront ici, en plus d'Emilie.
- Je peux vous déposer en hélicoptère à quelques kilomètres de Paris.
- Avec plaisir, laissez-moi trente minutes, c'est possible ?
- Je vous attends.

Killian partit en trombe rejoindre le hangar. L'excitation mélangée à l'angoisse risquait de lui faire perdre son calme. Il attendait cela depuis si longtemps ! Enfin, ils allaient peut-être en apprendre plus sur leur ennemi.

Il rejoignit les autres qui étaient passés à table. Il avait réfléchi pendant le trajet entre les deux bâtiments et son choix se porta sur Jacques. Le choix était purement tactique. René était plus fort la journée avec la lumière du soleil, il pouvait aussi utiliser la lune, mais les résultats étaient loin d'être aussi impressionnants. Ambre avait une magie particulièrement dévastatrice, ce qui n'était peut-être pas le plus approprié dans la plus grande ville du pays.

- Jacques, j'aurais be….

- Goliath ! le coupa ce dernier. C'est fou ! Personne n'arrive à m'appeler comme ça.

Killian se passa la main sur le visage. Cette histoire de surnom le rendait dingue. Il n'avait pas de temps à perdre avec ça :

- Si tu veux. Goliath, prépare-toi, on s'en va pour Paris, un hélicoptère nous attend.
- Comment ça ? répondit Axelle. De quoi parles-tu ?
- Des démons, on a une piste. Dans la capitale. On doit partir maintenant. Je veux que...qu'il vienne avec moi. Ambre, René, vous resterez ici pour défendre l'académie. Mon amour, tu vas nous suivre avec Scarlett.

Le géant noir se leva et se dirigea vers sa chambre, sans dire un mot. Ambre le suivit, René vint se placer à côté de Killian :

- Tu ne penses pas qu'on devrait tous venir ?
- Non, il faut que certains restent ici au cas où. On ne prendra pas de risque, si je sens un danger qu'on ne peut pas gérer, on vous appellera. De plus, on va rester en communication grâce à Axelle.
- C'est quoi Scarlett ?
- Une IA, répondit Axelle. Killian et moi l'avons mise au point. Sa capacité à placer des runes dans un ordinateur nous a permis de créer quelque chose de spécial. Je vous montrerai.

Goliath sortit de sa chambre avec un sac à dos. Il avait mis un débardeur noir et un short. Ambre lui tenait la main, elle n'avait pas l'air bien, mais elle ne dit rien.

Ils montèrent dans l'hélicoptère quelques minutes plus tard, laissant les autres membres du groupe au loft. Axelle mit tous les enfants au lit, ce qui ne fut pas une mince affaire avec Emilie qui sentait bien qu'un truc se préparait. Elle vivait de plus en plus mal d'être mise à l'écart alors qu'elle ne désirait qu'une seule chose : être une vraie Wizard.

Ambre et René la suivirent ensuite dans l'Atelier, lieu où généralement ils n'osaient pas rentrer. Il y avait des machines de partout, des bouts de tuyaux et des poutres de métal. Axelle se plaça devant une plaque au sol et posa sa main dessus, une rune se mit à briller et le carré de métal coulissa sur le côté.

Ils descendirent grâce à un escalier en fer dans une pièce assez grande. Ambre et René furent surpris de la décoration : il n'y avait rien, à l'exception du mur du fond. Quatre énormes écrans de télévision étaient accrochés au mur, au-dessus d'un bureau. Axelle s'installa sur le fauteuil et approcha le clavier d'ordinateur devant elle :

- Scarlett : lancement de la connexion.

Les quatre écrans s'allumèrent simultanément. Quelques secondes plus tard, le plus à gauche affichait la vision de Killian. Les deux mages s'aperçurent que le bureau était un plan de travail en métal et qu'une multitude de runes bleues y étaient gravées.

- C'est la plus grande carte mère au monde. Enchantée par Killian. En gros, il a réussi à donner la parole à un ordinateur. Scarlett, dis bonjour à nos invités.
- ***Bonjour Ambre, bonjour Lux***.

Ambre sourit, Lux était le nouveau nom de René, un choix qui lui avait beaucoup plu. Son ancienne vie de prêtre avait laissé des traces et elle trouvait que le nom latin de la lumière lui allait très bien.

Lux était quant à lui très impressionné par la création de Killian.

- Est-elle indépendante ? Peut-elle raisonner ?
- ***Je le peux,*** lui répondit-elle. ***Néanmoins je reste limitée par mes connaissances et mes capacités. De plus, j'ai encore beaucoup de mal à aboutir à des conclusions, mais je peux collecter des données***.

Axelle sourit en voyant leur tête. Si Killian était le créateur de Scarlett, elle en était l'architecte. Ils avaient mis cette IA au point ensemble afin de se faciliter la tâche, mais surtout pour des cas comme celui-là. Ils pouvaient rester en contact dans n'importe quelles situations.

Killian venait d'installer sa paire de lunettes, il savait maintenant que les autres pourraient voir ce qu'il verrait. Jacques était silencieux, ce qui n'était pas dans ses habitudes et comme le trajet allait être court, il voulut savoir ce qui n'allait pas. Il coupa son micro et la caméra avant de s'adresser à lui :

- Un souci mon grand ?
- C'est Ambre, répondit le Corporem. Elle voulait venir.
- Elle sera certainement plus en sécurité là-bas. De plus, sa magie est risquée en pleine ville. En cas de problème, toi et moi, nous serons plus discrets.
- Je suis bien d'accord, mais tu sais comment sont les femmes. D'après toi, qu'est-ce qui nous attend ? Et c'est quoi ces lunettes ?

Le jeune homme était bien content de changer de sujet. Il préférait éviter d'intervenir dans la relation entre ses deux amis.

- Aucune idée. On va rendre visite à un mouvement anti mage. La première apparition du démon se situe juste à côté de leur siège. Le général trouve la coïncidence un peu trop forte, et moi aussi. Pour ces lunettes, elles vont nous permettre de rester en contact avec les autres. Elles ont une caméra et un miro intégrés. J'ai un récepteur miniature dans une oreille.

L'hélicoptère atterrit dans une base non loin de la capitale, puis ils furent accompagnés en voiture à une dizaine de rues de leur objectif.

Goliath n'avait pas vraiment de soucis à se promener dans les rues de la ville en pleine nuit. Il pouvait se faire discret. Killian, en revanche, avec ses runes, devait faire plus attention.

Ils se cachèrent à une vingtaine de mètres du bâtiment en question et attendirent un bon quart d'heure. Le lieu semblait abandonné, mais par deux fois, ils virent des personnes taper à la porte d'entrée, puis rentrer. Aucune lumière ne filtrait par aucune fenêtre.

- Ils vivent dans le noir ces gens-là ? demanda le Corporem en souriant.
- Je dirais plutôt qu'ils vivent comme des rats… dans les sous-sols si tu vois ce que je veux dire.
- Mince. Investir une cave c'est moins sympa. Ça va limiter mes sorts.

Le maitre des runes réfléchit quelques instants. Investir les sous-sols d'un bâtiment était en effet un problème, mais pour le moment, il n'y avait aucun signe de danger.

- On y va, mais reste bien sur tes gardes.
- Attends une seconde.

Le Corporem se concentra et Killian vit sa peau changer, elle se craquela et devint grise. Il posa sa main sur son avant-bras, il était dur, comme de la pierre.

- Pour éviter un coup de couteau ou une balle perdue, lui dit le colosse.
- Bonne idée. Axelle tu m'entends ?

« On est là »

- Est-ce qu'il y a une connexion wifi là-dedans ?

Quelques secondes passèrent puis vint une réponse : « Oui, Scarlett a un signal. »

- Un appareil avec une webcam ? Un téléphone avec un appareil photo ?

Le jeune homme attendit encore un petit moment : « Un seul appareil de connecté, pas de caméra, leurs téléphones sont coupés, par contre on vient de trouver des plans du palais présidentiel dans le disque dur, Killian, faites attention ».

Il prit cette information pour un signal, ce bâtiment contenait des réponses pour eux et il n'allait pas perdre cette occasion. Il se dirigea vers la porte d'entrée, suivi de près par son compagnon:

- C'est quoi ton plan Killian ?
- Je n'en ai pas encore, je ne ressens pas de magie là-dedans, et toi ?
- Moi non plus.

Ils arrivèrent devant la porte et Killian frappa trois grands coups. Un homme ouvrit la porte et resta sans voix face à lui. Il voulut la refermer, mais Goliath-Jacques le saisit par la gorge et le souleva du sol. L'homme tentait de se dégager avec ses deux mains, mais le géant était d'un autre gabarit. Le chef des Wizards prit son arme dans sa main et s'adressa à l'individu d'une voix ferme :

- Combien sont-ils en bas ?

L'homme voulut répondre, mais la couleur bleue sur ses lèvres indiqua à Killian que son ami était peut-être un peu trop fort.

- Repose-le, mais ne le lâche pas. Je te repose la question, combien êtes-vous ?

L'homme leva huit doigts, il était terrorisé.

- Comment on rejoint les autres ?

Le prisonnier lui désigna une porte sur sa droite puis lui mima des escaliers qui descendaient. Le jeune homme fit un signe discret à son ami, ce dernier assena un énorme coup de poing au visage de l'homme qu'il tenait. Il s'effondra, évanoui.

Ils descendirent par les escaliers. C'était un accès direct aux caves du bâtiment. Il n'y avait que quelques ampoules d'allumées. Goliath-Jacques touchait presque le plafond avec sa tête. Ils s'arrêtèrent lorsqu'ils entendirent des voix dans l'une des caves, à quelques mètres d'eux.

« Merde Boris, pas encore. La dernière fois on n'aurait jamais dû accepter. On a créé ce groupe pour montrer au monde ce dont les mages étaient capables ! Et on se retrouve à bosser pour eux. Je te préviens, je me casse d'ici, ça va mal finir cette histoire». Ils entendirent une autre voix « Saisissez-le ! Tu te prends pour qui pour croire que tu peux te barrer. Tu vas justement servir de nouvel hôte, impeccable, ça nous évitera d'en choisir un au hasard ».

Ils comprirent que l'homme venait d'être neutralisé, ils l'entendaient gémir. Killian chuchota à son compagnon :

- OK, on rentre, on neutralise tout le monde.

Il se concentra afin de ressentir tous les objets de la pièce d'à côté et il détecta cinq armes à feu. En un rien de temps, il les piégea toutes, changeant la forme des balles pour en faire des billes plus grosses que les cylindres des armes.

Ils se placèrent devant la porte et le Corporem frappa un grand coup dedans. Elle ne résista pas et s'ouvrit d'un seul coup. Tout le monde se figea dans la salle en voyant les deux mages entrer. Killian dénombra bien huit personnes, sept debout plus un autre assommé, par terre.

Il voulut prendre la parole, mais l'un des hommes sortit son arme et fit feu. La conséquence fut désastreuse, pour le tireur. Sa main explosa littéralement et il tomba à genoux. Gémissant de douleur.

- Bonjour, comme vous pourrez le constater, vos armes à feu ont subi une légère modification et votre garde à l'entrée n'appellera aucun renfort. Nous avons des questions à vous poser et nous aimerions réellement éviter d'utiliser la violence.

Il était relativement content de son introduction. Espérant avoir convaincu la petite assemblée. En voyant qu'ils saisissaient tous divers objets comme une batte de baseball et autre joyeuseté de ce genre, il comprit son échec et il vit Goliath se préparer à un corps à corps, prenant une position de boxeur.

Ils se jetèrent sur eux comme un seul homme. Killian activa son bouclier et Goliath parait les coups avec ses avant-bras. Les attaques venaient de partout, mais n'avaient aucune incidence sur les deux mages. Le Corporem avait beaucoup moins de patience que son ami et il arma son bras droit.

Le coup eut pour résultat de projeter l'un des hommes contre le mur au fond de la pièce. Le bruit d'os brisés se répercuta jusqu'à eux et les autres reculèrent en voyant leur camarade au sol.

Killian décida de passer à l'action à ce moment-là. Déclenchant ses runes de premier cercle de ses épaulettes, il créa des arcs électriques dans toute la pièce. Tous les individus tombèrent au sol, électrocutés.

Le silence régnait dans la salle, avec une odeur de chair brûlée. Les deux mages voulurent se diriger vers l'homme qui avait été agressé par ses compagnons, lorsqu'ils entendirent :

- Espèce de monstres... Je vais tous vous buter... ça sera...moi... le nouvel hôte.

C'était l'homme à la main déchiquetée. Il mit un objet que Killian n'eut pas le temps de voir dans sa bouche.

Son corps se mit à irradier et ils virent les premiers changements. La peau de ses bras tomba, faisant croitre ses os qui se transformèrent en deux redoutables lames. Sa peau se violaça et deux cornes sombres poussèrent sur son crâne.

- Killian, je n'affronte pas cette saloperie dans une cave ! On se tire.
- Entièrement d'accord.

Ils partirent en courant dans le couloir, n'attendant pas la fin de la transformation. Arrivés aux escaliers, ils entendirent des hurlements suivis d'une porte qu'on arrache de ses gonds.

Killian monta les marches quatre par quatre, le Corporem sur les talons.

- Axelle, il me faut un endroit à découvert pour affronter ce truc !

Ils sortirent du bâtiment et piquèrent un sprint dans la première ruelle. Ils n'eurent pas besoin de se retourner pour comprendre que la créature les suivait. Elle défonça la porte d'entrée du bâtiment et poussa un cri déchirant.

« Killian, la prochaine sur ta droite puis tout droit, il y a un terrain d'entrainement de foot ».

- OK. Goliath, suis moi !

Il lui attrapa la main et utilisa deux runes de téléportation pour agrandir la distance qui les séparait de la créature. Ils tournèrent ensuite à droite et accélérèrent de plus belle.

Un bruit suspect attira l'attention du maitre des runes, qui se retourna juste à temps pour voir le monstre fondre sur eux par les airs. Il tendit son bras en avant vers une voiture et le jeta en arrière. Le véhicule décolla pour aller percuter le démon de plein fouet, le projetant au sol.

Ce dernier lutta pour se relever, mais les deux mages avaient eu le temps d'arriver sur la pelouse du petit terrain de football du quartier.

Ils se retournèrent pour faire face à leur adversaire. Le démon se calma en voyant que ses proies l'attendaient. Il marcha d'un pas décidé vers eux. Il était du même gabarit que la deuxième attaque, donc bien plus petit que la première fois.

« Killian ! Vous faites quoi là ? Barrez-vous ! ». Il ignora le son de son oreillette et coupa le micro. Il s'adressa ensuite au Corporem d'une voix tendue :

- On ne prend pas de risque ok. Je vais attirer son attention comme la dernière fois et tu lui sautes dessus quand tu peux.

Lorsque le monstre fut à portée, il tendit son épée vers lui, prêt à lancer un éclair. Mais la créature réagit plus rapidement et bondit en avant, passant par-dessus l'attaque de du jeune homme. Celui-ci se prépara à amortir le choc lorsqu'il comprit la manœuvre, utilisant sa rune de bouclier.

Le démon frappa de bas en haut, ce qui eut comme effet de projeter Killian en l'air. Il ne ressentit pas l'impact du coup, mais l'atterrissage plusieurs mètres plus loin lui coupa le souffle. Le temps qu'il rouvre les yeux, le monstre était déjà sur lui, frappant à nouveau de la même façon.

Killian accusa le deuxième choc avec douleur. Il vit la créature se jeter encore sur lui et utilisa une rune de téléportation. De sa nouvelle position, il se prépara à foudroyer la créature. Il fut saisi d'horreur quand il vit qu'elle avait la gorge en feu et il activa son bouclier juste avant que cette dernière lui crache un projectile magique. L'impact brisa la barrière du mage, le renvoyant au sol.

- Tu ne pensais pas m'avoir deux fois de suite de la même façon !

Il fut pris de panique : non seulement la créature parlait, mais c'était à priori le même esprit que la dernière fois qui l'habitait ! Elle se mit à courir dans sa direction. Il sentit la colère l'envahir et décida de jouer le tout pour le tout, il se précipita sur le monstre. Fangore courait à ses côtés et se dématérialisa à quelques mètres du monstre. Lorsque ce dernier frappa, il ne rencontra que du vide. Killian venait lui aussi de se dématérialiser grâce à une nouvelle rune sur ses bottes. Il fit un mouliné de son épée et se matérialisa au moment de l'impact, tranchant net le bras du monstre, qui hurla de douleur. Malgré sa blessure, ce dernier pivota sur lui-même et avec son bras valide frappa son adversaire qui eut juste le temps d'activer un nouveau bouclier. Tombant au sol, il se prépara à recevoir la vengeance du monstre.

Au lieu de cela, il vit une énorme main saisir la gorge du monstre par derrière et une autre apparaitre en plein milieu de son thorax.

Goliath venait de l'empaler sur son propre bras. Il le tenait fermement et malgré l'acharnement du démon à vouloir se libérer, il tenait bon. Devenu plus grand que le monstre, le Corporem était impressionnant, il avait l'air de ne fournir aucun effort, soulevant le monstre du sol.

- Tu vas te calmer oui, lui cria le colosse.
- Mécréant… comment oses-tu…

Le démon faiblissait, il ne bougeait presque plus. Du sang jaune coulait par sa bouche, son thorax et son épaule. Killian comprit qu'il n'en avait plus pour très longtemps. Il se releva, mais resta loin du bras valide, juste au cas où…

- Quel est ton nom ? Qu'est-ce que tu nous veux ?
- Tu penses être en mesure de me questionner ? Bientôt vous serez…tous…morts…

La tête de la créature balança encore un peu puis tomba en avant. La décomposition commença comme les dernières fois et le géant jeta la carcasse au sol :

- Dégoûtant…

Killian aurait aimé s'allonger un moment, mais il leur restait encore une chose à faire :

- Il faut retourner dans la cave voir s'il y a des survivants. On a besoin d'informations, je n'y comprends plus rien là.

Ils repartirent au pas de course. Le jeune homme ne lâchait plus son arme, de peur de voir un autre démon surgir de derrière une porte. Le Corporem voyait bien que quelque chose n'allait pas :

- C'est quoi le souci Killian ?
- Le souci c'est ça...

Il lui montra tous les emplacements de runes éteintes. Bien sûr, il en restait beaucoup d'actives, mais un gros tiers était en cour de régénération.

- Je dois apprendre à faire attention à ne pas utiliser mes sorts à tort et à travers. De plus, heureusement que tu étais là, ça commençait à devenir compliqué.

Goliath ne répondit pas, il n'était pas tout à fait d'accord. Il avait réussi à maitriser le démon uniquement parce que son ami l'avait occupé et blessé.

Ils arrivèrent dans la cave. C'était un carnage, le démon avait fait en sorte que personne ne puisse leur parler. Killian s'adossa au mur, dégoûté par la situation. Leur seule piste s'était envolée.

- Killian, il est toujours en vie.

Il se tourna vers le colosse, il était penché sur l'homme qui avait voulu quitter le groupe. Il s'approcha et vit une énorme bosse sur son front.

Il utilisa la rune de son médaillon et l'homme reprit des couleurs. Après quelques secondes, il se réveilla. Il vit les deux mages penchés sur lui. La panique s'empara de lui, mais la main ferme de Goliath sur son épaule lui indiqua que toute tentative d'évasion allait mal finir.

- Qu'est-ce que vous me voulez ?
- Pour commencer, répondit Killian, tu peux remarquer que tous tes amis sont morts. Et ce n'est pas de notre fait. En revanche, dans ton cas, ça pourrait être différent. Cela va dépendre des réponses que tu vas apporter à mes questions. Compris ?

L'homme bougea la tête de haut en bas. Terrifié par le regard du Corporem.

- Pour commencer, qu'est-ce qui s'est passé là ? Un de tes potes s'est transformé sous nos yeux en démon et j'aimerais bien savoir comment.

L'homme fit mine d'hésiter dans sa réponse, mais un crochet de Killian lui fit comprendre qu'il n'avait pas le choix. Pendant qu'il crachait du sang, il entendit le jeune homme crier :

- La prochaine fois que je dois me répéter, c'est mon ami ici présent qui s'occupera de toi. Il est beaucoup moins tendre.
- OK... il y a six mois. Un homme a tapé à notre porte. Un gars comme vous.
- Un mage ?
- Oui. Il a parlé avec notre chef, Boris, pendant un long moment. Il voulait que l'un de nous mange un fruit bien particulier. Il nous a avertis que ça allait le tuer, mais que grâce à ça, les mages allaient souffrir comme quand vos écoles se sont fait attaquer.
- Il avait l'air de quoi ce mage ?
- Je n'en sais rien, il avait une grande cape. Il parlait bizarrement, avec un fort accent italien.

Killian regarda son compagnon en coin. Ce dernier leva le bras, prêt à frapper :

- Non ! Pitié ! Je vous jure que je ne sais rien de plus ! Je voulais me barrer moi. Déjà la dernière fois c'était horrible ! On a forcé un gars à manger le fruit, c'est devenu une espèce de monstre. Il... avait l'air déçu. Par son apparence. Il a dit « ça se voit que vous n'êtes que de simples humains ».

« Ça expliquerait la différence entre les deux types de démon », pensa Kilian. Il y avait donc un rapport entre l'hôte et la puissance du démon. Maintenant, il n'y avait plus qu'à trouver ce que c'était.

Ils renvoyèrent l'homme chez lui. Il avait tellement eu peur que Killian était persuadé qu'il n'entendrait plus jamais parler de lui.

Ils louèrent une voiture pour rentrer, Goliath conduisait pendant que le maitre des runes réfléchissait aux paroles qu'il venait d'entendre. Il était assez logique de penser que le corps d'un mage octroyait beaucoup plus de pouvoirs au démon. Partant du principe que le mage devait aussi perdre la vie, comme un humain normal, soit il avait à faire à des fanatiques, soit on les forçait à manger ce fameux fruit. Pour que le mage ait demandé de l'aide à de simples humains, c'est que sa réserve de magiciens suicidaires était vide.

- Axelle, mon amour ?

« Oui ».

Le jeune homme sentit une certaine tension dans sa voix. Il savait pertinemment qu'elle avait dû être choquée par ce qu'elle avait vu.

- Tu vas bien ?

« Oui ».

Mensonge.

- Où sont les autres ?

« Dans le salon, ils discutent ».

- On était obligés de rester, on ne pouvait pas le laisser en liberté… je suis désolé.

« Je sais, laisse-moi juste du temps, je n'ai jamais eu aussi peur de ma vie, heureusement que tu as coupé le micro, je t'aurais arraché l'oreille ».

- Pas de soucis, j'ai de quoi t'occuper l'esprit si tu veux ?

« Dis-moi ».

- Le temps qu'on rentre, demande à Scarlett d'effectuer une recherche sur d'éventuelles disparitions de mages. Commence aux alentours de Lyon, Londres et Budapest. Cherche des affaires où les corps n'ont pas été retrouvés et les faits se seraient produits avant l'attaque des académies.

« OK, je m'en occupe, rentre vite… »

Chapitre 15

Killian se réveilla dans l'après-midi. Ils étaient rentrés au petit matin et il lui avait fallu récupérer de son combat contre le démon. Il trouva le loft plutôt calme. Il invoqua Fangore, comme tous les matins. Sa présence lui faisait du bien et cela était réciproque. Elle était toujours contente de le voir et il arrivait de plus en plus facilement à communiquer avec elle, à savoir ce qu'elle pensait.

Ses filles arrivèrent pendant qu'il mangeait un sandwich dans la cuisine. Lana passa derrière le comptoir pour atteindre le frigo et se servir un verre de lait. Elle s'assit à côté de son père pendant qu'elle sirotait sa boisson.

- Pourquoi elle a des signes de plusieurs couleurs ? demanda-t-elle en regardant Fangore.
- C'est une question de niveau de puissance, tu vois les bleus…

Il s'arrêta, réalisant que sa fille voyait Fangore. Il ne ressentait pourtant aucun pouvoir chez elle. Ce qui signifiait que sa « naissance » n'était pas encore arrivée.

- Constance, Laurana, venez me voir.

Ses deux filles arrivèrent en courant.

- Oui papa ?
- Est-ce que vous voyez Fangore sur la table ? Un petit dragon, comme un fantôme.
- Bah oui, répondit Constance.
- Moi je ne vois rien, répondit Laurana, déçue.

Il n'en revenait pas, deux de ses filles étaient capables de voir Fangore. La logique voulait donc qu'elles deviennent, ou qu'elles soient déjà, des mages.

- Pourquoi je vois rien moi ? Je ne suis pas normale ?

Killian regarda sa fille avec amusement :

- Mais non ma puce, au contraire.

Axelle déboula dans la cuisine. Les bras chargés de sacs de courses. Elle posa tout sur la table, épuisée par l'effort. Son regard se porta sur son mari et ses filles :

- Bonjour. Qu'est-ce qui se passe ?
- Trois fois rien mon amour, deux de nos filles voient Fangore, répondit-il comme si de rien n'était.

Elle lâcha le paquet de spaghettis qu'elle tenait dans les mains. Deux de ses filles étaient des mages, comment allaient-elles vivre ça ?

- Elles vont devoir passer l'épreuve ? Il faut que tu t'occupes d'elles Killian.
- Pas de panique mon amour. Je ne ressens aucun pouvoir. Leur « naissance » n'est pas encore arrivée. Le fait qu'elles voient Fangore nous informe juste que cela arrivera un jour. Au moins, on est prévenus.

Le chef des Wizards se prépara rapidement afin de rejoindre le Conseil. Leur réunion se passait maintenant dans le bâtiment de la lumière. Une salle à l'image de la table ronde du roi Arthur s'y trouvait, en plus moderne. Mais le concept était le même : chaque personne à cette table était l'égale de l'autre.

Il leur expliqua ce qu'il s'était passé la veille ainsi que les déductions qui s'ensuivirent.

Lumio semblait préoccupé par la nouvelle. Il supposa même qu'une nouvelle obédience devait être à l'origine de ces évènements. A la grande surprise de Killian, c'est Freya qui le contredit :

- Je pense de plus en plus que c'est quelqu'un de mon ordre.

L'ensemble du Conseil se tourna vers elle pour découvrir une Freya livide. Elle qui était d'habitude si arrogante, était recroquevillée sur elle-même, comme si elle était responsable de la situation. Elle regardait la table comme si elle n'osait pas les regarder en face.

- Certains démonistes arrivent à utiliser le corps de leur démon. Ce que vous m'avez décrit y ressemble fortement.
- Mais qu'en est-il de ce fameux fruit qui permet de transformer un corps humain en démon ? demanda Killian.

- Ça je ne sais pas. Mais est-ce que des mages de la terre, en alliant leurs pouvoirs avec un démoniste, ne pourraient-ils pas arriver aux mêmes résultats ?

Un silence s'installa dans la pièce, chacun arrivant à ses propres conclusions. Mystral, responsable de la magie de l'air, prit la parole en premier :

- On parle… d'une organisation de mages qui agirait pour son propre intérêt. Mais dans quel but ?
- J'opterais pour le plus classique et le plus ancien : le pouvoir, répondit Braise.
- Développe ? enchaina Lumio.
- Si vous étiez un groupe de mages un peu tarés, et que vous vouliez contrôler le monde. Votre seul vrai problème, c'est vos semblables. La magie est quelque chose de totalement nouveau, nous sommes au début de notre histoire. Ils savent très bien que plus les mois vont passer, plus nous allons maitriser nos pouvoirs. Ils ont frappé vite et fort. Les académies de Londres et de Budapest n'y ont pas résisté et ici nous ne devons notre salut qu'à l'arrivée de Killian qui a formé les Wizards.

Le maitre des runes réfléchissait de son côté. L'idée de Braise restait la plus probable. Et pourtant, quelque chose le tracassait. Les paroles du démon lui revinrent à l'esprit, « bientôt, vous serez tous mort ». Parlait-il des mages ?

- Killian ?

Il releva la tête, Lumio le regardait d'un air interrogateur. Attendant une réponse de sa part.

- La théorie de Braise reste la plus plausible. Même si j'ai le sentiment que cette créature nous en voulait particulièrement à nous, les mages.
- Et que faisons-nous maintenant ?
- Vous, rien. C'est à nous les Wizards de prendre le relais. Au moins, pour une fois, on a des pistes.

Le jeune homme travailla d'arrache-pied dans son atelier les jours suivants.

Alors qu'ils étaient tous à table, ils le virent débarquer avec une mallette. Ils firent de la place et Killian leur en montra le contenu. Cinq médaillons étaient installés à plat. Identiques en tous points sauf un seul, légèrement plus gros. Ils étaient d'une forme circulaire et gravés de cinq runes.

- Dorénavant, vous devrez porter ceci.

Il en donna un à chaque Wizards, ce qui procura à Emilie un immense sourire.

- Même moi ?
- Oui, même toi. Tu es une Wizard non ?

Emilie était radieuse. Depuis qu'elle avait passé l'épreuve et choisit le nom de Ronce comme nom de mage, elle s'était sentie mise à l'écart par les autres. Elle s'entrainait régulièrement seule car elle n'aimait pas rester avec les autres mages de la terre.

Son deuxième passe-temps préféré était de jouer avec Laurana, elles étaient devenues inséparables.

- Appuie au centre.

Elle obtempéra et tous les médaillons virent une rune s'allumer. Elle était verte et représentait un arbre.

- Si l'un de vous est en danger, il lui suffira d'activer son médaillon et les autres n'auront qu'à suivre la piste. Ils fonctionnent comme des boussoles. Indiquant toujours la position de la rune qui est allumée.
- Fascinant, répondit Lux.
- Demain, continua Killian, j'aurai quelque chose d'autre à vous montrer. Rendez-vous dans l'Atelier vers neuf heures. C'est important ok ?
- Même moi ? demanda Emilie.
- Oui ma puce. Même toi.

Ils se retrouvèrent le lendemain devant l'Atelier. Killian avait l'air excité comme un enfant et personne ne savait pourquoi.

Il les fit rentrer et ils découvrirent cinq formes, plutôt imposantes, sous des bâches. Le chef des Wizards les regardait d'un air amusé, essayant de faire durer le suspense.

- Qu'est-ce qu'il nous prépare ? demanda Jacques à Axelle.
- Je n'en ai pas la moindre idée pour être honnête. Mais ça lui tient à cœur. Il travaille dessus depuis un moment.

Il les fit s'approcher de l'une des bâches et tira dessus.

Ils découvrirent un drone, un immense drone ! Faisant dans les six ou sept mètres de diamètre.

- Et voilà un « droners ».
- Qu'est-ce que c'est ? demanda Ambre.
- Nos nouveaux moyens de locomotion. Avec ça, fini d'être dépendant du train, de l'avion ou de la voiture.

Il tira sur les autres bâches et ils découvrirent tous les droners. Le maitre des runes avait passé énormément de temps sur les finitions et chacun d'entre eux avait des particularités propres à leurs obédiences.

Ils étaient tous faits de métal. Killian avait allégé les matériaux et les avaient sculptés, rendant l'ouvrage exceptionnel.

Celui d'Ambre était ciselé de façon à avoir des flammes en relief sur toute l'armature. Peint en jaune et orange, on aurait dit un frelon.

Celui de Goliath avait des griffes pour représenter les pieds au sol et était peint en bleu nuit. L'armature autour des hélices était en forme d'ailes de dragon.

Celui de Lux-René était simplement peint en blanc avec une multitude de leds irradiants sur l'ensemble du véhicule.

Ronce toucha le sien sans y croire. Sculpté comme le végétal qui avait inspiré son nom, son véhicule ressemblait à une arme vivante. Elle en tomba immédiatement amoureuse.

- Mais comment as-tu fait ça… ?

Lux était fasciné par le résultat. La précision des détails ainsi que les particularités que le maitre des runes avait apportées à chacun des droners le laissait sans voix.

- Et le tien ? demanda Goliath.

Killian se dirigea vers le dernier véhicule et tira sur la bâche. Ce droners était beaucoup plus simple que les quatre autres. Fait d'aluminium, il était en revanche plus brillant. Sa particularité était d'avoir plusieurs runes gravées dessus.

- Tiens donc… dit Ambre en s'approchant de son droners. Ça sert à quoi tout ça ?
- A rien, répondit le jeune homme en lui tapotant la main comme à une petite fille trop curieuse.
- L'Enchanteur nous fait encore des cachoteries, lui répondit-elle.

Killian leva les yeux au ciel. Il détestait vraiment ce nom et il savait qu'elle l'utilisait uniquement dans le but de le faire pester. Il était hors de question de lui donner ce plaisir.

- Ils fonctionnent? demanda Goliath.
- C'est le but de votre visite de ce matin. Ils sont prêts pour un vol d'essai en fait.

Il leva les bras vers le ciel et se concentra. Ils entendirent un grincement, puis un rayon de lumière filtra de l'immense plafond du hangar. L'une des monstrueuses plaques de métal se mit à coulisser sur une autre par un mécanisme que Killian avait eu beaucoup de mal à faire fonctionner.

Les Wizards ainsi qu'Axelle n'avait même pas vu en entrant dans l'atelier l'immense rune qui se trouvait dix mètres au-dessus de leurs têtes.

- Nous allons devoir décoller un par un. Le maniement est théoriquement très facile.
- Théoriquement ? répondit Lux-René.
- Aucun de ces engins n'a encore volé. Mais il ne devrait y avoir aucun problème...enfin je l'espère.
- Tu ne me rassures pas là...
- Je sais, répondit-il avec un grand sourire.

Il les installa chacun dans leur droners. Ils durent admettre que les explications du jeune homme laissaient à penser que le pilotage des engins n'allait pas être vraiment difficile.

Ils étaient installés comme dans un fauteuil, les jambes en avant. Une bulle de verre les entourait afin de les protéger du vent et de la pluie.

Ils devaient poser leur main sur une sphère entre leur jambe afin de démarrer le véhicule. Il fallait pour cela qu'ils portent leur médaillon, qui servait de clé de contact. Le droners reconnaissant instantanément le propriétaire. Ils découvrirent aussi un casque équipé d'un micro accroché au-dessus de leur tête.

Ensuite, ils devaient diriger les véhicules par la pensée. Il n'y avait ni manettes, ni manche, ni pédales.

- Bon qui commence ?
- Moi ! cria Goliath.

Ambre, qui avait l'air désespérée, se cacha le visage avec ses mains :

- C'est un gosse...

Killian ne releva pas et se dirigea vers le Corporem.

- Mets le contact.

Goliath posa sa main sur l'orbe et pensa mentalement à allumer le moteur. Les quatre hélices s'activèrent en même temps. La puissance des moteurs surprit tout le monde.

- Maintenant, tu vas penser uniquement au décollage, puis tu libères la sortie et tu nous attends en stationnaire. OK ?

Son ami lui fit signe que tout était ok et il s'écarta du véhicule qui décolla rapidement pour passer dans l'ouverture du plafond, puis il disparut.

Tous firent la même chose assez facilement et Killian s'installa dans son droners afin de les rejoindre. Il fut arrêté par Axelle qui le retint par le bras :

- Pas besoin de te demander de faire attention ?
- Pas besoin en effet.

Elle l'embrassa et lui posa une dernière question :

- Comment as-tu réussi à faire ça ? C'est quoi la source d'énergie ? Il ne fonctionne pas qu'avec de la magie. Tu as réussi à produire de l'électricité ? Car il n'y a pas de ligne d'échappement ni de fumée qui sort de nulle part.
- Tu te poses trop de questions mon amour.

Il décolla sans lui laisser le temps de répondre afin de rejoindre ses amis et surtout de ne pas avoir à continuer cette discussion. Il connaissait le tempérament de sa femme à aller au fond des choses et certaines de ses réponses risquaient de ne pas lui plaire.

Les Wizards l'attendaient en stationnaire au-dessus du hangar. Une foule de mages s'était accumulée en-dessous d'eux pour regarder le spectacle.

Killian aperçut plusieurs membres du Conseil qui étaient présents dans la foule.

« On va s'éloigner un peu, histoire de ne pas créer encore plus de grabuge », dit-il aux autres.

« On te suit », lui répondit Lux.

Le groupe s'éloigna rapidement de l'académie pour voler au-dessus de la forêt. Les droners réagissaient parfaitement aux ordres mentaux des pilotes.

Ronce s'amusait comme une folle, faisant plusieurs tonneaux et loopings tout en hurlant dans le casque. Elle avait l'air de maitriser parfaitement son appareil.

« On peut aller à quelle vitesse ? », demanda Ambre.

« Aucune idée », répondit Killian, « mais je pense au moins autant que le TGV ».

Ils virent Ambre les doubler. Elle avait envie de voir ce que son droners avait dans le ventre. Les autres décidèrent de la rattraper et ils firent la course tous ensemble un bon moment. Lux arriva bon dernier, étant le plus responsable de toute l'équipe.

Ils se positionnèrent ensuite en mode stationnaire, les uns en face des autres.

« Ils ont une autonomie de combien ? » demanda Goliath.

« Je pense pouvoir dire qu'ils peuvent voler non-stop sans jamais s'arrêter. »

« Tu plaisantes ? Mais comment c'est possible ? »

« Vous n'allez pas me crier dessus si je vous le dis ?»

« Je m'attends au pire », répondit Lux.

« J'ai enchanté un métal très rare. Non sans difficultés... de l'uranium ». Il attendit quelques secondes avant de poursuivre. « Le résultat est impressionnant ».

« Tu veux dire que ces engins sont...nucléaires ? », répondit Ambre.

« C'est un peu exagéré, mais en effet. Il y a mille fois moins d'uranium que dans un sous-marin. Il n'y a rien à craindre. »

« C'est pire que ce que je pensais » répondit Lux. « Et ou as-tu trouvé cet uranium ? »

« Tu es sûr de vouloir savoir ? »

« En fait non... »

Rentrer fut encore plus amusant pour Emilie, Ambre et Jacques. Killian et René restèrent plus en arrière, admirant leurs camarades faire des figures plus dangereuses les unes que les autres.

« Est-ce que Scarlett a trouvé quelque chose ? » questionna Lux plus sérieusement.

« Rien pour le moment, Axelle a élargi le périmètre de recherche. Je sens qu'on approche, c'est déjà bien d'avoir des pistes sur lesquelles travailler. »

« Et toi, tu en penses quoi de tout ça ? »

« Honnêtement ? Je pense que quelqu'un cherche à nous exterminer. Tous les mages. »

« Je suis d'accord. » répondit Ambre qui venait se joindre à la conversation. « De plus, il faudrait envisager que nos ennemis ont découvert, peut-être même avant nous, comment lancer des sorts sans créer de barrière mentale. »

« Qu'est-ce qui te fait dire ça ? » interrogea Lux.

« Eh bien, d'après ce que nous a dit Killian, Freya connait des mages qui peuvent utiliser leur démon de la même façon, mais pas dans les même proportions. Et une fusion de deux obédiences pour créer les fameux fruits, c'est quelque chose de tout nouveau. On n'a pas à faire à des touristes. »

L'atterrissage dans l'Atelier prit un peu plus de temps et Killian se dit qu'il devrait réaliser une structure permettant d'accueillir les droners avec plus de facilité.

A peine descendirent-ils des appareils qu'ils virent Axelle débarquer comme une furie. Brandissant un journal à la main :

- Enchanteur ou pas, tu vas m'expliquer ceci !

Elle lui tendit l'objet de sa fureur, mais c'est Lux qui le saisit, lisant à haute voix le gros titre de la première page : « Disparition importante d'uranium à la centrale de Cadarache.»

Il voulut lire l'article, mais la jeune femme le coupa :

- Je vais te le résumer : il y a eu un vol d'uranium. Les militaires sur place ont vu l'uranium s'envoler ! Ce n'est pas incroyable ça ? Qui peut bien faire voler de l'uranium ? Ce n'est pas un métal ça ?

Goliath était au bord de la crise de rire.

- C'est comme le truc qu'il y a dans nos droners ? demanda Emilie. Elle se tourna vers Axelle et continua tout naturellement : grâce à ça ils sont nucléaires même !

Ce fut trop pour le Corporem qui explosa de rire, entrainant Ambre dans son hilarité. Même Lux eut du mal à se contenir. Il posa sa main sur l'épaule de Killian :

- Tu es mal mon garçon. Vraiment mal...

Axelle foudroyait son mari du regard, mais à force de voir les autres rires, elle ne put s'empêcher de lever les bras au ciel :

- Mais qu'est-ce que je vais faire de vous ! Vous vous rendez compte !
- Je suis désolé mon amour, je voulais éviter de vous mêler à tout ça.

Elle reprit son sérieux pour les regarder tous ensemble :

- De toute façon il y a plus urgent, Scarlett à dégoté quelque chose.

Ils descendirent au sous-sol comme un seul homme. Axelle s'installa sur son fauteuil et désactiva le fond d'écran :

- Scarlett, nous t'écoutons.
- **J'ai effectué des recherches sur les disparitions autour des académies sans parvenir à un résultat. J'ai ensuite agrandi la recherche à l'Europe pour atteindre les sept-mille-cent-quarante-trois disparitions. Seulement trois-mille-cent-vingt étaient non résolues avec disparition du corps. Aucune de ces personnes disparue n'a été répertoriée comme mage. Néanmoins, le recrutement, principalement dans les pays de l'Est, est assez médiocre et je suis partie du principe qu'elles pouvaient toutes être des mages.**
- Et qu'as-tu trouvé ? demanda Killian impatient.
- **Suite à votre altercation dans la ville de Paris, j'ai analysé toutes les images de la soirée.**

Ils virent à l'écran l'image d'un symbole dessiné sur l'un des murs de la cave. Un cercle incomplet, avec au centre de la partie manquante, un point.

- **Ce symbole était représenté deux fois. Or, dans l'affaire de la petite Petra Kovacs, en Hongrie, les enquêteurs ont réussi à définir le lieu de l'enlèvement. Il semblerait que cela se soit passé devant une église de Sarbogard. Vous pourrez constater à l'écran que l'une des photos prises par**

les journalistes montre un mur de l'église où a été dessiné le même symbole.

Le groupe constata en effet la similitude entre les deux signes sur un autre écran.

- **La probabilité de trouver deux symboles identiques dans ces deux endroits est de une sur sept millions. J'ai estimé devoir vous prévenir.**

Tout le monde se tourna vers le chef des Wizards. Il avait les bras croisés, les yeux rivés sur l'écran. Il regardait le visage de la petite Petra, et plus particulièrement le collier qu'elle portait sur la photo. Puis il porta son regard sur l'église et ferma les yeux.

Même si cela semblait impossible, il essaya de chercher l'objet en se concentrant sur l'église. Il sentit un léger frissonnement, comme si on essayait de le guider. Il continua de plus belle et il comprit que son esprit était dans l'église, furetant dans chaque recoin pour trouver l'objet de sa volonté.

Il sentait qu'il n'était pas loin, mais pas proche non plus. Il décida de porter son regard vers le bas et il s'enfonça dans la terre pour atterrir sur un sol froid, sans lumière.

Mais le pendentif était là, sur le sol, plein de poussière.

Killian relâcha le contact mental, il dut se tenir à la table pour ne pas tomber. Il voulut utiliser la rune du médaillon, mais il se rappela qu'il avait du l'enlever pour mettre le même pendentif que les autres.

Axelle s'approcha de lui pour l'aider à se tenir debout :

- Ça va ? Tu es tout pâle…

Elle fixa son mari. Il avait les yeux pleins de haine, jamais elle ne l'avait vu avec un visage aussi dur :

- Elle est là-bas. Sous l'église. Il y a son pendentif qui traine par terre…
- Mais de qui parles-tu ? demanda Lux.
- De la petite Petra. Elle a été amenée sous l'église et son bijou qu'on voit sur cette photo y est toujours.

L'épée du jeune homme se mit à briller et il se sentit tout de suite bien mieux. Il ragea contre lui-même de devoir utiliser une rune pour si peu, mais il lui fallait les idées claires.

Il regarda chacun de ses compagnons. Cette fois-ci il ne voulait prendre aucun risque.

- Scarlett, trouve-nous un endroit discret pour atterrir le plus près possible de cette église, sans se faire repérer. On partira cette nuit.

- C’est reparti pour une ballade ? demanda Goliath.

Killian réfléchit un moment. Il était hors de question de gâcher cette chance.

- On y va tous les quatre.

Chapitre 16

L'aube pointait déjà lorsque le groupe fut prêt à partir. Une longue discussion avait été nécessaire avec le Conseil afin de prévenir le gouvernement Hongrois de l'arrivée des Wizards. Lumio avait dû freiner les ardeurs de Killian en lui expliquant qu'ils ne pouvaient pas intervenir n'importe où comme ça. Il fallait prévenir les autorités sur place et avoir leur autorisation.

En contrepartie, il avait eu accès à un jardin public pour atterrir à moins d'un kilomètre de l'église et les forces de l'ordre hongroises seraient stationnées à plusieurs endroits dans la ville.

Chaque Wizard grimpa dans son droners à l'exception de Ronce. Killian n'avait pas voulu de sa présence, mais il avait adroitement joué son coup afin de ne pas braquer la petite fille.

« Tu sais Ronce » lui avait-il dit. « On part pour une mission très dangereuse. Mais j'ai une mission pour toi aussi. Axelle et les enfants vont être seuls et je compte sur toi pour les protéger. Utilise ton amulette si tu es en danger. Je peux compter sur toi ? »

La petite fille hocha la tête avec beaucoup de sérieux. « Tu peux compter sur moi ! » avait-elle répondu.

Les Wizards étaient partis peu de temps après. Ils profitèrent du trajet pour discuter d'un plan d'attaque.

« On a quand même pas de chance. Encore une fois on va dans un endroit sous la terre », commença le maitre des runes.

« Tu préconises quoi ? Qu'on reste dehors avec Lux ? » Demanda Ambre.

« Certainement pas. Maintenant qu'on est intervenu dans Paris, il sait, ou ils savent, qu'on est à la recherche de quelque chose et qu'on avance. On risque d'avoir un comité d'accueil. »

« Entièrement d'accord », répondit Lux, « votre combat la dernière fois s'est bien fini. Mais il suffit de pas grand-chose pour que ça change. On doit y aller tous les quatre. Par contre, il faudra vraiment être sur nos gardes. »

« Pour commencer, on va devoir trouver l'entrée », continua Killian. « Lux ? Une idée ? ».

« Et voilà...je me demandais quand est-ce que ça allait venir sur la table, j'étais prêtre d'une petite église, pas gourou d'une secte ! »

Le groupe ne put s'empêcher de rire un peu. Quelques instants plus tard, ils trouvèrent le lieu pour se poser. Deux militaires marchèrent dans leur direction, ils avaient l'air fascinés par les droners.

- Bonjour, je parle un peu votre langue. Je suis le capitaine Izac et voici mon chef, le général Horvath.
- Bonjour messieurs, répondit Killian. Nous sommes les Wizards, merci de nous laisser opérer sur votre territoire.

La capitaine traduisit pour son compagnon. Il eut une réponse assez longue.

- C'est nous qui vous remercions. La dernière attaque sur l'académie de Budapest a laissé une trace sanglante dans les mémoires. Les hommes n'étaient pas vraiment motivés à l'idée d'appréhender des gens... comme vous. On a dressé un périmètre de sécurité autour de l'église avec des hommes en civil et nous sommes en train d'évacuer les habitants. Avec vous, on ne sait jamais.
- Sympa la réputation, répondit Goliath.

Killian le réprimanda du regard :

- Merci capitaine. Nous allons essayer d'agir avec la plus grande discrétion et la sécurité de la population est notre priorité.

Il tourna légèrement la tête et vit l'un des militaires prendre en photo son droners. Il se concentra et activa discrètement l'une des runes de l'appareil. Des arcs électriques firent leur apparition. L'homme recula pour rejoindre les autres militaires qui attendaient plus loin, le visage légèrement plus blanc.

- Vos hommes ne doivent pas toucher à nos véhicules. Dans leur intérêt.
- Bien sûr, répondit le capitaine qui avait assisté à la scène.

Les Wizards ne mirent pas longtemps à trouver un endroit d'où ils pouvaient voir l'église. Cette dernière était plutôt grande avec une immense porte en bois. Son style gothique tranchait avec les bâtiments qui l'entouraient.

En revanche, elle semblait totalement à l'abandon. La végétation avait envahi la zone autour de l'église et le lierre s'attaquait à la structure.

- Le nombre de croyants a tellement chuté en un an et demi que les différents ordres religieux n'entretiennent plus les bâtiments de seconde zone, commença Lux.
- Ce qui ne va pas nous aider. A votre avis, l'entrée du souterrain est plutôt dehors, ou dans le bâtiment ? dit Killian.
- Dedans, répondit l'ancien prêtre. Il y a peu de chance que cela soit à l'extérieur.

Ils approchèrent de la porte d'entrée. Heureusement, une porte plus petite était intégrée à la grande. Le jeune homme fit sauter les gonds pendant que Goliath tenait la porte afin de faire le moins de bruit possible.

L'intérieur de l'église n'était pas en meilleur état que l'extérieur. Des bancs étaient disposés de façon anarchique vers l'hôtel du fond.

En revanche, ils trouvèrent l'intérieur assez propre et il n'y avait aucune dégradation. Ce qui était particulièrement bizarre pour un bâtiment abandonné.

Le groupe marcha silencieusement dans la salle principale du bâtiment, avançant avec prudence.

- On commence par où ? chuchota Ambre.
- Pas la moindre idée, répondit Lux. L'entrée peut se situer ici ou dans les appartements du prêtre qui était en place. Du moins si cette église est faite comme les nôtres.

Killian marchait en silence, inspectant chaque mur, chaque alvéole de pierre, chaque arcade, espérant trouver un indice sur l'entrée d'un éventuel tunnel.

C'est en arrivant près de l'autel qu'il découvrit quelque chose d'intéressant. L'énorme bloc de pierre et de marbre reposait sur deux rails métalliques. Il avait réussi à les voir uniquement grâce à sa capacité à distinguer le métal caché.

- Goliath ? chuchota-t-il.
- Oui ?
- Tu penses pouvoir réussir à pousser ce bloc de pierre ?
- Écarte-toi.

Le mage fit un pas de côté, il fut rapidement rejoint par les autres. Le colosse tenta de bouger l'autel sans utiliser de magie, mais sans réussite.

- On n'a que deux solutions. Soit on cherche le mécanisme. Soit j'arrache tout, dit Killian.
- On a une autre solution, répondit Goliath.

Il se concentra quelques secondes et déclencha un cercle de puissance. Le groupe ne vit aucune différence visible sur leur ami.

Le Corporem attrapa à deux mains l'autel, poussa de toutes ses forces et le bloc bougea. Centimètre par centimètre. Le bruit résonnait dans l'immense bâtiment sans pour autant causer une cacophonie incroyable.

Moins d'une minute plus tard, l'entrée du tunnel était dégagée. Le maitre des runes tira Fangore de son dos et l'image spectrale apparut immédiatement.

- Je passe devant. Goliath, tu fermes la marche.

Il descendit les marches qui se trouvaient devant lui, la boule au ventre. Il jeta un dernier coup d'œil en arrière, afin de s'assurer que ses amis étaient bien là, comme pour se rassurer.

Le pressentiment du jeune homme se confirma lorsqu'il découvrit des torches allumées sur les murs du couloir qu'il suivait. Les lieux n'étaient donc pas si abandonnés que ça.

Il resserra sa prise sur son arme, continuant d'avancer, son esprit caressant sa rune de bouclier pour l'activer à tout moment.

Ils durent s'arrêter devant une porte en bois. Elle était percée par une grille en son centre et Killian jeta un regard discret. Rien, la salle semblait vide.

Le magicien l'ouvrit. La superficie de la salle leur permit de loger tous dedans, mais elle n'aurait pas pu accueillir beaucoup plus de monde. Il y avait des chaines au mur, qui n'étaient pas aussi vieilles que ce passage. Elles étaient en effet bien plus récentes. Killian se pencha vers elles et trouva du sang séché dessus.

Son regard fut attiré par autre chose, une petite chaine en or qui reposait sur le sol. Il tira dessus et découvrit le pendentif de la petite Petra. Ambre s'approcha discrètement de lui :

- Merde… elle était bien là.

Ils imaginèrent la petite fille, attachée ici, attendant son heure. Le maitre des runes avait la mâchoire serrée. Se relevant, il fit face à la porte qu'ils n'avaient pas encore ouverte.

- Calme-toi, lui dit Lux. On va trouver les responsables de ceci.

Ils n'eurent pas à chercher bien longtemps. Derrière la porte se trouvait une salle, bien plus grande que la précédente. De forme rectangulaire, elle était entièrement voûtée. Il y avait dans le fond un autel où le même signe que dans la cave était peint en rouge.

Au-dessus se tenait une immense croix en bois. Faite simplement par deux planches, il y avait encore des clous dessus et des traces de sang étaient encore présentes sur les extrémités.

Il y avait des lits de fortune sur le sol et des torches étaient disposées un peu partout, créant une atmosphère particulièrement macabre.

Deux hommes étaient à genoux devant l'autel. Ils étaient vêtus d'une grande cape noire avec capuche. Ils n'eurent pas l'air particulièrement surpris de l'arrivée des Wizards. Ils se relevèrent doucement, leur faisant face :

- Nous savions que vous alliez venir.

L'homme avait un accent des pays de l'Est très prononcé. Le deuxième homme n'était pas originaire de Hongrie, mais plutôt d'Afrique du nord.

- Nous ne sommes pas venus nous battre, répondit-il. Nous sommes venus chercher des réponses.
- Et vous ne trouverez que la mort...

L'homme leva les bras au ciel et se concentra. Les Wizards se mirent en position de défense et Killian activa son bouclier, attendant la première attaque. Mais rien ne vint, l'homme continuait de se concentrer et il fallut plusieurs secondes pour qu'un cercle de puissance apparaisse. Il tendit une main en direction d'eux et cria :

- Mourrez, mécréants !

Une boule de feu se dirigea vers le groupe. Elle dut parcourir presque deux mètres avant de disparaitre, laissant une trainée de fumée derrière elle. Les deux hommes se regardèrent sans comprendre ce qui venait de se passer.

Les Wizards regardèrent Ambre qui avait aussi une main tendue vers les deux hommes d'où s'échappait de la fumée. Elle venait d'aspirer la boule de feu :

- Non, mais c'est une blague, cria-t-elle, vous croyez qu'on est venu faire joujou !

Les deux hommes paniquèrent, se tournant l'un vers l'autre, ils joignirent leurs quatre mains et les Wizards sentirent une magie qu'ils ne connaissaient pas. Une boule de feu mélangée à de la terre commença à se former, créant un vortex de flammes.

Killian réagit instinctivement et tira un éclair sur le mage silencieux, le propulsant plusieurs mètres en arrière. L'autre semblait terrifié, il tentait de garder le contrôle du sort, mais le groupe sentit la catastrophe arriver, il cria quelque chose en hongrois et la boule de feu explosa.

Une immense barrière de lumière se dressa entre les Wizards et la déflagration. L'explosion fut contenue au fond la salle. Lux se tenait devant eux, Killian ne l'avait même pas senti bouger. Il avait les bras tendus vers l'avant. Il attendit quelques instants avant de mettre fin au sortilège.

- Pratique ça, dit Goliath.
- Ça dépend des circonstances, répondit le mage de lumière. Mais ça semblait être plutôt bien pour ce cas de figure.

La scène était chaotique. Le mage de feu avait été littéralement pulvérisé par la déflagration. Le deuxième était mort, l'éclair de Killian lui avait ouvert le torse. Le maitre des runes regardait la scène avec dégoût :

- Merde, comment on va les faire parler maintenant.
- Effectivement ce n'est pas de chance, répondit Lux.

Le groupe se mit à fouiller la salle, espérant trouver au moins l'identité des deux hommes, mais sans succès.

En revanche, le jeune homme tomba sur un livre, qui trônait sur un bureau. Il avait l'air particulièrement ancien, les pages étaient épaisses et il était écrit à la main dans une langue qu'il ne comprenait pas.

- Lux, ça te dit quelque chose ?

Le plus vieux membre du groupe saisit le livre avec délicatesse et tourna les pages. Il caressa de son doigt la dernière, il y avait un tampon dessus. Une croix rouge finement ciselée avec une signature par-dessus.

- Il vient de la bibliothèque du Vatican. Il ne devrait pas se trouver ici.

Pendant ce temps, Goliath se dirigea vers le fond de la salle, au niveau de l'autel. Il regarda la croix au mur et cracha dessus.

- Qu'est ce qui t'arrive mon grand ? Ambre lui attrapa le bras.
- Regarde les clous, regarde la croix. C'est de la taille de la petite Petra. Ils l'ont crucifiée là-dessus.

Elle détourna le regard, ne voulant pas en voir plus. Elle regarda sur les autres murs et vit plein de photos accrochées dessus, elles étaient pleines de poussière suite à l'explosion. Elle en saisit une et l'essuya. Ses yeux s'agrandirent et elle se précipita sur une autre et l'essuya aussi.

- Killian !!

Le groupe se rassembla autour d'elle. Les photos avaient été prises à l'académie et les Wizards étaient sur chacune d'entre elles. Killian marchant dans une allée ou Ambre se faisant bronzer. Il y avait Goliath qui jouait avec Ronce et Lux faisant la lecture avec des enfants. Il y en avait des dizaines.

- On prend tout. Le livre et les photos.
- Attends...

Goliath avait les yeux rivés sur une dernière photo qu'il tendit à Killian :

- C'est Axelle et les enfants. Ils sont aussi surveillés.

Killian réalisa qu'ils étaient surveillés depuis plusieurs mois. Cette photo avait été prise le jour où elles avaient emménagé à l'académie.

Il était immobile, les photos étaient prises d'un peu n'importe où. Il n'y avait aucun moyen de savoir qui en était à l'origine.

Il sentit une main se poser sur son épaule et se tourna vers Lux :

- Il faut rentrer Killian ! Si on est surveillés, alors ils savent que Ronce est seule avec ta femme et tes enfants.

Killian fixa la photo et se maudit. Il ne se le pardonnerait jamais s'il arrivait quelque chose à l'une de ces quatre personnes. Puis tous virent leur amulette s'allumer : Ronce venait de les avertir qu'elle était en danger.

- On retourne aux droners ! Maintenant !

Ronce était avec Laurana. Les deux petits démons frisés avaient eu raison de la patience d'Axelle et elles avaient réussi à convaincre tout le monde de partir faire un pique-nique.

Marchant devant, elles chantaient à tue-tête « un kilomètre à pieds ça use, ça use ! » depuis plus de vingt minutes.

Axelle n'avait pas été spécialement emballée par l'idée, mais cela avait l'air de faire plaisir à Ronce. Elle s'était vraiment attachée à la petite fille, la considérant aujourd'hui comme une des siennes. Sa relation avec Laurana avait aidé ce processus. Elles dormaient dans la même chambre, jouaient ensemble. Ronce était devenue sa grande sœur par adoption.

La jeune femme n'avait qu'une inquiétude : la part d'ombre de la fillette. Il y avait, chez elle, une mélancolie qu'elle ne montrait que rarement. Malgré l'histoire de la petite fille que Killian lui avait racontée, elle soupçonnait qu'il y ait autre chose, d'encore plus triste, la concernant.

Elles arrivèrent dans la clairière où Killian et les autres s'entrainaient au début. Il y avait toujours la cabane qu'avait construite Ronce à l'époque.

Tous les enfants allèrent jouer pendant qu'Axelle installait le pique-nique. Puis elles mangèrent, entre filles. Ronce fit rire tout le monde en racontant l'histoire des débuts des Wizards :

- Alors c'est là qu'Ambre a lancé une boule de feu sur Killian. On a tous cru qu'il était mort ! Il est revenu en boitant parce qu'il avait en fait percuté cet arbre.

Tout le monde se mit à rire. Axelle ne connaissait pas cet endroit et n'avait jamais entendu ces histoires.

Elle voulut poser une question à la petite fille, mais celle-ci avait la tête tournée vers la lisière de la forêt et l'entendit dire :

- Enfin il arrive. J'ai cru qu'il ne viendrait jamais.

Axelle ne comprit pas et dirigea son regard vers le même endroit que la petite fille.

Un homme d'une vingtaine d'années se tenait debout à la lisière de la forêt. Il était bâti comme Goliath, c'était un vrai colosse. Il était en short et baskets, torse nu. Ses cheveux étaient blonds et courts, son visage était fin avec de beaux yeux verts.

Axelle remarqua aussi son regard, dur et froid. Elle eut un très mauvais pressentiment :

- Allez les filles, on rentre. Remballez tout, vite !

Elle vit Ronce se lever et se placer entre l'homme et les filles :

- Qu'est-ce que tu nous veux ?

Ignorant sa question, il continua de se diriger vers elles. La petite fille se concentra et l'homme fut stoppé par des lianes au niveau de ses jambes.

Il se mit à rire, regardant ses pieds comme s'il les voyait pour la première fois :

- C'est toi la merdeuse de la terre ? Voyons voir ce que tu vaux.

Il se concentra et un cercle de puissance apparut instantanément. Ses jambes se transformèrent en deux énormes pattes de loup.

Il se propulsa d'un coup, arrachant les lianes qui le retenaient. Ronce en créa d'autres, mais l'homme courrait trop vite, l'empêchant de le saisir avec efficacité. Elle comprit trop tard qu'elle n'arriverait pas à l'arrêter.

L'homme, arrivé à son niveau, lui décocha un magistral coup de poing au visage, l'envoyant plusieurs mètres au loin.

Axelle hurla en voyant le corps de la petite fille décoller. Elle voulut se précipiter vers elle, mais l'homme l'agrippa par le bras et lui assena une gifle qui l'envoya au sol, sonnée.

- Ton tour viendra, t'en fais pas. Je vais d'abord m'occuper de l'autre. Pour être sûr qu'on soit tranquilles.

Ronce essayait de se relever, elle avait du sang qui coulait du nez et de son œil. Arrivé à son niveau, l'homme l'attrapa par les cheveux et la souleva du sol.

- Alors ? On fait moins la maligne maintenant.

Elle reçut un nouveau coup en plein dans l'estomac, lui arrachant un cri de douleur et lui fit rendre son déjeuner.

La jeune femme releva difficilement sa tête endolorie. Elle vit ses filles qui pleuraient et Ronce qui était inerte, suspendue par les cheveux. Elle était terrorisée, ne sachant pas quoi faire.

L'homme leva le bras pour frapper encore la fillette, mais il comprit qu'elle essayait de parler. Il approcha son oreille de sa bouche :

- T'as une dernière volonté ?

Ronce essaya d'articuler, mais sa mâchoire lui faisait trop mal, elle n'arriva à dire qu'un seul mot :

- Pour...quoi... ?
- Pourquoi ? Ça ne te regarde pas ! Tout ce que tu sauras, c'est que tu as le bonjour de l'ordre du dernier divin.

Il armait à nouveau son bras pour achever l'enfant lorsqu'il fut tiré en arrière par une énorme mâchoire. Trainé sur plusieurs mètres, il se débattit comme un diable, frappant de la terre et de la pierre sans comprendre. Lorsqu'il eut fini, Zigzag était mort à ses pieds, la tête explosée par les coups du Corporem.

- Tu vas me le payer, petite conne !
- Je ne crois pas !

Elle se mit à rire, d'une étrange façon. Axelle en eut froid dans le dos. C'était un rire de démente comme jamais elle n'en avait entendu.

Les Wizards arrivèrent dans la clairière avec leurs droners. Ils en descendirent rapidement et furent rassurés que tout le monde soit encore en vie. Néanmoins le spectacle n'était pas beau à voir. Axelle était au sol, un énorme hématome sur le visage et Ronce était dans un sale état.

La petite fille riait aux éclats malgré ses blessures. Personne n'osait bouger, même pas son agresseur, comme si elle avait réussi à tous les hypnotiser.

Goliath se ressaisit et fixa l'autre Corporem, comment avait-il osé s'en prendre à une gamine ? D'un pas déterminé il se dirigea vers son adversaire, prêt à lui faire mordre la poussière.

- Non !

Il fixa Ronce qui s'était relevée, le visage en sang, elle se tenait le ventre.

- Je l'ai laissé me frapper pour avoir des informations, il est à moi !
- Calme-toi, allonge-toi, on va s'occuper de lui, lui répondit Ambre.

La petite fille se dégagea de son étreinte et fit quelques pas en avant.

Le groupe sentit quelque chose arriver dans la clairière, une énergie qu'ils ne connaissaient pas. Quelque chose de beaucoup plus puissant et maléfique que tout ce qu'ils connaissaient.

Killian contempla pour la première fois le regard de la Furia. Ronce était prise de folie, ses yeux étaient remplis d'énergie et elle hurla à pleins poumons.

Le Corporem n'osait plus bouger. Il était comme hypnotisé devant la métamorphose de l'enfant.

Ce n'était pas comme avec les démons. Elle changeait tout en restant la même. Ses cheveux devinrent lisses et son visage plus anguleux. Elle ne grandit que très légèrement. Quand ce fut fini, elle regarda son corps et eut l'air surpris :

- Encore toi ? Etonnant ! Ces humains sont de plus en plus surprenants.

Ambre était à genoux, elle pleurait devant l'horrible spectacle :

- Non, pas toi…

Ronce se tourna vers elle et lui fit un grand sourire :

- Mais si mon enfant, c'est bien moi.

Elle tourna la tête vers le jeune homme qui ne bougeait toujours pas et son regard se fit plus dur :

- Alors c'est toi la cause de ma présence. Je n'aime pas qu'on touche à cette enfant.

Elle leva une main et une énorme stalagmite de terre sortit du sol et empala l'homme avant même qu'il eut le temps de bouger.

Elle se dirigea vers lui en sautillant pendant qu'il agonisait. Le groupe n'osait pas bouger, observant cet être qui prenait un grand plaisir dans la souffrance qu'il faisait endurer à sa victime.

Arrivée à son niveau, elle prit son visage entre ses mains :

- Ça fait mal ? Elle rit. Vous les corporems, vous pensez être immortels avec votre capacité de régénération. Je vais t'avouer un petit secret… c'est faux, lui chuchota-t-elle au creux de l'oreille.

Une multitude de pics sortirent de terre et transpercèrent ses membres, son cou, sa bouche et ses yeux. L'homme convulsait de douleur. La scène était tout simplement insupportable pour Axelle qui détourna les yeux.

Puis il fut attiré vers le sol et s'enfonça comme dans des sables mouvants, encore vivant, gémissant avec raideur jusqu' à ce qu'il disparaisse totalement.

La petite fille se releva et s'étira :

- Voilà une bonne chose de faite ! Bon à qui le tour ?

Elle se tourna vers le reste du groupe et ses yeux se posèrent sur Killian. Elle parut surprise par sa présence.

- Qui es-tu toi ?

Elle semblait troublée et fut sur lui en un instant. Fangore se mit en position de combat, mais elle réussit à l'attraper par le cou.

Killian était pétrifié, Fangore ne pouvait normalement être touché par qui que ce soit.

- Couché le chien, retourne voir ton maitre.

Elle jeta le dragon vers l'épée qui se dématérialisa pour se mettre à l'abri.

- Un maitre des runes ! Quelle surprise ! Voilà une nouvelle qui change tout (Elle tournait autour de lui comme si c'était un mannequin en plastique). Et il est pas mal en plus !+

Le jeune homme tenta de lui échapper, mais elle le retint avec une poigne de fer.

- Tu es le seul n'est-ce pas ? Je n'en ai pas vu des comme toi depuis vraiment très longtemps. Ça change la donne.

Elle s'éloigna, un doigt sur sa bouche comme si elle réfléchissait.

- Que faire…

Lux s'avança, prenant son courage à deux mains :

- Rendez-nous Ronce. Elle n'a rien fait de mal. Elle ne mérite pas de finir comme ça.

La petite fille le regarda d'un air contrarié :

- J'ai déjà sauvé cette enfant ! Elle est mon jouet ! Et c'est moi qui interdis à qui que ce soit de lui faire du mal ! JE suis la Furia, JE décide.

Elle regarda à nouveau Killian :

- Elle est l'exception qui confirme la règle, alors écoute moi bien : Quand on m'invoque il y a un prix. Il y en aura un pour elle la prochaine fois, c'est la dernière fois que je lui fais crédit.

Puis elle se mit à nouveau à rire comme une démente et sautilla jusqu' à Killian pour l'embrasser sur la joue :

- J'ai hâte de te revoir. Je n'ai pas eu la chance d'utiliser un maitre des runes depuis... des millénaires. Ton prédécesseur m'a boudé... j'espère que tu seras plus gentil avec moi.

Elle fit le tour des compagnons du regard :

- Peut-être que finalement ça va être intéressant.

Elle ferma les yeux et Ronce s'effondra au sol. Tout le monde courut vers elle.

- Ronce, Emilie !

Killian la prit dans ses bras et vérifia qu'elle respirait. Soulagé, il utilisa une rune de son épée pour la soigner et ils n'eurent pas longtemps à attendre pour voir la petite fille ouvrir les yeux.

Ambre la prit dans ses bras et la serra très fort, pleurant en même temps toutes les larmes de son corps :

- Oh ma puce ! Tu nous as fait une de ces peurs !

Elle ne bougeait pas, elle aussi avait les larmes aux yeux :

- Elle est revenue la méchante dame ? Mais elle m'a encore laissé partir je crois.
- Oui elle est partie, lui répondit Lux.

Le chef des Wizards se dirigea vers Axelle qui se frottait le visage. Un énorme bleu s'élargissait sur sa joue.

- On a voulu se la jouer guerrière ? dit-il pour détendre l'atmosphère.
- Vous êtes marrants avec vos pouvoirs, comment faire quand on est une faible femme, répondit-elle avec amusement.

Il utilisa une autre rune pour la soigner.

- Efficace ton truc !
- Je sais, allez viens. On rentre.

Sur le chemin du retour, Ronce leur expliqua qu'elle avait senti qu'un mage les suivait. Elle avait donc discrètement invoqué Zigzag pour qu'il intervienne quand elle en aurait besoin.

Elle avait volontairement laissé l'homme la frapper pour obtenir des informations, mais elle n'avait pas prévu de perdre le contrôle et de laisser la Furia prendre possession de son corps.

- On a appris au final qu'une seule chose : il travaillait pour l'ordre du dernier divin. Je suis désolée.
- C'est déjà énorme Ronce, répondit Ambre. Tu es une vraie Wizard, on n'aurait pas fait mieux.
- Elle a raison, et tu as rempli la mission que je t'avais confiée. Tu peux être fière de toi, enchaina Killian.

La petite fille rougit de fierté.

De retour à l'académie, ils inspectèrent la chambre du Corporem. Ils ne trouvèrent aucun téléphone portable, juste un appareil photo avec l'ensemble des clichés trouvés en Hongrie.

Ils leur restaient à trouver à quoi correspondait le livre trouvé dans l'église et à faire des recherches sur l'ordre du dernier divin. Killian était impatient car pour la première fois, il sentait qu'ils avaient réellement pris l'avantage.

Il restait néanmoins une chose importante à faire. Il se rendit avec Ambre, Goliath et Lux dans la salle du Conseil. Tous les membres étaient présents.

- Bonjour Killian, commença Lumio. Tu n'es pas venu seul ? Il y a un souci ?

Goliath frappa du poing sur la table et tout le monde se tut. Le Conseil réalisa soudainement la puissance des Wizards. Ils dégageaient une énergie bien supérieure à la leur.

- Vous allez nous dire la vérité sur Emilie. Maintenant !

Les membres du Conseil se regardèrent et Lumio leur montra des chaises :

- Asseyez-vous. C'est préférable.

Il attendit quelques secondes pour leur laisser le temps de s'installer. Il savait qu'un jour cela arriverait. Comme d'habitude, les mensonges avaient des conséquences.

- Pour commencer, elle n'a pas tué ses parents. C'est un dénommé Ralf qui l'a fait et qui a enlevé Emilie il y a deux ans maintenant. Elle a passé trois mois avec lui et je préfère éviter les détails. Nous ne pouvons que supposer, elle n'en a jamais parlé. Mais ce personnage avait des antécédents avec deux autres petites filles.

Killian sentit son estomac se contracter. Elle avait dû vivre l'enfer.

- Nous avons senti un cas de Furia. A l'époque, on m'envoyait sur place avec l'armée. Lorsque je suis arrivé, elle était debout devant une petite maison envahie par les ronces. Ralf était emmêlé dedans, encore vivant. Gémissant, suppliant qu'elle le relâche. Emilie était là à le regarder en riant comme une folle et son énergie était envahie par celle de la Furia. Avant qu'on donne l'ordre de l'abattre, elle s'est effondrée, inconsciente. A son réveil, il n'y avait plus de trace de la maladie. C'est la seule à avoir survécu. Aucune académie n'a rapporté de cas similaire.
- Et ce Ralf ? demanda Lux.
- Elle lui a arraché la tête avec ses mains juste avant de s'évanouir.

Le groupe resta silencieux, ne sachant pas quoi dire. Le maitre des runes sentit sa colère disparaitre. Le Conseil avait eu raison de ne pas divulguer cette information afin de protéger la petite fille.

- Pourquoi cette question ? demanda Lumio. Il est arrivé quelque chose à Ronce ?

Le jeune homme se tourna vers ses compagnons et leurs regards lui confirmèrent qu'il devait révéler au Conseil les évènements de la journée :

- La Furia s'est à nouveau emparée de Ronce aujourd'hui. Ce sera la dernière fois sans conséquence.
- Comment ça ? répondit la jeune mage de l'air.
- La Furia n'est pas une maladie, enchaina Lux. C'est une entité. J'aurai du mal à déterminer sa nature, mais il semblerait qu'elle soit en mesure de prendre possession de notre corps. D'après ce qu'elle nous a dit, en fait, c'est nous qui faisons appel à elle. Et il y a un prix... à chaque fois.
- Elle a été surprise de me voir, elle a reconnu en moi un maitre des runes, continua Killian. Je ne sais pas pourquoi, mais a priori c'est normal que je sois le seul mage de mon obédience. Elle nous a donné l'impression que tout cela avait déjà existé. Nous ne serions pas les premiers mages sur la Terre.

Le Conseil resta silencieux, aucun d'entre eux n'avait l'air de comprendre de quoi il parlait. Le jeune homme réfléchit un moment, la Furia était un problème, mais l'ordre du dernier divin était bien plus urgent

- Une dernière chose : il va me falloir une autorisation pour aller au Vatican...

Ils retournèrent au loft en trainant les pieds. Ronce était devant la porte du bâtiment, elle les regardait d'un air très triste.

- Ils vous ont tout dit, c'est ça ?

C'est Ambre qui se dirigea vers elle en premier. Elle mit un genou à terre et la prit par les épaules :

- On en parlera seulement si tu le veux. Pour nous, tu es une Wizard et c'est tout ce qui compte.
- Vous n'allez pas me dire de partir hein ?

Elle paraissait anéantie, Killian lui tendit la main, paume vers le bas :

- On reste tous ensemble, tu te souviens ? Promis ?

Elle ne posa pas sa main sur la sienne, mais se jeta dans ses bras.

Il resserra ses bras autour d'elle. Il ne voulait plus que des gens s'en prennent à ceux qu'il aimait. Il prit donc une décision : il allait retrouver l'ordre du dernier divin, et le détruire.

Épilogue

Antonio Agostino regardait par la fenêtre. La ville de Rio s'étendait devant lui comme une mer sans fin. Il détestait avoir pris la fuite.

Son corps lui lança une décharge de douleur et son visage se crispa. Il se retourna pour faire face à son démon. Ce dernier était crucifié sur une énorme croix en bois. Il soufflait fort et son visage transpirait la douleur. Deux énormes clous étaient placés sur ses épaules et deux autres étaient sur ses jambes

- Calme-toi, abjecte créature. Ou je t'oblige à te mettre tes sales bras dans la gorge.

La créature pleura, mais obtempéra. Ses bras en forme de lames étaient attachés au mur. Antonio s'approcha de lui et contempla les fruits qui poussaient sur son torse. Aucun d'eux n'était mûr.

Décidément, tout allait de travers alors que tout avait tellement bien commencé. Depuis que la magie était apparue sur Terre, il avait tout perdu. Mais il n'était pas devenu archevêque pour rien. Son dévouement et sa volonté ainsi que son ambition lui avaient toujours permis de monter les échelons dans son ordre avec beaucoup d'efficacité.

Il avait été désigné par Dieu pour accomplir la tâche la plus difficile au monde : éradiquer la magie. Il avait commencé par préparer ses troupes, trouver des fidèles. Cette partie-là avait été beaucoup plus facile qu'il ne le pensait.

L'attaque des académies avait été pour lui un succès. Deux sur trois, pour une première c'était très bien. Mais ces Wizards ne faisaient pas partie du plan. Comment avaient-ils fait pour être si puissants en si peu de temps ?

Un homme frappa à la porte et entra. Il parlait italien comme Antonio. Entendre sa langue maternelle lui fit du bien :

- Maitre Antonio. Ils ont attaqué Sarbogard. Nos deux agents sont morts.

Il ne laissa rien paraitre, mais sa colère était palpable. Même le démon cloué au mur gronda en apprenant la nouvelle.

- Le livre ?

- Il est en leur possession, monseigneur.
- Merci Paolo.

L'homme parut embarrassé, il ne quittait pas la pièce.

- Autre chose ?
- Notre agent...en France. Il a fait preuve d'initiative. Il a tenté de tuer la gamine du groupe.
- Tenté ?
- Il est mort, monseigneur. On ne sait pas comment.

Antonio souffla plus fort qu'il ne l'aurait voulu. Il aimait faire une partie d'échecs de temps en temps et il avait encore un coup d'avance en étant arrivé en Amérique du sud le premier. Mais la partie allait être serrée.

- C'est une bien mauvaise journée. mais nous devons rester forts devant les épreuves que le Seigneur nous impose.

Il se retourna vers la fenêtre. Ceux qui se faisaient appeler les Wizards voulaient jouer avec lui. Très bien, la partie pouvait continuer, il lui restait encore beaucoup de pions...

LIVRE 2
« Princesses de l'Eau et de l'Ombre »

Prologue

Icy se tenait devant la grande porte donnant accès au Stade. Comment avait-elle réussi à en arriver là ? Elle repensa aux différents combats qu'elle avait remportés, aux blessures qu'on lui avait infligées. Elle se remémora son entrainement, si long et si difficile pour être au niveau attendu. Son corps se crispa quand elle entendit le gong résonner.

Agrippant ses deux bouteilles d'eau, seuls accessoires dont elle avait besoin, elle se dirigea vers la sortie. Sa queue de cheval lui fouettait le dos à chaque pas et elle sentait son cycliste qui commençait à lui tenir chaud. Depuis le début, elle avait opté pour une tenue particulièrement simple : un short moulant et un débardeur, noirs. Sa paire de baskets préférée aux pieds, elle n'avait besoin de rien d'autre pour se sentir elle-même. Son regard se durcit lorsque la porte s'ouvrit devant elle, laissant apparaitre l'immense pelouse du stade de France.

Il était temps, l'affrontement final était juste là, devant elle... avançant d'un pas tranquille, mais sûr, elle franchit l'ombre pour entrer dans la lumière du jour. Elle fut accueillie par un tonnerre d'applaudissements et elle sourit à la foule qui scandait son nom. Elle vit que son adversaire était déjà au centre du terrain, la fixant d'un œil impressionné. Elle se dirigea droit sur lui, droit vers sa victoire. Car il ne l'arrêterait pas... ce soir, elle serait une Wizards.

Chapitre 1

Killian avait du mal à se concentrer. Goliath était pourtant un adversaire qu'il ne fallait pas sous-estimer. Mais son esprit était ailleurs, obnubilé par le refus systématique du Vatican à les recevoir en entretien afin d'en apprendre plus sur le livre retrouvé en Hongrie un mois plus tôt. Cela devenait une obsession, obligeant tout le monde à supporter son mauvais caractère.

Goliath, ou Jacques, dans son ancienne vie, l'avait alors sollicité pour des séances d'entrainement et Killian en profitait pour se défouler. Son ami devenait de plus en plus fort, l'obligeant à utiliser de plus en plus de runes pour réussir à avoir le dessus.

La règle était simple : faire abandonner son adversaire, mais sans utiliser de sort (ou de rune) du troisième cercle.

- Concentre-toi !

Killian fixa son attention sur son adversaire qui était déjà en position de combat. Il allait rapidement en finir aujourd'hui, n'étant pas d'humeur. Attrapant son arme, il la brandit devant lui, prêt à en découdre. Il avait réellement progressé de ce côté-là. Maniant Fangore beaucoup plus à l'instinct qu'avant, il avait acquis des réflexes lui permettant parfois de surprendre le Corporem.

Ce dernier maniait un simple bâton de bois, durci par Ronce, mais qui rendait toute tentative de manipulation impossible par Killian.

Lux, Ambre et Ronce étaient présents dans la salle d'entrainement, partageant la frustration de leur ami. Ils se sentaient impuissants devant la résistance du clergé à leur fournir des explications.

- Tu es prêt ?

Killian hocha la tête, laissant le Corporem engager le combat, comme à chaque fois. Le colosse se dirigea droit vers lui, laissant échapper deux cercles de puissance, « tiens donc, lui aussi veut du sérieux aujourd'hui ? » se dit Killian qui se téléporta juste avant de recevoir un puissant coup de bâton. Il entendit le bruit de l'arme de son adversaire fendre l'air à une vitesse peu naturelle.

De nouveau à plusieurs mètres du géant, il se demanda quel sortilège son ami avait bien pu lancer. Son aspect physique n'avait pas changé, mais avec le Corporem, on pouvait s'attendre à tout. Il pointa son arme pour lancer un éclair qui frappa sa cible de plein fouet, mais sans résultat. Goliath avait la main tendue vers lui, son avant-bras était rougi par l'attaque, mais il ne semblait pas blessé plus que ça.

« C'est raté pour en finir rapidement » pensa-t-il en voyant son adversaire se remettre en position de combat. Cette fois, il voulut prendre l'initiative : il courut vers le colosse et se téléporta au dernier moment pour frapper de côté. Fangore le toucha au niveau de l'épaule, mais Goliath pivota sur lui-même, toujours indemne, pour faire tournoyer son bâton et frapper Killian de toutes ses forces. Ce dernier se dématérialisa juste à temps pour ne pas être touché.

Le combat dura un moment de cette façon. Le Corporem encaissait tous les coups de son adversaire, mais ne semblait pas en souffrir et Killian épuisait son quota de runes de bouclier, de téléportation et de dématérialisation.

Il remarqua néanmoins une chose inhabituelle chez son ami. Il avait l'air de se concentrer systématiquement sur l'endroit précis où Killian désirait frapper, comme s'il ne pouvait se rendre indestructible que sur une partie de son corps.

Il profita de l'emportement de Goliath sur une attaque pour utiliser sa dernière rune de dématérialisation afin de passer derrière son adversaire et utilisa deux runes d'éclair, frappant à de multiples endroits, ce qui expulsa le colosse jusqu' à l'autre bout de l'immense salle d'entrainement.

Personne ne bougea, sachant que le Corporem pouvait se régénérer à volonté. Ce dernier se releva avec difficulté, acceptant la défaite. Il arborait néanmoins un large sourire :

- Bien joué ! Mais t'as eu chaud quand même.

Le maitre des runes eut du mal à articuler une réponse, son corps n'était qu'une immense plaie. L'effort qu'il avait dû fournir l'avait totalement vidé.

- Chaud !? T'as bouffé du lion ce matin ? Il ne me reste que cinq runes.

Il s'écroula par terre, épuisé. Mais cet entrainement lui avait fait du bien. Son esprit avait réussi à se focaliser sur autre chose que l'ordre du dernier divin et cela lui faisait du bien.

- On libère la place s'il vous plait. Y a de vrais mages qui doivent s'entrainer.

Killian vit la petite Ronce se diriger vers lui. Elle arborait son sourire si particulier. Depuis que la Furia s'était à nouveau emparée de son corps, elle était devenue beaucoup plus mature. S'entrainant sans relâche, elle n'était obsédée que par une chose : réussir à se maitriser.

Ambre s'était approchée de Goliath pour s'assurer qu'il allait bien. Leur relation était devenue passionnée et ils n'avaient parfois pas besoin de se parler pour se comprendre. Elle lui caressa le visage et il l'embrassa avec passion avant de lui laisser la place.

Il se dirigea vers Lux pour se vautrer sur une chaise, épuisé par l'effort. Killian fut rapidement à ses côtés, sous l'œil admiratif du plus vieux membre du groupe. Ce dernier refusait toujours de s'entrainer avec eux, ne voulant pas user de violence contre ses amis.

Alors que les deux jeunes filles allaient entamer leur combat, Ronce tourna la tête dans une direction et regarda dans le vide. Les autres membres du groupe se figèrent, ayant appris à faire confiance à ses dons pour ressentir la magie. Ils attendirent quelques secondes sans parler, respectant la jeune mage. Elle eut l'air de revenir parmi eux et se tourna vers Killian :

- Quelque chose approche.

Le maitre des runes fut pris de panique, réalisant la situation. Même si Goliath ne le montrait pas, il était au bord de l'épuisement et lui-même n'était pas flamme, sans compter son nombre de runes utilisable…

La porte de la salle d'entrainement s'ouvrit et Lumio apparut devant les compagnons avec Axelle.

- Killian ! Les deux démons qui ont anéanti les académies viennent d'être repérés, à moins de cinq kilomètres d'ici ! Et ils se dirigent droit sur nous. Les mages se barricadent dans leur bâtiment respectif. Comment allons-nous faire ?

Il remarqua que Killian avait les mains sur ses genoux, il paraissait épuisé et soucieux.

- Mon amour, dit ce dernier, amène les filles ici. La salle d'entrainement est le lieu le plus sûr de l'académie. Lumio, faites venir les enfants… on doit pouvoir en loger un grand nombre. Il se redressa avec difficulté. Ambre, tu restes avec moi, on s'occupe de l'un des monstres. Ronce, Lux et Goliath, vous allez sur l'autre. On a beaucoup progressé, mais Jacques et moi… on n'est pas du tout en état d'affronter ces choses. Vous allez devoir tuer le vôtre très vite, Ambre et moi on se chargera de distraire l'autre en vous attendant.
- Et comment tu comptes t'y prendre ? répondit la mage du feu.

- On va prendre les droners, j'ai des runes en plus dessus et on sera plus rapides. Le but est juste de faire durer l'affrontement, on ne prend pas de risque.

Axelle se plaça devant son mari, l'air contrarié :

- Tu ne penses pas sérieusement envoyer Ronce contre ces monstres ? Elle va avoir huit ans !

Killian plongea son regard dans le sien et elle comprit. Il était terrorisé, se sachant incapable d'affronter lui-même les démons. Devoir faire intervenir Ronce devait beaucoup lui coûter, mais il n'avait pas vraiment le choix. C'est la petite fille qui lui répondit, à la grande surprise du groupe :

- Axelle... je veux y aller. Je suis aussi une Wizards, je l'ai prouvé par le passé. Il faut qu'ils puissent compter sur moi. Elle se tourna vers le maitre des runes. Tu peux compter sur moi.

Malgré la fatigue et son angoisse, savoir que cette petite fille serait de la partie rassura le jeune homme. Il porta son regard sur Lux qui était resté silencieux.

- Tu prends le commandement de ton groupe. Ne prends pas de risque. On tiendra le plus longtemps possible avec Ambre.
- Pas de soucis mon garçon, tu peux compter sur moi.

Le groupe se divisa. Ronce, Lux et Goliath sortirent par la grande porte de la salle d'entrainement. Les membres du Conseil s'efforçaient d'y rapatrier tous les enfants de l'académie. Ambre et Killian sortirent par le toit avec les droners.

Ces derniers se positionnèrent au centre de l'académie, en hauteur, afin de pouvoir visualiser l'avancée des créatures. Il en profita pour ressentir l'état d'esprit de la mage de feu qui était restée très calme à l'annonce de l'arrivée des démons :

« Ambre ? Ça va ? »

« Très bien, un peu d'action ne va pas nous faire de mal et ces deux démons étaient comme des épées de Damoclès. Je serai bien contente quand ils auront disparu. »

« Tu n'as pas peur ? Ils viennent peut-être car ils pensent pouvoir nous vaincre ? »

« Je ne pense pas. Tu te souviens de l'église en Hongrie ? »

« Oui pourquoi ? »

« Les deux mages ont utilisé une technique à deux. Je veux bien admettre que ça, on ne sait pas faire. En revanche, ils étaient bien moins puissants que nous. Le mage du feu était ridicule comparé à moi. Amener les deux démons discrètement jusqu'ici n'a pas dû être une mince affaire, pour moi, ils jouent leur dernier atout. »

Le maitre des runes n'était pas aussi confiant que son amie. Mais il espérait, au fond de lui, qu'elle avait raison en tous points.

Son attention se reporta sur la forêt lorsqu'il vit des oiseaux s'envoler au loin. Puis il y eut le bruit de branches cassées qui lui indiquèrent l'arrivée des créatures.

Il indiqua avec de grands signes à ses compagnons en bas la direction à prendre, le but étant d'éviter de faire entrer les démons à l'intérieur même de l'académie.

A la grande surprise de Killian, beaucoup de mages, dirigés par Braise, étaient sortis des bâtiments pour faire une deuxième ligne de défense.

Les deux démons sortirent de la forêt en même temps. Ils étaient parfaitement similaires au premier qu'ils avaient vu lors de la précédente attaque. Faisant environ dix mètres de haut, ils étaient beaucoup plus impressionnants que celui qui avait attaqué le Président. Ils repérèrent les trois mages qui leur faisaient face et, agissant comme une seule personne, se mirent à courir dans leur direction.

Le droners de Killian se mit à briller avant que deux éclairs partent dans leur direction. Trop éloigné pour effectuer un tir précis, il manqua sa cible, mais il créa deux superbes explosions et l'un des démons bifurqua dans sa direction.

« Bon, objectif réussi. Ambre on va le balader un peu en attendant les autres. »

« OK, c'est parti ! »

La jeune fille propulsa mentalement son véhicule vers le démon et bifurqua au dernier moment, évitant un coup de lame de la créature. Elle reprit de l'altitude et Killian prit le relais. S'étant discrètement positionné derrière le monstre, il utilisa les dernières runes d'attaque de son droners et une volée d'éclairs se déchaina autour de la créature, créant un immense nuage de fumée.

Ambre positionna son engin juste derrière celui de Killian :

« Tu l'as eu ? »

« Je crois que je l'ai touché, mais à mon avis, on en a pas fini. Tu sais où en sont les autres ? »

La jeune fille se retourna sur son siège et vit des signes de combat près de l'académie. Mais elle était trop loin pour pouvoir distinguer quoi que ce soit de plus.

« Ambre ! Dégage de là ! »

La jeune femme eu tout juste le temps de se remettre droit sur son siège pour voir la lumière émerger du nuage de fumée. Le projectile magique fonça sur elle. Paralysée par la peur, elle se prépara au choc lorsqu'elle vit le droners de Killian s'interposer.

Ce dernier eut la présence d'esprit d'utiliser une de ses runes de bouclier et en profita pour bénir Lux, qui avait refusé que les Wizards utilisent des sorts du troisième cercle durant leurs entrainements.

Son véhicule explosa, projetant Killian toujours indemne au sol. L'impact lui coupa le souffle et il sentit un craquement peu encourageant suivi d'une monstrueuse douleur au niveau de sa jambe droite. Il vit le démon sortir du nuage de fumée et remarqua qu'il s'aidait de l'un de ses bras osseux comme d'une canne : l'un de ses éclairs avait touché la créature à la cuisse.

Il y eut un flash de lumière et Ambre se retrouva à ses côtés. Il vit son droners s'écraser plus loin et remarqua le sérieux de la jeune fille qui ne lâchait pas le monstre du regard. Il en profita pour utiliser sa rune de soin sur sa jambe.

- C'est nouveau le sort de téléportation ? Je vais devoir te reconstruire un droners…

La jeune fille ne se dérida pas, elle avait l'air d'être en pleine réflexion :

- Il te reste combien de runes ?
- Quatre… deux boucliers, une de téléportation et un éclair.

Elle regarda ses mains ouvertes, toujours aussi concentrée :

- Tu crois que j'ai ma place parmi vous ? Que je suis une Wizards ?

Killian ne comprenait pas son manège et il commença à être réellement inquiet. La créature avait l'air de reprendre ses esprits et hurla en les voyants devant elle.

- Tu es folle ? Ce n'est pas le moment ! Faut qu'on se tire d'ici Ambre !

Elle se mit en position de combat :

- Tu ne réponds pas à ma question ! Est-ce que tu me prends réellement pour une Wizards ?

Killian se figea en voyant le démon se diriger vers eux aussi vite qu'il le pouvait.

- Mais bien sûr que tu es une Wizards ! A ton avis pourquoi j'ai voulu être avec toi alors que je n'avais presque pas de runes disponibles ?!

Elle lui sourit et un cercle de puissance se dégagea de son corps. Quatre projectiles magiques frappèrent la créature, l'obligeant à s'arrêter.

- Tu vois Killian, je n'arrive pas aussi facilement que vous à faire des sorts du deuxième et troisième cercles. Mais les sorts du premier, j'ai développé une technique relativement intéressante.

Elle hurla afin de déchainer sa puissance et le maitre des runes sentit la magie envahir son corps. Elle pointa ses deux bras en direction du démon et une multitude de projectiles fusèrent dans sa direction. Killian n'arriva pas à compter les cercles de puissance. Elle arrivait à enchainer les sorts comme une sulfateuse, créant un véritable chaos. Les explosions n'en finissaient pas. Il dut se couvrir les oreilles et activa un autre de ses boucliers par précaution.

Ambre tomba à genoux quelques secondes plus tard, tremblante. Lorsque la fumée se dissipa, ils virent les restes de la créature : un amas de chair carbonisé.

- La prochaine fois que tu veux faire ce genre de truc, tu peux me prévenir avant ? Au lieu de me faire ton speech sur « est ce que je suis une Wizards » ? Non, mais regarde ce massacre !

Elle se mit à rire en l'écoutant, mais elle dut finir de s'écrouler au sol pour reprendre son souffle. Killian se pencha au-dessus d'elle en souriant :

- Reste ici, je vais voir où en sont les autres.

Un hurlement le fit se retourner, le deuxième démon fonçait dans sa direction. Il avait une multitude de blessures et Goliath, sous sa forme de tigre était accroché à l'une de ses épaules. Des lianes pendaient de ses jambes, vestiges de son combat avec Ronce. Cette dernière courait avec Lux derrière la créature qui se secoua afin de se débarrasser du Corporem qui vola dans les airs avant de retomber lourdement sur le sol.

Le maitre des runes réalisa que le monstre serait sur eux dans quelques secondes. Il vit Ambre qui tentait de se relever, mais le corps de la jeune fille était bien trop faible pour lui permettre de penser à la fuite. Il positionna ses bras en croix et se concentra, tentant de ne pas penser au démon qui lui fonçait dessus.

Ambre essaya de lui crier quelque chose, mais il préféra l'ignorer. Il fixait la course de la créature, anticipant ses mouvements et sa vitesse d'approche et lorsqu'elle fut à une dizaine de mètres de lui, elle fut stoppée net par une monstrueuse épée, puis une autre. Les deux armes qui avaient servi lors de son passage de l'épreuve s'étaient plantées juste devant la créature qui les percuta violemment.

Killian profita de ce moment pour se téléporter. La créature se retourna pour lui faire face, mais ne vit rien. Il avait disparu.

Elle ne pensa pas à relever la tête, ne voyant pas Killian chuter dans sa direction. Il lui planta Fangore dans l'épaule jusqu'à la garde. Le démon hurla de rage et tourna son monstrueux visage vers son ennemi :

- Tu penses que ton couteau va avoir raison de moi ? Tu es fait comme un rat !

Killian fixa les grands yeux noirs de la créature. Elle arborait un rictus des plus machiavéliques.

- Mon couteau ? non… ma magie en revanche, certainement.

Il ne laissa pas le temps au démon de répliquer et activa sa dernière rune d'éclair à l'intérieur du démon qui explosa.

Lorsqu'il rouvrit les yeux, le maitre des runes gisait au milieu d'un amas de boyaux. « Pas encore ! » se dit-il à lui-même, voyant qu'il était couvert du sang jaune de la créature. Il essaya de se relever, mais en vain. Avoir amené les deux grandes épées de métal jusqu'ici l'avait vidé.

Il se redressa et put apercevoir Lux qui lui tendait la main :

- Alors c'est comme ça qu'on fait diversion ?

Le jeune homme se releva avec l'aide de son ami. Il vit qu'Ambre et Goliath étaient en pleine discussion et Ronce avait l'air de bouder.

- Ce n'est pas de ma faute. Simple concours de circonstances. Et vous ? Vous n'étiez pas censés tuer le démon et nous rejoindre ? Pas nous l'envoyer !

Ce fut au tour de Lux d'être gêné :

- Lorsque vous avez tué le vôtre, le nôtre est rentré comme dans une sorte de transe. Il a eu l'air plus fort pendant un moment et il nous a échappé. Je pense que Ronce s'en veut d'ailleurs... tu devrais lui parler. Je crois qu'elle pense avoir loupé sa première mission avec nous.
- Elle va avoir huit ans ! Ce n'est pas de sa faute...
- Tu sais bien qu'elle ne se considère pas comme une petite fille de huit ans.

Killian se dirigea vers elle. Assise, les genoux repliés contre son corps, la petite fille fixait l'horizon. Il entendit un rire venant d'Ambre qui se chamaillait avec Goliath.

- Je peux m'asseoir ?

Ronce leva la tête et lui fit un petit « oui ». Le maitre des runes s'assit à même le sol, les jambes tendues et fixa lui aussi la magnifique courbe orange et rose du coucher de soleil qui se préparait.

- Un souci ma grande ?
- J'ai... pas assuré.
- Comment ça ?

La petite fille se tourna vers lui et se retint de rire. Les larmes sur ses joues laissaient deux sillages lumineux qui finissaient désormais aux coins de ses lèvres.

Etant couvert de sang jaune séché, il devait avoir l'air de tout, sauf de l'incroyable mage tueur de démons, seul détenteur de l'obédience runique et chef des Wizards.

- Tu m'as demandé de tuer le démon et je n'ai pas réussi.
- Ah bon ? Je t'ai demandé à toi personnellement de faire ceci ?
- Non... mais...
- Il n'y a pas de « mais ». VOUS deviez tuer ce démon. Goliath, Lux et toi. S'il y a un échec, il est collectif. Mais il n'en est rien. Écoute-moi bien : vous avez fait de l'excellent travail. Le démon était blessé, épuisé, furieux. Je n'ai fait que l'achever. L'académie n'a subi aucune perte et personne n'est blessé parmi les Wizards.

Ronce se jeta sur lui et pleura à chaudes larmes. Killian la serra fort contre lui.

- J'ai peur Killian, j'ai tellement peur !

Le jeune homme fut surpris par la réaction de la petite fille. Ne montrant jamais ses émotions, il avait toujours cru qu'elle ne ressentait pas la peur.

- Mais pourquoi ne me l'as-tu pas dit ? Je t'aurais laissé avec Axelle et les filles dans la salle d'entrainement !

Elle le regarda avec ses grands yeux humides :

- Je n'ai pas peur de ça, dit-elle en montrant le démon qui se décomposait. J'ai peur que demain ils ne viennent pas... qu'ils changent d'avis.

Le maitre des runes comprit soudainement ce qui terrorisait la petite fille. Elle n'arrêtera jamais de le surprendre. Elle venait de se battre contre une créature titanesque sans ressentir la moindre parcelle de peur. Mais signer deux papiers demain la terrifiait.

- Ne t'en fais pas ma puce. A part la mort, rien ne pourra les empêcher d'être au rendez-vous demain. Tu peux me croire, ils ont aussi peur que toi.
- Tu le crois vraiment ?
- J'en suis certain.

Ils revinrent tous côte à côte vers l'académie. Ils n'avaient même pas conscience de l'image qu'ils renvoyaient au reste des mages qui les fixaient.

Ce fut un déluge d'applaudissements qui les accueillit durant de longues minutes et c'est finalement Lumio qui se dirigea vers eux. Il avait les yeux remplis de fierté en regardant le groupe arriver, ce qui ne l'empêcha pas de sourire en voyant l'état de Killian :

- Ça va devenir une habitude, tu devrais faire attention.
- Ha...ha...ha... très marrant, répondit le jeune homme.

Les autres membres du groupe se joignirent au vieil homme et la bonne humeur s'installa. Impatient de se laver, Killian partit rapidement au loft, laissant le reste du groupe affronter la foule. Il avait aussi envie de rassurer Axelle et les enfants qui devaient être morts d'inquiétude dans la salle d'entrainement.

La jeune femme fut effectivement soulagée de revoir son mari sain et sauf, mais refusa tout contact physique avec ce dernier s'il n'allait effectivement pas prendre une douche.

Le maitre des runes monta lourdement jusqu'à la salle de bain et jeta ses vêtements dans un coin. Il déposa son armure et Fangore sur une étagère prévue à cet effet.

L'eau chaude lui fit du bien et il passa un moment à frotter son visage couvert de croutes jaunes particulièrement désagréables.

Il sentit tout à coup une main se poser sur son épaule et se retourna, prêt à téléporter Fangore dans sa main. Mais c'était sa femme qui le rejoignait à sa grande surprise. Axelle le fixa un long moment et le temps d'un instant, elle retrouva l'homme qu'elle avait épousé. Ce n'est pas que le nouveau Killian lui déplaisait, loin de là même. Mais l'ancien Killian avait en lui une part de fragilité. Or, le maitre des runes n'en avait pas.

Elle se colla à lui et ils s'étreignirent un long moment, dans le calme, avec comme seul bruit pour les déranger l'eau qui ruisselait sur leurs corps.

Killian n'avait pas envie de parler. Se retrouver contre sa femme dans un moment pareil, après ce qu'il venait de vivre, était tout ce qui comptait.

Chapitre 2

Les Wizards se relayèrent toute la nuit pour monter la garde et ainsi s'assurer que l'académie ne risquait plus rien. Ils prirent le petit déjeuner tous ensemble comme chaque matin. Killian avait eu peur que cela dérange sa femme, mais, à sa grande surprise, elle s'habitua à l'idée et elle y prenait même un grand plaisir. Le plus compliqué fut de gérer l'appétit de Goliath, qui dépassait celui de tous les autres membres du groupe réunis.

Tout le monde se prépara pour cette grande journée. Killian fut le seul à ne pas se changer, ayant beaucoup trop peur d'une nouvelle attaque.

Axelle parcourait le loft de long en large afin de réunir tout le monde. Il ne manquait plus que Ronce et l'ensemble du groupe la vit revenir au bout d'un moment sans la petite fille :

- Partez devant, on vous rejoint avec Killian.

Goliath s'avança dans son beau costume noir. Jamais elle ne l'avait vu habillé de cette façon. Elle remarqua son air particulièrement inquiet et l'arrêta avant même qu'il n'ouvre la bouche :

- Elle a peur. Imagine ce que cela représente pour elle ?

Le Corporem ne dit rien et se tourna vers Ambre qui semblait tout aussi bouleversée. Cette dernière portait une superbe robe en dentelle, appartenant à Axelle, ce qui avait causé un choc général au groupe en la voyant sortir de la chambre. Elle savait qu'elle ne perdrait pas le contrôle aujourd'hui, enfin pas en pensant à Goliath.

Tout le monde partit, laissant Axelle et Killian seuls dans le grand salon du loft.

- Ils sont partis Ronce, tu peux venir !

Ils entendirent les pas de la petite fille dans les escaliers bien avant de la voir. Ses cheveux étaient coiffés, mais il y avait désormais une couronne de fleurs au sommet de son crâne. Elle portait une petite robe blanche avec des sandales. Ses yeux rougis étaient la preuve d'un récent chagrin et ce fut Killian qui se porta au-devant d'elle.

- Prête ma puce ?

La petite fille se frotta les yeux, puis lui sourit.

- Ils sont déjà tous partis ?
- Oui, ils arriveront avant nous.
- Ça craint ?
- Pas du tout, répondit Axelle. Ne t'angoisse pas. Tout va très bien se passer.

Ronce se dirigea vers la porte d'entrée, mais les deux adultes sentirent toute son hésitation. Arrivée à destination, la petite fille se retourna vers eux :

- Ils ne vont pas m'abandonner eux aussi ?

Axelle vint la prendre dans ses bras avant de lui répondre :

- Tu sais ma puce, tes parents devaient t'aimer très fort. Ils ne t'ont pas abandonnée…
- Je sais… mais je ne veux plus que ça arrive.
- Ça n'arrivera plus, car personne ne peut vaincre les Wizards.

La petite fille regarda la jeune femme un moment avant qu'un large sourire ne naisse sur son visage.

- Oui c'est vrai, personne !

Ils arrivèrent une demi-heure plus tard à la grande mairie de Lyon. Pour la première fois depuis la création de leur groupe, Killian avait usé de sa toute nouvelle influence pour considérablement réduire les formalités à cette seule journée. Il aurait dû y avoir de longs rendez-vous avec une psychologue, une assistante sociale… le tout prenait en général des mois, voire des années.

Par décret présidentiel, une simple signature allait suffire pour changer la vie de trois personnes. Lorsque les trois retardataires entrèrent dans la salle de réception de la mairie, tout le monde se leva. Il y avait bien évidemment le maire, accompagné par une personne qu'ils ne connaissaient pas, les membres du Conseil, les Wizards et la famille de Killian.

Ambre et Goliath étaient assis devant le bureau de l'homme politique. Une troisième chaise vide trônait juste à côté d'eux. Axelle désigna le fauteuil à Ronce qui s'y dirigea d'un pas hésitant. Elle fit un léger sourire au couple qui se tenait à côté d'elle. Ils lui répondirent avec timidité. Regrettaient-ils ? La petite fille se mit à angoisser et plongea son regard vers le bas.

Elle sentit une légère pression sur sa cuisse et constata la main d'Ambre qui était posée dessus. La jeune femme ne la regardait pas, mais on sentait toute sa volonté de vouloir rassurer la petite fille.

Le maire avait l'air, lui aussi, très tendu. Certains auraient pu croire que cela venait de l'instant si solennel. Mais Killian sentit plutôt l'angoisse d'un homme sans pouvoir au milieu d'une quinzaine de mages.

- Bonjour à tous et merci pour votre présence. Ce n'est, en temps normal, pas ici que cela se passe et pas sous ces conditions. Mais au vu du caractère particulier et du décret présidentiel que je tiens dans mes mains (tout le monde se mit à rire), je vous remets, ce jour, tous les documents relatifs à l'adoption de la petite Emilie ici présente. Je vous rappelle que l'adoption plénière est irrévocable, après avoir signé ces documents, vous recevrez un nouvel acte de naissance mademoiselle.

Il présenta la feuille à Ronce qui put distinguer la signature d'Ambre et de Goliath. Un autre cas particulier de cette procédure, même non marié, le couple avait pu faire une double adoption. Elle se tourna vers eux et pu déceler l'angoisse qu'ils étaient en train de vivre. Mais pourquoi ? Avaient-ils peur qu'elle signe ?

- Vous êtes sûrs de vous ? Le monsieur a dit que c'était irrévocable. Même si tu déchires le document Goliath.

L'assemblée se mit à rire, sauf le maire qui regarda le colosse sans comprendre.

- On n'a jamais été aussi sûrs de nous, répondit Ambre. Et appelle-le Jacques ici, finit-elle en chuchotant.

La petite fille prit le stylo et signa le document. Elle prit son temps pour le reposer et remarqua qu'Ambre avait les deux mains sur son visage afin de s'empêcher de pleurer. Elle se leva ensuite d'un coup et se jeta sur elle, créant un chaos dans la salle où tout le monde se mit à applaudir. Le Corporem les enlaça de ses bras puissants et ils réalisèrent une chose incroyable : ils étaient désormais une famille.

La tension retomba rapidement et tout le monde vint les féliciter. Axelle insista pour faire une belle photo devant la mairie et la nouvelle petite famille s'installa sur les marches du bâtiment public. Malheureusement, étant fou de joie, Goliath prit dans ses bras Ambre et l'embrassa devant tout le monde, ce qui eut comme résultat de transformer la belle jeune fille en torche vivante qui se retrouva nue devant l'ensemble des invités, sans parler des passants !

Le retour jusqu'à l'académie se passa dans la bonne humeur. Le jeune couple fut placé dans deux véhicules différents afin de ne pas créer d'autres effusions de joie. Les membres du Conseil laissèrent les habitants du loft entre eux et tout le monde s'activa pour préparer une belle soirée.

Killian était aux fourneaux avec Ambre et Axelle lorsque son téléphone sonna. Lumio voulait lui parler, avant que la soirée ne commence. Il fila à grandes enjambées rejoindre le vieil homme afin de perdre le moins de temps possible de la soirée avec ses amis.

Le membre le plus vieux du Conseil l'attendait dans la grande salle, les mains jointes dans le dos, regardant par la fenêtre. Il ne se retourna même pas lorsque Killian entra, ce qui ne présageait rien de bon. Le jeune homme se plaça à ses côtés, attendant qu'il prenne la parole. Même s'il était pressé de rejoindre ses amis, il respecta ce moment. Il se doutait que le vieil homme devait chercher ses mots.

- Le Vatican ne nous aidera pas.

La phrase eut l'effet d'un coup de poing pour le jeune homme. Il décida néanmoins de rester calme. Il se doutait que le membre du Conseil n'y était pour rien. La décision de l'église catholique devait l'agacer autant que lui.

- Pourquoi ? Sont-ils au courant de l'attaque d'hier ?
- Oui, ils le sont. Ils ne se sont même pas donné la peine de me fournir une explication.

Le maitre des runes se dirigea vers la porte, la discussion étant close. Autant retourner voir ses amis, sa famille et fêter la seule bonne nouvelle du moment.

- Killian ?

Le jeune homme s'arrêta sur le seuil de la porte, mais ne prit pas la peine de se retourner, sachant que le vieil homme allait certainement faire une tentative désespérée pour calmer sa colère grandissante.

- Il est dommage que nous ne puissions aller frapper à leur porte pour leur forcer la main. Si seulement j'avais vingt ans de moins…

Cette fois Killian se retourna. Fixant le dos du vieil homme qui continuait à regarder l'horizon. Il réalisa soudainement la tournure de la discussion et le côté informel du moment. Personne n'était là pour les écouter.

- En effet, je suis certain que vous n'auriez pas hésité à vous rendre sur place et à secouer le pape en personne.

Le vieil homme se retourna pour lui faire face et le maitre des runes vit son visage déterminé.

- Je l'aurais cloué sur une chaise pour avoir les informations nécessaires s'il l'avait fallu.

Leurs regards se croisèrent et Killian prit sa décision. Un large sourire se dessina sur son visage.

- Bonne soirée Lumio. Ne perdez pas espoir, vous n'êtes pas le seul mage de cette académie.
- Heureusement pour nous tous. Bonne soirée Killian.

Le jeune homme se dirigea au pas de course vers le hangar. Il rejoignit tout le monde dans le loft où la fête allait bon train. Malgré la bonne ambiance et les pitreries du Corporem, il ne réussit pas à se détendre.

Obnubilé par les propos de Lumio, il ne remarqua pas l'inquiétude dans les yeux d'Axelle qui fut la seule à le voir s'éclipser vers l'Atelier. Lorsqu'il en revint, tout le monde était déjà au lit. Il monta silencieusement jusqu'à sa chambre où il découvrit sa femme endormie. « Tant mieux », se dit-il. « Je n'aurai pas à lui mentir ».

Perdu dans ses réflexions, il marcha mécaniquement vers l'Atelier. Une fois à l'intérieur, il referma la lourde porte en fer derrière lui. Il se dirigea vers son établi pour s'y appuyer. Il lui fallait reprendre son souffle et se calmer afin de mettre en forme un plan. Devait-il en parler aux autres ? Il ne lui fallut pas longtemps pour se convaincre du contraire. Si cela devait mal tourner, il devrait en assumer seul les conséquences. Il posa sa main sur une plaque de métal contre le mur et un tiroir secret en sortit, renfermant le livre qui provenait du Vatican. Il l'enveloppa dans un chiffon épais et le fit glisser dans un sac.

Il se dirigea vers le droners de Lux d'un pas déterminé et tira sur la bâche afin de préparer le véhicule au décollage. Un sourire se dessina sur ses lèvres lorsqu'il trouva son propriétaire tranquillement assis au poste de pilotage. Ce dernier le regarda d'un air amusé :

- Tu vas quelque part ?

Killian posa ses mains sur ses hanches, baissa la tête et se mit à rire. Une fois de plus, il avait sous-estimé son équipe.

- Comment as-tu su ?
- Ta femme. Son téléphone est branché sur Scarlett. Alors comme ça, tu cherches un moyen de rentrer dans le Vatican. Tu me racontes ?

- Lumio m'a annoncé que le Vatican ne nous aidera pas. Il a … supposé, que je pourrais leur rendre une petite visite.
- C'est risqué. Et cela pourrait avoir des conséquences pour l'académie.

Le jeune homme donna un grand coup de pied dans un bout de métal qui trainait sur le sol :

- Et tu crois que je voulais y aller seul pourquoi ?! Si ça tourne mal, il faut qu'ils pensent que c'est un acte isolé. Pas une décision du Conseil. Je ne veux pas d'un incident diplomatique. Mais il faut bien agir !

Lux se leva tranquillement et vint se placer devant son ami. Il lui posa une main sur l'épaule :

- Tu as raison. Mais tu n'iras pas seul. Axelle est morte d'inquiétude, mais elle sait que tu ne renonceras pas. Alors on va aller tous les deux là-bas et on reviendra avec des réponses.

Avoir avec lui le plus vieux membre des Wizards rassura Killian. Même si l'idée de faire courir un risque à son ami ne lui plaisait pas du tout.

Il se dirigea vers le droners de Goliath et fit glisser sa bâche au sol. Lux partit lui aussi s'installer dans son véhicule et moins de cinq minutes plus tard, ils étaient dans les airs. Le maitre des runes se remit à penser à un plan d'action, mais rien de bien concret ne se forma dans son esprit.

« Alors, on fait comment ? » demanda Lux.

« On va atterrir dans la cour intérieure, de là, j'ai le chemin théorique jusqu'aux appartements du pape. »

« Je sens qu'on va rapidement finir en prison. »

« Tu as mieux à proposer ? »

« Une partie du Vatican se visite… et avec nos pouvoirs, on devrait pouvoir s'esquiver sans soucis. Alors que si on arrive en pleine nuit avec ces engins, on risque de se faire jeter dehors ».

« Bien tenté, mais avec mon armure c'est mort. Et je ne la quitte pas avec ces fanatiques. »

Lux n'apprécia pas la remarque, mais préféra ne pas répondre sachant le jeune homme à fleur de peau. Il savait qu'en accompagnant son ami, son rôle se résumerait à freiner ses ardeurs.

Un silence gênant s'installa entre les deux compagnons. Killian passa au-dessus de la ville qu'il habitait il y a encore peu de temps et son cœur se serra. Marseille s'étendait sous lui dans la nuit. Il repéra l'aéroport et se dirigea vers lui assez rapidement, suivi par Lux.

« Scarlett, où est mon avion ? »

« Il est le prochain à décoller. Vol FIR- 6265. »

« OK merci. »

Le mage de lumière vit son compagnon se placer non loin de la piste de décollage où se préparait un avion de type Falcon.

« Un jet privé ? » demanda-t-il.

« Oui, un politique italien qui rentre à Rome cette nuit, un vrai miracle... »

« Tu veux t'infiltrer à l'intérieur ? Comment comptes-tu t'y prendre ? »

« Non, on va juste le suivre. Je ne sais pas si les droners peuvent être repérés par un radar en fait. Je n'aimerais pas me retrouver face à des chasseurs de l'armée italienne ».

L'avion était en position. Quelques secondes plus tard, il poussa ses réacteurs à fond pour le décollage.

« Allez go ! » cria Killian dans son micro.

Les deux véhicules partirent à la suite de l'avion comme deux fusées.

Le trajet n'allait pas forcement être long, mais il nécessita toute l'attention des deux mages. Killian s'aperçut que le vieil homme n'était pas à l'aise avec cette conduite poussée. Il savait aussi que son comportement sur le début du trajet avait dû décevoir le mage de lumière et c'était de sa responsabilité d'arranger les choses.

« Lux... excuse-moi. Je n'aurais jamais dû m'emporter contre toi. »

« Tu n'as pas à t'excuser. Cette situation nous met tous les nerfs à vif. »

« Ce n'est pas une raison, je suis vraiment content que tu sois là, avec moi. On ne dirait pas comme ça, mais je suis mort de peur en fait. »

« Si cela peut te rassurer mon garçon, c'est la même chose pour moi. Tu te rends compte qu'on est sur le point de forcer l'entrée du Vatican tout de même ? »

Killian se mit à rire dans son casque, il venait juste de prendre conscience de la folie de son entreprise.

« On a l'air de quoi maintenant ? »

« Tu sais... on ne va pas pouvoir les forcer à nous parler ? Tu as un plan « B » ? »

Le maitre des runes se tortilla sur son siège comme un enfant pris en faute.

« Il faudrait déjà avoir un plan « A »... tu as une idée ? »

« Soit protocolaire...et par tous les Dieux, évite la violence. »

Il sentit le conflit intérieur de son ami. Le passé de Lux devait représenter une grande part de sa vie. S'introduire dans le sanctuaire de son ancien culte devait être pour lui une réelle épreuve.

« Tu as ma parole, ce n'est pas ce que je veux de toute façon. As-tu une idée du pourquoi ils refusent de nous parler ? »

« Autre que celle d'être responsable de la chute de l'église ? Voir de toutes les grandes religions du monde ? »

Killian sourit intérieurement. « Question bête, réponse bête », se dit-il.

« Effectivement, cette raison-là est suffisante... »

« Ou alors...réfléchit le mage de lumière à voix haute, ils ont quelque chose à se reprocher ? »

« Comment ça ? »

« Réfléchis une seconde, ils ont peut-être peur, ou honte. Imagine qu'ils soient, même indirectement, responsables des attaques des démons. Ils ne doivent pas en être très fiers... »

Killian resta silencieux un moment. Comment avait-il fait pour ne pas y penser plus tôt !

« Tu es un génie ! »

« De quoi parles-tu ? » répondit son compagnon.

« De leur responsabilité dans cette affaire ! On s'en fiche que cela soit vrai ou pas. »

« Sans vouloir t'offenser, je ne comprends toujours pas. »

« Tu verras sur place. Protocolaire et sans violence ? Tu vas adorer ! »

« Je ne sais pas pourquoi, mais je sens que je vais le regretter. »

Le reste du voyage se déroula sans problème et Killian fut assez fier de ses créations. Les droners s'avéraient être des engins exceptionnels.

« Scarlett, on arrive à proximité de Rome, prête à nous guider ? »

« Scarlett est partie se coucher. Je prends le relais. »

Killian reconnut la voix de sa femme. « Mince » se dit-il. Allaient-ils avoir une explication maintenant ?

«Mon amour, tu devrais être au lit... »

« Avec toi. Penses-tu réellement que je peux dormir alors que mon mari est en route pour s'introduire dans le Vatican à bord d'un engin fonctionnant à l'uranium ? »

Lux se mit à rire et chuchota à Killian dans son micro :

« C'est en effet beaucoup lui demander. »

« Pour info je vous entends... »

Killian ignora la remarque de son ami, il n'avait pas envie de rentrer dans une discussion de ce type maintenant.

« On en discutera plus tard. Pour le moment, on est rentrés illégalement dans un pays et on s'apprête à le faire une deuxième fois si l'on considère le Vatican de cette façon. Donc on se concentre s'il vous plait. »

« Ok » répondit sa femme. « Mais ce n'est que partie remise. »

Elle guida les deux mages de façon très précise et ils se retrouvèrent en un rien de temps à plusieurs dizaines de mètres au-dessus d'une petite cour de la place forte de l'église catholique. Killian admira pendant quelques secondes l'édifice. Même si la religion ne lui inspirait que du dégoût, il devait bien admettre que le lieu était magnifique. Totalement éclairé, même en pleine nuit, il pouvait admirer la magnificence de la place Saint Pierre ainsi que le clocher de la basilique.

D'après les renseignements que Killian avait réussi à obtenir grâce à Scarlett, la résidence de Sa Sainteté qui, bizarrement, était à côté de la banque du Vatican, se situait dans la tour de Nicolas V.

Killian s'apprêtait à descendre, lorsqu'il sentit une énergie bizarre venant d'en bas.

« A priori il y a un comité d'accueil».

« On fait quoi alors ? » demanda son compagnon.

« On se pose et tu me rejoins le plus vite possible. Dès qu'on a une ouverture, j'entame la discussion. »

« Super, il n'y a plus qu'à prier pour que l'ouverture se passe avant qu'ils nous abattent. »

« Comment ça ?! » cria Axelle dans le micro des deux compagnons. « Ils ne vont quand même pas vous tirer dessus ? »

« On verra bien. Lux, on descend. »

Les deux véhicules dégringolèrent à la verticale. La chute donna mal au cœur au jeune homme, mais, avec son compagnon, ils réussirent à stopper leurs machines à quelques centimètres du sol. Le mage de lumière sauta de son droners et se mit à courir vers son ami qui activa sa rune de bouclier pour les protéger d'une éventuelle attaque.

Fangore se retrouva rapidement à ses côtés et elle leur fit de grands signes pour qu'ils se retournent. Trois hommes, vêtus de robes noires, venaient dans leur direction et Killian vit dans leurs regards que ce n'était pas pour discuter. Armés de grands bâtons de fer, ils se positionnèrent autour des deux compagnons.

Killian voulut leur parler, mais l'un des prêtres pointa son arme dans leur direction et un trait d'énergie frappa son bouclier qui tint bon. Le choc faillit propulser les deux hommes au sol.

- Eh bien mon garçon, tu as une idée pour nous sortir de là ? demanda le mage de lumière.

Le maitre des runes observa les hommes tout en laissant son bouclier actif. Ils avaient l'air surpris de les trouver toujours en vie et un deuxième prêtre pointa son bâton vers eux. Killian voulut prévenir son ami, mais son attention fut retenue par une rune située sur l'extrémité de l'arme de leur adversaire. Le rayon de lumière frappa à nouveau le bouclier qui se fissura.

- Ils ont des armes avec des runes ! commenta le jeune homme.
- Comment est-ce possible ? Tu ne serais donc pas le seul ?

Il posa son regard sur Fangore et lui ordonna mentalement de se jeter sur eux. Le petit dragon courut sur celui qui n'avait pas encore fait feu, mais ce dernier ne bougea pas d'un pouce, même quand il fut traversé par la forme spectrale.

- Ce ne sont pas des mages.
- Tu en es certain ?
- Oui, ils ne voient pas Fangore.

Le chef des Wizards se concentra afin de visualiser dans son esprit la rune qui était sur les armes de ses adversaires. Différente des siennes, son architecture était beaucoup plus complexe. Mais Killian ne cherchait pas à en créer une identique, il ne lui suffit que de quelques secondes pour que les trois bâtons perdent de leur brillance. Les runes étaient désormais hors service. Briser des runes était bien plus facile que d'en créer.

Leurs porteurs se regardèrent sans comprendre ce qui venait de se passer et les deux compagnons purent lire de la panique dans leurs regards. Killian y vit l'ouverture qu'il attendait :

- Nous ne sommes pas venus nous battre ! Nous désirons juste nous entretenir avec l'un de vos responsables.

L'un des trois hommes avança vers lui et jeta son bâton au sol. Les Wizards remarquèrent son âge avancé. Plus vieux d'au moins dix ans que Lux, il ne semblait pas vraiment effrayé par les deux mages qui se tenaient devant lui.

- Vous n'avez rien à faire ici, vous n'êtes pas les bienvenus.
- En fait, répondit Killian, nous n'avons pas vraiment eu le choix. Cela fait des semaines que nous vous demandons un entretien. Je m'appelle…

- Je sais qui vous êtes, le coupa le vieil homme. Et nous vous avons répondu. Maintenant partez !

Lux voulut attraper le jeune homme par le bras afin de le ramener aux droners. Il était clair qu'ils n'obtiendraient aucune réponse de ces gens-là.

Son ami se dégagea et s'avança vers le prêtre qui lui faisait face :

- Alors permettez-moi de vous répondre aussi. Si je remonte dans mon véhicule sans que vous ayez répondu à mes questions, j'informerai les dirigeants européens que vous êtes à l'origine des attaques des académies de magie. Et par conséquent, responsable de la mort de centaines d'individus… il y avait des femmes, des enfants.
- Personne ne vous croira.
- C'est ce que nous verrons. Après tout, c'est même peut-être vrai. Le seul indice que nous avons est un livre qui vient de votre bibliothèque. D'après ce que je sais… aucun livre n'a le droit de sortir d'ici. Si on rajoute votre mutisme et votre haine des mages. Je suis certain qu'on vous demandera de rendre des comptes. L'opinion publique ne vous porte pas dans son cœur en ce moment. Dans quelques jours, le monde vous haïra.

L'homme ne savait pas quoi répondre et il se tourna pour regarder l'entrée d'un bâtiment. Une silhouette se découpa dans la nuit pour s'approcher d'eux.

- Laissez, mon père. Je prends le relais.

Les deux mages ne purent cacher leur surprise en voyant un homme d'une vingtaine d'années se présenter à eux. Habillé lui aussi avec une robe de prêtre, il semblait avoir l'autorité sur des hommes beaucoup plus vieux que lui.

- Je m'appelle Donatello. Je vais vous conduire dans le salon destiné à nos invités. Je vous demanderai de ne toucher à rien. Nous allons vous apporter à boire et à manger. Vous allez voir Sa Sainteté dans quelques heures. Il se doutait que vous alliez venir. Tôt ou tard.
- Alors pourquoi ne pas nous avoir autorisés à venir avant ? répondit le mage de lumière.
- Je ne suis pas compètent pour vous répondre. Je dois juste m'occuper de vous. Chacun sa mission.
- Et donc si je vous demande pourquoi ces hommes avaient des armes runiques, vous ne me répondrez pas… continua Killian.
- Vous comprenez vite. Cela va nous éviter à tous les trois de perdre du temps.

Ils traversèrent un grand bâtiment pour être installés dans un luxueux salon. De grands canapés en velours étaient disposés un peu partout dans la salle. Les deux mages s'en choisirent chacun un pour se reposer. Des boissons ainsi qu'un plateau de fruits étaient à leur disposition.

- Le pape va vous recevoir en personne dans quelques heures. Je vous demanderai de bien vous tenir et d'être patient. Profitez-en pour vous reposer.
- Cela fait plusieurs semaines que nous patientons. Un peu plus, un peu moins…

Le jeune homme sourit et s'en retourna, laissant les deux hommes seuls. Le mage de lumière enleva ses chaussures et se prépara à dormir un peu ce qui surprit son compagnon de voyage.

- Tu vas dormir, dans un moment pareil ?
- Mon garçon, il est trois heures du matin. Je ne sais pas combien de temps nous allons attendre, mais j'aimerais être un peu plus en forme lorsque le père de l'église catholique va nous recevoir. Pour toi, ce n'est peut-être rien… pour moi, c'est différent.

Killian s'assit lourdement sur l'un des canapés, épuisé. Fangore se tenait devant la porte d'entrée de la pièce, comme si elle montait la garde.

« Mon amour ? » demanda-t-il tout en enlevant ses bottes.

« Oui ? »

« Va te coucher. Il semble que nous ne risquons plus rien. Je te recontacte dès que l'on part. »

« Tu as intérêt. Je veux mon mari à côté de moi dans le lit, compris ? »

« Bien madame. »

Elle coupa le contact et Killian s'allongea sur le sofa. Il ne lui fallut que quelques minutes pour s'endormir en fixant Fangore, qui ne lâchait pas la porte du regard.

Chapitre 3

Donatello vint les chercher au petit matin. Il n'avait l'air ni fatigué, ni éprouvé par la nuit dernière, contrairement aux deux mages. Il les guida au travers d'un dédale de couloirs pour atterrir dans un vaste jardin floral. Une fois de plus, le lieu submergea les deux mages par sa magnificence.

Ils se retrouvèrent devant une grande arche végétale et Donatello leur fit signe de passer devant. Cette nouvelle partie était bien plus petite, entourée d'une haie et abritant un gigantesque rosier. La plante était taillée de façon à ressembler à un cygne, ce qui avait dû demander un temps incroyable.

Un vieil homme, vêtu d'une simple robe blanche, était à genoux devant la plante, un sécateur à la main. Il ne sembla pas remarquer l'arrivée des deux hommes, mais Killian se douta du contraire. Un simple coup d'œil en arrière lui permit de se rendre compte que leur guide était resté de l'autre côté de la barrière végétale.

Le pape Pie XIII était un homme de réputation simple. Choisi quelques années plus tôt, il avait été le plus farouche opposant au retour de la magie. Liguant toutes les croyances du monde derrière sa bannière, il avait lutté sans relâche pour inciter les gens à tourner le dos aux mages. Malheureusement pour lui, son combat avait été de courte durée. Les populations du monde entier tournèrent le dos à la religion, ne comprenant plus pourquoi Dieu refusait de se manifester là où la magie accordait des miracles à tous les coins de rues.

Il se leva en prenant son temps et se tourna de façon à faire face aux deux mages. Son visage se crispa en voyant Killian, mais il ne dit rien. Il leur désigna un banc de pierre situé à quelques mètres d'eux. Le temps que les deux hommes s'installent, il avait pris place sur une chaise en bois toute simple.

Killian jeta un coup d'œil à Lux afin qu'il engage la conversation. Maintenant qu'ils étaient face à la seule personne qui pouvait leur apporter des réponses, il ne fallait pas tout gâcher et il le savait.

- Très Saint Père, merci de nous recevoir, commença le mage de lumière.

Le vieil homme le fixa un moment d'un air surpris. Il ne s'attendait vraisemblablement pas à ce que ses « invités » respectent l'étiquette.

- Pensez-vous cela ? Ai-je l'air de vous recevoir ? Etre un ancien de notre ordre ne fait pas de vous quelqu'un de bienvenu en ces lieux. Alors évitons de tourner autour du pot. J'ai beaucoup plus de réponses que ce que vous avez de questions.

Killian regarda son ami et vit de la tristesse dans son regard. Lux avait sacrifié toute sa vie pour le culte. Etre devant Sa Sainteté était un grand honneur pour lui. Se faire rabaisser de la sorte devait être une réelle épreuve.

- Vous avez raison, répondit-il. Pour commencer, pourquoi ne pas avoir répondu favorablement à notre demande ? Nous désirions seulement vous restituer votre ouvrage et en profiter pour vous poser quelques questions.
- Nous ne vous devons rien. Pourquoi aurait-on fait cela ? Nous désirions rester en dehors de cette histoire.
- Mais vous y êtes mêlés, répondit Killian. Que vous le vouliez ou non.
- En effet... où est le manuscrit ?
- Ici, dit-il en tapotant son sac à dos. Pourquoi l'avons-nous trouvé dans une petite église de Hongrie ?
- Un membre de notre église l'a volé.

Les deux compagnons virent de la honte dans le regard du vieil homme. C'était apparemment la partie de l'histoire qui lui déplaisait le plus.

- Votre ennemi, continua-t-il, s'appelle Antonio Agostino.
- Mais c'est...commença Lux.
- Oui, c'est l'archevêque de Florence. Du moins c'était. Il nous a quitté depuis plusieurs mois, lorsque la magie s'est emparée de lui.

Les deux mages se regardèrent un instant. Au moins ils pouvaient désormais donner un nom à leur ennemi.

- Pourquoi ? demanda le maitre des runes.
- C'est une longue histoire. Je peux la simplifier en vous disant que depuis le retour de...la magie, notre influence dans le monde a fortement régressé.

- Ce n'est pas la vraie raison ?

Le vieil homme le regarda avec dédain :

- Non. Comme je vous l'ai dit, j'ai beaucoup plus de réponses que ce que vous avez de questions. Les croyances dans le monde sont en chute libre depuis des décennies… vous nous avez porté le coup fatal, c'est un fait. Mais vous n'avez pas été le déclencheur.
- L'avenir nous dira si c'est un mal ou un bien.

Cette fois, c'est avec amusement que le très Saint Père regarda le jeune mage.

- De la part d'un mage…c'est assez ironique.
- Vous pensez que nous nous prenons pour des dieux ?

Le rire de l'homme d'église surprit tout le monde. Même le bon Donatello, qui ne devait pas avoir l'habitude, entra dans le cercle végétal pour vérifier que tout allait bien. Le vieil homme lui fit un signe en essayant de se calmer afin qu'il retourne à son poste d'observation.

- Vous êtes aussi drôle qu'ignorant, réussit-il à dire au bout d'un moment. Des dieux ? Mais vous vous êtes toujours pris pour des dieux ! (Voyant que les deux hommes le regardaient sans comprendre il continua.) Vous pensez être les premiers mages dans l'histoire de notre monde ?
- Il y en a eu d'autres ?

Croisant ses mains, le pape rappela Donatello :

- Mon petit, va nous chercher une bouteille de ce vin que j'affectionne tant. Nos amis vont devoir rester un peu plus longtemps que prévu. Je pense qu'il est temps qu'ils laissent leur ignorance derrière eux.

L'homme disparut à grand pas. Lux vit que son ami était perturbé par la déclaration de leur hôte, il préféra prendre la suite de la discussion :

- Très Saint Père… S'il y a eu, par le passé, d'autres mages. Pourquoi ne se sont-ils jamais manifestés ?
- Pour commencer, répondit le vieil homme, sachez qu'ils se sont toujours manifestés. Mais contrairement à ce que vous pouvez penser, la plupart des mages de ce monde n'avaient pas forcément de bonnes intentions comme vous !

Voyant son auditoire silencieux, il continua :

- Arrêtez de me faire croire que vous n'avez pas compris ? sans rire ? Tous les dieux que nous vénérons depuis la nuit des temps sont des mages ! Prenez Râ ! Ça doit bien vous dire quelque chose quand même ? Il est le premier mage de l'obédience du feu à avoir acquis la notoriété d'un Dieu !

Les deux compagnons se regardèrent un moment, assimilant l'information. Lux n'osait y croire alors que Killian venait de réaliser l'ampleur de l'information.

- Vous êtes en train de nous dire que les dieux égyptiens n'étaient en fait que des mages, réussit à dire Killian.
- C'est exactement cela. Ils font partie des plus anciens mages que le monde ait connu. Mais à l'époque, la loi du plus fort régnait en maitre, les mages se disputaient les territoires. De ce que nous savons, il fut le premier à proposer une alliance avec d'autres de son espèce afin de créer un panthéon. Ils régnèrent longtemps et les gens les considéraient comme des dieux. Même après sa mort, Râ fut vénéré par les autres mages pour ce qu'il avait accompli. Ses enfants, Shou et Tefnou, ont perpétué son règne. L'Egypte fut le premier territoire dirigé par des mages, ce qui lui valut stabilité et prospérité.

Le maitre des runes était sous le choc. Toute l'histoire du monde devait être remise en question. Un millier de questions lui brulaient les lèvres, mais Donatello entra dans le cercle végétal à ce moment-là, accompagné par un domestique qui portait une bouteille de vin dans un panier d'argent et trois verres.

- Ha ! s'exclama le vieil homme. Tu arrives à point nommé. Nous allions rentrer dans le vif du sujet.

Les deux hommes d'église servirent le vin rapidement et Killian crut que Lux allait boire son nectar cul sec malgré l'heure matinale. Son compagnon avait l'air bouleversé par les révélations du pape. Il reporta néanmoins son attention sur la discussion :

- Y a-t-il eu d'autres cas ? D'autres dieux de notre histoire n'étaient-ils en fait que des mages ?
- Vous n'avez pas écouté ce que j'ai dit ? TOUS les dieux n'étaient en fait que des mages ! (Il but une gorgée de vin) Les Grecs, Zeus, Poséidon… tous des mages, les dieux romains, les dieux nordiques, celtiques …

Il dit cette dernière phrase comme s'il se libérait d'un poids et pour la première fois, le maitre des runes put constater qu'il n'avait qu'un vieil homme devant lui : sans aucuns pouvoir, si ce n'est de connaitre la vérité sur l'histoire du monde.

- Vous saviez cela depuis … quand ?

Le Très Saint Père souffla, comme éprouvé par la question :

- On m'avait prévenu, que vous étiez intelligent. Une caractéristique de votre obédience. Tous les maitres des runes ont été exceptionnels. Nous l'avons toujours su. Depuis la nuit des temps.
- Et Jésus … son père … ?

Les deux hommes se tournèrent vers Lux qui semblait avoir repris vie. Il arborait néanmoins le visage d'un mort. Le teint pâle, les épaules affaissées. Ses yeux regardaient un vide sans fond.

- Je sais que vous étiez prêtre dans l'une de nos paroisses. Pardonnez-moi d'avoir traité le sujet avec autant … de légèreté.
- Pendant presque trente ans, j'ai servi l'Eglise. Mais vous ne répondez pas à ma question, Très Saint… il n'osa finir sa phrase, comme si quelque chose s'était brisé en lui.
- Jésus, était un… Corporem. Il a été le premier en fait. Nous n'avons aucune trace d'un autre mage de cette obédience avant.

Le père de l'Eglise catholique venait, sans le savoir, d'achever la foi du compagnon de Killian.

- J'ai prié pendant toute ma vie, un faux Dieu. Et vous vivez, dans cette opulence, cette richesse … depuis des siècles, grâce à un mensonge …
- N'oubliez pas à qui vous vous adressez ! De plus, je vous rappelle que ce sont les mages qui sont à l'origine de ça. Après leur disparition, la conception d'un monde sans Dieu était inconcevable pour l'Homme. Même sans miracle, sans pouvoir, il a continué à croire en nous. Pourquoi n'en aurions-nous pas profité !

Killian sentit de l'énergie envahir le lieu. Une énergie remplie de haine et de rancœur. Il fixa son compagnon qui avait le visage fermé, luttant pour ne pas laisser sa colère éclater. Il posa une main sur l'avant-bras de Lux :

- Pas ici mon ami. Nous ne sommes pas venus pour cela. La vérité éclatera et justice sera faite, mais pas maintenant.

Donatello s'était approché et Killian sentit l'énergie d'un mage. Il comprit que le jeune homme était loin d'être un simple serviteur du pape.

- Vous devriez dire à votre ami de se calmer. Vous n'êtes pas les seuls mages au monde.

A peine eut-il fini sa phrase qu'une cage de lumière tomba du ciel sur Donatello. Surpris par l'attaque, le jeune homme se retrouva prisonnier en un éclair. La rapidité avec laquelle Lux avait réalisé son sort surprit tout le monde.

Le prisonnier tenta de toucher un barreau de sa prison magique. Une vive lumière lui brûla les yeux et il se retrouva au sol, incapable de faire le moindre geste de peur d'endurer à nouveau la punition.

- Vous avez peut-être pris les Hommes pour des imbéciles toute votre vie. Vous avez peut-être beaucoup plus de connaissances sur la magie que nous. Mais vous êtes très loin de savoir ce dont nous sommes capables. Votre petit chien de garde n'a pas notre niveau.

La froideur du ton de Lux inquiéta Killian. Mais lorsqu'il vit la peur sur le visage du vieil homme, il préféra ne pas intervenir, sachant qu'il prendrait désormais l'entretien avec beaucoup plus de sérieux.

- Très bien, commença le Saint Père. Vous voulez tout dire à la population ? Ne vous gênez pas. Notre destin est déjà scellé, cela fait des décennies que l'Eglise a investi de l'argent dans des affaires très rentables ou de l'immobilier. Nous sommes préparés à ce jour. Mais l'êtes-vous ? Quand le monde saura que VOUS les avez roulés dans la farine, que pensez-vous qu'il vous arrivera ? Les mages aussi payeront l'addition.

Un lourd silence s'installa. Killian évalua la situation et dut bien admettre que révéler au monde entier la supercherie comportait un risque pour les mages. Il préféra changer de sujet afin de calmer Lux dans un premier temps :

- Qu'en est-il de cet Antonio ? Pourquoi nous veut-il du mal ?

Le vieil homme parut soulagé de passer à autre chose. Ayant perdu l'avantage de la discussion, mais surtout la protection de son serviteur.

- Il est … notre création. Il a toujours été particulièrement strict avec la Foi. Plus il grimpait dans l'ordre de notre Eglise et plus ses idées étaient obsolètes. Nous nous sommes opposés l'un à l'autre peu de temps avant … son changement. Nous savons que certaines de nos règles sont un frein pour notre époque. Mais il y a toujours eu trop d' « Antonio » pour empêcher la transformation du catholicisme.

Le pape regarda son serviteur un moment. N'osant pas bouger, ce dernier avait l'air néanmoins d'avoir recouvré la vue.

- Ne pourriez-vous pas le libérer ? Ceci m'incommode. Je vous donne ma parole de pape, si cela vaut quelque chose pour vous, qu'il ne vous fera aucun mal.

Le mage de lumière se concentra un instant et la cage disparut. Laissant le pauvre Donatello enfin à l'air libre, mais néanmoins pas mal secoué.

- Je pense que votre parole ne vaut pas grand-chose en effet, commença Killian en souriant. Mais je suis certain qu'il ne peut pas nous faire de mal. Pouvons-nous continuer ? Car pour le moment, je ne vois pas ce qui a poussé cet Antonio à nous vouloir du mal.

Si le vieil homme fut contrarié par les propos du maitre des runes, il n'en montra rien :

- C'est un fanatique. Il s'est réveillé un matin tremblant de fièvre et devant lui se tenait un démon. Voyant que la créature lui obéissait, il s'est mis dans la tête d'avoir le pouvoir de contrôler le mal. Il se voit comme un nouveau prophète. Cachant ses ambitions, il a parcouru en secret notre bibliothèque la plus sacré : *la biblioteca del potere dimenticato.* Normalement accessible qu'à une poignée d'élus, il a réussi à y avoir accès grâce au gardien du lieu qui est aujourd'hui son bras droit.
- Que renferme-t-elle ?
- Tout le savoir sur votre magie. Tous les livres, les parchemins, les notes sur le surnaturel y sont enfermées. Lorsque nous avons découvert cela, nous avons essayé de l'arrêter, mais il a réussi à s'enfuir avec ce livre.

Ce fut une nouvelle surprise pour les deux mages. L'Eglise avait des connaissances que ne soupçonnait même pas l'Académie. Et ces connaissances risquaient de se retourner contre eux.

Plongés dans leurs pensées, ils ne virent pas le vieil homme qui les fixait d'un œil nouveau. Il était en fait, au plus profond de lui-même, heureux de la visite des mages. La trahison de l'ancien membre du clergé l'inquiétait bien plus qu'il ne voulait le faire croire. Personne, autant par fierté que par bêtise, n'avait voulu demander de l'aide aux académies de magie. En venant à lui, non seulement ils allaient prendre l'affaire en main, mais en plus, il pouvait tirer profit de la situation.

- Nous sommes peut-être partis du mauvais pied. Vous et moi. Je vais vous montrer quelque chose.

Il se leva et secoua sa robe. Porta un dernier regard à son rosier, comme s'il était déçu de ne pas pouvoir finir le travail qu'il avait commencé.

Il conduisit les deux mages, toujours escorté de Donatello, dans ses propres appartements. La demeure, richement décorée, était représentative de l'ancien pouvoir de l'Eglise catholique. Il y avait de nombreux tableaux des anciens Papes. Killian ne put compter le nombre de dorures, d'œuvres d'arts, et autres caprices de Monseigneur pour se sentir à l'aise dans ses luxueux appartements.

Ils s'arrêtèrent devant un ascenseur gardé par deux agents de sécurité. Le Saint Père leur fit signe de s'écarter pour laisser le groupe monter dedans.

- Où allons-nous ? demanda Lux.

Killian remarqua, comme le pape, le manque soudain de formalisme dans la question de l'ancien prêtre.

- Dans la fameuse bibliothèque. Nous allons essayer de vous aider au mieux et surtout de vous montrer que nous ne sommes pas responsables de ce qui vous arrive.

Les deux compagnons se jetèrent un coup d'œil complice. Il était évident, pour eux, que le Père de l'Eglise catholique n'allait pas les aider par bonté. La vigilance était plus que jamais de rigueur.

Les portes s'ouvrirent sur une immense grotte. La première chose qui frappa Killian fut la dimension démesurée de l'excavation. Mesurant près d'une centaine de mètres de long sur une vingtaine de mètres de large, il était impossible de pouvoir dénombrer le nombre d'ouvrages que les dizaines de rayonnages possédaient. Creusée à même la roche, elle opposait un aspect ancestral avec la modernité de notre époque.

Le vieil homme se lança au milieu des rayonnages d'un pas décidé avant de s'apercevoir que les deux mages étaient restés en arrière. Plus choqués qu'autre chose, Killian et Lux contemplaient les étagères remplies de livres et d'objets divers. Les rangements, en bois massif, devaient certainement être l'œuvre des mages de la Terre.

Le maitre des runes se dirigea vers une première rangée de livres. De couleur rouge et or, les ouvrages étaient d'une autre époque, mais semblaient avoir été conservés avec le plus grand soin. Le meuble en lui-même était fait de bois flotté peint de la même couleur. Il effleura la couverture d'un livre et essaya de déchiffrer l'inscription qui était gravée dessus, sans succès.

- Ils sont classés par obédience, vous êtes devant toute la partie qui concerne le feu. Le livre que vous avez choisi est écrit en latin, comme la plupart des ouvrages. Les rouleaux que vous voyez tout en haut sont en égyptien. Ils viennent de la grande bibliothèque d'Alexandrie.

Killian se tourna vers le Saint Père. Ce dernier arborait un sourire qui fit frémir le jeune homme. Il n'était décidément pas prêt à lui faire confiance. Il y avait certainement une raison à l'aide que leur fournissait l'ecclésiastique.

Lux semblait fasciné par l'architecture de la caverne en elle-même et particulièrement la précision dans la taille de la roche, la rendant surnaturelle à ses yeux. La lumière était générée par de grands lustres en acier. Les bougies de l'époque avaient été remplacées par des ampoules, ce qui cassait l'ambiance mystique au profit du côté pratique. Fixer les lumières lui demanda un petit temps d'adaptation, mais lorsque ce fut fini, son attention fut attirée par des signes gravés et peints à même la roche au plafond. Tous identiques, ils étaient collés les uns aux autres, formant ainsi un immense escargot. Lux plissa les yeux pour détailler les signes par-delà la lumière diffusée par les lustres : son cœur s'arrêta lorsqu'il reconnut le signe de l'ordre du dernier divin.

- Killian ! cria le mage de lumière à l'attention de son ami, tout en pointant du doigt le plafond de la caverne.

Le maitre des runes saisit son épée par reflexe en entendant la voix alarmée de son ami. Il prit le temps, une fois la frayeur passée, de regarder dans la même direction que le mage de lumière. La panique le prit et Fangore se retrouva rapidement à ses côtés lorsqu'il découvrit lui aussi ce qui recouvrait le plafond de la bibliothèque.

- Comment est-ce possible ? se chuchota-t-il à lui-même.
- *l'ordine dell'ultimo divino…*

Les deux mages se tournèrent vers le vieil homme qui fixait lui aussi le plafond d'un air triste.

- Pourquoi est-ce que ces signes sont représentés ici ? demanda Killian.
- Cet ordre est à l'origine de cette bibliothèque. Ils n'étaient en fait, au début, qu'un groupe d'individus qui avaient comme objectif de réunir un maximum de connaissances sur la magie pour l'église. Le nom d'origine est en fait l'ordre des divins, en référence aux mages. Car, pendant des siècles, l'être humain vous a considéré comme cela : des dieux. Ils changèrent de nom lorsqu'ils découvrirent la source de la magie de notre monde.
- Comment ça ? l'interrompit Lux. Il y aurait une source qui alimenterait notre magie ?
- On peut dire cela, continua le vieil homme. Il existe une créature : le Malachor. C'est, et je suis désolé de présenter les choses comme cela, une espèce de divinité. De par sa nature, il a la faculté d'octroyer la magie à des galaxies entières sans jamais avoir à y poser les pieds. Un mage, du nom de Zogras, un descendant direct de Belzebuth…
- Belzebuth ? LE Belzebuth ? prince des démons ?

Le Saint Père eut l'air contrarié d'être à nouveau interrompu par le mage de lumière. Ne voulant pas créer de tensions supplémentaires avec « ses invités », il préféra répondre à la question :

- Lui-même. Il n'était pas prince des démons… mais un chef de clan puissant de démonistes. Il fit régner la terreur durant des décennies et la plupart des religions ont dû faire face à ses armées. Nous en première ligne. Zogras était l'un de ses descendants directs et avait hérité de sa cruauté et de sa puissance. Il était un membre actif de l'ordre des divins, cachant volontairement son hérédité et ses intentions. Il découvrit des notes de son ancêtre qui parlaient du Malachor. De ce jour, il changea le nom de cette organisation qui devint indépendante avec comme but ultime de faire venir dans notre monde le Malachor, qui évolua à leurs yeux en divinité.

- Et bien heureusement qu'il n'a pas réussi, finit par dire Killian.

Le vieil homme parut, le temps d'un moment, rattrapé par son âge et son fidèle assistant lui apporta un fauteuil.

- Sachez qu'il a réussi et ce fut une sombre époque. Qui provoqua la fin de beaucoup de civilisations. L'empire romain ne s'en remit jamais. A l'époque, nos ancêtres ont compris deux choses : que le Malachor est totalement incontrôlable et qu'il n'est pas à notre portée de le détruire. Zogras fut le premier à en payer le prix. Il fallut plusieurs décennies pour le maitriser et détruire ses enfants.
- Ses enfants ? demanda Lux.
- Oui...ils étaient sept. Le Malachor, une fois parvenu dans notre monde, a réussi à procréer (Voyant que le maitre des runes allait intervenir, le vieil homme prit les devants). Ne me demandez pas comment ! nous ne le savons pas. Quoi qu'il en soit, ses enfants étaient bien moins puissants que lui. Ils furent tous détruits sauf sa fille. Elle fut son souffre-douleur, dès sa naissance. Ne supportant pas d'avoir eu une fille, il la séquestra dès son plus jeune âge dans ce que vous appelez « les enfers ». Elle n'aurait a priori pas survécu à la disparition de son géniteur.
- Comment fut-il vaincu ? demanda Killian.
- Un groupe de mages, mené par Tindarius le Grand se porta à la rencontre de l'entité pour un combat qui scella le sort de notre monde. Il était le maitre des runes de l'époque. Ils réussirent au péril de leurs vies à enfermer le Malachor dans une prison dimensionnelle, ou quelque chose dans ce genre. Avec la disparition du Malachor et de ses enfants, la magie disparut de notre monde et, avec elle, les mages ainsi que toutes les créatures fantastiques qui peuplaient notre monde.

Killian n'eut pas vraiment à réfléchir longtemps pour en arriver à une conclusion évidente :

- Si la magie est revenue dans notre monde, ça veut dire que le Malachor aussi ? Non ? chuchota-t-il.

- Ça n'explique pas pourquoi votre ancien disciple s'en prend aux mages ? Ni pourquoi il a pris la tête de l'ordre du dernier divin ? demanda Lux à l'attention du pape.

Ce dernier fit signe aux deux mages de le suivre plus loin dans la bibliothèque. Les deux compagnons s'exécutèrent une fois de plus de mauvaise grâce, mais leur envie d'en savoir plus était une bonne raison pour mettre leur fierté de côté un moment. Ils réalisèrent aussi que certaines personnes de ce monde en connaissaient beaucoup plus sur la magie que les mages eux-mêmes, ce qui ne leur plaisait pas du tout.

- Je ne pense pas que le Malachor soit de retour dans notre monde, commença le vieil homme en avançant parmi les rayonnages de livres. Nous en aurions entendu parler. Il n'apporte que la mort et la destruction. La magie est de retour pour une autre raison que nous ignorons. En revanche, je pense qu'Antonio veut à nouveau le faire venir dans notre monde.
- Mais pourquoi ? A-t-il conscience de ce qu'il risque de se passer si une créature comme le Malachor revenait dans notre monde ?

L'ecclésiastique s'arrêta, le corps raide, le visage fermé et se tourna vers les deux mages :

- Bien sûr qu'il le sait ! Peu lui importe que le Malachor fasse le bien, ou le mal. C'est un fanatique qui vient d'apprendre l'existence d'un être qui s'apparente à un dieu ! Il lui vouera un culte et trouvera des fidèles. Il veut simplement montrer au monde que Dieu existe et ridiculiser les mages.

Il reprit sa marche, suivi par les deux hommes qui commençaient à réaliser l'ampleur de la situation. L'enjeu était bien plus grand que ce qu'ils avaient imaginé.

- Qu'allons-nous pouvoir faire, demanda Lux ? On ne sait ni comment cet homme compte s'y prendre pour réaliser son plan, ni où il se trouve.

Le Saint Père s'arrêta devant un pupitre. Le meuble était plutôt petit et seulement quatre livres étaient posés dessus. Killian remarqua la ressemblance frappante entre les volumes reposant sur le pupitre et celui que les Wizards avaient trouvé en Hongrie.

- Voilà l'aide que je peux vous fournir. Pouvez-vous me donner le livre que vous avez amené ? S'il vous plait.

Le maitre des runes sortit l'objet précieusement emballé dans son sac pour le tendre au vieil homme, qui le prit avec précaution avant de le replacer à côté de ses semblables.

- Voilà les cinq livres écrits par le mage Aupicatcha. Il était Maya et ce sont les seuls que nous ayons de ce peuple. Tout ce que nous savons, c'est qu'ils en savaient bien plus que nous sur le Malachor et ses enfants.
- Les Mayas ? le peuple mythique d'Amérique du sud ? demanda Lux.
- Précisément. Et si je devais chercher Antonio quelque part, ce serait là-bas. Il est à la recherche de la bibliothèque légendaire des Mayas. C'est grâce à eux que Zogras a réussi à faire venir le Malachor dans notre monde.

Les deux mages restèrent silencieux. Ils avaient enfin découvert des informations capitales sur leur ennemi : qui il était et quelles étaient ses motivations. Malheureusement, rechercher Antonio en Amérique du Sud n'allait pas être une mince affaire. Killian se mit à penser à l'organisation d'un tel voyage. Laisser sans protection l'académie (et donc sa famille), n'était pas concevable. Ils allaient devoir en discuter tous ensemble. Il leva la tête et fixa les signes gravés au plafond. Il se sentait comme observé par l'ordre du dernier divin. Chaque symbole était pour lui comme un œil qui s'amusait de la situation.

Chaque nouvelle réponse amenait de nouvelles questions. Pourquoi la magie était revenue dans notre monde si le Malachor était toujours prisonnier ? Comment Tindarius avait vaincu ce monstre ?

Lux vit la mine défaite de son compagnon et lui posa la main sur l'épaule pour le faire revenir à la réalité :

- On avance Killian. Même plus vite que prévu. L'étau se resserre autour d'Antonio.
- Oui, mais le temps ne joue pas en notre faveur. On pouvait se permettre d'être patient quand il ne s'agissait que de la sécurité des académies, car nous étions là pour les protéger. Mais maintenant… ça n'a rien à voir, il veut s'en prendre à notre monde.

Le mage de lumière ne sut pas quoi répondre face à l'inquiétude de son ami. Il était évident que les Wizards n'étaient pas préparés à cela.

- Killian ?

Les deux mages cessèrent leurs réflexions pour se tourner vers le pape qui se tenait devant un râtelier d'armes et d'armures. Une vingtaine de pièces étaient disposées dans des alcôves à même la roche et une étagère supportant une dizaine d'ouvrages trônait au milieu des artefacts.

- Voici tout ce que nous avons de vos prédécesseurs. Ce n'est pas énorme, mais les enchanteurs se faisaient rares. De ce que nous savons, il n'y en a qu'un seul à la fois et seulement quatre sont connus. Vous y compris.

Le maitre des runes contempla les vestiges qui se trouvaient devant lui. Les armes étaient plutôt de mauvaise facture avec une, voire deux runes de couleur bleu. Il en était de même pour les pièces d'armure qui n'arrivaient pas à la cheville de la sienne. Seul un bouclier, accroché au mur par deux griffes en or, retint son attention. Pourvu de quatre runes bleues et une rouge en son centre prouvait qu'un enchanteur avait réussi à créer une rune du troisième cercle.

Le vieil homme remarqua l'intérêt de Killian pour cet objet et s'approcha de lui :

- Le bouclier de Tindarius. Une pièce unique.
- Il n'avait pas d'arme ?
- Il avait une épée... assez célèbre d'ailleurs. Mais elle disparut avec lui.

Lux releva doucement la tête pour fixer l'ecclésiastique. Était-il possible qu'il parle de l'arme la plus connue au monde. Celle qui engendra autant de légendes que de fantaisies ?

- Vous ne parlez quand même pas...
- D'Excalibur ? Eh bien oui.... Du peu que nous en savons, elle était une arme extraordinaire pour l'époque. (Il prit un livre sur l'étagère et l'ouvrit à une page qu'il avait l'air de bien connaitre). Voici une représentation de l'arme ainsi que la description des runes qui s'y trouvaient. Killian, vous êtes d'un niveau bien supérieur, je pense.

Le maitre des runes saisit le livre et tenta de déchiffrer les écritures en latin, ce qui fut impossible pour lui. En revanche, la représentation de l'arme était d'une très grande précision. Il put distinguer trois runes dorées dessus, qui ressemblaient à ses propres runes d'éclair.

- Nous ne sommes effectivement pas du même niveau... je trouve cela bizarre quand même.
- Que voulez-vous dire ?
- Rien d'important.

Killian fixa Lux qui comprit instinctivement son ami. Rien ne laissait supposer que les mages de l'ancien temps maitrisaient leurs pouvoirs comme les Wizards. Le pape comprit qu'il n'en saurait pas plus et que quelque chose lui échappait, ce qu'il n'appréciait pas.

- En avez-vous terminé ?

Coupé dans leurs réflexions, les deux mages se sentirent piqués au vif par le ton tranchant du vieil homme.

- Oui, nous avons terminé, répondit le chef des Wizards qui se dirigea vers la sortie, suivi de près par les autres.

Lorsque tout le monde fut sorti, Killian posa ses mains sur la grande porte en fer et se concentra. Donatello voulut intervenir, mais Lux l'en dissuada d'un regard, rappelant au prêtre la différence de pouvoir qu'il y avait entre eux.

Un bruit de métal que l'on tord se propagea dans la pièce, suivi de plusieurs cliquetis. Pour finir, les trois spectateurs entendirent plusieurs coups violents s'abattre de l'intérieur de la grotte sur la porte pour laisser place ensuite à un silence gênant. Le maitre des runes retira ses mains avant de se tourner vers le chef de l'Eglise catholique. Ses traits étaient tirés et sa mâchoire avait l'air d'avoir du mal à se desserrer.

- Cette bibliothèque doit revenir aux mages. Vous n'y aurez plus accès.
- Mais... commença le Saint Père.
- Je vous conseille de faire très attention à vos prochaines paroles. Vous avez menti au monde entier pendant des siècles, vous aviez des informations essentielles pour la sécurité de notre monde et l'un de vos anciens disciples cherche à faire venir dans notre dimension une créature quasi divine qui n'a comme objectif que l'apocalypse. Je pense que cette bibliothèque doit être restituée aux mages pour la sécurité de tous et je suis certain que tout le monde sera d'accord avec cela.

Le pape réfléchit un moment devant l'argumentaire du maitre des runes. Il avait espéré qu'en faisant preuve de bonne volonté avec ses invités, il arriverait à ses fins. Malheureusement, il dut se rendre à l'évidence : la partie était définitivement perdue.

Le retour des deux mages se fit sans incident. Lux avait l'esprit tourmenté par ce qu'il venait d'apprendre. Sa vie n'avait été qu'un énorme mensonge. Il avait prié un dieu qui n'était pas plus divin que lui. En fait, sa vie, jusqu'à l'apparition de ses pouvoirs, n'avait été qu'un mirage.

Killian, quant à lui, avait l'esprit en ébullition. Il était temps de fixer des priorités, mais encore fallait-il savoir les classer. Devait-il se jeter à corps perdu dans la poursuite d'Antonio en Amérique du Sud ? Ou devait-il perfectionner sa magie pour vaincre le Malachor ?

Ils finirent le trajet en contemplant l'horizon qui se dressait devant eux, dévoilant la côte méditerranéenne qui étalait sa beauté, leur jetant au visage la splendeur de leur monde.

Chapitre 4

Lana nageait dans le grand bassin des mages de l'eau. Etant la fille du chef des Wizards et l'une des rares non mage vivant dans l'académie, elle avait réussi à négocier un droit d'entrée dans le bassin de ces derniers. Au début, cela ne lui avait attiré que des regards hostiles, mais personne n'osa le lui interdire. Plus les jours passaient et plus l'attitude des gens s'approchait de l'indifférence. Diane, membre du Conseil et responsable des mages de l'eau faisait en sorte d'être le plus souvent présente pendant son temps de natation afin de s'assurer de la discrétion de la jeune fille.

La discrétion. Si Lana avait dû se décrire en un seul mot pendant ses séances de nage, elle n'aurait pu trouver mieux.

Depuis son emménagement au sein de l'académie, Lana avait perdu ses amies et toute possibilité de pouvoir faire du sport en club. La seule activité physique qui s'était offerte à elle était donc la natation. Néanmoins, la jeune fille était bien contente. Elle avait toujours voulu pratiquer ce sport, mais aucune piscine ne se trouvait près de leur ancienne maison. Elle y venait désormais tous les soirs au moins une heure. Elle se changeait, nageait avec énergie et repartait sans avoir dérangé les mages qui s'entrainaient.

Ce jour-là, Lana était angoissée. Son père était parti en pleine nuit il y a quelques jours. Depuis son retour, il ne cessait d'être en réunion avec le Conseil ou avec les Wizards. Il y avait une tension dans l'air au loft qui lui faisait peur.

C'est avec rage qu'elle attaqua ses premières longueurs. L'eau était particulièrement bonne aujourd'hui, ni trop chaude, ni trop froide. Le goût du sel sur ses lèvres lui donnait un goût marin qui lui enivrait l'esprit, lui faisant croire qu'elle nageait en pleine mer.

Premier retournement, qu'elle effectua avec beaucoup de grâce (d'après elle), pour repartir de plus belle, ne remontant à la surface que pour le plaisir d'utiliser sa jeune musculature et non par nécessité, son corps ne réclamant pas encore d'oxygène. Elle repensa à ses débuts. Ne pouvant parler aux mages, elle les observait afin de pouvoir améliorer sa technique et effectuer de beaux demi-tours.

Deuxième retournement. Elle fut assez surprise de le faire aussi vite, sachant qu'elle n'avait pas l'impression de donner son maximum. L'eau semblait la pousser en avant et non l'empêcher d'avancer. Elle se sourit à elle-même, heureuse des progrès qu'elle avait fait.

Lasse de ne pas se fatiguer, elle prit la décision d'accélérer. Elle voulait rentrer épuisée. Laisser le stress de la vie de tous les jours derrière elle.

Le troisième retournement approcha et elle plongea. Se positionnant sans effort, elle sentit le contact du carrelage du bassin contre ses pieds. Son corps se détendit comme une arbalète. Bras en avant, tendus comme une flèche, elle sentait une énergie nouvelle prendre possession de son être. Elle s'élança sous l'eau, ondulant des jambes et du bassin pour accomplir le plus de distance possible. Profitant, par la même occasion, du silence apaisant.

Elle paniqua lorsque ses mains percutèrent le rebord alors qu'elle n'était pas encore remontée à la surface. Emergeant avec force, elle s'accrocha au carrelage qui bordait la piscine et jeta un coup d'œil en arrière. « Bizarre », se dit-elle en constatant qu'elle n'avait pas dévié. Avait-elle réellement traversé l'intégralité du bassin sous l'eau ?

Son esprit s'éclaircit et elle réalisa deux choses : elle n'était pas du tout essoufflée et le bassin était la proie d'un énorme ressac, comme si un bateau à moteur venait de traverser la piscine.

« Encore un mage qui s'est lâché », pensa-t-elle. Mais elle découvrit, en étant plus attentive, que la totalité des personnes présentes avait les yeux rivés sur elle.

Le calme dans le bassin revint progressivement, mais les regards perdurèrent et la jeune fille commençait à se sentir mal à l'aise. Elle se dirigea vers l'échelle la plus proche afin de rentrer, ne comprenant pas la tournure des évènements. Elle se hissa sans effort en dehors de l'eau et sentit comme un grand vide l'envahir : elle ne voulait pas s'arrêter. « Maudits soient ces foutus mages ! » hurla-t-elle intérieurement. Sa colère se transforma rapidement en peur lorsque qu'elle vit

Diane venir dans sa direction, sa serviette à la main. Cette dernière la lui tendit avec un sourire, ce qui déstabilisa la petite fille qui saisit le linge pour s'essuyer.

- Comment te sens-tu ?

La question la surprit. Elle qui pensait avoir fait une bêtise compte-tenu du comportement des autres personnes présentes dans l'immense dôme.

- Bien, merci... je suis...désolée si je vous ai dérangé. Je suis très en forme aujourd'hui et je n'ai pas fait très attention.

La membre du Conseil laissa échapper un petit rire, ce qui détendit légèrement l'atmosphère. Elle posa sur la jeune fille un regard plein de compassion.

- Ne soit pas désolée. En revanche, on a bien vu que tu étais en forme. Quatre longueurs en moins d'une minute trente. Record du monde battu ! du moins record du monde des non-mages...

La petite fille rougit dans un premier temps, même si elle ne comprenait pas tout. Le compliment avait l'air sincère et la jeune femme arborait un sourire des plus radieux. Elle fut rejointe par d'autres mages qui saluèrent Lana un par un. C'était la première fois que des mages se déplaçaient pour lui dire bonjour.

- C'est un honneur d'avoir parmi nous la fille de l'enchanteur. Nous allons prendre bien soin de toi. Préfères-tu le dire à ton père ou souhaites-tu que je lui en parle ?

Lana fut perdue. Elle ne comprenait pas la question de la jeune femme. De quoi fallait-il parler à son père ? Son désarroi dut se lire sur son visage car la jeune membre du Conseil lui posa une main sur l'épaule et approcha son visage du sien:

- Tu es désormais l'une des nôtres. Ne sens tu pas le changement ? N'as-tu pas été irritée de quitter le bassin ? et surtout... tu n'es pas choquée par tes performances de la journée ?

La petite fille jeta un coup d'œil en direction du bassin, se demandant comment la chef des mages de l'eau pouvait savoir ce qu'elle ressentait.

- La magie... a fait son apparition en toi. Nous avons tous ressenti ta naissance. Je suis fière et honorée que tu sois une mage de l'eau.

Lana se dirigea en courant vers le loft. Elle était à la fois excitée et angoissé à l'idée d'annoncer la nouvelle à sa famille. Devait-elle en parler à son père en premier ou à table devant tout le monde ? La deuxième idée avait le mérite de pouvoir clouer le bec de ses sœurs... ce qui n'était pas pour lui déplaire.

Elle ouvrit la porte d'entrée avec fracas pour se retrouver dans le salon. A sa grande surprise, elle se retrouva nez à nez avec sa mère qui donnait l'impression de se battre avec un grand nombre de boites de médicaments. Les jetant les unes après les autres sur le côté, elle semblait en proie à la panique.

- Ça ne va pas maman ?

Toute l'euphorie du moment venait de s'envoler. Lana avait beaucoup d'empathie pour sa mère et elle ressentait à cet instant un immense stress, voire de l'inquiétude dans son regard.

- C'est Constance, elle nous fait une méchante poussée de fièvre, sans aucun autre symptôme et je n'ai plus d'antibiotique.

Axelle n'avait même pas levé la tête pour lui parler. Ce qui était, pour la petite fille, un signe supplémentaire que son inquiétude était réelle.

- Pourquoi tu ne demandes pas à Lux, ou à papa de la soigner ?

Sa mère s'immobilisa en écoutant sa fille puis jura. Chose qu'elle faisait rarement. Elle leva un regard plein de fierté sur sa progéniture, avant de se diriger vers son téléphone portable.

- Tu es un génie ! Je t'aime ! lui cria-t-elle de l'autre bout de la pièce.

Lana grimpa les marches menant aux « quartiers » de sa famille. La conception du loft avait permis à chaque habitant d'avoir un espace privé. Toute la famille de Killian vivait à l'étage, ce qui leur permettait de pouvoir se retrouver entre eux si le besoin s'en faisait sentir. Seule Ronce désertait sa chambre pour dormir systématiquement avec Laurana.

La petite fille entendit la respiration de sa sœur avant même d'avoir ouvert la porte. Le souffle était rauque, interrompu régulièrement par de petits gémissements. Lana ouvrit légèrement la porte pour se glisser à l'intérieur, constatant par elle-même l'état alarmant de sa cadette.

Cette dernière était allongée sur le dos, bras et jambes écartés. Vêtue d'une simple nuisette, on pouvait distinguer sa peau luisante, trempée par la transpiration. Son visage était aussi inquiétant que le reste : elle semblait être tourmentée par de violents cauchemars, occasionnant des spasmes au niveau de ses paupières fermées.

La vision de sa sœur dans un tel état alarma la petite fille qui courut jusqu'à leur salle de bain pour y plonger dans l'eau froide sa serviette. Elle la posa ensuite délicatement sur le front de Constance. Voyant qu'elle ne pouvait rien faire de plus, elle s'assit sur le lit et patienta. Ecoutant avec attention le rythme respiratoire de sa sœur qui devenait légèrement plus régulier.

- Tiens bon, on va te soigner.

Seuls des claquements de dents lui répondirent et Lana serra les poings. Elle changea de sens la serviette qui était déjà brûlante.

Des bruits de pas dans le couloir se firent entendre et la petite fille se tourna vers la porte de la chambre. Lux et son père apparurent quelques secondes plus tard. Ce dernier avait le visage fermé, comme ces derniers jours. Les deux hommes se jetèrent un regard interrogateur et eurent l'air surpris de trouver les deux jeunes filles dans la même chambre.

- Ça pourrait expliquer ce qu'on a ressenti en entrant dans le loft, j'ai l'impression que ça vient des deux ? commença le mage de lumière.
- Tu as raison... continua le maitre des runes. On verra cela après s'être occupé de Constance. Lana, va rejoindre ta mère, on ne va pas en avoir pour très longtemps.

La petite fille s'exécuta, non sans avoir jeté un dernier coup d'œil à sa sœur et avoir prié intérieurement pour que tout ce passe bien.

Axelle faisait les cent pas dans le grand salon, cela faisait un bon quart d'heure que Lux et Killian étaient à l'étage avec Constance et elle bouillait intérieurement. Elle tentait de se rassurer en se disant que la magie de Lux était peut-être plus lente à agir que celle de son mari.

Ambre et Goliath regardaient la télévision sans conviction. Ils étaient revenus au loft avec Ronce dès qu'ils avaient appris la nouvelle. Ce comportement avait fait réaliser à Axelle l'importance du groupe qu'ils formaient. Elle n'était pas, avec ses filles, qu'une pièce rapportée. Elles faisaient partie d'un tout. Ils étaient une famille, unis. Laurana et Ronce jouaient à la bataille en silence pendant que Lana buvait un verre d'eau en les regardant.

Un bruit en provenance de l'escalier les alerta et toute l'équipe se tourna pour voir Lux descendre seul dans le salon. Ce dernier semblait fatigué. Il se dirigea vers Axelle et lui posa une main sur l'épaule :

- Notre magie est sans effet sur Constance. Nous allons appeler Lumio qui maîtrise beaucoup mieux les sorts de soins que moi. Goliath, peux-tu aller le chercher ?

La mère de la petite fille prit la nouvelle comme un coup de massue. La magie ne pouvait soigner sa fille ? Que devait-elle en conclure ?

- Ne vous inquiétez pas. Ce n'est peut-être rien. Elle a trente-neuf cinq de température, ce qui n'est pas non plus exceptionnel. A force de nous entrainer, nous n'avons pas vraiment développé nos magies curatives avec Killian.

Le Corporem partit à grand pas vers la sortie sans rien dire à personne, ce qui n'était pas dans ses habitudes et Ambre rejoignit les deux autres adultes afin de participer à la conversation.

- Ils vont trouver une solution, réussit-elle à dire en s'approchant. Ne t'inquiète pas Axelle, tu sais qu'on ne lâchera pas. Dans le pire des cas, j'irai demander à Diane de baisser sa température corporelle. Moi je ne peux que la lui faire grimper, ce qui n'est pas conseillé pour le moment.

Lana, qui écoutait la conversation, se redressa sur son siège :

- Tu es sûre de toi ? Une mage de l'eau peut faire cela ? demanda-t-elle à Ambre.
- Normalement oui, pourquoi ?

Sans même lui répondre, la petite fille fila vers les escaliers pour se retrouver face à son père, que personne n'avait entendu arriver.

- N'y pense même pas !

Le maitre des runes avait été particulièrement froid dans sa façon de lui parler. Ce que la petite fille ne comprit pas. La colère remplaça rapidement son chagrin. Elle réalisa aussi qu'il savait pour sa naissance. Au moins, cela réglait la question de comment leur annoncer.

- Mais pourquoi ? Si je peux l'aider !
- De quoi parle-t-elle ? demanda Axelle qui ne comprenait absolument rien à la conversation.
- C'est une mage de l'eau. Sa naissance est arrivée aujourd'hui, tout comme Constance.

Sa femme le regarda avec colère. Elle en avait marre d'être toujours la dernière au courant de tout !

- Et tu ne pouvais pas me le dire ! J'en ai marre d'être toujours...
- Arrête !

Le cri de Killian fit sursauter tout le monde dans la pièce. S'énerver n'était pas dans ses habitudes et contre sa femme encore moins. Ce dernier se frotta le visage avec ses mains, signe de sa fatigue actuelle. Il se dirigea d'un pas lent vers sa femme et la prit dans ses bras.

- Je ne suis au courant que depuis que je suis rentré. Et je viens juste de comprendre que c'est une mage de l'eau.

Axelle se blottit contre lui et pleura. Elle se sentait totalement impuissante (ce qui équivalait, pour elle, à être une mauvaise mère). De plus, elle avait désormais peur pour ses deux filles.

- Beuuuurk ! une mage de l'eau ?

Tout le monde se tourna vers Ambre qui regardait la jeune fille en fronçant le nez. Seuls les Wizards comprirent le sens de ses paroles. Depuis le retour de la magie, certaines obédiences développaient une animosité naturelle l'une envers l'autre. Le feu et l'eau faisaient partie de ce cas de figure.

- Je t'aurais bien vu en mage du feu avec ton tempérament. Mais j'aurais dû m'en douter en te voyant aller barboter tous les soirs… en plus, Diane n'est pas la plus douée des professeurs… enfin ! espérons qu'on arrive à faire quelque chose de toi, finit par dire Ambre en faisant un clin d'œil à la jeune fille. Et Constance ? quelle obédience ?

Le changement de sujet détendit l'atmosphère. Killian n'aurait su dire si cela était volontaire de la part de son amie, mais il la remercia intérieurement pour son intervention.

- Aucune idée, répondit le maitre des runes. C'est plutôt sa santé qui me préoccupe pour le moment.

A peine eut-il finit sa phrase que la porte d'entrée s'ouvrit, dévoilant un Goliath qui semblait légèrement gêné, avant de laisser passer une femme d'une quarantaine d'année. Freya n'osait franchir le seuil de la porte, mais le colosse lui fit un signe d'encouragement.

- Que fait-elle là ? Où est Lumio ? s'écria Killian.

Goliath voulut lui répondre, mais la démoniste retrouva rapidement son assurance et son arrogance naturelles.

- D'après les symptômes de votre fille, je pense être la mieux placée pour vous aider. Votre fille est certainement une démoniste. Elle va accoucher de son démon certainement dans les prochaines heures.

Personne ne pipa mot dans la pièce. L'obédience des démons était totalement inconnue de tous les Wizards et même Killian ne savait pas du tout quoi en penser.

Bizarrement, la seule qui eut le réflexe de réagir fut Axelle. Cette dernière toisa Freya qui était vêtue d'une longue robe noire en cuir et dont le démon à longs poils blancs lui servait de ceinture. Elle avait accepté, difficilement, les tenues plutôt frivoles d'Ambre. Mais Axelle était bien décidée à ne pas laisser cette folle dire du mal de sa fille.

- Killian, fais quelque chose. Si cette vieille sado maso en manque de sensation forte n'arrête pas de dire des obscénités sur ma fille… je… je… demande à Goliath de se transformer en lion et de la bouffer !

Le maitre des runes dut se retenir de rire. Même dans une situation critique, les débordements émotionnels de sa femme avaient l'avantage de pouvoir transformer une situation dramatique en situation comique.

- Laisse mon amour. Freya, explique-toi un peu mieux. Ma fille va accoucher ? Tu te rends compte de ce que tu nous annonces ?

Bizarrement, la quadragénaire ignora le chef des Wizards.

- De quoi m'a-t-elle traité ?
- De vieille sado maso en manque de sensation forte, répondit Goliath, les bras croisés, avec un immense sourire. Personnellement je trouve…
- Goliath ! le coupa Killian. S'il te plait Freya… le temps presse.

Freya ferma les yeux quelques secondes pour se calmer. Puis reprit la parole le plus calmement possible :

- Menez-moi à votre fille. Je vous expliquerai après. Sachez juste que le mot accouchement ne signifie pas la même chose pour nous que pour vous. Son démon va arriver dans notre monde, voilà tout. Son corps va servir de porte de passage. La fièvre n'est que le début.

Axelle et Killian se prirent la main instinctivement.

- Suis-moi, lui répondit le maitre des runes.

Ils montèrent tous les trois à l'étage pour se diriger vers la chambre de Constance. La démoniste entra la première et s'assit sur le lit, posant avec délicatesse ses mains sur les joues de la petite fille. Elle remonta sa chemise de nuit pour mettre à nu son ventre, sous le regard médusé de ses parents.

- Eteignez cette lumière et fermez les rideaux s'il vous plait.

Ils s'exécutèrent sans poser de question. Freya approcha son visage du nombril de la jeune fille. Plusieurs secondes passèrent sans que rien ne se passe. Puis Constance se mit à respirer plus faiblement. Elle arrêta de trembler et se détendit. La membre du Conseil embrassa la jeune fille sur le front et se releva. Killian fut surpris par la douceur de la femme qui se tenait devant elle.

- C'est pour ce soir. Il faut la porter dans notre salle d'accouchement. J'ai établi un contact avec son démon pour lui dire de se calmer, car il lui faisait du mal. Je pense qu'il m'a comprise. Sa fièvre a même déjà commencé à baisser.

Soulagés par cette nouvelle, les deux parents se détendirent. C'est Axelle qui raccompagna la démoniste jusqu'au rez-de-chaussée, un peu gênée.

- Je suis désolée pour tout à l'heure. Je n'aurais jamais du…
- Ne vous inquiétez pas pour ça. Préoccupez-vous de votre fille. Son démon est…puissant et déjà mature. La salle d'accouchement devrait beaucoup nous aider.

Le groupe entier, malgré les protestations de la démoniste, accompagna Constance. Ceci fit chaud au cœur à Killian, qui, en voyant le regard de sa femme, se dit qu'elle devait partager son état d'esprit. Vivre tous ensemble les avait rapprochés, faisant d'eux une vraie famille.

Goliath portait Ronce tout en tenant la main d'Ambre. Ils débattaient pour savoir quel animal serait le plus approprié pour manger la démoniste. Ce qui fit sourire le maître des runes. Lana ne parlait pas, certainement perturbée par les derniers évènements. Elle s'était probablement fait une joie d'annoncer la nouvelle à sa famille. Laurana marchait avec Axelle, qui semblait plus détendue depuis l'intervention de Freya.

A l'approche du bâtiment, Killian sentit un frisson lui parcourir la colonne vertébrale. La demeure des démonistes, bien que faite en majeure partie de métal, ne plaisait pas au maître des runes. Elle avait quelque chose de démoniaque. Ce qui, d'un certain côté, était plutôt bien pensé.

L'extérieur ressemblait à une énorme griffe de métal dirigée vers le haut, comme sortie de terre. Mais rien ne prépara les compagnons à la découverte de l'intérieur du bâtiment.

Celui-ci était composé de multiples poutres de métal qui se croisaient sans aucun ordre logique. A peine la démoniste fut-elle entrée dans le bâtiment que son démon se détacha de son corps pour courir le long d'un long tube de fer qui partait sur plusieurs mètres en direction du plafond. Killian fit un tour sur lui-même, comme le reste du groupe, pour admirer l'ouvrage. Ils étaient au milieu d'une jungle de métal.

- Les démons aiment le chaos. Cet espace leur permet de régulièrement nous montrer leurs capacités, commenta Freya. Nous allons devoir monter dans notre salle d'accouchement. Faites attention à ne pas vous cogner. Lorsqu'on n'a pas l'habitude, ça peut faire mal.

Le groupe évolua non sans difficulté au milieu de pointes de fer, poutres et tuyaux pour se diriger vers un ascenseur. Le démon de leur guide sauta au dernier moment pour les rejoindre, ce qui fit sursauter Axelle.

- Mon dieu… on va devoir vivre avec ça à la maison ?
- Non, lui répondit Freya. Chaque démoniste a son propre démon. Je n'en ai jamais vu un identique à Bounty.
- Bounty ?
- C'est son nom.

La créature releva sa tête pleine de poils pour fixer la jeune femme de ses deux petits yeux noirs. Cette dernière serra fort le bras de son mari.

- Vous allez me faire perdre la tête. Vos trucs de magie, passe encore. Mais ça, ça va être compliqué…

Goliath se mit à rire et tout le monde se tourna vers lui pendant que l'ascenseur continuait à grimper.

- Qu'est qui te fait rire ? lui demanda Ambre.
- Rien… dis-moi Axelle, qu'est-ce que tu détestes plus que tout ?

Déjà peu rassurée par la situation, elle hésita à donner une réponse. Malheureusement, Laurana se chargea de vendre la mèche.

- Elle déteste les serpents.
- Et bien commence une prière pour éviter que le démon de ta fille ressemble à un serpent, continua le colosse.

Tout le monde se mit à rire dans l'ascenseur, à l'exception de celle qui venait de réaliser que son pire cauchemar risquait d'être sur le point de se réaliser…

L'ascenseur les déposa tous en haut du bâtiment qui formait l'index de l'immense griffe de métal. La salle était bien plus grande que ce qu'elle laissait paraitre de l'extérieur. Une table en verre trônait devant une rangée de bougeoirs. Ces derniers étaient surmontés de bougies de différentes tailles, allant du simple chauffe-plat à l'immense cierge comme ceux que Lux avait pu trouver par le passé dans son église. Le sol était d'un blanc immaculé comme le mur opposé à la table et aucune lumière extérieure ne parvenait à eux, pour la simple et bonne raison que la pièce n'était pourvue d'aucune fenêtre.

- Posez-la sur la table et placez-vous tous derrière les bougeoirs. Après, vous devrez faire silence et ne pas bouger ! dit Freya avec gravité.

Killian et Lux déposèrent la petite fille avant de rejoindre le reste du groupe pendant que la démoniste allumait les bougies. L'ambiance de la salle se transforma rapidement, laissant un air de rituel sataniste planer dans l'air.

- Vous devez comprendre que nous autres, démonistes, sommes dépendants de notre démon et réciproquement. Dès sa naissance, nous devons le faire apparaitre. Dans la plupart des cas, cela arrive pendant notre sommeil. Nous appelons cela l'accouchement. Dans le cas de votre fille, la problématique vient du fait que son démon est certainement plus grand qu'elle… et donc que son ombre.
- Son ombre ? commenta Axelle qui était médusée par le discours de la magicienne.
- Oui… le démon doit sortir de son ombre. D'où notre salle d'accouchement. Cette pièce a été créée dans l'unique but de générer des ombres de différentes tailles et formes pour « charmer » le démon. Du moins en théorie.
- Comment ça en théorie ?
- Et bien… votre fille est la première à utiliser cette salle.
- Tu plaisantes ? lui répondit Killian.
- Ça parait pourtant logique, répondît Ambre. Aucun mage ne vient à l'académie avant sa naissance…

Killian voulut répondre, mais l'argument était réel. Le cas de Constance était atypique. Il se souvint de son recruteur, Garance, ou de l'histoire d'Antonio… comment pouvoir savoir avant que l'on allait devenir un mage et encore plus deviner son obédience.

Rapidement, Constance fut éclairée par l'ensemble des bougies et des ombres s'étendirent dans le reste de la pièce. Le groupe entier réalisa l'effet visuel souhaité par la démoniste. Grâce au mélange de la table en verre, du corps de la petite fille et des flammes vacillantes des bougies, les ombres « dansaient ». Il ne fallut que quelques minutes pour que l'une d'entre elles change.

- Là ! il arrive, chuchota Freya.

La forme sombre était figée au milieu de ses semblables. Elle ne représentait plus la petite fille, mais quelque chose de bien différent. Une nouvelle énergie fut ressentie par tous les mages présents. Même Lana fut parcourue d'un frisson.

Killian fixa sa fille, allongée sur la table, elle ne bougeait plus du tout et son visage était apaisé. Elle irradiait de puissance.

Puis, il y eut un cri.

L'ombre se souleva, ce qui fit reculer tout le monde à l'exception de la démoniste, qui resta impassible devant le phénomène.

- On y est, le démon va apparaitre.

Comme s'il l'avait entendue, le démon émergea lentement de son ombre.

Sa tête était plus humanoïde qu'autre chose, avec une grande corne couleur ivoire sur le front. Sa peau était rouge sang, comme ses iris, ce qui accentuait le contraste avec la blancheur de ses dents. Des cheveux courts et noirs se dressaient sur son crâne et descendaient jusqu'au milieu de son dos.

Dépassant les deux mètres vingt, il faisait passer Goliath pour un nain. Sa musculature parfaite impressionna même le Corporem qui émit un sifflement à la fin du processus.

- On est loin d'une peluche blanche qui s'attache autour de la taille…

Freya le toisa, non sans sourire :

- Bounty est un démon vénéneux. Je ne vous souhaite pas de goûter un jour à sa morsure. Même un Corporem mettrait des jours à s'en remettre.

Le démon fit le tour de la salle du regard. Avant de s'arrêter sur Constance. Tout le monde sentit comme un lien se forger entre les deux êtres.

Faisant fi de sa nudité, il avança d'un pas décidé vers la petite fille. Killian, par réflexe, voulut s'interposer, mais la démoniste le retint par le bras :

- Surtout pas. C'est incroyable, mais votre fille l'accepte dès le début. Laissez cette empathie l'envahir.

Le nouveau-né posa un genou à terre alors que la petite fille venait de s'asseoir sur le bord de la table.

- Il te salut, lui dit Freya. Il te jure fidélité. Je…n'ai jamais vu cela. Il est magnifique.
- Il a un air de ceux qui nous attaque mais en plus…je n'arrive pas à trouver le bon mot, enchaina Lux.
- Majestueux…

Tout le monde fixa Constance qui n'avait d'yeux que pour son démon. Elle avait dit le premier mot qui lui avait traversé l'esprit. Elle le trouvait majestueux.

- A-t-il déjà un nom ? demanda-t-elle à la démoniste.
- Non, il te faudra lui en trouver un.

La petite fille saisit le visage de la créature entre ses mains et posa son front contre sa corne. Il se passait quelque chose de spécial et Killian vit le visage médusé de ses compagnons. Eux aussi ressentaient l'importance de ce moment, cette solennité.

- Il est un roi parmi les siens. Il s'appellera Arthur. Elle se laissa glisser de la table pour atterrir dans ses bras. Arthur, ramène-moi à la maison, j'ai faim.

La créature nouvellement née se releva, tenant sa maitresse comme un bébé et se dirigea, encore nu, vers l'ascenseur. Les portes se refermèrent derrière eux, laissant le reste du groupe ébahi devant la singularité de la scène qui venait de se dérouler quelques secondes plus tôt.

- Alors là mon cher, vous n'êtes pas sorti de l'auberge !

Ça devait être la première fois que Killian entendait la démoniste avoir un fou rire.

- Ces deux-là vont vous en faire voir de toutes les couleurs ! Sur ce… ma mission s'achève ici. Vous connaissez le chemin de la sortie. Il faut que j'aille consigner tout ce qui vient de se passer dans nos archives. La magie est puissante dans ta famille Killian, tes deux filles sont exceptionnelles, un peu comme toi.

Le maitre des runes était encore sous le choc de ce qui venait de se passer. Il regarda Lana sans comprendre les paroles de la démoniste.

- Comment ça ?
- Diane ne te l'a pas dit ? Elle a fait léviter l'intégralité du bassin en nageant plus vite qu'un dauphin, du jamais vu ! Elle regarda Laurana avant de sourire. Je ne sais pas ce que tu nous prépares, mais j'ai hâte de voir ça.

Elle se dirigea vers les bougies pour les éteindre.

- Dit à Constance de venir demain. Il va falloir qu'on la prépare à l'épreuve. Ou veux-tu t'en charger ?
- Non… autant que tu t'en occupes, comme Diane. Il faut qu'elles en apprennent plus sur leur obédience pour commencer… après nous verrons.

Killian prit conscience de la situation. Devait-il révéler le secret des Wizards à ses filles ? Afin de les aider à passer l'épreuve. Un simple coup d'œil au reste du groupe lui fit comprendre qu'il n'était pas le seul à se poser la question.

Chapitre 5

Tout le monde se retrouva au loft pour le diner et la naissance des deux filles fut le grand sujet de conversation de la soirée.

Lana raconta sa version, ce qui fit rire la plupart des adultes à l'exception d'Axelle. Avoir deux de ses filles intégrant le monde de la magie lui faisait peur. Très proche de ces dernières, voilà un domaine où elle ne pourrait leur prodiguer aucun conseil, ni être leur confidente.

Constance était la plus à l'aise avec la situation. Elle semblait s'être parfaitement faite à l'idée d'avoir un démon sous ses ordres. Sa mère ne fut pas vraiment surprise, contrairement à Killian. Elle avait toujours vu sa fille comme quelqu'un de solitaire et réservé. Avoir aujourd'hui une créature qui pouvait s'habituer à toutes ses humeurs n'allait pas vraiment arranger les choses, mais voir ce sourire sur ses lèvres lui fit comprendre que ce n'était pas forcément une mauvaise chose...pour elle.

Une fois tous les enfants au lit, les adultes se réunirent au salon à la demande de Killian. Même si la journée avait déjà révélé son lot de surprises, elle était loin d'être finie pour les Wizards. Même Ronce était présente à la demande du maitre des runes.

Ce dernier avait longtemps réfléchi à la façon de leur présenter les choses. Il leur avait fait, avec Lux, un récit très détaillé de leur entrevue avec le pape. Suite à cela, il avait eu plusieurs réunions avec le Conseil afin de prendre les bonnes décisions.

- Comme vous le savez, commença Killian, nous avons enfin le nom de notre ennemi et une vague idée du lieu où il se trouve.
- Vraiment vague, enchaina Axelle. J'ai mis Scarlett dessus, mais cela n'a rien donné pour le moment.

- Je sais. Nous allons devoir nous rendre sur place pour enquêter. Mais, de façon non officielle. Nous ne sommes pas habilités à opérer sur les territoires d'Amérique du sud. Néanmoins, j'espère que l'académie de Caracas pourra nous aider. Dans le pire des cas, il ne faut pas oublier que nous pourrons nous replier en Guyane française.

Le groupe réfléchit un moment aux paroles de leur chef. L'entreprise semblait titanesque. Non seulement ils allaient devoir fouiller un continent dans sa totalité, mais ils allaient devoir en plus le faire le plus discrètement possible.

- D'un autre côté, enchaina Goliath, même si ce fameux Antonio a de l'avance sur nous, il est confronté au même problème ?
- Pas vraiment, répondit Lux. L'église catholique était très présente en Amérique du sud. Il trouvera de nombreux partisans pour l'aider. En revanche, Scarlett devrait pouvoir nous faire gagner beaucoup de temps. Elle a déjà analysé et compilé tout ce qu'elle a pu trouver sur le peuple Maya. On va avoir du pain sur la planche...
- En parlant de ça, dit Ambre. Les mayas, ce n'est pas un peuple d'Amérique centrale ?
- Si... et c'est là que vont commencer nos recherches, répondit Killian. Certaines rumeurs parlent de vestiges aussi en Amérique du sud. Leur territoire n'était pas vraiment défini. Ce peuple reste encore très mystérieux.

Il se racla la gorge, il savait que ses prochaines paroles n'allaient pas être acceptées par tout le monde.

- Le Conseil a pris deux décisions, ou plutôt nous propose deux idées...et j'y suis assez favorable car, pour être honnête, je n'ai pas mieux à proposer.

Tout le monde restait silencieux. Ambre resserra son étreinte sur Ronce et Axelle lui saisit la main.

- Une partie d'entre nous va partir pour l'Amérique du sud dans trois jours. Ceux qui restent auront deux missions : rapatrier la bibliothèque secrète du Vatican ici, pour l'étudier. Je pense que nous pouvons trouver des informations qui pourraient nous aider, c'est une mine d'or pour l'académie et les mages de notre génération. De plus, ceux qui restent ici devront...recruter deux nouveaux membres.
- On va se séparer ? murmura Ambre.

C'est à peine si on l'avait entendue. Se séparer... cela ne pouvait signifier qu'une chose : elle risquait de se retrouver séparée de Goliath et de Ronce. Elle prit cette nouvelle comme une flèche en plein cœur.

- Oui… je pensais que tu pourrais rester ici avec Lux. Ronce, Goliath et moi nous partirons pour…
- C'est hors de question.

Le ton de la jeune femme était sans appel. Il y avait, dans son regard, quelque chose que Killian ne pouvait définir. Un mélange de rage et de peur qui rendait le jugement de la mage du feu irrationnel.

- Ça ne sera pas nécessaire mon garçon, intervint Lux. Je vais rester ici seul. Axelle m'aidera pour la bibliothèque et avec Scarlett nous n'aurons aucun mal à classer et répertorier tout ça. Je demanderai au Conseil du monde pour faire les recherches. Mieux vaut que vous partiez à quatre. Si Antonio se trouve là-bas, alors le danger s'y trouve aussi.

Killian ne savait pas s'il devait bénir ou maudire le mage de lumière. Il était évident que prendre Ambre avec eux était un plus non négligeable, mais cela nécessitait de ne laisser qu'un seul Wizards sur place.

- En cas de demande d'un pays que nous sommes supposés défendre, tu seras seul. Plus grave encore, si l'académie est attaquée (son regard se posa sur Axelle), tu devras faire face seul.
- Tu viens de dire que nous devions recruter deux nouveaux membres ? Il ne sera donc pas seul bien longtemps, répondit Goliath.
- Tu n'es pas objectif. Tu souhaites qu'Ambre vienne avec nous.

Personne ne lui répondit, car personne n'avait rien à répondre. Laisser seul Lux n'était pas une bonne idée, tout comme partir à trois pour chasser Antonio. S'il avait pu, Killian aurait emmené tous les Wizards avec lui. Seule la sécurité de sa famille l'obligeait à ne pas le faire et il devait bien reconnaitre que la sécurité des autres pays d'Europe n'était qu'une excuse.

- Soit… Lux restera ici seul. La bibliothèque est ta priorité. Je suis sûr qu'il y a des réponses pour nous dedans. Je vais demander à Neuro de t'épauler avec Lumio pour le recrutement.
- Tu sais que cela va poser un problème… lui répondit Ambre.

Une fois de plus, le chef des Wizards aurait bien aimé que la mage du feu se taise. Oui, il savait que recruter deux Wizards signifiait une chose : ils devraient leur révéler leur secret.

- Je sais, chaque chose en son temps. On ne va pas pouvoir continuer à cinq. Surtout avec ce que nous avons appris sur Antonio. Autant nous préparer au pire…

Il y eut un moment de silence afin que le groupe médite sur les paroles de Killian. Le pire : la résurrection du Malachor. Rien que d'évoquer cette possibilité, Axelle en eut un frisson. Il existait donc une créature encore plus terrible que les démons qui s'attaquaient aux académies... et son mari était l'homme désigné par le destin, comme son ancêtre, pour le combattre.

- Tu penses que deux Wizards de plus peuvent faire la différence ? sérieusement ? lui demanda Goliath.
- Je pense que nous sommes beaucoup plus puissants que l'ancienne génération de mages. Je peux te garantir qu'en ce qui me concerne, les objets de Tindarius n'étaient pas de mon niveau. J'espère que Lux trouvera dans la bibliothèque les mêmes informations concernant vos obédiences. Si treize mages, moins puissants que nous, ont réussi à le vaincre... nous avons le droit de croire que nous aussi, nous y arriverons.
- Ce n'est que le plan « B », enchaina Lux. N'oublions pas que notre priorité est de stopper Antonio. D'ailleurs, dans combien de temps partez-vous ?

Killian parut gêné et jeta un dernier coup d'œil à sa femme, il savait que la laisser ici pour une période indéterminée allait être une épreuve pour eux deux.

- On décolle dans trois jours... le temps que je répare les droners et que je me prépare. Dans trois jours, on part en chasse.

Malgré tous ses efforts, Axelle ne réussit pas à rester indifférente à l'annonce. Trois jours... Même si elle avait conscience du critique de la situation et de l'urgence pour les Wizards d'empêcher la résurrection du Malachor, elle était terrifiée à l'idée de voir son mari partir loin d'elle.

Elle sentit une main se poser sur sa joue et un pouce effleurer sa pommette, essuyant une larme qu'elle n'avait pas pu retenir.

- Je reviendrai mon amour. Nous reviendrons tous... tu as ma parole.

Elle voulut répliquer, mais le regard du maitre des runes la figea. Jamais elle n'avait vu une telle détermination dans le regard de son mari. C'est en détournant les yeux, consciente de sa faiblesse, qu'elle réalisa que l'ensemble du groupe semblait dans le même état d'esprit. Personne ne parlait, mais tous irradiaient d'une volonté implacable. Dans trois jours, ils partiraient en chasse. Dans trois jours, ils allaient enfin traquer celui qui menaçait leur monde. En fait...ils avaient hâte d'y être...

- Pourquoi tu veux que je vienne ?

Tout le monde se tourna vers la petite Ronce. Un doigt sur le menton, elle semblait sincèrement se poser la question.

- Tu ne veux pas y aller ? lui demanda Goliath.
- Oh si ! mais... je suis étonnée qu'il n'ait pas proposé que je reste ici avec Lux. Ce qui aurait évité à ... maman (cette dernière rougit) de s'énerver car elle n'aurait jamais insisté pour que je vienne. Donc c'est que tu voulais que je vienne. Je n'ai pas raison ?

Killian fixa la petite fille avec admiration :

- Tu as tout à fait raison. Je pense qu'une mage de la terre nous sera d'une grande aide. Le peuple des Mayas a caché cette bibliothèque, car personne ne l'a jamais trouvée. Il y a donc de fortes chances qu'elle soit...
- Sous terre ! finit Ambre.
- Exactement. Et si c'est le cas, tu risques d'être notre meilleur atout. Tu dois venir.
- Bien...continua Lux. Si tout est dit, nous devrions allez nous coucher. Trois jours pour se préparer, ce n'est pas beaucoup.

Le groupe se leva et chacun se dirigea vers ses quartiers, l'esprit en ébullition. Ce fut peut-être parce qu'ils étaient préoccupés que personne ne remarqua le visage soucieux de la petite Laurana.

Tout le monde s'activa dès le lever du soleil. Chacun savait ce qu'il avait à faire et ils n'eurent aucun besoin de se parler.

Lux se rapprocha de Lumio et Neuro pour leur expliquer sa mission et les deux mages se prêtèrent au jeu avec beaucoup de sérieux. Le vieil homme organisa l'arrivée de la bibliothèque du Vatican de manière très efficace. Chaque obédience deviendrait la gardienne de ses ouvrages et une équipe fut designée pour organiser le transport. Dans un deuxième temps, chaque bâtiment devrait faire des recherches afin de trouver des indices sur la bibliothèque Maya ou sur le Malachor. Le Conseil vota, en parallèle, que toute découverte sur la magie elle-même devrait être partagée, à l'exception de pouvoirs spécifiques liés à une obédience en particulier. Chaque membre du Conseil serait garant de cela.

L'objectif pour Lumio était d'éviter les erreurs du passé et de ne pas encourager l'individualisme, mais l'effort collectif. Il estimait, aussi, que regrouper l'ensemble du savoir sur la magie au même endroit était une mauvaise idée.

Lux et Neuro se concentrèrent sur le recrutement des deux nouveaux Wizards. Même si le mage de lumière n'était pas fan de l'idée, il était forcé d'admettre qu'ils avaient besoin de renfort. Il ne s'était jamais considéré comme quelqu'un de couard, mais rester seul à l'académie lui faisait froid dans le dos et d'un autre côté, partir à quatre pour chasser Antonio et éviter la résurrection du Malachor était un minimum. Il fallait se rendre à l'évidence. Cinq mages, aussi doués soient-ils, ne pouvaient faire face à l'ensemble des dangers que le monde en lui-même représentait.

Chaque membre du Conseil en parla auprès de ses apprentis et mages confirmés, espérant avoir au moins deux courageux volontaires pour intégrer les Wizards. Neuro était celui qui devait faire un premier tri en éliminant au maximum ceux qui avaient le moins de traits de caractère communs avec les cinq premiers membres. L'inquiétude, pour Lux, résidait dans l'espoir d'avoir au moins deux mages assez fous pour les rejoindre...

Ambre et Goliath passèrent leur temps dans la salle d'entrainement. La mage du feu avait parfaitement conscience d'avoir imposé sa présence à Killian et décida de mettre les bouchées doubles afin de ne surtout pas être un poids pour l'équipe. Goliath, quant à lui, ne se lassait pas de voir sa magnifique compagne à l'œuvre car, la plupart du temps, ses vêtements ne résistaient pas à ses démonstrations de puissance. Ce problème gênait particulièrement la jeune femme. Même si voir le regard plein d'admiration de son compagnon lui faisait toujours le même effet, ne pas pouvoir se lâcher sans se retrouver systématiquement nue comme un ver devenait tout de même gênant.

- Pourquoi ne demandes-tu pas à Killian de te fabriquer une armure ? commença le colosse en s'essuyant avec une serviette après avoir accompli ses exercices.
- Je ne vais pas le déranger, surtout en ce moment. Depuis notre dernière discussion, il est plutôt distant. J'ai manqué de tact en m'imposant de la sorte.
- C'est justement l'occasion de faire un pas vers lui.
- Je ne vois pas pourquoi ça serait à moi de faire le premier pas ?

Le géant se plaça devant elle. Il avait toujours trouvé son regard particulier, plein de rage et de détermination, tout en étant capable d'une grande douceur lorsque personne ne la regardait. Comme si la jeune femme s'obligeait à afficher une façade rebelle, certainement un mode de protection nécessaire lorsque l'on grandit en foyer.

- Car à cause de toi, il laisse Lux seul ici et cela l'angoisse terriblement. S'il lui arrive quelque chose durant notre absence, il ne se le pardonnera jamais.

La jeune femme se mordit la lèvre. Bien sûr qu'il avait raison ! Killian ne pouvait laisser Goliath ici, comptant sur les capacités de régénération du Corporem pour ne pas avoir à se soucier de lui en permanence et il avait déjà expliqué pourquoi Ronce lui semblait indispensable au voyage. Elle n'avait à aucun moment pensé au mage de lumière, sa peur d'être loin de l'homme qu'elle aimait et de sa fille lui avait fait perdre toute objectivité.

Elle embrassa son compagnon avec passion et partit en courant vers la sortie, laissant seul le Corporem qui leva les yeux au ciel et se dirigea vers le centre de la salle pour reprendre ses exercices.

- Y a pas de quoi…

Killian restait enfermé dans son atelier avec Axelle et Laurana. Cette dernière adorait aider son père lorsqu'il créait de nouveaux enchantements. Elle contemplait tous ces petits signes bleus, dorés et rouges avec beaucoup d'amusement. Elle lui apportait tout ce que son père lui demandait : tuyaux, plaques, tiges de fer… elle avait un don pour trouver systématiquement ce que Killian recherchait au milieu de son désordre de métal.

- Tu fais quoi papa ?

Killian faisait flotter devant lui une multitude de pièces métalliques et tentait de les assembler les unes dans les autres. L'expérience n'était pas un franc succès, mais elle avait le mérite d'être assez impressionnante, surtout devant une petite fille de six ans.

- C'est compliqué ma puce, tu vois … j'essaye de faire rentrer ça là-dedans, sans casser cette partie-là… ni gêner ce mécanisme. Mais je pense que ce n'est pas vraiment possible.

La petite fille pencha la tête sur le côté. Son père se dit qu'il allait avoir la paix un moment le temps qu'elle comprenne la moitié de sa dernière phrase.

- Tu devrais faire un trou ici, lui répondit-elle en pointant du doigt une des pièces, et le mécanisme devrait être légèrement tourné comme ça pour ne plus être dans le passage.

Killian fixa un moment sa fille puis l'ensemble des pièces métalliques qui se tenaient devant lui. Utilisant les indications de Laurana, il se concentra pour modifier les éléments désignés par sa cadette. Le mécanisme s'emboita du premier coup devant les yeux ébahis du maitre des runes.

Une fois la magie dissipée, il fixa sa fille d'un œil nouveau. Etait-elle un futur génie en mécanique ? Il invoqua Fangore discrètement et cette dernière apparut juste à côté de lui.

- Dis-moi ma puce ? Tu vois quelque chose à côté de moi ?
- Non pourquoi ?
- Pour rien…
- Qu'est-ce que vous faites tous les deux ?

Axelle était face à eux, un ordinateur portable à la main. Même vêtue d'une simple blouse de travail, elle avait un don pour fasciner Killian. Appuyée contre un mur, elle le regardait en souriant en coin, ses lunettes lui donnaient un air intello tout en restant très féminine. Lassée d'être enfermée en permanence dans une cave, elle s'était confectionné une connexion avec Scarlett à l'intérieur de l'atelier, de peur de se transformer en vampire.

- Ta fille me donne des cours de mécanique, elle est douée.
- Nos filles sont douées pour tout…

Un voile d'inquiétude marqua le visage de la jeune femme. Deux de ses trois filles étaient désormais des mages et son mari allait partir loin d'elle pour une durée inconnue. Comment allait-elle gérer cela sans lui ? Elle, la femme sans pouvoir… comment allait-elle pouvoir aider ses filles dans l'épreuve qu'elles allaient traverser ?

Le chef des Wizards se dirigea vers elle et la prit par la taille. Les yeux dans les yeux, il réussit néanmoins à la faire sourire.

- Je ne suis pas encore parti tu sais… ce n'est pas encore l'heure d'être inquiète.

Elle rit. Bien sûr qu'il savait ce qu'elle pensait. Elle était un livre ouvert pour lui.

- Juste un peu d'anticipation, rien de grave… Scarlett compile les données, elle vous a trouvé au moins une douzaine d'endroits que vous allez devoir visiter. Sans compter les zones où la forêt est tellement dense que même les satellites ne peuvent nous fournir une image.
- Autant dire qu'on n'est pas sortis de l'auberge.

Deux grands coup contre la porte de l'atelier mirent fin à leur discussion. Le maitre des runes se concentra et ouvrit par la pensée cette dernière, laissant Ambre s'introduire dans la pièce.

- Salut ! je peux te parler une seconde ?
- Bien sûr…

Axelle lui fit un clin d'œil et retourna à son bureau, sentant que sa présence n'était pas spécialement souhaitée. Une fois sa femme partie, le maitre des runes put se concentrer sur la nouvelle arrivée :

- Qu'est-ce que je peux faire pour toi Ambre ?

La jeune femme se refusa à prendre son ami de front. Elle préféra d'abord piquer sa curiosité, afin de le détendre un peu, avant de parler d'un sujet plus sérieux.

- Goliath m'a donné une bonne idée, serais-tu capable de me fabriquer une armure ?

Malgré la colère qu'il avait contre elle, l'air intrigué et intéressé qui venait de naitre sur son visage lui faisait dire qu'elle était sur la bonne voie.

- Pourquoi veux-tu une armure ?
- Pour éviter de me retrouver à poils à longueur de temps.

Malgré sa tentative de rester à l'écart de la discussion, Axelle ne put s'empêcher d'éclater de rire. Elle fit dépasser sa tête de l'un des droners et s'écria :

- Mais c'est une super idée ! Par contre Killian est nul en mode féminine. Viens là, on va te confectionner un prototype sur mon ordinateur, comme ça, il aura un modèle.
- Merci, c'est super sympa...

Elle se dirigea vers le bureau avant de se retourner. Killian vit dans son regard tout ce qu'elle désirait lui dire et évita à la jeune femme de se torturer plus longtemps.

- Ne t'inquiète pas... je savais que cela allait te poser un problème. Je t'envie, j'aimerais pouvoir faire comme toi...

Ambre surprit le regard du maitre des runes vers sa femme et sa fille. Lui allait être séparé des personnes qu'il aimait par-dessus tout, il ne la comprenait que trop bien.

- Mais Lux...
- Saura se débrouiller. Le Conseil veillera aussi sur lui. A nous de faire vite là-bas afin de ne pas le laisser seul trop longtemps. Allez, file voir ma femme, j'ai encore pas mal de travail et d'après ce que j'ai compris, tu es venu pour m'en rajouter...

Tout le monde était réuni le soir dans le salon pour déguster le repas préparé par Goliath. Celui-ci avait insisté pour faire la cuisine, sachant que dans deux jours, il ne pourrait peut-être plus se retrouver tous ensemble avant un bon moment. Seul Killian manquait à l'appel, prétextant avoir trop de travail pour diner, il avait prévenu Axelle qu'il les rejoindrait plus tard.

- Alors Lux, commença le Corporem en faisant le service. Comment ça se présente ? Tu penses que l'on ne va pas avoir trop de mal à rapatrier la bibliothèque du Vatican ici ?

Le vieil homme s'essuya la bouche avant de répondre. Surpris par les délicieuses pâtes bolognaise de son ami, il profitait de la soirée avec un bon verre de vin.

- De ce côté-là, avec la clé que Killian m'a confectionné, je n'ai pas vraiment peur. Braise est en charge du transport avec trois autres mages, je ne pense pas qu'il laissera les hommes du Saint Père lui mettre des bâtons dans les roues. Ce qui me cause le plus de soucis, c'est l'idée de recruter deux nouveaux Wizards… la tâche va être certainement plus difficile que prévu.
- Tu m'étonnes, répondit Ambre. J'ai vu l'annonce que vous avez posée dans chaque bâtiment : il faut des mages ayant passé l'épreuve, qui ne craignent pas la mort et qui devront réussir un test psychologique avec Neuro. Si déjà on a deux postulants… ça sera pas mal.

Lux avala une nouvelle gorgée de son verre de vin avant de le reposer avec lenteur, fixant la jeune fille d'un air amusé.

- Vois-tu, ma chère. Nous avons déjà plus de deux cent candidats. La nouvelle s'est répandue comme une trainée de poudre et cela commence à toucher toutes les académies du monde. J'ai arrêté de regarder les mails depuis bientôt trois heures et j'ai déjà une cinquantaine de demandes de plus que je n'ai pas traité.

Tout le monde regarda Lux sans y croire. Devant l'incompréhension des mages présents, Axelle leur fit une petite leçon de la réalité dans laquelle ils vivaient :

- Ça vous étonne ? Non, mais sérieusement ? Les jeunes vous adulent, vous avez défié les gouvernements, vaincu les démons… votre côte de popularité crève le plafond. Y en a plein qui doivent rêver de faire partie des Wizards.
- Je suis d'accord, mais ils n'ont aucune conscience du danger. Il sera nécessaire de bien leur expliquer, à tous, à quoi ils s'engagent en nous rejoignant.

Goliath venait de trouver un sujet particulièrement intéressant et il n'avait pas du tout la même vision que son ami sur la manière « gentille » d'aborder le sujet.

- Parmi ceux qui réussiront l'entretien avec Neuro, il faudra les départager. Une compétition reste le meilleur moyen de savoir lesquels seront à même de se défendre.
- A quoi penses-tu ? demanda Ambre.

- Un tournoi. Il n'y a pas plus simple et rien d'aussi efficace. Les deux finalistes auront le droit de nous rejoindre.
- Ridicule, il est hors de question que les mages s'affrontent et se dressent les uns contre les autres, intervint Lux.

Le mage de lumière était horrifié par l'idée de son ami. En quoi la violence allait être un critère de recrutement ? Il détestait déjà de voir ses amis s'entrainer les uns contre les autres, alors imaginer organiser un évènement pareil était au-dessus de ses forces.

C'est en regardant autour de lui qu'il comprit que sa pensée était loin d'être partagée par les autres personnes présentes.

- Sérieusement ? Vous trouvez que c'est une bonne idée ?
- Bizarrement, je suis assez d'accord avec lui, commença Axelle. Je ne suis peut-être pas une mage comme vous, mais... pour moi il vous faut deux mages compétents et qui n'aient pas froid aux yeux.
- Avec tout ce qu'on a vécu ces derniers mois, il faut bien reconnaitre que j'approuve l'idée, histoire de ne pas me retrouver un jour avec des morts sur la conscience, acheva Ambre.

Même si le plus âgé des Wizards n'approuvait pas l'idée, les arguments restaient convainquant. Traquer Antonio, ou affronter le Malachor, allait nécessiter autre chose que l'amour de son prochain. Il lui faudrait en discuter avec Killian et le Conseil afin de définir les modalités et les règles d'un tel évènement.

- Moi je ne veux pas de nouveaux dans l'équipe.

La petite Ronce venait d'ouvrir la bouche pour la première fois depuis le début du repas. Fixant son assiette, elle paraissait particulièrement affectée par la discussion. Elle n'avait pas envie de voir deux nouvelles personnes arriver dans l'équipe et devoir leur raconter son histoire. Elle voulait oublier...

- De quoi parles-tu ma puce ? lui demanda Ambre en lui caressant les cheveux.
- On est largement assez forts et assez nombreux comme ça. On a besoin de personne.

Sur ces bonnes paroles, elle se leva en prenant la peine de débarrasser son assiette et courut dans sa chambre.

- Qu'est-ce qu'il lui prend ? demanda Goliath.
- Je n'en sais strictement rien... je lui parlerai demain.

Ambre était déconcertée par l'attitude de la petite fille. Il était rare que Ronce râle pour quoi que ce soit, l'affaire devait être sérieuse.

Le reste du repas se passa beaucoup plus calmement avec comme sujet principal le voyage des quatre compagnons en Amérique du sud. Axelle commença par leur montrer les différents endroits où la fameuse bibliothèque avait les plus grandes chances de se trouver. Elle avait aussi repéré l'académie de Caracas qui leur servirait, si ses membres étaient d'accord, de base de stationnement.

Lana et Constance étaient, quant à elles, en pleine discussion, principalement sur les différences entre leurs deux magies. Elles comprirent que le principe pour lancer des sorts était fondamentalement le même. Sans le vouloir, le sujet dévia sur le temps d'apprentissage moyen d'un mage avant de pouvoir passer l'épreuve.

- Ça va être long ! commença Lana. Y en a une chez moi qui y est depuis six mois.
- Chez moi, il y en a un qui essaye depuis quatre. Je me demande bien comment papa a réussi en dix jours.

Lana eut comme un déclic suite aux paroles de sa petite sœur.

- Tu as raison ! Allons lui demander, il doit être un bien meilleur professeur que Diane, tout le monde dit qu'il a une technique particulière pour lancer ses sorts. D'ailleurs vous aussi non ?

Les trois Wizards présents parurent gênés par la question. Se jetant des coups d'œil complices, ils décidèrent silencieusement de laisser Lux répondre :

- Ecoutez-moi, toutes les deux. Votre père a effectivement une façon bien particulière de lancer ses sorts. Par un excès d'inconscience (Goliath et Ambre se mirent à rire), il a voulu nous en faire profiter. Ainsi, nous sommes devenus les Wizards.

Les petites filles buvaient les paroles du vieil homme. Même Axelle, qui connaissait l'histoire, ne se lassait pas de l'écouter, surtout lorsqu'elle était racontée par le mage de lumière.

- Nous avons réussi à passer l'épreuve sans difficulté et aujourd'hui encore, aucun mage n'arrive à la cheville de ton père. Lorsque nous nous sommes retrouvés, nous avons pris une grande décision : la technique de Killian, qui est aujourd'hui la nôtre, doit rester secrète. Nous nous sommes juré de ne pas la révéler, afin qu'elle ne tombe pas entre de mauvaises mains.

Lana était outrée par la réponse du mage de lumière. Fixant Ambre puis Goliath, elle comprit que les trois mages n'en démordraient pas.

- Je lui demanderai moi ! Je suis certaine qu'il me le dira !
- Baisse d'un ton Lana.

Axelle, qui n'était jusque-là pas intervenue, dut reprendre les choses en mains. S'il y a bien une chose que cette mère de famille détestait, c'était que ses enfants se comportent mal, surtout envers des gens qu'elle considérait aujourd'hui, comme des membres de sa famille.

- Ton père ne te le dira pas. Même à moi, il ne me l'a pas dit. Et c'est normal. Imagine que quelqu'un de foncièrement mauvais tombe sur cette information, tu imagines ce qu'il pourrait en faire ?
- Mais on ne le dira à personne ! nous aussi on peut faire le serment...
- Ah oui ? intervint Goliath, tu saurais garder le secret, même sous la torture ?

La petite fille se tut. Il y avait des choses auxquelles elle n'avait pas pensé. Le secret était-il donc si lourd à porter ?

- Et Ronce, vous n'avez pas peur de ça ?
- Comment oses-tu parler d'elle ? riposta sa mère. Je te rappelle qu'il n'y a pas si longtemps, elle a volontairement encaissé les coups d'un Corporem pour obtenir des informations ! Sans elle, aujourd'hui, ton père ne saurait même pas qui chercher !

Constance, qui n'avait jamais été très bavarde, n'était pas autant en colère que sa sœur. En fait, elle s'en fichait même de comment son père lançait des sorts. Par contre elle savait que tant qu'elle n'arriverait pas à lancer un sort du premier cercle, elle serait confinée dans l'académie et cela la dérangeait fortement.

- Ne t'en fais pas Lana. On va s'entrainer et on va passer l'épreuve. Comme ça nous aussi on pourra devenir des Wizards et on connaitra le secret. C'est aussi simple que ça.
- De quoi parles-tu ? intervint Lux.

La petite fille le regarda sans comprendre, pour un adulte il n'était pas très malin :

- Et bien j'ai relu l'annonce qui a été posée au secrétariat de l'académie. Il faut avoir plus de dix ans et avoir passé l'épreuve. La fin des inscriptions est dans quinze jours et le début de la sélection dans un mois. Les deux candidats qui arriveront en finale deviendront des Wizards. C'est bien ce que tu as dit tout à l'heure et ce qui est écrit sur le site ? dit-elle pendant que Arthur tenait sa tablette numérique devant lui en signe de confirmation.

Personne n'osa lui répondre, ce qui encouragea la petite fille à continuer :

- Donc, si Lana et moi réussissons l'épreuve dans moins de quinze jours et que nous arrivons toutes les deux en finale, nous deviendrons des Wizards et nous connaitrons leur secret !

Elle finit sa phrase en levant les bras, très fière. Sa sœur était, contrairement à elle, désespérée.

- Le but de connaitre leur secret c'est pour pouvoir passer l'épreuve plus rapidement…

Axelle, qui n'aimait pas la tournure de la discussion, préféra couper court à la conversation.

- Allez au lit ! On a du boulot demain.
- Ouep, au lit les gosses ! enchaina Ambre. Comme si une mage de l'eau pouvait devenir une Wizards, finit-elle par dire pour taquiner la petite Lana.

Les enfants dirent bonne nuit et partirent se coucher. Personne ne prit conscience, à ce moment-là, que la détermination de deux petites filles en colère voulant contrarier des adultes, ne devait surtout pas être sous-estimée.

Chapitre 6

Axelle éteignit les dernières lumières et se prépara à aller se coucher. Inquiète de ne toujours pas voir son mari, elle décida d'aller le chercher dans l'atelier.

Elle toqua à la porte, mais personne ne lui répondit. Elle poussa avec discrétion la porte pour trouver l'intérieur de l'immense pièce toujours éclairée, mais elle ne vit, au premier abord, aucun signe de Killian. Elle attendit et écouta pendant quelques secondes, jusqu'à entendre le ronflement typique de son mari, lorsque celui-ci manquait de sommeil.

Affalé sur sa table de travail, le maitre des runes s'était endormi. Axelle lui posa une couverture sur le dos et lui embrassa le front. Parfois, elle se demandait si elle n'avait pas quatre enfants.

Son regard se posa sur les deux nouvelles pièces d'armure qui trônaient sur un présentoir. De couleur rouge et argent, elle était composée d'un short et d'un bustier. C'était la copie parfaite de ce que Scarlett avait réussi à créer en 3D quelques heures avant. Elle inspecta avec plus d'attention la table et découvrit un liquide doré qui courait le long du dos de la partie supérieure de l'armure, dans une espèce de compartiment transparent. Elle voulut caresser l'armure d'un doigt, lorsque la main de Killian saisit son poignet, ce qui la fit sursauter.

- N'y touche pas mon amour. C'est du métal en fusion. J'ai réussi à le contenir, mais cela m'a demandé beaucoup d'énergie, regarde.

Le maitre des runes lui montra une rune couleur rubis, qui trônait en plein centre du dos.

- Pourquoi as-tu fait ça ?

- Je ne sais pas... je me suis dit que peut-être, un jour, elle aura besoin de plus de puissance. Avoir sous la main une source de chaleur, quelque chose de vraiment bouillant, pourrait lui permettre de lancer un sort vraiment exceptionnel.
- OK... que dirais-tu d'aller nous coucher ?
- Avec plaisir mon amour.

Il se leva et s'étira. Il avait hâte de se retrouver dans son lit. Une boule au ventre se forma lorsqu'il surprit Axelle qui fixait un croquis qu'il avait laissé trainer sur la table.

- C'est quoi ça ! lui cria-t-elle.
- Ce n'est rien, juste un projet, comme ça... lui répondit-il sur la défensive.
- Jure-moi que tu ne feras jamais ça !
- Je te dis que...
- Jure le moi !

Killian regarda sa femme dans les yeux un long moment. L'inquiétude qu'il pouvait y lire ne lui plaisait pas, surtout qu'elle avait raison. Ce projet n'était pas raisonnable, mais Killian savait aussi que ses ennemis n'avaient que faire d'un adversaire « raisonnable ».

- Je te le jure.

Axelle le serra fort contre elle et les paroles de Lumio lui revinrent à l'esprit : « si Killian était un jour envahi par la Furia, nous ne serions peut-être pas en mesure de l'arrêter et il deviendrait la plus grande menace de notre monde ». Après ce qu'elle venait de voir, même sans la Furia, son mari pouvait devenir l'être le plus dangereux au monde.

Elle voulut s'écarter de lui pour l'embrasser, mais son regard croisa le sien. Maintenant, l'un comme l'autre savaient... qu'il venait de lui mentir.

Lana et Constance méditaient dans la salle d'entrainement pendant que tout le monde se préparait pour le grand départ de demain. Cela ne faisait que deux jours que les jeunes filles avaient connu leur naissance, mais elles vivaient depuis avec beaucoup de frustration, principalement l'ainée des deux sœurs. Et comme cela ne suffisait pas, on leur avait en plus demandé de garder Laurana, qui les harcelait de questions inutiles à longueur de temps, les empêchant de se concentrer.

- Ça m'énerve ça !

L'ainée des trois sœurs jeta sa bouteille d'eau dans un coin de la pièce, la rage au ventre. Elle était en mesure de geler une petite quantité de liquide, mais ça s'arrêtait là. Ayant connu son premier retour de sort le matin même, elle était terrorisée à l'idée de recommencer à lancer un sort du premier cercle.

- Ne t'énerve pas ! lui lança Constance.

Contrairement à sa grande sœur, elle ne vivait pas mal la situation. Sa symbiose avec Arthur lui suffisait amplement car elle avait enfin l'ami qu'elle n'avait jamais eu. Peu importe le jeu qu'elle voulait faire, il était toujours d'accord et chose importante pour elle : il était obligé de la laisser gagner, ce qui était une véritable preuve d'amitié pour la jeune fille !

- C'est facile pour toi. Arthur fait tout ce que tu lui demandes. Tu es plus forte que la moitié des mages de l'académie sans rien faire. Comme j'aimerais trop pouvoir m'inscrire pour devenir une Wizards !
- Moi aussi.

Lana fut surprise par la réaction de sa cadette. Elle paraissait tellement détachée de tout que de la voir motivée à quelque chose l'étonna.

- Sans rire ? Tu sais que ça sera hyper dangereux. Et papa nous ferait la morale pendant des heures !
- Je sais. mais Arthur est là pour faire le bien. Si je le pouvais, j'aimerais bien les aider. Et puis… il faut protéger maman. Si j'étais une Wizards, je serais certaine que personne ne pourrait lui faire de mal. Pas comme la dernière fois.

La mage de l'eau ne sut quoi répondre à sa sœur. Là où elle ne voyait qu'un moyen d'en mettre plein la vue aux adultes (et principalement à cette mage du feu !), sa sœur avait une vision noble, celle d'intégrer un groupe pour faire le bien. Ce qui la fit redescendre de son piédestal pour voir les choses d'un autre angle, avec plus de sérieux.

- Pour cela, va falloir qu'on trouve un moyen de faire un vrai bouclier avec notre esprit. Ce matin j'ai rendu tout mon petit-déjeuner.
- Il ne faut pas en faire.

Les deux sœurs se tournèrent vers Laurana qui jouait à sa console portable. Ce qui ne l'empêchait pas d'écouter la conversation.

- De quoi parles-tu ? Tu n'y connais rien, tu n'es même pas mage.

La cadette éteignit son jeu et souffla. Ses sœurs avaient tendance à oublier sa confiance naturelle en elle et son air supérieur. Elle pencha la tête comme si elle avait à faire à deux demeurées avant de prendre la parole façon professeur des écoles :

- Ronce parle en dormant. Elle fait même un peu de somnambulisme. Une nuit je lui ai demandé si tout allait bien, elle s'est mis à rire et a dit : « Il est trop nul ce Goliath, il n'a toujours pas compris que le bouclier mental ne servait à rien ». Puis elle s'est rendormie, comme si de rien n'était. Je n'avais rien compris jusqu'à ce que tu dises : « Il faut qu'on trouve un moyen de faire un vrai bouclier mental ».

Ce fut le déclic pour les deux sœurs qui se levèrent en même temps. Lana courut chercher sa bouteille d'eau qui par chance avait résisté au choc et Constance commença à sauter droit comme un piquet pour s'échauffer. Elles se retrouvèrent nez à nez quelques secondes plus tard, un immense sourire sur les lèvres :

- Tu sais que c'est une idée débile ! commença Lana.
- Qui essaye en premier ?
- On fait shifumi ?
- OK !

Les deux sœurs placèrent un poing en avant. Chacune d'elle devait fixer les yeux de l'autre, avec interdiction de baisser le regard, jusqu'à la fin du jeu.

- Shi !
- Fu !
- Mi !

Elles baissèrent le regard en même temps, constatant la victoire écrasante de Constance, grâce à un magnifique ciseau sur un malheureux papier de Lana.

Cette dernière s'écarta pour rejoindre Laurana, son sourire toujours intact.

- Vas-y sœurette ! déchire tout !

La benjamine, restée seule au centre de la pièce se concentra. Elle savait, d'après Freya, que sa magie était basée sur son démon. Mais elle ne savait pas du tout quoi faire ?

- Je lance quoi comme sort ?
- Ce que tu veux ! Allez grouille !
- Mais je ne sais pas ce que je peux faire ?!

Elle se tourna vers Arthur qui se tenait juste derrière elle.

- Tu as une idée ?

Le démon fit des gestes avec ses mains, il voulait quelque chose apparemment. Lana et Laurana ne comprirent pas, mais Constance arborait un grand sourire.

- Il veut une épée ! c'est une super idée !

Elle se concentra, laissant la magie l'envahir. Elle eut un moment d'appréhension, mais l'insouciance naturelle de la petite fille prit le dessus, délaissant totalement le bouclier mental pour laisser le pouvoir se déverser en elle.

Elle visualisa, en symbiose avec Arthur, la forme et la taille de l'arme qu'il souhaitait. Elle adora ce moment où elle eut l'impression de ne faire qu'un avec lui. La puissance s'échappa de son corps et elle sut qu'elle avait réussi le sortilège. Une déflagration de puissance lui fit signe, le premier cercle était passé.

Ce qui lui parut bizarre, c'est lorsqu'elle ouvrit les yeux. Elle se sentait différente. Beaucoup plus lourde et raide qu'avant. Elle bougeait aussi toute seule... de haut en bas, puis de la gauche vers la droite. Elle ne contrôlait plus ses membres. En fait elle ne contrôlait plus grand-chose ! Elle voulut parler, mais aucun son ne sortit de sa bouche qui avait disparue ! Elle réalisa qu'elle n'avait pas créé une épée, mais qu'elle s'était changée en épée !

Les deux sœurs restantes n'en crurent pas leurs yeux. Elles virent Constance se transformer en un magnifique sabre d'un mètre cinquante. L'arme était en soit basique, mais il y avait comme des ombres qui dansaient sur la lame.

- Constance !? ça va ? lui cria sa grande sœur.

« Est-ce que ça va ? Non, mais sérieusement ? » se dit la petite fille enfermée dans son nouveau corps de métal. « Bon, réfléchissons, je dois bien pouvoir faire quelque chose ? »

Elle se concentra pour rentrer en contact mental avec Arthur. Ce dernier réagit immédiatement et lui laissa accéder à ses sens, ce qui était déjà très troublant. Elle n'avait pas de corps, mais pouvait ressentir chaque partie de son anatomie. Elle essaya de se concentrer sur la voix de la créature :

- Je... vais bien. Mais... c'est franchement... bizarre.

Lana plaqua ses mains sur sa bouche pour éviter d'avoir un fou rire. Arthur, ce géant de plus de deux mètres, venait de parler avec la voix de sa sœur.

- Tu peux parler avec sa bouche, répondit Laurana. C'est trop rigolo !

Arthur utilisait l'épée avec aisance et efficacité. Lana se dit que ça ne devait certainement pas être la première fois que le démon utilisait ce genre d'arme, ce qui était bizarre.

Quelques minutes passèrent et lors d'une passe d'arme, Constance reprit sa forme humaine, ce qui lui valut un magnifique vol plané sur plusieurs mètres.

- Outch !

Ses deux sœurs arrivèrent en courant auprès d'elle pour constater la naissance d'une magnifique bosse sur sa tête.

- Mais pourquoi tu as fait ça ? demanda Lana.
- Tu crois que j'ai fait exprès ? lui répondit sa sœur qui tentait de se relever. Je n'ai pas vu venir la fin du sort.

Elle secoua ses vêtements et se frotta le front.

- Aïe… va falloir que je fasse plus attention.

Arthur était déjà auprès d'elle pour la prendre dans ses bras protecteurs et la ramener sur l'une des chaises disponibles.

- A ton tour, dit-elle tout en se faisant transporter. Tu vas voir, c'est trop génial !

Lana se dirigea d'un pas décidé vers le centre de la pièce. Ce n'est que lorsque Constance fut confortablement installée que la petite fille laissa son pouvoir s'échapper d'elle. C'était comme une libération, sentir cette magie et en être la détentrice. Elle hurla de rage et de plaisir quand son esprit fut balayé par une vague de fraicheur. Elle eut l'impression d'avoir une cascade de glace dans ses veines.

Tout son être suppliait de faire une barrière mentale devant l'affluence de puissance qui se déversait en elle, mais elle tint bon. Son regard se porta sur l'une des cibles dessinée au mur. Elle se concentra pour donner à son sort l'effet voulu lorsque la déflagration du premier cercle lui glaça les doigts : elle maitrisait sa magie…

- On va voir si une mage de l'eau ne peut pas devenir une Wizards !

Une explosion de puissance lui transperça le bras et tout fut terminé…

Lana était essoufflée. Sa main reposait sur quelque chose de froid ce qui était particulièrement agréable. Tous ses muscles étaient raidis par l'effort. Relever la tête pour voir le résultat de son sort lui coûta une vive douleur au niveau de la nuque : mais le résultat en valait le coup.

Une colonne de glace partant de sa main jusqu'à la cible coupait la salle d'entrainement en deux. Des protubérances de glace parcouraient l'ensemble de l'œuvre comme d'énormes stalactites.

- Bah dis donc ! y avait tout ça dans ta bouteille d'eau ? lui dit Laurana.
- Il faut croire, lui répondit l'intéressée avec un grand sourire avant de s'affaler sur le sol. Je suis vidée.
- Moi aussi, dit Constance.

Lana était allongée sur le dos et fixait le plafond, réfléchissant à un nouveau plan d'action. Mais avant tout, il fallait s'assurer de ne pas ébruiter l'affaire et surtout de protéger le secret des Wizards. Il était hors de question que par leur faute, de mauvaises choses arrivent à leur famille.

- Les filles ! venez là !

Ses deux petites sœurs arrivèrent, Laurana en courant, Constance aidée par Arthur.

- Laurana, ce que tu nous as dit, tu ne dois le répéter à personne, jamais. Tu comprends ? Personne ne doit savoir que tu es au courant.

La petite fille n'aimait pas la façon dont ses sœurs avaient l'habitude de lui donner des ordres, mais elle comprit que cette fois, c'était important. Elle prit sa sœur dans ses bras et lui chuchota à l'oreille :

- Je te promets. Ça sera un secret de sœur.

L'ainée des trois sœurs reporta son attention sur Constance. Il était temps de définir un plan d'action et de ne pas éveiller les soupçons des Wizards, du moins pas avant le départ de son père.

- On doit garder ça pour nous, pendant quelques jours. On va faire semblant de s'améliorer pour passer l'épreuve dans une semaine, qu'est-ce que tu en dis ?
- Ça me va. Mais hier ils avaient l'air de dire que leur serment était très important. On devrait peut-être faire pareil ?
- C'est une super idée, on va leur prouver que nous aussi, on peut garder un secret.

Elle tendit la main, paume vers le bas.

- Je prête serment de ne jamais révéler mon secret ni ce qui s'est passé aujourd'hui dans cette salle. A partir d'aujourd'hui et pour toujours.

Constance posa sa main sur celle de sa sœur.

- A partir d'aujourd'hui et pour toujours.

Laurana regarda la cérémonie et en fut très impressionnée.

- Moi aussi je peux faire ça ?
- Oui vas-y, lui dit Lana. Tu es des nôtres.

La petite fille posa sa main sur celles de ses sœurs. Il lui sembla que quelque chose d'important venait de se passer aujourd'hui. Quelque chose qui la dépassait, mais elle savait au fond d'elle qu'elle devait en faire partie.

- A partir d'aujourd'hui et pour toujours.

Elles virent une énorme main rouge se poser sur les leurs. Arthur venait de se joindre à elles.

- Il veut prêter serment aussi, leur dit Constance.
- Il est le bienvenu… on va leur montrer ce dont on est capables !

Lux et Goliath patientaient devant la salle du Conseil. Trouver un compromis entre les deux compagnons n'avait pas été chose facile, mais ils avaient enfin réussi.

- Tu penses qu'ils vont accepter ? demanda Goliath.
- Sans aucun doute. Si tu regardes bien, ils n'ont pas vraiment le choix. Ils ne vont pas pouvoir nous imposer deux membres… on a carte blanche, mais ce n'est pas officiel.

Ils entendirent le bruit typique de l'armure de Killian en approche.

- Que se passe-t-il ? On m'a prévenu qu'il y avait nécessité de réunir le Conseil. C'est pour vous ?
- Oui mon garçon, on n'attendait plus que toi.

Les trois compagnons rentrèrent ensemble dans la salle du Conseil. Pour Killian, c'était une bonne chose. Un simple rappel qu'il se sentait plus un Wizards qu'un membre de l'équipe dirigeante de l'académie. Il prit néanmoins place à côté de Lumio qui lui fit un sourire chaleureux, comme à chaque fois.

- Bonjour à vous tous. Lux, Goliath, nous vous écoutons.

Les deux intéressés se jetèrent un coup d'œil. Goliath lui fit signe qu'il lui laissait volontiers la place et Lux souffla. Il fallait toujours que ce soit pour lui !

- Bonjour à toutes et à tous. Killian nous a fait part de votre volonté d'agrandir les Wizards avec deux nouveaux membres. Même si nous ne sommes pas fans de l'idée, nous devons bien admettre que notre mission prend une ampleur inattendue. Un peu d'aide ne nous ferait pas de mal.

Il fit une petite pause et but un peu d'eau. Il sortit quelques feuilles d'une pochette afin d'avoir ses notes sous les yeux.

- Depuis hier matin, nous avons posé une annonce sur le site de l'académie et vous tous, les membres du Conseil, en avez parlé autour de vous. Le résultat : nous avons déjà presque quatre cents candidatures.

Ce fut la surprise générale. Tout le monde voulut se mettre à parler en même temps. Comment cela était-il possible ? Comment allaient-ils gérer une telle sélection ? Neuro vociférait qu'il n'allait pas pouvoir tester quatre cents personnes et Freya était désespérée qu'autant de monde veuille risquer sa vie.

Killian était paniqué, ne sachant pas quoi répondre à son ami. Il remarqua néanmoins un des membres du Conseil qui n'ouvrait pas la bouche et fixait ses mains croisées sur la table.

- Braise ?

Tout le monde se tut en entendant le maitre des runes appeler le mage du feu. Anciens ennemis, les deux membres du Conseil s'étaient depuis réconciliés. Il y avait entre les deux mages une rivalité et ils n'avaient jamais pu être départagés, à la plus grande déception des jeunes de l'académie qui ne souhaitaient qu'une chose : un duel entre les deux hommes.

Le rouquin fixa son homologue avec un sourire gêné :

- Oui Killian ?
- Tu ne dis rien... pas d'avis sur le sujet ?
- Que veux-tu savoir ?
- Fais-tu partie des quatre cents inscrits ?

Un rire tonitruant cassa l'ambiance présente dans la salle. Goliath en avait les larmes aux yeux.

- C'est une blague ? Braise ! Ne me dis pas que c'est vrai ?
- Et pourtant... alors, c'est quoi le programme ? comment allez-vous gérer tout ce monde ?

Il fallut tout de même un moment à Lux pour encaisser la nouvelle. Même si les relations entre les Wizards et le Conseil étaient bien meilleures, il aurait l'impression d'avoir un espion parmi eux si l'un d'eux les rejoignait.

- Je sais que cela va demander beaucoup de travail, surtout que nous avons encore presque deux semaines à attendre pour la fin des inscriptions. Il faut commencer à voir les inscrits dès maintenant pour être dans les temps. De plus, et ne me demandez pas comment cela se fait, des membres de toutes les académies du monde sont en route pour participer à la sélection.
- De quoi ? s'insurgea Freya. Il n'y a qu'à réduire les critères de sélection ? C'est comme cette histoire de plus de dix ans, il faut interdire les enfants. Réduisons le nombre de candidats et le problème sera réglé.
- Non !

Tout le monde se tourna vers Killian qui était en train de se lever. Il se dirigea vers la fenêtre, comme il aimait le faire lorsqu'il était enclin au doute. Habitude qu'il avait prise en observant le plus vieux membre du Conseil : Lumio.

- Recruter un ou plusieurs nouveaux membres ne nous emballe pas plus que ça, soyons honnêtes. Mais je ne tomberai pas dans la facilité pour autant. Si vous ne désirez pas vous en occuper convenablement, alors ça attendra notre retour.

Voyant que personne n'osait prendre la parole, le jeune homme continua son explication jusqu'au bout :

- Plus il y aura de candidats, plus nous aurons une chance de trouver des personnes qui pourrons s'intégrer à notre groupe. Pour ce qui est des enfants, je vous rappelle que Ronce est clairement l'une des nôtres depuis un moment et qu'elle a accompli sa part dans nos actions, elle mérite le respect comme chacun d'entre nous.
- Tu es donc volontaire pour faire courir un risque énorme à des enfants ? lui lança la démoniste.

Le maitre des runes se tourna vers elle. Pourquoi fallait-il systématiquement qu'elle soit en opposition avec lui ?

- Dois-je vous rappeler, à tous, qui a créé un groupe de personnes, avec comme but secret de leur faire combattre le mal ? A ce moment-là, la question de Ronce ne se posait pas pour vous. Dois-je te rappeler qu'à ce jour, nous ne savons pas pourquoi la magie est de retour dans notre monde et qu'un prêtre fou souhaite invoquer une créature qui a le pouvoir de faire disparaitre la race humaine ?

Personne ne répondit au chef des Wizards. Le Conseil avait tendance à oublier leur attitude passée où impliquer une petite fille, à l'époque, ne les avait pas troublés plus que ça.

Killian s'était senti obligé de faire un petit rappel à l'ordre, histoire de jouer cartes sur table.

- En imaginant que l'on ne change rien à la pré-sélection, intervint Lumio. Comment voulez-vous départager les mages restants ?

Lux invita Goliath à participer un peu à la conversation du regard. Après tout, une grande partie de la suite venait de lui, autant lui laisser le plaisir de l'exposer.

Le Corporem leva les yeux au ciel. Il avait espéré pouvoir échapper à la corvée, mais voyant l'ensemble des regards se tourner vers lui, il en déduisit que son tour était venu :

- Nous avons pensé à une compétition de magie. Chaque membre du Conseil fera passer une épreuve à chaque mage qui n'est pas de son obédience. Par exemple, un mage du feu devra passer l'épreuve de l'eau, de l'air, de la terre, de l'ombre, de la lumière et une du corps. Ces épreuves devront être les mêmes pour tous.

Tout le monde parut intéressé par l'idée. Le fait de les mettre à contribution avait été une idée de Lux afin de les intégrer au processus de recrutement.

- Je dois bien admettre que l'idée n'est pas mal. Pourquoi faire cela ? D'où vous est venue cette idée ? demanda Mystral, le membre du Conseil représentant l'obédience de l'air.
- Afin de voir leurs réactions dans différentes situations. On ne sait jamais à quoi s'attendre lorsqu'on est un Wizards. C'est un mélange de magie, mais aussi de comportement, lui répondit Lux.
- Et si plus de deux personnes sortent victorieuses de l'ensemble des épreuves ?

Voilà la partie que Lux ne voulait pas divulguer, mais cette fois ce fut Goliath qui fit signe à son compagnon qu'il était volontaire pour donner l'information :

- Un combat les départagera, sous forme de tournoi.

Tout le monde écarquilla les yeux. Même Killian, qui n'était pas au courant du plan des deux mages, dut bien admettre que cela le choquait.

- Des combats ? sans rire ? je suis assez sceptique...
- Je sais mon grand. Crois-moi, je n'y suis pas favorable non plus, mais on a retourné le problème dans tous les sens. Si on doit départager des mages qui sont capables de réussir toutes ces épreuves, il ne nous reste qu'un affrontement direct. Toi et moi, nous savons ce que nous avons traversé. Ceux qui nous rejoindrons ne devrons pas compter sur la chance.

Les membres du Conseil se regardèrent un moment. La décision leur revenait, mais ils savaient aussi que ce n'était pas leur vie qui allait être confiée aux Wizards (sauf peut-être pour Braise).

- Je propose un vote ? dit Zinc, le Corporem. Que ceux qui sont contre ce procédé lèvent la main.

Une seule main se leva. Si Killian avait dû parier, Lumio aurait été en tête de liste. Mais ce fut Terra qui s'opposa seule au projet.

- Bien, dit Zinc. La proposition est acceptée à la majorité. Si nous avons bien compris, dans un peu moins d'un mois, les mages qui auront passé l'entretien de Neuro avec succès passeront nos épreuves. Y fixez-vous des limites ?

Les membres des Wizards furent surpris par la question du Corporem. Etant froid et direct, il avait au moins l'avantage d'aller toujours à l'essentiel.

- Pas vraiment, le but est de les éprouver. De manière physique ou psychologique.
- Très bien. La séance est levée.

L'ensemble des membres du Conseil se leva pour se diriger vers la sortie. Lorsque Terra arriva au niveau de Lux, elle s'arrêta le temps de lui jeter un regard bien particulier, que seul le mage de lumière pouvait comprendre : « la violence n'entraine que la violence ».

Killian, quant à lui, se dirigea vers Lumio. Ce dernier avait le visage fermé, perdu dans ses réflexions, il ne vit pas le maitre des runes avant que celui-ci ne lui pose la main sur l'épaule.

- Alors comme ça vous n'êtes pas contre ? Vous avez bien changé mon ami.

Le vieil homme posa sur lui un regard fatigué et Killian retira sa main.

- Comment pourrais-je être d'accord avec cela…
- Alors pourquoi ne pas avoir voté contre ?
- Car je n'ai rien d'autre à proposer. Je suis comme ton ami, résigné. Nous vivons des temps troublés et votre destin est de protéger ce monde. Il vous faut des mages sur qui vous puissiez compter et non des sources d'inquiétude supplémentaires…

Le vieil homme se leva avec difficulté, comme si une montagne s'était logée sur son dos.

- Je suis vieux mon ami. Lorsque je ne serai plus là, il faudra bien quelqu'un pour guider les nôtres sur la voix de la sagesse. Tu ne pourras pas toujours être un Wizards.
- Ne dites pas n'importe quoi, vous nous enterrerez tous.
- Merci mon garçon. Mais j'espère que tu as tort, j'en mourrais de tristesse. Le but d'être vieux est de laisser la place aux jeunes.

Il saisit le bras de Killian avec force malgré son soi-disant « grand âge ».

- Il faut l'arrêter. Lorsque tu seras là-bas, ton bras ne devra pas hésiter. Je sais, au plus profond de moi, que tout repose sur toi Killian, je l'ai su dès la première fois où je t'ai vu. Tu es la clé de notre salut. Je vais personnellement lire les écrits de la bibliothèque du Vatican et je te tiendrai au courant de la moindre information susceptible de t'aider.

Le vieil homme le laissa ainsi. Seul avec ce poids sur la poitrine. Alors qu'il n'avait jamais voulu se l'avouer, Lumio venait de lui faire un véritable rappel à l'ordre. Oui, il savait qu'un jour ses actes détermineraient l'avenir de son monde. N'était-ce d'ailleurs pas le destin des maitres des runes ? « Ne vous en faites pas, mon bras n'hésitera pas face à Antonio, vous avez ma parole », se dit intérieurement le chef des Wizards.

Chapitre 7

Killian était assis sur le toit du hangar. Il allait passer sa dernière soirée sur ce continent avec sa femme, ses enfants et ses amis avant le grand départ. Ce moment de paix et de tranquillité lui fit du bien. Pouvoir recentrer ses pensées sur l'instant présent.

Il avait réussi à finir toute sa préparation quelques minutes auparavant. Les droners étaient réparés. L'armure d'Ambre était opérationnelle. Il avait même eu le temps de préparer une surprise pour sa femme. Au-delà de tout ça, il avait surtout réussi à finir son projet personnel. Il fallait bien admettre que sans le petit coup de pouce de sa fille, il n'aurait peut-être pas été dans les temps. «Il va falloir que je la surveille de près celle-là ».

Demain, à la même heure, en espérant que tout se passe bien, il serait à l'académie de magie de Caracas. Lumio avait réussi à avoir leur chef par mail afin de les prévenir de leur arrivée. Ne voulant laisser aucune trace et au cas où Antonio ait des espions, le but de leur visite et l'identité des Wizards étaient restés secrets. C'est une fois sur place que les compagnons devraient s'expliquer et se débrouiller pour trouver l'aide nécessaire auprès de personnes de confiance.

Alors que le maitre des runes s'apprêtait à descendre, il entendit le bruit de quelqu'un montant à l'échelle pour le rejoindre. Il resta là, assis, à contempler un peu plus l'horizon, en espérant que ce ne soit pas encore de mauvaises nouvelles.

La tête d'Axelle émergea par le velux, regardant de tous les côtés, elle lui fit un grand sourire lorsque ses yeux se posèrent sur lui.

- Te voilà ! Hors de question que tu m'abandonnes une soirée de plus.
- Ce n'était pas mon intention.

Elle finit de grimper et s'installa à côté de lui. Il leva un bras et elle se cala contre son torse.

- Je comprends pourquoi tu aimes cet endroit. Même si j'aurais peur de m'y retrouver seule. La vue est magnifique.
- Oui, c'est apaisant ici. Oh fait, tiens, c'est pour toi.

Il sortit de sa poche un bracelet pour le moins étrange. Un simple cercle de métal avec, sur le dessus, une magnifique rune couleur rubis.

- Qu'est-ce que c'est ?
- Un bracelet que j'aimerais que tu portes après mon départ. Quand nous nous sommes rendus au Vatican, j'ai appris qu'il existait des runes pouvant être activées par n'importe qui. Je pense avoir compris le principe. Cette rune, lorsque tu l'activeras, formera autour de toi un bouclier. Tu vois, il faut que tu appuies ici.
- OK… tu penses que nous allons réellement être en danger ?
- Non, le danger sera là-bas je pense. Mais ça ne coute rien d'être prudent.

Elle prit le bracelet pour le mettre à son poignet.

- Pas super esthétique, mais merci beaucoup.
- Surtout n'en parle à personne. Si ça se savait, non seulement on aurait des milliers de gens à notre porte pour que je leur fasse des enchantements, mais quelqu'un pourrait te vouloir du mal pour te dérober celui-ci.
- OK, je comprends. Personne ne sera au courant. Je voudrais qu'on parle de ce que j'ai vu hier, sur ta table de travail.

Killian baissa les yeux. Il savait qu'un jour ou l'autre ils allaient en reparler. Il avait juste bêtement cru que ça serait à son retour.

- Que veux-tu savoir ?
- Et bien… si ça tourne mal. Penses-tu que ça pourrait être utile contre le Malachor ?
- Je ne sais pas. De toute façon c'est encore loin d'être au point. Je le prends avec moi, mais j'espère ne pas avoir à l'utiliser.

Axelle le dévisagea, remarquant une réelle inquiétude dans ses yeux.

- Mais penses-tu que ce soit vraiment réalisable ? Je veux dire, physiquement.
- Telle est la question : je n'en sais rien du tout. Je bloque sur plusieurs points. A ce stade, ça serait très dangereux de l'utiliser.

Axelle eut un frisson rien qu'en écoutant les paroles de son mari. Elle savait aussi pourquoi il désirait faire ça.

- OK, mais si tu vois que c'est risqué, tu arrêtes. Tout ce métal… sur toi. Ça ne me plait pas.
- Très bien mon amour. Et si on allait rejoindre les autres ?

En arrivant dans le loft, la fête battait son plein. Rien de bien extraordinaire, mais Axelle avait tenu à ce que cette soirée ne soit pas sur le thème de la tristesse. Légère musique d'ambiance, quelques amis qu'ils s'étaient faits à l'académie. Même Garance était venu pour l'occasion, délaissant sa mission de recruteur.

Il y avait aussi les membres du Conseil, malgré la mauvaise popularité de certains d'entre eux au sein des Wizards.

Les enfants jouaient tous ensemble. Les adultes discutaient autour d'un verre, tout en grignotant au buffet que la petite famille avait préparé.

Alors que Killian commençait tout juste à se détendre, imaginant que cette soirée donnait le ton à un voyage qui se passerait bien, Diane et Freya se dirigèrent vers lui. Le visage qu'elles arboraient était enclin à de futurs reproches.

- Emmerdes à douze heures, mon capitaine, lui chuchota Goliath en rigolant.
- Qu'est-ce qu'elles me veulent encore…

Les deux femmes arrivèrent à leur niveau. Le maitre des runes espérait pouvoir affronter les deux tigresses avec son ami, mais ce dernier s'esquiva tel un ninja des temps modernes :

- Je te laisse, je passe une très bonne soirée et je ne compte pas m'arrêter là, salut.

« Lâcheur ! Celle-là tu me la paieras ! » se dit Killian avec humour.

- Bonsoir Killian, commença Freya. Belle soirée, merci pour l'invitation.
- Merci Freya. En ce qui concerne l'invitation, je n'y suis pour rien, mais je transmettrai le message.

Les deux femmes rirent jaune, mais ne se démontèrent pas pour autant.

- Nous voudrions, Diane et moi, vous entretenir de vos filles. Etant donné que vous partez demain, nous pensons avoir le droit à quelques explications.

Killian se raidit à la mention de ses deux enfants. Ces deux garces avaient-elles réellement envie de lui gâcher la soirée ? Il tourna la tête vers ses filles. Elles regardaient des clips de musique à la télévision avec Goliath qui les avait rejointes. Il faisait semblant de danser avec Arthur, ce qui rendait la scène particulièrement comique.

- Faites vite. Je passe une bonne soirée et je n'ai pas envie que cela change. Si leur apprentissage est trop dur pour vous, Lux prendra la relève sans problème.
- Au contraire, temporisa Diane. Tout se passe très bien. En fait, nous voudrions simplement savoir si durant votre absence vous autorisez vos filles à passer l'épreuve si elles en font la demande ?

La surprise dut se lire sur le visage du maitre des runes car les deux mages levèrent les mains pour le calmer.

- Ce n'est pas encore le cas ! C'est une simple question.
- OK. Ne sachant pas combien de temps je vais partir, alors oui. Quelque chose vous fait dire que ça risque d'arriver ?

Freya haussa les épaules en signe d'indifférence alors que Diane parut plus sceptique :

- Cela ne fait que deux jours, donc pas d'inquiétude. Mais elles ont été beaucoup plus disciplinées aujourd'hui. C'est le signe généralement d'élèves qui progressent vite.
- Lux suivra ça avec attention. Mais je ne vois pas pourquoi je les empêcherais de passer l'épreuve. Vous avez mon feu vert.

L'autre évènement de la soirée fut le cadeau de Killian pour Ambre. La découverte de son armure déstabilisa la jeune femme. Elle ne tarda pas à l'essayer pour le plus grand bonheur de son créateur afin qu'il fasse quelques ajustements.

Tout le monde se posa la question sur le métal en fusion qui illuminait désormais le dos de la jeune femme. Braise le premier avait les yeux rivés dessus :

- Tu sais que cette armure vaut de l'or. Ce qui nous coûte le plus d'énergie, c'est la création de la source de chaleur à partir de notre propre chaleur corporelle. Avec ça, tu fais d'elle la magicienne du feu la plus puissante au monde, sans même t'en rendre compte.
- J'en ai parfaitement conscience. Mais pour l'utiliser, elle devra rompre l'enchantement que j'ai posé sur l'armure. Elle n'aura le droit qu'à un essai.
- Tu te trompes, je sens la chaleur d'ici. Elle pourra l'utiliser au quotidien. Mais on est d'accord, si elle utilise directement le métal en fusion, ça sera un sacré spectacle.

Le maitre des runes jeta un regard en coin au membre du Conseil.

- Jaloux ?
- Pas du tout, lui répondit le rouquin en souriant. Je sais que tu feras la même chose pour moi quand je vous aurai rejoints.

Killian avait appris à apprécier Braise. Il était certes impulsif, mais il n'avait pas un mauvais fond. Il ne doutait pas qu'il ferait au moins partie des finalistes.

- Tu es bien sûr de toi ? D'un autre côté, je sais que beaucoup de monde attend de voir un duel entre nous deux. J'avais bien envie de me prêter au jeu en rajoutant une épreuve.
- Comment ça ?
- J'ai décidé d'affronter les deux finalistes.

Un grand silence se fit dans la salle. Par un malheureux concours de circonstances, Killian avait fait son annonce juste entre deux musiques.

- Tu as dit quoi ? lui dit Lux sans y croire.

Le chef des Wizards regarda tout le monde comme un enfant pris en faute.

- Eh bien, je ne fais qu'appliquer les règles que toi et Goliath avez proposées au Conseil...
- N'importe quoi ? s'insurgea le Corporem en apercevant le regard meurtrier d'Axelle. Ce n'est pas moi, c'est lui ! finit-il par dire en pointant Lux du doigt.

Tout le monde se mit à rire en voyant le colosse trembler de peur face à la fragile femme de Killian.

- Ce qui est certain, c'est que ça va faire de la pub. Les finalistes affronteront l'enchanteur en personne. Ce n'est pas rien, acheva Lumio.

Le lendemain matin, aux premières lueurs du soleil, le groupe était prêt à partir. Malgré une courte nuit, les quatre compagnons étaient déterminés comme jamais. Partir en chasse allait casser cette attente dans laquelle ils s'étaient enlisés par obligation.

Pour Killian, ce ne fut pas facile de dire au revoir à sa femme et ses enfants, mais il savait pourquoi il le faisait. Les retrouver était une fois de plus sa motivation principale et il ferait tout ce qui était en son pouvoir pour leur assurer un avenir sans monstre ni psychopathe voulant régner sur le monde.

Il sentit sous le gilet de sa femme le bracelet qu'il lui avait offert la veille. Ce n'était pas suffisant pour le rassurer, mais c'était déjà un début.

Son regard se tourna ensuite vers ses enfants qui l'embrassèrent avec tendresse et appréhension. Elles savaient pourquoi leur père partait si loin. C'était une décision mûrement réfléchie. Il ne voulait pas qu'elles s'imaginent des choses sur son compte. Elles étaient désormais pleinement concernées par la menace qui pesait aujourd'hui sur les mages, comme les gens ordinaires.

- Comportez-vous bien les filles. Toutes les trois. Votre maman aura besoin de vous.

Laurana n'arriva pas à lâcher son père sans l'aide de sa mère. Killian voulut garder en mémoire cette image de ses trois filles près de leur mère.

Il jeta un dernier coup d'œil à Lux, lourd de sous-entendus. « Veille bien sur elle mon ami. Elles représentent tout pour moi ». Le mage de lumière hocha la tête. La réponse était claire : « Compte sur moi mon ami ».

Le chef de l'expédition grimpa dans son nouveau droners. Au premier abord, on l'eut cru identique au premier. Mais Killian avait rajouté un rangement supplémentaire sous l'habitacle, ressemblant à une torpille.

Axelle, Lux et les filles regardèrent les quatre droners s'éloigner, le soleil dans leur dos allait les accompagner toute la journée.

- Combien de temps vont-ils mettre pour arriver à destination ? demanda Constance.
- Si tout va bien, dix heures, lui répondit sa mère.

Ils restèrent là un moment même après les avoir perdus de vue. Peut-être était-ce l'espoir de les voir revenir ou pour profiter de ce moment de calme.

- Nous devrions profiter de cette journée et laisser les corvées de côté pour aujourd'hui. Qu'en pensez-vous ? demanda Lux.
- C'est une bonne idée, lui répondit Axelle. Aujourd'hui, pas de magie, pas de monstre ou de chose de ce genre. Aujourd'hui, on reste entre nous !

Tout le monde parut enchanté par l'idée et ils partirent ensemble en direction du loft. Ce ne fut qu'une fois devant la porte d'entrée que les deux adultes du groupe remarquèrent une certaine agitation dans l'académie. Un grand nombre de personnes se dirigeait vers l'entrée du site, certains en marchant, d'autres en courant.

Lux saisit un jeune qui passait non loin de lui par la manche :

- Que se passe-t-il ?

Le jeune homme reconnut instantanément l'un des membres des Wizards et lui fit un grand sourire.

- C'est la télévision. Tout le monde en parle, ils sont là pour vous.

Le mage de lumière le lâcha, sans pour autant avoir compris de quoi il parlait. Il se tourna vers Axelle et rassembla les filles.

- Filez au loft, je vais voir de quoi il retourne.

- Je ne sais pas pourquoi, mais je vais faire un tour sur l'ordinateur, voir si Scarlett peut me renseigner.

Elle lui donna un coup de coude dans les côtes à la grande surprise du mage de lumière.

- On n'aura pas été tranquille très longtemps.
- C'est le moins qu'on puisse dire. Moi qui espérais souffler un peu avant de m'attaquer à cette histoire de recrutement.

Lux marchait à grands pas vers l'entrée de l'académie, un mauvais pressentiment lui collant à la peau. Quelle que soit la raison de leur présence, les journalistes étaient rarement là pour de bonnes ou de vraies nouvelles...

Il n'eut pas beaucoup à chercher pour trouver la source de l'agitation qui régnait sur l'ensemble des habitants de l'académie.

Une dizaine de camions de télévision, radios et journaux nationaux et locaux étaient garés devant l'entrée du site. Le mage de lumière réussit à se faufiler parmi les dizaines de personnes attroupées pour voir de quoi il en retournait.

Les membres du Conseil étaient soumis à un véritable interrogatoire et Lumio tentait de maitriser la situation sans y parvenir. Le dernier Wizards sur place regretta le départ de son ami Corporem qui aurait réussi à calmer tout le monde à coup de poings et de pieds. Lux se demanda si les mages n'avaient pas perdu la tête. Qu'attendaient ils pour mettre fin à cette mascarade et renvoyer tout ce monde d'où il venait ?

- Regardez, en voilà un !

Désigné comme la nouvelle cible, il vit une bonne centaine de paires d'yeux converger dans sa direction.

Alors que les mages s'écartèrent de lui pour lui faire de la place, il lui sembla que les journalistes avaient comme obsession de la reprendre !

Le mage de lumière chercha de l'aide auprès de quelqu'un, mais personne ne semblait disposé à lui porter secours. Des dizaines de questions lui parvenaient au visage sans même pouvoir y répondre. Habitué au calme de sa paroisse puis à celle de l'académie, Lux n'avait jamais recherché les bains de foule. Il n'aimait pas ce qu'il vivait sur l'instant présent. En fait, il haïssait ce moment.

Une colère qu'il aurait crue impossible chez lui remonta du plus profond de son être et un cri sortit de sa gorge sans même qu'il réussisse à le contrôler. Son corps entier irradia de lumière et obligea tout le monde à détourner le regard. Lorsque le calme fut revenu, tous purent contempler le cinquantenaire, envahi par sa magie. Des arcs électriques blancs crépitaient de ses doigts jusqu'au sol et tout son être était comme protégé par un voile de lumière dorée.

- N'avez-vous pas honte ?!

Cette fois, ce fut lui qui avança vers les envahisseurs, les faisant tous reculer de peur.

- Pensez-vous venir voir des animaux dans un zoo !

Il pointa l'une de ses mains vers une camionnette garée de travers, en plein milieu d'une allée. Un trait de lumière pulvérisa le véhicule. Ce dernier se retrouva plusieurs mètres plus loin, complètement dévasté.

Un immense cri de joie lui vint des jeunes mages qui, soyons honnête, étaient déjà fans des Wizards, mais en se la jouant « rebelle attitude », il venait de devenir carrément leur idole.

Pendant la fuite (même la débâcle…) des journalistes, le mage de lumière entendait des « rentrez chez vos mères ! » ou des « ça fait moins les fiers ! » qui lui permirent de justifier son acte. Néanmoins une fois la pression redescendue, il réalisa ce qu'il venait de faire et se pétrifia sur place.

- Mon Dieu, qu'est-ce que j'ai fait…
- Tu viens de faire exploser une camionnette en virant une quarantaine de journalistes de l'académie. Du grand art !

Braise était déjà près de lui, le sourire aux lèvres. Les autres membres de l'académie semblaient en pleine discussion et vu leurs différentes attitudes, un désaccord semblait sur le point d'exploser.

- Killian va me tuer. Il est parti il y a moins d'une heure.

Il reçut une grande claque sur l'épaule du rouquin qui ne semblait absolument pas inquiet de la situation :

- Mais non ! Tu es le seul qui ait eu le cran de réagir correctement. Bon tu es le seul aussi qui va devoir assumer. Rappelle-moi déjà, tu étais quoi avant ?
- Prêtre…
- Eh bien mon ami. Je me remettrais à la prière si j'étais toi. Ça reste ton meilleur atout pour le moment.

Sur ce, le mage de feu s'éloigna en riant, laissant Lux dans la tourmente avec lui-même, prêt à recevoir les foudres de…tout le monde.

En attendant sa crucifixion, il remarqua deux jeunes qui s'agitaient au milieu de la foule contre les derniers journalistes qui essayaient de partir. L'un des deux, une jeune fille aux cheveux noirs avec autant de piercings que de tatouages portait un micro à la main tandis que son compagnon (à l'allure toute aussi bizarre) avait une caméra sur l'épaule.

Il se dirigea vers eux avec la démarche d'un robot venu du futur, toujours en état de choc à cause de ce qu'il venait de faire. Les gens s'écartaient devant lui, certains applaudissaient. Les deux reporters ne le virent pas arriver et lorsqu'il fut à leur niveau, il se planta devant eux en essayant d'arborer un sourire bienveillant. Ce dut être un échec car la jeune fille hurla à pleins poumons en le voyant apparaitre si près d'elle.

- Non ! ne criez pas, s'indigna-t-il. Je ne vous veux aucun mal. Qui êtes-vous ?

Elle eut trop peur pour lui répondre et c'est le jeune homme qui lui tendit une main tremblante :

- Ted… et elle c'est Sonia. On est des blogueurs. On est venus pour savoir si ce qu'on trouvait sur internet était vrai. On ne s'attendait pas à trouver tous ces journalistes.
- Des quoi ? lui répondit le vieil homme.
- Des blogueurs monsieur. On a un petit site internet sur le monde du paranormal. On voulait juste quelques informations…
- Vous savez ce que c'était que tout ça ?

La jeune fille reprit consistance et se colla à son compagnon.

- Vous n'êtes pas au courant ? Il y a des centaines de messages qui courent sur les réseaux sociaux depuis hier. Il y aurait une compétition de magie avec un super combat à la clé.

Lux en resta sans voix. Comment cela était-il possible ? Tout ce bazar juste pour ça ? Il plaqua ses mains sur son crâne pour essayer de réfléchir à la situation. Que pouvait-il bien faire ? En pleine réflexion, il sentit les regards des membres du Conseil sur lui. Freya, qui était toujours la première à s'en prendre aux Wizards s'avança vers lui avec la volonté d'en découdre. Lumio s'interposa juste avant que la première syllabe désagréable franchisse ses lèvres.

- Réunis les membres du Conseil dans la salle de réunion.

Elle voulut protester, mais le vieil homme se fit plus autoritaire que jamais.

- Fais ce que je te dis bon sang ! On vous rejoint dans quelques minutes.

Elle fit demi-tour et fit signe aux autres de la suivre.

- Merci Lumio. Je ne sais pas si j'aurais été capable de la supporter.
- Je t'ai connu plus sage mon ami. Tu me présentes ?

Lux fit les présentations et raconta l'histoire des deux blogueurs, sans y croire lui-même.

- C'est bien ce que nous avions compris. Il faut en parler avec les membres du Conseil. Ces deux personnes devraient venir avec nous et tu devrais demander à la femme de Killian de venir, son ordinateur… le truc qu'elle trimballe partout…
- Scarlett ?
- Oui ! Ça pourra peut-être nous servir non ?

Tout le monde se retrouva dans la salle du Conseil. Même si l'ambiance était tendue, tous écoutèrent le récit des deux blogueurs sans les interrompre.

- Ça n'enlève rien à ce que ce fou vient de faire ! cria Freya en pointant Lux du doigt. Des dizaines de journalistes l'ont filmé. On va passer pour quoi maintenant ?

Le silence qui s'ensuivit en disait long. Le mage de lumière n'était pas du tout fier d'avoir perdu le contrôle et il trouvait, malheureusement, la critique de cette vipère particulièrement justifiée.

- Elle a raison, c'est déjà en ligne.

Axelle projeta les images sur le vidéo projecteur. Tous purent admirer la prestation du seul Wizards présent qui enfouit le visage entre ses mains. La situation était, de son point de vue, catastrophique. Mais le pire pour lui était de savoir la déception que Killian ressentirait en voyant ces images à son arrivée.

- Nous n'avons plus qu'à nous faire tout petits et attendre que ça passe, intervint Lumio. Voyons le côté positif… On n'est pas près de les voir revenir.

Les quelques rires dans la salle à l'annonce du vieil homme rassura le mage de lumière. Mais cela n'enlevait rien au problème qu'il venait de causer à l'Académie.

- En fait, vous devriez faire l'inverse.

La jeune fille prénommée Sonia avait parlé en levant la main, comme une gosse à l'école. Intimidée par tous ces mages, elle avait espéré que cette attitude l'aiderait à ne pas finir changée en crapaud, ou pire encore.

- Qui c'est, elle ? demanda Freya en toisant la jeune fille.
- Elle s'appelle Sonia, c'est une bloggeuse, répondit Lumio. Exprimez-vous, que voulez-vous dire par faire l'inverse ?

La dénommée Sonia fixait la démoniste comme si c'était le diable en personne, ignorant l'intervention du vieil homme qui dut la saisir par les épaules pour la tourner vers lui.

- Ne vous préoccupez pas d'elle. Elle crache, mais ne mord pas. On vous écoute.

- En fait, les médias manipulent les images. On ne voit pas la façon dont ils se sont jetés sur vous. Nous avons nous aussi nos propres images. On pourra voir dessus votre ami qui se fait bousculer par les journalistes. Si vous nous laissez faire une interview pour notre blog, on fera un contre reportage. Si vous restez silencieux, ça aura comme effet de leur donner raison.

Tout le monde réfléchit à l'idée de la jeune fille. Même Freya dut admettre que ça avait un certain sens. Après une courte délibération, Lumio donna son feu vert et la salle de réunion du Conseil fut rapidement transformée de façon à faire croire qu'ils étaient dans un petit salon cosy, mais derrière la caméra se tenait l'ensemble des membres du Conseil et Axelle. Cette dernière se glissa juste à côté du vieil homme.

- Lumio ? commença-t-elle en chuchotant.
- Oui ?
- J'ai la possibilité de « légèrement » augmenter la portée de l'interview, mais je vous préviens, ce n'est pas légal.

Le vieil homme sourit. Il ne paraissait même pas surpris par cette annonce.

- Vous vous êtes bien trouvés avec Killian. Il vous a transmis sa capacité à ne jamais solutionner un problème en respectant les règles ?

La jeune femme rougit de honte, ne sachant pas si son interlocuteur plaisantait.

- Pourra-t-on savoir que c'est de notre faute ?
- Normalement non.

Il réfléchit quelques secondes avant de pencher la tête vers elle :

- Allez-y, même si j'ai confiance en Lux, un coup de pouce ne lui ferait pas de mal.

La jeune femme posa un doigt sur son oreille :

- Scarlett, pirate tous les médias nationaux pour que l'interview de Lux soit le plus diffusé possible.

Le vieil homme faillit s'étrangler en entendant les paroles de sa voisine, n'y croyant pas.

- Je retire ce que j'ai dit. En fait, c'est vous qui lui avez tout appris !

Chapitre 8

Killian et les autres durent voler plus de douze heures avant d'apercevoir les côtes vénézuéliennes. Les tempêtes, les vents et la chaleur avait rendu leur voyage particulièrement éprouvant. Le maitre des runes avait dû piloter mentalement le droners de Ronce pendant plus de trois heures. La petite fille, malgré tout le courage dont elle était capable, avait dû renoncer à la cinquième averse, faute de force physique pour continuer le périple.

Même l'indestructible Goliath était devenu silencieux. Inquiet pour le reste du groupe, il avait fait son maximum pour rester devant et anticiper tous les problèmes que ses amis auraient pu rencontrer.

Ambre avait montré une concentration exceptionnelle : sérieuse du début à la fin, elle était ravie d'avoir réussi à traverser une aussi grande étendue d'eau. Personne ne s'était soucié de sa personne, mais s'il y en a bien une qui aurait dû être particulièrement stressée par ce voyage, c'était bien elle ! Adepte du feu, elle savait qu'en cas de problème rencontré pendant le vol, sa magie serait la dernière à être en mesure de les aider.

Volant à basse altitude, ils ne découvrirent que tardivement à quel point ils étaient proches de la côte. Killian s'émerveilla devant les immenses plages de sable bordées par la forêt tropicale. Paysage qu'il n'aurait jamais pu voir chez lui. Il surprit le même regard chez ses compagnons et plus particulièrement chez la petite fille qui fixait la terre comme il avait l'habitude de regarder Axelle. « L'amour de son obédience », se dit-il. Il crut, le temps d'un instant, qu'elle allait sauter du droners pour allait toucher le sable.

« Killian, on n'est pas à cinq minutes près, je ne serais pas contre une pause ».

Le chef des Wizards surprit Ambre qui regardait sa fille avec intensité. Elle la comprenait si bien qu'elle préférait passer pour une faible plutôt que de voir la petite fille renoncer à ce maigre moment de bonheur.

« Je pense que tu n'es pas la seule », lui répondit-il avec un petit sourire.

Il ne leur fallut que quelques secondes pour trouver une petite crique inoccupée afin de pouvoir se poser sans ameuter toute la populace. A peine leurs engins touchèrent le sol que Ronce se jeta sur le sol et ne bougea plus d'un millimètre, laissant le soleil frapper de ses rayons son petit corps.

Goliath se déshabilla pour aller faire un plongeon dans l'eau turquoise qui s'étendait devant lui.

- Sans rire, on vient de passer douze heures au-dessus de l'océan, et toi tu vas te baigner ? railla Ambre.

Le colosse se tourna vers elle, un sourire carnassier aux lèvres.

- Ne t'amuse pas à ça !

Ne lui laissant pas le temps de s'enfuir, il réussit à la saisir par la taille pour la jeter sur ses épaules avant de se diriger vers le ressac.

- Foutu Corporem ! lâche-moi !

Killian ne put s'empêcher de rire devant la jeune femme qui faisait semblant de se débattre tout en souriant.

Ronce releva la tête et fixa les deux tourtereaux d'un air désespéré :

- De vrais gosses ! je te jure !
- Le pire, c'est que tu as raison, lui répondit le maitre des runes en s'asseyant à côté d'elle.

Le bruit d'un plongeon totalement raté leur fit comprendre que le supplice de la jeune femme venait de prendre fin.

- On est encore loin ?
- Je dirais une heure, peut-être deux, maximum. J'ai les coordonnées de l'académie. Elle est au pied d'une montagne à l'ouest de Caracas. Mais le plus dur est fait.

La petite fille hocha la tête, l'air satisfait. Elle posa sa main sur le sable chaud et se concentra. Un tout petit Zigzag sortit de terre. Il s'ébroua et se jeta sur la petite fille pour avoir un câlin. Cette dernière le prit dans ses bras et le cala sur son épaule.

- Un copain pour la route ?

- Oui, il ne durera pas tout le trajet je pense. Le sable c'est compliqué à faire tenir longtemps.

Elle lui caressa le museau et quelques grains tombèrent au sol.

- Il retournera à la terre. Ainsi va la vie.

Vue de haut, l'académie de Caracas ressemblait à un village de l'ancien temps. De simples cabanes de bois étaient disposées tout autour d'un bâtiment central plus grand, toujours en bois. Le lieu était arboré et une arène ovale se trouvait à la lisière de la forêt. Le tout était à flan d'une montagne, dans un parc naturel protégé.

Dans l'état de Miranda, non loin de l'état de Vargas, se trouvait la cordillère de la Costa. Une montagne qui avait comme particularité d'avoir son flan nord bordant la mer des Caraïbes et la capitale Caracas pour habiller son flanc sud.

L'académie se trouvait à plus de mille cinq cents mètres d'altitude, non loin du sommet de Naiguatà qui s'élevait quant à lui à plus de deux mille sept cents mètres.

« Bah le moins qu'on puisse dire, c'est qu'il faut du courage pour venir les voir », commença Goliath en faisant un point sur la situation.

« On va se poser dans l'arène, je pense qu'on risque d'avoir un comité d'accueil, ne prenons pas le risque de nous poser près des habitations », lui répondit Killian d'un air peu rassuré.

A peine eut-il fini sa phrase que des mages sortaient d'un peu partout pour regarder dans le ciel et les compagnons se dépêchèrent d'aller se poser. Descendant de leurs droners, ils adoptèrent une attitude indifférente et décontractée.

Une délégation d'une quinzaine d'hommes et de femmes se dirigea vers eux. Ils étaient menés par un homme qui leva les paumes des mains en avançant vers eux.

- Vous êtes ceux de l'académie de France ?

Le maitre des runes lui fit face. C'était un homme d'une trentaine d'années. Bien bâti, vêtu uniquement d'un bermuda. Ses cheveux longs et noirs couraient sur ses épaules, lui donnant un air amérindien.

- Oui, je m'appelle Killian. Pardonnez-nous pour cette arrivée, mais nous n'avions aucun moyen de nous faire annoncer.

L'homme fit signe à ses compagnons de rester en arrière et s'avança seul vers eux. Sa démarche était gracieuse et le chef des Wizards la compara à celle des félins. Il tourna autour des droners, puis regarda chacun d'entre eux.

- Je m'appelle Léopardo. Pardonnez-nous aussi pour cet accueil, mais d'habitude, aucun appareil volant n'arrive jusqu'ici. Nous ne sommes pas en bonne relation avec le reste du monde.
- On connait ça, lui répondit le maitre des runes. Il faut du temps pour se faire accepter.

L'homme rit. C'était un rire franc et agréable. Il lui tendit la main et Killian la saisit.

- Alors comme ça, ce sont les Wizards en personne qui viennent nous rendre visite.

Killian retira vivement sa main et recula de quelques pas. L'ensemble de la garde de Léopardo voulut se mettre aussi en position de combat, mais leur chef les arrêta d'une seule main.

- Il n'y a aucune attaque dans mes propos. C'est juste que cette information ne nous avait pas été révélée. Et comme on ne parle que de vous à la télé depuis quelques heures, on est un peu surpris.

Il vit l'air ahuri du groupe et comprit qu'eux-mêmes n'étaient pas au courant de la situation.

- Venez avec moi.

Il les conduisit dans le bâtiment central qui ressemblait en fait à une salle commune. Composée d'une seule pièce, la salle était occupée par plusieurs personnes qui regardaient des images en boucle à la télévision, seul appareil moderne que Killian ait pu voir depuis son arrivée.

- Regardez par vous-même...

Les quatre compagnons fixèrent l'écran avec attention. Ils ne comprirent pas grand-chose à ce qui était écrit, mais les images parlaient d'elles-mêmes. On voyait Lux qui utilisait sa magie, démolissant une camionnette, puis dans un fauteuil, en pleine interview.

Les images suivantes troublèrent Killian. Il y avait, à priori, des manifestations un peu partout dans le monde pour demander la diffusion de la « compétition » au grand public. De ce que comprenait le chef des Wizards, plusieurs pays se proposaient même d'accueillir la manifestation.

- Mais qu'est-ce que c'est que ce bordel ? On n'est même pas partis depuis vingt-quatre heures !
- Et après on dit que c'est moi le moins sérieux de la bande ! Ah ce Lux, il cachait bien son jeu ! ironisa Goliath pour détendre l'atmosphère.

Killian attrapa son téléphone et sortit de la pièce à grandes enjambées.

- Il est toujours comme ça ? demanda Léopardo au Corporem.
- Stressé ?
- Oui.
- Toujours. Au fait, moi c'est Goliath.

Il lui tendit la main et à son contact il sentit une poigne bien différente de celles de ses amis.

- Corporem ?
- Exact, j'en conclus que nous sommes frères de magie ?
- Heu...oui, même si on ne dit pas ça comme cela chez nous.
- OK. Tu me présentes ?

Goliath sentit son nouveau « frère de magie » loucher sur Ambre. Il préféra mettre les choses au clair dès le début, afin de ne pas créer de situation que l'homme pourrait regretter.

- Mon amour ?

La jeune femme détacha son regard de la télé pour venir se coller à son compagnon.

- Oui ?
- Je te présente Ambre, notre briquet personnel.

Elle lui donna un coup de coude et réalisa le changement d'attitude de leur hôte.

- Et voici notre fille. Ronce ?

La petite fille leva une main sans détourner le regard de la télévision. Une fois le malaise passé, le chef de l'académie vénézuélienne essaya de revenir au sujet important.

- Vous êtes ici pour cette histoire de compétition ? Elle va se passer ici ? au Venezuela ?

Les deux adultes parurent gênés par la question.

- Je suis désolé. Ça serait mieux d'en parler dans un endroit plus discret avec Killian...

Le maitre des runes rentra dans le bâtiment un peu confus, devant l'attente de ses compagnons il tenta de reprendre ses esprits afin d'expliquer le plus clairement possible la situation à ses amis.

- Bon, en résumé : quelqu'un a posté sur les réseaux sociaux que nous recrutions deux nouveaux membres pour les Wizards et que nous allions organiser une espèce de compétition. A priori mon combat contre les finalistes a été mentionné.

- Et ça ? demanda Ambre en désignant l'écran de télévision qui ne se lassait apparemment pas de montrer Lux.
- Les journalistes ont pris d'assaut l'académie. Lux a eu du mal à se contrôler. Néanmoins, il semblerait qu'il ait bien rattrapé le coup avec une espèce de blog, je n'ai pas tout compris. Du coup ça a eu l'effet inverse et maintenant la compétition est devenue le sujet numéro un presque dans le monde entier. Lux a plus de cinq cents candidats. Neuro a déjà commencé à faire passer son test. A priori c'est la folie là-bas.
- Et le Conseil ? demanda Ambre.
- Il a approuvé la diffusion de la compétition. Il semblerait que ce soit bon pour notre image. Elle se déroulera à l'académie, mais sera retransmise sur les chaines de télévision.

Goliath eut du mal à s'empêcher de rire, provoquant l'incompréhension de ses camarades.

- Je ne vois pas ce qu'il y a de drôle, la situation nous échappe légèrement tu ne crois pas ?
- Ah bon ? Tu ne vois pas ? pense à Lux ! Il doit nous maudire de l'avoir laissé seul là-bas. Je suis sûr qu'au fond de lui il pensait pouvoir rester toute la journée tranquillement à lire. De plus, il doit être mort d'inquiétude de savoir que tu allais voir ça en arrivant.

Killian ne put s'empêcher de sourire en pensant à la voix tremblante de son ami au téléphone.

- Il ne faisait pas le fier au téléphone…
- J'en étais sûr ! Je n'ai pas fini de le charrier avec ça !

Un raclement de gorge les ramena à la réalité.

- Désolé Léopardo. Tu dois vouloir en savoir plus sur la raison de notre venue. As-tu un endroit plus discret où l'on pourrait parler ?

- C'est une histoire peu banale, commença le vénézuélien après avoir entendu le récit de Killian.

Assis dans un fauteuil en rosier, Léopardo avait le regard perdu. Après les avoir conduit dans sa maison, il avait patiemment écouté l'histoire des Wizards. Les quatre compagnons lui avaient quasiment tout révélé, n'omettant que quelques détails qui relevaient plus de leur vie privée, comme l'histoire de la Furia.

- Mais nous vivons une époque peu banale et ce que vous avez fait, en Europe… a considérablement aidé la communauté des mages dans le monde entier. Même si vous ne vous en rendez pas compte.
- De quoi parles-tu ? lui demanda Ambre.

Il croisa ses mains, se rappelant les heures sombres de ses débuts comme mage.

- Il y a ici beaucoup de Corporems, ce qui n'est pas le cas chez vous. Nous avons été beaucoup plus étudiés et utilisés aussi. Lorsque vos académies ont été attaquées, seule celle de Rio existait. La nôtre n'est apparue qu'il y a peu de temps. Après que vous ayez tué les démons et négocié avec votre gouvernent, notre cher président a eu peur que nous demandions la même chose. Alors il nous a autorisés à nous installer ici et il nous fiche la paix. Beaucoup de Corporems se cachent dans la forêt amazonienne et rongent leur frein en attendant l'opportunité de se venger. Depuis quelques temps, certains nous reviennent, en quête de paix.

Les Wizards étaient gênés. Ils avaient acquis le confort, la sécurité, le respect. Eux n'étaient encore qu'au début de leur aventure. C'est à peine s'ils avaient un toit sur la tête.

- Nous sommes désolés pour tout ça. Je n'imagine que trop bien ce que vous avez dû vivre. Lorsque je suis arrivé pour la première fois dans notre académie, j'ai découvert que j'allais passer les prochaines semaines de ma vie dans une usine désaffectée.

Son interlocuteur hocha la tête, mais son regard resta impénétrable. Personne n'aurait su dire ce qu'il avait dans la tête.

- Etes-vous aussi forts que ce que le monde raconte ?

Surpris par la question, Killian resta sur la défensive. Ne voulant pas en dévoiler plus que nécessaire.

- Je pense… que nous avons eu aussi beaucoup de chance.
- Alors pourquoi vous aiderais-je ? Autant que nous cherchions nous-mêmes cette bibliothèque ou que nous débusquions cet Antonio s'il est bien sur notre continent. Si ce démon, ce Malachor revient dans notre monde, serez-vous en mesure de l'arrêter ?

Il y eut comme un élan d'impuissance de la part du chef des Wizards. La partie n'était donc pas gagnée, mais ce fut Goliath qui montra des signes d'agacement.

- Vous pensez qu'on aurait traversé la moitié de cette planète si on ne pensait pas être capables de faire le job ?

Même si son ami était d'une autre carrure que celle de Léopardo, ce dernier ne se laissa pas impressionner. Il y a avait, dans leurs yeux, la même rage des Corporems.

- Je pense qu'à ce jour ce n'est pas parce que vous arrivez dans des appareils volants que vous pouvez nous demander tout ce que vous voulez sans avoir à nous prouver ce que vous avancez.

Killian essaya de temporiser la situation. Il ne voulait pas qu'elle dégénère.

- Léopardo, pourquoi autant de crainte à nous aider ?
- Vous aider revient à partager avec vous nos secrets. (Killian eut un sursaut). Non ! Ça ne veut pas dire que j'ai forcément les informations que vous demandez. Mais nous pourrions être en mesure de vous aider. Il faut que nous y réfléchissions. Nous ne vous connaissons pas.
- Et si on vous prouvait notre valeur ? Si on vous prouvait qu'il y a de vraies raisons de s'inquiéter ? continua Goliath.

Le maitre des runes n'aima pas l'intonation de son ami. Il connaissait cette arrogance dans ce regard. Tout cela allait mal finir...

- Que me proposez-vous ?
- Un combat. Vos quatre meilleurs mages contre nous. Si vous gagnez, c'est que nous ne sommes pas si forts que ça et par conséquent il n'y a pas d'intérêt à nous faire confiance pour résoudre le problème du Malachor.

Même si Léopardo tenta de rester indifférent, Killian vit la lueur dans ses yeux. Son ami venait de jouer sur la corde sensible du Corporem : la vanité.

- Je trouve l'idée intéressante. Sachez que je n'ai rien contre vous. Mais je sais que les membres de cette académie apprécieront de voir de quoi vous êtes capables. Cela rendra légitimes les révélations que nous pourrions vous faire.

Il réfléchit un moment, les bras croisés.

- Trois contre trois. Je ne veux pas blesser une enfant.

Goliath voulut lui répondre « ok », mais la petite fille s'insurgea aussi rapidement que la foudre.

- Hors de question ! Je m'ennuie depuis tout à l'heure ! De toute façon, même s'ils ne veulent pas nous aider, on trouvera Antonio bien avant eux. Le seul truc rigolo depuis que je suis arrivée, c'est cette idée de combat. Alors non ! Moi aussi j'en suis, sinon pas de combat.

Elle croisa les bras et fit mine de bouder (ce qu'elle arrivait particulièrement bien à imiter). Ambre et Goliath levèrent les épaules en signe d'indifférence. Quant à

Killian, il savait que Ronce ne se plaignait jamais. Mais lorsque celle-ci avait une idée en tête, il ne servait à rien de s'y opposer.

- On fera du quatre contre quatre. C'est une Wizards au même titre que nous.

Persuadé qu'il allait dire non pour « sa sécurité », la petite fille regarda le maitre des runes avec émerveillement. Ce dernier put lire un « merci » au fond de ses deux grands yeux verts.

Léopardo regarda la petite fille et se mit à rire. Il se demandait de plus en plus si les fameux Wizards étaient réellement aussi terribles que ce qu'on lui avait raconté.

- Très bien, c'est vous qui voyez. Mais je ne suis pas responsable du résultat. On se retrouve dans l'arène dans quatre heures. Cela vous laissera le temps de vous reposer de votre voyage.

Lux donna les dernières instructions à Braise. Les dix mages allaient bientôt partir pour récupérer la bibliothèque du Vatican. Pour l'occasion, l'académie avait engagé un service de sécurité privé pour que le convoi soit placé sous protection.

- Voilà la clé de la bibliothèque. Killian me l'a donnée avant de partir.

La clé n'était qu'un simple cercle de métal avec une rune gravée dessus.

- Il te suffit de la placer sur la porte et elle devrait s'ouvrir.

Le rouquin saisit l'objet et le glissa dans sa poche.

- Tout va bien se passer. Nous serons de retour dans trois jours. Fais surtout attention à toi . Essaye de ne pas faire exploser toutes les camionnettes qui se présenteront ici...

Il grimpa dans le semi-remorque avant que le mage de lumière puisse répliquer. Ce qui ne l'empêcha pas de lui faire un signe de la main pour lui dire au revoir.

Braise parti, Lux pouvait se consacrer au recrutement. Il avait fait un point avec tous les membres du Conseil et avait été impressionné par leur « créativité » concernant les épreuves qu'ils désiraient faire passer aux candidats.

Il se dirigea droit vers la forêt où se trouvait le quartier général des Mentalus. Perchés en haut des arbres, ils avaient fait le nécessaire pour ne pas être facile à atteindre et être isolés du reste des membres de l'académie.

L'arbre de Neuro ne fut pas bien difficile à trouver : il était le seul à avoir une longue file d'attente en bas du monte-charge. Le mage de lumière doubla tout le monde afin de se rendre auprès de Neuro. Devenu une véritable célébrité, tout le monde le salua, certains lui tendirent la main et les plus téméraires demandèrent même un selfie.

Il réussit, après un bon quart d'heure, à se hisser jusqu'au monte-charge en bois situé au pied de l'immense végétal servant de maison au membre du Conseil. Il découvrit ce dernier, dans un fauteuil, un linge blanc sur le visage.

- J'ai dit d'attendre trente minutes avant le prochain candidat !
- Ça tombe bien ce n'est pas un candidat.

Neuro enleva le linge blanc trempé qu'il avait sur lui et foudroya Lux du regard.

- Tu tombes bien ! Ça ne va pas être possible ! Je ne vais pas pouvoir faire quinze jours comme ça ! Je vais avoir besoin d'aide et comme c'est toi qui est à l'origine de cette situation, je te réquisitionne à partir de maintenant ! Ce n'est plus une tête que j'ai, c'est un organe de souffrance !

Déjà maigre, le membre du Conseil avait les traits tirés par l'épuisement. Lux n'avait aucune idée du nombre de candidats déjà testés, mais ce qui était sûr, c'est que le pauvre Mentalus ne pourrait pas faire tout, tout seul.

- Très bien. Comment veux-tu que je procède ? Je ne sais pas tester les gens moi.

- Discute simplement de tout et de rien avec eux. Je n'aurai pas à me concentrer sur une conversation en plus de leur état d'esprit.

Le mage de lumière s'installa dans un deuxième fauteuil et inspecta la demeure de Neuro. Très sobre, la cabane dans l'arbre n'en était pas moins très coquette et pourvue de toute la modernité nécessaire pour notre époque. Lux était impressionné par la discrétion des installations électriques et de plomberie.

- Je n'avais jamais visité cette partie de l'académie. Vous êtes bien installés.

- Merci. Depuis votre « négociation » avec les gouvernements européens, on ne peut pas dire que nous ayons à nous plaindre.

Un magnifique chat surprit le mage de lumière en lui sautant sur les genoux. D'un gris éclatant, le petit animal eut l'air de trouver le siège à son goût et se cala pour une sieste.

- Il est à vous ?

- Oui, les chats nous aident au quotidien par leur incapacité à penser rationnellement et de manière continue. Bizarrement, cela est apaisant. C'est comme si notre esprit était incapable de décrypter leurs pensées. Du coup, il se met « en veille » avec eux, c'est reposant.

Le premier candidat entra dans la pièce quelques minutes plus tard et la corvée put commencer. L'objectif était simplement de les faire parler pendant que Neuro scannait leur esprit. Il fallait environ dix minutes pour faire un candidat. Le Mentalus donnait le résultat à la fin par un signe de tête positif ou négatif.

Lux fut surpris par la diversité des personnes qui se présentaient devant lui et par leurs motivations : la gloire, la volonté de forger un destin pour les mages, devenir plus puissant, l'argent, l'altruisme ... il y avait vraiment de tout. Ce qui n'était pas très encourageant pour la suite des évènements, à savoir le choix de deux personnes pour les rejoindre. Il n'y avait plus qu'à espérer que Neuro ne se trompe pas sur les « potentielles » recrues.

Chapitre 9

Les quatre compagnons se retrouvèrent dans une arène similaire à celle de leur académie. Les bancs étaient faits de bois et la végétation qu'offrait la proximité de la jungle voisine rendait le lieu bien plus exotique. Un grand nombre de mages étaient présents et attendaient avec impatience le début du spectacle. Souvent montrée du doigt, Ronce commençait à voir rouge. Elle se doutait que son âge devait faire rire les spectateurs.

- Ils ne sont même pas discrets ! se plaignit la petite fille.
- Laisse, lui répondit Killian. Goliath, ton idée me plait de moins en moins. Si ça tourne mal, non seulement on va être ridicules, mais en plus ils risquent de nous mettre des bâtons dans les roues au lieu de nous aider.
- Ne t'inquiète pas, on ne risque rien du tout. Je suis certain qu'on est largement plus forts qu'eux.
- Peut-être, mais il va falloir protéger Ronce et Ambre.
- Dis tout de suite qu'on n'est pas à la hauteur ?! s'insurgea la belle mage du feu.
- Tu sais bien que ce n'est pas ça ! Je n'aime pas vous faire prendre des risques, voilà tout.

La jeune femme voulut protester, mais un tonnerre d'applaudissements se fit rapidement entendre à l'arrivé de leurs concurrents.

- Eh bien au moins, on sait pour qui est le public, dit le Corporem d'une voix monocorde.
- C'était à prévoir, répondit Killian. Ils jouent « à domicile ».

Ce qui ne l'était pas, en revanche, c'était de voir la petite Ronce se porter seule à leur rencontre. Elle se dirigeait d'un pas décidé vers les quatre adversaires qui se profilaient à l'horizon. Le groupe était composé de trois hommes et d'une femme. Léopardo marchait en tête, vêtu d'un simple bermuda. Il fut le premier à se retrouver face à la petite fille et une discussion bien animée s'engagea, suivie d'un rire franc de l'ensemble du groupe qui clôtura la scène.

Ronce revint vers le reste des Wizards avec un énorme sourire sur le visage.

- Qu'est-ce qu'elle a encore fait ? s'interrogea le maitre des runes avec une pointe d'inquiétude dans sa voix.
- Tu ne vas pas aimer, mais elle est vraiment extra, lui répondit Goliath avec le même sourire que sa fille adoptive.
- Pourquoi ? Tu as entendu ce qu'ils disaient ?
- Oui, je peux amplifier mon ouïe.

La petite fille arriva au niveau des Wizards et se planta devant son chef, toujours souriante.

- Voilà, c'est arrangé. Tu ne vas pas être ridicule, tu n'as plus à les combattre.

Killian n'en revint pas, elle avait réussi à faire annuler le combat ?

- Qu'est-ce que tu leur as dit ?
- Que quatre Wizards face à quatre mages ce n'était pas équilibré (elle vit le maitre des runes devenir tout blanc, mais elle ne se démonta pas). Et que j'avais été choisie pour les affronter.

Ambre et Goliath ne purent se retenir plus longtemps et éclatèrent de rire. Killian, quant à lui, était sur le point de s'évanouir :

- Mais tu es folle ! C'est hors de question ! Je vais aller leur dire deux mots, je me demande même comment ils ont fait pour accepter !

Il sentit un bras puissant le retenir. Son ami se tenait à côté de lui et même si Killian ne vit aucune hostilité dans son regard, il pouvait sentir toute la conviction dans son geste.

- Laisse-la faire. Tu passes ton temps à courir à droite et à gauche tout le temps. Tu ne t'es même pas aperçu que nous on passe nos journées à faire de la magie, soit en s'entrainant, soit en enseignant aux autres. Je peux te dire que notre niveau n'a rien à voir avec le leur. Fais confiance à Ronce, tu sais au fond de toi de quoi elle est capable.

Le maitre des runes se dégagea de son ami puis jeta un coup d'œil à la petite fille.

- Très bien, mais s'il y a un souci, c'est vous qui assumerez (leur sourire disparut). C'est vous ses parents désormais. Si elle est blessée ou si ça se passe mal et que la Furia la possède à nouveau, ne venez pas pleurer. Je ne suis pas venu pour jouer, moi. C'est justement pour protéger ma famille que je suis là.

Les nouveaux parents de la petite déchantèrent rapidement. Là où ils découvraient la fonction de parents, ils venaient de s'apercevoir qu'ils avaient un père de famille responsable devant eux, qui ne pensait qu'à la sécurité de Ronce.

Killian leur tourna le dos et fixa un moment les quatre personnages qui leur faisaient face.

- Écoute-moi Ronce (il continuait de fixer ses opposants), on sait que Léopardo est un Corporem. Donc fais très attention. Pour les autres, je n'en sais rien. Alors tu prends de la distance et tu envoies zigzag en premier pour leur faire utiliser des sorts et savoir ce que tu as en face de toi.

Il se tourna vers elle et chercha vainement un objet métallique à côté de lui.

- Mince… vous n'avez pas un objet qui ne vous sert à rien ? N'importe quoi que je puisse enchanter ?

Les trois Wizards regardèrent leur chef un peu gêné. A force de s'entrainer face à lui, ils avaient pris l'habitude de ne jamais porter de métal sur eux.

Frustré, Killian porta son regard sur le public et trouva ce qu'il cherchait. Il courut vers un enfant qui se tenait au premier rang du public. Tout le monde se leva en voyant le jeune homme arriver en armure, suivi d'un dragon spectral.

- Cuánto ? pour ce truc.

Killian montra du doigt un bracelet qu'une petite fille avait autour du poignet. Un simple jonc de métal de mauvaise qualité. Même si elle fut terrorisée par l'approche du maitre des runes, parler d'argent eut l'air de lui redonner beaucoup d'assurance.

- Quinientos.

Cinq cents bolivar vénézuélien, du vol. Mais Killian n'avait ni le temps ni l'envie de marchander. Il remarqua aussi les vêtements troués et sales de la petite fille. Il sortit de sa poche mille Bolivar et les tendit à la petite fille qui n'en croyait pas ses yeux, mais ne proposa pas de rendre la monnaie. Elle resta là à fixer les billets et les plaqua contre son torse.

- Fais en bonne usage. Et merci.

Il repartit au pas de course vers ses amis et présenta le bracelet à la petite fille.

- Mets ça.
- Tu lui as volé son bracelet ?
- Mais non ! Je l'ai acheté et cher en plus pour ce que c'est, alors arrête de parler et mets ça !

La petite fille s'exécuta à contre-cœur. Elle n'aimait pas le contact du métal sur sa peau. Encore moins autour de son poignet, cela lui rappelait de mauvais souvenirs. Elle aperçut le maitre des runes qui se concentrait et trois cercles de puissance se dégagèrent de son corps, provoquant une forte réaction du public. Une rune que les quatre Wizards connaissaient bien, d'un rouge éclatant, apparut sur le bijou : elle représentait celle du bouclier.

- Pourquoi t'as fait ça ? C'est de la triche ?
- C'est juste une sécurité. Tes parents me remercieront si ça tourne mal, je pourrai l'activer à distance. De plus, on a appris une chose. Ils ne doivent pas beaucoup avoir vu de sorts du troisième cercle. Regarde tes adversaires.

Les trois compagnons fixèrent les quatre mages qui se tenaient à l'opposé d'eux. Ils ne souriaient plus et leur position avait totalement changé. Les coups d'œil qu'ils se jetaient étaient la preuve que leur assurance venait de prendre un sacré coup.

- On va dire que ça te donne un bon point, à priori on est clairement plus forts qu'eux. Mais quatre, ça reste dangereux. Alors pas d'imprudence. On n'est pas venus ni se faire humilier, ni les humilier eux. On a besoin de leur aide et on n'aura pas d'autre chance. Tu as compris ?
- Oui oui… je dois gagner, mais sans leur faire trop mal.

La confiance en elle ébranla légèrement le chef des Wizards. Etait-elle inconsciente du danger ou avait-elle réellement la certitude d'être plus forte que ces quatre mages réunis ? Ronce lui tourna le dos pour se diriger vers ses adversaires. Ces derniers semblaient déjà prêts à en découdre. Ils furent néanmoins surpris de l'attitude de la jeune fille qui mit un genou à terre et se mit en position de départ, comme pour piquer un sprint. De tous les compagnons de la petite fille, seul Killian fut aussi déstabilisé :

- Que fait-elle ?
- Tu vas voir, lui répondit Ambre. Viens, sortons de l'arène.

Il ne fut pas forcément rassuré une fois dans les gradins. De loin, la situation semblait encore plus compliquée. Un autre mage s'était positionné à côté de Léopardo. Beaucoup moins impressionnant physiquement que son chef, il restait bien plus grand que Ronce qui ne bougeait pas. Ils restèrent tous là, un moment, sans que personne ne bouge ni ne parle. Le Corporem se concentra et un cercle de puissance apparut. La partie supérieure de son corps se métamorphosa en jaguar, révélant une gueule pleine de crocs et des griffes au bout des doigts. Son torse nu était désormais recouvert de la fourrure typique de l'animal. Il s'échauffa les muscles de la nuque avant d'haranguer la petite fille :

- Bon alors ? C'est pour aujourd'hui ?

A peine eut-il finit sa phrase que Ronce s'élança. Elle était comparable à une patineuse sur glace. Elle évoluait sur la terre de la même façon que les pratiquants de cette discipline. Ses pieds glissaient sur le sol et la vitesse avec laquelle elle évoluait surprit l'ensemble du public. Elle se déplaça rapidement de manière à faire un grand cercle autour des quatre mages qui s'évertuaient à trouver une tactique d'approche.

« Bon... gagner, sans faire trop mal », se dit la petite fille. « Commençons par éliminer la concurrence ». Avec une agilité surprenante, Ronce se tourna pour être dos à la « piste » et se laissa porter par son élan. Elle était tellement absorbée qu'elle ne remarqua pas les applaudissements de certaines personnes du public. Elle se concentra et à peine un cercle de puissance apparut-il qu'elle leva un bras vers le ciel.

Une énorme stalagmite de pierre sortit du sol juste en-dessous de la seule mage de l'équipe adverse. Emoussée sur la pointe, Ronce avait volontairement rendu sa création beaucoup moins destructrice que le sort d'origine, du moins se dit-elle. Car en voyant la cible décoller de plusieurs mètres du sol en hurlant, elle pensa qu'il lui fallait encore faire quelques réglages de puissance.

Ce fut le déclic pour ses adversaires qui, en voyant leur camarade s'écraser sur le sol avec fracas et hors d'état de nuire, passèrent à l'action. Léopardo se mit à courir dans sa direction pendant que l'autre mage se concentrait et que le dernier tentait de porter secours à la victime du premier sortilège de la petite fille.

Le maitre des runes regardait la scène sans y croire, devant le sourire d'Ambre et de Goliath qui semblaient jouir de l'instant présent.

- Alors ? Tu doutes encore ? lui demanda le Corporem.
- Je dois bien admettre que je suis assez surpris, même si le combat est loin d'être fini.

La riposte était néanmoins bien trop lente, si dit le maitre des runes, qui sentait déjà l'énergie affluer dans le corps de la petite fille. Cette dernière se remit dans le bon sens de sa glissade et accéléra. Malgré ses efforts, Léopardo n'arrivait pas à la rattraper, ce qui rendait le spectacle plus comique que compétitif. Les Wizards sentirent de la chaleur émaner du mage qui était en pleine concentration.

- C'est donc un mage du feu. Il a intérêt à faire vite avec son sort avant que...

Ambre n'eut pas le temps de finir sa phrase que Zigzag venait de sortir du sol entre les jambes du mage en pleine concentration. Celui-ci se retrouva au milieu de ses mâchoires. Le golem prenait un malin plaisir à mâchouiller son adversaire, le secouant dans tous les sens, créant par la même occasion un énorme nuage de poussière.

- Heureusement que je lui ai demandé de ne pas trop les humilier…

Killian se tenait le visage d'un air désespéré. La scène chaotique qui se déroulait devant annihilait l'espoir d'obtenir une aide de l'académie de Caracas. Il ne restait plus que Léopardo qui s'était arrêté, totalement essoufflé, regardant autour de lui pour voir l'ampleur des dégâts. Ils n'étaient déjà plus que deux et son dernier compagnon valide n'avait qu'une idée en tête : sortir sa camarade de l'arène. Il voulut crier quelque chose à Ronce, mais ne la trouva plus du regard. Où pouvait bien être passée cette sale gamine ? Il ne l'avait perdu de vue que quelques secondes ! Un silence gênant s'installa. Tout le monde cherchait la mage de la terre et une certaine stupeur se propagea dans le public. Le jeune mage qui trainait sa compagne s'était arrêté, tremblant de tous ses membres en attendant le châtiment.

Cela commença par une petite secousse qui obligea tout le monde à diriger son regard vers le sol. Le deuxième impact se fit clairement sentir quelques secondes plus tard et plusieurs personnes commencèrent à se lever dans les gradins, à la fois curieux et inquiets. La troisième secousse faillit faire tomber Léopardo et des hurlements se firent entendre dans le public.

- Oh non Ronce… pas un sort du troisième cercle…

Killian devait bien admettre que la petite fille avait un certain talent pour la mise en scène. Il n'y avait qu'à voir le jeune mage qui serrait contre lui la première victime de la mage de la terre. Les larmes aux yeux, lèvres tremblantes, il avait le profil d'un homme qui attendait son châtiment. Léopardo ne bougeait pas, fixant le sol, prêt à frapper avec son poing en l'air. Il comprit bien vite le ridicule de sa tentative. Deux énormes mâchoires, sculptées comme une gueule de lion, sortirent du sol, entourant le Corporem comme un étau. Ce dernier vit la démesure de la création de Ronce lorsque le soleil n'éclaira plus son visage. Atteignant plus de vingt mètres de haut, la tête du félin fixait le ciel bleu azur, la gueule ouverte avec Léopardo en plein centre. Le mage tomba à genoux, réalisant ce qui allait se passer. C'est avec un grondement sinistre que la mâchoire se referma. L'impact causa une détonation sur plusieurs centaines de mètres et l'immense sculpture explosa au moment où les mâchoires supérieure et inférieure se rencontrèrent.

Il fallut plusieurs minutes pour que le calme revienne et que le nuage de poussière se dissipe. Goliath et Ambre sourirent en voyant Ronce tranquillement assise sur l'énorme tas de gravats. Du chef de l'académie de Caracas, on ne pouvait voir qu'une jambe qui dépassait de l'immense monticule de pierres et de roches.

Soucieuse de ne pas laisser le doute s'installer, la petite fille se dirigea en sautillant vers son dernière adversaire. Ce dernier, voyant certainement la mort fondre sur lui, lâcha sa compagne et tenta de se mettre debout, sans succès. Ronce s'assit juste en face de lui, un grand sourire aux lèvres :

- C'est ton amoureuse ?

Son adversaire lui fit un signe saccadé par des tremblements de la tête.

- Je suis désolée de lui avoir fait mal. J'ai bien essayé de faire doucement, mais... comme je vais déjà me faire gronder par le grand monsieur là-bas, ça ne te dirait pas d'abandonner ? Si j'en laisse un sain et sauf, avec de la chance, il me criera moins dessus...
- J'ab...an...donne.
- Cool ! merci !

La petite fille se leva pour rejoindre ses amis, espérant au fond d'elle ne pas se faire trop sermonner.

- Quel genre de démon es-tu ?

La petite fille se retourna vers son dernier adversaire. Prostré et en état de choc, il fixait la petite fille comme le diable en personne.

- Je ne suis pas un démon. Je suis une Wizards.

Killian se tenait à genoux devant Léopardo. Celui-ci massait sa nuque encore raide malgré les soins prodigués par le maitre des runes.

- Elle ne rigole pas votre copine...
- Et encore, je lui ai demandé d'y aller doucement...

Le chef de l'académie le regarda avec incrédulité. Pouvait-elle réellement faire mieux ?

- Quoi qu'il en soit, je vous présente mes excuses, mon intention n'a jamais été d'en arriver là.

L'homme leva la main en signe de paix :

- Vous ne nous devez aucune excuse. Nous désirions vous éprouver, à nous d'en porter la responsabilité. La rumeur de votre puissance était bien parvenue jusqu' à nous. Mais il faut le voir pour le croire. C'est bien la première fois que je vais dire que la réalité est plus impressionnante que des ragots ! Laissez-moi le temps de remettre de l'ordre et de parler avec les anciens. Ce soir, pendant le diner, nous discuterons et nous partagerons notre savoir avec vous.

Killian retourna près de ses amis, soulagé. Les trois Wizards avaient une discussion très animée sur le déroulement du récent duel.

- Superbe ta tête de lion ! cria Ambre à la petite fille.
- Je pense qu'avec un peu plus d'entrainement, je pourrais en faire sortir un légèrement plus petit, mais en entier !
- Heureusement que je t'avais dit de ne pas en faire trop.

Tout le monde se tourna vers le maitre des runes. Malgré son air sérieux, il lui était difficile de ne pas avoir un petit sourire en coin.

- Alors ? Ils vont nous aider ? demanda Goliath.
- Oui, le moins que l'on puisse dire, c'est que tu les as impressionnés. Et pour être honnête… moi aussi.

Ronce rougit sous l'effet du compliment. Ayant peur de se faire gronder, elle fut soulagée de ne pas avoir créé de problème.

- Il va falloir qu'on reprenne les entrainements ensemble, sinon je vais me faire larguer rapidement ! Je dois m'attendre à la même surprise de votre part je présume ?

Ambre et Goliath se jetèrent un petit coup d'œil complice avant de sourire à leur chef.

- Très bien… vous ne voulez rien dire. Je verrais ça en temps voulu. Allons-nous reposer un peu, on nous attend pour le diner et la soirée risque d'être longue. Il y a quelque chose de particulier ici. Ils sont au courant de quelque chose de spécial, je le sens.
- Moi aussi, lui répondit Ambre. Ils n'ont pas grand-chose, l'académie est pire que la nôtre à ses débuts, mais ils se sentent en sécurité ici. Tu as remarqué comme la zone est déserte sur plusieurs kilomètres ? On dirait que c'est eux qui ont voulu s'installer ici, il doit bien y avoir une raison…
- On est bien d'accord. A nous de la découvrir ce soir. Quoi qu'il arrive, pas d'imprudence et ne révélons pas forcément tout ce que l'on sait.
- On va commencer par se reposer, finit par dire Goliath en désignant la petite Ronce qui s'était endormie par terre, roulée en boule comme un animal.
- Elle doit être épuisée. Elle a beau faire sa fière, elle a dû fournir une sacrée quantité de magie pour faire son spectacle. Occupez-vous d'elle, je vais aller fouiner un peu, on se retrouve pour le diner.

Il regarda la petite famille s'éloigner, Ronce dans les bas du Corporem. Killian était lui aussi éprouvé par cette journée riche en émotions, mais il savait, au fond de lui, que c'était loin d'être fini. L'académie de Caracas était certainement comme la leur : chargée d'histoire malgré son jeune âge. Il fixa le ciel bleu azur qui s'étendait à perte de vue, laissant son imagination vagabonder sur des théories, créant ainsi l'espoir d'obtenir des renseignements dès ce soir sur l'emplacement de la bibliothèque Maya. Après tout, on avait bien le droit de rêver.

C'est avec surprise que les quatre compagnons découvrirent ce qu'était un diner à l'académie de magie de Caracas. De grandes tables de bois étaient disposées près de la cabane principale, faisant de l'évènement un véritable banquet. C'était près de deux cents mages qui pouvaient ainsi festoyer, ensemble, dans la convivialité.

Deux grands arbres recouvraient de leurs branches l'emplacement, protégeant ainsi certainement du soleil la journée et d'éventuelles pluies. Le crépuscule naissant donnait à l'endroit un charme unique, créant une véritable explosion de couleurs.

- C'est magnifique, laissa échapper Ambre. Ils ont un état d'esprit totalement différent de notre académie. Ils font tout, tous ensemble.
- En effet, lui répondit le Corporem. Dommage que ce spectacle ne dure pas bien longtemps car on va manger dans le noir. Mais je veux bien admettre que l'ambiance n'a rien à voir avec chez nous.
- Merci du compliment.

Léopardo se tenait derrière eux, accompagné du jeune homme que Ronce avait épargné durant l'affrontement de l'après-midi.

- Léopardo, content de vous voir, commença Killian. Merci pour l'invitation, surtout que l'endroit est très différent de chez nous. Il y a un certain côté apaisant, peut-être parce que tout le monde a l'air si tranquille. Notre académie ayant été attaquée deux fois, on a tendance à ne pas trop se laisser vivre.
- Et ça se comprend. Sachez qu'ici, vous ne risquez rien. Aucun démon ne peut nous attaquer.
- Comment ça ?
- Vous verrez plus tard. Pour commencer, je vous présente Luis. C'est lui qui vous guidera demain. Et pour le moment, nous allons régler ce petit problème de lumière.

Fixant Goliath avec un grand sourire, il se dirigea avec son acolyte vers les deux grands arbres.

- Sachez que c'est de notre volonté de ne pas avoir l'électricité pour tout. Nous désirons être plus proche de la nature et ne pas participer à la déforestation massive de notre continent.

Les Wizards virent plusieurs mages les rejoindre. Certains d'entre eux tendirent les bras vers le ciel et se concentrèrent. Le phénomène qui s'ensuivit émerveilla les compagnons, qui purent voir les arbres s'illuminer de mille feux.

Placés avec discrétion et précision, des centaines de bouteilles en plastique avaient été disposées dans les branches et se remplissaient d'une douce lumière. Ronce était ébahie devant le phénomène. Chaque lanterne changeait de couleur régulièrement, transformant l'arbre en un feu d'artifice permanent.

Le maitre des runes réalisa à cette vue à quel point il aimait la magie. Depuis le début, le destin l'avait obligé à ne se concentrer que sur de la partie offensive de cette dernière. Il n'y avait qu'à contempler ce que venait d'accomplir cette académie pour se rendre compte que la magie avait beaucoup plus à offrir que mort et destruction. Comme à son habitude, l'homme était capable du meilleur, comme du pire, avec les choses que la vie lui offrait.

- C'est magnifique, dit la petite fille sans pouvoir lâcher le spectacle des yeux.
- Vous avez dit que nous ne risquions rien ici, pourquoi ? Et où Luis doit nous emmener demain ?

Killian n'eut le droit qu'à un sourire des plus énigmatiques en guise de réponse.

- Vous allez bientôt le savoir. Allez ! à table !

Même si l'académie de Caracas était beaucoup plus pauvre que la leur, les compagnons durent admettre qu'ils avaient droit à un véritable festin. Composé principalement de poissons grillés et de fruits, les Wizards apprécièrent ce repas simple, mais particulièrement savoureux. Même le gigantesque Goliath ne trouva rien à redire :

- Alors là ! chapeau. Depuis notre départ je pensais que Killian n'avait qu'un seul objectif : nous affamer. Mais là, vraiment, c'était un délice, je suis plein ! Même transformé en dragon, je n'aurais pas pu manger plus !

Alors que le Corporem se caressait le ventre, un silence gênant s'installa. Regardant de tous côtés, le géant d'ébène se pencha pour chuchoter à l'oreille de Killian :

- J'ai encore dit une bêtise c'est ça ?
- Pour le coup, répondit son ami, si c'est le cas… je ne sais pas ce que c'est.

Léopardo les regardait d'un air beaucoup plus sérieux, jaugeant les personnes qui se trouvaient à sa table, comme s'il s'apprêtait à leur faire une révélation.

- Que savez-vous des dragons ?

La question les désarçonna et les compagnons se regardèrent un moment sans comprendre.

- Il y a un malentendu, intervint Killian. Goliath peut se transformer en dragon, mais nous n'avons aucune connaissance sur les dragons.
- Il peut se transformer en dragon ?

Goliath, qui espérait pouvoir rester en dehors de la conversation, se sentit obligé d'intervenir.

- En fait, je ne l'ai fait qu'une fois. C'est un sort du troisième cercle particulièrement éprouvant. Si pour une raison quelconque je devais retrouver ma forme humaine, je serais vulnérable et certainement incapable de me défendre pendant un bon moment.
- Alors évite de le faire demain, lui répondit Léopardo. Il pourrait mal le prendre. Par contre je ne serais pas contre une démonstration.
- OK, va pour une démonstration, mais il faut d'abord nous en dire plus. Qui pourrait mal prendre que je me transforme en dragon ?
- Eh bien...notre dragon.

Malgré les mois qui passaient, Killian n'arrivait pas à rester indifférent face à ce que le monde du surnaturel pouvait lui réserver. Un dragon ! Créatures mythiques, ils étaient de loin les monstres les plus emblématiques du monde de la Fantaisie. Le maitre des runes avait toujours eu un faible pour les dragons, ce qui l'avait inspiré pour Fangore.

- Vous possédez un dragon ?
- « Posséder » est un bien grand mot. Disons qu'il a élu domicile ici, avec nous, dans les montagnes à l'ouest.
- Incroyable, souffla Ambre. Est-il...gentil ? Pourquoi voulez-vous que nous le rencontrions ?
- Il n'est pas gentil, mais il tolère les mages. Si le cœur lui en dit, il vous contera son histoire. Luis est un mage de la terre, comme toi petite Ronce. Il a développé une certaine « amitié » avec la créature. Tout ce que je peux vous dire, c'est que nous ne savons rien de la bibliothèque maya, je suis désolé.

Le groupe reçut la nouvelle comme une gifle. Après tant de mystère et même si la rencontre avec un dragon s'annonçait palpitante, ils n'en étaient pas moins venus pour obtenir des informations. Ils allaient devoir partir de zéro.

- Néanmoins, continua leur hôte. Naox a plus de trois mille ans, il nous a déjà narré plusieurs histoires sur les mayas ainsi que la relation qu'il entretenait avec eux et les mages de l'époque. Peut-être aura-t-il des informations qui pourront vous aider ?

L'espoir revint aussi vite qu'il était parti pour Killian. Ce dragon devait être une mine de savoir. Tout n'était pas encore perdu et si Antonio n'avait pas parlé à ce fameux « Naox », il aurait ses chances de rattraper son retard sur l'ancien prêtre.

- Voilà une bonne nouvelle mes amis !

Killian invoqua Fangore pour l'avoir à ses côtés, sa présence rassurante lui donnait un petit aperçu de ce qu'il allait vivre demain.

- Qu'est-ce que c'est que ça ? demanda Léopardo.
- C'est Fangore, l'esprit de mon arme. Je ne sais pas pourquoi, elle est différente des autres esprits que je peux invoquer, elle a l'air d'apprécier ma présence.
- Et la mienne ! Intervint Ronce qui faisait semblant de lui gratouiller le menton.
- Je n'ai jamais rien vu de semblable. Plusieurs de nos membres sont partis il y a peu de temps pour votre académie et espéraient vous y trouver. Si seulement ils savaient…
- Ils sont partis pour le recrutement ?
- Oui, alors comme ça vous voulez augmenter le nombre de Wizards ? Après ce que j'ai vu cet après-midi, ce « Malachor » doit être terrifiant pour que vous en ayez peur.

Après un rapide coup d'œil à ses amis, Killian prit la décision de raconter toute l'histoire des Wizards au chef de l'académie. Il fut au début le seul auditeur, mais rapidement, un grand cercle se forma autour d'eux. Parfois, Ambre et Goliath intervenaient pour rajouter des détails. Le récit prit la majeure partie de la soirée et c'est une fois la dernière phrase prononcée que Killian réalisa tout ce qu'ils avaient vécu ces derniers mois. De la même façon qu'il avait été choqué par l'annonce de l'existence d'un dragon, les gens autour de lui les regardaient d'un nouvel œil. Il y avait un mélange de crainte, mais aussi de respect devant ceux qui, anonymement, se battaient pour eux, pour leur monde.

- Je regrette l'accueil que je vous ai fait. Les histoires que l'on raconte sur vous ne reflètent en rien la réalité. Moi, Léopardo, je m'engage à mettre tous les moyens de l'académie de Caracas à votre service.

Le Corporem tendit la main à Killian avec un franc sourire et ce dernier la saisit de la même façon. Cette alliance était pour le maitre des runes d'une importance capitale, un pas de géant pour le monde de la magie. Il sentit la main de son nouvel ami se resserrer sur la sienne, comme si celui-ci ne voulait pas le lâcher :

- Faites attention avant tout aux religieux. Comme vous venez de nous le dire, l'église catholique qui était pourtant très présente ici fait figure basse depuis presqu'un an. En revanche, les mosquées sont devenues de véritables bastions qui ne vivent que pour nous anéantir. Ils ont créé une espèce de d'ordre parallèle : les pourfendeurs d'Allah. Ils sont nos pires ennemis et chaque fois qu'un de nos mages sort de cette académie, vous pouvez être certain que s'il croise la route d'un membre de ce culte, il lui arrive des ennuis.

La haine dans le regard de Léopardo informa le chef des Wizards que le conseil était à prendre au sérieux. En avait-il fait les frais lui-même ? Cette information fit naitre une deuxième pensée dans son esprit, quelque chose qui lui aurait semblé improbable avant cette déclaration :

- Pensez-vous qu'Antonio aurait pu leur demander de l'aide ?
- L'ennemi de ton ennemi est ton ami… intervint Goliath. C'est clairement une piste qu'on ne peut pas négliger.

Killian ne dit rien, mais il était visible que son ami était ébranlé par la nouvelle. Même Ambre le regardait bizarrement. Il se dit qu'il essayerait de lui en parler plus tard et se concentra sur l'instant présent. Ils avaient obtenu en une soirée deux pistes assez sérieuses : une pour retrouver Antonio et une pour localiser la bibliothèque des mayas.

« L'étau se resserre…cours Antonio, cours… car je suis juste derrière toi. » pensa Killian avec une pointe de satisfaction.

Goliath avait trop bu. «Ce vin était vraiment succulent, tu vas en payer le prix demain matin », se dit le colosse avec un demi sourire.

Il n'avait jamais été porté sur l'alcool, mais ce soir, avoir les idées embrumées lui était d'un grand secours. « Il fallait bien qu'un jour ça te rattrape». Il but une rasade de plus du délicieux nectar, espérant que cela l'aide à dormir.

- Bah dis donc… si je m'attendais à ça de ta part…

Le Corporem se retourna avec lenteur. Ambre et Killian se trouvaient là, à quelques mètres et le regardaient.

- Un souci mon grand ?

Killian s'avança vers son ami, alors que la jeune fille restait à distance, hésitant sur le comportement à adopter.

Le colosse la fixa un moment. Il savait que tôt ou tard, cette discussion aurait lieu, alors autant en finir rapidement.

- Tu sais...j'avais un frère...

Le maitre des runes fut surpris par la déclaration, mais resta de marbre. Goliath n'avait jamais parlé de son passé.

- Tu n'es pas obligé d'en parler.
- Si au contraire. C'est bien d'en parler. A force, on oublie et ce n'est pas la solution. Nous étions jeunes, il était influençable. Il est parti, il y a quatre ans, pour faire le djihad.

Le Corporem vit son ami froncer les sourcils. Ambre ne bougea pas d'un pouce, telle une statue de marbre dans la nuit. Il la trouva, à ce moment-là, sublime dans son armure faite de rouge et d'argent

- Il est mort en voulant rentrer. J'ai reçu un courrier deux semaines plus tard où il me disait qu'il regrettait et qu'il allait essayer de s'échapper. Le courrier était ouvert et taché de sang. Il y avait quelque chose qui avait été rajouté : « il a essayé ».

Un lourd silence s'installa. Killian ne pouvait pas comprendre la peine de son ami. Fils unique, il n'avait jamais eu à s'inquiéter pour une sœur ou un frère.

- Tu veux te charger de cette partie de l'enquête ? Tu t'en sens capable ?
- J'aimerai bien oui.
- OK, je contacterai Axelle demain pour demander à Scarlett de définir les lieux de culte qui seraient le plus apte à cacher nos fugitifs.

Ambre se dirigea vers le Corporem pour se glisser dans ses bras. Le maitre des runes s'éclipsa discrètement afin de leur laisser ce moment d'intimité. Il rentra seul dans sa cabane, réfléchissant au fait qu'une fois de plus, la religion se retrouvait sur son chemin. Il en vint presque à espérer qu'Antonio réussisse à invoquer le Malachor afin d'avoir une discussion musclée avec un pseudo Dieu...

Chapitre 10

Ils partirent le lendemain, accompagnés par Luis qui semblait remis de l'affrontement de la veille, même inconsciemment son esprit faisait en sorte de ne jamais se retrouver à côté de la petite Ronce.

Le sol rocailleux n'était pas particulièrement adapté à une marche intensive et l'ascension se fit plus lentement que ce que Killian aurait souhaité.

- Vous êtes bien sûrs de ne pas vouloir que nous utilisions nos droners ? On y serait en un rien de temps.
- Hors de question. Naox sait déjà que je suis en chemin pour venir le voir. Il « sent » les choses. Le dernier hélicoptère qui a tenté une approche est aujourd'hui dans le fond de la vallée. Je ne prendrai pas le risque de le mettre en colère.

Les quatre compagnons se regardèrent un moment. Ils n'avaient pas traversé un océan pour finir dans la gueule d'un dragon.

- Est-il si dangereux que ça ?
- Non il n'est pas méchant. Il a en revanche des raisons d'être en colère contre les humains. Soyez respectueux, c'est le plus important et par pitié, ne faites pas vos caïds… même si vous êtes très forts (il jeta un petit coup d'œil vers Ronce), vous n'êtes rien comparés à lui.

Goliath gonfla ses biceps et se fendit d'un grand sourire.

- N'essayez pas de nous faire peur. Vous avez déjà essayé hier et ça ne vous a pas vraiment réussi.

Le jeune homme s'arrêta de marcher et se tourna vers le Corporem.

- Nous avons fait une erreur hier, c'est indéniable. Mais Naox est une créature qui vous dépasse. Les contes, les légendes, les films que vous avez pu voir à la télé. Rien n'est représentatif de ce qu'il est.
- S'il est si fort, pourquoi ne domine-t-il pas le monde ? demanda Ambre.

Luis reprit sa marche et jeta par-dessus son épaule :

- Vous n'aurez qu'à lui demander. Prier pour qu'il n'en ait jamais envie.

Ce ne fut que deux heures plus tard que les cinq mages se retrouvèrent face à une large entrée à même la roche. Deux énormes blocs de pierre étaient déposés de chaque côté et Killian comprit qu'ils avaient dû masquer, par le passé, l'entrée de cette caverne.

- C'est lui qui a bougé ces trucs ? demanda Ronce.
- Oui.
- Ronce pourrait faire pareil, souvenez-vous hier.

La petite fille caressa l'un des deux rochers. Personne ne parla ni ne réagit au comportement anormal de la petite fille. Elle semblait essayer de rentrer en contact avec la pierre elle-même.

- Même si elle aime ton contact mon enfant, cette pierre ne te répondra pas.

Tout le monde se retourna pour faire face à cette voix. A l'exception de Luis, tous durent se maitriser pour ne pas partir en courant.

Naox était là. Du moins sa tête qui se tenait à moins d'un mètre de la belle Ambre qui semblait sur le point de s'évanouir. D'une taille démesurément grande, elle empêchait le groupe de voir le reste de son corps.

La jeune fille réalisa qu'une simple dent de ce monstre était déjà plus grande qu'elle. Il devait faire dans les cent mètres de long pour une trentaine au garrot… il était un monde à lui tout seul.

- Naox, commença Luis. Nous sommes désolés de t'importuner.
- Ne le sois pas. Ta présence est toujours la bienvenue.

La créature ne recula pas son visage pour parler et la jeune Ambre put voir l'intérieur de sa gueule. Elle s'imagina tomber lentement dans ce gosier sans fin, une mort atroce. Les deux yeux rouges de la créature la fixaient avec une intensité peu commune et son esprit semblait être pénétré par une force qu'elle ne maitrisait pas.

Goliath s'approcha avec douceur pour lui prendre la main et tenta de la faire reculer, en vain. La jeune femme était pétrifiée. Soumise totalement à la volonté du dragon qui semblait rechercher quelque chose.

- Tu m'as amené des gens bien particuliers…

- Oui. Ils...ils ont des questions et nous n'avons pas les réponses. Mais leurs intentions sont bonnes. Nous avons pensé qu'avec ton savoir, tu pourrais les aider.

Les narines du dragon frémirent et soufflèrent, projetant les cheveux d'Ambre en arrière.

- Les intentions sont souvent bonnes dans les paroles. Mais ce sont les actes qui gravent dans le marbre l'histoire de ce monde.

Killian admirait la créature. Bien évidemment, son physique ressemblait à ce à quoi il s'attendait. Une gueule élancée, de grandes ailes dans le dos. Sa queue, immense, ondulait entre les arbres qui bordaient l'entrée de la caverne, ne laissant entrevoir le bout que par à-coup, tellement elle était longue. Le corps de la créature était recouvert par une série d'écailles dorées qui reflétaient la lumière du soleil.

C'est en s'attardant sur les détails que le maitre des runes vit les différences entre la réalité et les légendes. Le plus choquant fut la crinière. A l'image des chevaux, il arborait de longs poils blancs du sommet du crâne jusqu'à la moitié de son cou. La deuxième différence, et non des moindres, était ses ailes. Là où Killian aurait dû trouver des similitudes avec celles des chauves-souris, elles étaient en fait beaucoup plus classiques avec de longues plumes à l'image d'un faucon. Néanmoins, au bruit de raclement qu'elles créaient en se frottant les unes contre les autres, le chef des Wizards comprit qu'elles devaient être faites de métal ou d'un matériau similaire.

Il invoqua Fangore qui se retrouva nez à nez avec la créature.

- Alors mes sens ne m'ont pas trompé, il y a bien parmi vous un maitre des runes. Qui a en plus la capacité de parler aux esprits supérieurs.

L'immense visage se tourna vers Killian, ne laissant son museau qu'à quelques centimètres de celui du chef des Wizards.

- La dernière fois que j'ai rencontré l'un des tiens, mes parents ont placé ces deux pierres devant cette grotte pour m'y cacher. Je n'étais alors qu'un enfant.

Killian recula d'un pas, ne sachant si la créature voyait ça comme un mauvais souvenir. Mais le ton de sa voix venue d'un autre âge semblait indifférent à la situation.

- N'aie pas peur, frêle créature. Si ta vie était en danger, tu ne verrais pas la mort se servir sur ton cadavre. Les mages qui vivent sur cette montagne et dans la vallée plus bas sont sous ma protection.

La créature recula sa tête et se dirigea sur une saillie érigée plusieurs mètres au-dessus d'eux, à même la paroi de la falaise.

- Montez, votre histoire m'intéresse, si elle me divertit suffisamment, peut-être repartirez-vous avec des réponses.

Le groupe grimpa jusqu'au niveau de la créature qui s'était couchée. Ses pattes avant ainsi que sa queue pendaient dans le vide. Cette dernière tombait sur le sol et rentrait dans la caverne qui était pourtant plusieurs mètres plus bas.

- Les légendes qui parlent de vous ne vous font pas honneur, vous êtes beaucoup plus grand et impressionnant, commença Goliath tout en cherchant à être sympathique avec la créature.

Un bruit de grondement fit trembler l'auditoire. La plupart des oiseaux s'envolèrent sur plusieurs dizaines de mètres. Le dragon se tourna vers Luis, l'œil plissé, comme s'il fouillait l'intérieur du jeune homme.

- J'apprécie, compagnon de dialogue, que tu ne leur aies pas parlé de ma vie. C'est une marque de respect qui est rare parmi les tiens.

Il reporta son attention sur le Corporem qui venait de se faire tout petit.

- Je serais curieux de savoir quelles légendes tu as pu entendre sur mon peuple. Raconte-moi…

Goliath s'apprêta à répondre, mais ne trouva aucun mot, aucune histoire. Il y a avait bien des dessins animés, des films, des images dans des livres, des sculptures…

- En fait je n'ai rien de concret…
- Précisément. La flatterie ne t'amènera à rien avec moi. Je sais ce que je suis, ce que tu penses de moi m'indiffère.

Killian, sentant le conflit venir à grands pas, tenta de ramener la discussion vers un sujet plus important.

- Vous disiez vouloir entendre notre histoire ?

La créature posa sa tête sur le sol juste devant lui et malgré tout, elle devait faire plus de deux fois sa taille.

- Je t'écoute, mais sache que le mensonge m'est familier et ne t'attirera que ma colère. Parle avec ton cœur, jusqu'à la fin.

Le maitre des runes déglutit. Jamais Lux ne lui avait autant manqué. Il aurait su raconter leur histoire avec grandeur, sans oublier le moindre détail, il aurait su trouver les bons mots.

Il sentit le regard du dragon sur lui. « Cette créature a un pouvoir sur notre esprit. Luis avait raison, ce qu'elle est nous dépasse totalement », pensa-t-il intérieurement.

Son visage se crispa lorsqu'il vit l'une des babines de la créature se relever. Pouvait-elle lire dans son esprit ?

« Tu ne pourras jamais imaginer de quoi je suis capable, concentre-toi sur ton récit. A moins que tu ne préfères que je fouille là-dedans ? ».

Killian tomba à la renverse. Tout le monde se précipita vers lui, mais il les stoppa de la main tout en continuant de fixer le dragon dans les yeux. Il venait de lui parler, par télépathie. Mais pire encore, il pouvait effectivement lire ses pensées.

Il se releva, choqué. « C'est un Mentalus, il n'est pas du même niveau que Neuro, c'est évident ».

- Sache que je ne suis pas comme vous. La magie fait partie de mon être et j'en maitrise presque toutes les facettes.

Un cercle de puissance se dégagea de la créature. La déflagration fut tellement intense qu'Ambre faillit tomber de la saillie.

Le dragon leva une patte et pointa l'une de ses monstrueuses griffes vers le maitre des runes. Ce dernier activa son bouclier, pensant que sa dernière heure était arrivée.

Les yeux fermés, les bras en croix devant lui, il attendait la mort en espérant que cette dernière fasse vite, mais rien ne vint. En revanche, son dos le grattait. En fait, c'était horrible tellement la démangeaison était forte. Après avoir vérifié que Naox ne lui voulait pas de mal, il se défit de son armure en quatrième vitesse et tomba en avant pour se gratter sous le regard médusé de ses compagnons qui ne comprenaient rien à la situation.

- Ça va ? lui demanda Ronce. Tu veux que je t'aide ?

Killian hurla. La démangeaison s'était transformée en douleur. Une brûlure atroce qui partait de chacune de ses omoplates jusqu'aux reins. Il arqua le dos et tendit ses bras en avant, laissant son corps prendre les décisions pour lui.

Un bruit de chair éventrée résonna et deux ailes s'extirpèrent de son dos, le projetant au sol.

Personne n'osa bouger. Seul Killian se redressa sans comprendre ce qui venait de lui arriver.

- Mentalus…Corporem… hormis ton obédience, sache que la magie n'a aucun secret pour moi. Contrairement à ton ami, je peux modifier mon corps, mais aussi celui des autres. Faire simplement tomber ta tête par magie ne me demanderait pas plus d'effort que de t'écraser avec mes griffes.

Killian se releva avec difficulté, même si la douleur ne lui semblait plus vraiment réelle. Ce dragon avait réussi à modifier son corps avec une facilité qui lui fit froid dans le dos. Il existait donc des créatures bien plus puissantes qu'eux. Toute la question était de savoir de quel côté Naox se rangerait si le Malachor décidait de revenir faire un tour dans leur monde.

- impressionnant. Je dois bien l'admettre. Vous pouvez utiliser plusieurs obédiences et à un niveau nettement supérieur au nôtre.
- En effet, mage. Pour une raison que j'ignore, seule ta magie m'est interdite. Aucun dragon n'a réussi à maitriser le langage des runes.

Killian sentit un picotement dans son os et vit les plumes de ses ailes tomber puis disparaitre progressivement. Les deux protubérances disparurent aussi vite qu'elles étaient venues. Il prit le temps de remettre son armure tout en réfléchissant. A chaque fois qu'il faisait un pas en avant, des dizaines de questions lui brûlaient les lèvres.

- Alors comme ça, vous n'êtes pas le seul dragon ? Etes-vous nombreux à vivre parmi nous ?
- Vivre parmi vous, voilà bien une expression d'humain. Comme si cette planète était la vôtre.

Les yeux du dragon scrutèrent le maitre des runes. Même s'il semblait effrayé, ce dernier lui faisait face, sans fléchir. Alors que ses amis semblaient morts de peur.

- Je pense être le dernier des dragons terrestres. D'autres vivent aujourd'hui sur les autres planètes de ce système.

Killian encaissa la nouvelle sans broncher, mais une fois de plus de nombreuses questions lui brûlaient les lèvres. Il décida néanmoins de se concentrer sur l'essentiel, quitte à revenir plus tard converser avec le dragon.

- Nous sommes à la recherche d'un humain, un démoniste. Il cherche à faire revenir dans notre monde une créature que vous avez dû connaitre : un Malachor.

Le dragon retroussa ses lèvres et émit un grondement qui fit reculer le maitre des runes. Son immense tête dodelina et sa queue fouetta le sol, déracinant un arbre au passage. Ses yeux étaient comme deux morceaux de braise incandescente et Killian crut, le temps d'un instant, que la créature allait passer à l'attaque.

Il fallut plusieurs secondes à Naox pour se calmer. Sa respiration redevint plus régulière et son souffle se fit moins ardent.

- Pardonne-moi, jeune créature. Tu viens, sans le savoir, de prononcer un nom qui me rappelle ma propre histoire. Vois-tu, il y a de cela plus de mille ans, les dragons et les humains vivaient en parfaite harmonie. Nous ne vivions que dans des zones inhabitées et les mages étaient les seuls à faire partie de notre existence. Nous avons toujours su que notre nature magique dépendait de quelque chose de plus puissant que nous. Un jour, l'un des vôtres a fait apparaitre la source de toutes les magies dans ce monde : le Malachor. Humains et dragons ont rapidement réalisé l'erreur qui venait d'être commise. L'un des vôtres, un maitre des runes, proposa de l'enfermer dans une prison magique. Nous, dragons, avons proposé de le combattre le temps que le sortilège soit prêt. De nombreux dragons périrent cette journée-là, dont mes parents. Ils me cachèrent dans cette grotte, espérant une issue favorable du combat qu'ils menaient.

Killian et les autres buvaient les paroles de Naox. Le récit du dragon était déjà révélateur de ce que craignait le maitre des runes : le Malachor avait réussi à vaincre des dragons. Ce qui rendait leur tentative de former d'autres Wizards d'un ridicule sans nom, face à la puissance de leur ennemi. Le dragon remarqua l'air désespéré de son public et continua son récit.

- Ne croyez pas que les dragons étaient faibles. Mais nous étions à l'époque vaniteux. Nous ne cherchions pas à tuer le Malachor, nous cherchions à l'enfermer.
- Mais pourquoi ?

Le dragon ferma les yeux et baissa la tête.

- Nous espérions survivre grâce à cela. Car en tuant le Malachor, nous n'avions aucun doute sur le fait que cela nous tuerait tous. Contrairement à vous, tous les dragons sont des mages.
- Je ne comprends pas, lui répondit Ambre.
- Nous avions compris qu'en tuant le Malachor, toutes les créatures vivantes douées de magie mourraient avec elle. Tindarius pensait pouvoir l'enfermer dans une prison magique, ce qui laisserait le Malachor en vie et par conséquent…
- Vous laisserait la vie sauve et garantissait aux mages de garder leurs pouvoirs, acheva Killian à la place du dragon.

Killian n'avait pas prévu cette partie de l'histoire, comme chacun de ses compagnons. En tuant le Malachor, il tuerait tous les mages de la planète. Mais quelque chose ne collait pas dans le récit du dragon.

- Mais Tindarius s'est trompé, même enfermé dans une prison magique, sa capacité à fournir la magie dans notre monde a disparu.
- Pas vraiment. En fait lorsque le monstre réalisa la supercherie, il nous coupa volontairement l'accès à ses pouvoirs, nous plongeant pour la première fois

dans un monde sans magie. Ce qui eut la même conséquence, les mages moururent, tous, sans exception. Mais nous, dragons, avons survécu pour être plongés dans un sommeil sans fin.

- Et lorsque nos pouvoirs sont revenus, vous vous êtes aussi réveillés.
- Exactement... pour découvrir que j'étais le seul survivant de ma race.

Ronce s'approcha du dragon à la grande surprise de tout le monde. Elle avait les larmes aux yeux et de petits sanglots secouaient son corps de petite fille. Elle écarta grand les bras et saisit la pointe du menton de Naox, puis, dans un geste d'une grande tendresse, elle appuya sa tête contre lui.

- Elle est trop triste ton histoire...

Ambre et Goliath étaient terrorisés par le comportement de leur fille. Voir leur protégée en contact avec le dragon leur donna envie de se porter à son secours, mais toute peur s'envola en voyant l'immense patte de la créature se refermer sur elle.

- Mon histoire n'est pas finie, petite fille, et la partie la plus triste n'est pas encore prononcée. Néanmoins j'apprécie ta sollicitude et ton courage.

Il la saisit avec une griffe et la porta sur son cou où elle s'agrippa à deux grandes cornes qui couraient sur plusieurs mètres derrière sa tête.

- Une fois les dragons endormis, les humains nous ont massacrés. Toutes les légendes que tu as pu lire sur nous ne sont que des récits de couards et de pleutres. Les fameux « tueurs de dragons », une bien vilaine histoire que serait la vérité. Durant plus de dix mille ans, les dragons et les mages se sont entraidés. Ils nous veillaient pendant notre sommeil et nous les aidions dans l'art de développer leur magie. Mais votre monde s'est développé, les mages sont devenus ambitieux et des guerres ont éclaté. Chaque mage ne vivait plus que pour détruire les autres mages encore enfants afin de ne pas être surpassé. Et pour finir... vous vous êtes pris pour des dieux. De ce jour-là, les mages et les dragons n'eurent plus beaucoup de contact. Jusqu'à ce que Tindarius viennent chercher notre aide pour sauver ce monde. Une fois le Malachor emprisonné, nous n'avons été que des paquets de viande que les humains se sont empressés de découper. Je ne dois ma survie qu'à la grande prudence de mes géniteurs. Ces pierres ont scellé ma grotte et personne n'est jamais allé voir derrière.
- C'est pour cela que nous avons la paix ici, enchaina Luis. Aucun humain n'ose s'approcher d'ici. A son réveil, ils ont tenté de l'attaquer avec des hélicoptères ! Je pense qu'ils s'en souviendront encore longtemps.

Killian réfléchit un moment. Même s'il n'avait toujours pas de réponse à ses questions, il en savait un peu plus sur le passé, ce qui était déjà un début.

- Savez-vous pourquoi la magie est revenue dans notre monde ?
- Non. Je me suis posé la question à mon réveil. La meilleure probabilité serait que le Malachor ait réussi à se libérer, mais si tel avait été le cas, nous aurions déjà dû entendre parler de lui et j'aurais déjà rejoint les dragons peuplant les autres planètes afin de les prévenir. L'autre solution serait qu'un autre Malachor soit assez proche de notre monde pour nous laisser l'accès à sa puissance.
- C'est possible ?

Le dragon médita. Il semblait chercher ses mots, comme s'il hésitait à faire cette révélation aux mages présents.

- Le Malachor est loin d'être unique. Comme d'habitude, vous les humains, l'avez idolâtré. Le rendant « divin », comme cet ordre de mages qui par le passé a réussi à le faire venir jusqu'ici. Mais il n'est qu'un membre de sa race. Jadis, d'autres sont venus ici sur Terre et s'en sont désintéressés. Ils n'étaient pas annonciateurs de destruction comme celui que nous avons connu il y a plus de mille ans. Ça reste l'explication la plus logique.
- Donc Antonio peut faire la même chose avec ce nouveau Malachor s'il trouve comment faire.
- C'est une possibilité.
- Nous aiderez-vous à l'arrêter ? Il est à la recherche de la bibliothèque des mayas. Vous avez peut-être une idée de l'endroit où elle se trouve ?

Le dragon leva les yeux vers Ronce perchée sur son cou et qui le regardait avec ses grand yeux verts, encore humides.

- Je vous aiderai. Il me faut dormir pour rechercher dans mes souvenirs ce que je sais sur les mayas. Grâce à la magie.
- Est-ce que cela va vous prendre beaucoup de temps ?
- Nous n'avons pas la même notion que vous du temps qui passe. Ce qui va me sembler court peut parfois vous paraitre long, à vous, les humains. Sachez qu'à l'époque je n'étais qu'un enfant, aujourd'hui encore, je suis loin d'être ce que vous considérez comme… un adulte.
- Vous ne répondez pas à ma question, ironisa Killian.
- Plusieurs jours, voire plusieurs semaines. Ça va dépendre de l'information. Je n'ai pas navigué dans mes souvenirs depuis bien longtemps, c'est un exercice épuisant qui demande patience et minutie.

Killian était partagé entre la déception et la joie. Il y avait encore une chance de pouvoir repérer rapidement la bibliothèque cachée, mais ils allaient devoir attendre le bon vouloir du dragon. A l'attitude de ses amis, il put constater que leur frustration n'était pas moins grande que la sienne.

Ils prirent congé du dragon non sans l'avoir grandement remercié, espérant lui avoir fait comprendre que la situation était urgente.

C'est au moment de partir que la queue du dragon leur fit obstacle, obligeant les compagnons et Luis à faire face à leur hôte.

- J'ai moi aussi un service à vous demander. Je voudrais que cette petite humaine reste avec moi durant mon sommeil.

Ambre et Goliath regardèrent Killian d'un air affolé. Même si Naox semblait inoffensif, laisser Ronce ici toute seule n'était pas pour les rassurer. Mais ce fut, comme d'habitude, l'intéressée qui répondit à la question.

- Avec plaisir, monsieur le dragon. Je vous promets de bien veiller sur vous.

Ambre se pencha vers elle. Elle tenta de la prendre dans ses bras, mais la petite fille la repoussa délicatement.

- Non, je dois le faire. Il a dit qu'il allait nous aider. La seule chose qu'il demande c'est que je reste un peu avec lui. On est pareils tous les deux, il a perdu ses parents. Je veillerai sur lui pendant que vous rechercherez Antonio. (Elle se tourna vers Killian) Je ne bougerai pas d'ici, tu as ma parole. Et s'il y a un souci, j'activerai mon amulette comme la dernière fois.

Killian était une fois de plus surpris par le courage dont pouvait faire preuve Ronce dans les moments les plus critiques. Elle avait de plus en plus sa place parmi eux malgré son jeune âge.

- On devrait lui faire confiance. C'est encore vous hier qui me disiez de ne pas la sous-estimer.

Les deux parents adoptifs de la petite fille se maudirent eux-mêmes. Ils venaient de découvrir comment des paroles prononcées à la va-vite pouvaient se retourner contre eux.

- Très bien, mais sois extrêmement prudente. Compris ? lui dit Goliath.
- Promis.

Elle se tourna vers le dragon et le toisa du haut de sa petite taille.

- Avec moi, tu peux dormir tranquille, pas plus tard qu'hier, j'ai gagné contre quatre mages de cette académie en duel ! Tu ne pouvais pas choisir meilleur garde du corps.

Tout le monde se mit à rire devant l'assurance de la fillette qui partait rejoindre le dragon. Seul Killian remarqua l'œil brillant de Naox qui fixait Ronce comme on pouvait fixer une pierre précieuse.

- C'est une histoire qu'il me tarde d'entendre, fille de la terre.

Chapitre 11

Lana patientait tranquillement avec Constance et Arthur dans la salle d'attente. Bizarrement, elle n'angoissait pas. On aurait même pu dire qu'elle se sentait relativement bien. Les évènements inattendus de ces derniers jours jouaient en leur faveur, minimisant la demande un peu spéciale des deux filles du maitre des runes.

La porte s'ouvrit et Lumio leur fit un petit signe les invitant à le suivre. Elles obtempérèrent sans rien dire et se retrouvèrent face à quatre membres du conseil : Freya, Diane, Zinc et Lumio.

- Bonjour mesdemoiselles, commença le vieil homme. Je ne vous cache pas ma surprise lorsqu'on m'a fait part de votre demande. Afin qu'il n'y ait pas de malentendu, vous demandez bien toutes les deux à passer l'épreuve aujourd'hui ?

Les deux jeunes filles acquiescèrent de la tête dans le silence le plus total. Elles s'étaient misent d'accord sur un point : moins elles parleraient, moins elles risquaient de dire quelque chose qui mettrait la puce à l'oreille à leurs interlocuteurs. Cela faisait maintenant quatre jours que leur père était parti et leur mère leur avait dit hier soir qu'il n'était pas près de rentrer. Il était donc temps d'agir.

- Vous êtes conscientes que vous n'avez découvert vos pouvoirs il y a seulement quelques jours ? En cas d'échec, vous devrez attendre un mois pour faire à nouveau la demande. Le fait que vous soyez les filles de Killian n'y changera rien.

A nouveau, les deux jeunes filles acquiescèrent, conscientes de l'engagement qu'elles venaient de prendre.

Les quatre adultes présents se regardèrent, cherchant un moyen de stopper cette plaisanterie, mais même Freya haussa les épaules en signe d'impuissance : la règle était claire, si un mage désirait passer l'épreuve, personne n'avait le droit de lui refuser et Killian lui-même ne s'y était pas opposé.

- Bien, alors ne perdons pas de temps, Braise devrait arriver d'une minute à l'autre et je souhaite être là pour l'accueillir et organiser la réception des ouvrages. Qui veut commencer ?

Constance leva la main, comme cela était prévu avec Lana. Prenant conscience que leur destin était en marche, les deux jeunes filles se serrent dans les bras l'une de l'autre.

- Très bien, nous allons aller dans un endroit un peu plus propice.

Les quatre mages accompagnés des deux enfants se dirigèrent vers l'arène de l'académie, lieu le plus favorable pour le passage de l'épreuve. Depuis que l'organisation avait été refaite et que chaque obédience avait son pavillon, les candidats à l'épreuve avaient augmenté ainsi que le taux de réussite. La mise en confiance des nouveaux arrivants s'était avérée être un atout majeur dans la formation des nouveaux mages.

Ils sortirent tous les six du bâtiment au moment même où deux poids lourds pénétraient dans l'enceinte de l'académie. Braise sauta du camion et fit de grands signes aux autres membres du Conseil.

- Déjà là ? s'étonna Lumio à l'attention du chef de l'obédience du feu.
- On n'a pas trainé, je peux vous dire qu'ils n'étaient pas ravis de nous voir partir avec leur précieuse collection. Que faites-vous avec les filles de Killian ? Ne me dites pas qu'elles vous ont fait des misères ?

Tout le monde se mit à rire. C'était bon de revoir Braise et son excentrisme permanent. Les filles trouvaient qu'il était le plus « cool » des membres du Conseil.

- Rien de bien grave. Elles nous ont demandé à passer l'épreuve, lui répondit Diane.

Même le rouquin parut inquiet. Il fixa les deux filles avant de se mettre à leur niveau, essayant de trouver les bons mots.

- Vous savez les filles, vous pouvez prendre votre temps, rien ne presse. Si vous échouez, vous devrez attendre un mois de plus pour pouvoir repasser l'épreuve.
- On est au courant. Mais on est prêtes pour passer l'épreuve, on ne voit pas l'intérêt d'attendre plus longtemps, lui répondit Lana.

Le rouquin se releva et fixa les deux petites filles ainsi que leur démon. Il y avait quelque chose qui le dérangeait dans tout ça.

- OK, je vais venir avec vous.

Il donna des consignes très strictes aux mages en charge du convoi et remercia l'équipe de mercenaires que le Conseil avait engagée pour leur sécurité. Même si tout ceci exaspéra les deux candidates, elles ne pipèrent mot, espérant que cela finirait tout de même assez tôt pour la deuxième partie de leur plan.

Ils arrivèrent tous ensemble dans l'arène qui était déserte, ce qui arrangeait tout le monde. Les membres du Conseil pour éviter de faire à nouveau la une des journaux en révélant que les filles de l'enchanteur désiraient passer l'épreuve, une semaine après la découverte de leurs pouvoirs… comme leur père. Et les filles elles-mêmes, qui désiraient être le plus discrètes possible.

Les adultes se mirent dans les gradins et Constance se dirigea au centre de l'arène avec Arthur, son fidèle compagnon.

- Tu sais en quoi consiste l'épreuve ? lui demanda Lumio.
- Oui.
- Alors on te regarde. Si tu sens que tu ne vas pas y arriver…

Ne le laissant pas finir, Constance se concentra et dégagea un cercle de puissance devant les membres du Conseil médusés. Son corps se disloqua pour se transformer à nouveau en un grand sabre qui se planta dans le sol.

Le choc était total pour ceux qui contemplaient l'œuvre à l'exception de Lana. Arthur se dirigea vers sa maitresse et saisit l'arme d'une seule main malgré la taille et se dirigea vers les membres du Conseil.

- C'est bon ?

Freya écarquilla les yeux en entendant la petite fille parler à travers son démon. Outre le fait que c'était ridicule de combiner la voix d'une petite fille dans un corps aussi imposant que celui d'Arthur, c'était quelque chose qui ne s'était vu qu'une seule fois : une capacité que possédait l'auteur des attaques contre les académies.

- Oui ma petite c'est bon, bégaya la démoniste.
- OK, merci.

Arthur posa délicatement le sabre sur le sol et la petite fille reprit sa forme humaine avec moins de fracas que la première fois. Elle laissa ensuite sa place à sa sœur qui ne tarda pas à se mettre en place, attendant le signal des membres du Conseil.

- Je peux y aller ? demanda-t-elle un peu lassée par l'attente.

- Je t'en prie, lui répondit Diane toujours en état de choc à cause de ce qu'elle venait de voir.

Lana se concentra. Elle et sa sœur s'étaient jurés de ne pas faire de vague. Un simple sort du premier cercle afin de ne pas éveiller les soupçons plus que ça. Elle laissa la magie l'envahir et un cercle de puissance d'une douceur incroyable se dégagea de son être. Le membre du Conseil, peu habitué à cela, regardèrent la lente déflagration envahir l'arène.

La fille de Killian plaça ses mains sur le sol et se concentra sur l'effet de son sort. De l'eau sortit de la terre par petits filets, s'accumulant au-dessus d'elle. Il fallut un peu de temps pour qu'une forme s'en dégage. Deux grandes ailes et un long cou commençaient à prendre vie. Devant le début de la création, Lumio ne put s'empêcher un commentaire.

- Magnifique…

Un cygne de glace venait de prendre son envol. La créature atterrit souplement sur le sol avant de venir se placer près de sa maitresse. La créature se mouvait avec grâce et dégageait comme de la brume, certainement dûe à la chaleur ambiante au contact de la glace.

Les membres du Conseil ne purent faire autrement que valider l'épreuve pour la deuxième jeune fille. Ce ne fut que lorsque les nouvelles mages confirmées eurent quitté l'arène qu'une discussion put naitre à leur sujet :

- Il faut avertir Killian. Tu penses qu'il les a aidées ? demanda Lumio à Braise.
- J'en serais surpris. Tous gardent précieusement le secret concernant la manière de lancer leur sort. Je ne pense pas qu'il mettrait ses filles dans la confidence avec tout ce que cela implique.
- Pour une fois je suis d'accord, enchaina Freya. Avant de partir, nous lui avons demandé avec Diane s'il était d'accord pour que ses filles passent l'épreuve durant son absence. Or, il m'a regardé comme si cela était impossible.
- Sans oublier que leur naissance a été assez…remarquée, finit Diane. Elles sont douées… elles ont de qui tirer.

La discussion s'acheva ainsi, laissant les deux jeunes filles à leurs occupations, ils purent ainsi commencer le classement, l'archivage et l'étude de la bibliothèque secrète du Vatican.

Lux n'en voyait plus la fin. Encore huit jours comme ça allaient faire de lui un robot. De plus, il allait connaitre la vie de la moitié des mages de cette planète à force de poser sans cesse les mêmes questions. Il ne comprenait désormais que trop bien le calvaire qu'avait enduré Neuro les premiers jours sans lui.

Heureusement, la journée touchait à sa fin. Cela ne l'empêcha pas de râler lorsqu'il entendit une fois de plus la clochette annonçant l'arrivée imminente d'un candidat par le monte-charge.

- Ce n'est pas possible, commença Neuro. On ne pourrait pas arrêter et se limiter à ce qu'on a ? J'ai déjà validé quarante-sept candidats !
- Impossible, certains viennent de loin, lui répondit Lux d'un air tout aussi dégoûté par la situation. On s'est engagés, il reste encore huit jours à tenir ainsi.

On toqua à la porte et le fameux « entrez ! » arriva aux oreilles du nouveau candidat, ou plutôt de la candidate. Accompagnée d'Arthur, Constance venait de franchir la porte de la cabane.

Lux parut soulagé. Voyant la petite fille arriver, il se dit qu'elle venait pour une simple visite de courtoisie.

- Comment vas-tu ma chérie ? Et bonjour Arthur.

Le démon le salua de la main. Ce dernier semblait peu rassuré de marcher sur des poutres en bois à plusieurs mètres du sol et gardait une main sur l'épaule de sa maitresse au cas où celle-ci déciderait involontairement de passer à travers le plancher.

- Super ! Elle est trop bien cette maison.
- Elle te plait ? lui répondit Neuro avec un grand sourire. Alors regarde.

Il se concentra. L'air devint différent, comme si quelque chose était sur le point d'arriver. D'un battement d'ailes, un faucon rentra par une fenêtre pour venir se poser sur le dossier du fauteuil du Mentalus.

- Pas mal, non ? C'est un vieil ami, il ne traine jamais bien loin.

La petite fille était émerveillée par le petit rapace qui semblait être en manque d'affection au vu de l'ardeur qu'il mettait à frotter son bec contre la main du magicien.

- Pourquoi es-tu là ? Ta maman a besoin de moi ? demanda Lux.
- Pas du tout, je viens pour l'inscription, je veux devenir une Wizards.

Les deux adultes se décomposèrent. Il fallut un certain temps à Lux pour encaisser l'annonce, puis son esprit pragmatique reprit le dessus.

- Ça ne va pas être possible, seuls les mages ayant passé l'épreuve peuvent devenir candidat afin de devenir un Wizards.

La petite fille plissa les yeux et sourit de toutes ses dents. L'air victorieux qu'elle prenait donna envie à Lux d'aller se jeter par la fenêtre. Est-ce que cela était possible ?

- Alors pas de soucis en ce qui me concerne. Je viens tout juste de passer l'épreuve et j'ai plus de dix ans.

Le mage de lumière resta interdit. La fille de Killian avait réussi à passer l'épreuve encore plus rapidement que son père. Il leva les yeux vers son démon. Avec une telle créature, elle avait toutes ses chances de réussir les épreuves prévues par les autres membres du Conseil. Il ne lui restait plus qu'un seul espoir : Neuro.

- Très bien. Neuro nous allons commencer l'entretien, dit-il en essayant de mettre le plus de sous-entendus dans sa voix, afin que le Mentalus ne valide pas sa candidature.
- Ça ne sera pas nécessaire.

« Ouf », se dit le mage de lumière. « Au moins un problème qui aura été de courte durée ».

- Elle est validée.

Lux manqua de s'étrangler. Ne réalisait-il pas ce que cela impliquait ? Il était hors de question de mettre la vie des filles de Killian en danger !

- Constance, écoute-moi s'il te plait.
- Hadès.

Il y eut un petit moment de silence. Les deux mages changèrent d'attitude en entendant le nom que la petite fille venait d'évoquer.

- Qu'est-ce que tu as dit ? demanda Lux la voix tremblante.
- On a le droit de choisir un nom de mage une fois l'épreuve passée non ? Moi je choisis Hadès.

Les deux hommes se regardèrent avec embarras, peut-être ne savait-elle pas ce que signifiait se nom ?

- Tu es bien sûre de toi ? Tu sais Hadès c'était...
- Le dieu des enfers dans la mythologie grecque, le coupa-t-elle. Mais d'après ce que j'ai compris, il n'était qu'un simple mage, non ?
- Euh...oui...
- Alors autant avoir un nom qui fait peur, surtout si je deviens une Wizards.

Elle finit cette phrase en levant le poing, très fière de son idée. Une fois l'exaltation passée, elle fit une bise sur la joue de Lux qui n'osait plus bouger et un petit signe de main à Neuro.

- Allez Arthur, dit au revoir, on va fêter ça ! A tout à l'heure Lux !

Le démon fit un petit signe de la main avec un grand sourire. « Comment une créature aussi imposante et terrifiante peut-elle avoir un comportement calqué sur celui d'une petite fille ? » se demanda le mage de lumière. Puis une autre pensée, bien moins amusante, traversa son esprit.

- Axelle, elle va me tuer !

Neuro se mit à rire à la grande surprise de Lux qui le dévisagea sans comprendre. Personne n'était habitué à voir ce membre du Conseil rire. Etait-ce parce qu'il se trouvait chez lui ? Les yeux de rapace de l'homme dévisageaient le seul Wizards encore présent dans l'académie toujours accompagné d'un grand sourire.

- Axelle va doublement te tuer.

La clochette sonna à nouveau et Lux se dirigea vers son fauteuil, perturbé par la dernière phrase du Mentalus. Le temps que le nouveau candidat arrive jusqu'à lui, il se demanda comment faire pour annoncer la nouvelle à la mère de la petite fille.

D'ailleurs, comment pouvait-on annoncer ça à une mère tout court ! « Bonjour, je voulais juste te dire que ta fille est volontaire pour devenir une Wizards et risquer sa vie pour sauver le monde... tu devrais être fière d'elle ! », puis il imagina Axelle se jeter sur lui avec toute sa panoplie de couteaux de cuisine afin de le découper en morceaux.

La porte s'ouvrit et Lux crut que son cœur allait s'arrêter. Lana venait d'entrer dans la pièce, l'air beaucoup plus déterminé que sa sœur.

- Bonjour Lux, bonjour Neuro.
- Bonjour Lana.

Le mage de lumière était au bord du désespoir. Effectivement, Axelle allait « doublement » le tuer. Etait-il possible que les deux aient réussi à passer l'épreuve aussi rapidement ?

- Je suppose que tu viens pour être candidate toi aussi ?
- En effet.

Lux se tourna vers Neuro et le supplia du regard. Il n'avait jamais voulu d'aide de la part des membres du Conseil, mais pour la première fois, il espérait vraiment un soutien de leur part.

- Elle est du même bois que sa sœur, commença le Mentalus. Elle peut se présenter.
- Tu ne m'aides vraiment pas là ! s'insurgea le mage de lumière. On parle des filles de Killian !
- Et alors ? Penses-tu que je vais mentir pour autant, avec tout ce que cela implique ? Est-ce cela que l'on apprenait dans ta paroisse ?

Les paroles du membre du Conseil étaient aussi dures que vraies et Lux n'eut rien à répondre. Ce dernier sentit une migraine naître et se frotta les tempes avec ses mains. Décidément, plus le temps passait et plus il regrettait d'être resté là alors que les autres battaient la campagne à la recherche d'Antonio.

- Vous ne me facilitez vraiment pas la tâche, votre mère va me tuer, puis elle va appeler ton père qui va m'achever. Il est capable de rentrer pour ça. Vous n'imaginez pas les conséquences !

Lana exultait intérieurement. « Ce qu'il y a de bien avec les vieux, c'est qu'ils sont prévisibles », se dit-elle. « C'est maintenant que tout va se jouer ! ».

- C'est pour ça que tu ne lui diras rien, à ma mère.

Lux n'en revint pas. Voilà maintenant qu'elle ne voulait pas assumer ses décisions ! Ce qui l'arrangeait grandement.

- Je ne mentirai pas pour toi Lana.
- C'est Icy maintenant, et je ne vous demande pas de mentir. Juste de ne rien lui dire. Si elle le découvre, nous assumerons totalement nos actes.
- Hors de question, si ta mère le découvre, la première chose qu'elle fera c'est venir en personne me crucifier pour me demander pourquoi je ne l'avais pas mise au courant.

« Zut, premier refus » se dit la petite fille. « Mais un bon plan a forcément un plan B toujours plus meurtrier que le plan A ».

Elle s'approcha du mage de lumière et se pencha vers son oreille. Elle prononça une série de mot et les yeux du quinquagénaire s'arrondirent de terreur.

- Tu n'oserais pas !
- Si vous parlez de nous à notre mère, on révèlera cette information au reste du monde !

Elle avait fini sa phrase d'un air très théâtral, ajoutant un effet dramatique à la scène. L'information qu'elle possédait sur lui semblait banale à ses yeux, mais elle avait rapidement compris deux ou trois trucs et notamment quand un adulte faisait quelque chose en cachette, c'est qu'il voulait que personne ne le sache. Vu le visage qu'arborait son interlocuteur, il ne faisait pas exception à la règle.

- Très bien, je vois que c'est un complot bien organisé. Soit, mais tôt ou tard ils apprendront la vérité. Tu ne fais que reporter l'inévitable.
- Je pourrais vous dire la même chose...

Gêné, Lux préféra ne pas répondre. Pourquoi fallait-il que ces deux gamines soient aussi intelligentes ! Ce n'est qu'une fois seul qu'il réalisa qu'il ne l'était pas, « seul ».

En effet, Neuro n'avait pas ouvert la bouche durant tout l'échange et fixait le mage de lumière d'un œil nouveau.

- Ne me dis pas que tu as lu dans nos pensées…
- C'était trop tentant. C'est surprenant. Surtout venant de toi. Mais ton secret est entre de bonnes mains, je te promets de ne rien révéler.

Lux souffla, c'était décidément une très mauvaise journée.

Axelle était dans son lit, incapable de trouver le sommeil. Son cerveau était malmené par la multitude de choses qu'elle avait à penser. Il lui fallait aider les mages à décrypter les livres qu'ils avaient ramenés. Il y avait des dizaines de langues et de dialectes pour la plupart peu connus. Il fallait aider Killian pour trouver la bibliothèque cachée et enquêter sur le culte musulman en Amérique du sud et en Amérique centrale. Heureusement, Scarlett ne pouvait pas faire grève, mais ses processeurs tournaient vingt-quatre heures sur vingt-quatre.

Même avec tout ça dans la tête, c'était le repas de ce soir qui l'empêchait de trouver le sommeil. Ses filles et Lux avaient eu un comportement bizarre. Elle n'avait rien de concret à leur reprocher, mais elle avait senti comme une tension. Etait-ce son instinct de mère qui lui jouait des tours ? Ce n'était pourtant pas son genre.

Son mari lui manquait. Il aurait déjà dit : « tu t'inquiètes pour rien, dors… ». Elle se serait calée dans ses bras et la nuit aurait continué comme si de rien n'était. Mais voilà, Killian n'était pas là.

Elle s'assit sur le lit et regarda son réveil digital. Une heure du matin. Elle se leva et sortit de sa chambre pour se diriger vers le rez-de-chaussée afin d'aller à la cuisine se servir un grand verre d'eau glacée. Ce ne fut qu'une fois arrivée dans le couloir qu'elle entendit comme un soufflement.

Elle tendit l'oreille et attendit. Le bruit était régulier et bien trop fort pour être une simple respiration, provenant de la chambre de Lana. Elle repartit sur la pointe des pieds dans cette direction. La porte n'était pas fermée en plein, laissant un mince rayon de lumière provenant de la lampe de chevet de la petite fille filtrer jusque dans le couloir.

La mère de famille hésita un moment avant de regarder. Elle détestait espionner ses filles. Leur relation était basée sur la confiance et non sur le contrôle permanent. Prête à repartir, elle fut arrêtée par ce bruit d'essoufflement qui arriva jusqu'à ses oreilles. « Et zut ! Au diable tes principes ! ». Elle jeta un rapide coup d'œil et aperçut sa fille en pleine séance d'abdos. Transpirante, Lana semblait se donner à fond dans son exercice. Elle avait les jambes calées sous son matelas et les mains derrière la tête. Son corps était luisant de transpiration, signe qu'elle n'avait pas commencé il y a cinq minutes.

Axelle se plaqua contre le mur et réfléchit. Pourquoi faisait-elle ça ? Sa fille n'avait plus de compétition sportive depuis qu'elle avait emménagé à l'académie de magie.

Tout en réfléchissant, elle entendit aussi du bruit venir de la chambre de Constance. Elle reprit sa démarche sur la pointe des pieds. La pièce où dormait sa benjamine était plongée dans le noir, mais Axelle pouvait tout de même discerner ce qui se passait à l'intérieur.

Arthur semblait s'entrainer aussi. Il faisait des pompes pendant que sa maitresse dormait sur son dos. « Ça lui ressemble bien ça », se dit la mère de famille le sourire aux lèvres.

Elle repartit se coucher, l'esprit encore plus en ébullition. Elle allait devoir trouver pourquoi ses filles s'entrainaient, surtout en pleine nuit. Quelque chose avait dû lui échapper, mais c'était mal la connaitre. Comme si ses filles pouvaient lui cacher quelque chose à elle, leur mère.

Le Conseil était réuni à la demande de Lux. N'ayant pas dormi de toute la nuit, il avait demandé un entretien avec le Conseil afin d'avoir leur avis sur l'attitude à adopter.

- C'est en effet très embêtant, commença par dire Lumio. Je dois bien admettre qu'on ne l'a pas vu venir hier, sinon nous aurions fait exprès de décaler la date de l'épreuve d'une semaine.
- Rien ne pouvait vous faire envisager cela. Je pense que personne n'a rien à se reprocher. La vraie question est : que devons-nous faire maintenant ? demanda Braise. Doit-on en parler à Killian ?
- Non, lui répondit Lux. Elles me l'ont explicitement demandé. J'ai donné ma parole.

Neuro ne cilla pas à la mention de ce petit mensonge. Il avait certes dit qu'il ne le ferait pas, mais uniquement sous l'effet du chantage. D'ailleurs, plusieurs membres du Conseil eurent l'air surpris par la réponse du mage de lumière.

- Peut-être, mais nous non. Tu nous caches quelque chose Lux.

Comprenant qu'il ne gagnerait rien en continuant sur cette voie, il préféra céder une partie de la vérité afin de se concentrer réellement sur le problème et non sur lui.

- En effet. Je ne vous dis pas tout et j'ai mes raisons. Mais avertir Killian n'est pas la solution. De plus, je pense que tout le monde sera d'accord pour dire que c'est le genre de préoccupation qu'il n'a pas besoin d'avoir là où il est.

Pour le coup, cet argument fit mouche. Personne ne pouvait lui faire le reproche de vouloir ménager le maitre des runes. Tout le monde se mit à réfléchir, mais c'est encore Braise qui semblait bizarrement le plus affecté par la nouvelle.

- On n'a qu'à leur interdire et puis c'est tout. Tu sais bien que j'adore ses filles, mais ce n'est tout bonnement pas gérable, sans compter ce que va penser le public.
- Que veux-tu dire par là ? lui répondit Mystral, la mage de l'air.
- Si elles gagnent, tout le monde pensera qu'elles auront été favorisées.
- Impossible, répondit Terra, les épreuves vont être diffusée en direct. On nous a assez embêtés avec ça. Mais pourquoi es-tu si hostile à leur participation ? Tu as peur ou quoi ?

Le mage du feu vit tous les regards converger dans sa direction et regretta de s'être fait remarquer.

- Bien sûr que non, c'est plutôt l'inverse.
- Explique-toi, insista Lumio.

Le mage du feu souffla. Habitué à le voir s'exprimer à l'image de son obédience, l'ensemble des personnes présentes s'inquiétèrent de l'attitude du rouquin. Il semblait plus penaud qu'autre chose, voir honteux.

- Elles sont douées, c'est évident. Ce qu'on a vu hier pendant l'épreuve, j'avais l'impression de revivre la vôtre, dit-il en pointant Lux du doigt. L'énergie, la vitesse d'incantation, n'allez pas me dire que vous n'avez pas compris les autres ?

Les personnes présentes durant l'épreuve des deux jeunes filles baissèrent la tête. Bien sûr qu'ils avaient eu ce sentiment de déjà-vu.

- Elles ont trouvé le moyen de lancer les sorts comme vous, continua-t-il. Elles vont passer les épreuves et il y a de grandes chances pour que je me retrouve contre l'une des deux tôt ou tard. Ça veut dire que j'ai le choix entre me faire battre par une gamine ou devoir lui flanquer une raclée. Dans les deux cas je suis perdant.

Personne n'eut rien à dire à cela. En effet, en étant candidat, Braise était du coup dans une situation peu enviable.

Cela ne changeait rien à la situation. Soit ils interdisaient la compétition aux filles de Killian soit ils ne changeaient rien.

- Y a-t-il beaucoup d'enfants qui ont réussi l'épreuve de Neuro ? demanda Lumio.
- Six, répondit l'intéressé.
- Sur combien ?
- Ils sont presque soixante à avoir réussi la première étape.

Le plus vieux membre du Conseil réfléchit longuement. Oui c'était des enfants, mais ils avaient pris la décision pour Ronce un an en arrière sans se poser toutes ces questions et aujourd'hui le monde entier connaissait les capacités de la petite fille. Interdire aux enfants de Killian l'accès à la compétition créerait une polémique dont l'académie n'avait absolument pas besoin.

- On ne change rien, lâcha-t-il de but en blanc. Espérons qu'elles n'arrivent pas à passer les épreuves.
- Mais si elles y arrivent ? demanda Freya.
- Alors c'est qu'elles l'auront mérité. Je vous rappelle que l'objectif est de trouver les deux personnes les plus aptes à renforcer l'équipe des Wizards. Si ces deux fillettes sortent vainqueurs des épreuves, c'est qu'elles seront dignes d'être ces personnes-là.

Le reste du Conseil ainsi que Lux restèrent silencieux devant l'annonce du vieil homme. Ils avaient tous oublié l'objectif principal de cette compétition. Ce n'était pas de faire de la publicité pour l'académie ou satisfaire l'ego démesuré de certaines personnes. Le but était de recruter les deux meilleurs mages qui se présenteraient à eux pour aider les Wizards à sauver le monde.

Derrière son écran, les joues d'Axelle étaient humides. Elle n'était pas fière de ce qu'elle venait de faire. Pirater la caméra de l'ordinateur portable servant aux vidéos projections de la salle de réunion du Conseil n'était pas un acte dont elle se vanterait plus tard. Mais au moins, elle savait qu'elle n'était pas folle.

Maintenant, toute la question était de savoir comment réagir face à cela.

Chapitre 12

Ronce s'ennuyait. Elle s'ennuyait même fermement. Cela faisait déjà neuf jours que Naox dormait sans interruption et lorsqu'un dragon dormait, il semblait impossible de pouvoir le réveiller.

Etendu à même le sol, en pleine forêt, la créature poussait des ronflements à faire trembler les chaumières. Sa « garde du corps » avait sagement patienté les huit premiers jours. Mais là, ça commençait vraiment à être long pour une petite fille de huit ans.

Chaque jour, Luis lui amenait des provisions pour le lendemain et chaque jour elle avait le droit à la même question :

- Toujours rien ?

Et bien non ! Il n'y avait toujours rien. « Ce gros lézard ne fait que dormir ! Pas étonnant que sa race se soit faite exterminer ! »

Depuis ce matin, Ronce était devenue un peu téméraire concernant le dragon. Elle avait escaladé son corps totalement démesuré, ce qui lui fit prendre conscience de l'ampleur de la tâche. Chaque respiration la faisait rire, l'obligeant à se mettre à quatre pattes.

Elle avait ensuite commencé à jouer à la marelle, puis à « chat » avec un mini golem de terre qu'elle avait invoqué. Quoi qu'elle fasse, Naox semblait impossible à réveiller.

Elle s'allongea entre ses deux yeux et se mit à réfléchir à des questions plus importantes. Avait-il une maison ? Il était clair qu'il ne pouvait plus vivre dans la grotte que ses parents avaient préparé pour lui à l'époque, c'est à peine si sa tête pouvait rentrer dans l'ouverture. Vivait-il depuis tout le temps dehors ? « Mon dieu, c'est horrible », se dit la petite fille en pensant à cela. « Il n'a même pas de maison, il dort dehors ». A quoi cela servait-il d'être aussi puissant si on ne pouvait même pas avoir un toit sur la tête ? Aucune réponse ne vint à son esprit, mais une deuxième question apparut naturellement même si elle détestait y penser, jusqu'où la puissance de Naox pouvait-elle aller ? Il avait dit que la magie était un composant de sa personne. Pouvait-il être envahi par la Furia ? Ou serait-elle capable, avec l'aide de cette dernière, de battre le dragon ?

Elle essaya de se rappeler, mais en vain. Les deux fois où la Furia s'était emparée de sa personne, elle avait agi contre sa volonté et il lui était impossible d'en garder le moindre souvenir. Dans les deux cas, tout le monde avait été unanime, sa puissance avait été décuplée. Même ses amis, les Wizards, avaient été terrorisés par le comportement et la puissance que l'entité lui avait octroyés.

Toutes ces réflexions l'amenèrent à une nouvelle question. Une question qui au fond d'elle et pour une raison inconnue lui semblait vitale. Est-ce que la Furia pourrait vaincre le Malachor ?

- Voilà un esprit aussi brillant que jeune…

Ronce se figea. Naox trembla légèrement et releva sa tête, propulsant la petite fille dans les airs avant de la rattraper avec l'une de ses pattes.

- Parle-moi de celle que tu appelles la Furia.

Le dragon déposa au sol la petite fille encore tremblante. Ses membres semblaient ne pas pouvoir s'arrêter de bouger seuls. « Comment peut-on avoir aussi peur ? » se demanda-t-elle en essayant de se calmer.

- Je suis désolé de t'avoir fait peur. Cela fait bientôt deux jours que je t'observe en silence, espérant que tes réflexions m'en diraient plus sur toi.

Le bout de sa queue glissa jusqu'à elle, comme un serpent dont le corps n'avait pas de fin.

- Assieds-toi le temps de reprendre ton souffle. Lorsque tu iras mieux, j'aimerais que tu me parles de cette « Furia ».

Une fois les battements de son cœur revenus à la normal, Ronce lui conta tout ce qu'elle savait sur l'entité qui avait pris possession de son corps à deux reprises. Naox l'écouta, sans jamais lui couper la parole. Comme à son habitude, son air froid et son regard pénétrant empêchèrent la petite fille de savoir à quoi il pensait. Lorsque son récit fut terminé, elle prit son courage à deux mains pour le questionner.

- Avez-vous trouvé ce que Killian vous a demandé ?
- Qui ça ?

- Killian, le maitre des runes.
- Ah oui. Je pense avoir une information qui pourrait bien vous aider. Tu peux aller le chercher.

Ronce ne sut pas trop quoi faire car le dragon semblait penser à autre chose qu'aux paroles qu'il prononçait. Il la fixait comme un déjeuner potentiel (ce qui ne la rassurait pas du tout).

- Vous êtes sûr que je peux partir ? Vous me regardez bizarrement, vous voulez me manger ?
- Te manger ? Pourquoi ferais-je une chose pareille ?
- Je ne sais pas, c'est votre regard… vous me regardez comme un gâteau.

Naox rit. C'était le genre de rire que la petite fille ne pourrait jamais oublier. D'une puissance peu commune, il semblait venir du fin fond d'une caverne.

- Tu serais un bien maigre repas pour moi, ne penses-tu pas ? Je te regarde comme cela car je pense que tu es une petite fille extraordinaire. Rares sont les humains qui me font forte impression. Maintenant file, va me chercher tes amis, nous devons parler.

La plus jeune des Wizards sourit aussi. Elle était désormais la copine d'un dragon. En fait, elle était la copine du dernier des dragons ! Elle avait hâte de pouvoir raconter ça à Laurana.

Elle saisit son médaillon à la main et appuya sur le signal d'alerte. Naox pencha la tête sur le côté, regardant la petite fille qui fixait la rune de couleur verte qui s'illuminait.

- Que fais-tu ?
- Je viens d'appeler mes amis, vous allez voir, ils ne vont pas tarder avec ça !

En effet, il ne fallut pas attendre longtemps pour voir les droners pointer le bout de leurs nez. Killian en tête, il ne fut qu'à moitié étonné de voir Ronce sur le dos du dragon, un immense sourire aux lèvres.

« Je vous l'avais dit », commença le maitre des runes. « Elle va finir par avoir notre peau cette gamine ».

« Comment fait-elle pour ne pas être terrorisée à l'idée de monter sur son dos comme ça ? » se demanda Ambre.

« C'est Ronce… tu la laisses quelques jours avec un dragon et voilà le résultat », finit par dire le Corporem.

Le groupe atterrit non loin d'eux. Même après neuf jours, le maitre des runes n'était pas moins impressionné par Naox. Il trouvait la créature à la fois superbe et terrifiante. Il fut rassuré de constater que son ami avait la même impression que lui.

- Il est grand comme un « Boeing 747 » chuchota le Corporem à Killian. De loin, en fait, c'est encore plus impressionnant.

Naox fit descendre sa protégée de son dos et la poussa du museau vers la mage de feu.

- Tu lui as beaucoup manqué. Elle était inquiète pour toi, va la rassurer.

Ambre fut touchée par la sollicitude du dragon même si elle n'apprécia pas forcément que ses pensées soient espionnées. Elle attrapa Ronce dès qu'elle fut à portée de main et la serra fort contre elle. Elle sentit le nez de la petite fille contre son cou et ne put s'empêcher un sourire. Oui, c'est vrai, elle lui avait terriblement manqué.

- Ça va ma puce ?
- Oui super, Naox a des choses à vous dire. Comme je sais que c'est notre mission, j'ai utilisé l'amulette pour que vous arriviez plus vite.

Goliath aimait voir cet élan de tendresse entre les deux filles du groupe. Leur lien se renforçait chaque jour et cela les rendait plus fort.

- Tu as bien fait, lui répondit-il.

Killian s'avança vers le dragon. Il n'arrivait pas à se libérer de cette boule au ventre en pensant à la créature qui se trouvait devant lui et le fixait de ses grands yeux flamboyants.

- Bonjour Naox, j'espère que votre « nuit » s'est bien passée ? commença le maitre des runes.
- Fort bien. Mais j'ai des excuses à vous faire. Cela fait déjà plusieurs jours que j'ai des informations concernant vos recherches. Je les ai volontairement mises de côté pour pouvoir répondre à votre deuxième question.

Killian regarda ses compagnons sans comprendre les paroles de leur interlocuteur. Ils haussèrent les épaules, signe qu'ils n'étaient pas plus au courant que lui.

- Vous n'avez pas à vous excuser Naox, nous vous sommes déjà redevables de nous accorder de votre temps. Qu'avez-vous appris, durant votre sommeil ?

Le dragon étendit son cou jusqu'à lui. Cette proximité provoqua un frisson en lui, mais lui permit aussi de remarquer que le dragon sentait extrêmement bon. Il avait l'odeur de la forêt, plus particulièrement du bois.

- Concernant la bibliothèque des mayas, je n'ai qu'un maigre indice à vous soumettre. Pour s'y rendre, vous devrez utiliser leur téléporteur.
- Un téléporteur ? lui répondit Goliath. Comment ont-ils réussi à faire ça ? Mais surtout, comment le trouver ?

- Vos ancêtres utilisaient des téléporteurs pour correspondre. Il en existe plusieurs sur la planète et je ne sais pas lesquels sont encore utilisables. Je ne sais pas si tous peuvent mener jusqu'à leur bibliothèque, mais le leur en était capable. Mes parents ont un jour donné quelque chose aux mayas pour qu'ils le gardent. Ils leur ont juré, à l'époque, de l'enfermer dans leur lieu le plus sacré, leur chambre du savoir, ce qui doit être l'équivalent d'une bibliothèque.

Même si la révélation semblait d'une importance capitale, Killian et les autres ne semblaient pas plus avancés. Maintenant, ils devaient trouver quelque chose pour les téléporter jusqu'à la fameuse bibliothèque. « La bonne nouvelle », se dit Killian, « c'est qu'Antonio a donc peu de chance d'être beaucoup plus loin que nous dans ses recherches ».

- Merci Naox, même si nous ne sommes pas vraiment plus avancés. Ce téléporteur doit être détruit depuis longtemps.

Le dragon leva la tête vers le ciel pour étirer son long cou. Puis il fixa les compagnons comme si c'était un groupe d'enfants.

- Il en reste encore beaucoup. Celui des mayas est encore présent. La question est : marchent-ils toujours ?
- Mais à quoi ressemblent-ils ? demanda Ambre.

Une image mentale apparut dans l'esprit des Wizards. Une image qu'ils connaissaient bien. Même la petite Ronce eut un hoquet de surprise en voyant apparaitre une pyramide devant ses yeux. Naox leur en fit apparaitre des dizaines se trouvant sur la planète. L'une d'elles était celle qui conduisait à la bibliothèque des mayas.

Killian et les autres réfléchirent un moment. Ils venaient de découvrir l'indice le plus important depuis le début de leur recherche. Les pyramides du monde entier n'étaient en fait que des téléporteurs.

- J'espère avoir pu vous aider. Je n'ai pas d'autre information sur ce sujet. Mais je pense que vous en savez assez pour pouvoir continuer.
- En effet, répondit Killian. Merci pour tout, nous avons enfin un point de départ dans nos recherches. Pour commencer, le plus logique serait d'aller à la pyramide de Kukulcàn, dans l'ancienne cité de mayas de Chichen Itza. De là, nous aviserons.

Cette révélation était synonyme d'espoir pour le maitre des runes. Il avait décidé de ne pas y aller dans un premier temps, imaginant que le lieu avait tellement été fouillé par les archéologues, qu'une bibliothèque entière n'aurait pas pu leur échapper. C'était l'argument pour avoir pris Ronce avec lui : si l'objet de leur recherche se trouvait là-bas, il devait se trouver sous terre.

L'autre avantage était que si Antonio n'avait pas de point de départ dans ses recherches, la logique voudrait qu'il commence aussi à cet endroit. Ce qui était doublement une bonne nouvelle pour Killian et ses amis.

- Avant que vous ne partiez, comme je vous l'ai dit, j'ai une autre réponse à une question qui nous intéresse tous.
- Nous t'écoutons.

Le dragon fixa la petite Ronce et lui fit signe de venir vers lui. Sans montrer la moindre crainte, la petite fille s'exécuta. Elle courut et lui sauta sur le museau, sans aucune autre formalité.

- Oui ?

Naox la sentit avec insistance à plusieurs reprises puis la reposa au sol.

- Nous nous demandions comment la magie avait pu revenir dans notre monde, vous rendant vos pouvoirs et me rendant à moi, mon existence. Voici une piste à creuser : elle sent, très peu, mais assez pour que je puisse l'affirmer, le Malachor.

Ils restèrent interdits par cette révélation. Comment Ronce pouvait porter sur elle une telle odeur ?

- C'est impossible...

Ambre était sous le choc. Son enfant adoptif, sa protégée. Elle n'avait rien en commun avec le Malachor. Un silence pesant s'installa et la petite fille se sentit particulièrement honteuse d'entendre cela.

- Je ne suis pas méchante !

Goliath la prit dans ses bras pour la réconforter.

- Je ne dis pas cela, petite créature. Bien au contraire. Mais je pense que tu as été en contact avec lui, ou une force similaire.

Il ne fallut pas bien longtemps aux compagnons pour faire le lien entre la petite fille et la Furia. Seul survivante, Ronce était une exception. C'est grâce à elle qu'ils avaient appris que la Furia était une entité douée d'intelligence et non une maladie.

- C'est possible, elle a été possédée, deux fois, par une créature que nous nommons la Furia. Elle est la seule à y avoir survécu, il semblerait que cette chose éprouve de la sympathie pour elle. Serait-il possible que ce soit en fait le Malachor ? Il chercherait à revenir dans notre monde de cette façon ?

Le dragon eut l'air de réfléchir un moment tout en observant la mage de la terre.

- Je ne pense pas. Le Malachor n'a jamais agi comme cela. C'est une créature de destruction. Elle est loin de faire ma taille, mais elle est bien plus dangereuse que je ne le suis. cette créature, cette Furia, sent comme le Malachor. Il doit y avoir un lien entre les deux.

Naox semblait préoccupé par toutes ces révélations. Le grand dragon faisait onduler sa queue avec énergie, cassant des branches d'arbres au passage. Ne pas comprendre, son esprit supérieur n'était pas habitué à cela. Depuis toujours, les dragons vivaient en paix et en harmonie avec leurs planètes respectives. Il connaissait les forces qui peuplaient l'univers et il n'avait jamais croisé un être ayant la moindre ressemblance avec un Malachor.

- Votre histoire ressemble à celle que cette petite fille m'a contée. Cette Furia pourrait être à l'origine du retour de la magie. Il vous faut en apprendre plus sur elle.
- Ce n'est pas notre priorité pour le moment, lui répondit Killian.

Naox racla ses griffes sur la roche environnante, occasionnant par la même occasion un bruit de gravas roulant dans une pente.

- Tu ne m'as pas bien compris, mage ! Ceci est très important ! Pour la simple et bonne raison qu'il te faut savoir si le Malachor peut être détruit sans que cela tue tous les mages de cette planète et tous les dragons de la galaxie. Si cette entité à la même capacité qu'un Malachor, il nous faut connaitre ses intentions. N'oublie pas qu'elle arrive à se matérialiser, même pour un court moment, dans notre monde.

Killian, d'abord surpris par la colère du dragon, reprit ses esprits et réfléchit à ses paroles. Tuer le Malachor était synonyme de mort pour tous les mages, ses filles comprises. Ils étaient dans une impasse et la Furia pouvait être une porte de sortie à laquelle personne n'avait pensé.

Killian et les autres retournèrent à l'académie de Caracas, l'esprit en feu. Il y avait maintenant tant de choses à faire qu'ils ne savaient pas par où commencer.

Ils s'installèrent sur la grande table, sous les grands « arbres lucioles » qui restaient majestueux, même en pleine journée.

- Bon, faisons un point, commença Killian en regardant ses compagnons. On sait qu'on doit se rendre à Chichen Itza pour étudier la pyramide des mayas, mais j'ai ici une liste de plusieurs mosquées contrôlées par les pourfendeurs d'Allah susceptibles d'héberger Antonio et son démon. Nous avons de la chance, on ne peut pas dire qu'il y en ait beaucoup.

Killian étala une carte du continent. Il marqua la pyramide en rouge et les cinq mosquées en bleu. La plupart des points étaient présents au Mexique et le long de la côte nord du continent sud-américain, ce qui étaya la théorie des Wizards. Les pourfendeurs d'Allah étaient des alliés de choix pour Antonio car ils étaient fortement représentés près des anciens territoires mayas.

- La question c'est est-ce qu'on reste tous ensemble ou est-ce qu'on se sépare ?
- On reste ensemble, répondit vivement Goliath. La pyramide reste notre meilleur indice. Une fois sur place, je suis certain qu'avec Scarlett on arrivera à trouver la bibliothèque, ou du moins l'endroit où elle se trouve.

Le maitre des runes écouta son ami avec attention. Il ne pouvait contester ses arguments, mais quelque chose le dérangeait.

- D'un autre côté, ça ne nous avance pas pour Antonio. On est venus ici en priorité pour l'arrêter, répondit Ambre. Même si on trouve la bibliothèque, rien ne nous dit qu'il ne trouvera pas comment invoquer le Malachor lui-même… la menace reste identique.
- On est bien d'accord, ajouta Killian.

Les deux hommes du groupe se regardèrent un moment, sachant l'un comme l'autre, qu'ils ne laisseraient pas les deux filles partir ensemble.

- Tu prends qui ? demanda le maitre des runes au colosse.
- Ronce. Maintenant qu'on sait que la bibliothèque est accessible par un téléporteur, elle te sera beaucoup moins utile qu'Ambre.
- Ce n'est pas gentil de dire ça ! s'énerva la fillette.
- Ce n'est pas contre toi, mais je pense que nous allons courir beaucoup moins de risques qu'à la pyramide. Nous, on va juste faire de l'observation. Si on détecte quelque chose d'anormal, on les appelle. Eux risquent de tomber sur Antonio là-bas.

Se séparer : voilà la dernière chose dont Killian avait envie, mais négliger la piste des téléporteurs n'était pas envisageable. Il remercia intérieurement Ambre pour l'avoir obligé à venir avec eux. Sans cela, il se serait retrouvé seul, ou avec Ronce pour l'épauler, laissant Goliath seul pour sa mission.

- Bien, on va prévenir Léopardo avant de partir. Mais tout le monde sait maintenant ce qu'il a à faire. Ambre et moi nous partirons pour Chichen Itza, toi et Ronce vous partirez pour contrôler chaque planque potentielle d'Antonio chez les pourfendeurs d'Allah.

Le chef de l'académie écouta avec attention leur récit. Tout cela le dépassait tellement qu'il fut rapidement perdu. Il apprécia néanmoins que Killian prenne la menace des pourfendeurs d'Allah au sérieux et se sentit soulagé que deux Wizards les surveillent.

La surprise pour les compagnons fut d'apprendre que trois mages étaient en mission à Mérida, une ville située à côté de Chichen Itza.

- Que font-ils là-bas ? demanda Ambre.
- Ils enquêtent sur une affaire assez bizarre, des centaines de chiens errants ont disparu.

Les quatre compagnons dévisagèrent le chef de l'académie sans vraiment comprendre.

- On n'a pas tous la chance d'enquêter sur des conspirations visant à anéantir la race humaine, même si les autorités là-bas flippent un peu en fait.
- Comment ça ? demanda Goliath.

Léopardo s'installa dans un fauteuil en regardant les Wizards ranger leurs affaires dans les sacs de voyage. « Il semble plus inquiet que ce qu'il veut nous laisser paraitre », se dit Killian en observant le Corporem.

- La ville de Mérida a toujours eu un gros problème de population de chiens abandonnés. Depuis les colonisations, ils n'ont jamais réussi à se débarrasser de ce fléau. Certains quartiers en étaient envahis. Ces dernières semaines, la population a fortement diminué, mais depuis quinze jours, on ne croise plus un seul chien dans la ville.

Ronce en avait froid dans le dos.

- Il leur est arrivé quoi aux chiens ?
- C'est ce qu'on essaye de savoir, lui répondit le chef de l'académie. L'un des trois mages sur place est mexicain. Il pourra peut-être vous aider à Chichen Itza.
- Ça serait une bonne nouvelle, dit Killian. Quelles sont leurs obédiences ?
- Il y a deux Corporem et une mage de l'air.

Goliath ne dit rien, mais il appréciait de savoir qu'il y avait du renfort sur place. Laisser Ambre partir lui était très difficile et la jeune femme le savait. Redoublant de tendresse pour essayer de le rassurer, elle n'imaginait pas qu'elle aggravait la situation.

- On partira demain matin. D'ici à Mérida, il ne nous faudra que quelques heures de vol. On devrait y être avant midi. Et toi, par où vas-tu commencer avec Ronce ? demanda-t-elle à son compagnon.

- Je pense qu'on va commencer par la ville de Campeche, qui ne va pas être si loin de vous. C'est le repère des pourfendeurs d'Allah le plus proche de la pyramide.
- Ça semble logique en effet.

Ils dinèrent tous les quatre ensemble, sachant que ça ne se reproduirait pas avant un bon moment. Même s'ils ne le disaient pas à haute voix, ne pas pouvoir se retrouver avec l'équipe des Wizards au complet leur pesait, à tous. Cela faisait presque deux semaines qu'ils étaient séparés de Lux et l'ainé de leur groupe aurait été d'une grande aide dans la situation actuelle. Killian détestait devoir se séparer à nouveau. Ce n'était pas dans la nature de leur groupe de se diviser. Ils étaient plus forts, tous ensemble.

Killian profita d'un moment tranquille pour prendre des nouvelles d'Axelle et des enfants. Tout semblait bien se passer pour eux, même s'il trouva que sa femme semblait préoccupée et que ses filles abrégèrent plutôt rapidement la conversation, sauf Laurana qui resta une bonne demi-heure avec lui à plaisanter.

- Allez ma puce. Je te laisse.
- Attends Papa, Lux veut te parler.
- Super, passe le moi, je comptais lui parler.
- OK, bisous !
- Allô ?
- Salut Killian, alors, comment ça se passe chez vous ?
- Plutôt bien. On avance, on doit se rendre au Mexique, mais on va devoir se séparer.
- Pourquoi ?
- Deux pistes à suivre…

Killian lui raconta l'ensemble de l'histoire : le combat de Ronce contre les quatre mages de cette académie, leur rencontre avec Léopardo, les « arbres lucioles », les pourfendeurs d'Allah. Mais ce qui laissa son ami sans voix était bien la rencontre avec Naox.

- On parle bien d'un vrai dragon ?
- Tout ce qu'il y a de plus vrai et il est assez différent des légendes que l'on connait. D'ailleurs, il a une théorie sur la raison du retour de la magie. Grâce à notre star nationale, Ronce.
- Raconte !

- Il semblerait que la Furia laisse des traces similaires au Malachor. Tu pourrais demander à Lumio de voir s'il ne trouve rien qui correspondrait dans les ouvrages du Vatican ?
- Je m'en occupe.
- Merci, tu es sûr que tout va bien ?
- Oui super, juste un peu fatigué. On a plus de cinq cents candidats à tester, on a déjà soixante-quinze participants potentiels, c'est une grosse organisation, on fait de gros travaux pour les épreuves. On pense même faire la finale dans un stade, peut-être celui de Lyon, pour la notoriété et l'image que ça renvoie.
- Allez mon grand, ne te laisse pas abattre, plaisanta le maitre des runes.

Ils discutèrent encore un peu de tout et de rien. Killian était heureux de lui parler. L'ainé des Wizards lui manquait. Lorsqu'ils raccrochèrent, le mage de lumière se sentit mal. Il n'avait pas menti à Killian et il se savait incapable de faire une chose pareille. Mais ne pas l'informer de la candidature de ses filles pour devenir des Wizards lui fit exactement le même effet.

Il tendit le téléphone à Axelle qui le regarda droit dans les yeux. Son regard pénétrant lui glaça le sang. Qu'avait-elle à le fixer comme ça ?

- Il faut qu'on parle. Viens avec moi.

Le mage de lumière obtempéra sans piper mot, une boule dans la gorge. « Qu'est-ce qui va encore me tomber dessus ? », se demanda-t-il tout en suivant Axelle.

Elle l'amena dans l'atelier où elle prit soin de bien fermer la grande porte métallique. Elle posa ses mains sur ses hanches et dévisagea le quinquagénaire en silence.

- Eh bien je t'écoute, commença-t-il timidement.
- Tu sais que ce sont mes filles, tu pensais pouvoir me cacher longtemps qu'elles allaient participer à l'épreuve ?

Il resta sans voix. Qui avait bien pu le trahir ? Quel membre du Conseil était le plus à même de faire cela ? Elle ne lui laissa pas le temps de réfléchir et reprit son interrogatoire.

- Alors ? Pourquoi tu ne m'en as pas parlé ?

La situation devenait critique. D'un autre côté, cela allait régler son problème. Il n'avait pas trahi Icy et Hadès. Elles n'avaient donc aucune raison de révéler son secret. « Espérons qu'elles voient cela comme toi… », essaya-t-il de se convaincre mentalement.

- Alors ? j'attends…

- Je ne peux pas te le dire, je suis désolé. Mais tu peux aller leur parler. Juste si tu peux insister sur le fait que ce n'est pas moi qui te l'ai dit ? Ça m'arrangerait. D'ailleurs, comment l'as-tu appris ?

Il vit dans les yeux de son interlocutrice le « zeste » d'agacement de trop. Elle saisit son téléphone et composa un numéro, avec nom sur l'écran : « l'enchanteur d'amour».

Elle appelait Killian ! Le mage de lumière sentit son cœur frapper dans sa poitrine.

- Attends, raccroche s'il te plait, ne lui fais pas ça, il doit se concentrer sur sa mission.

Première sonnerie.

- Je ne peux pas te le dire…

Deuxième sonnerie

«Allô ? »

Killian était au bout du téléphone, c'en était trop pour lui.

- OK, chuchota-t-il, ok.
- Ah mon amour, je voulais juste te faire un gros bisou, tu me manques, Lux a raccroché comme un goujat.

Elle parlait tout en le fixant dans les yeux. Il s'était fait avoir comme un bleu.

Une fois le téléphone raccroché, elle fit son grand sourire de vainqueur :

- Alors, on en était où ?

Lux se pencha sur son oreille et lui révéla l'affreuse vérité. Axelle posa ses mains sur ses lèvres, choquée par la révélation. Elle n'aurait jamais imaginé cela de lui.

- Tes filles l'ont découvert. Elles m'ont dit qu'elles le révèleraient si je t'en parlais, à toi ou à Killian.
- Ecoute, je suis désolée, je ne pouvais pas savoir. Ça fait combien de temps ?
- Deux mois…

Elle partit comme une flèche vers le loft à la grande surprise du mage de lumière qui ne partit derrière elle qu'après un bref instant.

- Et c'est tout ?
- Ça ne va pas se passer comme ça ! cria la jeune femme en rentrant dans le salon. LANA ! CONSTANCE !

Les deux jeunes filles arrivèrent en courant. Quand leur mère criait, ce n'était jamais bon signe.

- Oui maman.
- Oui maman.

C'est en s'approchant qu'elles virent l'air sur le visage de leur génitrice. C'était un mélange d'Alien et Chtulu réunis dans un visage d'humaine. L'horreur et la terreur réunies, leur faisant face, les obligeant à contempler leur propre mort dans un miroir. Même le grand Arthur, toujours très protecteur, plaça une main devant le visage de sa maitresse pour éviter qu'elle puisse faire des cauchemars durant la nuit.

- Toi ! cria la mère de famille à l'attention du démon. File dans ta... sa chambre, je dois parler à ma fille seule à seule !

Arthur ne bougea pas d'un pouce. Maintenant il en était persuadé, sa maitresse courait un vrai danger.

- Constance, si tu ne dis pas à... lui ! de monter dans ta chambre tout de suite, la prochaine fois que tu regarderas la télé c'est quand tu seras en âge de t'en acheter une !

La petite fille enleva la main de son visage et fit signe à Arthur qu'il pouvait partir. Une fois débarrassée de lui, Axelle put s'occuper de ses filles.

- Vous me faites honte ! Non seulement vous me prenez pour une idiote, pensant que je ne découvrirai pas que vous vous êtes inscrites aux épreuves pour devenir Wizards. Mais en plus, vous avez fait du chantage à Lux ? Vous n'avez pas honte ? Surtout sur un sujet pareil !

Les deux petites filles baissèrent la tête. Elles regardèrent Lux, honteuses. Bien évidemment qu'elles n'étaient pas fières de ce qu'elles avaient fait. Mais avaient-elles eu le choix ?

- On n'aurait jamais révélé ton secret Lux, on bluffait, on ne savait même pas si ça allait marcher, répondit Lana d'une petite voix.

Lux voulut lui répondre que ce n'était pas grave afin de clore le débat, mais Axelle ne lui en laissa pas le temps.

- Ça ma petite, c'est facile à dire après. Pour la peine, vous êtes punies de cours par correspondance jusqu'à la fin de la compétition.

Les deux petites filles se regardèrent, interloquées par la sanction. Depuis qu'elles étaient venues vivre à l'académie, elles prenaient des cours par correspondance avec Mme Leblanc. Une femme qui ressemblait plus à un mélange de requin et de lionne, les obligeant à travailler sans cesse toujours plus et ne les félicitant jamais malgré leurs excellentes notes. Etre punies de Mme Leblanc pendant plusieurs semaines n'était assurément pas une sanction pour elles. Un sourire se dessina sur leurs lèvres, affichant leur satisfaction.

- Ne soyez pas contentes, vous êtes punies de cours pour vous entrainer. Il est hors de question que vous fassiez honte à votre père. Si vous n'arrivez pas au moins à passer les premières épreuves, je m'occuperai personnellement de lui expliquer comment vous avez fait chanter Lux, tout ça pour arriver à un si pitoyable résultat.

Elle se pencha vers les deux petites filles et planta ses yeux dans les leurs, la terreur était totale. Leur propre atout venait de se retourner contre elles.

- Et je peux vous dire que lorsqu'il l'apprendra, la punition sera à la hauteur de l'infraction commise, j'y veillerai !

Les deux petites filles et même Lux déglutirent. Elles imaginaient les diverses sanctions possibles et lui imaginait quelle obédience Axelle pourrait avoir si elle devenait une magicienne : une démoniste, peut-être même pire que Freya !

Chapitre 13

Lumio n'était pas peu fier de lui. Il avait organisé le classement de tous les ouvrages avec minutie. Avec l'aide d'Axelle, ils avaient mis au point un système assez simple pour que chaque livre, une fois lu, parte chez les membres de l'obédience qui lui correspondait.

Le vieil homme arpentait la salle occupée par les bureaux où plusieurs mages, de toutes les obédiences, lisaient les bouquins traduits en direct par Scarlett. Chaque lecteur lui montrait sa page via une webcam et l'I.A la traduisait en direct. Ce système avait permis de gagner un temps énorme en traduction et en classement.

En revanche, la déception était au rendez-vous. La plupart des ouvrages étaient sans intérêt. A la grande surprise des lecteurs, les mages de l'époque perdaient plus de temps à se faire la guerre ou à vouloir voler le savoir des autres qu'à perfectionner leur magie. Beaucoup n'étaient que des biographies et le nombre d'informations vraiment intéressantes se comptaient sur les doigts de la main.

Même les livres de la bibliothèque Maya parlaient en effet du Malachor, mais de manière très indéfinie. Dans les grandes lignes, ils apprirent que le Malachor était une créature bannie de son espèce par ses congénères. Dans sa fuite, il trouva refuge dans un plan parallèle à celui de notre galaxie. Il décida de s'y installer et rentra dans une sorte d'hibernation.

Par le plus grand des hasards, un mage entra dans ce plan à cause d'un retour de sort et vit la créature dormir. Les mayas lui vouèrent un culte et beaucoup tentèrent de faire la même chose.

Une fois les cinq tomes des mayas terminés, chaque membre du Conseil envoya deux mages pour traduire leur ouvrages respectifs.

Alors que le mage de lumière était dans ses pensées, un jeune homme du nom de Benoit leva la main pour l'appeler. Le vieil homme se dirigea vers lui en silence, au milieu des chuchotements des autres lecteurs. Une fois à son niveau, il salua son démon, une créature de moins d'un mètre de haut, à la peau bleue. Doté de grandes oreilles pointues et d'un long nez crochu, il n'était pas particulièrement agréable à regarder, mais sa particularité était de pouvoir parler, chose très rare chez les démons.

- Bonjour maitre Lumio.
- Bonjour Grimzolt (Il se tourna vers Benoit). Benoit, que puis-je faire pour toi ?

Benoit était un jeune homme de presque vingt-cinq ans. Il ne faisait pas partie des démonistes les plus puissants, mais tout le monde l'appréciait pour sa jovialité. Son démon avait la capacité d'augmenter ses facultés personnelles, ce qui lui permettait de lire particulièrement vite.

- Bonjour Lumio. Je lisais ce livre. Il décrit la vie d'un scribe qui habitait un petit village en Espagne je crois. Vous nous avez demandé de faire attention à tout ce qui touchait au Malachor ou la Furia. Je crois que j'ai quelque chose qui touche au deux.
- Un scribe ? Etait-il mage ?
- Non, il écrivait pour différents mages. Vous devriez regarder ça.

Lumio se pencha sur la page d'écriture traduite par le mage grâce à l'aide de Scarlett et lu à voix haute, sans pour autant parler trop fort pour ne pas déranger les autres mages présents dans la pièce.

« Marta était ma meilleure amie, mais une mage de peu de talent, adepte de l'élément de l'eau. Je suis l'un des rares humains à savoir que les mages blancs ne sont pas des représentants des dieux. J'ai vu tant de femmes magiciennes brulées pour sorcellerie que mes yeux ne peuvent plus regarder ma cheminée sans que mon esprit me rappelle leurs hurlements. Marta n'a que très peu utilisé ses pouvoirs, la peur est omniprésente, je le vois dans son regard. J'étais le seul à être au courant de son secret.

Ce soir-là, nous regardions ce combat dans le ciel. Le feu et la noirceur se livraient bataille dans les cieux de notre village. Une créature des ténèbres combattait une nuée de dragons. De toutes les couleurs, les seigneurs du ciel imprégnaient le firmament de zébrures balayées par l'ombre de celui que mon amie appelle le Malachor.

Il y eut un éclair rouge, comme le sang, qui frappa un grand dragon. La chute transforma le corps de la créature en torche vivante, fondant sur notre village. L'immensité de la bête ravagea la quasi-totalité de notre hameau et Marta courut jusqu'à la maison où elle vivait, avec ses enfants. Tout n'était que désolation, mais la maison de Marta était toujours là, en feu. On entendait le cri d'agonie de ses rejetons qui brûlaient à l'intérieur.

Elle tomba à genoux, et alors que je tentais désespérément de la tirer en arrière pour nous mettre à l'abri, elle poussa un hurlement qui glaça chaque goutte de mon sang. La peur plus que la raison me poussa à m'éloigner pour me cacher. Je ne pus néanmoins m'empêcher de regarder l'horrible spectacle qui se dressait devant moi. Marta se déformait, son corps se modifia, très légèrement. C'était toujours elle, mais ses yeux respiraient la puissance. De l'énergie pure coulait par ses orbites. La « créature » regarda autour d'elle, comme si elle voyait le monde pour la première fois. Elle palpait son corps comme si elle sortait d'un œuf. J'eus la sensation d'assister à une naissance.

C'est à ce moment que le Malachor se posa. Je n'avais jamais rien vu d'aussi majestueux et démoniaque que cette créature. Elle représentait la puissance à l'état pur.

A ma grande surprise, il m'ignora pour se tourner vers le corps de Marta. Mon amie fixait le seigneur des ténèbres avec assurance, avec comme musique le son des dragons volant en cercle au-dessus d'eux, hurlant pour obtenir la suite du combat.

Je me souviendrais toute ma vie de cette voix, comme si une caverne décidait de vous hurler dessus.

« Que fais-tu là Omnihibi... comment t'es-tu échappé de ta prison de souffrance qui me donne tant de plaisir... »

« Je ne sais pas père, je... j'ai senti sa tristesse et sa colère, je m'y suis plongé, elle voulait de l'aide... je ne voulais pas... je ne savais pas... ».

Le Malachor leva une de ses puissantes jambes et l'abattit sur mon amie. Aussi vite, et aussi puissamment qu'une étoile. Puis il s'envola retrouver ses ennemis. Me laissant seul, au milieu des flammes et du désespoir. De mon amie ne restait qu'un tas de chairs broyées dont je fais encore des cauchemars la nuit.

Je sais que le Malachor a été vaincu. Depuis, je me dirige sans cesse vers ceux que j'ai traité d'ennemis durant toute ma vie : les prêtres du dieu unique, pour garder mes mémoires, mon savoir. »

Lumio n'en revenait pas. Sa main, qui effleurait la page du livre, tremblait.

- Maitre Lumio, je pense que la fille du Malachor… c'est la description de la Furia.

Le vieil homme s'assit lourdement sur une chaise qui trainait non loin de lui. Son cerveau, extenué par les soucis du quotidien, venait de trouver un problème plus grand que tous les autres.

- Va me chercher Lux, le Wizards.

Benoit n'eut qu'à regarder son démon pour que ce dernier file aussi vite que ses petites jambes pouvait le lui permettre en direction de la sortie.

Il ne fallut que quelques minutes pour que le petit Grimzolt revienne accompagné du mage de lumière.

- Lumio, commença ce dernier. Vous m'avez fait appeler ?
- Oui, il faut que tu préviennes Killian que nous avons appris quelque chose d'important.

Le maitre des runes posa son téléphone d'un geste un peu mécanique. Ambre le regarda du canapé dans lequel elle se trouvait, au milieu de l'appartement miteux dans lequel ils logeaient depuis bientôt cinq jours. Lorsqu'ils étaient arrivés à Mérida, une jeune fille, à peine plus vieille que Lana, les avait accueillis. Typé amérindienne, la jeune fille avait de longs cheveux noirs et lisses. Ses yeux en amande, d'un noir de jais, ne faisaient pas ombrage à son magnifique sourire. Elle se prénommait Aguaciero, ce qui voulait dire rafale dans leur langue et elle leur expliqua que ses deux amis sur cette mission avaient dû se rendre à Mexico. Ils ne seraient pas de retour avant plusieurs jours et elle leur proposa de loger dans l'appartement aussi longtemps qu'ils le voulaient.

- Que se passe-t-il ? demanda Ambre.
- C'était Lux, ils ont trouvé quelque chose dans un vieux livre. Il semblerait que la Furia soit la fille du Malachor.
- Sa fille !? C'est possible ça ?

Killian réfléchit un moment. Le très saint père lui avait parlé de quelque chose de similaire. Le monstre avait eu plusieurs enfants, mais ils étaient tous mort, sauf sa seule fille. D'après l'homme d'église, il l'avait enfermé pour la torturer. Ce pouvait-il que ce soit elle ? Qu'elle ait survécu ?

- De mémoire il a eu sept enfants dont une fille. D'après ce dont je me souviens, le Malachor l'a torturée dès sa naissance, faisant d'elle son souffre-douleur.

Ambre se rappela de la seule fois où elle s'était retrouvée en présence de l'entité, lorsque Ronce avait été attaquée par le Corporem.

- Ça expliquerait certaines choses…
- De quoi parles-tu ?
- De la Furia et de Ronce. Elle avait l'air de tenir à elle. De vouloir la protéger. Elle l'a même épargnée. Ronce, avec son passé, doit lui rappeler le début de sa vie, son enfance.

Le maitre des runes trouva l'histoire plutôt logique. Ambre avait certainement raison concernant le rapport entre la Furia et la petite Wizards.

- Ça voudrait dire qu'elle est en mesure de nous donner notre magie ? Elle aurait atteint la même puissance que son père ?
- Là tu m'en demandes trop. C'est à elle qu'il faudrait le demander et je ne vois pas trop comment nous pourrions le faire.

« Ce n'est pas faux », se dit le maitre des runes en écoutant la jeune femme. « Il faudrait directement lui demander, mais il est hors de question qu'elle reprenne possession la petite Ronce ».

Voilà qu'il se retrouvait avec une nouvelle énigme, et comme si cela ne suffisait pas, Goliath et sa partenaire n'avançaient pas plus dans son enquête que lui et Ambre. Ils étaient à nouveau au point mort. Il aurait aimé se rendre directement à la pyramide de Chichen Itza, mais tout le monde était d'accord pour dire qu'attendre le retour des mages de l'académie de Caracas était le comportement le plus raisonnable à adopter.

Lux était avec Neuro et Lumio. Installés dans l'arène de l'académie, ils dévisageaient les quatre-vingt-sept candidats potentiels installés face à eux dans les gradins. Il y avait parmi eux des visages connus : les filles de Killian, Braise et seize membres de cette académie. Le reste venait du monde entier.

La réputation de certains d'entre eux n'était plus à faire. Il y avait Konan, gardien de l'académie d'Abidjan, un Corporem à la peau d'ébène vêtu d'un simple pantalon en toile ou encore Ytec, la mage de la terre venue exprès de Saint Pétersbourg. Le plus impressionnant restait Fujin, chef de l'académie de Tokyo, qui avait à lui seul, selon la rumeur, évité une catastrophe pétrolière en faisant léviter un cargo sur plusieurs dizaines de mètres. Il était considéré depuis comme un héros national.

Neuro était là seulement pour vérifier que personne ne l'avait dupé durant les entretiens de candidature.

Lux s'éclaircit la voix. Il savait que faire marche arrière n'était désormais plus possible, la compétition était lancée.

- Bonjour à toutes et à tous. Les inscriptions sont terminées depuis hier et nous allons commencer après-demain les éliminatoires. Comme prévu, chacun d'entre vous devra passer six épreuves.

Il jeta un coup d'œil à Lumio qui lui fit signe de continuer.

- Je ne vous cacherai pas que nous avons été surpris par le nombre de candidats. Sachez que devenir un Wizards n'est pas anodin, c'est un engagement que je vous invite à ne pas prendre à la légère. Si nous désirons nous agrandir, c'est dans le but de protéger notre monde. Il y aura des dangers. Il y aura des moments où vous connaitrez la terreur. Alors si certains d'entre vous désirent se retirer, personne ne les jugera. Mais une fois que vous aurez commencé, sachez qu'il n'y aura pas de retour en arrière possible.

Tout en sachant que personne n'abandonnerait maintenant, il avait travaillé cette phrase dans l'espoir de voir les enfants (et surtout les filles de Killian) quitter les gradins pour sagement rentrer à la maison. Chose qui n'arriva pas, bien évidemment.

- Afin de ne favoriser personne, vous allez être mis en quarantaine à partir de demain et ce, jusqu'à la fin des éliminatoires.

Il y eut un vent de panique parmi les participants. Effet de surprise voulu par les membres du Conseil qui avaient soulevé un problème de taille lors d'une réunion : la confidentialité des épreuves.

- S'il vous plait calmez-vous ! Comme vous le savez, la compétition va être retransmise à la télévision. Nous désirons que chaque candidat découvre les épreuves et non qu'il y soit préparé. Vous allez maintenant venir tirer un numéro qui déterminera votre ordre de passage.

Ils formèrent une longue file d'attente et, chacun son tour, ils tirèrent un numéro pendant que Lumio notait sur un carnet l'ordre de passage.

Icy et Hadès ne souriaient plus du tout. Elles espéraient pouvoir passer l'une après l'autre, le même jour.

- Avec la chance qu'on a, je vais tirer le numéro un et toi le quatre-vingt-sept ! lâcha Icy avec une pointe de désespoir.
- Mais non, ça va bien se passer, lui répondit sa sœur toujours perchée sur Arthur.

Elles patientèrent jusqu'à ce que leur tour vienne. Lumio accueillit l'ainée avec un grand sourire, lui présentant l'urne où elle allait devoir plonger sa main.

- A toi et bon courage.

La petite fille laissa sa main un moment au milieu des balles de ping-pong numérotées et inspira à fond. Elle en retira une et la présenta au mage de lumière.

- Numéro sept, Icy !

« Numéro sept ! » paniqua la petite fille qui comprit qu'elle allait passer dans les premières. Essayant de garder son sang-froid, elle se décala sur le côté pour laisser la place à sa sœur.

Hadès descendit du dos d'Arthur avec un grand sourire et se présenta elle aussi au vieil homme.

- Bonjour maitre Lumio !
- Bonjour Hadès, à ton tour.

La démoniste sourit en coin et tout le monde vit son démon se diriger vers l'urne. L'immense main plongea dans la piscine de balles et au signal mental de sa maitresse, en sortit une pour la présenter au mage de lumière.

- Cinquante-quatre, Hadès !
- Ça ce n'est pas cool, marronna la petite fille.

Elles se dirigèrent toutes les deux vers les gradins, déçues d'être séparées par autant de numéros. Elles virent Braise revenir vers elles avec un air assez satisfait.

- Tu as eu le combien ? demanda Icy.
- Le quarante, je voulais être vers le milieu, c'est très bien.

Une fois que tout le monde eut un numéro attribué, Lux se plaça devant eux pour les informer de la suite du déroulement de la compétition.

- Voilà maintenant comment va se dérouler la compétition : vous passerez chacun votre tour dans un parcours que nous avons créé dans la forêt. Vous aurez trois heures pour passer les six épreuves. Un candidat passera le matin, un l'après-midi.

Il y eut des murmures dans l'assemblée et une jeune fille leva la main.

- Oui ?
- Vous voulez dire que la compétition va durer quarante-quatre jours ?

- Précisément. Comme je vous l'ai dit tout à l'heure, vous êtes bien plus nombreux que ce que nous avions prévu. Nous pensons aussi qu'après le passage de chacun d'entre vous, nous allons avoir des travaux de réparation et il va vous falloir du repos entre les épreuves. Nous adapterons le planning en fonction.

Icy calcula de son côté, elle allait devoir attendre quatre jours avant de voir son tour arriver. Ce résonnement la conduisit à réfléchir pour sa sœur et son cœur s'accéléra. En effet, sa cadette avait déjà les yeux humides suite à la révélation du mage de lumière. Elle allait devoir rester vingt-sept jours en quarantaine dont vingt-trois sans sa sœur.

- Il faut que tu restes forte, lui conseilla l'ainée des deux fillettes en lui prenant la main.

La démoniste ne dit rien et demanda mentalement à Arthur de la prendre dans ses bras. Ce dernier obtempéra, n'attendant que ça et elle put blottir sa tête contre le torse musclé de la créature. Elle se permit, pendant un moment, de pleurer un peu.

Icy se concentra sur Lux qui finissait de donner des précisions concernant les épreuves du lendemain.

- Chaque mage devra contourner l'épreuve qui concerne son obédience pour se rendre à la suivante. Devant chaque épreuve, vous trouverez un panneau d'instruction vous indiquant les consignes à respecter pour chacune d'entre elles. Vous n'aurez le droit qu'à un seul essai par épreuve. Le non-respect sera considéré comme un échec.

Le ton était donné. Les visages ressemblaient désormais à des statues de cire. Figés par la rigueur de la compétition. C'est l'effet que Lux espérait provoquer, leur montrer qu'ils n'étaient pas là pour rire.

- Pour finir, ceux qui auront réussi à passer toutes les épreuves devront s'affronter dans un tournoi classique, mais on verra ça plus tard.

Il laissa une minute à tout le monde pour assimiler les informations et fixa les filles de Killian d'un œil radouci :

- Je vous invite à profiter de cette dernière soirée. Demain matin, rendez-vous à huit heures dans la grande tente située en dehors de l'académie. A dix heures, le premier d'entre vous ouvrira le bal.

Icy et Hadès pénétrèrent dans le loft, accompagnées par Arthur qui portait un énorme bouquet de fleurs. Axelle était tranquillement devant son ordinateur à faire une mise à jour du système informatique de l'académie pour la diffusion du lendemain. Une tasse de thé à la main, elle ne cacha pas sa surprise lorsque l'imposant démon lui tendit le magnifique bouquet.

- En quel honneur ?

Lux s'avança. Il avait le visage d'un homme qui avait des choses à se faire pardonner. Ce qui intrigua d'autant plus la mère de famille.

- Je vais diner dehors ce soir. Je me suis dit que tu aimerais passer la soirée seule avec tes filles ce soir. A partir de demain, elle vont être en quarantaine avec les autres candidats.

Elle avait été mise au courant par le mage de lumière qui lui avait fait promettre de ne rien dire aux filles. Mais, à cette époque, elles n'avaient pas encore leurs numéros de passage respectifs.

- Combien ? demanda-t-elle, le visage fermé.
- Quatre jours pour Icy, vingt-trois de plus pour Hadès.

Elle blêmit. Sa fille, la chair de sa chair, allait se retrouver pendant vingt jours toute seule. Elle se dirigea vers elles et les serra fort.

- Ce soir c'est repas crêpes. Vous allez prendre des forces.

Elle se tourna vers Lux.

- Reste avec nous, ça sera plus sympa. Sauf si tu as autre chose de prévu ?
- Non, rien de prévu. Ça sera avec plaisir.

Ils se dirigèrent tous ensemble vers la cuisine afin de préparer le repas. La bonne humeur était de rigueur et ils passèrent une soirée entière sans aborder la journée du lendemain.

Chapitre 14

Les deux fillettes découvrirent leurs nouveaux quartiers sans enthousiasme. Deux immenses tentes étaient disposées dans un champ. Une pour les hommes et une pour les femmes. Bien moins nombreuses, ces dernières avaient beaucoup plus d'espace que le sexe opposé. Icy ne cacha pas son mécontentement devant la précarité du logement et apprendre qu'il fallait se rendre dans une autre tente pour avoir accès aux douches et aux W.C la révolta.

- Super, on va camper ! Même pas fichus de nous faire attendre dans le confort.

Sa sœur lui donna un coup de coude discret, tout en lui désignant du menton plusieurs femmes qui les regardaient. La plupart n'avaient qu'un sac de voyage, des vêtements de mauvaise qualité et vu l'état de leurs cheveux, certaines n'avaient pas pris de douche depuis un moment.

- Arrête de te plaindre, y en a qui ont dû faire un sacré chemin pour arriver ici.

La mage de l'eau se sentit mal à l'aise. Son comportement de petite bourgeoise n'allait pas du tout avec sa volonté de devenir une Wizards.

- Tu as raison. Je stresse un peu en fait, toi tu n'as pas l'air de t'en faire, c'est bizarre.

Installant ses affaires sur son lit, la démoniste regarda son démon avec beaucoup d'affection.

- J'ai eu très peur au début. Mais en fait, je pense que ça va être une bonne chose que je me retrouve seule avec Arthur un moment. Il a besoin que je sois à lui de temps en temps. Un peu comme toi qui a besoin du contact de l'eau plusieurs fois dans la journée depuis que tu es mage.

Elles discutèrent un long moment, cherchant à passer le temps. Leur première occupation fut de compter combien de filles désiraient devenir des Wizards, ce qui ne leur prit que cinq minutes, pour un résultat de trente et un.

Elles tentèrent par la suite de deviner leur obédience. Ce qui fut beaucoup plus compliqué. Alors qu'elles délibéraient sur l'une d'entre elles, Freya entra dans la grande tente pour leur faire une annonce.

- Le premier a commencé. On a décidé de vous tenir au courant des résultats. Je viendrai vous informer de l'avancement de la compétition.

La membre du Conseil jeta un regard sur les deux fillettes et se dirigea vers elles à grands pas, l'air faussement inquiet.

- Tout va bien pour vous ?

Elles opinèrent du chef, mais ne furent pas dupes. Leur mère les avait briffées : toujours faire attention à Freya. Même Hadès, qui était pourtant en présence de la chef des démonistes, resta de marbre.

- Si vous avez besoin de quoi que ce soit, n'hésitez pas.

Elle sortit de la tente, l'air satisfaite de son annonce. Les petites filles ne comprirent que plus tard, en croisant les regards des autres concurrentes, l'objectif du membre du Conseil.

- Regarde, commença Icy. Les autres nous regardent bizarrement.
- Tu m'étonnes, elle vient de nous faire passer pour les deux chouchous du groupe !

Freya revint une heure plus tard, annonçant l'échec du premier candidat. Elle revint l'après-midi pour la même chose, puis le lendemain et le surlendemain. Aucun candidat ne parvint à réussir les épreuves les trois premiers jours.

Le moral, à l'intérieur de la tente des filles, était des plus déplorables. Deux d'entre elles étaient déjà éliminées et Icy semblait être la suivante sur la liste.

Après une mauvaise nuit, la candidate embrassa sa sœur à l'appel de son nom. Elle fut surprise de voir des signes d'encouragement de la part des autres femmes, malgré l'impression qu'elle avait dû laisser de sa personne.

Elle suivit Freya à l'extérieur de la tente pour se diriger vers la forêt. Elles marchèrent en silence, ce qui convint tout à fait à la petite fille qui ne désirait pas parler à la démoniste. Chaque mètre qu'elle laissait derrière elle amplifiait son angoisse, ne sachant pas sur quoi elle allait tomber.

Le chemin qu'elles empruntèrent déboucha sur une petite clairière. Freya la stoppa d'une main avant de lui faire face.

- A compter de maintenant, tu vas devoir avancer seule. Lis bien les instructions avant de commencer l'épreuve. Je te laisse.

Elle lui montra un petit panneau en bois et partit, sans dire un mot de plus.

Seule, Icy souffla afin de retrouver son calme et une respiration régulière. Un gong sonore retentit dans la forêt et elle entendit la voix de Scarlett résonner : « Compte à rebours commencé. Il vous reste trois heures ».

Le cœur de la petite fille se mit à battre la chamade et elle porta son regard sur le panneau. Les règles lui semblèrent assez simples pour cette épreuve : « La terre sera ton ennemie et ton objectif. Porte le fruit jusqu'au panier sans faillir et la voie te sera ouverte. Sortir de la clairière après y avoir posé un pied te fera perdre ».

Elle savait que les épreuves étaient diffusées en direct à la télévision, mais elle se fit la remarque que les caméras étaient plutôt discrètes.

- Bon allez, quand faut y aller.

Elle franchit la lisière de la forêt et entra dans la clairière. Elle vit une pomme sur une colonne de pierre en plein centre et à l'opposé de sa position un petit panier en osier.

Elle avança de quelques pas en regardant bien autour d'elle. Des craquements se firent entendre de la forêt et un premier rocher sortit du feuillage des arbres pour foncer dans sa direction.

Elle plongea sur le côté et la pierre grosse comme un ballon de basket s'écrasa sur le sol avant d'exploser.

- C'était moins une ! s'écria Icy en se relevant.

Pensant que l'épreuve s'arrêtait là, elle se dirigea d'un pas plus tranquille vers le fruit trônant sur son rocher, mais à nouveau, plusieurs bruits provenant de la forêt parvinrent jusqu'à elle. Réalisant ce qui allait se passer, elle se mit à courir le plus rapidement possible vers son objectif lorsque les premiers rochers entrèrent dans la clairière.

Icy concentra son énergie et dégagea un cercle de puissance : un tunnel de glace se forma devant elle pour aller jusqu'au panier, en passant par la pomme qui trônait, toujours intacte. Tout en courant, elle entendait les impacts des rochers sur les parois de sa création. Elle attrapa la pomme sans s'arrêter et continua sa course, fonçant à en perdre haleine vers le panier. Les impacts s'intensifiaient, montrant que les mages derrière tout ça redoublaient d'efforts pour briser la protection de la petite fille.

C'est en arrivant à quelques mètres du panier qu'elle vit à travers la glace une forme assombrir son champ de vision. Le rocher devait être immense pour atteindre un tel résultat.

Sachant que le tunnel ne résisterait pas, elle accéléra, transforma le sol devant elle en patinoire et se jeta au sol. L'énorme rocher fracassa le tunnel comme un fétu de paille, ne laissant qu'un amas de glace brisée derrière lui.

Mais Icy était passée. Glissant jusqu'au panier elle s'en saisit et jeta la pomme dedans.

Tous les rochers suivants tombèrent mollement au sol. La première épreuve était finie. Le souffle court, les membres tremblants, la petite fille tomba au sol et souffla. Elle ne put s'empêcher d'avoir un fou rire nerveux et dut se calmer avant d'entreprendre la suite de son périple.

Un chemin était désormais visible à quelques mètres d'elle et se sachant chronométrée, elle se dit qu'elle avait perdu assez de temps. Elle se releva et emprunta le sentier sur une cinquantaine de mètres avant de se retrouver devant l'entrée d'une grotte. L'ouverture devait être à peine assez grande pour qu'Arthur s'y tienne à quatre pattes, se dit la petite fille qui pensait à sa sœur.

Un panneau, accroché à même la roche, indiquait les consignes de la deuxième épreuve : « Le tunnel de l'horreur : franchir le tunnel. Blesser une des créatures qui s'y trouve te disqualifiera ».

Elle déglutit, comprenant ce qu'elle venait de lire. Même en plissant des yeux, elle ne distinguait l'intérieur de la caverne que sur quelques mètres.
« Un tunnel, dans le noir, avec des trucs bizarres dedans, super » se dit la petite fille prise de panique.
Elle prit son courage à deux mains et pénétra dans le fameux tunnel. Obligée de se courber, elle se demanda la distance qu'elle allait devoir parcourir dans ces conditions. C'est au bout d'une bonne minute de progression qu'elle jeta son premier coup d'œil en arrière. La lumière du jour lui paraissait déjà bien loin, apparaissant comme un petit point lointain. Le noir absolu continuait de l'engloutir au fur et à mesure qu'elle avançait. Utilisant les parois pour se guider, la panique grimpa en elle beaucoup plus vite lorsqu'elle dû effectuer un virage qui fit disparaitre le peu de lumière présente dans le tunnel.
Ses jambes se mirent à trembler toutes seules, l'obligeant à faire une halte. La tentation de faire demi-tour devint grande et elle douta d'arriver au bout de cette épreuve.

Ce fut à ce moment précis que sa main sentit quelque chose de froid et visqueux glisser dessus.

- Hiiiiiiiiiiiiiiiiiii !

Elle cria aussi fort qu'elle put, terrorisée par l'horreur de la situation. Plus par peur qu'autre chose, elle reprit sa marche, désormais une main sur l'autre paroi et une devant elle. Au bout de quelques secondes, elle courait plus que ce qu'elle marchait, ne faisant plus trop attention à elle et au détour d'un virage, elle percuta violement un mur et tomba au sol.

Sonnée, la jeune fille perdit ses repères. Elle tenta de se mettre à quatre pattes pour être prête à repartir, mais la panique revint assez vite lorsqu'elle réalisa qu'elle avait perdu le sens de la marche. Par où fallait-il aller désormais ?

Absorbée par sa réflexion, elle ne fit pas attention au picotement qu'elle avait dans son dos, pensant que ces derniers étaient dus à sa chute. C'est en se relevant qu'elle sentit les fameux picotements se déplacer le long de sa colonne vertébrale, en direction de sa nuque.

Poussant un nouveau hurlement, elle tenta d'attraper cette chose agrippée à son dos et la décolla. Elle sentit un énorme mille pattes s'enrouler autour de son bras et hurla à nouveau, jetant la créature au loin.

Terrorisée, Icy se demanda si elle n'allait pas crier pour abandonner. « Non », se cria-t-elle mentalement, elle refusa d'abandonner aussi facilement. Elle se concentra et provoqua un cercle de puissance. Son corps se durcit pour se transformer en statue de glace. Elle sentit à nouveau la créature qui voulut lui grimper dessus, mais la sensation était la même qui si elle était revêtue d'une armure de métal. Elle secoua sa jambe afin de la jeter à nouveau au loin et continua d'avancer, ainsi équipée.

Plusieurs créatures de différentes sortes voulurent terroriser la jeune fille, mais sans résultat. Elle continua sans relâche, laissant une autre limace géante et un papillon bourdonnant lui faire toutes les misères du monde. Il ne lui fallut pas plus de dix minutes avant de voir une lumière rougeâtre apparaitre non loin devant elle.

Plus elle avançait et plus tenir son armure de givre lui était compliqué. La température ambiante avoisina rapidement les quarante degrés et lorsqu'elle sortit enfin du passage étroit dans lequel elle se trouvait, ce fut pour découvrir un panneau, planté devant l'entrée d'une grotte beaucoup plus grande. Une phrase simple était écrite dessus : « Le lac de feu, à traverser, tout simplement ! ».

« Du Braise tout craché », se dit la petite fille d'un air exaspéré. Elle avança encore un peu, dans une chaleur assommante et au détour d'un virage, elle put enfin apercevoir « le lac ».

L'alcôve ne devait pas faire plus d'une dizaine de mètres de large sur une trentaine de long. Le sol était entièrement recouvert de lave en fusion, créant une luminosité rougeoyante qui lui brûla les yeux.
La chaleur était telle qu'elle ne put regarder le couloir plus longtemps. Le feu, la pire épreuve pour elle. Son organisme se déshydratait trop vite et cet élément la rendait nerveuse.
Laissant son esprit être envahi par la magie, elle tendit la main vers le passage brûlant et un projectile de glace perfora l'air jusqu'à exploser en plein milieu de la lave, créant une plateforme. Malheureusement, la chaleur était telle que la création de la petite fille ne dura que quelques secondes avant de fondre. Laissant derrière elle une zone en pierre de lave. Dur et dense, mais encore inaccessible.
« C'est un début », se dit-elle voyant que la lave ne regagnait pas du terrain. « Elle ne se reforme pas, autant en finir vite… je ne vais pas tenir très longtemps dans cette chaleur ».
Elle se concentra à nouveau, utilisant son pouvoir sans ménagement. Deux cercles de puissance envahirent la salle, faisant considérablement baisser la température. Elle déversa ensuite sa magie, créant une tempête de givre dans tout le passage qui dura plusieurs minutes.
Lorsque le calme fut revenu, Icy était presque plongée dans le noir. Le sol était encore parsemé de petites zébrures rougeâtres, mais la température de la pièce redevint à peine plus chaude qu'à l'extérieur.
Elle était épuisée. Capable de marcher, elle se dirigea vers la sortie de peur de revoir le couloir de lave se reformer. Une fois à l'extérieur, la lumière du jour lui fit mal aux yeux. Elle s'assit lourdement sur le sol et souffla, réalisant par la même occasion l'état dans lequel elle se trouvait.
Elle avait dut s'ouvrir le front en tombant car du sang avait coulé le long de son visage pour y sécher. Ses cheveux étaient en désordre et son jogging était déchiré au niveau des deux genoux.
Son cœur de petite fille reprit le dessus un court instant. La peur, la douleur étaient des sensations dont elle n'avait pas l'habitude. Des larmes affluèrent sans qu'elle ne puisse les cacher. Elle plaça ses mains sur son visage et pleura à chaudes larmes, se roulant en boule sur le sol. Elle ne savait pas si elle était filmée ou non, mais elle n'en avait plus rien à faire. Elle préférait avoir honte que de ne pas se permettre, à cet instant présent, d'être une simple petite fille.
Ce qu'elle ne savait pas, c'est qu'au même moment, des dizaines de millions de téléspectateurs la regardaient à travers le monde dans le plus grand silence, silence

provoqué par un immense respect. Comme si la nature humaine venait d'être réveillée dans ce qu'elle avait de meilleur. Personne ne se moqua, personne ne rit. Tout le monde respecta cet instant pour deux raisons : elle était la première à être allée aussi loin pour le moment et elle n'avait que douze ans.

La voix de Scarlett la réveilla : « Il vous reste une heure ». Ce fut comme un électrochoc pour Icy qui réalisa qu'elle s'était endormie. Elle se remit debout et se mit à courir, ragaillardie par sa sieste. Elle arriva dans une clairière où deux chaises étaient installées en son centre. Lumio, installé dans une, lui fit signe de le rejoindre. Elle tourna la tête à gauche, puis à droite, s'attendant à tout moment à un piège mortel qui lui serait destiné.

- Tu n'as rien à craindre. Viens, discutons un peu.

Elle lui obéit sans vraiment réfléchir et s'assit sur la simple chaise en bois qu'il lui présenta. Le vieil homme ferma les yeux et son corps se nimba d'une lumière douce, qui envahit toute la zone.

La petite fille aurait dû paniquer, mais elle se sentait étrangement assez bien, même rassurée. La lumière était apaisante, comme un coussin moelleux dans lequel on voulait se lover.

- Je vois que ça n'a pas été facile d'arriver jusque-là. Un moment de répit va te faire le plus grand bien.
- Merci Lumio mais… je n'ai pas vu de panneau, en quoi consiste l'épreuve ?

Icy eut l'impression de parler avec du coton dans la bouche tellement les muscles de sa mâchoire semblaient difficiles à faire fonctionner.

- Ce n'est pas une épreuve. Chacun était libre de faire comme il voulait. Etant persuadé que les autres allaient vous mener la vie dure, j'ai décidé que mon épreuve ne consisterait qu'à répondre à une question. Es-tu d'accord pour que je te la pose ?
- Allez-y ! Je préfère de loin ça à une autre atrocité des horribles membres du Conseil, vous êtes le seul qui avez toujours été gentil avec nous, à l'exception de Braise, mais son épreuve était juste horrible.

Pourquoi avait-elle dit ça !? C'est comme si son esprit parlait sans lui demander sa permission. C'était très déstabilisant.

- Pourquoi veux-tu devenir une Wizards ?

- Au début c'était juste pour embêter mon père (non, mais tais-toi !), faites ceci, faites cela, « et que vous n'êtes pas assez grandes pour connaitre notre secret, et que les Wizards sont mieux que nous ! » (saute de cette chaise vite ! imbécile de cerveau FERME-LA !), rien que pour lui prouver qu'il avait tort c'était une bonne chose.

Elle se tut et baissa les yeux. Honteuse de dévoiler au monde ses motivations. Mais son cerveau semblait ne pas en avoir fini avec l'humiliation :

- Et puis ma sœur m'a expliqué pourquoi elle voulait devenir une Wizards. Elle est persuadée qu'elle a eu Arthur pour faire le bien. Elle veut aider papa à protéger le monde… j'ai eu honte de vouloir devenir une Wizards pour contrarier ma famille et j'ai pensé à me retirer. Mais au fond de moi, je pense qu'Hadès a raison. Nos pouvoirs sont là pour une bonne raison. La magie est revenue dans notre monde pour une bonne raison, se dit-elle à elle-même. Et moi je veux que ce soit pour faire le bien.

La lumière disparut d'un coup. Comme si elle n'avait jamais existé. Icy était un peu perdue, était-ce réel ? Avait-elle vraiment eu cette discussion avec le vieil homme ? Le sourire qui s'étendait sur son visage lui confirma que oui. Elle y vit aussi de la satisfaction, voir même, de la fierté.

- Tu peux y aller. Et souviens-toi, mentir est une chose. Se mentir à soi-même, c'est le début du mal absolu.

Elle ne dit rien et se jeta dans les bras du mage de lumière. Puis sans un mot, après ce moment de douceur dont elle avait eu besoin, elle se dirigea au pas de course vers la forêt.

Son énergie était à son maximum, ce qui étonna la petite fille car ce n'est pas avec une sieste d'une heure qu'elle aurait pu arriver à un tel résultat. « Certainement Lumio, son sortilège devait m'empêcher de mentir, mais aussi me rendre des forces ! » Elle bénit le vieil homme intérieurement et continua sa course jusqu'à une falaise donnant sur un nouveau morceau de forêt en contrebas. Un petit panneau était planté dans le sol, attendant d'être lu. Icy se plaça devant et le lut à haute voix :

- Le grand saut t'apportera la connaissance.

« Donc je dois juste sauter ? » se dit la petite fille en panique. Elle se dirigea vers le bord de la falaise et attendit. « Faut que je saute… d'une falaise… sans rire ».

Elle recula pour prendre son élan, tremblante de peur. « Allez, tu veux devenir une Wizards. Ils font tout ça dans les films et ça se passe toujours très bien ».

Sans qu'elle le sache, le public retenait son souffle. L'académie avait beau eu faire un communiqué pour avertir qu'il n'y aurait aucun trucage et que les candidats ne

seraient pas au courant de la nature des épreuves, certains doutaient, tellement cela semblait incroyable.
Icy ferma les yeux pour se calmer et réfléchit un moment. «Dans le pire des cas, je vais m'écraser au sol. Mais ils auront forcement prévu quelque chose au cas où ça se passe mal, ils ne vont pas tuer une petite fille en direct à la télé ! »
Elle souffla l'intégralité de l'air qu'elle avait dans les poumons et s'élança. Voir le bord de la falaise se rapprocher la terrorisa et elle dut rassembler tout son courage pour ne pas stopper au dernier moment.
Elle accomplit un magnifique saut, geste appris à l'athlétisme, qui lui apporta une grande satisfaction, jusqu'à la chute. Elle tomba sur plus de vingt mètres avant qu'un courant d'air ne la fasse « léviter ». Assise dans le vide, Icy contempla l'œuvre des mages du vent. Son petit corps remontait doucement en altitude pour son plus grand bonheur.

- Whaouuuuuuuu ! hurla-t-elle à la nature qui se présentait à elle.

L'instant était grandiose à ses yeux. Elle s'étendit de tout son long et plana un peu, se sentant comme une jeune hirondelle au début du printemps.
Quelque chose se plaqua sur son visage. Elle l'arracha de ses petites mains pour découvrir une feuille de papier avec une simple phrase écrite dessus : « Tu as acquis la connaissance : ne jamais faire confiance à ton ennemi ».
« Trop bizarre comme papier, qu'est-ce que ça veut dire ? » pensa-t-elle alors que ses sens l'interpellèrent sur autre chose. Tout était d'un coup très calme. Elle n'avait plus ce bourdonnement dans les oreilles, cet énorme bruit de ventilateur. Le vent s'en était allé, la laissant seule, avec comme seule compagnie : le vide.
La chute eut au moins l'avantage de la faire réagir. Réalisant ce qui lui arrivait, elle fit ce que n'importe qui aurait fait : elle paniqua. Hurlant autant d'injures que son vocabulaire le lui permettait, elle se ressaisit pour analyser la situation. Dans moins de trente secondes, elle allait s'écraser au sol ou elle serait sauvée par le Conseil, en d'autres termes, elle aurait perdu.
Elle se concentra, canalisant grâce à l'énergie retrouvée une quantité colossale de magie et visualisa son éventuel point d'atterrissage. Utilisant un sort du deuxième cercle, elle fit apparaitre en l'air, à quelques mètres du sol une énorme quantité d'eau, comparable à une petite piscine.
Sa vitesse de chute lui indiqua que l'impact n'allait pas être sans effet sur elle et son corps se positionna instinctivement en boule, prêt à recevoir le choc.

Elle eut l'impression de tomber sur un tas de planches de bois tant la douleur fut intense. Puis elle se sentit couler. Elle avait tellement mal partout qu'elle ne réalisa pas lorsque son corps atteignit le fond de sa création.

- Non ! cria-t-elle lorsqu'elle se sentit tomber à nouveau.

Même si cette chute ne fut que de quelques mètres, le choc à l'atterrissage lui arracha un cri de douleur. Son épaule heurta une pierre et elle sentit comme un craquement résonner dans tout son corps.

Elle resta là un moment, à gémir, le souffle coupé. Lorsqu'elle voulut se relever, elle eut la désagréable surprise de constater que son bras gauche pendait à son côté, inerte. La douleur restait supportable, mais elle avait beau essayer de le lever, rien ne se produisait.

« Une épreuve ! Il t'en reste plus qu'une ma grande, ne flanche pas ! » Elle enleva son teeshirt et se retrouva juste avec une brassière sur la partie supérieure de son corps. Elle attacha son bras en bandoulière, ce qui lui arracha un autre cri et partit droit devant elle.

Plusieurs minutes se passèrent sans que rien ne se passe, si ce n'est la douleur qui devenait de plus en plus insupportable.

Elle fut surprise de trouver une petite cabane en bois, isolée de tout. Il y avait bien évidemment un petit panneau accroché à côté de la porte d'entrée.

- Enfin ! Qu'on en finisse, cria la petite fille en espérant que les membres du Conseil allaient l'entendre.

Elle se pencha et lut la pancarte : « A l'intérieur, utiliser la magie t'est interdit. Sais-tu garder un secret ? »

Elle s'appuya contre la cabane pour reprendre son souffle. Son corps, par des décharges électriques de plus en plus fortes, lui indiquait qu'il n'allait pas supporter le traitement encore bien longtemps.

- Allez, finissons-en.

Rassemblant son courage, elle saisit la poignée de la porte pour l'ouvrir, puis se ravisa.

- A chaque fois, j'y vais non préparée et je finis avec une blessure supplémentaire. Cette fois, je ne vais pas me faire avoir. Vu que je n'ai pas le droit d'utiliser la magie à l'intérieur de la cabane…

Elle se concentra et s'équipa d'une armure de glace aussi solide qu'elle put. Une fois seulement après avoir vérifié l'efficacité de son sort, elle attrapa la poignée pour tirer dessus et ouvrit la porte.

La cabane était simple : une seule pièce avec un siège en plein milieu. Un homme, que la petite fille avait déjà vu, se tenait contre un mur : Zinc.

- J'ai cru que personne n'y arriverait. Bravo, tu es la première. Par contre jeune fille, ici, tu n'as pas le droit d'utiliser la magie.
- Il est marqué dehors : à l'intérieur de la cabane, je n'ai pas le droit d'utiliser la magie. J'ai lancé ce sort à l'extérieur de la cabane.

Le chef des Corporem réfléchit. Il dut se dire que la petite fille avait raison car il lui désigna le fauteuil de la main.

- Assieds-toi.

Elle obéit sans rien dire, se demandant bien ce qui allait se passer par la suite.

- Moi, contrairement aux autres, je sais que tu vas avoir une grande responsabilité. Mais assumeras-tu ton choix ?

Il lui attacha les mains et les pieds au fauteuil tout en parlant, ce qui paniqua la jeune fille qui ne s'attendait pas à cela.

- Quel est ton secret pour lancer les sorts ?

L'incompréhension put clairement se lire sur les traits du visage de la petite fille. « Comment sait-il ? Oh non, personne ne doit savoir ! »

- Je ne sais pas, chuchota timidement la petite fille.

Une gifle cuisante lui arracha un cri. Elle réalisa que c'était plus un cri de terreur qu'autre chose, son armure de givre ayant amorti une grande partie du choc.

- Non, mais ça ne va pas !

Une deuxième, encore plus forte, claqua sa deuxième joue, la laissant sans voix.

- Comment fais-tu ?! Wizards ! Quel est ton secret ?!

Zinc lui hurla dessus, laissant échapper de la bave au passage. Ses muscles grossirent à vue d'œil, laissant présager une future correction bien au-dessus de la précédente. Icy réfléchit un moment. Zinc la traitait déjà comme une Wizards et elle repensa à ses premières paroles : « assumeras-tu ton choix ». Puis elle repensa à la morale des autres Wizards sur la responsabilité de leur secret ou encore à la convoitise qu'il représentait pour certaines personnes. « Il faut garder le secret », comprit-elle, fière d'elle.

Elle leva les yeux vers son geôlier et repensa à une scène qu'elle avait vue dans un film avec ses parents. Le langage de l'acteur principal n'avait vraiment pas été correct, mais elle l'avait trouvé exceptionnel. L'homme avait été torturé avec de l'électricité et son bourreau lui avait coupé des doigts. Mais jamais il n'avait parlé.

Son regard se fit plus dur et Zinc recula d'un pas, sentant une énergie nouvelle affluer dans le corps de la petite fille. Au moindre signe de magie, il pourrait la disqualifier.

- Va chier connard !

Le visage du Corporem se décomposa. « J'ai pas dû le dire avec la bonne intonation, zut ! » se dit la petite fille un peu déçue. « A tous les coups, maman va me gronder pour avoir parlé comme ça et ça ne m'aura même pas aidé ».

Un rire tonitruant la sortit de ses réflexions. Zinc était désormais en pleine crise. Il s'approcha d'elle et la détacha, des larmes plein les yeux.

- Va chier connard ? Sérieusement ? Une gamine de douze ans vient de me dire ça !

Il semblait ne pas y croire, mais avait un franc sourire sur le visage.

- Bravo ma grande, tu m'as convaincu. Félicitation, tu viens de passer la dernière épreuve.

La petite fille se leva du siège, sans y croire. Son armure magique se désagrégea pour révéler son corps dans son intégralité, faisant pâlir le Corporem. Des larmes affluèrent sur ses joues et malgré toute sa volonté d'être heureuse, seuls des sanglots arrivèrent au bord de ses lèvres.

- Je veux... ma maman...

Zinc, horrifié par ce qu'il contemplait, se jeta sur la petite fille avant que cette dernière, évanouie, ne tombe sur le sol.

Hadès était sur son lit, angoissée. Les autres participantes la regardaient de temps à autre du coin de l'œil. Arthur était assis par terre et angoissait aussi. Lui ne savait pas pourquoi, mais si sa maitresse angoissait, c'est qu'il y avait une bonne raison !

Tout le monde tourna la tête vers Freya lorsque cette dernière franchit l'entrée de la tente, le visage blême. Personne n'osa parler, laissant la petite fille réaliser que l'épreuve était finie. « Deux heures trente, ça n'a jamais été aussi long », se dit-elle pour se donner espoir.

La démoniste se dirigea vers elle, l'air hautain. Elle se planta devant la fille de Killian avant de lâcher d'un seul trait :

- Ta sœur a réussi. Elle est la première.

Toutes les candidates, à la grande surprise d'Hadès, hurlèrent leur joie en même temps. C'était un cri qui venait du fond du cœur, porté par l'espoir et la fierté. Alors

qu'elles ne les connaissaient pas, toutes vinrent l'embrasser et la prendre dans leurs bras. Elle qui n'avait jamais vraiment aimé le contact avec les gens, apprécia ce moment. Elle se sentit acceptée et comprise. Personne ne lui avait parlé pour respecter son angoisse, mais toutes la soutenaient silencieusement.
Ce qui se passa ensuite laissa la petite fille sans voix. Toutes les concurrentes restantes se dirigèrent vers la porte de la tente, s'arrêtant juste avant de sortir et crièrent d'une seule voix en direction de celle des hommes :

- Un à zéro !

Puis elles éclatèrent de rire toutes ensemble.

Chapitre 15

- Bravo ma grande !

Killian tourna la tête, se demandant ce qui pouvait mettre autant en joie Ambre. En pleine discussion avec les amis d'Aguaciero tout juste rentrés, le maitre des runes s'efforçait de mettre en place un plan d'action pendant que son amie, quant à elle, suivait la « fameuse » compétition mise en place par l'académie de magie. La décision de diffuser les épreuves ne l'avait pas spécialement emballé, mais à priori, c'était bon pour l'image des magiciens. Quoi qu'il en soit, une candidate devait avoir les faveurs de la mage de feu pour que celle-ci montre autant de joie devant son écran de télévision.

- Bon, où en étions-nous ? continua-t-il en regardant le plan de la ville.

Les deux Corporem, Rage et Pequeno Dragao (qui voulait dire petit dragon) que tout le monde appelait couramment Pequeno, montraient à Killian l'emplacement d'un endroit bien particulier en plein cœur de la ville.

- Qu'est-ce qu'il y a là-bas ?
- Le club « Lua chela ». C'est une boite de nuit réservée aux mages. La rumeur raconte que son propriétaire a découvert des secrets sur la pyramide.

Rage était celui qui venait de parler. C'était un Corporem de bonne taille, bel homme et d'une nature sanguine. Son petit frère, Pequeno, était en retrait.

- Je dois moi aussi y aller pour notre mission. Pourquoi ne m'accompagneriez-vous pas ce soir ?
- C'est une bonne idée, je commence à ne plus supporter d'être enfermé dans cet appartement.

Ambre venait de se joindre à la conversation. Elle était celle des deux Wizards qui avait le plus mal vécu l'attente du retour des deux frères.
Killian regarda la jeune femme. Appuyée contre le mur, elle arborait un sourire aguicheur ayant pour but d'encourager le chef des Wizards à accepter la proposition de leurs hôtes.

- Alors une candidate te plait finalement ? J'ai donc loupé la première à réussir les épreuves ?
- En effet, répondit la jeune femme avec un regard énigmatique.

Killian ne se formalisa pas de l'air de la jeune femme et reporta son attention sur les paroles de Rage.

- Très bien, nous t'accompagnerons ce soir.

La file d'attente pour entrer dans le club impressionna le maitre des runes. La ville de Merida, avec ses sept cent mille habitants était devenue la « capitale » de la magie au Mexique. Le maire, qui se voyait comme un visionnaire, avait autorisé la création d'infrastructures dédiées aux mages et à leurs familles, comme des écoles ou des centres médicaux.
Cette politique conduisait naturellement les mages un peu fortunés à créer des commerces réservés exclusivement aux lanceurs de sorts. C'est ainsi que Juan Delgado avait créé la discothèque de la Lua Cheia. Ce lieu devint rapidement le plus fréquenté de la ville pour deux raisons : on pouvait y faire la fête comme nulle part ailleurs, mais aussi marchander ses services auprès des courtiers en magie. Ces derniers étaient les seuls « non mages » tolérés à la Lua Cheia. Cette autorisation leur venait de leur fonction : ils étaient là pour embaucher des mages pour des « jobs » bien précis. Souvent malhonnêtes, ces petits boulots payaient bien et ces derniers, comme tout le monde, avaient besoin de travail.
Les trois videurs regardèrent les Wizards d'un mauvais œil, se demandant pourquoi le maitre des runes portait un tel attirail.

- Mon gars, tu ne peux pas rentrer comme ça. Va falloir que tu me donnes cette épée, dit le plus grand des trois.
- Ils sont avec moi, répondit Rage. Tu devrais les laisser entrer. C'est l'Enchanteur et elle c'est Ambre de l'académie de France.

Voyant l'incompréhension sur le visage de son interlocuteur, le Corporem n'eut pas d'autre choix que d'être plus explicite.

- Ce sont les Wizards, abruti !

L'homme écarquilla les yeux et reporta son attention sur Killian. Ce dernier, gêné par la situation, n'osa rien dire. Il aurait préféré que son entrée se fasse plus discrètement, tout en sachant que son équipement rendait la tâche quasiment impossible.

Un murmure d'étonnement parcourut la file d'attente et il vit plusieurs mages le prendre en photo. Dans quelques minutes, l'information serait sur les réseaux sociaux et tout le monde serait au courant qu'il se trouvait à Merida.

- Nous venons voir Mr Delgado, dit le moins fort possible le maitre des runes. Nous venons pour affaire, pas pour faire la fête.

Les trois hommes se jetèrent un coup d'œil et l'un d'eux partit à l'intérieur. Ils ne patientèrent que peu de temps avant de le voir revenir, accompagné d'une femme. Cette dernière dévisagea les deux Wizards avec admiration.

- C'est un honneur de recevoir deux membres des Wizards au Lua Cheia. Mr Delgado va vous recevoir, suivez-moi.

Ils suivirent leur guide à l'intérieur sans dire un mot. Le club était particulièrement beau. Les grandes colonnes de pierre ainsi que l'ambiance « jungle » laissaient supposer qu'un mage de la terre était à l'origine de la décoration.

Ambre se pencha et put voir que l'intégralité du sol n'était en fait que de la terre. Le lieu était tout simplement féerique. Des arbres de toutes sortes s'élevaient sur plusieurs mètres, créant des coins et des recoins sur différents niveaux. Des alcôves munies de tabourets et de tables en pierre étaient disposés un peu partout, laissant imaginer que vous buviez un verre au milieu d'une tribu indienne fan de techno.

La boite de nuit était bondée. Ils durent se frayer un chemin au milieu d'une nuée de gens. Certains dansaient, d'autres flirtaient. A première vue, on aurait dit un club des plus banals. Mais lorsqu'une fille passa à côté de lui avec une fée sur une épaule, Killian observa avec plus d'attention les personnes présentes. La magie était présente partout. Un barman ainsi que son démon servaient au comptoir, les serveuses n'étaient que des mages du vent, virevoltant au-dessus de la piste pour apporter les différentes boissons et tout le monde pouvait faire de la magie sans se refreiner.

- Alors tu viens ?

Son guide s'impatienta devant l'air bête du maitre des runes.

- Vous n'avez pas peur d'un mauvais retour de sort au milieu de tout ça ?

Elle haussa les épaules, comme si elle ne voyait pas où pouvait bien être le problème. C'est devant un grand arbre qu'elle écarta deux grandes branches de bananier pour entrer à l'intérieur du tronc.

L'alcôve, éloignée de la piste principale, était plus calme que le reste de la boite de nuit. Une table en pierre noire trônait au centre, entourée par deux banquettes en bois sculpté.

Deux hommes semblaient discuter affaire mais stoppèrent immédiatement leur activité lorsque les quatre personnes entrèrent dans la pièce.

L'un d'eux, un homme de grande taille avec un grand imperméable rouge et un chapeau de cowboy noir se leva pour serrer la main de son interlocuteur avant de quitter la pièce assez précipitamment.

L'homme restant était le cliché parfait du mafieux mexicain dans toute sa splendeur. La cinquantaine, Juan Delgado était un véritable homme d'affaire. Toujours bel homme, il avait une chemise colorée ouverte jusqu'au milieu de son torse et portait des lunettes de soleil. Son jean et ses chaussures pointues en cuir étaient accompagnés d'une belle grosse chaine en or, rendant l'affiche presque comique.

- Alors c'est vrai ! L'enchanteur en personne est ici. J'espère que ce n'est pas pour faire des histoires, je plaide coupable de toute façon !

L'homme leva les mains au ciel tout en s'esclaffant. Il semblait autant effrayé qu'un chat face à une souris, ce qui ne l'empêcha pas de détailler de la tête aux pieds l'équipement du maitre des runes.

- Asseyez-vous donc ! Vous êtes mes invités ! Rage, quel plaisir de te revoir et en si charmante compagnie.
- Merci Mr Delgado. Ils sont ici pour une affaire importante et ils doivent se rendre…
- Ça ira Rage, merci.

Ambre venait de clouer le bec au jeune homme tout en lui faisant les gros yeux. Le message était clair, on prend la suite et c'est nous qui déciderons si oui ou non il faut en dire plus.

- Et vous êtes ma chère ?
- Ambre.

Le patron de la boite de nuit regarda la jeune fille de derrière ses lunettes de soleil, mais personne ne fut dupe. Même si les courbes de la jeune femme auraient réveillé un mort, c'était bel et bien l'armure de la mage de feu qui était « reluquée » avec avidité.

- La mage de feu. C'est un honneur de vous recevoir ici. Néanmoins, si vous désirez que je vous aide, il va bien falloir me parler de votre problème.
- Rage, répondit Killian. Tu peux nous attendre dehors, pas trop loin ?
- OK.

Le jeune homme sortit sans faire de réflexion. Sentant une discussion plus compliquée que prévu, Killian préférait épargner au Corporem un éventuel combat. Les deux Wizards s'installèrent dans les banquettes et se servirent chacun une bière qui trônait dans la vasque au centre de la table.

- Je ne vais pas y aller par quatre chemins Mr Delgado. Nous avons besoin de renseignements sur la pyramide des mayas, dans l'ancienne cité de Chichen Itza. Nous pensons qu'elle a, ou avait, des capacités magiques. Rage nous a dit que vous aviez peut-être des connaissances sur le sujet et je me demandais si vous seriez d'accord pour les partager avec nous.

L'homme les regarda un moment puis se mit à rire.

- Mais bien sûr mon ami. Mais dans la vie tout a un prix. J'ai bel et bien quelque chose pour vous, mais vous, qu'avez-vous pour moi ?
- Si c'est de l'argent, commença Ambre.

Il rit à nouveau

- De l'argent ? J'ai bien plus d'argent que nécessaire pour être heureux. Par contre, ça, je n'en ai pas un seul.

Il venait de pointer du doigt l'armure de la jeune fille.

- Vous désirez une armure ? s'étonna Killian.
- Non, rien d'aussi voyant.

Il sortit de son pantalon un neuf millimètres et le posa sur la table.

- Je suis certain que vous réussirez à faire quelque chose avec ça.

Les deux Wizards fixèrent l'arme avec indifférence. Ils n'étaient pas venus ici pour perdre du temps à marchander. « Cet homme n'est apparemment pas au courant de la raison de notre présence sur le sol mexicain », se dit le maitre des runes.

- En effet, je n'en connais pas la raison, mais qui vous dit qu'elle m'intéresse ?
- Donc vous êtes un Mentalus, répondit le maitre des runes exaspéré. Alors vous allez m'écouter attentivement. Peu importe le fonctionnement de votre « institution », nous sommes ici pour une raison qui vous dépasse et qui concerne tous les mages de cette planète.

L'homme enleva ses lunettes et les posa délicatement sur la table en pierre noire qui se trouvait devant lui.

- C'est vous qui ne comprenez pas. Ici, vous demandez quelque chose, il faut payer en retour. J'ai fixé mon prix, soit vous êtes d'accord, soit vous ne l'êtes pas.
- Je m'en occupe ? demanda Ambre sans ciller au maitre des runes.
- Non laisse, je m'en occupe.

Killian prit en main l'arme à feu de Mr Delgado et se concentra. Il désassembla le neuf millimètres, pièce par pièce, pour les faire tomber au sol. Puis il diffusa son esprit partout dans le club.

Dans un premier temps, la musique s'arrêta, ce qui déstabilisa son interlocuteur qui s'enfonça dans son siège. Puis tout le monde entendit des objets tomber au sol. Le maitre des runes venait de désassembler toutes les armes à feu et de tordre toutes les armes blanches qui se trouvaient dans la boite de nuit. Pour finir, un craquement sinistre vint du plafond, tenu uniquement par de grosses poutres en métal.

Killian prit son épée en main et Fangore apparut en sautant à côté de Mr Delgado, le faisant sursauter.

- Alors voilà mon marché. Je ne réduis pas votre discothèque en charpie…
- Ou en cendres, compléta Ambre.
- Et vous, vous me dites ce que vous savez sur la pyramide des mayas. Qu'en pensez-vous ?

Un nouveau craquement sonore se fit entendre et un projecteur tomba au sol, provoquant la panique générale. Ils entendirent les gens hurler et se diriger vers la sortie en courant.

- OK, implora l'homme les mains en avant. Enlevez cette chose de là, par pitié et laissez mon établissement tranquille.
- Bien, Fangore, viens ici ma belle.

Le petit dragon se plaça à côté de son maitre. On pouvait lire un petit sourire en coin, signe qu'elle s'était beaucoup amusée.

- J'attends…
- La pyramide des mayas, commença l'homme en tremblant, est un ancien objet magique. Personne n'a réussi à savoir à quoi elle servait. Par contre, on sait quand est-ce qu'elle s'active : il faut que la pleine lune frappe de ses rayons la pyramide et quelque chose se passe, certains signes s'illuminent, un peu comme votre armure. C'est pour cette raison que j'ai appelé mon club comme ça.

Killian et Ambre se levèrent en silence. L'information était de taille et le maitre des runes s'en voulut d'avoir traité cet homme de cette façon, même si ça ne devait pas être un saint.

- Nous allons passer un deuxième marché vous et moi.

Killian leva une main et une barre de métal se détacha du plafond pour venir jusqu'à eux sous les yeux ébahis de son interlocuteur. Le bout de fer se modifia pour prendre la forme d'une canne avec une tête de dragon en guise de pommeau. Une rune du premier cercle, représentant le bouclier de Killian, apparut dessus. Une fois l'œuvre finie, il la tendit à Mr Delgado.

- Je vous offre ceci, en échange de votre silence absolu sur l'objet de notre entretien et contre votre parole de ne jamais révéler cette information à qui que ce soit d'autre.

L'homme resta perplexe. Ne sachant pas si c'était un piège ou non.

- Vous pouvez avoir confiance, enchaina Ambre. Contrairement à vous, nous sommes des gens de parole. Nous ne cherchons qu'à aider les mages, un peu comme vous, non ?

Le propriétaire se saisit de la canne et contempla la rune qu'il avait sous ses yeux.

- Quoi que vous en pensiez, j'ai toujours œuvré pour les mages. Rage serait le premier à vous le dire.
- Nous n'avons juste pas la même façon de faire, répondit Killian.
- Ah bon ? Pourtant, de ce que nous en savons, votre train de vie a bien changé depuis que vous avez fait plier la communauté européenne et votre académie de magie est sensiblement plus luxueuse que les autres à travers le monde. C'est facile de juger les autres quand on ne sait pas par quoi ils sont passés.

Le maitre des runes ne répondit pas, sachant que l'homme n'avait pas totalement tort. Ce qu'il avait vu de l'académie de Caracas en était la preuve. Lui vivait comme tous les mages de son académie, dans un certain confort.

Au moment de partir, il se retourna une dernière fois pour faire face à l'homme qui continuait de contempler son nouveau jouet sans leur prêter attention.

- Avez-vous déjà parlé de la pyramide à quelqu'un ?
- Non, pas dernièrement du moins. C'est une découverte que j'ai faite il y a un moment par le plus grand des hasards. Dois-je m'attendre à la visite d'un « ami » à vous ?
- Possible, j'aimerais être au courant si c'est le cas. Cette canne est en fait un cadeau pour vous protéger de lui.

L'homme activa la rune et vit le bouclier se former devant lui. Ses yeux s'illuminèrent devant le spectacle.

- Vous êtes un honnête homme, enchanteur. Cet objet vaut une fortune.
- Gardez-le précieusement, je ne vous en ferai pas d'autre, et par pitié, appelez-moi Killian.

Rage les vit sortir sans une égratignure de la boite de nuit et souffla de soulagement.

- Mais qu'est-ce que vous avez fait ?
- Mais rien du tout, répondit Ambre en souriant. On a juste discutés de manière civilisée.
- On a eu ce que nous étions venus chercher. Croyez-moi, Mr Delgado ne vous en voudra pas. Il a largement été rétribué.

Le jeune Corporem parut sceptique, mais ne répondit rien.

- Et maintenant, que faisons-nous ?

Killian, qui était sur son téléphone portable, eut l'air déprimé lorsqu'il trouva l'information qu'il recherchait.

- On attend dix-huit jours.
- Pourquoi dix-huit jours ?
- C'est la date de la prochaine pleine lune.

Chapitre 16

Icy se réveilla dans son lit. Les souvenirs revinrent petit à petit dans son esprit jusqu'à la confrontation avec le chef des Corporem.
Elle se redressa sur son lit et s'étira.

- Aïe !

Son épaule lui rappela que la chute du haut de la falaise n'était pas qu'un simple rêve. Elle posa ses pieds sur le sol et prit la décision de se lever, malgré un immense sentiment de fatigue. Elle emprunta le couloir donnant sur les chambres pour se diriger vers les escaliers. Sa mère, guettant le moindre bruit, sortit elle aussi de sa chambre pour aller à la rencontre de sa fille chérie.

- Mon amour ! cria-t-elle en se jetant sur elle, pour le plus grand malheur de la petite fille et de ses courbatures. Comment vas-tu ? Tu as dormi plusieurs jours ! Tu étais épuisée, blessée… oh mon cœur j'ai eu si peur !

La petite fille aurait bien voulu répondre, mais sa cage thoracique était tellement compressée par les bras de sa mère qu'aucun son ne put sortir de sa bouche.

- Tu me fais mal maman, mais moi aussi je suis contente de te revoir.

Elles restèrent un moment comme ça, avant qu'Axelle relâche la pression.

- Tu dois avoir faim ?
- Grave ! Je descendais justement me faire un bol de céréales.
- Viens, on va s'occuper de ton estomac.

Axelle prépara bien plus qu'un bol de céréales à sa fille. Dévorant son omelette comme une ogresse, Icy commençait à avoir les idées plus claires. Laurana se joignit à elles et eut le droit aussi de grignoter quelque chose, malgré l'heure avancée de la matinée.

- Comment va Hadès ? réussit à dire la petite fille entre deux bouchées.

- Je n'aime pas ce nom, répondit sa mère désespérée. Mais elle va bien. A priori les autres filles sont très gentilles avec elle. J'ai des nouvelles par Terra.

Icy sembla rassurée et une autre question lui brûla immédiatement les lèvres :

- Y a-t-il eu une autre personne qui a réussi pour le moment ?
- Non personne, lui répondit sa mère. Tu es la seule. Cela fait maintenant trois jours que tu dormais. Lumio nous a dit que c'était ton esprit qui était épuisé.
- Les épreuves étaient vraiment dures, j'ai peur pour Hadès. Elle est plus fragile que moi.
- C'est vrai, mais n'oublie pas Arthur, elle ne sera pas seule.

Les jours passèrent, livrant son lot de défaites successives. Aucun participant ne semblait en mesure de passer l'ensemble des épreuves et la critique allait bon train. Certains médias, principalement ceux qui n'avaient pas eu les droits de diffusion et qui étaient justement ceux qui s'étaient fait jeter de l'académie de magie, faisaient courir la rumeur que la compétition n'était qu'une imposture et que tout avait été préparé d'avance.

Par chance, l'opinion ne se rangea pas à cet avis, et principalement grâce à la petite Icy qui avait accordé une interview exclusive à Sonia, cette dernière avait vu le nombre d'abonnés de son blog multiplié par cent mille en quelques jours.

C'est au vingtième jour de la compétition qu'un candidat passa sa sixième épreuve avec succès, finissant dans un état aussi déplorable que la mage de glace. Cette dernière, ainsi que sa mère, se dirigèrent vers l'ancienne usine désaffectée pour rendre visite le lendemain à l'heureux vainqueur.

Braise était couché dans son lit, Lumio à ses côtés sur une chaise, lorsqu'elles entrèrent dans ses appartements.

- Alors le voilà, celui qui ne lâche jamais rien ! s'écria Icy en rigolant.
- Tiens donc, une visite de courtoisie d'un futur adversaire ! lui répondit-il avec un sourire non dissimulé.
- Bonjour Braise, bonjour Lumio, enchaina la mère de famille, désespérée par le comportement des « deux » gamins.
- Bonjour Axelle, comment allez-vous ?
- Bien, même si j'angoisse un peu pour mon autre fille.
- Tout va bien se passer, lui répondit-il avec un sourire compatissant.

La femme de Killian reporta son attention sur Braise. Même après vingt-quatre heures, il semblait encore épuisé. Les traits tirés, le mage de feu voulait faire bonne figure, mais elle en était certaine : il s'en souviendrait toute sa vie.

- Vous ne pensez pas parfois y être allé un peu fort ?
- Non, répondit Icy. Ils ont eu raison.

La petite fille avait perdu son sourire et regarda le plus vieux membre du Conseil avec un air bizarre, presque comme si elle avait eu honte.

- Devenir une Wizards, c'est accepter de lourdes responsabilités. C'est un engagement envers tous les mages de cette planète.

Lumio sembla lui rendre son regard, mais il était rempli de fierté.

- C'est quelle épreuve que tu as trouvé la plus difficile ? demanda Axelle pour changer de sujet.
- C'est celle de cette satané Mystral. Pas sympa la chute.
- Pareil, répondit la petite fille en massant son épaule encore douloureuse. Elle était fourbe celle-là.
- Je me demande bien comment ta sœur va réussir à la passer ? demanda Braise.
- Je ne sais pas, répondit la jeune fille. Je ne sais pas.

Le temps continua de passer sans offrir au monde un ou plusieurs nouveaux potentiels Wizards. Le jour fatidique arriva et ils furent nombreux à se rejoindre dans le loft pour regarder Hadès passer les épreuves. Trois membres du Conseil étaient là : Terra, Neuro et Braise. Il y avait bien évidement la mère et les deux sœurs de la jeune fille ainsi que Lux.

- Tu te rends compte que si ta sœur ne réussit pas à passer les épreuves, on n'aura même pas à s'affronter ! Ça serait la meilleure nouvelle de la journée ! commença Braise sur un ton très jovial.

Le rouquin écopa d'une gifle cuisante sur son épaule de la part de Terra.

- Comment peux-tu souhaiter qu'elle échoue ?!
- Je souhaite simplement ne pas avoir à botter l'arrière train d'une des filles de Killian. Si elle réussit, mes chances d'y couper seront inexistantes.

Il adressa un sourire moqueur à Icy qui lui répondit en lui tirant la langue. Même si au fond d'elle, la perspective d'affronter Braise en duel ne l'enchantait guère.

- Ma fille va réussir, intervint Axelle en posant des biscuits apéritifs sur la table basse ainsi que des boissons. Elle est la fille de son père et je te prierai, mon cher Braise, de ne botter l'arrière train d'aucun de mes enfants…
- Je ne promets rien, répondit-il toujours en souriant.

Le générique de l'émission se lança, dévoilant le visage d'Hadès sur l'écran de télévision avec, comme pour chaque candidat, un mini reportage la concernant.

- Allez c'est parti, chuchota Axelle les mains jointes devant elle.

En effet, les premières images montrant la fillette leur parvinrent. Cette dernière se trouvait aux abords de la clairière dans laquelle se trouvait la première épreuve.
Icy avait le cœur serré, sachant ce que sa sœur devait vivre en ce moment. Seul Braise lui jeta un petit coup d'œil en signe de complicité.
Tout le monde put voir la petite fille lire le panneau de consignes et discuter avec son démon. Elle semblait mettre au point une tactique. C'est à ce moment-là qu'Axelle réalisa quelle tenue portait Arthur. Vêtu d'un short et d'un débardeur rose, la créature ne semblait pas souffrir du ridicule.

- Ta sœur et ses goûts vestimentaires, elle aura ma peau.

Hadès, pour l'occasion, avait mis une robe censée n'être utilisée que pour les fêtes de fin d'année. Faite d'un corset noir et d'une jupe en tulle, la robe lui donnait un air de petite diablesse sanguinaire.
Tout le monde attendait avec impatience le moment où la petite fille allait s'élancer vers le fameux fruit, afin de le transporter jusqu'au panier. Moment qui ne vint jamais… car ce fut Arthur qui s'avança. Personne n'avait jamais vu le démon courir, et pour cause : il ne savait pas comment faire. On aurait dit une marionnette désarticulée qui tentait tant bien que mal d'aller le plus rapidement possible.
Vêtu de son débardeur rose, l'imposant compagnon de la démoniste esquiva une première pierre tout en faisant la tête d'une jeune demoiselle en détresse, reproduisant les mimiques de sa maitresse.
Les personnes présentes dans le loft hésitèrent entre la peur et le fou rire, tant la scène devint rapidement effrayante et drôle à la fois.
Arthur réussit néanmoins à attraper le fruit et courut vers le panier, tout en étant percuté par des rochers qui semblèrent n'avoir aucun effet sur lui. Ce n'est qu'une fois l'objectif atteint que tout le monde réalisa la prouesse : il venait de réussir l'épreuve tout seul !
Hadès sautilla jusqu'à lui et le félicita.
« C'est bien mon grand je suis fière de toi !»

Tout le monde pouvait constater l'ampleur des dégâts. Arthur était couvert d'hématomes et son short était à moitié arraché.

- Une vraie démoniste cette petite, pensa à voix haute Neuro en regardant sa mère. On se demande bien de qui elle peut tenir ?

Axelle ne dit rien, mais leva les yeux au ciel, espérant passer inaperçue.
La deuxième épreuve fut, contrairement à Icy, celle de l'eau. Le but était de traverser une rivière souterraine qui se changeait régulièrement en glace. Hadès, qui ne désirait pas se mouiller, se transforma en sabre et laissa faire Arthur qui se débrouilla très bien tout seul. Il en fut de même pour l'épreuve du feu.
Lumio accueillit pour la quatrième épreuve une petite fille en parfaite santé et une robe impeccable. En comparaison, Arthur était dans un état lamentable. Son débardeur était en lambeau, ses pieds étaient brûlés et il saignait par un nombre incalculable de blessures de toutes sortes.
« Bonjour Lumio ! »
« Bonjour Hadès. Je vois que tout se passe bien pour toi. Par contre le pauvre Arthur est dans un triste état… »
« Il est trop protecteur ! J'arrête pas de lui dire. »
Le démon fit un grand sourire, ce qui montra que l'un de ses crocs était désormais manquant, en signe de satisfaction.
« C'est quoi l'épreuve ici ?»
« Tu dois juste t'asseoir ici et discuter avec moi ».

« Chouette ! Arthur, repose-toi un peu, je prends le relai ».

Le démon s'écroula au sol d'épuisement. Les trois épreuves qu'il venait de subir l'avaient littéralement épuisé. Le vieil homme se nimba de lumière, englobant aussi la petite fille pour la faire entrer dans son aura de vérité et de régénération. Il força un peu plus qu'auparavant pour incorporer le pauvre Arthur à son sortilège.

« Alors, pourquoi veux-tu devenir une Wizards »?

La petite fille parut déstabilisée par la question, comme si son esprit cherchait une échappatoire. Pour la première fois, Axelle contempla un regard sérieux sur le visage de son bébé.

« Pour éliminer, avec Artur, le mal. »

Le vieil homme aurait pu se satisfaire de cette réponse, mais l'intonation de la petite le fit frissonner.

« Éliminer ? Tu pourrais tuer ? »

« Moi non. Mais Arthur oui, il était un démon roi avant, il sait ce que c'est d'enlever la vie. Il le fera encore pour tuer tous ceux qui veulent nous faire du mal. On protègera ce monde, lui et moi ».

Le mage de lumière parut déstabilisé par la réponse et le sortilège fut levé. Il savait qu'en utilisant cette magie, il pouvait révéler la vraie nature des gens, mais aussi leur faire révéler des secrets que eux-mêmes ne pensaient pas connaitre.

« Qu'est-ce qui s'est passé ? Je me suis sentie toute bizarre. » dit la petite fille en regardant le vieil homme.

Arthur se releva et regarda son corps. La plupart de ses blessures avaient disparu et il se sentait en grande forme.

« Il est l'heure de continuer ton chemin, mais fais attention à toi quand même et ne sois pas trop dure avec ce pauvre Arthur. »

« OK, merci Lumio, c'était bien sympa cette petite pause, même si je n'ai rien compris. »

Les deux compagnons laissèrent le vieil homme seul avec ses pensées les plus sombres.

- Elle va bientôt attaquer l'épreuve du vent, dit Braise l'air inquiet. Je me demande bien comment elle va faire pour la réussir.

Il ne fallut pas longtemps à la petite fille pour se retrouver face à la falaise. Une fois la consigne lue, elle grimpa sur le dos d'Arthur et lui ordonna de sauter, ce qu'il fit sans hésiter. Bien évidemment, elle tomba dans le même piège que les autres candidats. Hadès, jamais en manque d'inspiration, se transforma une fois de plus. Cette fois-ci non pas en sabre, mais en une paire d'ailes ressemblant à des flammes noires qui s'accrochèrent au dos du démon.

La surprise était totale. C'est sans une égratignure que la créature atterrit souplement sur le sol, laissant sa maitresse reprendre forme humaine en toute tranquillité.

- Eh bien on peut dire qu'elle a de la ressource cette petite ! s'exclama Neuro en voyant avec quelle facilité elle avait passé les épreuves, sans même se décoiffer une mèche de cheveux.
- Je dois bien admettre qu'elle nous prend tous au dépourvu, répondit Lux. Même si Arthur a fait le plus gros du travail.
- Nous devrions nous rendre là-bas pour la dernière épreuve et l'accueillir. Mon petit doigt me dit que ça ne sera qu'une formalité, finit par dire Axelle.
- Tu n'as pas peur de la confrontation avec Zinc ? lui répondit Lux.

La mère de famille continuait de regarder l'écran de télévision comme si elle cherchait des réponses à des questions enfouies au fond d'elle.

- Je souhaite bien du courage à celui qui fera du mal à ma fille. Arthur est spécial. Je sais que c'est dans la nature de vos démons de protéger leur maitre. Mais lui…
- Ils ont un lien particulier.

Tout le monde se tourna vers Neuro. Ce dernier fixait la mère de famille avec ses petits yeux de rapace.

- C'est étonnant que vous ayez été capable de déceler cela.
- De quoi parles-tu ? demanda Braise. C'est comme n'importe quel démoniste ?
- Pas du tout. Arthur est différent. Par moment, il arrive à penser par lui-même et lorsque c'est le cas, c'est pour le bien-être de sa maitresse. Mais au-delà de ça, normalement, la magie d'un démoniste se situe dans son familier. Dans le cas d'Hadès, c'est elle qui utilise son corps pour augmenter les facultés de son démon. C'est très particulier, car cela la rend particulièrement puissante.
- Je ne comprends pas, intervint Icy.
- Vois-tu, la grande faiblesse chez un démoniste, c'est LE démoniste. Si tu arrives à le tuer, son démon meurt avec lui. Dans le cas de ta sœur, déjà que son démon semble particulièrement puissant, le fait qu'elle puisse fusionner avec Arthur la protège d'éventuelles attaques sur sa personne et renforce une créature déjà surprenante. Elle deviendra certainement une remarquable magicienne.

Un silence pesant s'installa. Le discours de Neuro était plein de sens, surtout quand on pouvait constater avec quelle facilité la petite fille avait passé les épreuves, là où Icy et Braise avaient mis plusieurs jours à s'en remettre.

Le groupe arriva juste à temps pour rejoindre les autres membres du Conseil et voir Hadès arriver en sautillant. L'image qu'elle offrait au monde dépassait l'entendement. Arthur marchait non loin d'elle, trainant Zinc inconscient par une jambe.

Que ce soit les membres du Conseil ou sa famille, personne n'osa parler devant le spectacle qui s'offrait à leurs yeux. Voyant un malaise s'installer, la petite fille décida de prendre les devants (après tout elle était déjà très fatiguée et c'était bientôt l'heure du goûter !).

- Ce n'est pas de ma faute ! Il a voulu me frapper alors que je n'avais encore rien dit ! Heureusement qu'Arthur était là.

L'intéressé leva son bras pour montrer sa victoire aux yeux de tous, levant le corps de Zinc comme un sac de pommes de terre. Ce fut Lumio qui tenta en premier une approche en douceur.

- Pourrais-tu lui dire de le lâcher maintenant ? C'était l'épreuve...
- Bah c'est débile comme épreuve, ça l'a mis en colère (elle se tourna vers son familier, l'air exaspéré). C'est bon, lâche-le !

Le démon exécuta l'ordre sans autre formalité et le corps de Zinc tomba lamentablement au sol. Hadès se précipita ensuite vers sa mère pour l'embrasser avec passion, ce qui rassura cette dernière qui ne voulut plus la lâcher.

- Bon, c'est foutu, je vais devoir en affronter au moins une des deux, dit Braise plein de désespoir.
- Oui, lui chuchota Terra. J'espère pour toi que tu ne tomberas pas sur elle, non, mais regarde, sa robe n'est même pas froissée.

La mage de la terre n'exagérait même pas. La jeune fille était réellement sortie intacte des épreuves. Seul son démon, qui n'avait quasiment plus de vêtement, un croc en moins et un nombre incalculable d'hématomes et de coupures, portait des traces de cette journée.

Il fallut attendre encore huit jours pour voir un nouveau candidat réussir toutes les épreuves prévues par le Conseil de l'académie. Le fameux Fujin, héros du japon, acheva le parcours « in extremis », laissant le public en haleine jusqu'à la fin.
Sans grande surprise, il fut le dernier à réussir, ce qui porta à quatre le nombre de personnes pouvant prétendre à intégrer les Wizards.
Un tirage au sort fut réalisé, en direct, quelques jours après le passage du dernier candidat. Le résultat donna grande satisfaction aux téléspectateurs puisque les deux filles de Killian, fortement plébiscitées par le public, n'allaient pas se combattre. Icy devait affronter le membre du Conseil Braise, tandis que sa sœur Hadès affronterait Fujin, mage tout puissant de l'académie du Japon.
Les deux combats se dérouleraient dans trente jours, un le matin et l'autre l'après-midi. Les peuples du monde entier étaient aux anges. Des centaines de millions

d'individus avaient fini par suivre la compétition et chacun avait ses favoris. Certains médias racontèrent que des plateformes spécialisées dans les paris en ligne avaient réussi à dépasser le milliard d'euros de mise sur les combats.
Ce temps de pause permit aux candidats de se préparer chacun dans son coin et à sa façon. Icy passa ses journées à la piscine des mages de l'eau, aidée par ses confrères et pour une raison inconnue, elle passa beaucoup de temps avec le maitre des Corporem, Zinc (une fois celui-ci remis de sa « discussion » avec Arthur).
Braise s'enferma aussi dans son usine dont les cheminées crachèrent de la fumée comme jamais auparavant.
Fujin, loin de chez lui, s'isola dans la forêt. Tout le monde put voir au loin les arbres s'agiter durant les semaines suivantes.
Il resta Hadès qui se concentra sur un point très important : son look. Sermonnée par sa mère sur sa tenue vestimentaire et surtout sur celle d'Arthur, elle décida d'en concevoir une qui marquerait les esprits.
Axelle et Lux eurent un peu de temps pour eux, Killian et les autres Wizards leur envoyant régulièrement des données sur la pyramide. Jouant de malchance, le maitre des runes leur avait expliqué par téléphone qu'il attendait un soir de pleine lune sans nuage, ce qui était compliqué à cette période de l'année au Mexique. Devant attendre trente jours pour un nouvel essai, ils étudiaient la pyramide et tous les symboles qu'ils pouvaient trouver dedans, espérant avoir des renseignements sur la position de la bibliothèque maya. Scarlett, en parallèle, faisait des comparaisons avec toutes les autres pyramides connues dans le monde et découvrit de fortes similitudes entre les différents édifices. Certains signes ne changeaient que très légèrement malgré les milliers de kilomètres qui les séparaient ou encore la façon de tailler les pierres qui, pour beaucoup d'archéologues, relevait de l'impossible pour certaines civilisations.
Scarlett analysait tout ça avec beaucoup de minutie, détaillant chaque rapport, note d'historien, légende pour trouver un maximum d'informations et en dénombra pas moins de quatre cents qui pouvaient être potentiellement des téléporteurs.
Ce travail monopolisa Axelle à plein temps pendant que Lux s'occupait des pourfendeurs d'Allah. Goliath aussi n'avançait pas beaucoup. Il en était à sa troisième planque, sans résultat. Le mage de lumière avait pris le parti, avec l'aide de Scarlett, de traquer cette secte sur le net, piratant le maximum de supports afin de trouver un lien entre eux et l'ordre du dernier divin, ce qui ne semblait pas gagné.
Trente jours plus tard, Axelle et Icy se tenaient dans l'entrée du loft et attendaient Hadès pour prendre la direction de la grande arène de l'académie.

L'ainée des trois filles portait une tenue pour être à l'aise. Un simple short noir et un débardeur. Une simple paire de baskets, confortable à souhait, lui suffisait à faire son bonheur.
Des bruits de pas résonnèrent dans l'escalier, signe qu'Arthur approchait, certainement suivi par sa maitresse. Cette dernière était habillée à la façon « gothique », avec un pantalon noir et une grosse paire de bottes. Elle ne portait, en haut, qu'un simple tee-shirt avec une grosse tête de mort rouge. Ses cheveux étaient attachés par un bandeau, révélant ainsi les traits fins de son visage, sans maquillage. La tenue était simple, mais éloquente : elle se présentait à eux comme une vraie petite démoniste.
Son démon était assorti à sa petite personne, avec un pantalon en cuir noir et des bottes de motard. Une chaine d'une trentaine de centimètres finissant par des cercles de menottes, tombait à chacun de ses poignets. C'était le seul ornement de la partie supérieure du corps du monstre, révélant un torse nu, mais impressionnant. Le dernier accessoire, et pas des moindres, était un cache-cou remontant jusqu'à la moitié de son visage avec un imprimé de tête de mort.

- Ah oui quand même ! fit Icy réellement impressionnée. Tu t'es enfin décidée à ne plus l'habiller en fille.
- Non, aujourd'hui il doit faire trembler mon adversaire. C'est pas mal non ? En plus on est assortis, c'est trop bien !

Axelle ne pipa mot, décontenancée par ce qu'elle contemplait. Même si ce n'était qu'un effet de style, elle s'en voulut d'avoir eu une pensée particulièrement sombre : cela leur allait bien. Voir sa fille habillée comme cela à côté d'un démon de plus de deux mètres aurait perturbé n'importe quelle mère de famille, mais Axelle connaissait le tempérament de sa fille, cette solitude qui la rongeait. Depuis l'apparition d'Arthur dans sa vie, elle s'était ouverte au monde et croquait la vie à pleines dents. Il était temps de se faire une raison : sa fille empruntait la voie de la démonologie et elle le faisait avec brio et avec un cœur pur.
Elles partirent toutes les trois en direction de l'arène et furent accueillies par Lumio et Lux.

- Alors les filles, prêtes ? demanda le Wizards plein de bonne humeur. C'est toi qui va commencer, Hadès. Je vois que tu as prévu une tenue différente de la dernière fois.

La petite fille ne répondit rien. Son visage s'assombrit quelque peu à l'annonce du combat imminent.

- Un souci ma puce ? lui demanda sa mère en se mettant accroupie devant elle.
- Non, je pensais que Lana... Icy, allait passer en première. Ça m'aurait donné une idée de comment me comporter. Je n'aime pas quand il y a beaucoup de monde qui me regarde.

Sa grande sœur et son instinct protecteur intervinrent immédiatement. Icy avait toujours eu ce sens du sacrifice envers sa famille, et particulièrement ses deux sœurs.

- Je peux passer en première, ça ne me dérange pas.
- Non, laisse, intervint à nouveau Hadès. Je vais le faire.

Elle attrapa la main d'Arthur qui la posa sur une de ses épaules.

- C'est quand vous voulez.

Ambre trépignait devant son écran de télévision, alors que Killian était encore devant son ordinateur, à travailler avec Scarlett à la description de certains signes dans une pyramide découverte il y avait quelques années, en Chine.

- Tu es bien sûr de ne pas vouloir voir le premier combat ?
- Non merci, j'ai décidé d'avoir la surprise à mon retour. Je trouve ça amusant de ne pas savoir qui je vais combattre, alors s'il te plait ne me dis rien.
- Comme tu voudras.
- Juste une question. Combien sont-ils à avoir réussi les épreuves ?
- Quatre.
- Sur combien ?
- Plus de quatre-vingts.

Le maitre des runes releva la tête, l'air surpris.

- C'est qu'ils n'y sont pas allés de main morte nos amis du Conseil ! Ça doit être de sacrés mages les quatre finalistes, j'ai hâte de voir ça.

Ambre ne répondit pas. Elle avait essayé plusieurs fois de le trainer devant l'écran de télévision pour qu'il découvre par lui-même qui étaient les finalistes, ayant promis à Lux de ne rien lui révéler.

« Et moi j'espère ne pas être là quand tu découvriras tes adversaires » se dit la jeune femme qui avait un très mauvais pressentiment sur le dénouement de toute cette histoire.

Chapitre 17

Hadès était de son côté de l'arène. Son entrée avait fait fureur, lui faisant réaliser sa nouvelle côte de popularité. Son angoisse n'en était pas pour autant minimisée pour deux raisons : elle allait affronter un mage qui, comme elle, avait réussi les épreuves, donc pas un charlatan. Mais en plus, c'était un mage de l'air, obédience très peu répandue et donc méconnue de sa personne.
Fujin se trouvait sur le bord opposé. Vêtu d'un kimono blanc et or, le japonais semblait lui aussi très tendu. Il avait à la main un grand bâton de bois cerclé de fer sur chaque extrémité.

- Fais attention à toi mon grand, d'accord ? chuchota la petite fille.

Arthur tourna la tête vers sa maitresse et lui fit un clin d'œil. Cette dernière savait qu'il ne se préoccuperait pas de lui, seule sa sécurité comptait à ses yeux.
Ce fut Neuro qui avança en plein milieu de l'arène, un micro à la main, demandant aux deux participants de s'approcher de lui.
Un silence de plomb régnait, signe que les deux mille personnes présentes retenaient leur souffle. Ce sentiment s'accentua lorsque la petite fille se trouva à un mètre de son adversaire. Arthur en couverture juste derrière, ce dernier regardait d'un œil mauvais le japonais qui ne le lâchait pas des yeux. Le message était clair : « Il te faudra me passer sur le corps pour toucher à un seul de ses cheveux ». La réponse silencieuse de Fujin était tout aussi limpide : « Qu'il en soit ainsi ».

- Mes très chers mages, commença Neuro. Nous sommes réunis aujourd'hui pour départager Hadès et Fujin dans un combat « amical » ! Les règles sont simples : l'objectif est de faire abandonner son adversaire. C'est une épreuve de magie ! En aucun cas vous devrez faire preuve de cruauté durant ce combat et si l'un des deux candidats abandonne, l'autre cessera immédiatement les hostilités. Ai-je été bien clair ?

Les deux candidats opinèrent de la tête, comprenant bien la situation. Ils repartirent ensuite chacun dans son coin, déterminés comme jamais.
Neuro quitta le centre de l'arène pour prendre place dans les gradins et articula d'une voix forte :

- Que le match commence !

Arthur, fidèle à lui-même, s'élança. Se propulsant comme un boulet de canon sur son adversaire. Ce dernier, concentré, invoqua une tornade sous les pieds du démon qui le stoppa dans sa course. La puissance du vent l'obligea à mettre une main devant ses yeux et il fut rapidement englouti par le mini cyclone. Plus personne ne put voir ce qui se passait à l'intérieur du vortex créé par le mage de l'air qui s'évertuait à faire durer son sort le plus longtemps possible. La tornade connut son apogée quelques secondes plus tard, aspirant certains chapeaux ou petits objets du public qui hurlèrent leur mécontentement alors que d'autres riaient aux éclats.
Fujin baissa la main, essoufflé par l'effort. Le vortex se dissipa peu à peu pour ne laisser qu'un tas de sable en plein milieu de l'arène. Arthur était toujours là, à genoux, le visage sale. C'est lorsqu'il se releva que tout le monde put voir les quatre liens magiques qui l'encraient au sol.
Le japonais sourit, saluant l'ingéniosité de la petite fille. Mais son plan avait fonctionné. Livré à lui-même, Arthur n'avait désormais plus sa maitresse pour lui octroyer de nouveaux équipements. Ce fut le moment pour lui de charger : utilisant son élément comme propulseur, il bondit jusqu'au démon encore désorienté par l'effet de la tornade.
Maniant son bâton avec dextérité, ses attaques faisaient mouche sans cesse. Touchant le pauvre Arthur régulièrement alors que ce dernier tentait de parer les coups avec ses avant-bras. Le public était impressionné par la maitrise du mage du vent. Il était tellement rapide que toute tentative de contre-attaque de la part du démon se soldait par un échec : il ne rencontrait à chaque fois que le vide.
Utilisant un courant d'air particulièrement puissant, le japonais bondit sur plusieurs mètres en arrière afin de faire une pause. Il semblait surpris que son adversaire soit encore debout après la raclée qu'il venait de lui infliger.
D'un autre côté, Arthur faisait peine à voir. Son corps, normalement rouge, était traversé de plusieurs hématomes violets et son œil gauche était fermé. Son souffle était lent et puissant, signe que l'effort pour rester debout lui coûtait.

« Il est temps de donner le coup de grâce », se dit le mage de l'air qui leva à nouveau son bâton. Un courant d'air commença à s'élever dans son dos, afin de le propulser sur son adversaire. C'est à ce moment qu'un feu noir envahit le corps du démon. Les quatre liens qui lui avaient servi par le passé changèrent de forme pour devenir deux épées assez courtes. Arthur regarda d'un air satisfait ses nouveaux accessoires avant de faire signe à Fujin de venir à sa rencontre.
Le mage du vent lui fit un salut typique de son pays d'origine et fonça vers sa cible. Le combat reprit de plus belle. Cette fois, un certain équilibre se créa entre les deux combattants. Fujin devait faire beaucoup plus attention car chaque épée que tenait le démon avait un aspect assez inquiétant : une sorte de flamme noire semblait vivre à l'intérieur même du métal, ce qui ne lui inspirait pas du tout confiance.
L'affrontement dura plusieurs minutes sans que l'un des deux adversaires ne puisse prendre l'avantage sur l'autre. Ce fut le manque d'expérience de la petite fille et du démon qui leur fit défaut. Le mage du vent réussit à dégager un cercle de puissance en plein moulinet, lui donnant une puissance et une vitesse surhumaines. Le coup fut si impressionnant qu'Arthur en lâcha ses armes qui volèrent sur plusieurs mètres avant de disparaitre dans une explosion de fumée noire. Le coup suivant plia le genou du démon qui se retrouva une jambe à terre face à son ennemi. Celui-ci, persuadé d'avoir l'avantage, leva son arme, prêt à en finir.
« Clic »
L'homme sentit une pression sur son poignet et porta son avant-bras devant ses yeux pour y voir une menotte reliée à une chaine, elle-même reliée à... Arthur. Hadès était là, à côté de lui. Obsédé par le familier de la petite fille, Fujin avait complètement oublié la démoniste qui avait repris forme humaine une fois son démon désarmé. Il lui avait suffi de venir tranquillement saisir la chaine de son démon pour l'accrocher au mage du vent.

- C'était ton plan ? Depuis le début ? lui dit le héros du Japon totalement incrédule.

Bizarrement, la petite fille ne répondit pas, reculant de quelques pas pendant qu'Arthur se relevait lentement. Le mage du vent se sentit rapetisser devant le colosse qui, lui en revanche, n'arrêtait pas de grandir. Maintenant qu'ils n'étaient séparés que de quelques centimètres, le public put facilement constater la différence de carrure entre les deux adversaires.
Le bâton de Fujin tomba au sol lorsque le démon le saisit par la gorge. Utilisant sa poigne de fer, il souleva le mage du vent d'un seul bras pour porter son visage au niveau du sien et cria. On aurait plutôt dit un hurlement bestial venu du plus profond

des enfers. Arthur poussa un rugissement long et puissant, qui terrorisa les spectateurs présents. Le plus surprenant fut le comportement des autres démons qui, malgré l'éloignement et la présence de leurs maitres, filèrent ventre à terre se cacher.
Une fois la démonstration de force terminée, Hadès constata que le héros japonais était évanoui. « Non, mais sans rire, tu parles d'une idole ! » se dit-elle très déçue.

- Lâche-le mon grand, je crois qu'il est K.O.

Le démon, lui aussi très déçu, montra son mécontentement et grogna en direction de sa maitresse.

- Oui je sais, tu aurais voulu toi aussi le taper un peu. Mais on ne peut pas. Allez viens, faut soigner ces blessures...

Pour la première fois, Axelle put voir sa fille montrer de « l'amour » à son démon. Elle lui prit la main et le tira en direction de la sortie. Une véritable inquiétude se lisait dans son regard, certainement due aux blessures de son familier. Ce dernier lâcha sans autre forme de procès son prisonnier (non sans avoir au préalable brisé la chaine qui les liait), qui s'écroula à terre.
Ils partirent main dans la main en direction des gradins. Personne ne parla, personne ne commenta la scène qui venait de se passer. Hadès, petite fille de onze ans, venait de vaincre Fujin, mage de l'air, sans lui porter le moindre coup.

Arthur était allongé dans l'herbe, les bras en croix. Sa maitresse était assise sur son torse et se concentrait. Axelle et ses sœurs, accompagnées de Lux, observaient la scène sans comprendre. Deux cercles de puissance se dégagèrent du corps de la petite fille qui plaqua ses mains sur son démon.
Des flammes noires coururent le long de leurs corps, soignant au passage toutes les blessures présentes. Lorsque ce fut fini, la petite fille regarda le reste de sa famille avec fierté alors qu'un ronflement sonore résonnait déjà dans les narines de son familier.

- Il dort ? demanda Lux.
- Oui, je lui ai lancé un sort pour le soigner et pour qu'il se repose. Il l'a bien mérité.

Axelle se pencha vers elle, très fière de sa fille.

- C'est bien que tu penses à lui. Je commençais à me demander si tu ne devenais pas indifférente à sa souffrance.

Hadès lui jeta un regard noir :

- Je déteste quand il souffre ! J'essaye de faire comme si ça ne me faisait rien. C'est lui qui me dit qu'une vraie démoniste ne doit pas s'arrêter à ça. Qu'il est mon objet et que c'est un honneur pour lui, mais j'en ai marre de faire semblant, ce n'est pas un objet. C'est mon meilleur ami et je l'aime beaucoup.

Ce qui devait être une crise de colère devint rapidement une crise de larmes à gros sanglots. Cette situation devait peser depuis longtemps sur le cœur de la petite fille, se dit le mage de lumière qui contemplait la scène jusque-là en silence.

- Tu n'es pas obligée de penser de cette façon. J'ai même une théorie à ce sujet : si tes pouvoirs sont aussi développés, c'est justement parce que tu as de la considération pour lui. J'en suis même certain.

Ils pique-niquèrent ensemble pendant qu'Arthur finissait sa sieste et la bonne humeur revint. Axelle guettait l'arrivée du stress chez son autre fille, mais rien ne vint. Lana (elle détestait devoir appeler ses filles autrement que par leur prénom) semblait être totalement indifférente à l'idée de se retrouver à la place de sa sœur dans moins d'une heure et la mère de famille ne trouva pas forcément cela rassurant.

L'heure du deuxième combat approcha et pour la deuxième fois, la mère de famille s'installa dans les gradins avec seulement deux de ses filles.

Braise était déjà dans son coin. Ses longs cheveux roux étaient attachés pour former une queue de cheval. Il arborait un visage sérieux et concentré. Le message était clair : il n'allait pas prendre ce combat à la légère.

Icy entra à son tour dans l'arène sous les acclamations du public. Sa tenue simple avec son short et son débardeur lui permettait de se sentir à l'aise, sûre d'elle. Elle n'avait pas, comme sa sœur, envie d'accentuer le spectacle. Seule une gourde au niveau de sa ceinture témoignait de son obédience.

Neuro leur indiqua les règles, comme pour le précèdent affrontement et chacun se retrouva à nouveau dans son coin, avec une minute pour se concentrer.

C'est dans un silence de cathédrale que le gong retentit, indiquant que le combat pouvait commencer.

Les deux combattants déployèrent une grande quantité d'énergie et des cercles de puissance apparurent des deux côtés, transformant l'arène de l'académie en véritable cyclone bipolaire où la température se mit à varier entre celle du désert du Sahara et celle de la Sibérie. Des traits d'énergie volèrent dans tous les sens et chacun des deux mages tentaient de se protéger de la magie de son adversaire, tout en essayant de l'attaquer.

Des explosions retentirent près d'Icy tandis que des stalagmites de glace se formaient tout autour de Braise. Contrairement au combat précédent, le public assista à un véritable déluge de magie, ce qui ne fut pas forcément pour son plaisir. Certains projectiles, déviés par les combattants, explosèrent non loin des gradins, créant un début de panique et le premier rang évacua rapidement la zone pour aller se mettre en sécurité plus haut.

Le spectacle dura ainsi plusieurs minutes avant que le calme ne revienne. Les deux combattants se regardèrent pendant un long moment, cherchant une faille dans la défense de l'autre.

Icy comprit rapidement que sa condition physique et mentale ne lui permettrait pas de vaincre son adversaire uniquement en utilisant ses pouvoirs. Braise était beaucoup plus expérimenté qu'elle et malgré son ignorance sur l'inutilité de la barrière mentale, il était capable de lancer des sorts redoutables très rapidement. Son obédience, radicalement opposée à la sienne, demeurait aussi un problème : la chaleur qui l'entourait risquait de totalement la déshydrater, ce qui signifierait la fin du combat.

A la surprise générale, elle ne fit que contempler son adversaire qui, en pleine concentration, se préparait à lancer un sort d'un tout autre niveau. Il canalisa entre ses mains une quantité non négligeable de flammes. Chaque cercle de puissance dégagé par le mage de feu augmentait la taille des flammes s'élevant loin au-dessus de lui. Au troisième cercle, c'est un véritable feu de joie qui crépitait dans les mains du rouquin, l'embrasant par la même occasion.

Il eut comme un moment d'hésitation. Regardant la petite fille, toujours immobile, d'un œil rempli de doute. Devait-il faire cela ? Devait-il se comporter face à elle comme face à n'importe quel adversaire ?

Le public était médusé par le spectacle en cours, espérant voir l'improbable se produire : allait-il réellement utiliser une telle puissance sur une petite fille de douze ans ?

Axelle frôlait la crise cardiaque. Sa petite fille, la chair de sa chair, allait se faire engloutir par un torrent de flammes. Ce qui lui parut bizarre, en revanche, fut le calme d'Icy. Cette dernière semblait extrêmement sereine, comme si elle avait hâte de voir le sort de son adversaire à l'œuvre. Si tel était le cas, son vœu fut exaucé quelques secondes plus tard.

Braise, mains en avant, lâcha un jet de flammes sur la petite fille qui ne bougea pas, disparaissant au milieu d'un brasier sans fin. Identique à un souffle de dragon, le jet

dura une bonne dizaine de secondes, obligeant les spectateurs situés derrière Icy à changer de place, la température devenant insupportable.
Axelle allait se plaquer les mains sur le visage, mais l'attitude d'Hadès l'en dissuada. Concentrée, son autre fille avait un sourire en coin.

- Qu'est-ce qui te fait sourire ? Ta sœur vient de se faire carboniser !

Arthur grogna, une formalité pour prévenir que le ton utilisé ne lui plaisait pas du tout. Une main sur le bras de sa maitresse suffit à le calmer. Cette dernière regarda sa mère les yeux plein de fierté :

- Elle a enfin réussi à la créer.
- Mais de quoi parles-tu ?
- De la glace éternelle.

Braise venait de mettre un genou au sol, épuisé par l'effort. L'endroit où se tenait juste avant la mage de l'eau n'était plus qu'une colonne de feu crépitante qui, peu à peu, s'éteignit.
Icy n'avait pas bougé, si ce n'est qu'elle se tenait elle aussi un genou à terre. Sa petite gourde était au sol, complètement fondue par la chaleur environnante. Le public, après avoir constaté que la petite fille n'avait rien, reporta son attention sur un objet planté à même le sol : un katana. Ce dernier, long et fin, semblait ne pas souffrir des flammes environnantes et lorsque la mage de l'eau posa ses mains sur la garde, un vent glacial souffla toutes les flammes présentes autour d'elle.
Braise n'en crut pas ses yeux. Il puisa au fond de ses réserves pour se redresser, alors que la petite fille se positionnait, prête à se jeter sur son adversaire. Elle évalua la distance et s'élança. Le mage de feu, qui n'avait absolument pas préparé un éventuel combat au corps à corps, lança une première boule de feu sur la petite fille sans avoir le moindre effet sur elle. « C'est comme si ma magie glissait sur elle ! » s'étonna le rouquin qui n'abandonna pas pour autant. Lâchant projectile sur projectile, c'est un véritable déluge de flammes qui s'abattit à nouveau sur Icy. Chaque explosion se rapprochait de Braise jusqu'au moment où il leva sa main pour un ultime sort. Il stoppa néanmoins son geste lorsqu'il sentit quelque chose de froid sur sa gorge.
Transperçant la fumée environnante, le katana de la mage de l'eau était appuyé contre sa carotide. Tendue comme une flèche, la petite fille regardait son adversaire d'un œil déterminé. Braise put discerner de plus près l'aspect de la petite fille. Ses bras étaient brulés au premier degré. Elle avait perdu une partie de ses cheveux et du sang lui coulait le long du visage. Le mage de feu avais sa main encore rougeoyante de puissance à quelques centimètre du visage de la fille de Killian. Elle

ne tenait debout que grâce à sa volonté de fer, mais son corps ne demandait qu'à s'écrouler.

- Egalité, lui chuchota-t-il.
- Non, répondit-elle dans un souffle. J'ai perdu.

Icy baissa son arme et la planta dans le sol. Bien que le combat ait été court, les deux adversaires étaient épuisés. Contrairement au dernier affrontement, l'arène portait désormais des traces de la lutte qui venait de s'y dérouler.
Elle allait se tourner vers les membres du conseil lorsque qu'un cri résonna juste à côté d'elle.

- J'abandonne !

Braise avait hurlé cela juste avant elle. « Mais pourquoi ! » se dit-elle intérieurement.
Le rouquin s'assit lourdement sur le sol et se frotta le visage avant de lui sourire.

- Tu as acquis beaucoup de puissance en très peu de temps. De plus, mon obédience est déjà présente avec Ambre chez les Wizards, ce qui n'est pas ton cas. Bravo ma petite, je suis très fier de toi.

Icy, fixa son adversaire, ému par ses paroles. Elle se doutait que cela devait lui couté de lui céder sa place.

- Merci Braise, pour moi, tu seras toujours un Wizards.

L'ambiance au repas du soir fut particulière. Certes, les deux fillettes étaient heureuses d'être prédestinées à devenir des Wizards, mais la perspective de se retrouver face à leur père pour la dernière épreuve ne les enchantait pas vraiment.

- En tout cas, bravo les filles, commença Lux. Je serais curieux de savoir comment vous avez fait pour découvrir notre secret. Car de toute évidence, vous l'avez découvert.

Icy, Hadès et Laurana plongèrent leur nez dans leur assiette, espérant que le mage de lumière n'insiste pas plus que ça.

- Rassurez-vous, tout ce que je veux savoir, c'est si l'un de nous vous l'a dit.
- Non, répondit Icy. On peut vous jurer que personne n'a trahi votre serment et on gardera le secret.
- Oh ! Sur ça je n'ai aucun doute. Killian saura trouver les mots pour vous faire comprendre que vous n'avez pas intérêt à prendre cela à la légère.

Les trois petites filles ne furent pas forcement rassurées d'entendre ces paroles.
Mais cela leur donna envie d'avoir des nouvelles de leur père.

- Il rentre quand papa ? demanda Laurana la voix teintée de tristesse.

Axelle aussi aurait aimé savoir. La seule information qu'elle avait en sa possession, c'est que la prochaine pleine lune au Mexique serait dans deux jours et que la météo s'annonçait bonne.

- Peut-être bientôt ma puce, répondit la mère de famille sans vraiment y croire.

Chapitre 18

Killian regardait depuis sa cachette les derniers touristes quitter la pelouse entourant la pyramide de Kukulcàn. Du haut de son arbre, le maitre des runes pouvait admirer la magnificence de l'antique cité de Chichen Itza. Depuis bientôt trois mois, Killian venait ici régulièrement la nuit pour observer la pyramide et trouver des indices en préparation à cette soirée. Pour la première fois, le monument allait être illuminé par les rayons de la pleine lune.

Une fois le site archéologique fermé, il descendit avec Ambre de sa cachette pour se rendre au sommet de la pyramide. Comme à chaque fois, il ne put s'empêcher d'être impressionné par l'architecture du monument. Haut de plus de trente mètres, cet édifice avait été construit par-dessus une autre pyramide en l'honneur du dieu serpent : Kukulcàn.
Au sommet se trouvait un temple avec un autel qui devait à l'époque servir pour des sacrifices.

La pénombre commença à envahir le site au fur et à mesure que le soleil se couchait, ce qui fit battre le cœur des deux mages devant l'imminence de ce qu'ils attendaient depuis trois mois.

Postés chacun sur un flanc de la pyramide, ils patientaient en silence. Ambre observait le couché de soleil, profitant de ses derniers rayons pour réchauffer son corps avant le début de la nuit. Ses cheveux rouges prenaient une teinte cuivrée, ce qui lui avait valu le surnom de « casque de feu » par Killian.

Une ombre l'intrigua. Quelque chose bougeait dans les fourrés. Elle plissa les yeux, essayant de distinguer le moindre signe de mouvement.

Ce fut un chien qui sortit de la forêt, clopinant sur quelques mètres et s'arrêta au pied de la pyramide en s'asseyant. Sa posture était bizarre, comme si s'asseoir lui posait un problème, l'obligeant à arquer ses pattes avant. Elle observa l'animal plus pour s'occuper qu'autre chose, essayant de déterminer la race.

Un autre chien sortit de la forêt pour venir se coucher près du premier. Plus gros que l'autre, il semblait avoir lui aussi du mal à marcher.

- Killian ? Tu peux venir ?

La jeune femme avait un mauvais pressentiment. Elle attendit que le maitre des runes se place à ses côtés pour lui désigner les deux animaux, côte à côte, qui patientaient devant les premières marches de la pyramide.

- Qu'est-ce que c'est ?
- Des chiens.
- Tu en es sûre ? Ils sont bizarres. Ils doivent être blessés.

Un troisième canidé sortit de la forêt suivi encore d'un autre. Hypnotisé par la scène, les deux compagnons ne dirent rien jusqu'à l'arrivée du dixième animal.

Le soleil était presque entièrement caché par l'horizon, ce qui rendait encore plus difficile l'observation des chiens qui les regardaient du bas de la pyramide.

- Ça commence à me faire flipper Killian.
- J'admets que moi aussi, je commence à me dire que ça ne sent pas bon tout ça. Peut-être devrais-tu essayer de leur faire peur ?

La jeune femme, qui semblait en accord avec le chef des Wizards, leva une main pour préparer une boule de feu. La sphère incandescente qui se forma éclaira la vallée, ce qui permit aux deux mages de voir de manière plus précise les animaux assis au pied de l'édifice.

Leur difficulté à s'asseoir et leur démarche bizarre provenaient de leurs pattes avant. Ces dernières étaient remplacées par deux piques. Leur peau semblait être tombée en lambeaux à certains endroits, laissant apparaitre une peau violette et brillante.

Killian fit immédiatement le rapprochement et se saisit de son arme afin de faire apparaitre Fangore.

- Crame-moi tout ça vite ! C'est des démons bordel !

Ambre lâcha sa boule de feu qui explosa au pied de la pyramide. Trois des chiens succombèrent tandis que les autres se dispersaient rapidement pour commencer l'ascension de la pyramide. Le maitre des runes descendit quelques marches afin de se mettre devant son amie, en protection, et parla dans son oreillette :

- Scarlett, j'ai besoin de Fangore V2 ! Vite !

« Uniquement l'arme, maitre, ou l'armure aussi ? Pour rappel l'armure est encore fortement défaillante alors que l'épée a déjà fonctionné une fois ».

- Que l'épée, mais dépêche-toi !

Une lumière bleue envahit le ciel. Deux boules luminescentes descendirent du droners qui était discrètement resté en stationnaire au-dessus de la pyramide. Taillées sur mesure, les deux pièces métalliques s'accrochèrent avec un bruit de raclement sur l'arme de Killian. L'une des deux pièces sur la lame, l'autre sur la garde, transformant la simple claymore en un gigantesque espadon, doté d'un nombre incroyable de runes.

- C'est nouveau ça non ? cria Ambre entre deux boules de feu.
- La question c'est : est-ce que c'est opérationnel ?

Ambre lança une nouvelle boule de feu qui fit mouche avant de s'apercevoir que d'autres chiens sortaient des bois. Il y en avait des dizaines, se jetant à l'assaut du monument tout en poussant de longs aboiements.

La mage du feu redoubla d'efforts, lançant projectile sur projectile. Le déluge de feu faisait barrage, ne laissant à Killian que de rares rescapés qui venaient mourir sur l'immense lame qu'il arrivait à manier avec autant de facilité qu'avant. Ce dernier pu voir un homme sortir de la forêt. Il marchait lentement les mains croisées devant lui, comme s'il méditait. Il portait une robe noire ainsi qu'une barbe. Son habit était orné d'un croissant de lune et d'une étoile : le signe des islamistes.

- Ambre, tu penses que tu peux viser l'homme en bas de la pyramide ? cria Killian tout en décapitant deux créatures d'un mouliné de son arme. On ne va pas pouvoir continuer comme ça bien longtemps.
- Désolé...c'est déjà... bien compliqué comme ça !

Le maitre des runes était en admiration devant la mage du feu qui enchainait les sorts comme jamais, tuant des dizaines de créatures dont le flot ne semblait jamais se tarir.

- OK, alors c'est moi qui y vais. Fais attention à toi, je fais vite.

Il visualisa son ennemi et se téléporta juste devant lui. L'homme, surpris, accueillit le maitre des runes avec de grands yeux ronds. Killian leva son bras, prêt à frapper pour stopper cette folie. L'homme lui hurla quelque chose en arabe en levant ses bras, mais trop tard. L'épée de Killian s'abattit, terrassant l'islamiste qui s'effondra au sol. Killian allait utiliser une nouvelle rune de téléportation pour rejoindre Ambre lorsqu'il s'aperçut de deux choses : les chiens semblaient devenir totalement fous. Ils attaquaient désormais le mage comme leurs semblables sans distinction. « C'était un Mentalus ! Il devait tous les contrôler ! »

La deuxième chose qui surprit Killian était l'aspect de la pyramide. Cette dernière irradiait de lumière en son sommet, sur le toit plat du temple. Killian n'hésita pas une seconde et planta sa monstrueuse épée dans le sol. Cette dernière s'illumina et une sphère d'éclair projeta tous les démons l'entourant loin de sa personne. Il se téléporta ensuite près de la mage du feu qui semblait perdue devant le carnage qui se déroulait devant elle.

- Ils sont devenus tous fou ! Qu'est-ce qu'on fait ?
- On monte ! lui répondit le maitre des runes en lui désignant les colonnes brillantes de l'édifice derrière elle.
- Comment on va faire pour atteindre le sommet ?

Sans prévenir la jeune femme, Killian la saisit par la taille et la plaqua contre lui.

- Qu'est-ce qui te prend ?
- Evite de raconter ça à Goliath, lui répondit-il avec un grand sourire.

Il utilisa une rune de téléportation et ils se retrouvèrent tous les deux sur le toit du temple, au sommet de la pyramide de Kukulcàn.

Le bras du maitre des runes se fit lourd et douloureux et il tomba au sol, surprenant Ambre.

- Qu'est-ce qu'il t'arrive ?
- C'est l'épée, ça demande trop d'énergie sans l'armure. Scarlett, récupère-la !

« **Récupération de Fangore v2 en cours** ».

Les deux rajouts décollèrent de l'arme comme des petits drones afin de retourner au véhicule. La mage du feu put constater les dégâts : l'avant-bras et la main de Killian étaient parsemés de cloques d'une couleur bizarre.

- Ça va ?
- Beaucoup mieux, il faut vite trouver ce qu'on doit faire sur cette plateforme.

Quatre signes étaient illuminés. Ces derniers n'avaient jamais été visibles auparavant, ce qui déstabilisa les deux mages.

La panique s'empara d'eux lorsqu'ils entendirent le raclement des pattes de certains chiens qui tentaient de les rejoindre, avec sûrement de mauvaises intentions.

Killian fixa les quatre signes : un condor, un jaguar, un serpent et un visage.

- Sans rire, une énigme maintenant ? cria la jeune femme qui se pencha au-dessus du rebord afin de lancer une boule de feu en contrebas.

« **Maitre, puis-je faire une suggestion** ? »

- Je t'en prie Scarlett, je suis preneur de toutes les idées qui te passent par la tête ! répondit le jeune homme.

« J'ai analysé pendant longtemps l'écriture maya et j'ai réussi à déchiffrer une partie de cette dernière. J'opterais pour le visage : il veut dire conaissance si mes calculs sont exacts ».

- Eh bien on va le savoir rapidement !

Il attrapa d'une main Ambre et plaça l'autre sur le signe correspondant puis se concentra. Il sentit une vague d'énergie l'envahir, alors qu'un chien commençait à montrer le bout de son museau sur le rebord de la plateforme.

C'est alors que son esprit se mit à bouillir, comme si une barrière mentale se formait, mais pour empêcher la magie de sortir et non de rentrer. Un flash lumineux lui brouilla la vue et son corps se déchira comme une feuille de papier, pour être recollé une seconde après. La douleur fut terrible et les deux mages hurlèrent en même temps.

La décharge d'énergie se relâcha subitement, laissant les deux mages dans un état second. Killian tenta de se rattraper à ce qui lui sembla une chaise dont le bois s'effrita au premier contact, trahissant le maitre des runes qui s'affala de tout son long.

Ambre ne tenta pas la même expérience et s'assit de façon brutale directement sur la pierre froide qui faisait office de sol.

Ils ne parlèrent pas pendant de longues minutes, obligeant leur esprit à se remettre de la téléportation. Le silence leur fit du bien, après le chaos qu'ils venaient de vivre. L'endroit était sec, mais très sombre. Une pierre, d'un noir parfait, recouvrait le sol, les murs et le plafond. Des nervures composées de lignes et de formes géométriques luminescentes parcouraient le minerai un peu partout, rendant l'endroit totalement irréel.

- On est où ? demanda Killian d'un seul souffle, réussissant à se relever.
- Aucune idée. Dans un bâtiment, ça c'est sûr. Mais je n'ai jamais rien vu de pareil.
- On doit être sous terre…

Killian s'approcha d'un mur et parcourut de son index l'une des nervures de la pierre. La lumière bleutée éclaira son doigt, mais rien d'autre ne se passa.

- Regarde par ici, l'interpella Ambre.

Il tourna la tête et vit deux lignes parallèles au sol, conduisant à un mur dont les nervures dessinaient l'encadrement d'une porte.

- Allons voir un peu par là.

Il s'y dirigea et tenta de pousser la paroi, sans résultat. Posant ses mains sur ses hanches, il se concentra pour sentir la moindre partie faite de métal, sans succès non plus.

- Si c'est une porte, elle est faite entièrement en pierre, je ne vais pas pouvoir la bouger.

La jeune femme ne l'écoutait que d'une oreille, elle suivait trois nervures qui partaient du sol pour finir, à hauteur de son visage, en trois cercles parfaits. Elle plaça trois doigts au milieu des cercles et poussa, n'y croyant qu'à moitié.
Un déclic se fit entendre et le panneau de pierre gronda avant de glisser sur le côté.

- Alors ça, c'est pas banal, chuchota Killian.

Des marches faites de la même pierre se présentèrent à eux.

- J'aurais préféré monter que descendre, râla Ambre qui regardait en bas, peu rassurée.
- Je suis bien d'accord, mais le sort en a décidé autrement. Prête ?
- Faut bien !

Ils entamèrent la descente. Le maitre des runes ouvrait la marche, angoissé par le peu de luminosité.

- On y voit rien là-dedans, je vais utiliser mon portable comme lampe, ça sera plus prudent.
- Attends, laisse-moi faire.

La jeune fille se concentra et ses deux mains s'enflammèrent, créant ainsi une luminosité suffisamment diffuse pour voir au loin.

- Pratique ça, impossible de te cogner la nuit si tu te lèves, ricana son compagnon.

Elle lui tira la langue en signe de réponse, tout en gardant le sourire. Ils continuèrent leur descente, très prudents, jetant des coups d'œil réguliers par-dessus leur épaule. Ils débouchèrent dans une salle aux proportions démesurées.

La nouvelle pièce s'étendait à perte de vue, la lumière créée par Ambre ne suffisant pas à voir ni un éventuel mur au fond ni le plafond. Un grand bureau de pierre leur barrait le passage, ils durent le contourner pour aller plus loin. Des pyramides étaient disposées un peu partout, faisant de l'endroit un site architectural unique.

- Killian, viens voir !

Le maitre des runes stoppa sa contemplation pour regarder la jeune femme qui se tenait à genoux, au pied de la première pyramide. Il se dirigea vers elle et s'accroupit. Ses yeux s'écarquillèrent lorsqu'il vit la découverte de son amie.

- Ce sont des livres. Ce sont des pyramides de livres ! s'écria la jeune fille.

Le chef des Wizards mit un temps à réaliser. Ils venaient de trouver la bibliothèque des mayas. Le calme de l'endroit ainsi que l'état du passage qu'ils avaient emprunté étaient autant de signes montrant que personne n'était venu ici depuis fort longtemps. De plus, une personne qui chercherait des informations là-dedans n'était pas prête d'y arriver, rien que comprendre la méthode de classement et traduire les bouquins allaient prendre des mois, voire des années.

- Eh bien je lui souhaite bien du courage à cet Antonio pour trouver comment ressusciter le Malachor là-dedans, déclara Ambre qui était arrivée aux mêmes conclusions.
- Entièrement d'accord, surtout si on fait tout brûler.
- Tu n'es pas sérieux ! Killian, c'est un véritable trésor.

Il voulut lui répondre, mais des bruits de pas se firent entendre en provenance des escaliers.

- Eteins ça ! chuchota Killian à l'attention de la mage du feu.

Elle s'exécuta, ce qui plongea à nouveau la salle dans le noir presque total. Ils contournèrent la pyramide qu'ils étaient en train d'inspecter afin de se cacher un peu plus et pour pouvoir espionner le nouvel arrivant.

Encapuchonné, ce dernier était méconnaissable pour les deux mages. En revanche, les deux Wizards ne connaissaient que trop bien la créature qui apparut dans son dos. Haute de deux mètres, une peau violacée qui virait presque au noir avec l'éclairage bleu des murs et du sol, de longues cornes sur le crâne et bien évidemment, deux longues lames en os à la place de ses avant-bras.

L'homme caressa de sa main le bureau en pierre qui se trouvait devant lui et tourna la tête dans la direction opposée de celle où se trouvaient les deux Wizards. Le démon partit au pas de course, certainement grâce à un ordre mental de son maitre.

- Killian ?

La voix de l'homme les fit frissonner. L'accent italien n'échappa pas au maitre des runes. Le doute venait de s'envoler : ils étaient en présence d'Antonio.

Il sentit une pression sur son épaule et se tourna pour voir Ambre qui lui montrait son armure. Ses runes brillaient dans la pénombre. Il ne faudrait pas longtemps à l'homme comme au démon pour les repérer s'ils ne changeaient pas de place rapidement.

- Allons, je sais que tu es là. Bravo pour avoir vaincu Mohamed. Cet imbécile n'aurait jamais dû vous attaquer seul, il aurait dû m'attendre. En revanche merci pour m'avoir conduit jusqu'ici. Je ne sais pas comment tu as fait, mais tu as toute ma reconnaissance.

Le chef de l'ordre du dernier divin avançait lentement tout en parlant.

- Je vais y aller, chuchota le maitre des runes. Reste là pour le moment. Si ça tourne mal, brûle tout et va-t'en.

Elle voulut le retenir, mais Killian sortit tranquillement de sa cachette pour aller dans l'allée centrale, face à son ennemi. Ce dernier ne parut pas surpris de voir le chef des Wizards face à lui.

- Enfin, nous nous rencontrons.
- On ne peut pas dire que ce soit moi qui t'ai évité, répliqua Killian.
- En effet. Tu as été un adversaire que je n'oublierai pas. Sans toi et ton équipe, cela fait bien longtemps que l'ordre serait sur le devant de la scène, remplaçant tous les cultes du monde pour n'en former qu'un : celui qui aurait vénéré le Malachor. Mais cela viendra.

Killian saisit avec lenteur son arme, ne désirant pas forcément faire durer cette discussion sans intérêt.

- Eh bien nous allons voir si ton dieu est de ton côté. Tu devrais dire à ton démon de rappliquer. Sans lui, tu ne vas pas faire long feu.

Le rire cristallin de l'homme résonna dans l'immense salle comme un chant funèbre. Le sang de Killian se glaça devant la démence de son ennemi.

Il vit le démon, certainement l'original, celui qui insufflait la vie à tous les autres, sortir de l'ombre pour venir se placer à côté de son maitre. « Au moins Ambre est en sécurité », se dit le maitre des runes en voyant ses deux adversaires face à lui.

- Tu vois, mon cher Killian. Tu as un gros défaut, tu es arrogant. Tu penses qu'avoir battu les copies de mon démon fait de toi un être exceptionnel. Mais sache que toi et moi nous avons un point commun : nous avons percé le secret de la vraie magie !

Le démoniste croisa les bras et trois cercles de puissance se dégagèrent de son corps. Le maitre des runes sentit une puissance qu'il connaissait bien, une force que seul un Wizards était capable de produire aussi rapidement. Antonio connaissait leur secret, il n'utilisait pas de barrière mentale pour lancer ses sorts.

Son ennemi se transforma en un feu ardent qui entra par la bouche de son démon. Ce dernier tomba à genoux après avoir reçu toute cette puissance.

Killian, qui se ressaisit rapidement, pointa son arme vers la créature et utilisa une rune d'éclair. La décharge électrique frappa un bouclier invisible pour rebondir contre un mur.

Le démon se déforma : il grandit de plusieurs dizaines de centimètres et sa peau devint aussi noire que du charbon. Lorsqu'il se releva, Killian dut relever la tête pour pouvoir le regarder dans les yeux.

- Bien, commença le démon avec la voix de son maitre. Le temps est venu de savoir si la foi remportera le combat contre l'ignorance.

Killian ne répondit pas. Une colère, enfuie depuis longtemps, refit surface. Il repensa au petit Matias et à sa mère, morts lors de l'attaque de l'académie, ou encore à l'agression qu'avaient subi sa femme et Ronce. Il se mit en position de combat et chargea.

Ceci eut comme effet de surprendre la créature qui ne s'attendait pas à voir son adversaire venir jusqu'à lui. Plusieurs mètres avant l'impact, Killian utilisa une rune de téléportation pour frapper son ennemi par surprise. L'arme rencontra une fois de plus le bouclier invisible de la créature, l'obligeant néanmoins à reculer sous la violence du coup.

Antonio, qui avait pris possession de son démon, riposta de plus belle à l'aide de ses avant-bras tranchants comme des lames de rasoir. Ce fut au tour de Killian d'activer son bouclier et un combat titanesque s'ensuivit.

Chacun des deux guerriers refusaient de céder un pouce de terrain. Malgré la différence de carrure, le chef des Wizards menait la danse. Entrainé et préparé au combat principalement par Goliath, il était largement en mesure de faire face à un ancien prêtre, même pourvu d'un corps de démon.

Dans un ultime effort, le maitre des runes perça le bouclier du démon de la pointe de sa lame. Il vit là une chance unique d'abattre son adversaire et utilisa ses runes d'éclair restantes. De rage, le maitre des runes déchaina sa magie. Conscient qu'il prenait un gros risque, il lâcha la totalité de sa puissance sur la créature qui hurlait de colère et de douleur.

Propulsé sur plusieurs mètres, Antonio atterrit en plein milieu d'une des pyramides de livres qui s'effondra sous l'impact du démon.

Killian tomba à genoux, plantant son épée dans le sol. Fangore vint à ses côtés sans lâcher la pyramide écroulée du regard. La peau luisante de sueur, le maitre des runes trouva ce comportement anormal venant de l'esprit de son épée.

Un déclic se fit entendre, puis une détonation. Equipé d'un fusil, un pourfendeur d'Allah venait de faire feu, touchant Killian à l'épaule. Ce dernier, surpris par l'attaque, tomba au sol sans réussir à se retenir à son arme et hurla de douleur.

- Eh non ! Je ne suis pas venu seul ! s'esclaffa le démon en se relevant au milieu des livres. Vous auriez dû en faire autant au lieu de laisser vos amis à l'académie ou à surveiller les faits et gestes de mes nouveaux alliés.

A genoux derrière le bureau en pierre de l'entrée, un homme vêtu de noir et pourvu d'une longue barbe se relevait tranquillement, satisfait de son œuvre.

- Un simple fusil vient de mettre à terre le plus puissant des magiciens. Cocasse, vous ne trouvez pas ? continua le chef de l'ordre. Vous auriez dû…

Une explosion ravagea l'entrée de la grotte, incinérant par la même occasion l'homme au fusil. Le démon regarda son acolyte brûler vif sans comprendre. Ce n'est qu'en voyant Ambre sortir de sa cachette, la rage dans les yeux, qu'il réalisa ce qui venait de se passer.

- Alors comme ça, il n'était pas seul…

Killian profita de ce moment libre pour utiliser sa rune de soin, ce qui lui rendit des couleurs et de la force et fit cicatriser sa blessure par la même occasion. Il vit la surprise dans le regard de son adversaire lorsqu'il se releva, à nouveau prêt au combat.

Il remarqua un changement notoire chez son amie, ses veines luisaient d'un rouge sanguin, comme si la jeune femme était composée de sang fluorescent.

- Ambre ? Ça va ?

Un cercle de puissance le ramena à la réalité. Antonio les regardait d'un œil haineux. Comprenant que le face à face ne serait pas à son avantage, il changea de tactique. En un éclair, il disparut au milieu d'un nuage de fumée noire et opaque. Les deux Wizards se mirent en position de combat. Ils purent voir la création du démoniste grandir de façon inquiétante et atteindre rapidement plusieurs dizaines de mètres de diamètre. Le maitre des runes entendit Ambre lui crier :

- Il va chercher à s'enfuir !

Killian s'élança en avant, utilisant une rune de bouclier pour contrer une éventuelle attaque. Perdu dans le brouillard, ses sens en alerte, il peina à trouver le bureau placé juste devant l'entrée de la caverne.

Un cri déchirant, provenant de la direction où se trouvait la mage de feu, le fit se retourner, la peur au ventre. Il retourna sur ses pas, espérant retrouver son amie au plus vite.

Le brouillard se dissipa lentement, comme si le sol l'aspirait. En quelques secondes, la caverne redevint immense aux yeux du jeune homme.

C'est en cherchant Ambre du regard qu'il aperçut une véritable vision d'horreur. La créature se tenait à quelques mètres de lui, l'un de ses bras osseux levé vers le plafond sombre de la caverne. La mage du feu était là. Empalée sur la lame, les yeux écarquillés par la souffrance. Elle tourna la tête dans sa direction, la bouche à demi ouverte.

- Je pense que nous allons enfin pouvoir reprendre notre duel, ricana le démon avec la voix de son maitre. Je pense que nous avons tous les deux épuisé nos renforts.

Un petit rire, entrecoupé de gargouillis, l'obligea à lever la tête pour voir Ambre qui lui faisait un sourire malgré la situation dans laquelle elle se trouvait. Son sang, toujours luisant, coulait le long du bras du monstre pour tomber au sol, créant une flaque luminescente.

- Perdu… j'ai encore une cartouche…

Elle tourna la tête vers Killian, toujours en souriant. Ce dernier la regardait avec horreur, désirant plus que tout lui venir en aide. Mais pour la première fois de sa vie, il était perdu. Il voulait crier, pleurer, enrager, de multiples émotions traversaient son esprit sans que l'une d'elles ne réussisse à prendre le dessus. Seule une chose pour lui était claire : il allait massacrer cette chose qui avait fait du mal à son amie.

- Killian ! Bouclier !

Le cri de la jeune fille aux cheveux rouges le ramena à la réalité. Il aperçut le dos de la jeune femme qui se mit à luire d'une couleur jaunâtre. « Le liquide en fusion », pensa le maitre des runes qui comprit avec horreur ce que la jeune femme allait faire. Il activa son bouclier, des larmes plein les yeux.

Contre toute attente, le visage d'Ambre s'adoucit. Elle aussi le regarda, les yeux humides et prononça un chuchotement. L'enchanteur réussit à lire sur ses lèvres les mots simples que la jeune femme lui destinait : « Dis leur comme je les aime ». Ses dernières paroles étaient pour eux : Ronce et Goliath.

La déflagration le propulsa en direction du plafond invisible. Activant bouclier sur bouclier, hurlant de douleur, le maitre des runes crut que le temps venait de s'arrêter. Il n'y avait pas de fin à l'enfer que venait de déchainer la mage de feu. Il heurta ce qui devait servir de plafond à la salle avant de retomber. Une chute sans fin, sans avenir. Il perdit connaissance avant que son corps ne s'écrase au sol.

Chapitre 19

- Piiii piiii !

La douleur apparut comme une vague dans son corps. Il ne voulait ni ouvrir les yeux, ni revenir parmi les vivants.

- Piiii piiii !

Quel était ce bruit qui l'empêchait de mourir ? Le maitre des runes ouvrit un œil, en fait son œil, l'autre ne voulant pas répondre à la commande. Un paysage de désolation se présenta à lui. Des fins d'incendie étaient présentes, un peu partout. De la bibliothèque des mayas, il n'en restait rien. Levant son œil valide, Killian put admirer les étoiles, signe que le plafond de la caverne s'était effondré. Les parois de pierre montaient sur plusieurs dizaines de mètres, lui faisant comprendre qu'il n'arriverait pas à les remonter par lui-même avant un bon moment.

Il s'obligea à s'asseoir pour constater qu'il était entier. Il invoqua son arme qui se téléporta sur ses jambes et Fangore apparut immédiatement pour se jeter en lui. Même s'il ne lui avait pas demandé, Killian apprécia ce regain d'énergie que lui procura le spectre de son arme. Il fit un tour d'horizon et aperçut le centre de l'explosion. Une statue de métal trônait en son centre. Le démon d'Antonio, mais avant la transformation. Le métal était fondu, mais la taille et l'apparence ne pouvait tromper l'enchanteur. Il eut cette certitude qui le fit rager : le démoniste avait survécu. Par un procédé qu'il ne connaissait pas, son démon, certainement en se sacrifiant, avait réussi à sauver son maitre.

- Maudit sois-tu ?

Puis son esprit se rappela d'Ambre et la tristesse envahit son corps, son âme. Qu'allait-il dire à Goliath, à Ronce ? Les larmes coulèrent naturellement le long de ses joues. Comment allait-il pouvoir leur annoncer cela ?

- Piiii piiii !

Ce couinement agaça le jeune homme qui désirait la paix, le silence pour pleurer son amie tranquillement. Il reporta son attention sur le bruit pour en découvrir l'origine.

- Piiii piiii !

La statue. Le son provenait de cet endroit. Killian força sur ses muscles pour se mettre debout. Utilisant son arme comme une canne, il s'approcha doucement de la source du bruit pour y découvrir un petit oiseau.
Le volatile avait l'apparence d'un poussin, mais possédait un duvet d'un rouge éclatant. Après avoir vérifié que la statue en était bien une, il tomba à genoux à côté du petit animal qui en le voyant accourut pour se jeter sur lui.

Le maitre des runes l'attrapa à deux mains avant de le jeter maladroitement au sol. La température corporelle de la petite créature dépassait l'entendement.

- Qu'est-ce que tu es toi ?

L'animal piailla à nouveau, lui lançant un regard noir.

- Je te conseille de ne pas t'énerver, j'ai déjà passé une journée compliquée, alors si tu ne veux pas finir en civet…

L'oisillon lui mordit le doigt sans prévenir et cria à nouveau, avant de se mettre à gratter le sol à l'aide de son bec. Killian voulut attraper la créature pour la jeter au loin, mais sa main s'arrêta à quelques centimètres de l'animal. Ce dernier prit feu sous les yeux du mage qui en resta bouche bée. Puis il put lire une lettre, parfaitement déchiffrable, écrite par la petite créature sur le sol : « A ».

- « A »… ne me dis pas… que… Ambre ?

L'oisillon étendit ses petites ailes et sauta dans tous les sens, laissant Killian digérer l'information.

- Impossible… je… comment en être sûr ? se dit-il à lui-même pour essayer de se convaincre.

Le poussin lui grimpa dessus, à la grande surprise du jeune homme. Il fit attention de sauter de pièce d'armure en pièce d'armure pour atteindre son épaule. Il tendit son petit cou rougeâtre pour saisir le pendentif de Killian et tira dessus d'un coup sec, ce qui les fit tomber tous les deux au sol.

La petite créature se releva et frappa avec son bec l'une des runes du médaillon, celle qui correspondait au signal de détresse de la jeune femme. Ce dernier était illuminé, ce qui indiqua à Killian qu'elle avait dû l'activer et que, par conséquent, les autres étaient en chemin.

Le mage n'en revint pas. Saisissant son amie, il ignora la brûlure que lui occasionna ce geste pour la serrer contre lui. Ne sachant pas s'il devait être heureux ou triste, il resta un moment comme ça. L'oisillon frotta son bec contre sa joue, ce qui laissa une marque similaire à une petite brûlure.

- Je te demande pardon…

Un bruit de moteur réveilla le maitre des runes. Couché au fond du cratère, ce dernier put entendre les deux droners avant de les voir.
Goliath et Ronce sautèrent de leurs véhicules pour se diriger en courant vers lui.

- Killian ! Ça va ? cria le Corporem tout en courant dans sa direction.

Le maitre des runes se mit péniblement debout. Il sentit un petit pincement au niveau de son mollet et vit Ambre qui tentait de lui grimper le long de la jambe. Il la saisit dans une main et fut étonné de la normalité de sa température. Elle était légèrement plus élevée que la moyenne, mais il ne lui était plus impossible de la tenir contre lui.

- Killian ! répéta Goliath en arrivant à son niveau. Qu'est-ce qui s'est passé ici ? L'île, elle est totalement dévastée, on est très en-dessous du niveau de la mer.
- Où est Ambre ? demanda Ronce.

Killian se sentit mal, n'osant regarder ses amis dans les yeux. Toute la difficulté était de trouver les bons mots, surtout dans cette situation.

- Je suis désolé… je suis… vraiment désolé.

Goliath avait le visage fermé. Il lui posa une main sur l'épaule et regarda le maitre des runes dans les yeux.

- Non. Elle n'est pas morte Killian. Je sens encore son énergie. Elle doit être sous les décombres. On va la chercher. Le pendentif va nous aider à la retrouver.
- Ça ne servira à rien, répondit l'enchanteur, la voix cassée.

Il leva la main et le pendentif de la jeune femme sortit de dessous une pierre pour venir jusque dans sa main. Il tendit ensuite, à ses deux compagnons, l'oisillon qui attendait patiemment les présentations.

- Elle est là.

Personne ne lui répondit. Ronce et Goliath observaient la créature sans comprendre.

- Qu'essais-tu de nous dire ?
- C'est Ambre ! Cet oiseau c'est elle ! On s'est battus contre Antonio, il était là lui aussi. Elle s'est sacrifiée en utilisant l'armure que je lui avais fabriquée. Je te demande pardon Jacques… vraiment…pardon…

Fondant en larmes, Killian s'écroula sur son ami qui avait le visage fermé. L'oisillon, quant à lui, piaillait à n'en plus finir. Ce fut Ronce qui le prit dans ses bras pour le porter devant son visage.

- Comment tu peux en être sûr ?

La petite fille réfléchit un moment avant de regarder le petit oiseau avec un grand sourire :

- Si c'est toi, lève une patte.

A la grande surprise des trois compagnons, l'animal s'exécuta non sans se casser la figue.

- Bah mince alors ! C'est vraiment elle !

Goliath, qui était envahi par des sentiments contradictoires, attrapa avec douceur la créature.

- Mais qu'est-ce qu'on peut faire ? C'est peut-être réversible ?

Killian leva les yeux vers son ami. Il n'y avait pas pensé, mais peut-être que le sortilège pouvait être défait ?

- C'est un phénix, dit Ronce de but en blanc.

Ses deux amis se tournèrent vers elle l'air incrédule.

- Bah quoi ? Vous ne connaissez pas l'histoire du phénix ? L'oiseau qui ne peut pas mourir. La légende dit qu'il renait de ses cendres.

Réfléchissant en même temps que la petite fille parlait, le chef des Wizards eut une soudaine illumination.

- Pas de ses cendres, de son sang ! cria-t-il. Juste avant de se sacrifier, son sang luisait, elle avait dû anticiper que ça se passerait mal. Elle ne vous a jamais parlé de ce sort ?

Ses deux compagnons lui firent signe que non et ils restèrent là un moment à contempler la petite créature.

- On devrait retourner aux droners et rentrer. On n'a plus rien à faire ici Killian, dit le Corporem en posant une main amicale sur l'épaule du maitre des runes.
- Oui, je veux rentrer moi aussi, répondit la petite Ronce.
- Vous avez raison. Au fait, on est où ? demanda-t-il en se dirigeant vers le droners de Goliath.

- Sur l'île de Pâques, du moins ce qu'il en reste.

Killian n'en revenait pas, il s'était téléporté sur plusieurs milliers de kilomètres. C'est en décollant, Ronce assise entre ses jambes, qu'il put voir l'étendue des dégâts. L'île était en train de sombrer. L'océan pacifique s'engouffrait peu à peu par les fissures récemment créées par l'explosion. D'ici quelques heures, plus rien ne serait visible.
Ils retournèrent en premier à la pyramide afin de récupérer le droners de Killian. Il programma Scarlett pour que cette dernière ramène en pilote automatique celui d'Ambre.
Ils firent par la suite une escale à l'académie de Caracas, afin de dire au revoir à Léopardo et le remercier pour l'aide qu'il leur avait fourni. Ils lui racontèrent toute l'histoire sur l'aide que les islamistes avaient fourni à Antonio afin qu'il fasse très attention à eux.
Ils profitèrent du long voyage de retour pour tout se raconter en détail. Goliath raconta ses planques et ce qu'il avait appris. Killian leur raconta leur combat contre le Mentalus et Antonio.
Ambre changeait d'heure en heure, ce qui perturba les trois compagnons. Elle devint rapidement grande comme un faucon et des plumes rouges et orange apparurent sur l'ensemble de son corps. Sa température variait considérablement d'un moment à l'autre ce qui inquiétait Goliath qui se demandait si c'était une bonne ou une mauvaise chose. Sur la fin du voyage, le phénix prit son premier envol, planant à côté des quatre droners qui ralentirent pour voir ce superbe spectacle. L'oiseau laissait derrière lui une trainée d'étincelles, illuminant son vol comme un feu d'artifice continu.
« Waouh… dit Ronce complémentèrent envoûtée par le jeu de lumière ».
« Magnifique, répondit Killian dans son oreillette ».
Goliath ne répondit pas, toujours très perturbé par la situation. Il ne pouvait pas pleurer celle qu'il aimait, mais il ne pouvait se résoudre à apprécier de quelque façon que ce soit la situation.
Tout le monde les attendait près du hangar. Killian ayant averti Axelle de leur retour, cette dernière était à la fois ravie et stressée à l'idée que son mari apprenne qui avait remporté les épreuves pour devenir les nouveaux Wizards.
Les quatre droners se posèrent près de l'atelier, suivis d'Ambre qui se posa sur l'épaule de Goliath une fois ce dernier sorti de son engin. Axelle se jeta sur Killian avec passion, réalisant subitement que son mari était parti depuis plusieurs mois et qu'il avait frôlé la mort. Laurana et Ronce firent de même, ravies l'une comme l'autre de revoir sa meilleure amie.

Les membres du Conseil se focalisèrent sur Goliath, essayant de consoler le Corporem qui semblait véritablement perturbé par la situation.

- Elle est où ?!

Tout le monde se retourna vers Braise, qui arrivait en courant. Ce dernier avait un livre sous le bras et semblait être pressé. Il avança jusqu'à Goliath pour lui serrer la main. Il reporta très vite son attention sur Ambre qui le regardait d'un œil de prédateur. Il voulut toucher une de ses plumes, mais le volatile lui mordit la main, jusqu'au sang.

- Aïe ! C'est bien ambre, ça c'est sûr, dit-il en riant.

Ce qui ne fit rire personne d'autre. Voyant l'ambiance morose du groupe, il donna une grande claque sur l'épaule du Corporem qui commençait à avoir le sang en ébullition.

- Du calme mon grand ! Tu vas la revoir ta chérie. C'est bien un sort de l'obédience du feu. L'un de mes élèves a lu ça il y a quelques jours et lorsque je lui ai raconté l'histoire, ça lui est immédiatement revenu à l'esprit. Ecoute ! dit-il en saisissant son livre et en tournant les pages jusqu'à trouver le passage qui l'intéressait : « Lorsqu'un mage du feu pense que sa vie est menacée, je lui conseille de préparer le sort de phénix du renouveau. Ce sortilège nécessitera une grande concentration ainsi qu'une certaine maitrise de son corps. En effet, en faisant bouillir son propre sang, le mage devra ensuite l'enchanter pour que celui-ci puisse le réincarner en phénix. Ce corps sera temporaire, lorsque le mage aura recouvré assez de puissance, il pourra alors avoir recours au même procédé pour retrouver sa forme humaine. Il faudra tuer le phénix pour qu'il se réincarne en être humain. Il connaitra une croissance accélérée, lui rendant son âge réel en quelques jours seulement. »

Il referma son livre, fier de lui. Le sourire revint peu à peu sur le visage du Corporem qui regarda le phénix sur son épaule sans y croire.

- Il ne dit pas combien de temps elle va rester comme ça ?
- Non, désolé, mais c'est déjà une bonne nouvelle, non ? Merci qui ?

Killian, qui avait comme tout le monde écouté le rouquin, était soulagé. Ambre allait bientôt revenir parmi eux et tout redeviendrait comme avant. Ce qui lui fit penser à une question qui le travaillait depuis son départ de l'île de Pâques.

- Freya ?
- Oui ? répondit cette dernière sur la défensive.
- Lorsqu'un familier d'un démoniste meurt, peut-il revenir à la vie ?

Elle réfléchit un moment, pesant bien sa prochaine réponse.

- Ça dépend. Dans la plupart des cas : non. Souvent le mage sombre dans la folie. Un démoniste sans démon signifie perdre aussi ses pouvoirs. On a pu lire, dans nos propres ouvrages revenus du Vatican, que certains démons, dont la santé mentale du maitre n'était pas atteinte, pouvaient revenir à la vie plusieurs années suivant leur mort.

Lumio s'avança vers Killian, l'air contrarié :

- Axelle nous a raconté ce qui s'est passé. Tu penses qu'Antonio a survécu ?
- J'en ai le pressentiment. Mais son démon, lui, a été tué par Ambre.

Cette dernière poussa un cri de défi, avant de se lisser quelques plumes.

- Nous verrons cela plus tard, continua le vieil homme. Pas de mauvaise nouvelle pour l'instant. Apprécions la découverte de Braise et réjouissons-nous que vous soyez tous revenus. J'ai hâte d'entendre ton récit et de le consigner.
- Et moi j'ai hâte de te voir affronter nos deux poulains ! dit Neuro comme un cheveu au milieu de la soupe.

Killian ne remarqua pas les yeux noirs de toutes les personnes présentes.

- Ne me dis rien. Je tiens à découvrir mes deux adversaires le jour « J ». Sinon je risque d'être tenté de choisir une préparation spécifique, ce qui ne sera pas du jeu pour eux, ou elles ?

Neuro sourit. Il semblait être parfaitement à l'aise malgré la gêne générale l'entourant.

- Ce sont deux filles. Epatantes à dire vrai.
- Elles doivent, quand je vois dans quel état elles ont mis le pauvre Braise !

A la grande surprise du maitre des runes, personne ne sourit à la blague. Seule le mage du feu semblait être excité par l'idée de l'approche du combat :

- Epatantes, ça c'est sûr, répondit l'intéressé les yeux pleins de malice.

Killian apprit que la date de l'affrontement était dans un mois, ce qui lui laissait le temps de profiter de sa famille tout en passant un temps raisonnable dans l'atelier. Cette période de calme lui permit aussi d'apaiser son esprit, dans l'espoir chaque jour de ne pas avoir de nouvelle, soit du culte islamiste, soit d'Antonio.
La mauvaise nouvelle fut d'apprendre que la finale se déroulerait au stade de France, devant soixante-quinze mille personnes, sans parler de la retransmission à la télévision.

A l'exception de Laurana, il trouva ses filles particulièrement sages et discrètes. Ces dernières partaient régulièrement dans le bâtiment de leur obédience respective pour n'en revenir que le soir. « Au moins, elles ont le sourire » se dit le maitre des runes sans y prêter plus d'attention.
Ronce, Goliath et Lux passaient beaucoup de temps avec lui. Ils aidèrent les mages à lire et classer le reste des ouvrages venus du Vatican. Ils n'apprirent rien d'exceptionnel, si ce n'est que les mages de l'ancienne génération ne vivaient pas très longtemps, et pour cause : ils se vouaient une guerre constante pour être à la tête des divers ordres religieux du monde, créant des guerres fratricides tout en négligent le genre humain. Les quatre Wizards en vinrent à donner raison au pape lui-même : même si l'église avait roulé dans la farine (comme les autres cultes) les humains de cette planète, le comportement des mages de l'époque n'était vraisemblablement pas bien meilleur.
La deuxième action des Wizards fut de donner en secret une belle somme d'argent à toutes les académies de magie en difficulté. Le conseil lui-même approuva cette décision et participa beaucoup plus activement au bien-être des mages partout dans le monde. Seule l'académie du Japon refusa : vénérés comme des êtres importants, les mages japonais jouissaient déjà d'un statut bien particulier. Une autre académie, celle de Hongkong, renvoya les fonds sans le moindre commentaire.
Ambre devint en quelques jours aussi grande qu'un condor royal. Faisant désormais dans les cinq mètres d'envergure, elle ne quittait plus le bras de Goliath, jusqu'à dormir avec lui dans la chambre. La température de son corps s'était stabilisée, mais elle montrait à nouveau la capacité d'utiliser la magie, même sous cette forme. Cette nouveauté renforça l'idée qu'elle pourrait bientôt retrouver sa forme humaine.
Neuro venait régulièrement au loft afin de communiquer avec elle. Etant Mentalus, il avait démontré une certaine faculté à décrypter les pensées de la mage de feu même si ces dernières étaient souvent tournées vers Ronce, Goliath et la nourriture. Elle semblait, en fait, assez heureuse de cette vie, ce qui apaisa fortement le cœur du Corporem qui espérait au fond de lui qu'elle aille bien.

Chapitre 20

Le jour de la rencontre arriva encore plus vite que prévu et se fut dans la bonne humeur que tout le monde se retrouva dans le hall d'entrée.
Le maitre des runes fut surpris de ne voir aucun de ses enfants, ni Ronce.

- Où sont-elles encore toutes passées ?
- Ne t'en fais pas. Elles sont parties avec Terra et Diane. Nous on prend Ambre, Goliath et Lux dans la voiture.

Killian trouva l'ambiance pendant le voyage tendue. Les quatre heures de route furent longues avec très peu de sujets de discussion. « Ils doivent être angoissés par le combat », se dit-il.

- Vous devriez vous détendre, c'est moi qui vais rentrer dans l'arène ce soir, pas vous.

Si l'objectif était de faire rire ses amis et sa femme, c'était loupé. Il avait désormais la certitude que quelque chose lui échappait, comme si on désirait lui cacher volontairement une information capitale.
Ils entrèrent dans le stade de France par une issue de secours, prévue à cet effet, afin de ne pas être dérangés par les journalistes.
Sa surprise fut totale lorsqu'il entra dans la loge présidentielle. Proche des deux-cents mètres carrés, la pièce était déjà pleine de monde et tous avaient pris leurs aises.
L'ambiance devint rapidement électrique. Le stade se remplissait pendant que les Wizards discutaient entre eux. Braise vint se joindre au groupe et souhaiter bon courage au futur combattant.

- Bonne chance mon grand !

- Merci, mais au fait, on m'a dit qu'il y avait eu quatre participants en finale. Qui est le deuxième à avoir été vaincu ?
- Il se nommait Fujin, de l'académie de Tokyo.

Le maitre des runes réfléchit un moment. Il y avait bien eu une histoire dont il avait entendu parler.

- Fujin… de Tokyo. Celui qui a sauvé la côte Est de la catastrophe pétrolière ?
- Lui-même !

Même s'il essaya de ne pas le montrer, Killian était impressionné. Des mages de grand renom avaient participé aux épreuves, ce qui laissait supposer que les deux finalistes devaient être particulièrement fortes. Il réalisa que Laurana était collée à Ronce, mais que ses deux ainées n'étaient pas là. L'organisateur du stade l'interpella juste avant qu'il puisse poser la question à Axelle. C'était un homme en costume qui semblait avoir un balai coincé au mauvais endroit.

- Maitre Enchanteur ?
- Killian suffira.
- Hadès et Icy sortiront en premier. Lorsqu'elles seront au centre de la pelouse, vous n'aurez plus qu'à les rejoindre. Des questions ?
- Non aucune.

L'homme partit comme il était venu. Au moins connaissait-il maintenant le nom de ses deux adversaires.

- Hadès et Icy ? Une démoniste pour Hadès, facile, et… c'est quoi l'autre ? Icy, de la glace ? Une mage de l'eau ?

Le regard d'Axelle l'interpella. Son esprit recolla certaines phrases ou comportement des gens qui l'entouraient. La panique s'empara du père de famille qui posa LA question d'un trait à toutes les personnes autour de lui :

- Où sont Lana et Constance ?

Ce fut la musique et les applaudissements déclenchés par l'apparition de la première finaliste qui répondirent à Killian. Il vit tout le monde se diriger vers la vitre centrale de la loge, à l'exception des personnes présentes autour de lui.

Il se dirigea en silence vers le point de vue qui lui permit de découvrir la première de ses adversaires. Hadès venait de faire son entrée sous ses yeux ébahis. Vêtue d'une longue cape noire et rouge, elle représentait avec fierté son obédience. Elle était assise sur une épaule d'Arthur et le public exultait devant cette petite fille qui avait réussi l'exploit de se hisser en finale.

C'était donc elle qui avait vaincu le chef de la guilde de Tokyo : Fujin. Réputé aussi puissant que Braise et aussi sage que Lumio, le maitre des runes ne savait pas quoi

en penser. Son apparence avait aussi tellement changé, elle avait acquis une assurance qu'il ne lui connaissait pas.
Arrivée au centre de la pelouse, elle se mit debout sur son démon qui lui attrapa les chevilles et leva les bras. La foule exulta, faisant trembler le stade de France sur ses fondations.

Tous les Wizards fixèrent leur chef, attendant sa réaction face à cette découverte. Ils savaient qu'ils étaient tous de mèches car personne n'avait osé lui révéler la vérité. Axelle se fit aussi toute petite, espérant ne pas subir les foudres de son mari.

- Vous... vous étiez tous au courant ? N'est-ce pas ?

Le silence qui se répercuta jusqu'à lui était identique à un hurlement de « oui ». Tous l'avaient trompé. Même le phénix, perché sur le poignet de Goliath, se recroquevilla sur lui-même.

Une énergie nouvelle envahit la loge, quelque chose que peu de gens présents avaient déjà senti. Ronce plaqua ses mains sur ses oreilles et des larmes coulèrent sur ses joues, pendant que Lumio reculait, fixant le chef des Wizards avec peur.

Axelle saisit ce regard et l'interpréta immédiatement. Elle avait, dans son cœur, une phrase qui la hantait. Une phrase prononcée par le vieil homme il y avait plusieurs mois en arrière, lorsqu'elle l'avait rencontré pour la première fois. « Si un jour Killian était atteint par la Furia, il pourrait être la plus grande menace au monde ». A en croire le regard du mage de lumière, ce jour était venu.

- Aucun de vous n'a empêché cela.

Lux s'avança vers son ami, les mains en avant. Il savait l'instant critique.

- Écoute-moi Killian...
- T'écouter ?!

Killian venait de hurler. Un hurlement venu du plus profond de son âme. Des larmes affluèrent sans qu'il puisse les contrôler. Serrant son point devant lui, il hurla encore :

- Merde René ! J'ai vu Ambre se faire exploser pour me sauver la vie ! Tu crois que je pourrais oublier ce moment-là ?! Qu'en voyant ma fille, en bas, j'allais avoir une révélation et comprendre votre motivation à tous !

Il n'était plus en colère. C'était de la rage mélangée à une immense souffrance. Son amie lui manquait, et maintenant, on lui demandait aussi de risquer la vie de sa propre fille !

- Alors on en est là ! Vous voulez du spectacle ? du sensationnel ? Je vais vous en donner moi... je vais même vous donner de l'exceptionnel !

Il tendit sa main vers l'armature métallique de l'immense vitrage de la loge. Des runes bleues apparurent et un grincement résonna dans toute la pièce.

- Killian, hurla Lux, arrête, contrôle-toi !
- Je n'en ai pas envie mon ami !

La façade entière de la loge s'arracha du bâtiment avec un grondement sinistre. D'un geste mental, Killian propulsa le cadre métallique avec la lourde vitre plombée jusque sur la pelouse.

Le choc eut pour effet de plonger le stade dans un silence sans pareil. Le public hésitait. Etait-ce un accident ? Ou est-ce que cela faisait partie du spectacle ? Tout le monde aperçut un homme, vêtu d'une armure lumineuse et d'une longue épée apparaitre sur le rebord de la loge totalement détruite. L'enchanteur... ils étaient tous venus ici pour cela, le voir affronter les vainqueurs des épreuves de l'académie de magie.

Un tonnerre d'applaudissements arriva jusqu'aux oreilles de Killian et du reste des occupant du salon privé. Ce qui accentua sa colère. « Vous êtes pire que des moutons, eux savent au moins quand ils sont en danger ».

Le maitre des runes allait déchainer sa magie lorsqu'un cercle de puissance apparut au centre de la pelouse. Constance, ou maintenant Hadès, venait de disparaitre et deux grandes ailes d'une fumée noire et opaque apparurent dans le dos de son démon. Ce dernier s'envola et se dirigea droit sur lui. Arrivée à son niveau, il freina et regarda Killian d'un air ahuri.

- Papa ! Qu'est-ce que tu fais ?! Icy n'est pas encore rentrée !

La voix de sa fille à l'intérieur du démon le choqua. En fait, c'était totalement ridicule.

- Non, mais sans rire, on passe pour des amateurs là !

Elle, ou il, repartit vers le centre du stade et lui fit signe de la, ou le, rejoindre.

Killian se tourna vers ses compagnons et les regarda d'un air totalement hébété. Le voile de haine qui se dressait entre lui et la réalité venait de disparaitre. Il réalisa, avec calme, ce qui venait de se passer.

- Elle peut rentrer dans son démon ?

Une fois de plus, personne n'osa répondre. D'un autre côté, il n'en avait pas vraiment besoin. Oui, sa fille pouvait faire ça. Un élan de fierté le traversa. Non seulement elle était dotée d'un pouvoir qui semblait vraiment supérieur à la normale, mais en plus, elle avait réussi à le calmer.

La foule était en délire, imaginant n'importe quoi concernant le dialogue entre le père et la fille. Le chef des Wizards entendit dans le public des « Elle est carrément allée le provoquer » ou des « Ils ont mis le paquet ! Ils sont allés jusqu'à détruire une partie du stade ! ».

- Euh… je fais quoi maintenant ?

Axelle ne lui répondit pas, mais se jeta sur lui avec toute la rage qu'elle était encore en mesure de montrer, ce qui lui sembla assez pitoyable. Elle frappa son torse, oubliant que son mari portait une armure faite d'acier enchanté.

- Tu fais quoi là ?
- Je te frappe, tu m'as fait la peur de ma vie, lui hurla-t-elle d'une voix cassée.
- Je ne sens rien en fait.

Elle leva la tête et vit son sourire moqueur. Les yeux pleins de larmes, elle ne put s'empêcher de rire en voyant l'air de son mari.

- Je suis désolé, dit Killian avec beaucoup d'amour. J'ai perdu les pédales. Je te propose d'aller mettre la fessée à notre fille et après on discute de tout ça à tête reposée, ok ?
- Tu es sûr d'être calmé ?
- Oui, je vais contrôler la fessée, promis.

Elle dirigea son regard vers Lux qui lui fit un petit signe d'encouragement. C'était le bon moment pour tout lui dire, la crise était passée.

- En fait, tu vas devoir mettre deux fessées, ton autre adversaire c'est Lana. Icy…

Le maitre des runes souffla et regarda l'ensemble des gens dans la pièce (du moins ce qu'il en restait).

- Bon… je descends là-bas, mais je vous préviens, potassez une bonne excuse pour ne m'avoir rien dit.

Il se dirigea vers le rebord de la loge donnant sur le stade et se téléporta, pour le plus grand plaisir du public, à côté d'Hadès qui montrait des signes d'impatience.

Goliath regarda autour de lui pour constater les dégâts. Killian venait de jeter une armature métallique de plusieurs tonnes et il se demandait pourquoi ils ne lui avaient rien dit ?

- Il est sérieux là ? Potasser une excuse ? Il se demande vraiment pourquoi on ne lui a rien dit ?

La phrase eut le mérite de faire rire la plupart des personnes présentes dans la salle. Seul un homme, dont l'âge n'avait d'égal que sa sagesse, regardait Axelle avec une intensité qui fit frémir la jeune femme. Cette dernière pouvait lire dans ses yeux : « Je vous avais prévenue, un jour, rien ne l'arrêtera ».

Le maitre des runes fixa l'autre extrémité du stade, celle par laquelle son autre fille devait entrer. Ce fut le déclencheur pour le public. Cela commença par un murmure, puis le volume monta. Killian ne réalisa pas tout de suite, mais lorsqu'il comprit, il en resta bouche bée. Les soixante-quinze mille personnes présentes dans le stade criait « Icy… clap clap clap…Icy … clap clap clap ».

- Vous n'avez pas chômé avec ta sœur durant mon absence j'ai l'impression.

Hadès, qui avait repris forme humaine lui fit un grand sourire. « Elle a même un sourire de diablotin maintenant, à la fois moqueur, marrant et dangereux. » se dit son père en la regardant.

- Et encore, tu n'as rien vu.
- J'imagine.

Icy pénétra sur la pelouse sous un tonnerre d'applaudissements. Elle avançait vers lui avec détermination. Killian aima son regard. Elle avait toujours été celle qui lui avait opposé le plus de résistance tout en étant très proche de lui.
Arrivée à son niveau, elle se planta devant lui.

- Papa.

Le mot était simple et en disait long. Elle n'avait pas assisté à sa colère et semblait déçue par le calme de son père.

- Icy.

Elle sourit en entendant prononcer son nouveau nom. Comme s'il acceptait la situation. Killian s'éloigna de quelques mètres et se tourna vers ses filles :

- Sachez que j'ai dit que j'affronterai les deux vainqueurs des épreuves et c'est ce que je vais faire. Vous avez décidé de devenir des Wizards, maintenant il va falloir assumer.

Il saisit son épée et la planta dans le sol. Fangore se retrouva immédiatement à ses côtés. Un élan d'excitation parcourut l'esprit de cette dernière qui redirigea vers son maitre l'envie du combat.
Les deux jeunes filles reculèrent, un sourire aux lèvres. « Elles ont l'air sûres d'elles et elles ont vaincu Braise ainsi que Fujin… ne prends pas ce combat à la légère », s'obligea à penser le maitre des runes.
Un décompte s'afficha sur les grands écrans surplombants le stade. Deux minutes.
« Ils ont l'art et la manière de chauffer le public ». Il s'éloigna un peu plus de façon à avoir une bonne vue de ses deux filles. Hadès dit à son démon de se faire craquer les doigts pour l'impressionner, ce qui fit sourire Killian car le démon ne sut pas

comment faire et sa maitresse partit dans une explication totalement incompréhensible. Icy semblait en pleine séance de concentration, les yeux fermés. Killian sentit l'énergie s'accumuler dans la jeune fille.
« Au moins une qui prend ce combat au sérieux ». Il jeta un dernier coup d'œil à la loge. Tout le monde le regardait, il put lire de l'angoisse dans le regard de certains de ses amis ainsi que dans celui d'Axelle. «Ça va, je ne vais pas tuer mes propres filles ! » se dit-il un peu exaspéré.
Le public le sortit de ses réflexions lorsqu'il entama en chœur la fin du décompte :
10…
9…
8…
7…
6…
5…
4…
3…
2…
1…
DONG !

- Vas-y Arthur !

Hadès lança son démon comme un boulet de canon vers son père. Les jambes puissantes de la créature lui permirent d'être sur l'enchanteur en un rien de temps. En parallèle, Icy se lança elle aussi en direction de Killian tout en dégageant un cercle de puissance, détruisant ses deux bouteilles d'eau pour les transformer en katana de glace. Elle savait que cette double attaque serait sans effet, mais elle désirait prendre l'avantage et ne pas rester en défense, à subir les assauts du plus puissant magicien au monde.
Le problème, c'est que le poing du démon autant que la lame de la petite fille ne rencontrèrent que le vide. Usant d'une simple rune de téléportation, Killian disparut.

- Ah ces jeunes…

Ce bol d'air frais lui faisait du bien. Il lui fallait le temps de reprendre ses esprits. Perché en haut d'un projecteur, il se savait quasiment invisible. Il s'amusa à regarder ses deux filles ainsi qu'Arthur tourner leur tête dans tous les sens pour le trouver, sans résultat.

- On fait quoi ma belle ?

Il caressa Fangore qui se tenait à ses côtés. Elle dandinait son postérieur, pleine de malice.

- Je suis bien d'accord, on va les taquiner un peu.

Il se téléporta à nouveau et se retrouva à une cinquantaine de mètres au-dessus d'elles. L'apesanteur fit son effet et il chuta de plus en plus vite dans leur direction. Ce n'est qu'à quelques mètres du sol qu'il activa ses runes d'éclair du premier cercle et une rune de dématérialisation pour ne pas s'écraser contre le sol.

Lana fut touchée de plein fouet par un arc électrique et Arthur eut le temps de prendre dans ses bras sa maitresse, la protégeant ainsi au sacrifice de son corps.

L'ainée des deux sœurs réussit à se relever plus rapidement que ne l'avait prévu le magicien. Ce dernier l'observa et put voir que les katanas de sa fille étaient parcourus d'électricité.

- Belle parade, se dit-il.

Sa surprise fut complète lorsqu'il vit sa fille charger à nouveau.

- Bien voyons ce qu'elle vaut au corps à corps.

Il resserra sa prise sur son arme et se porta au-devant de son adversaire. Une fois de plus, il fut surpris par les compétences de bretteuse de Lana. Celle-ci maniait ses deux sabres avec agilité et précision. Enchainant les coups d'estoc, de pointe, parade et moulinet, elle lui menait la vie bien plus dure que ce à quoi il s'attendait.

Il profita d'un léger déséquilibre de sa fille pour lever son arme au-dessus de sa tête et frapper de toutes ses forces. Lana croisa ses deux katanas et para l'attaque, mais se retrouva un genou au sol, n'ayant pas la force physique de son père.

- Bien joué ma puce, mais la dernière chose que tu devais faire, c'est un rapport de force avec moi.
- Je…sais … bien… c'est pour ça… que je lui laisse…le relais.

Killian eut juste le temps de tourner la tête pour voir l'énorme poing d'Arthur s'abattre sur lui. Utilisant une rune de bouclier du premier cercle, il accusa le choc. Propulsé sur plusieurs mètres, il rebondit plusieurs fois sur le sol et se retrouva avec de la pelouse jusque dans les narines.

Le maitre des runes se força à se relever et activa d'instinct une rune de bouclier du troisième cercle afin de reprendre ses esprits. Lorsqu'il ouvrit les yeux, ce fut pour voir Lana se concentrer. Un cercle… deux cercles… « Mais c'est qu'elles sont sérieuses en plus », ironisa-t-il. Projetant l'un de ses katanas sur le sol, Killian vit une vague de glace fondre sur lui. Le bouclier absorba le choc, mais il se retrouva totalement entouré de glace avec seulement un périmètre restreint d'air libre autour de lui de la taille de la bulle de son bouclier.

« Eh bien au moins ici, je suis tranquille », pensa-t-il en s'essuyant le visage plein de terre et d'herbe. « Je dois bien admettre qu'elles savent ce qu'elles font, à croire qu'elles ont été briefées. ».
Il réfléchit au meilleur moyen de sortir de cette prison de glace, lorsqu'il sentit une pression sur son bouclier, puis un relâchement et à nouveau un choc. « Elle frappe mon bouclier en modifiant sa création, il est vraiment temps de sortir ».

- Scarlett ?

« **Oui maitre** ? »

- J'ai besoin de Fangore V2.0. avec l'armure cette fois.

« **Envoi en cours, réception dans trente secondes. Faites attention à l'impact, les derniers tests...** »

- Merci Scarlett, je gère.

- Qu'est-ce qu'il fait ? demanda Hadès à Icy.
- Aucune idée, répondit cette dernière les mains en avant. Il va bien devoir sortir, encore quelques coups comme celui-là et son bouclier va se briser. Notre plan marche à merveille, il épuise toutes ses runes au fur et à mesure.

Le public était en folie, son désir de voir un match serré se réalisant.
Le reste des Wizards regardait le combat à côté des membres du Conseil qui faisaient les yeux ronds devant les capacités des deux petites filles.

- Elles se défendent bien, commença Freya. On ne peut pas dire qu'il se laisse faire pourtant.
- Je pense qu'elles ne vont pas tarder à l'agacer, commenta Goliath tout en caressant Ambre qui s'agitait sur son poignet. Les choses sérieuses vont pouvoir commencer.

Braise vint se placer à côté de lui sans quitter le combat des yeux. Il semblait véritablement subjugué par ce qu'il voyait.

- Il peut vraiment faire beaucoup plus ?
- Il s'échauffe, répondit le Corporem un sourire en coin. Comprends-le, ça reste ses filles.

Ronce huma l'air, interloquant tout le monde dans la pièce. Les deux autres Wizards s'inquiétèrent de la situation, connaissant l'extrême sensibilité de la petite fille aux variations d'énergie.

- Ronce, un danger ? demanda le mage de lumière.
- Non... c'est Killian... il arrive par le ciel...

Le phénix hurla en fixant le ciel étoilé du stade de France. Plusieurs boules de lumière arrivaient à grande vitesse. Le public commença à réaliser ce qui se passait. Une dizaine de petites météorites bleues fondaient sur la position du maitre des runes.
La surprise fut totale quand une détonation de grande envergure explosa la prison de glace, créant un nuage de fumée, de terre et de vapeur, obstruant à la vue de tous l'état dans lequel se trouvait le chef des Wizards.
Tout le monde jeta un coup d'œil aux deux jeunes filles, mais elles semblaient aussi perdues que le reste des spectateurs.
Les boules de lumière filèrent dans cet épais nuage résiduel et des bruits d'impact se firent entendre ainsi que des cris de douleur.

- C'est quoi ce bordel ?! cria Goliath. Il faut qu'on y aille, on nous attaque.
- Non, c'est lui.

Tout le monde se tourna vers Axelle qui consultait son ordinateur portable.

- Il vient d'activer une sorte de prototype, je regarde dans les dossiers de Scarlett. C'est une sorte d'armure pour lui, mais aussi pour...Fangore ?

Ambre cria à nouveau, étant la seule à avoir vu une partie du phénomène, elle savait que les choses sérieuses venaient de commencer.
La fumée commença à se dissiper et deux yeux brillants comme des rubis percèrent le reste de la brume. Killian se dévoila un peu plus au fur et à mesure et le monde découvrit le maitre des runes sous un nouvel aspect.
Equipé de sa nouvelle épée, Fangore était radieuse. Doublant de volume, elle fit à elle seule reculer d'un bon mètre les deux jeunes filles lorsqu'elle sortit pleinement sous les projecteurs.
Des bruits de pas résonnèrent dans tout le stade et le chef des Wizards apparut. L'armure était faite pour aller avec la nouvelle version de Fangore. Mesurant désormais plus de deux mètres, il rivalisait largement avec Arthur. Ce dernier devait désormais légèrement lever la tête pour le regarder dans les yeux.
Plus un seul centimètre carré du mage n'était visible, l'armure recouvrant tout. Sculpté à même le métal, chaque pièce était un véritable bijou de précision. Des runes couraient le long de son corps comme une rivière sans fin, illuminant le centre du stade.
Les un mètre cinquante de Fangore restaient tout de même impressionnants, particulièrement pour tous ceux qui ne l'avaient jamais vue.
Hadès et Icy contemplaient le spectacle sans y croire.

- Tu es sur de ton coup, au niveau de ta stratégie, commença la plus jeune. Epuiser ses runes, ça va prendre beaucoup plus de temps que prévu.

La mage de l'eau était totalement dépassée. Effectivement, son plan venait de tomber à l'eau. Leur père venait de leur faire une belle démonstration de supériorité.

- Faudrait voir ce que ça donne… tu ne veux pas envoyer Arthur en éclaireur ?

Le démon sourit de toutes ses dents, impatient d'aller en découdre avec ce nouvel adversaire.

- OK, vas-y, mais sois prudent.

Il poussa un cri de défi. Un hurlement qui fit réagir le public qui hurla à son tour, heureux de voir que la spectaculaire transformation du maitre des runes n'avait pas entamé la résolution de ses adversaires.

Killian ne bougea pas d'un pouce, fixant l'approche du démon qui chargeait sur lui comme un boulet de canon, le poing levé. Le monde retint son souffle, sentant l'impact imminent.

C'est avec une agilité surhumaine que Killian attrapa le poing du démon quelques centimètres devant sa visière et qu'un rapport de force s'établit entre les deux colosses.

Les deux fillettes trouvèrent le moment propice pour intervenir. Hadès, poussée par la peur pour son démon, utilisa pour la première fois sa magie jusqu'au troisième cercle. Son corps brilla comme le feu des enfers pour venir inonder son familier d'une nouvelle puissance.

Le maitre des runes prit conscience du danger et bondit en arrière, évitant un projectile de glace par la même occasion.

Arthur, équipé de son sabre démoniaque et d'un bouclier de flammes, fixait son adversaire avec détermination. Mais c'est Icy qui arriva la première au contact sur son père, enchaînant les attaques avec ses katanas aussi rapidement que possible.

Killian ne semblait pas le moins du monde dérangé par la lourdeur de son armure ni de son arme et répondit avec autant d'acharnement.

Arthur se joignit à la mêlée, provoquant un combat à trois qui raviva les cris du public. Un affrontement mélangeant éclairs, feu et glace transforma la pelouse du stade de France en véritable champ de bataille.

Durant plusieurs secondes, personne n'aurait pu prédire l'issue du combat. Le maitre des runes encaissait un grand nombre de coups sans paraitre déstabilisé pour autant et ses ripostes obligeaient ses adversaires à redoubler de vigilance pour ne pas être découpés en deux par l'énorme espadon qu'était devenue Fangore.

- Vous vous êtes bien battues mes enfants, mais il est temps d'en finir.

D'un large moulinet, le chef des Wizards obligea ses deux adversaires à reculer et pointa sa main libre vers Arthur qui se positionna derrière son bouclier. Une multitude d'éclairs fondirent sur lui, l'inondant de courant électrique. Hadès, sous la forme de son épée, fut projetée en l'air avant de redevenir humaine et atterrit lourdement sur le sol, plusieurs mètres plus loin. Arthur s'effondra juste après, le corps fumant.

Icy regarda son père qui se tournait lentement vers elle. Il ne lui restait plus qu'une carte à jouer, sachant que ça ne suffirait pas. Mais elle se refusait à ne pas essayer, à ne pas lui prouver qu'elle pouvait devenir une Wizards.

Elle bondit en arrière et planta ses deux sabres dans la pelouse du stade de France. Avec une lenteur mesurée, elle leva ses bras, sans quitter son père des yeux. A sa grande surprise, il la laissa faire.

Intelligente par nature, Icy avait bien fait ses devoirs et avait trouvé les plans du stade sur internet, apprenant quelque chose de très intéressant pour elle : elle allait combattre au-dessus de l'un des plus gros systèmes d'arrosage de la ville.

Un bruit de canalisation qui cède se fit entendre à plusieurs endroits. Le public regardait sans comprendre le sol qui se déformait par endroit.

La petite fille libéra son énergie et Killian vit trois cercles de puissance se dégager de ce petit être d'à peine douze ans.

« Elles ont donc réellement appris notre technique », se dit l'enchanteur en voyant la vitesse et la puissance d'incantation du sort de sa fille.

L'eau sortit du sol à plusieurs endroits pour venir se concentrer au-dessus d'elle, formant petit à petit une constellation de pics de givre, coupants comme des lames de rasoir.

Dans un dernier effort, Icy récupéra ses deux sabres et les pointa sur son père :

- Ça passe ou ça casse ! Arrête ça si tu...

Les yeux écarquillés, la petite fille sentit son esprit vaciller lorsque le poing de Killian atteignit son estomac. Toute sa magie fut dissipée et elle tomba en avant. Le maitre des runes, qui venait d'user d'une simple rune de téléportation, rattrapa sa fille et la prit dans ses bras puissants.

Le corps lourd lui indiqua qu'elle s'était évanouie. Il lui caressa les cheveux et se dirigea vers Hadès qui semblait à peine reprendre conscience, se frottant la tête. Elle aperçut Arthur au sol et essayait de se lever pour aller le rejoindre lorsqu'elle sentit une main puissante la saisir pour être jetée sur une épaule comme un sac de pommes de terre.

- Attends, Arthur ne va pas bien ! Je dois aller le voir !
- Tout va bien, lui répondit son père, regarde.

En effet, le démon semblait reprendre vie. Se hissant sur ses jambes, il se secoua comme un animal qui voulait s'essorer. Lorsqu'il aperçut sa maitresse dans les bras d'un autre, il se frappa la poitrine d'un air de défi.

- Mais non mon grand, c'est fini, il a gagné.

Arthur prit un air penaud, et tendit les bras pour récupérer ce qu'il y avait de plus cher à son cœur.

- Tiens, je pense que ça ne sert à rien de te dire de prendre soin d'elle ?

Le démon montra les dents en signe de mécontentement puis, rassuré d'avoir récupéré Hadès saine et sauve, fit un geste qui surprit le maitre des runes. Main tendue en avant, la colossale créature attendait une poignée de main de son adversaire. Killian la saisit et vit quelque chose de spécial dans les yeux du démon de sa fille, comme un message à son attention : « Je prendrai toujours soin d'elle ». Pour la première fois, le magicien comprit l'ampleur du lien qui unissait ces deux êtres. Arthur serait toujours là pour elle. Il n'hésiterait pas à sacrifier sa vie pour sa fille.

- Merci mon grand.

Icy sembla revenir à la réalité. Lorsqu'elle réalisa où elle se trouvait, elle ne put retenir une larme, sachant qu'elles avaient échoué.

- Pourquoi pleures-tu ma puce ?
- On a perdu. On ne sera jamais des Wizards...

Killian n'avait pas envie de leur dire la vérité, mais il se devait d'être juste. Les deux petites filles l'avaient poussé à utiliser ses runes les plus puissantes. Elles avaient réussi toutes les épreuves, vaincu tous leurs adversaires jusqu'à lui.

- Je suis extrêmement fier de vous. Je n'ai jamais dit que vous deviez me battre. J'ai juste dit que j'affronterai les finalistes.

La petite fille releva la tête pour regarder son père, révélant son visage plein d'espoir :

- Ça veut dire...
- Que vous êtes désormais des Wizards.

Il posa sa fille pendant qu'Arthur faisait de même avec Hadès, laissant les deux fillettes se jeter l'une sur l'autre et danser, devant un public en folie. Les jets d'eau, causés par la destruction du système d'arrosage, avaient transformé le stade en fontaine géante.

- On devrait sortir de là. Je pense qu'on va se prendre un savon. On a fait plus de dégâts que prévu.
- Oui, mais les gens en ont eu pour leur argent ! cria Hadès avec un immense sourire.

Killian était tellement fier de ses filles que la perspective de faire face aux conséquences de ce combat lui importait peu.

- Tu as raison, je pense que maintenant, les gens vont vraiment avoir une idée de ce que nous sommes capables de faire. Scarlett, récupère Fangore V2.

Les pièces supplémentaires de Fangore et de son armure se mirent à briller avant de décoller vers le ciel, traçant des sillons lumineux dans la nuit, à l'image d'étoiles filantes.
Le spectacle était aussi magnifique que la vision d'horreur qui s'ensuivit. Les fillettes virent leur père s'effondrer, le corps mutilé. Plusieurs plaies se trouvaient désormais sur le corps du magicien, laissant imaginer le résultat de plusieurs pièces métalliques projetées à grande vitesse sur un être humain.
Le chef des Wizards tenta de lutter, mais son esprit sombra rapidement dans l'inconscience avec comme dernier souvenir sa femme qui arrivait en courant vers lui, jetant son ordinateur portable au loin.

Killian sentit une pression sur son front, une douce chaleur qu'il connaissait bien. Ouvrant timidement les yeux, il découvrit qu'il était dans son lit, bien emmitouflé sous sa couette. Axelle était là, lui caressant le visage en regardant par la fenêtre.

- Eh bien, qu'est-ce qu'il ne faut pas faire pour se faire dorloter ici.

Elle tourna la tête vers lui et lui fit un sourire plein de reproche.

- Comme utiliser un équipement fortement déconseillé par Scarlett.
- Il fallait bien faire le test un jour ou l'autre.
- Et tu t'es dit qu'en direct à la télévision et devant un stade rempli d'un public en folie, c'était le moment idéal.

Il rit, même dans une situation pareille, elle arrivait à lui tenir tête.

- Je ne les aurais pas vaincues sans cela.
- Etait-ce si important que cela ? Au pire tu aurais perdu…
- Contre mes filles ? Même pas en rêve.
- Alors c'est juste une histoire d'ego mal placé ?

- Tu aurais préféré qu'elles ressortent de là en pensant qu'elles étaient invincibles ?

L'argument la moucha, l'obligeant à considérer l'état d'esprit de deux petites filles en cas de victoire.

- Il ne faut pas qu'elles se croient invincibles, il faut qu'elles gardent les pieds sur terre, c'est important. Je ne veux pas qu'elles foncent tête baissée vers le danger, j'ai déjà Ronce pour ça.

Il se redressa sur ses coudes et attendit que le vertige naissant passe.

- Lux ?
- Lumio, Lux s'est occupé de Lana et Constance.
- Icy et Hadès.
- Je ne vais jamais m'y faire, ça reste mes bébés.
- Comment vont-elles ?

Elle se leva sans rien dire et ouvrit la porte de la chambre :

- Les filles ! Papa est réveillé !

Il entendit des bruits de course résonner dans le loft et vit ses trois filles arriver en courant, suivies d'Arthur. Elles se jetèrent sur le lit et un câlin général s'ensuivit.
Ils descendirent tous ensemble dans le salon, heureux de se retrouver en famille. Les Wizards étaient tous là : Goliath regardait la télé en donnant des cacahuètes à Ambre qui se lissait les plumes devant la télé, Lux lisait un livre et Ronce buvait un verre de lait.
Voilà ce dont il avait besoin, une scène de la vie normale. Il était temps de faire une pause. Il ne savait pas ce qu'Antonio lui préparait, mais sans son démon, ils allaient avoir un peu la paix. « Chacun va panser ses blessures », il fixa le phénix qui trônait à côté du Corporem, « et pleurer ses morts, mais quand je serai rassasié de ça, je vais te retrouver et je finirai le travail... peu importe où tu te caches ».

Antonio agonisait sur son lit. Caché sous une pile de livre brulé, il avait vu le maitre des runes s'envoler avec ses amis. Ce n'est que bien plus tard que Paolo, son fidèle serviteur, ne vint le chercher.
Son démon avait sacrifié sa vie pour le sauver. Du moins, en grande partie. Il perdit son bras gauche dans l'opération.
Depuis deux jours, la fièvre s'en prenait à lui. Il avait des hallucinations qui lui montraient son démon mourant, encore et encore dans d'atroces souffrances.
Sa haine pour le maitre des runes amplifiait de jours en jours, transportant son esprit dans la folie. Son état se dégradait et Paolo se mit à avoir peur pour la vie de son maitre. Tous les serviteurs de l'ordre commençaient à douter des préceptes qu'Antonio avait tenté de leur inculquer. En mourant, il allait leur prouver qu'il n'était pas l'élu. Il n'était pas celui qui devait faire revenir le dernier divin dans notre monde.
C'est au crépuscule du cinquième jour, alors qu'il venait lui donner de l'eau pour purifier son corps, qu'il trouva le chef de l'ordre du dernier divin en furie, hurlant à plein poumon des atrocités à l'encontre des Wizards.
C'est alors qu'un vent glacial empli la pièce, soufflant les bougies que Paolo s'évertuait à garder toujours allumées pour son maitre. Le corps de l'ancien archevêque de florence se tendit avant de retomber, inerte sur le matelas.

- Maitre…non…

Ce ne fut pas la voix de son maitre qui lui répondit :

- Ton maitre n'est pas encore mort, mais ça ne saurait tarder.

Le corps d'Antonio se redressa, révélant ses traits légèrement changé, plus féminin, mais ce qui inquiéta le serviteur fut ses yeux : Une lueur démoniaque s'en échappait.

- Alors me voilà dans un corps de prêtre mourant. Je suis tombé bien bas… voyons ce qu'il y a dans son esprit.

La furia fouilla les souvenirs de cet homme insignifiant. Elle ne trouva rien d'intéressant jusqu' à sa vie de mage. Sans y croire, elle s'implanta profondément en lui pour trouver sa réelle motivation. « Alors comme ça, le destin me sourit au moins une fois en plus de mille ans. Hors de question que je n'en profite pas ».
Elle reprit le control d'Antonio et trouva le jeune Paolo assis par terre, brandissant sa croix en bois devant lui, comme si un objet aussi ridicule pouvait avoir le moindre effet sur elle. « Les religieux… ils ne changerons donc jamais. Il est temps de s'amuser un peu, jouons avec sa foi. »

- Toi, lève-toi.

Guidé par la peur, le serviteur encore tremblant se releva, des larmes coulant sur ses joues.

- Je vais te rendre ton maitre, je vais le soigner, car il est l'élu.

Le corps d'António brilla tout en s'élevant au-dessus du lit, devant les yeux ébahis de Paolo, avant de retomber lourdement sur le matelas.
L'archevêque ouvrit les yeux et se redressa, une énergie nouvelle coulait dans ses veines. Sans y croire, il porta devant son regard son nouveau bras. C dernier ressemblait désormais à celui de son démon, sans main avec juste une lame en os de trente centimètre.

- Maitre ? vous allez bien ?

L'homme détourna le regard de son nouveau membre pour reporter son attention sur son serviteur.

- Très bien Paolo, enfin, je sais !
- De quoi parlez-vous maitre ?
- Le Malachor, elle m'a tout dit… je sais comment le faire revenir dans notre monde.

LIVRE 3 :
« La Furia et Le Dernier Divin »

« L'homme a choisi de croire en Dieu. Je préfère croire en la magie… »

Prologue

Ses yeux s'ouvrirent pour la première fois. La douleur lui dictait de pourtant vite les refermer, mais la curiosité l'incita à laisser faire le temps. La douleur passa, « bon vent » se dit la créature qui ne se lassa pas de contempler ce nouveau monde qui s'offrait à elle.

Sortir de son œuf lui avait tellement coûté en énergie que même lever la tête lui semblait être hors de sa portée pour le moment.

Il y eut comme des vibrations dans l'air et une ombre s'imposa, masquant la magnificence du soleil à ses yeux.

Elle tourna la tête pour regarder d'où provenait la source de cette déception et son regard se posa... sur sa mère.

Grande comme un monde, cette dernière la contemplait avec tellement d'amour qu'elle couina de frustration de ne pas pouvoir se jeter contre elle.

Sa silhouette était d'une perfection absolue. Ses écailles, bleues comme l'azur, étaient parsemées de pierres précieuses. Son cou, démesurément grand, se terminait par un visage pointu. Ses yeux, d'un mauve éclatant, devaient faire une dizaine de fois sa propre taille. Une grande corne d'argent ainsi que plusieurs petites sur ses arcades parachevaient l'œuvre.

- Il est... unique. Comment avons-nous réussi pareil prodige ?
- Je ne sais pas mon amour. Son destin est déjà scellé, je ne sais pas si je dois m'en réjouir ou pleurer.

La voix qui venait de répondre était beaucoup plus grave et puissante. Le nouveau-né tourna sa tête pour contempler son père. Encore plus imposant que sa mère, ce dernier était d'un rouge éclatant. Ses ailes, parsemées de plumes métalliques orange et jaune, faisaient de lui un soleil vivant.

Le dragonnet éprouva un amour immense pour ses parents dès le premier regard.

- Nous devons le protéger… il devra le faire le moment venu.
- Je m'y refuse ! hurla son père. Ce sont de vieilles légendes, rien de plus !

Le petit être rentra sa tête dans ses épaules au hurlement de son père. Pourquoi donc était-il en colère ?

- Non… regarde-le. Ses écailles brillent comme… Nous avons donné naissance à un dragon d'or ! Tu sais ce que cela signifie… il devra donner sa vie pour l'un d'entre eux.

Son père détourna son regard et une larme, grande comme un océan, chuta aux pieds de l'immense dragon.

- Soit, si le destin en a choisi ainsi, je ne m'y opposerai pas. Mais à compter de ce jour, je ne connaitrai plus jamais la joie.

Il se tourna à nouveau vers son fils, son unique enfant, le seul qu'il n'aurait jamais. Il connaissait les paroles qu'il devait prononcer et c'est avec tout l'amour qu'il put mettre dans sa voix que les premiers mots résonnèrent dans la vallée :

- Écoute-moi bien mon fils. Je sais qu'un jour, tes rêves te porteront jusqu'à cette journée et tu te souviendras. Alors, entends ces paroles à jamais : tu es un dragon d'or. Unique tu es et unique tu seras à vie. Ton destin est de vivre dans la solitude jusqu'au jour où tu rencontreras un humain qui malgré son jeune âge en comparaison du tien, t'imposera le respect. La pureté de son esprit n'aura d'égale que le sacrifice que tu lui feras : le don de ta vie. Maintenant dors mon fils, profite de cet instant, nous veillerons sur toi.

Sa mère vint frotter son museau contre son père et lui chuchota une dernière parole :

- Un dragon de légende doit avoir un nom de légende mon amour…
- Tu as raison Chant de Lune.

La dragonelle ferma les yeux. Elle aimait quand son époux l'appelait par son nom d'épouse et non de dragon.

- Il s'appellera Naox…

Chapitre 1

La Furia regardait le crâne qu'elle tenait dans sa main. Depuis plus de deux siècles, cet ossement représentait sa seule compagnie. Il connaissait les moindres de ses secrets, tel un confident éternel. Il appartenait à la race des Elronesh, les disciples du Malachor. Depuis la nuit des temps, ces créatures à l'apparence de l'homme mélangée à celle de sangliers sanguinaires étaient les gardiens du monde dans lequel vivait leur maitre. Lorsque celui-ci avait été invoqué sur la Terre, il leur avait ordonné de garder sa demeure, son monde, jusqu'à son retour. Puis, il leur avait envoyé sa fille afin qu'ils la torturent pour toujours. Peut-être pensait-il venir l'achever lui-même ?

Quoi qu'il en soit, il ne revint jamais. Pendant plus de cinq siècles, la petite fille subit les pires tortures que le peuple Elronesh était en mesure de lui faire endurer. Sa nature, à moitié identique au Malachor, lui permettait de se régénérer rapidement, pour le plus grand plaisir de ses bourreaux.

C'est ainsi qu'elle resta plus d'une décennie, le corps flottant dans une eau ténébreuse du lac d'Idrilianor dit « le volcan noir ». Une étendue d'eau qui ne gèle jamais, malgré ses moins deux-cents degrés. Des sirènes aux crocs empoisonnés lui offraient régulièrement leurs baisers afin de parachever l'œuvre de souffrance.

Ensuite, elle resta presque un siècle empalée sur un pieu au sommet de la plus haute tour de la forteresse de son père. Dévorée par les rapaces qui semblaient ne jamais être rassasiés de sa chair qui, se régénérant, leur offrait un festin quotidien.

Le pire de tout fut de servir de matière première au seigneur Bashanor, chef des Elronesh, qui offrit un manteau à chacune de ses mille-deux-cents maitresses... en peau de déesse.

C'est le crâne de ce pauvre Bashanor qui tenait aujourd'hui dans le creux de sa main. Lorsque les Elronesh comprirent que leur maitre ne reviendrait pas, ils se battirent entre eux pour savoir qui dominerait ce monde. Dans leur soif de conquête, ils en oublièrent la petite fille, devenue adulte.

Son corps se régénéra, sa puissance grandit et un beau jour, elle réussit à se libérer de ses fers. Elle se cacha, longtemps, afin de récupérer des forces et préparer sa vengeance. Pendant deux siècles, elle massacra tous les Elronesh jusqu'au dernier. Elle fabriqua de toute pièce la montagne d'ossements où son trône dominait désormais. Assise dessus, en travers, les jambes pendantes, elle apprécia ce moment de solitude à ne faire que parler avec le crâne de Bashanor.

Ce n'est que quelques années plus tard qu'elle s'aperçut d'un changement chez elle. Son pouvoir se diffusait sans qu'elle réussisse à le garder pour elle, comme si son corps ne pouvait contenir l'ensemble de sa puissance. Elle sentit les mages se réveiller ainsi que les êtres que son père avait créés.

Elle ne sut quoi faire pour les rejoindre. Pas forcément pour les détruire, mais pour les remercier d'avoir vaincu son père, son bourreau. C'est contre sa volonté qu'elle prit possession pour la première fois de ce mage désespéré qui avait, par mégarde, tué sa femme et ses enfants. La colère, la tristesse, la peur, l'avait attirée comme un aimant. Elle comprit que le corps de ces « humains » pouvait être un réceptacle temporaire pour elle. Néanmoins, une problématique s'imposait à elle : prendre le corps d'un mage lui brouillait l'esprit. Comme si elle s'appropriait les sentiments de son hôte, obligeant, de ce fait, les autres humains à l'abattre à cause de son comportement. Tout bascula le jour où elle prit possession d'une petite fille, une magicienne de la terre qui avait subi, elle aussi, l'horreur de la vie. Appelée dans un but précis, la Furia avait tué l'homme qui lui avait fait du mal et s'était ensuite sentie apaisée. Elle réussit à libérer son hôte sans la tuer ni la faire tuer.

Tout aurait pu s'arrêter là, mais la petite fille la rappela une deuxième fois, en présence du maitre des runes. Même elle, du fond de son cachot, avait entendu l'histoire de la chute de son père, vaincu par le maitre des runes de son époque. Pour la première fois de sa vie, elle sentit une énergie qu'elle ne contrôlait pas et par conséquent, qu'elle désira.

Le destin lui joua un nouveau tour lorsque ce fut l'esprit de ce mage totalement fou qui l'appela dans le monde des humains. Elle apprit une chose qu'elle n'aurait même pas imaginée dans ses rêves les plus fous : son père était toujours en vie et le fameux maitre des runes faisait tout ce qui était en son pouvoir pour l'empêcher de revenir dans leur monde.

Bravant le destin, elle indiqua au mage fou comment ressusciter son père.

Rien qu'à l'idée de voir son géniteur, la Furia sentit l'excitation l'envahir et elle brisa par mégarde le crâne du pauvre Bashanor.

Contrariée, l'entité secoua sa main. Voilà que son seul compagnon venait de lui faire faux bond !

- Mon cher Bashanor, ta compagnie n'est plus requise, du moins plus sous cette forme.

Ses yeux se révulsèrent et elle invoqua une puissance que seule son espèce pouvait utiliser. Un héritage vieux de plusieurs millions d'années parcourut son corps pour créer une « impulsion » d'énergie. Même si celle-ci pouvait être comparée à un cercle de puissance, son effet n'était en rien similaire. L'onde de choc parcourut plusieurs centaines de mètres, secouant les piles d'ossements sur son passage.

Les fragments du crâne de Bashanor lévitèrent jusqu'à elle avant de se recoller. Puis d'autres ossements vinrent compléter la création de la furia. Du sang, des organes, de la chair... il ne fallut que quelques secondes pour qu'un être vivant se retrouve face à elle avant de retomber lourdement sur le sol.

- Bonjour, mon cher Bashanor...

La créature, recroquevillée sur elle-même, fut prise d'une violente quinte de toux. Avant de réussir à ouvrir les yeux qui s'arrondirent en voyant la maitresse des lieux se tenir non loin de lui, un sourire mauvais sur les lèvres.

- Oh non... pitié, pas encore !

La Furia rit. Elle aimait ce rituel ridicule qui consistait à lire la terreur dans les yeux de son souffre-douleur à chaque résurrection.

- Et si, mon noble tortionnaire... tu me dois une mort pour chaque manteau que mon corps t'a donné.

La créature tressaillit, consciente du jeu de sa nouvelle maitresse. Elle le ressuscitait régulièrement juste pour avoir le plaisir de le tuer à nouveau... le sadisme à l'état pur. Il se souvint de son dernier trépas... elle l'avait dévoré. Cela avait duré plusieurs jours avant que son corps ne lâche. Qu'avait-elle en tête maintenant ?

- Je vous en prie maitresse ! Laissez-moi vous servir... je vous jure fidélité ! Je ne faisais qu'obéir aux ordres du Malachor...

Les yeux pleins de haine qui lui faisaient face s'adoucirent pour la première fois. La Furia ne l'avait pas ressuscité pour répondre à son envie de meurtre.

- Ah oui ? Tu me jurerais fidélité ? Serais-tu prêt à faire tout ce que je te demande ?

La créature se prosterna, le visage contre le sol composé d'ossements de son peuple.

- Je vous implore de me mettre à votre service. Je vous prouverai ma fidélité chaque jour avec plus d'ardeur que le précédent.

Il avait parlé sans lever les yeux. Le visage toujours enfoui dans les ossements. Il attendit une réponse qui n'avait pas l'air de vouloir venir. Bashanor, ancien roi des Elronesh, s'arma de courage pour regarder en direction de celle qui jouait avec sa vie (et sa mort) depuis si longtemps.

L'attitude de la Furia le laissa perplexe. Elle balançait ses jambes tout en regardant le ciel dépourvu de lumière de leur monde. Elle semblait comme réfléchir à quelque chose de très important, sans lui prêter la moindre attention.

Il attendit ainsi un long moment. Ayant eu le Malachor comme maitre durant des siècles, il savait que le temps ne glissait pas sur elle comme sur le reste des créatures mortelles.

Quatre jours passèrent ainsi. La Furia ne quitta pas le ciel des yeux une seconde. Bashanor, quant à lui, n'émit pas le moindre son autre que sa respiration. Cela faisait maintenant plusieurs décennies qu'il n'avait pas vécu sans être torturé. Ou alors était-ce cela son nouveau châtiment ? Mourir de faim et de soif ?

- En serais-tu réellement capable ? Pourrais-tu devenir mon fidèle serviteur après ce que nous nous sommes fait l'un à l'autre ?

L'Elronesh releva légèrement son visage vers son interlocutrice. Quatre jours sans manger ni boire juste après sa résurrection l'avait fortement affaibli, mais sans entamer sa motivation.

- Je vous le jure Omnihibi.
- Et si je te demandais de t'en prendre à mon père ?
- Cela n'arrivera pas… il est mort.
- Tu ne réponds pas à ma question.

La créature souffla. Voilà le moment qui pouvait faire tout basculer.

- Eh bien vous devrez me tuer. Car j'ai aussi prêté serment à votre père, jadis. Même si cela me coûte les tourments que vous m'infligez depuis, un serment est un serment. Et comme je vous fais aussi le serment de vous servir aujourd'hui… je préfère mourir plutôt que de ne pas tenir mon engagement. Que ce soit vis-à-vis de vous ou de lui.

La Furia bascula ses fines jambes pour se retrouver assise sur son trône. Son regard venait de se durcir et elle le fixait telle une statue de marbre noir de l'ancien palais du Malachor. Il plongea son visage dans les ossements et attendit à nouveau son châtiment. Peut-être que la mort viendrait rapidement si elle était en colère ?

Il entendit des bruits de pas venant dans sa direction. Les os craquaient sous les pieds de sa maitresse qui semblait vouloir enfin en finir avec sa misérable vie.

- Suis-moi.

Il entendit à nouveau la démarche féline de la reine de ce monde. Mais cette fois-ci pour s'éloigner. Sans y croire, il appela ses dernières forces pour se mettre debout. Nu comme un ver, affamé et affaibli, il se traina tant bien que mal derrière la Furia qui ne l'avait pas attendu.

- Dis-moi, Bashanor, quelles sont les limites à mon pouvoir ?

L'Elronesh se concentra afin de ne pas décevoir sa maitresse. Mais la question n'était pas facile… avait-elle, comme son père, le pouvoir infini ?

- Son pouvoir n'était pas infini, sinon il ne serait pas là où il est actuellement. Tu es de ceux qui nous connaissent le mieux, Bashanor, je te conseille de faire un effort afin de ne pas me faire regretter mon choix.

Tout en marchant, il se rappela qu'elle pouvait lire dans ses pensées. Il devait donc se concentrer et faire mieux.

- Il était bloqué dans ce monde.
- En effet. Comme moi. Comment s'en est-il échappé ?
- Des mages l'ont aidé, je n'en sais pas plus.
- Et comment a-t-il été vaincu ?
- Il a été envoyé dans un autre monde, créé de toutes pièces par le maitre des runes.
- Précisément. Il est donc possible de le faire revenir.
- Pour cela, il faudrait que la magie soit de retour dans cette galaxie.
- Cela, je m'en suis déjà occupée.

Bashanor était troublé par cette discussion. Quel était le but de cette conversation ? Où voulait-elle en venir ?

- Alors, il faudrait que les humains connaissent le rituel permettant son retour…
- Cela aussi, je m'en suis occupée.

Le réincarné s'arrêta. Choqué par l'attitude de sa nouvelle maitresse.

- Mais pourquoi ? Vous devriez être la dernière à souhaiter le retour du Malachor ? Il vous déteste. Je sais que je risque ma vie en vous disant cela... mais il vous traitera exactement de la même façon que la dernière fois.

Elle se tourna vers lui un sourire aux lèvres. Son regard, glacial, transperça la chair fraichement retrouvée de Bashanor qui aurait donné son âme pour son ancienne armure, offerte par le Malachor lui-même.

À sa grande surprise, son souhait fut exaucé. L'armure se téléporta sur sa personne et il sentit ses forces revenir peu à peu.

- Un cadeau, pour accomplir ta première mission pour moi.

Troublé, mais ragaillardi par l'annonce de sa maitresse, il plia un genou au sol en signe d'obéissance.

- Mon père, d'après toi, me verrait-il d'un autre œil s'il savait que c'était moi la responsable de sa libération ?
- Je...
- Allons, parle ! Ta franchise sera ta meilleure arme contre ma colère !

Bashanor s'en voulut de ne pas avoir satisfait sa maitresse dès le début de sa phrase, il se jura que cela ne se reproduirait plus.

- Votre père est la colère, la haine et la vengeance incarnées. Je ne parierai pas ma vie là-dessus.
- Bien... tu as l'esprit vif. Je commence à comprendre pourquoi il avait fait de toi son Général. Je pense que tu as raison.

Elle reprit sa marche et vérifia d'un coup d'œil que son nouvel esclave la suivait à nouveau.

- Et si... en prime, je lui offrais sa vengeance. Si à son réveil, le maitre des runes gisait à ses pieds ?
- Ça serait en effet le plus beau des présents pour lui. Puis-je me permettre de faire une proposition supplémentaire ?
- Fais.
- Je lui parlerai de vous. Personnellement. Vous avez affronté la mort, vous avez survécu, là où vos frères ont échoué. Vous vous êtes relevée, plus grande que jamais, plus puissante que ses armées. Là où ses fils lui ont fait honte, vous lui avez fait honneur.
- Je n'aime pas la flatterie, dit-elle en se retournant.

Il plia à nouveau le genou au sol, conscient que sa vie ne tenait qu'à un fil en permanence et que chaque mot prononcé pouvait être le dernier.

- Mais tu fais cela assez bien… (elle souffla) revenons-en à notre affaire qui, de surcroit, ne va pas être simple. Je me suis immiscée dans une partie d'échecs déjà bien entamée et je viens tout juste de sauver celui qui allait être *échec et mat*. Maintenant il va falloir mener tout ce petit monde là où j'en ai besoin.

Bashanor ne comprenait absolument rien aux paroles de sa maitresse, mais il resta concentré sachant qu'elle avait certainement un rôle prévu pour lui.

- Tu vas te rendre dans le monde des humains et porter un message au maitre des runes pour moi.

L'Elronesh leva un sourcil, mais ne dit mot, baissant la tête en signe d'assentiment.

- Une remarque ? Parle.
- Je ne peux me rendre chez les humains. Mais ça, vous le savez déjà, je me pose simplement la question de comment vous comptez vous y prendre pour me transporter dans leur monde ? De plus, faire le messager était pour les faibles du temps de votre… père. J'espérais pouvoir vous servir de façon plus noble.

La Furia grimaça à la mention de son père. Elle n'aimait pas être comparée à lui. Elle ne lui ressemblait en rien. Dans un plan, tout était important. Chaque parole, chaque acte, chaque décision pouvait en changer la finalité.

- Tu me serviras comme je l'entends et ne te préoccupes pas de ton voyage. Je ne peux quitter ce monde par mes propres moyens, mais une créature qui vivait ici autrefois en était capable.
- Me ressusciter est une chose. Mais ressusciter un dragon…
- Qui parle de le ressusciter ? Il dort sous nos pieds. À la mort de mon père, tous les dragons sont tombés dans un profond sommeil. Ma magie les a réveillés sauf celui-là, que j'ai volontairement laissé dormir un peu plus que les autres. Pourquoi était-il le seul de sa race ici ?
- Il est le seul qui prêta allégeance au Malachor. Pour le récompenser, il lui offrit asile dans ce monde. C'est un noir.
- Comment ça ?
- C'est un dragon noir, le seul de son espèce. Traqué par tous ses congénères, il réussit à prendre contact avec le Malachor et lui jura fidélité contre l'asile.
- Eh bien ! Le moins que l'on puisse dire, c'est qu'ils ne sont pas très tolérants sur les différences, les dragons.
- Les noirs sont cannibales.

La Furia prit un air dégoûté. Même chez les plus nobles créatures, il fallait qu'il y ait des abominations.

- C'est en effet une raison valable pour vouloir sa mort.

Elle mit un genou à terre et se concentra. Il était temps de réveiller le monstre qui dormait depuis si longtemps dans ce monde. Elle avait volontairement érigé une montagne d'ossements sur son corps afin que ce dernier ne soit pas visible, ne sachant pas s'il lui servirait un jour.
Elle laissa simplement son énergie se déverser dans la créature qui sommeillait sous ses pieds et attendit.

Bashanor ne comprit rien du procédé. Sa maitresse ne semblait pas utiliser le moindre de ses pouvoirs et restait immobile, caressant les ossements de ses doigts agiles.

Il fallut plusieurs minutes avant que le sol ne se mette à trembler. Enfin, le dragon se réveillait. Sa tête émergea en premier avant de s'affaisser sur le sol. Il regarda autour de lui, d'un œil hagard, avant de bâiller à s'en décrocher la mâchoire. Bashanor se positionna naturellement devant sa maitresse, prêt à intervenir au moindre signe d'agressivité de la créature.

Cette dernière semblait plus épuisée qu'autre chose et lorsque son regard se posa sur l'Elronesh, il pesta.

- Bashanor, vieux débris purulent… que s'est-il passé ici ? Notre maitre ne va pas du tout aimer cela. J'ai l'impression d'avoir dormi plus que nécessaire.

L'ancien roi des Elronesh s'avança d'un pas prudent, connaissant le caractère particulier de ce dragon.

- Bonjour à toi Rakhaox. Tu as dormi presque un millénaire.

Ce dernier gronda. Ses écailles noires comme le charbon semblaient refléter les ténèbres comme si la colère qui l'habitait pouvait s'échapper de son corps.

- Explique-toi, misérable créature. Où est le Malachor, où est mon maitre ?
- Emprisonné !

La Furia venait d'écarter Bashanor pour se placer face à la gueule du dragon qui recula instinctivement sa tête.

- Toi ? Féline ! Comment as-tu pu traverser les âges ? Son regard se porta à nouveau sur l'Elronesh. Ne devais-tu pas la torturer jusqu'à ce que la mort la délivre, c'est-à-dire à jamais ? Vermine, tu as failli. Je vais devoir rectifier cela !

Sans crier gare, le dragon ouvrit la gueule, prêt à happer les deux misérables individus qui se trouvaient devant lui. Bashanor, qui était un colosse parmi les siens, ne faisait pas la moitié d'une incisive de Rakhaox, se prépara au pire.

Contre toute attente, la tête du dragon fut plaquée au sol sur le côté. Il avait beau essayer de la redresser, rien n'y faisait. Comme si l'on venait de lui visser le crâne sur la planète elle-même.

La Furia se tenait à côté de lui, l'une de ses grandes cornes dans la main.

- Lâche-moi, sorcière ! Mais comment?
- Comment ? Tu oublies, sale lézard, qui je suis et ce que je suis !

Elle appuya plus fort vers le bas et tout le monde put entendre les os craquer lorsque la tête du dragon s'enfonça un peu plus dans le sol.

- Tu oublies que mon père était capable de vous massacrer à cent contre un. Je n'ai peut-être pas atteint mes pleins pouvoirs, mais un dragon n'est pas plus dangereux pour moi qu'un Elronesh ou qu'un humain !

Bashanor s'approcha de la gueule du dragon, essayant de trouver les mots justes.

- Elle a réussi à se libérer. Le monde que tu as connu, elle l'a fait disparaitre. Elle est celle qui succéda au Malachor.

Le dragon tenta de grogner, mais le son ressembla plus à une plainte qu'autre chose.

- Les autres dragons aussi sont réveillés. Je te conseille de bien choisir ton camp, continua l'homme sanglier.

L'immense créature souffla. Vaincu par la force et par les mots. Il sentit la pression qui maintenait son visage au sol disparaitre. Il redressa son cou encore douloureux pour dévisager la nouvelle maitresse des lieux.

- Alors, qu'attends-tu de moi ? Vais-je mourir de ta main ou bien de celle de mes pairs ?

La Furia s'éloigna lentement pour contempler Rakhaox qui finissait de sortir son corps du sol.

- On dit que tu es particulier. Est-ce que tous les dragons noirs sont comme toi ?
- Je suis le seul dragon noir. Je représente l'ombre des miens. Je suis maudit. Je n'éprouve que du plaisir lorsque je m'abreuve du sang de ma race et plus particulièrement des enfants.

« Une abomination, voilà ce que tu es », pensa intérieurement la Furia. « Pourquoi ne pas joindre l'utile à l'agréable ? »

- J'ai une simple mission pour toi. Si tu réussis, je te donnerai à nouveau droit à l'exil dans ce monde. Tu pourras à nouveau t'y réfugier entre deux chasses de dragonnet.

Les yeux du dragon étincelèrent à la mention du futur festin. Même si elle se refusa à le montrer, la Furia éprouva un réel dégoût face à la créature qui se trouvait devant elle.

- Rien ne me ferait plus plaisir. Qu'attends-tu de moi ?
- Que tu transportes Bashanor dans le monde des humains et que tu fasses un peu… comment dire… des vagues.
- C'est tout ? Tes désirs vont être vite réalisés.
- Sache tout de même que le but est de faire venir à toi un petit groupe de mages qui essayera certainement de t'arrêter. Tue-les.
- Tes désirs sont des ordres, quelques mages ne sont rien pour moi. Néanmoins j'ai besoin de repos afin de pouvoir voyager entre les mondes. Reste-t-il de l'eau ici ?
- Tu en trouveras bien plus au sud. Il reste un lac noir, mais j'ai bien peur que tu n'y trouves plus de sirènes.

Le dragon tourna sa tête dans la direction donnée et se lécha les babines.

- Ce n'est pas grave. De l'eau suffira. Je serai de retour dans quelques jours. Est-ce que cela te conviendra, maitresse de ce monde ?
- C'est parfait, maintenant va. Je dois m'entretenir avec ce bon vieux Bashanor.

L'Elronesh ne dit pas un mot. Il était troublé par les paroles de la Furia. Alors qu'il tentait de résoudre son conflit intérieur, il croisa le regard de sa maitresse. Honteux, il baissa les yeux, sachant pertinemment qu'elle connaissait déjà la moindre de ses pensées.

- Tu es troublé.
- Oui.
- Que c'est agaçant de devoir te dire de parler ! Je ne suis pas mon père. Je ne vais pas te tuer parce que tu as une question. Parle ! Et que je n'ai plus à te le dire !

L'ancien roi des Elronesh était désormais furieux contre lui-même. Il venait, à nouveau, de faire honte à sa maitresse.

- Vous n'avez pas dit à Rakhaox que vous comptiez faire revenir le Malachor.
- Et ?

- Soit vous pensez qu'il ne sera plus de ce monde pour le voir, soit vous m'avez menti.

Cette fois, c'est avec un air impressionné que la Furia porta son regard sur lui. Elle se rappela que, face à elle, il n'était rien. Mais pour son peuple, Bashanor était un héros de guerre. Il avait prouvé à de nombreuses reprises ses talents de stratège et de guerrier.

- Tu as entièrement raison. Si mon plan se déroule comme je le pense, Rakhaox sera mort des mains des Wizards bien avant que mon père ne revienne dans ce monde.
- Vous pensez qu'ils vont réussir cet exploit ?

La Furia détourna le regard. Tout son plan reposait sur cela. Il fallait que les Wizards soient à la hauteur de ses espérances. S'ils n'arrivaient pas à tuer un simple dragon...

Elle leva une main et un parchemin apparut. Enroulé dans un étui de cuir, le tout était scellé par une chaine en or. Elle le tendit à son serviteur en plantant ses yeux dans les siens.

- Si le dragon gagne le combat, revenez tous les deux ici et j'aviserai. Si, comme je le prévois, il meurt, donne ceci au maitre des runes.

Bashanor voulut l'attraper, mais la Furia planta son regard dans le sien juste avant que ses doigts ne touchent l'étui :

- Sache que cet objet est enchanté. Seul lui pourra détruire la protection magique. Si tu n'as ne serait-ce que le désir de l'ouvrir, les morts que tu as connues ne seront rien face à ce qui t'arrivera.

L'Elronesh saisit l'objet sans ciller malgré la menace de sa maitresse. Jamais il ne ferait ça. Être au service du Malachor lui avait appris une chose : ne jamais se mêler de leurs histoires.

- Une fois le dragon mort, comment vais-je rentrer ?
- Je pourrai te faire revenir. C'est sortir d'ici, qui m'est impossible.

Il mit un genou à terre face à elle, désireux de lui montrer son allégeance, mais la Furia ne le regardait déjà plus. Perdus dans le vague, ses yeux contemplaient le paysage de mort qui s'offrait à elle.

- Paroles, actes et décisions, nous allons bientôt savoir si j'ai fait les bons choix.

Chapitre 2

Killian ouvrit les yeux et profita de l'instant présent. Le ciel semblait ensoleillé, la température parfaite. Allongé sur le ventre, il sentait le corps d'Axelle contre le sien. Sa main lui caressait le dos, signe qu'elle était réveillée elle aussi.

- Je vais faire grève aujourd'hui, on est trop bien au lit.
- Ça fait deux jours qu'on traine au lit, lui répondit-elle.
- C'était notre anniversaire de mariage.
- Anniversaire réussi, mais les filles reviennent cet après-midi et tu sais ce qu'elles vont exiger de toi.

Il entendit sa femme se lever du lit, embarquant avec elle le drap au passage.

- C'est un coup bas ça !
- Je vais nous chercher deux cafés, tu ne voudrais pas que les autres me voient sans le drap ?

Le maitre des runes ne put s'empêcher de sourire. Non, ce spectacle lui était réservé. Spectacle dont il avait largement profité ces dernières quarante-huit heures. Ses filles, en vacances chez leurs grands-parents, devaient revenir aujourd'hui et il leur avait promis qu'à leur retour, elles pourraient s'entrainer avec les autres Wizards.

Killian avait réussi à différer cette date jusqu'à aujourd'hui, les obligeant avant à finir leur année scolaire.
Il se remémora son combat contre elles, affrontement qu'il avait gagné uniquement grâce à une technique qui avait bien failli lui être fatale.

Presque un semestre s'était écoulé depuis sans avoir de nouvelles de son ennemi. Les Wizards avaient vidé une dizaine de petits repères de l'ordre du dernier divin avec à chaque fois le même résultat : personne n'avait plus entendu parler de leur maitre depuis six mois.

- À quoi penses-tu ?

Il se tourna vers sa femme qui venait de revenir avec deux tasses de café chaud.

- À nos filles, notre affrontement et l'ordre du dernier divin.

Elle fit la moue, comme une petite fille s'apprêtant à faire un caprice.

- Deux jours seul avec moi et je te retrouve en train de penser aux autres ?
- Pas du tout ma belle, tu hantes mes pensées, lui répondit-il le plus rapidement possible.

Elle lui tendit une tasse et s'assit contre lui, voulant profiter de ces derniers instants de calme.

- Ne t'angoisse pas pour les dégâts que vous avez causés au stade de France. L'académie, entre les droits d'image, droits de diffusion vendus aux chaines de télévision et les entrées ce jour-là a de quoi en reconstruire dix.
- Vu comme ça...
- Et Antonio doit se cacher au fin fond d'une grotte au Pérou, priant tous les Dieux qu'il connait pour que tu ne le retrouves pas. Tu l'as vaincu !
- Ce n'est pas moi qui l'ai vaincu. C'est Ambre et elle en a payé le prix. Mais pour Antonio je me disais que tu avais peut-être raison. Tout porte à croire que nous ne le reverrons pas.

Elle le força à s'allonger et se jeta sur lui avant de l'embrasser.

- Alors, profitons un peu de la vie, mon cher mari...

Les filles arrivèrent en tout début d'après-midi, accompagnées de leurs grands-parents qui restèrent une partie de la journée afin de profiter de leur fille unique.

Le choc pour eux fut de retrouver Icy avec les cheveux courts. Elle avait troqué sa longue chevelure brune pour une coupe très moderne. On aurait dit que des pics de glace lui poussaient sur le crâne de façon totalement anarchique.

Hadès, fidèle à elle-même, était devenue une véritable démoniste en totale fusion avec Arthur. Ils ne communiquaient désormais que par l'esprit, n'utilisant que rarement la parole.

Axelle fut heureuse de voir ses parents. Même si la nouvelle vie qu'elle menait les dépassait totalement. Habiter à l'académie l'avait coupé de sa famille et de ses anciennes amies, mais elle ne regrettait en rien ce changement. Bizarrement, être l'une des rares non-mages de l'académie lui donnait le sentiment d'être particulière. Sollicitée par le Conseil régulièrement, elle avait réussi à se faire une place dans un monde qui lui était, à la base, totalement inconnu.

Killian dut tenir sa promesse et dès le lendemain, ses filles purent s'entrainer avec les autres. Il décida aussi qu'il était temps de mettre les choses au clair, car entre les Wizards, il ne devait y avoir aucun secret.

- Venez par ici les filles.

Elles s'exécutèrent sans broncher, conscientes qu'elles attendaient ce moment depuis si longtemps. Tout le monde était là : Ambre, Ronce, Lux et Goliath se tenaient à leur côté.

- Comme vous le savez, nous sommes devenus les Wizards, car par le plus grand des hasards, j'ai découvert une façon de lancer les sorts qui diffère de ce que les membres du Conseil enseignent ici. Nous ne sommes pas dupes, vous avez découvert cette technique et c'est ce qui vous a permis d'être là où vous êtes aujourd'hui.

Icy voulut intervenir, mais son père l'en empêcha.

- Pas de panique. Je ne remets pas en doute votre place parmi nous. Mais je veux être certain que vous compreniez bien l'importance de ce dont nous parlons. Pour commencer, comment faites-vous pour lancer un sort ? Qu'est-ce qui vous différencie d'autres mages ?

Les deux fillettes se regardèrent et évaluèrent la situation. Il était hors de question de révéler leur secret et de mettre Laurana dans la boucle. Mais pour le moment, personne ne leur demandait ça.

- On a compris que le bouclier mental était une erreur, dit Hadès le plus naturellement possible.
- Compris ? Releva Lux en se grattant la barbe.

« Mince » se dit Icy qui sentait que la partie était loin d'être gagnée.

- On a juré papa, on ne vous dira pas comment on l'a appris. Mais je te jure qu'aucun Wizards ne nous l'a dit. On est parties d'une théorie un peu loufoque et tout s'est enchainé très vite.

Son père regarda les autres afin d'avoir leur opinion sur le sujet. Ambre, sous sa forme de phénix, semblait s'ennuyer à mourir, comme Ronce, ce qui renseigna Killian sur l'éventuelle implication de la jeune fille. Étant la seule à passer beaucoup de temps avec ses enfants, elle aurait été naturellement la première mise en cause. Mais son manque d'intérêt sur le sujet lui fit comprendre qu'il faisait fausse route.

- En fait, on s'en fiche non ?

Tout le monde se tourna vers Goliath qui semblait vouloir rapidement passer à autre chose. Ce dernier commençait déjà à enlever son *tee-shirt* pour s'installer au centre de la pièce.

- OK, elles savent. C'est ce qu'on voulait savoir. Elles ont compris aussi l'importance de garder le secret, que ce soit pendant les épreuves ou après.
- Tu le prends bien à la légère ? lui répondit Lux.

Goliath souffla en posant ses mains sur ses hanches.

- Si elles l'ont appris, c'est à cause de nous.

Devant les yeux arrondis de tous les compagnons, le Corporem décida d'expliquer sa théorie.

- Si elles l'ont deviné, c'est que quelqu'un est au courant ou que nous en avons parlé en leur présence sans y faire attention. C'est donc par notre faute qu'on en est là. On ne peut pas leur en vouloir parce que nous n'avons pas été foutus de garder le secret ? Elles vivent avec nous ! Si l'on y réfléchit bien, ça devrait surtout nous alerter sur le fait que nous ne sommes pas assez prudents et que nous avons de la chance que tes filles soient comme elles sont et non des Antonio en puissance...

Tous les compagnons se regardèrent, embarrassés devant l'évidence que venait de mettre en avant Goliath.

Les deux fillettes remercièrent intérieurement le Corporem qui venait de leur sauver la mise. Ce fut Icy qui se présenta au centre de l'arène, face à lui.

- J'aurai cru que ce serait Hadès qui viendrait contre moi. Histoire de voir ce que valait Arthur contre un vrai Corporem.

Tout le monde sourit à l'allusion de la dernière épreuve qu'avait passée la démoniste pour le plus grand malheur de Zinc, le membre du Conseil représentant les Corporems.

- Justement, on voulait un peu changer les clichés, lui répondit-elle avec un sourire narquois. Alors ? C'est quoi les règles ?

Lux, sans relever les yeux de son livre, lui répondit d'une voix monocorde.

- Pas de sortilège du troisième cercle. Pour le reste, c'est un entrainement, pas un combat. On n'est pas là pour se blesser, mais pour s'améliorer.
- Ouh là ! C'est qu'il pourrait s'énerver notre vieux mage de lumière, lui répondit la fillette tout en s'étirant.

- Je te conseille de justement ne pas m'énerver. Tu pourrais être surprise.

Icy ne répondit pas, riant intérieurement devant la menace futile de « l'ancêtre ». Elle était désormais une Wizards. C'est en finissant ses étirements qu'elle surprit l'air bizarre de tout le monde. Son père la regardait avec déception. Comme à chaque fois, son arrogance avait frappé. Là où elle aurait dû montrer du respect, elle n'avait pas pu s'empêcher de jouer la carte de la provocation.

Son adversaire semblait lui aussi mécontent et elle surprit un rapide coup d'œil entre son géniteur et lui.

- Prête ? lui cria-t-il. oui
- Oui, c'est bon.
- Alors go !

Icy voulut en mettre plein la vue à tout le monde et utilisa beaucoup d'énergie pour faire naitre deux cercles de puissance. Deux magnifiques katanas apparurent dans ses mains et sa peau se givra, lui offrant la protection nécessaire pour résister aux coups du Corporem, du moins le crut-elle.

Le premier impact la plia en deux. À peine avait-elle levé les yeux vers son adversaire que le poing de Goliath s'enfonçait dans son ventre, lui coupant le souffle. Alors qu'elle luttait pour lever son bras afin de riposter, un deuxième coup la propulsa dans les airs, lui laissant une vilaine douleur sur la joue.

Ce n'est qu'au bout d'un temps qui lui sembla interminable qu'elle percuta le sol, lâchant ses katanas et perdant sa concentration, ce qui désagrégea son armure de givre.

Sonnée, la petite fille tenta de se mettre à quatre pattes, mais sans résultat. Elle entendit le bruit des pas de son adversaire se dirigeant vers elle et paniqua, réalisant qu'elle était désormais sans défense.

Elle le vit poser un genou à terre. Le regard du Corporem avait changé. Il était désormais dur et implacable, comme si le Goliath qu'elle avait toujours connu avait disparu dans la nature.

- Il va falloir que tu apprennes deux ou trois choses. Si tu le permets, je vais éclairer ta lanterne : tu es loin d'être à notre niveau. Ton père a voulu faire du spectacle quand vous l'avez affronté et… c'est ton père. Il vous a épargnées : vous laissant attaquer, faire le « show ». Mais ici, on est là pour s'entrainer à défendre le monde contre des personnes qui sont prêtes à tout. Tu es jeune et, comme Ronce, tu devras nous prouver de quoi tu es capable avant que l'on te fasse confiance. Mais tant que tu auras ce caractère de merde, sache que pour moi tu ne seras pas une Wizards. Pour commencer, tu vas aller t'excuser auprès de Lux.

Icy avait les yeux rougis. Elle n'avait jamais eu aussi honte de sa vie. Elle essaya de trouver de l'aide vers son père, mais la froideur de son regard la pétrifia : il savait ! Voilà pourquoi il avait repoussé sans cesse cette journée, cherchant la moindre excuse pour différer ce premier entrainement. Elle avait pourtant compris qu'être une Wizards ne se limitait pas seulement à être capable de lancer des sorts puissants. Il fallait être quelqu'un de bien. Mais elle avait réussi l'épreuve de Neuro ! Alors pourquoi est-ce qu'elle n'y arrivait pas ?

Consciente que tout le monde la regardait, elle se dirigea vers le mage de lumière d'un pas indécis.

- Pardon Lux, je n'aurais jamais dû te parler ainsi.

À sa plus grande surprise, l'intéressé leva sur elle des yeux pleins de compassion, révélant sa nature profondément bonne :

- Tu devrais concentrer ta colère sur tes ennemis et non sur tes amis. Tu vois toutes ces personnes ? (Il désigna d'un geste large tout le monde dans la pièce). Aujourd'hui, rien n'est plus important qu'eux à mes yeux. Ce que notre cher Corporem a voulu te dire, c'est que nous ne voulons pas avoir peur de vous perdre en permanence. Il faut, pour cela, que l'on puisse vous faire confiance. Pas en tes pouvoirs, mais en toi !

Icy baissa la tête et se maudit intérieurement. Se sentant humiliée en public, la petite fille retourna s'asseoir dans un coin de la pièce.

- C'est à moi ! cria Hadès en sautillant, encouragée par Arthur qui semblait, lui aussi, très impatient.

La démoniste courut vers le centre de la salle. Son enthousiasme redonna le sourire au groupe.

Goliath s'étira pour ce deuxième entrainement, espérant qu'il dure plus longtemps.

Le maitre des runes remarqua la tristesse de son ainée qui avait attendu ce moment avec tellement d'impatience.

- Icy ?

La mage de l'eau releva à peine la tête en direction de son père, n'osant pas l'ignorer après l'humiliation qu'elle venait de subir.

- Oui ?
- Viens avec moi dehors, Ronce tu veux venir ?

La mage de la terre s'étira en souriant, visiblement ravie de sortir de cette boite de métal.

- Avec plaisir ! Je préfère quand on va dans l'arène pour s'entrainer. Moi je ne suis bonne à rien ici. Tu devrais enlever le sol pour qu'on soit directement sur la terre ferme.
- Plus facile à dire qu'à faire, c'est en béton. Même s'il y a de la ferraille là-dessous, je ne pourrais le faire seul.

Ils sortirent tous les trois pour se rendre dans l'arène de l'académie. Killian eut comme un élan de nostalgie en se souvenant du jour où il avait passé l'épreuve avec ses compagnons, ici même. Il eut ensuite une pointe de regret de ne pas avoir été là pour voir ses filles combattre Jin et Braise. C'est en contemplant l'air sérieux des deux petites filles qui lui tenaient compagnie qu'il comprit que cet endroit était spécial pour tous les Wizards.

- Ça fait bizarre d'être ici, n'est-ce pas ?
- Oui, répondit Icy d'une petite voix.

Cette dernière se souvint de son combat contre Braise, quelques mois en arrière et du sacrifice qu'il avait fait. Elle sentit toute l'amertume de l'instant présent et se sentit encore plus mal d'avoir eu un tel comportement en présence des autres Wizards.

- Vous allez vous entrainer toutes les deux ici, au calme. (Il se tourna plus sérieusement vers la petite Ronce qui semblait se satisfaire de l'instant présent). Puis-je te faire confiance pour ne pas réduire ma fille en poussière ?

Piquée au vif, la mage de la terre se dirigea vers le centre de l'arène avec nonchalance avant d'interpeller sa future adversaire :

- Si madame la princesse veut bien se donner la peine ?

La phrase était accompagnée d'une révérence et Icy se dit pendant un moment que cette journée n'allait jamais finir.

Le maitre des runes laissa les deux jeunes filles à leur affaire pour rejoindre son atelier. Depuis son affrontement avec ses filles, il travaillait sur la nouvelle version de son armure ainsi que Fangore, mais son esprit semblait ne pas réussir à trouver une solution. Au fond de lui et sans vouloir le laisser paraitre aux autres, il commençait à désespérer. Il n'arrivait pas à se faire à l'idée de devoir porter vingt-quatre heures sur vingt-quatre une armure beaucoup plus voyante, seule solution pour augmenter son pouvoir de façon significative.

Cela aurait pour conséquence de ressembler à un chevalier en armure, ou à un robot, du matin au soir, ce qui n'allait pas aider à avoir une vie sociale « normale », sans parler de ses relations avec sa femme et ses enfants.

Lassé par des résultats décevants, il décida de monter sur le toit du hangar, lieu de méditation pour lui. Assis à même le métal, il pouvait profiter de la vue apaisante tout en étant dans son élément. Il resta ainsi de longues minutes à réfléchir à une solution miracle avant d'entendre la petite Laurana qui montait à l'échelle pour le rejoindre.

- Coucou Papa !
- Coucou ma puce, qu'est-ce que tu fais ici ? Ce n'est pas un lieu pour toi. Tu n'as pas le vertige ?
- Non, lui répondit-elle en regardant l'horizon. C'est vachement joli ici ! On y voit toute l'académie. L'arbre des mages de la terre est encore plus impressionnant.
- C'est vrai, j'aime bien venir ici pour être un peu tranquille et réfléchir.
- Oui, c'est ce que m'a dit maman. C'est pour ça que je voulais venir voir.

Killian se tourna vers sa cadette et remarqua ses yeux rougis par un récent chagrin.

- Que t'arrive-t-il, ma puce ?
- Je ne serai jamais comme vous hein ? Je ne serai jamais une magicienne ?

Il ne lui fallut qu'une seconde pour invoquer Fangore qui sautilla sur le toit, heureuse de se dégourdir les pattes. Comme d'habitude, la petite fille ne montra aucun intérêt à l'esprit, signe qu'elle ne pouvait pas la voir.

- Ça ne veut rien dire. Regarde-moi, c'est arrivé lorsque j'étais adulte. De plus, tu n'as pas besoin d'être une magicienne, tu n'aimerais pas être comme tout le monde ? Normale ?

La petite fille frotta ses yeux avec sa manche et lui sourit :

- Et toi ? Pourquoi es-tu là ?

Il souffla, réalisant qu'il n'avait jamais exprimé ses craintes à voix haute.

- Eh bien, disons que je pense finir avec une grosse armure sur moi, si je veux pouvoir développer mes pouvoirs et être capable de vous protéger efficacement.
- Ah bon, comme celle que tu as portée contre Icy et Hadès ?
- Oui, à peu de choses près.
- C'est nul, comment se fera-t-on des câlins ?

Killian détourna le regard, conscient de la tristesse dans la voix de sa fille qui confirmait ses pires craintes.

- On trouvera une solution ma puce…
- Tu devrais faire comme *Wolverine*. Avoir l'armure en toi plutôt que sur toi. Ça serait beaucoup plus discret.

Le maitre des runes ne put s'empêcher de rire en écoutant sa fille. Là était la différence entre la fiction et la réalité.

- Tu sais ma puce, je pense que mettre du métal en fusion dans mon corps me tuerait rapidement.
- Ah bon ? Flûte ! Je vais redescendre voir maman. Je suis certaine que tu vas trouver une solution papa, tu es le plus fort. Il faut juste trouver comment faire pour que ça ne te tue pas.

L'optimisme de sa fille le fit sourire. Si seulement les choses pouvaient être aussi simples. Fan des X-mens, sa fille avait eu une excellente idée sur le plan esthétique, là-dessus il n'avait rien à dire. Malheureusement, lui n'avait pas la capacité de régénérer ses cellules à volonté. En y réfléchissant bien, même Goliath ne supporterait pas un tel traitement.

L'esprit de Killian se balada d'hypothèse en hypothèse et il se rendit compte qu'il existait de nombreuses situations bien plus réalistes que celle du super héros venu des comics américains. Broches, prothèses, les exemples ne manquaient pas et l'idée saugrenue de sa fille commença à faire son chemin. Il attrapa son téléphone portable et fit des recherches sur internet. Hélas, ses découvertes le firent rapidement déchanter. Le nombre d'opérations nécessaires pour avoir autant de runes qu'avec l'armure V2.00 s'approchait de la folie.

Son doigt fit glisser les résultats du moteur de recherche pour s'arrêter sur un titre assez surprenant. Killian ouvrit le site internet et lut l'article, de plus en plus intéressé. Son cœur s'accéléra lorsqu'il commença à effectuer des recherches plus précises et un semblant d'espoir se mit à grandir en lui.

Il se mit à penser à nouveau à sa fille qui avait eu une logique qui le dépassait, une fois de plus.

- Cette petite fera des miracles à ce rythme-là !

Il fixa l'horizon, sachant que maintenant il allait devoir en discuter avec Axelle. « Autant s'en débarrasser maintenant », s'encouragea-t-il avant de descendre par l'échelle, non sans admirer une dernière fois Fangore, dont l'aura se découpait sur l'horizon.

- Tu es sûr de toi ? lui demanda Axelle avec une pointe d'inquiétude dans la voix.
- Pas vraiment, mais avoue que l'idée a du charme et je ne te parle pas de la discrétion. Autant pour ma vie privée que pour cacher mes capacités.

Axelle était partagée. Certes, ce que venait de lui proposer Killian était surprenant, mais bien différent de ce à quoi elle s'attendait.

Sans en avoir jamais parlé à qui que ce soit, elle était hantée par les paroles de Lumio. Une peur viscérale lui broyait les intestins depuis l'évènement du stade de France. Que ce serait-il passé si son mari était devenu un réceptacle pour la Furia ? Comment l'aurait-on arrêté ?

Elle avait volontairement pris de la distance avec les recherches de ce dernier concernant la création d'une nouvelle armure, espérant inconsciemment, ou pas que celle-ci échoue.

Mais parallèlement, elle savait que son mari désirait faire le bien. Jamais, et ce malgré les formidables pouvoirs qu'il possédait, il n'avait fait passer ses intérêts avant ceux de sa famille ou de ses amis. Il était déterminé à utiliser son énergie à faire le bien et elle était fière de lui pour cela.

Ce tiraillement entre ces deux pensées lui posait un problème de conscience et malgré cela, le maitre des runes venait lui demander son avis. Cela aussi était important pour elle : malgré le changement de vie radical que leur famille avait subi en deux ans, elle n'avait pas été reléguée à des tâches secondaires. Killian lui demandait régulièrement son opinion et se rangeait à son avis bien souvent. Leur couple n'avait jamais été aussi fort.

- Je préfère cela à une possible évolution vers la robotique ou je ne sais quoi, au moins je sais que tu resteras toi-même. Si cela fonctionne.
- Oui. Je sais qui pourrait m'aider. Je ne sais pas s'il sera d'accord, mais j'aimerais que tu viennes avec moi.
- Tu peux compter sur moi, pour le meilleur et pour le pire. C'était le truc que nous avait fait gober ce prêtre à l'époque, non ?

Killian porta sur sa femme un regard plein de tendresse et d'admiration. Comment faisait-elle pour supporter tout cela ? Il lui prit le menton et l'embrassa, baiser qu'elle lui rendit bien volontiers.

Ils furent surpris de trouver tout le monde à table en train de rire. L'ensemble des Wizards ainsi que la petite Laurana « goûtaient » tout en se moquant les uns des autres sur leur dernière séance d'entrainement. Icy semblait avoir retrouvé le sourire et même s'être rapprochée de Ronce. Ces deux dernières étaient a priori en bon état, ce qui rassura le maitre des runes.

- Ben alors, qu'est-ce qu'on a manqué ? ironisa le chef des Wizards en piquant un carré de chocolat sur la table.
- Un très beau combat entre ces deux benêts, lui répondit Lux en désignant Goliath et Arthur. Si l'on ne les avait pas arrêtés, ils y seraient toujours. À croire qu'ils aimaient se taper dessus !

Les deux intéressés sourirent à pleines dents, validant ainsi les propos du mage de lumière.

- Et vous deux ? demanda Killian à Ronce.
- Super, elle est capable de faire des trucs incroyables quand elle est sérieuse, répondit-elle avec un clin d'œil à sa partenaire d'entrainement.

Le chef des Wizards trouva le moment idéal pour leur parler de son nouveau projet.

- Axelle et moi, nous allons partir quelques jours. On peut vous laisser les filles ?
- Alors comme ça on part se faire de petites vacances en amoureux ? Ces deux derniers jours ne vous ont pas suffi ? pouffa le Corporem en esquivant une morsure d'Ambre exaspérée.
- Merci mon cher Goliath, mais nous partons en mission, non en vacances. Lux, j'aimerais que tu viennes avec nous, si ça ne te dérange pas ?
- Bien sûr que non, mais où allons-nous ?

Killian regarda sa femme qui lui serra la main pour montrer qu'elle était avec lui, quoi qu'il advienne. Elle ne voulait plus avoir peur en permanence des pouvoirs de son mari. Jamais elle ne laisserait la Furia s'en prendre à lui.

- Je retourne à Caracas !

Chapitre 3

- Tu es sûr que ça ne te fait rien de rester avec toutes ces filles ?

Goliath leva les yeux au ciel en écoutant Axelle lui poser la même question pour la vingtième fois.

- Ne t'inquiète pas ! Tes filles se gèrent toutes seules et Terra m'a dit qu'elle me donnerait un coup de main si nécessaire. Mais dis-moi, tu sais ce qu'il nous mijote notre « enchanteur préféré » ?
- Oui, je le sais, mais même sous la torture, je ne parlerai pas, lui répondit-elle avec un grand sourire.

Le colosse la serra dans ses bras avant de lui dire de faire attention là-bas. Il jeta un coup d'œil rapide au magnifique phénix qui se lustrait les plumes tout en les regardant se préparer au départ.

- Tu vas bientôt la revoir.
- Tu le crois vraiment ? Les mois passent et rien ne vient.
- C'est ce que tu crois. Tu ne trouves pas qu'elle passe de plus en plus de temps avec nous ?
- Si c'est vrai, tu penses que c'est un signe ?
- Tu lui manques, elle veut te retrouver, n'en doute pas.

Elle monta dans la voiture avec Killian et Lux qui attendaient sagement l'heure du départ. Ils prirent tous les trois la direction de l'aéroport. Le chef des Wizards ne voulait pas imposer à sa femme et à son ami un voyage de douze heures en droners aussi éprouvant que celui qu'il avait vécu. Il mettrait son équipement en soute, ce qui lui permettrait de l'invoquer en cas de nécessité.

Ce n'est qu'une fois installé dans l'avion que Lux engagea la discussion.

- Maintenant que nous sommes loin de l'académie, j'ai le droit de savoir ce qui nous attend ?
- Nous allons retrouver une vieille connaissance, répondit ironiquement le maitre des runes. J'aimerais me débarrasser de l'obligation de porter une armure du matin au soir. Pour cela, j'ai besoin de l'aide de quelqu'un et de la tienne.

Lux décida de ne pas en demander plus, pour le moment. Il croisa le regard d'Axelle qui semblait absorbée par ses réflexions. Cela n'empêcha pas cette dernière de lui faire un signe de tête qui fit comprendre au mage de lumière qu'elle non plus, n'en savait pas forcément beaucoup plus que lui.

Ils atterrirent dix heures plus tard à Caracas pour trouver Léopardo, qui les attendait. Ce dernier serra contre lui Killian comme un frère.

- Mon ami ! Je ne pensais pas te revoir aussi tôt ! Quand j'ai eu ton message, je n'ai pas pu m'empêcher de venir vous chercher en personne.
- Merci Léopardo. C'est bon de te revoir aussi ! Je te présente ma femme, Axelle et voici un membre des Wizards que tu ne connais pas, Lux.
- Bienvenue à Caracas ! C'est un plaisir.

Axelle serra la main de l'homme qui reporta ensuite son attention sur le mage de lumière. Ce dernier semblait souffrir particulièrement de la chaleur et sa tenue en lin blanche ainsi que son chapeau de paille faisait de lui la caricature du touriste dans toute sa splendeur. Mais Léopardo ne se fia pas à l'apparence du plus âgé des Wizards. Après avoir subi les foudres de Ronce, il n'était pas prêt à commettre l'erreur une deuxième fois.

- Alors voici un Wizards de plus. Bienvenue !
- Merci beaucoup. Je suis étonné de vous voir ici. Killian nous avait raconté que vous restiez le plus possible dans votre académie, pour des questions de sécurité.
- Et il avait parfaitement raison. Mais les choses ont légèrement changé depuis votre départ, répondit le Corporem avec un clin d'œil à l'attention de Killian. Mais nous parlerons de tout cela une fois arrivés, si vous le voulez bien.

La vieille Chevrolet du Corporem, d'un rouge passé, les conduisit tant bien que mal jusqu'à l'académie de Caracas où les trois compagnons furent accueillis à bras ouverts pour leur plus grande surprise. Des colliers de fleurs leur furent offerts et Axelle trouva l'endroit chaleureux et féerique.

Les choses avaient en effet bien évolué. Des travaux semblaient en cours non loin du bâtiment principal et deux magnifiques statues en pierre venaient de faire leur apparition à l'entrée de l'académie.

- Eh bien, je vois que les choses ont effectivement changé ! Que s'est-il passé ?
- En dehors de l'aide financière que vous nous avez apportée ?

Le maitre des runes parut gêné par la remarque qui ne se voulait pourtant pas du tout négative au vu du sourire du Corporem.

- Je vous taquine, Enchanteur.
- Killian, par pitié.
- Très bien « Killian ». Pour commencer, nos ennuis avec le culte musulman ont disparu peu de temps après votre départ. Les gouvernements du Venezuela et du Mexique ont fait front commun suite à la destruction de l'Ile de Pâques et aux dégâts causés dans l'antique cité de Chichén Itzá... car vous nous avez laissé un paquet de chiens enragés là-bas.

Le maitre des runes se remémora leur fuite. Dans leur précipitation, ils avaient laissé une bonne partie des chiens démoniaques sur place, ce qui était particulièrement inconscient.

- Mince, tu as raison. Je suis désolé.
- Ne le sois pas ! Grâce à cela, nous avons pu prouver que les pourfendeurs d'Allah étaient responsables de ce chaos et nous sommes rentrés en contact avec les gouvernements qui nous ont grandement remerciés pour avoir limité les dégâts. Depuis, ils nous demandent régulièrement de l'aide et nous traitent bien mieux qu'avant.
- Alors tout va bien dans le meilleur des mondes ? dit Lux en s'immisçant dans la discussion.
- En effet. Il n'y a qu'une ombre au tableau : les Corporems qui se cachaient dans la forêt amazonienne ont disparu. Ils sont peut-être allés s'établir simplement dans les montagnes, plus au sud. Le fait d'avoir perdu de vue presque deux-cents des nôtres d'un coup nous inquiète un peu tout de même.

Axelle revint couverte de fleurs et plusieurs enfants collés à elle. Un sourire radieux pouvait se lire sur son visage.

- Cet endroit est magnifique ! C'est à la fois si simple et si beau. Ils viennent de me faire visiter. Ils mangent tout le temps tous ensemble sous les grands arbres qu'on voit là-bas, tu le savais ?

- Oh oui mon amour. Si tu trouves l'endroit magnifique de jour, je ne sais pas quels seront les mots que tu utiliseras pour décrire l'endroit ce soir...

Ils discutèrent encore un bon moment avant que Léopardo n'en vienne au vif du sujet avec une question qui lui brûlait la langue :

- Bon, vas-tu me dire pourquoi tu es revenu ? Ne me dis pas que je te manquais trop.
- J'aimerais parler à Naox. Une affaire personnelle cette fois.

Léopardo sembla perturbé par la révélation de Killian et croisa les bras, comme s'il réfléchissait à ses prochaines paroles.

- C'est étonnant ce que tu me dis. Naox a dormi un bon moment et à son réveil, il nous a demandé si vous alliez bientôt revenir. Louis a trouvé cela bizarre. Demain, il vous accompagnera jusqu'à lui.
- Qu'il ne se donne pas cette peine. Nous irons seuls, si cela ne te dérange pas. C'est assez confidentiel.
- Pas de problème. Fais juste attention à ta femme. Comme tu le sais, il n'aime pas vraiment les non-mages...

Axelle et Lux se regardèrent sans comprendre. Il y avait, dans la voix du Corporem, une pointe d'inquiétude. Comme si présenter la femme de Killian à ce « Naox » pouvait présenter un risque non négligeable.

- En quoi ma présence est-elle un problème ? Qui est ce Naox ?

Léopardo fixa Killian avec incompréhension. Était-il inconscient pour ne pas avoir préparé ses compagnons à une telle rencontre.

- Tu ne leur as pas dit ?
- Je ne voulais pas les effrayer, lui répondit le chef des Wizards un peu gêné. D'un autre côté, je pense qu'Axelle ne risque rien. Nous serons avec elle, ne l'oublie pas.
- Tu sais très bien que vous n'êtes rien face à lui. J'espère que tu es sûr de ton coup.

Axelle et Lux se décomposèrent. Les compagnons leur avaient raconté leur voyage en Amérique du Sud dans les moindres détails et un seul être semblait avoir réellement terrorisé le maitre des runes.

- Tu nous emmènes voir le dragon ! crièrent-ils d'une seule voix.
- Oui... nous allons voir le dragon. Il est le seul à pouvoir m'aider, je pense.
- Et pourquoi n'aime-t-il pas les non-mages ? demanda Axelle la voix tremblante.

- C'est à lui de te raconter son histoire. C'est quelqu'un qui n'aime pas qu'on parle de lui. Mais au fond de moi, je sais qu'il ne te fera rien.

Il prit sa femme dans ses bras et lui chuchota à l'oreille :

- Si tu ne veux pas venir demain, je comprendrai et personne ne te jugera pour ça.

Elle resserra son étreinte et blottit sa tête contre le torse de son mari, mais ne répondit pas. Ils passeraient cette épreuve à deux. Elle lui avait promis d'être là et de l'accompagner, elle tiendrait parole.

Le repas du soir eut pour mérite d'éblouir les compagnons de Killian. Comme lui la première fois, ils s'émerveillèrent devant « les arbres lucioles » qui illuminaient les grandes tables faites de bois et leur fournissaient un panorama féérique pendant leur diner.

Le maitre des runes put constater aussi que tout le monde semblait de bonne humeur. Les enfants étaient beaucoup moins sales sur eux et des voitures avaient fait leur apparition sur un parking improvisé non loin de là.

- Tout cela est en grande partie grâce à vous. Et nous sommes loin d'avoir fini. L'académie de Caracas sera une merveille quand nous aurons terminé.

Killian se tourna vers Léopardo qui le regardait avec beaucoup de fierté.

- J'en suis certain mon ami et je suis heureux d'avoir pu vous aider, même si ce n'était pas notre première intention. Au moins en est-il resté quelque chose de positif après notre intervention.

Ils trinquèrent ensemble à cela : au positif. La joie et la bonne humeur ne les quittèrent pas de toute la soirée, excepté pour Axelle, qui essaya de cacher au plus profond d'elle le sentiment de peur qui, peu à peu, envahissait tout son être.

Ils partirent tous les trois le lendemain matin en randonnée, avec comme destination le repaire de Naox. Killian était absorbé par ce qu'il allait dire au dragon. Même s'il était très heureux que sa femme soit présente aujourd'hui, il ne voulait lui faire prendre aucun risque.

Il ne savait pas pourquoi, mais au plus profond de lui, il était persuadé que Naox ne lui ferait aucun mal. Pouvait-il se tromper ?

- Killian ?

Le maitre des runes se tourna vers Lux et ne put s'empêcher de sourire face à son compagnon vêtu d'un short et de sandales. Sous son chapeau de paille, son ami ressemblait à un touriste en randonnée mal préparé.

- Oui ?
- Tu vas nous faire crapahuter sur ce chemin rocailleux toute la journée ?
- Désolé, je ne suis pas une bonne agence de voyages, tu aurais préféré une journée au bord de la plage ? répondit le maitre des runes en le détaillant de la tête aux pieds.
- Ah ah ah ! Très marrant !
- Je suis d'accord avec Lux, enchaina Axelle. L'ascension est plus dure que ce que je pensais.

Killian leva les yeux au ciel. Ils allaient voir un dragon ! Celui-ci n'allait pas vivre tranquillement à la vue de tous !

- Il n'y en a plus pour très longtemps. Vous voyez les arbres là-bas ?
- Oui.
- C'est un peu plus loin dans cette forêt.

Ils marchèrent finalement presque deux heures de plus pour se retrouver dans une immense clairière et Killian reconnut les deux énormes rochers qui avaient servi à masquer l'entrée de la grotte de Naox durant son sommeil.

- On va faire une pause ici.

Ses deux compagnons lâchèrent leur sac à dos et se jetèrent au sol, épuisés.

- Tu t'es bien fichu de nous ! râla Axelle les bras en croix. Tu vas nous faire grimper toute cette foutue montagne… autant qu'il vienne me bouffer tout de suite, au moins j'éviterais de mourir de fatigue.

Lux et Axelle avaient les yeux fermés, savourant un repos bien mérité. Killian, quant à lui, resta debout et tourna sur lui-même. Regardant entre chaque arbre. Il fit un dernier tour sur lui-même et son cœur s'accéléra lorsqu'il sentit l'air changer autour de lui.

- Arrête de me souffler de l'air chaud Killian, ce n'est pas drôle !

Le maitre des runes se tourna vers sa femme pour lui dire de parler moins fort, mais ses mots moururent sur ses lèvres. La tête de Naox n'était qu'à quelques centimètres de la mère de famille.

- Chérie… ne bouge surtout pas.

Est-ce le ton de sa voix ou le souffle bien plus prononcé sur son visage qui incita Axelle à écouter son mari ? Quoi qu'il en soit, elle ouvrit lentement les yeux. Son sang se figea en constatant une gueule démesurément grande juste devant elle. Son corps se mit à trembler et malgré tous ses efforts, elle ne put les faire cesser. Elle aperçut l'un des crocs de la créature qui était à lui tout seul, bien plus grand qu'elle. Killian put apercevoir le visage de sa femme : terrorisé. Il jeta un coup d'œil à Lux qui semblait exactement dans le même état.

- Bonjour Naox, commença Killian d'une voix assez forte pour être sûr que le dragon porte son attention sur lui.
- Bonjour maitre des runes, répondit ce dernier sans arrêter de fixer Axelle. Quelle plaisante surprise de te revoir. Puis-je savoir ce qui t'amène à nouveau ici ? Mais avant tout, puis-je savoir ce que cette femelle fait ici ? Elle n'est pas une magicienne…

Killian avança les mains le plus calmement possible. C'est en arrivant à quelques mètres de sa femme qu'il pût réellement lire la terreur dans ses yeux. Des larmes coulaient de chaque côté de son visage et elle essayait de maitriser ses sanglots.

- Vous lui faites peur, Naox. Permettez-lui de se mettre debout s'il vous plait. Elle est venue en amie, comme l'homme ici présent. Elle s'appelle Axelle, c'est ma femme et la mère de mes enfants. Et voici Lux, un mage de lumière.

Le dragon leva les yeux vers Killian et pencha la tête sur le côté, comme s'il était face à un dilemme.

- Comment as-tu pu prendre le risque de la faire venir ici ? Tu connais mon histoire…
- Que je n'ai pas révélé. Mais ce que je sais, c'est que vous ne tuez pas pour le plaisir. Vous ne vous vengerez pas sur elle, vous valez mieux que les humains du passé et ma femme aussi. Nous ne sommes pas des ennemis, au contraire.

Le dragon sembla hésiter pour finalement relever sa tête de plusieurs mètres.

- Il y a les paroles et…
- Il y a les actes, enchaina Killian. Je me souviens de vos paroles. Son esprit est à vous. Voyez par vous-même.

Le dragon émit un rire sonore avant d'utiliser sa magie. Axelle sentit comme de la glace s'insérer dans son esprit et paniqua. Elle voulut crier, mais elle sentit la main de Killian lui saisir la sienne.

- Laisse-le faire, tu ne risques rien.

Naox scanna la vie entière d'Axelle qui lui parut bien banale. Du travail, de la procréation, de la colère, de la joie… puis un changement. Après l'arrivée de la magie, des pensées contradictoires, des peurs, du courage. Naox regarda plusieurs fois la scène où elle avait vainement essayé de s'interposer face au Corporem pour sauver Ronce. Il relâcha l'esprit et fixa de sa hauteur le corps toujours allongé devant lui.

- Voilà une personne fort intéressante, elle m'a appris le pourquoi de votre visite. Je veux bien admettre que chaque venue de ta part, Enchanteur, est toujours source de surprise. Relève-toi, femme de magicien. Je ne te « *boufferai* » pas pour le moment, mais nous allons rester ici, cela t'évitera d'être plus fatiguée.

Avec une souplesse qui surprit les trois compagnons, le dragon se hissa jusqu'à une saillie au-dessus de la grotte. Pour la première fois, Axelle (qui luttait pour se mettre debout) et Lux le virent en entier.

- Incroyable… il est… immense. Il doit faire plus de cent mètres de long et il bouge aussi silencieusement qu'une panthère. Il aurait pu nous tuer tous les trois sans qu'on le voie venir…
- On s'est dit la même chose la première fois. (Il reporta son attention sur sa femme). Ça va mon amour ? Tu vois, ça s'est plutôt bien passé ?

Axelle plongea sa tête contre son torse et pleura un bon coup.

- Enfoiré ! Je n'arrive toujours pas à calmer mes tremblements. Je n'aurais jamais cru pouvoir avoir un jour aussi peur. Il lui aurait juste fallu baisser un peu la tête pour m'écraser ou me gober !
- Eh bien dis-toi que tu n'étais pas à son goût. Allez, venez, il nous attend et je serais d'avis de ne pas éprouver sa patience.

Ils montèrent tous les trois sur la saillie. Seul Killian marchait d'un pas tranquille en remontant le long du corps du dragon. Ses deux compagnons ne purent que constater, mètre par mètre, le côté titanesque de la créature dont ils étaient en train de faire le tour.

Couché sur le côté comme un chat, Naox les attendait avec calme. C'est à peine si sa respiration se faisait sentir malgré sa taille impressionnante et Axelle se demanda comment une créature de ce gabarit pouvait être aussi discrète.

- Alors Enchanteur, comment veux-tu procéder ?

Le maitre des runes saisit son sac à dos lorsqu'une main lui agrippa l'épaule. Il se retourna pour trouver Lux à sa hauteur, l'air contrarié.

- Tu sais que tout le monde est au courant de ce que tu veux faire, sauf moi ? Ce n'est pas que je suis d'un naturel curieux, mais j'aimerais bien savoir tout de même, surtout si je dois aider ?

Sans dire un mot, Killian lui tendit le sac avec un large sourire.

- Qu'est-ce que c'est ?

- Des plaques de palladium, enchantées par moi. Et je vais demander au dragon de m'en faire des tatouages. Quant à toi, tu es là pour minimiser la douleur.

Lux plongea sa main dans le sac pour en sortir une pièce métallique aussi fine que du papier et résistante comme de l'aluminium. Il voulut tordre le métal, mais sans résultat.

- Tu es sérieux ? Tu penses que cela peut marcher ?
- Aucune idée. Naox, peux-tu me les greffer ? J'ai pris un métal qui ne s'oxyde pas et ne s'use pas. La dernière fois, tu m'as fait voir tes pouvoirs de Corporem sur mon corps. Ce procédé me permettrait de cacher mon obédience beaucoup plus facilement et d'avoir plus de runes sur moi.

Le dragon approcha son museau et renifla le sac plusieurs fois avant de poser son immense tête sur un rocher.

- Ça ne fonctionnera pas. Ton métal n'est pas assez dense pour être enchanté correctement. Tu pourras faire des runes du premier cercle, au mieux.

Killian parut sceptique et saisit la pièce métallique des mains de Lux. Il se concentra pour dégager deux cercles de puissance et imprima une rune dorée dessus. À sa grande surprise, la rune grésilla, comme si elle attaquait le métal en lui-même. Le maitre des runes regarda par en-dessous pour constater que l'impression apparaissait des deux côtés. Il pointa l'objet en direction de la forêt et l'activa. Un éclair traversa la clairière pour frapper le sol en contrebas comme d'habitude.

- Eh bien ça marche ! cria Axelle en frappant dans ses mains.

Mais le visage fermé de Killian lui indiqua le contraire. Ce dernier regardait sa main. La petite pièce de métal était tordue et en partie décomposée.

- Mince, je ne l'ai pas vu venir celle-là. Tout ce chemin pour rien ! Je ne vais jamais y arriver.
- Et si tu fais des plaques plus épaisses ? demanda Lux.
- Ça risque d'être trop lourd sur moi.

Killian sortit un plan de son sac à dos. Il y avait un corps humain imprimé dessus avec un grand nombre de runes dessinées. Le mage de lumière se pencha pour commencer à les compter avant de se tourner vers Killian, le visage inquiet.

- Combien as-tu prévu d'en faire?
- Cent, mais c'est mort. Je vais me remettre à travailler sur une nouvelle version de mon armure.

Un grondement sonore leur fit tourner la tête vers le dragon qui semblait s'amuser en regardant la scène se dérouler sous ses yeux.

- Je suis désolé de t'avoir dérangé pour rien, Naox.
- Ne le sois pas. Mes journées sont longues et ta venue est distrayante. Ton problème réside dans ton métal. Il te le faut à la fois léger, résistant, fin et capable de supporter une grosse quantité d'énergie.
- Je pensais que le palladium suffirait. Il n'y a pas meilleur métal sur la planète.

Le dragon pencha la tête sur le côté et fixa le maitre des runes. Les secondes passèrent et Killian se demanda à quoi jouait ce grand lézard. Voulait-il mettre ses nerfs à l'épreuve. Il fallut encore une bonne minute avant que le dragon approche son visage du sien, laissant le maitre des runes faire un pas en arrière, par réflexe.

- Je pose une condition pour résoudre ton problème de métal et fournir l'aide dont tu as besoin.
- Laquelle ? répondit Killian d'un air prudent.
- Que le mage blanc n'intervienne pas. Que tu subisses la douleur à son maximum.

Axelle fut la première à réagir à l'annonce, avec plus de virulence que prévu.

- Mais c'est du grand n'importe quoi ! Il va souffrir le martyre ! C'est juste du sadisme !

Killian se tourna vers sa femme et voulut lui plaquer une main sur la bouche, mais le dragon fondit sur elle aussi vite que le vent. Ses yeux n'étaient désormais que deux rubis bouillonnants et la mère de famille se recroquevilla sur elle-même en voyant les crocs de la créature pour la deuxième fois d'aussi près.

- Tu devrais être la première à le demander, humaine. De nous tous, c'est toi qui as le plus peur de ton mari. Tu doutes de sa capacité à résister à la Furia et par-dessus tout, tu doutes que quelqu'un, hormis moi, ne puisse l'arrêter si un jour cela arrivait.
- De quoi parle-t-il ? demanda Lux.

Le silence d'Axelle se fit pesant. Elle fixait le dragon et son visage semblait pétrifié.

- Vous… vous savez pour…
- Je sais tout. Ton esprit est pour moi un livre dont ton subconscient me tourne les pages sans même que je ne lui demande. Il faut que ceci soit une épreuve pour lui. Qu'il se souvienne chaque seconde pourquoi il a choisi d'endurer cela.
- C'est d'accord.

Tous se tournèrent vers Killian qui semblait ne pas être affecté par la nouvelle.

- Les paroles ne comptent pas, n'est-ce pas ?
- Seuls les actes, lui répondit le dragon avec un sourire aux lèvres.
- Très bien, et où je le trouve ce fameux métal ? J'espère que nous n'allons pas devoir crapahuter sur des milliers de kilomètres pour en trouver suffisamment ?

Le dragon étira son long cou pour frotter son museau contre l'une de ses ailes. D'un coup sec, il arracha une quantité non négligeable de plumes qui allèrent se planter plus bas dans la clairière.

- Tu devrais en avoir assez pour fabriquer toutes tes runes. C'est de l'acier dragon.

Killian courut vers le bas de la saillie et saisit l'une des plumes avec ses deux mains. Elle devait faire dans les un mètre cinquante, mais ne pesait pas plus de deux kilos. Sa couleur dorée lui avait fait croire à de l'or. Maintenant qu'il en voyait une de près, il réalisa que le métal vibrait légèrement, comme un bourdonnement et sa couleur était en fait un arc-en-ciel doré. Il fallait avoir l'œil très près pour voir les nuances qui couraient le long des nervures jusqu'à la pointe.

- De l'acier dragon, pourquoi n'en a-t-on jamais vu ? Si vos ancêtres… enfin je veux dire, qu'en ont fait les humains ?
- Tu veux dire après nous avoir exterminés ?

Axelle et Lux sursautèrent en entendant le dragon annoncer le massacre des siens.

- Comment ça ? intervint Axelle. Les humains vous ont massacrés ? Comment ont-ils réussi pareil exploit ?

Le dragon jeta un coup d'œil furtif au maitre des runes avant de reporter son attention sur sa femme.

- C'était il y a longtemps, et nous dormions à cette période, ce fut une sombre époque pour mon peuple. Pour répondre à ta question, maitre des runes, lorsque nous mourons, notre corps se décompose très rapidement et nos ailes se transforment en un vulgaire métal que vous appelez fer.
- Alors mes runes ne dureront pas éternellement ? Que m'arrivera-t-il si vous mourez ?
- Je te fais don de ces écailles. Elles dureront jusqu'à ta mort, tu as ma parole.

Killian fixa un moment le dragon avant de poser un genou à terre. Le dragon fit onduler sa queue jusqu'à lui et en posa la pointe sur son torse avant de lui parler d'une voix impérieuse.

- Souviens-toi de ce jour, Enchanteur. Lorsque les ténèbres en voudront à ta personne, à tes pouvoirs, tu devras te souvenir la façon dont tu les as eus et pourquoi ! Le jures-tu ?
- Oui Naox, je le jure. Mes pouvoirs ne serviront qu'à faire le bien.
- Alors, mets-toi au travail. Tu vas vite te rendre compte que l'acier dragon n'est pas un métal très tendre.

Axelle et Lux se dirigèrent vers lui et contemplèrent les plumes du dragon. Lux en soupesa une tandis que la mère de famille s'approchait doucement de son mari.

- Tu ne peux pas faire ça Killian, sans Lux, tu vas souffrir le martyre !

Il la prit dans ses bras sans même prévenir. Il huma ses cheveux et leur odeur envahit rapidement ses narines, masquant toutes les autres effluves environnantes, ce qui l'apaisa.

- Telle est la volonté de Naox. Il m'offre deux choses aujourd'hui. Ses pouvoirs et sa connaissance. Il doit y avoir une bonne raison à sa décision.

Il s'écarta et plongea ses yeux dans les siens avant de lui sourire. Il essuya une larme qui commençait tout juste à pointer sur le bout de son nez.

- Avec tout ce que nous avons traversé, il faut que je me prépare à la suite. Mon instinct me dit de ne pas me reposer sur mes pouvoirs actuels. Naox ne fait que me mettre en garde, pour que je ne m'égare pas sur le mauvais chemin ...

Killian passa plus de trois jours pour modeler l'acier dragon correctement. Son esprit n'était plus qu'une grande plaie ouverte dans son crâne. Ce métal lui offrait une résistance qui rendait la tâche bien plus difficile qu'avec n'importe quel autre matériau. Néanmoins, il réussit à créer un très grand nombre de formes, à la fois fines, légères et d'une résistance peu commune. Jamais il n'aurait été capable de créer un métal d'aussi bonne qualité.

Il lui fallut par la suite presque dix jours pour enchanter l'intégralité des runes. Personne, pas même Axelle, n'osa le déranger durant ce processus.
Ce n'est qu'après une bonne journée de repos que l'Enchanteur se présenta devant le dragon pour commencer « la fusion ».

Axelle et Lux purent contempler l'œuvre de Killian qui étala méthodiquement toutes les plaques gravées de runes dans la clairière afin qu'elles forment deux êtres humains.

- Celles-ci, commença le maitre des runes, doivent être devant moi. Les autres se trouveront derrière moi. Axelle a travaillé sur ce schéma, si tu as des questions, n'hésite pas à la consulter, si je ne suis pas en état de te répondre.

Sa femme frémit au son de ses paroles. Elle avait maintenant la certitude que son mari savait très bien dans quoi il s'embarquait. Elle tourna la tête pour voir Lux s'asseoir paisiblement sur un rocher. Son air sérieux était la preuve de l'angoisse qui devait, elle aussi, le tourmenter.

Naox étira son long cou doré et sa longue crinière blanche flotta dans les airs le temps d'un instant. Ses yeux couleur de feu semblaient caresser le métal de leur regard pour se tourner ensuite vers le maitre des runes qui commençait à défaire son armure silencieusement.

- C'est du beau travail. Est-ce normal qu'elles soient toutes de couleur rouge ou doré ? Je vois que ton armure ainsi que ton arme en portent des bleues ?
- J'aurais bien aimé ne faire que des rouges, mais la dépense d'énergie était trop grande. Ce sont des runes du troisième cercle. Les dorées sont des runes du deuxième.

Lux et Axelle s'approchèrent pour contempler l'œuvre de Killian. Le nombre de runes était impressionnant et la grande majorité était bel et bien de couleur rouge. Elles irradiaient comme des rubis au soleil.

- Combien y en a-t-il ? demanda Lux sans y croire.
- Cent-quatre. On verra si je serai capable de toutes les incorporer à mon organisme.

Axelle ne dit rien, mais ses mains tremblaient. Elle ne pouvait s'empêcher d'avoir peur pour son mari. Ce dernier s'approcha d'elle en enlevant son *teeshirt* et lui fit un grand sourire.

- Ne t'en fais pas. Tout va bien se passer. Naox parait froid au premier abord, mais je pense qu'il fait partie des êtres les plus respectueux de la vie que je connaisse. Je ne risque rien.

Axelle était à genou. La tête de Killian posée sur ses cuisses. À première vue, on aurait pu croire qu'il dormait paisiblement. Elle lui caressa le front et la moiteur de sa peau lui rappela ce qu'elle venait de voir, il y a seulement quelques minutes.

Son regard tomba ensuite sur les quatre runes brillantes qui trônaient désormais sur son avant-bras droit. Chaque rune était à l'endroit exact où Killian le voulait, au millimètre près. Chaque rune avait aussi laissé des traces de la fusion. La peau boursoufflée indiquait que l'opération était récente et le sang, à peine coagulé, n'était qu'une preuve de plus du danger de l'exercice.

Elle sentit une présence dans son dos et Lux s'installa à côté d'elle. Il semblait, lui aussi, très éprouvé par ce qu'il venait de voir.

- Tu veux que je te remplace un peu ? Tu ne pourras pas tenir ce rôle toute seule jusqu'au bout.

Elle aurait aimé pouvoir lui répondre, mais les larmes affluèrent bien trop vite et c'est en sanglotant, craquant pour la première fois, qu'elle répondit :

- Quatre ! Il n'en a fait que quatre avant de s'évanouir ! (Elle se tourna vers Naox, le regard plein de haine). Il avait confiance en vous ! Pourquoi lui infliger ça ?
- Arrête, calme-toi, intervint Lux.

La queue du dragon se glissa devant le mage de lumière afin de le faire taire. L'immense créature fixait Axelle comme s'il la voyait pour la première fois.

- Ta colère est ... légitime. Mais sache qu'il ira jusqu'au bout. La volonté qu'il a d'être capable de tous vous protéger est sans équivalent. Il irait en enfer, pour vous tous, si seulement ce lieu existait. Cette épreuve est nécessaire et tu le sais. Avec ces runes, ton époux deviendra le mage le plus puissant que le monde ait connu. Avec mon acier et sa magie, il pourra accomplir de grandes choses. Ta peur, de le voir un jour entre les mains de la Furia, est réelle. Ceci risque d'arriver et si elle est bien ce que nous croyons, alors même moi je ne serai peut-être pas en mesure de l'arrêter. Je n'éprouve aucun plaisir dans la souffrance de cet humain, mais je me refuse à donner à ce monde une arme aussi facilement.

Axelle aurait voulu hurler sur le dragon, mais sa colère s'apaisa. Était-ce l'œuvre de sa magie ? Contrôlait-il ses pensées ? Ou son discours l'avait-il réellement ébranlée ?

Naox approcha son visage du sien et pour la première fois, la mère de famille put contempler sans peur la magnificence du dragon d'or. Chaque écaille était à sa place. Chaque corne était espacée avec harmonie. Ses yeux, d'un rouge étincelant, semblaient abriter d'autres couleurs qui dansaient au milieu de ses iris.

- Ton mari à une grande destinée. Je l'ai su au premier regard que j'ai porté sur lui. Sa vie n'est pas en danger avec moi. Je te donne ma parole.

La jeune femme hocha simplement la tête en signe d'assentiment, incapable de faire plus devant l'imposante créature.

- Le temps qu'il récupère, j'ai une question à vous poser.
- Nous t'écoutons, répondit Lux qui était heureux de changer de sujet.
- J'aimerais savoir comment se porte la petite Ronce.

Les deux adultes furent surpris par la question. Ils ne s'attendaient pas à ce qu'un dragon leur demande des nouvelles de l'un des leurs.

- Elle va bien, répondit le mage de lumière. Pour autant que je sache.

Naox hocha la tête, les yeux dans le vague. Il semblait satisfait des paroles qu'il venait d'entendre et le temps d'un instant, Axelle crut même voir l'une des immenses lèvres du dragon se soulever. Comme si ce dernier repensait à un souvenir qui le rendait heureux...

Chapitre 4

Icy raccrocha le téléphone avec satisfaction. Ses parents étaient partis depuis bientôt un mois et cela faisait plus de quinze jours que sa mère lui rabâchait toujours la même chose : « Ton père travaille, il ne peut pas te parler ».

Or, la nouvelle de ce matin lui avait redonné le sourire : ses parents allaient revenir demain. Elle avait hâte de montrer à son père ses progrès et surtout les efforts qu'elle avait faits au niveau de son comportement. Même Goliath semblait la regarder de manière différente. Elle s'entrainait avec beaucoup de sérieux et respectait toutes les consignes qu'on lui donnait.

Elle sortit en courant du loft pour se diriger vers la vieille usine réhabilitée pour les mages du feu. Même si elle détestait cet endroit chaud et sec, souvent envahi par des relents nauséabonds de soufre, elle savait aussi qu'elle y trouverait l'une des seules personnes capables de la comprendre et de discuter un peu avec elle tout en restant naturelle.

Elle trouva Braise en compagnie de trois jeunes mages qui s'entrainaient à faire rougir du métal. Un sourire illumina son visage lorsqu'il vit la petite fille entrer dans son champ de vision.

- Salut Princesse ! Laissez ça vous, on reprendra plus tard.

Il se dirigea vers elle avant de lui poser une main sur le front.

- Tu ne devrais pas venir ici. Tu es déjà en sueur. Ce n'est pas un lieu pour les mages de l'eau, viens, on va sortir.

Icy lui sourit, mais ne refusa pas son offre. L'air était beaucoup trop chaud pour elle et son organisme commençait déjà à lui lancer des signaux d'alerte. Elle inspira un grand coup lorsque la porte donnant sur l'extérieur s'ouvrit, lui permettant de retrouver le fil de ses pensées.

- Ça fait du bien ! Comment pouvez-vous vivre là-dedans !?

Le rouquin regarda en arrière sans comprendre et haussa les épaules :

- Moi je trouve qu'il fait bon là-dedans. Qu'est-ce qui t'amène ici ?
- Mes parents seront là dans quarante-huit heures maximum !

Le visage de Braise s'illumina. Depuis son duel avec la petite fille, il avait appris à l'apprécier. En fait, il lui avait trouvé beaucoup de points communs avec lui-même. Il était fier de lui avoir laissé la victoire lors de leur affrontement, aujourd'hui persuadé qu'elle ferait une bien meilleure Wizards que lui. La voir ainsi heureuse lui suffisait.

- Voilà une bonne nouvelle ! Peut-être en saurons-nous un peu plus sur ce mystérieux voyage ?
- À mon avis, tu te mets un doigt dans l'œil, maman ne m'a rien lâché au téléphone et ce n'est pas faute d'avoir essayé.

Ils rirent de bon cœur tous les deux. Icy était contente d'être avec le mage du feu. Bizarrement, elle arrivait à être elle-même avec lui. Elle n'avait pas besoin de se forcer ou de faire attention à ses propos et cela lui faisait beaucoup de bien.

Elle aurait voulu passer plus de temps en sa compagnie, mais l'arrivée de Goliath effaça le beau sourire qui avait réussi à renaitre sur ses lèvres.

- Oh non, qu'est-ce que j'ai encore fait ?
- Rien ma grande, je connais ce visage chez ton ami. Allons le rejoindre.

Icy suivit Braise qui se dirigea vers le Corporem pour aller à sa rencontre. Ils se serrèrent chaleureusement la main, sans que cela déride le nouvel arrivant.

- Comment vas-tu ? commença le mage du feu. Tu as la mine des jours à problème.

Un timide sourire apparut sur le visage de son interlocuteur qui baissa son regard sur la petite fille.

- On doit partir. On vient de nous confier une mission.

Braise, choqué par l'annonce, saisit le bras du Corporem pour le forcer à le regarder.

- Icy et Hadès viennent avec vous ?
- Oui, en observation.
- Ne me prends pas pour un con ! À ta mine, je vois bien qu'il se passe quelque chose de grave. Pourquoi le Conseil ne s'est il pas réuni ?

Le visage de Goliath se tendit puis se résigna. On sentait comme une grande lassitude chez le Corporem, ce qui surprit Braise qui le connaissait d'habitude si jovial.

- Un dragon a attaqué une ville. Celle où nous nous étions rendus en Hongrie. Il a tout détruit. L'armée n'ose pas intervenir, alors ils nous envoient.

Braise semblait perturbé par la nouvelle, mais il ne comprit pas pour autant l'air abattu de son ami.

- Quel est le problème ? Toi aussi tu peux te transformer en dragon. Avec Ronce et Ambre, vous n'allez en faire qu'une bouchée ?

Un petit rire sortit de la gorge du Corporem avant d'afficher un sourire gêné.

- Me transformer en dragon, en lézard tu veux dire ? J'ai vu un vrai dragon au Venezuela. Crois-moi, ça n'a rien à voir avec moi. Il nous aurait tous tués sans aucune difficulté s'il l'avait voulu. Nous allons devoir tous y aller et faire extrêmement attention.
- Killian est au courant ?
- Non, on n'a pas réussi à l'avoir, ni Axelle, ni Lux. Ils doivent déjà être dans l'avion.
- Alors il faut les attendre avant d'intervenir ! Ce n'est que quelques heures.

Goliath regarda ses deux interlocuteurs avec tristesse, avant de leur annoncer la suite.

- Le dragon a déjà fait plus de deux mille morts Braise…

L'annonce ébranla le mage du feu ainsi que la petite fille. On pouvait ressentir toute l'émotion dans les paroles du Corporem qui se retenait d'en dévoiler plus.

- Il dort pour le moment. Sur les ruines de son attaque. On ne peut pas prendre le risque qu'il se réveille et qu'il parte détruire une autre ville. On doit partir maintenant.

Ronce regarda pour la énième fois par la fenêtre de l'habitacle pour regarder si Ambre allait bien. Sans surprise, le phénix volait à une cinquantaine de mètres de l'hélicoptère dans lequel les Wizards se faisaient transporter.

Goliath aurait préféré prendre les droners, mais Killian n'avait pas pris le temps d'en faire un pour Hadès et faire monter Arthur dans l'un de ces appareils sans qu'il soit prévu à cet effet était pour lui trop dangereux.

Icy regarda justement le démon d'un air désespéré. Vêtu de son teeshirt noir avec une tête de mort et de son pantalon en cuir, il avait l'apparence d'un vrai « biker ». Tout aurait pu s'arrêter là, mais il avait troqué sa belle paire de bottes pour des baskets rose et argent.

- Maman va te tuer, comment oses-tu lui faire ça ?
- Ce n'est pas moi, répondit la démoniste. C'est lui qui m'a dit que ses bottes lui faisaient mal au pied. Et il adore le rose.

Ne voulant pas rentrer dans une discussion stérile, Icy ne répondit rien. Tout le monde savait qu'Hadès adorait le rose et tout le monde savait aussi qu'Arthur adorait tout ce que sa maitresse adorait. Bref, tout ceci n'était qu'une simple histoire d'adoration.

Elle préféra reporter son attention sur le combat à venir. Le mutisme de Goliath l'inquiétait. Même Ronce qui représentait pour elle l'insouciance semblait plongée dans ses pensées.

- Comment va-t-on procéder une fois là-bas ? Quel est le plan ? tenta la petite fille comme approche.
- Je n'en sais rien, lui avoua le Corporem. Le dernier dragon qu'on a croisé ne nous en a pas beaucoup dit sur lui. Si ce n'est que ce sont de formidables magiciens.
- Et si c'était Naox ? demanda Ronce la gorge serrée.
- Rassure-toi, ce n'est pas lui, répondit Goliath. Le rapport parle d'un dragon aux écailles noires.

Cette information sembla rassurer la jeune fille et elle se mit à réfléchir, un doigt sur le menton.

- Et s'il nous arrache la tête à distance ? demanda-t-elle sans se démonter. Tu sais, comme quand Naox a fait pousser des ailes à Killian !
- Tu veux dire s'il préfère ça à nous avaler tout cru ? Rappelle-toi la taille qu'il faisait.

Il regarda les deux sœurs qui semblaient de plus en plus terrorisées par la discussion et décida de calmer le jeu.

- Toutes les deux, vous resterez en arrière. Vous n'intervenez que si je vous le demande. Ronce, Ambre et moi on partira devant. Peut-être réussirons-nous à dialoguer avec lui.
- Papa m'a raconté que le dragon que vous aviez rencontré était gentil avec les mages, répondit Hadès. C'est peut-être le cas de celui-ci ?

Goliath hocha la tête, mais ne répondit rien. Il savait que ce n'était pas le cas. Un dragon qui venait de tuer deux mille personnes ne devait pas avoir beaucoup d'affection pour les humains, quels qu'ils soient.

« On arrive sur zone, préparez-vous à sauter, je ne me pose pas à côté de cette chose ».

Goliath regarda le pilote qui avait son regard fixé sur l'horizon. Le Corporem aperçut l'ancienne église qu'avaient investie presque deux ans plus tôt les Wizards. Il ne restait autour qu'un champ de ruines. Adossé au bâtiment était couché le dragon. Il était effectivement noir comme de la pierre de jais et ses ailes étaient recouvertes de plumes couleur cendre. Une crinière noire et argent courait sur son cou.

L'hélicoptère se positionna à une centaine de mètres de la créature qui semblait dormir à poings fermés.

- C'est bizarre, il ne se réveille pas, dit Icy en contemplant le reptile avec terreur.
- On lui a tiré dessus avec deux chars d'assaut, ça ne l'a pas réveillé, répondit le pilote de l'appareil.

Ils sautèrent tous les quatre à terre avant que l'hélicoptère reprenne de l'altitude et parte aussi vite qu'il était venu. Ambre se posa juste à côté d'eux. Elle grattait le sol avec ses pattes, montrant son anxiété pour le futur combat.

- Bon, je vais partir devant avec Ronce. Ambre, tu surveilleras le dragon d'en haut. On va essayer de l'approcher discrètement. Icy et Hadès, vous restez en retrait et vous n'intervenez que si cela est nécessaire. Compris ?

Tout le monde fit un signe de la tête et personne ne posa de question. Ambre s'envola pour disparaitre dans les nuages. Ronce et Goliath partirent en direction du dragon. Ils laissèrent les deux sœurs à bonne distance de la bête qui observèrent l'approche discrète des deux Wizards.

Elles purent aussi distinguer la véritable corpulence de leur adversaire, ce qui ne les rassura pas du tout :

- Il est… immense ! chuchota Hadès.
- C'est juste incroyable. On ne peut rien faire face à ça, c'est du suicide.

À peine finissait-elle sa phrase qu'elle put voir Ronce qui grimpait le long du dos de la créature. Goliath fut pris de panique en voyant le comportement de sa fille adoptive et une dispute éclata entre les deux personnages.

- Descends de là ! hurla le Corporem tout en chuchotant, ce qui le fit devenir tout rouge.

- Mais il dort, et pour avoir vu Naox dormir, je peux te dire que rien ne réveille un dragon, lui répondit la petite fille sans se préoccuper de faire attention au volume de sa voix.

Joignant le geste à la parole, Ronce courut sur le ventre du dragon. Son compagnon décida d'escalader l'église afin de pouvoir avoir une vue d'ensemble de la créature et réfléchir à la situation. Ses muscles lui permirent de se retrouver sur le toit du bâtiment en trois bonds, mais lorsqu'il se tourna face au dragon, il dut se retenir de hurler.

La créature était non seulement réveillée, mais elle contemplait Ronce qui jouait à une marelle imaginaire sur les écailles de la créature. Elle n'avait même pas remarqué qu'elle était observée.

- Ronce ! Dégage de là ! Le dragon est réveillé !

La petite fille stoppa son jeu et se tourna pour s'apercevoir que le visage de l'immense dragon noir n'était qu'à quelques mètres du sien.

Elle put rapidement voir la différence avec Naox. Ses cornes étaient beaucoup plus grandes que celles du dragon d'or et sa crinière était aussi beaucoup plus longue. Ses écailles étaient toutes noires sauf celles de ses arcades qui étaient plutôt couleur argent.

Elle décida néanmoins de tenter sa chance, ne voyant aucune hostilité dans l'attitude du dragon.

- Bonjour, je m'appelle Ronce.

La créature eut l'air surprise, ne s'attendant vraisemblablement pas à ce qu'une petite fille ait le courage de lui adresser la parole.

- Surprenant, petit être. Je m'appelle Rakhaox. Je te trouve très courageuse, ou stupide, pour oser grimper sur moi comme un vulgaire rocher et venir me faire la conversation.

Ronce fit un petit pas en arrière. La voix du dragon n'avait rien à voir avec celle de son ami. Elle sentait la mort. Il y avait dans son regard quelque chose qui lui rappelait le pire de ses souvenirs : l'homme qui l'avait enlevée et qui avait tué ses parents. C'était un regard et une attitude qu'elle ne pourrait jamais oublier.

- Alors ? Tu as perdu ton courage, petite créature ?
- Non, étant l'amie d'un dragon, j'espérais pouvoir faire votre connaissance.

Le tremblement dans sa voix fit sourire son interlocuteur. Elle avait espéré qu'en mentionnant Naox, cette créature y réfléchirait à deux fois avant de la croquer, mais contre toute attente, elle put voir une étincelle d'intérêt dans les yeux de Rakhaox.

- Tu es l'amie d'un dragon ? Très intéressant. Je serais ravi que tu me dises où je peux le trouver. Cela fait longtemps que je n'ai pas conversé avec un membre de ma race.

À peine eut-il fini sa phrase qu'un long filet de bave coula jusqu'au sol. Comme si parler de cela l'avait affamé. Ronce recula encore d'un pas, sentant le danger face à elle. Ce dragon lui faisait peur. Pas de la même façon que Naox : ce n'était pas sa taille le problème, mais son attitude.

- Je ne pense pas que vous vous entendriez...
- Ah bon ? susurra le dragon. Et pourquoi donc, je te pris ?

Prenant son courage à deux mains, la petite fille planta son regard dans celui de la créature et annonça d'une voix forte :

- Lui n'aurait jamais tué deux-mille personnes. Il respecte trop la vie pour cela. Toi tu fais honte à ta race.

Les yeux du dragon se plissèrent. Sans le savoir, la petite fille venait de frapper là où ça faisait mal. « Tu fais honte à ta race ». C'étaient les premiers mots que sa mère lui avait dits avant d'être dévorée par son père. Un dragon noir qui avait réussi à la capturer et se retenir de la manger jusqu'à sa naissance. Quelques années plus tard, un groupe de dragons avait massacré son géniteur alors que lui, encore enfant, avait réussi à s'échapper.

Ce souvenir fit naitre en lui une colère vieille de plusieurs siècles. Il gronda, faisant trembler les arbres et les ruines qui entouraient son corps gigantesque.

- Vermine, tu vas regretter ces paroles !

Il ouvrit sa gueule et contracta les muscles de son cou pour avaler la petite fille qui leva un bras au ciel avant de le diriger d'un coup sec vers le sol.
Un rocher de la taille d'une voiture percuta le crâne du dragon. Occupé par la discussion, ce dernier n'avait pas remarqué que Ronce s'était préparée à une éventuelle attaque.

Malheureusement, l'effet fut beaucoup moins impressionnant que ce qu'elle avait espéré. La tête du dragon ne cilla même pas à l'impact. Le rocher explosa sans briser la moindre écaille du reptile qui secoua sa tête pour se débarrasser des gravas restants.

- Courage ou stupidité... au moins suis-je fixé. Il est indéniable que tu es très courageuse pour avoir osé me faire cela.

Il sourit en voyant le visage apeuré de la petite fille et avec une agilité surhumaine, il roula sur lui-même pour se mettre debout, expulsant Ronce de son dos qui atterrit sur le sol.

Contrairement à Naox, le dragon noir se mouvait avec beaucoup moins de grâce et il souleva un immense nuage de poussière. Sa queue percutait régulièrement des arbres ou des ruines, les brisant comme s'ils n'existaient pas.

Il leva une patte et frappa le sol là où il avait vu tomber cette petite insolente, encore et encore, ravageant le sol et soulevant toujours plus de poussière pour ne bientôt laisser qu'un trou béant sous lui.

Il baissa la tête pour fouiller le sol. Il voulait contempler les restes de cette petite peste lorsqu'il sentit un poids sur son dos et une douleur à la base d'une de ses ailes.

Il étira son long cou pour trouver un dragon, bien plus petit que lui qui s'acharnait à mordre la jointure entre l'une de ses ailes et son dos.

La surprise ainsi que la douleur enragèrent le dragon qui tenta de happer cet insupportable intrus. Mais son cou était trop court pour atteindre Goliath qui s'évertuait à rester accroché malgré les spasmes du corps de son adversaire. Il avait trouvé une zone où la peau du dragon ne pouvait être protégée par des écailles. Il savait que la blessure qu'il lui infligeait ne devait pas être plus importante que la morsure d'une souris sur un être humain, mais il n'avait pas trouvé d'autre solution pour détourner l'attention du dragon de la petite Ronce.

Rakhaox, plus agacé qu'autre chose, leva sa queue pour frapper le parasite qui osait s'en prendre à sa personne lorsqu'il sentit une source de chaleur s'approcher de son visage. Ambre descendait des nuages en piqué à une vitesse vertigineuse, laissant dans le ciel un sillage de feu. Trois cercles de puissance embrasèrent les cieux durant sa chute, démontrant la puissance que l'oiseau allait déchainer sur son adversaire. Elle déploya ses ailes une fois à quelques mètres du dragon et une multitude de projectiles magiques furent projetés en direction de la créature.

Les explosions retentirent sur plusieurs kilomètres. Rakhaox encaissa plusieurs impacts sur son corps, mais la plupart l'atteignirent au visage. Lorsque la fumée disparut, tout le monde put voir les marques sur le corps de l'animal. À plusieurs endroits, les écailles du dragon étaient ternes, et quelques-unes manquaient désormais sur le côté gauche de son visage.

- Maudit volatile !

Ambre reprit rapidement de la vitesse, esquivant un coup de patte par la même occasion.

Frustré, le dragon roula sur lui-même. Le bruit et les dégâts causés par un tel mouvement surprirent tout le monde. Goliath se retrouva en un éclair sous son adversaire et il lâcha prise, hurlant de douleur lorsqu'il sentit sa cage thoracique craquer sous la pression.

Lorsque l'immense dragon noir se releva, il contempla son œuvre avec un sourire au coin des lèvres.

Le Corporem, toujours sous sa forme de dragon, gisait au sol en gémissant. L'une de ses ailes était arrachée et chaque respiration lui coûtait un cri de douleur.

Rakhaox se dirigea vers lui pour mettre fin à ses souffrances, mais il aperçut du coin de l'œil Ambre qui arrivait à toute vitesse. Le corps de l'oiseau luisait, prêt à frapper à nouveau.

Sans crier gare, le dragon lui assena un violent coup de queue qui fit exploser le corps du phénix.

Goliath poussa un cri d'horreur en voyant sa compagne anéantie de la sorte et lutta pour tenter de se mettre debout, mais sans succès.

Le dragon était très fier de lui et c'est avec satisfaction qu'il s'avança vers son dernier adversaire.

- Belle tentative, je dois l'admettre. Vous n'aviez aucune chance, mais vous avez tout de même eu le mérite de me surprendre. De mon temps, les mages étaient beaucoup moins puissants que vous. Tu mérites une mort rapide pour ta bravoure.

Il leva la patte pour réduire en miettes le Corporem avant de s'immobiliser. Il se tourna lentement pour se retrouver nez à nez avec un humain qui « lévitait » juste devant son museau. Il était vêtu d'une armure et portait une épée dans son dos. Bizarrement, ce nouvel arrivant ne semblait pas avoir peur de se trouver à moins d'un mètre d'un dragon. Les narines de ce dernier soufflèrent de colère, mais sans pour autant troubler le mage qui se tenait devant lui. Un rapide examen lui permit de savoir qu'il se tenait devant un maitre des runes.

Il retroussa ses babines, sachant qu'il était face à un être qui avait été capable, dans le passé, de vaincre son maitre, le Malachor.

- T'es qui toi ? demanda Killian sans préambule.
- Celui qui va t'envoyer en enfer.

Le chef des Wizards ne répondit rien et contre toute attente, leva son poing pour frapper le dragon. Ce dernier sourit devant l'arrogance de son adversaire et décida d'encaisser le coup pour le ridiculiser.

Un éclair rouge illumina le poing de l'Enchanteur au moment de l'impact et la tête du dragon vacilla. Plusieurs écailles furent brisées et deux dents tombèrent au sol, obligeant la créature à reculer de surprise, mais surtout de douleur.

- Pour ce qui est de l'enfer, sache que je viens justement de le traverser.

Rakhaox regarda son nouvel adversaire d'un œil mauvais. Il n'avait plus envie de jouer maintenant et il prit la décision de passer aux choses sérieuses.

Son corps se détendit comme un ressort pour venir frapper le maitre des runes avec sa patte. Ce dernier se téléporta, mais le dragon suivit le mouvement, obligeant Killian à utiliser de plus en plus de runes pour éviter les assauts meurtriers de son adversaire. Malheureusement, les aptitudes naturelles de ce dernier surprirent le maitre des runes qui encaissa un violent coup de queue. Malgré son bouclier, il fut projeté au sol et eut le souffle coupé. Ses pièces d'armures volèrent de toutes parts et son corps glissa sur plusieurs mètres avant de s'écraser contre un rocher.

Le dragon, qui ne voulait plus sous-estimer son adversaire, fonça tête baissée pour terminer ce combat.

C'est à ce moment que Hadès, Icy et Lux décidèrent d'intervenir. Revenus à l'académie en avance, on leur avait appris la nouvelle. Morts d'inquiétude, les deux derniers Wizards avaient pris leurs droners pour rejoindre leurs amis. Voyant l'étendue des dégâts et l'adversaire qui se présentait à eux, ils mirent au point un plan très simple : Killian ferait distraction pendant que Lux allait coordonner une attaque avec ses deux filles qu'ils avaient trouvées cachées.

Alors que Rakhaox s'apprêtait à donner un coup fatal à Killian, Arthur sauta du toit de l'église, muni d'un harpon. Ce dernier mesurait presque trois mètres et le démon réussit à l'enfoncer presque entièrement dans le cou de la créature qui hurla de rage et de douleur. Au même moment, la queue du dragon se retrouva emprisonnée par des stalagmites de glaces sorties du sol. Icy, positionnée derrière le dragon, avait utilisé une grande partie de son pouvoir pour exploiter l'eau de la ville à son avantage.

Lux, quant à lui, foudroya les yeux de la créature avec deux éclairs de lumière.

C'est alors que l'élément le plus imprévisible des Wizards refit surface. Une stalagmite de terre, aux proportions démesurées, transperça le sol sous le ventre du dragon. Ronce sortit de terre non loin de sa création. Même si son sort ne réussit pas à empaler la créature, elle ouvrit une plaie sur plusieurs mètres au niveau de son flanc.

- Enragé par la situation, Rakhaox ouvrit sa gueule et cracha des flammes. Un jet puissant qui inonda des centaines de mètres tout autour de lui. Son cou bougeait comme un ressort pour viser plusieurs cibles avec une grande précision. Ronce se cacha dans les tréfonds de la terre, Icy et Lux derrière l'église. Il ne resta bientôt plus que le pauvre Arthur qui s'évertuait à rester accroché à sa maitresse, toujours enfoncée dans le cou de la créature.

- Un éclair attira l'attention du dragon. Là où quelques secondes avant se tenait l'Enchanteur, il n'y avait plus personne. Il regarda autour de lui avec frénésie, sans se préoccuper du pauvre Arthur qui volait dans tous les sens. Lorsqu'il s'aperçut de cela, il saisit le démon entre ses griffes pour l'amener près de sa gueule :
- Vous m'avez vraiment mis en colère, je vais tous...

Une douleur à l'intérieur de son corps lui souleva le cœur, l'empêchant de finir sa phrase. Il déplaça son regard sur son abdomen et sentit une nouvelle douleur, accompagnée d'une lueur vive qui se dégageait de l'intérieur de son ventre. Il y en eut plusieurs autres avant que le dragon s'écroule de douleur, relâchant Arthur qui roula sur le sol.

- Mais qu'est-ce...?

Les lumières ne s'arrêtèrent pas, provoquant à chaque fois des spasmes sur le gigantesque corps du dragon. Ce dernier en supporta encore quelques-uns avant que sa vue ne se voile. Ainsi mourut Rakhaox, le dernier et unique dragon noir.

Lux sortit de sa cachette pour se diriger vers Goliath qui gisait toujours au sol. Ce dernier avait repris forme humaine et s'était adossé à un rare morceau de mur toujours debout. À la grande surprise du mage de lumière, il tenait une petite fille dans ses bras. Elle était enveloppée dans un rideau qu'avait trouvé le colosse et il semblait très heureux.

- Comment ça va mon grand ? Tu t'es fait une nouvelle copine ?
- À vrai dire, pas trop mal. Mais je ne suis pas prêt à le refaire avant un bon moment. (Il leva un visage fatigué vers son ami, mais il souriait). Je suis heureux de te revoir, tu n'imagines pas à quel point. Pas la peine que je te présente Ambre... à cinq ou six ans ?

La mâchoire du mage de lumière se décrocha. La petite fille le regardait d'un air outré.

- Alors ça, c'est le comble ! commença-t-elle. J'apprécierais qu'on me reconnaisse tout de même ! Je viens de passer plusieurs mois en pigeon, ce n'est pas une raison pour me faire un mauvais accueil !

Goliath la serra fort contre lui. Il se releva difficilement, mais sa capacité de régénération commençait à prendre le dessus et il se sentait déjà mieux.

- Où sont les autres ? Tout le monde va bien ?
- Je pense que oui, même si je ne sais pas où est Killian et que je ne sais pas ce qui a tué ce monstre.

Un hurlement étouffé se fit entendre et tout le monde put voir Arthur se précipiter sur le cou du dragon. Deux pieds sortaient de la blessure qu'avait infligée le démon à son adversaire. La pauvre Hadès avait repris forme humaine à l'endroit même où elle avait été laissée.

- Sortez-moi de la ! Ça pue c'est une infection ! Et c'est dégoûtant !

Les compagnons éclatèrent de rire à la vue du pauvre Arthur qui tirait sur les chevilles de sa maitresse alors que cette dernière lui hurlait des ordres de plus en plus incohérents.

- Pas comme ça, vers la gauche ! Mais non ma gauche ! Tu ne vois pas le sens de mes pieds ? Mais non aïe ! Ne tourne pas mes pieds pour les mettre dans le même sens que les tiens !

Une fois la démoniste remise sur pied avec l'aide de Goliath, le groupe se rassembla et tout le monde prit Ambre dans ses bras. La joie était au rendez-vous, mais plus le temps passait, plus Lux semblait inquiet de ne pas revoir leur chef. C'est alors qu'ils le virent tous sortir de la blessure qu'avait réussi à faire Ronce avec sa dernière attaque. Couvert de sang et de morceaux de chairs de dragon, le maitre des runes semblait perdu. Il se dirigea sans dire un mot vers ses amis qui le contemplaient la bouche ouverte, prêts à gober les mouches, avant de s'effondrer près d'eux.

- À chaque fois, je me retrouve couvert des restes de mes ennemis, je vous jure, ça devient glauque !
- Bah on est deux maintenant, lui répondit Hadès qui luttait contre le sang coagulé sur ses vêtements.
- Mais c'est toi qui as fait ça ? demanda Ronce en regardant le cadavre du dragon. Tu es allé…là-dedans ? finit par dire la jeune fille d'un air dégoûté.

Le maitre des runes s'allongea, les bras en croix. Il était épuisé. Pas encore entièrement remis de son séjour au Venezuela, il n'espérait qu'une seule chose : rentrer le plus vite possible chez lui retrouver son lit.

Il ne vit pas le regard médusé de ses compagnons. Seul Lux, qui l'avait accompagné voir Naox avait vu les changements sur son corps. Or, avec son armure aux quatre coins du quartier et son teeshirt déchiré, tout le monde pouvait voir son torse à la lumière. Une multitude de runes rouges et quelques runes dorées étaient encastrées dans sa peau.

Ce fut la décomposition du corps du dragon qui sortit tout le monde de cette contemplation. Le processus ne mit que quelques secondes pour arriver à son terme.

Killian utilisa ses dernières forces pour s'asseoir. Il attira à lui ses filles et les serra fort contre lui.

- Pour une première, vous avez fait fort, je suis très fier de vous.

Elles lui répondirent par un sourire. Même si leur intervention n'avait été qu'une piqure d'épingle dans le combat, elles avaient eu le courage de faire face au danger sans mettre leur vie en péril.

Il se tourna ensuite vers Goliath et lui sourit.

- Bravo à toi et merci d'avoir laissé mes filles à l'écart au début de ce combat. Je savais que je pouvais compter sur toi.
- Je te remercie, mais je crois que la situation nous a légèrement échappé, sans ton intervention ça allait certainement tourner au drame.

L'air attristé du Corporem fit de la peine au maitre des runes. Son compagnon semblait croire que tout était de sa faute alors que la tâche était tout simplement colossale. Killian se releva et lui posa une main sur l'épaule.

- Ne te flagelle pas,mon ami. Les dragons sont les créatures les plus terrifiantes que nous ayons jamais vues. Vous avez été très courageux d'y être allés sans nous. Ceux de l'académie m'ont raconté pourquoi tu n'as pas voulu nous attendre. C'est très noble de ta part.

Un petit rire cassa l'ambiance et tout le monde se tourna vers Ambre.

- Tu aurais dû le voir, il s'est jeté sur le dos du dragon. On aurait dit un chat sur le dos d'un lion. Sans rire, quel chat ferait ça ?
- Ambre ? s'écria Killian. Tu es de retour ?
- En chair et en os !

Le rire fut contagieux et la bonne humeur revint rapidement. Après tout, ils avaient réussi à vaincre un dragon sans avoir à déplorer de perte. Ce fut Lux, qui dans la discussion, se souvint d'un fait important :

- Naox ne t'avait-il pas dit qu'il était le dernier des dragons ?
- Le dernier dragon terrestre ! intervint Ronce. Il en existe encore sur d'autres planètes.

Killian allait intervenir lorsque son regard se figea sur quelque chose. Là où se décomposait le corps du dragon se tenait un chevalier en armure. Sa corpulence était impressionnante et son casque était démesurément grand, comme si le crâne du nouvel arrivant était différent d'un crâne humain.

Les Wizards reculèrent de quelques pas, surpris par l'arrivée de ce chevalier. Goliath prit instinctivement Ambre dans ses bras tandis que Killian se plaçait devant ses filles.

- Êtes-vous ce que l'on nomme les Wizards ?

Sa voix semblait venue d'un autre monde et son accent était fort. Les compagnons remarquèrent deux yeux noirs par les fentes de son casque. Killian admira son armure. L'ouvrage était d'une finesse incroyable. Les motifs, sculptés par centaine, parachevaient l'œuvre. La couleur était marron et argent, une association bizarre, ce qui lui confirmait que le nouveau venu n'était pas d'ici.

- Et vous êtes ? demanda Lux qui semblait le seul à pouvoir réagir.

L'inconnu posa ses deux mains sur son casque et activa un mécanisme. Il y eut comme un bruit de roulement et la partie supérieure se souleva, révélant un visage bien particulier : celui d'un sanglier. Des poils bruns et épais recouvraient l'intégralité du visage et un groin relativement imposant trônait au beau milieu de cette face peu commune. L'individu possédait deux petites défenses, comme ses congénères à quatre pattes, mais l'une d'elles était percée pour y laisser pendre un anneau.

- Mon nom est Bashanor, chef des Elronesh... enfin, à une époque bien lointaine. Je viens vous remettre un message de ma maitresse.

Les compagnons se regardèrent sans comprendre tant et si bien que leur interlocuteur se demanda s'il comprenait vraiment le langage des humains.

- Moi venir, porter un message.

Les fillettes à l'exception d'Ambre, certainement à cause de son âge réel, s'esclaffèrent.

- On vous comprend, lui rigola au nez Icy. C'est juste qu'on ne sait pas qui sont les Elronesh et l'on ne sait pas non plus qui est votre maitresse. Vous comprenez ?

L'homme-sanglier souffla par ses grosses narines. Montrant ainsi son impatience et son mécontentement. Il semblait être sur le point de charger et tout le monde se mit en garde.

- Ne te moque pas de moi gamine ! Lequel d'entre vous est l'Enchanteur ?

Killian s'avança instinctivement. Il n'aimait pas ce nouveau personnage et il était hors de question que ses compagnons prennent le moindre risque.

- C'est moi. Que nous veux-tu ?

- À eux, rien. J'ai pour toi ceci.

Bashanor tendit le message dans son écrin de cuir au chef des Wizards qui le saisit d'une main ferme, sans quitter des yeux l'Elronesh. Au contact de sa main, des symboles magiques apparurent et le sceau fut brisé, dévoilant un long parchemin qui semblait daté d'une autre époque.

- Ma mission s'achève ici. Je ne vous dis pas à bientôt, je ne pense pas que nous nous reverrons.

Killian voulut l'arrêter de la main pour lui demander de qui venait ce message, mais l'individu disparut. Il n'y eut pas de fumée, de pouvoir magique ou d'effet visuel : il disparut, tout simplement.

- Drôle de personnage ..., commença Lux en se grattant la barbe.
- Drôle, j'aurais plutôt dit effrayant, enchaina Ambre qui descendait des bras du Corporem. Que dit le message ?

Tout le monde contempla Killian qui restait figé en lisant les lignes qui lui étaient adressées. Ses compagnons purent le voir blanchir au fur et à mesure du récit. Personne n'osa l'interrompre dans sa lecture et il fallut plusieurs minutes au maitre des runes pour s'en remettre et affronter le regard des Wizards.

- Il y a du nouveau et je n'y vois aucune bonne nouvelle.

Chapitre 5

« Cher Enchanteur,

Si tu lis ce message, c'est que le dragon qui vient d'attaquer votre monde est mort. Une nouvelle qui me réjouit pour plusieurs raisons que je dois garder secrètes.

Les circonstances de notre première rencontre n'étaient peut-être pas optimales pour commencer une relation sur de bonnes bases et je dois bien admettre que je ne me suis pas montrée sous mon meilleur jour. Mais si tu prenais du recul, tu réaliserais que je n'ai fait que sauver ta famille tout en épargnant la petite Ronce. En parlant de cette dernière, j'espère qu'elle va bien ? Elle est si...particulière.

Mais je m'égare et tu l'auras compris, le sentimentalisme n'est pas ma spécialité. Sache qu'aujourd'hui, une course contre la montre est en marche et tu as un sacré retard. Que tu le veuilles ou non, nous avons des intérêts communs et celui qui cherche à ressusciter mon géniteur se fait beaucoup plus discret, mais n'a jamais été aussi proche de son but.

J'ai décidé de prendre part à cette bataille avec les moyens dont je dispose. Te communiquer ce message n'a pas été une simple affaire. Un dragon (certes une abomination, je te laisse le soin d'en parler avec ton ami Naox) est mort pour accomplir ceci et je n'en ai pas d'autres sous le coude.

La seule information que je possède et qui pourrait être utile est l'emplacement de la prison du Malachor : elle se situe au dernier étage de l'académie de magie du pays que vous appelez «la Chine ». Sache que ce secret est bien gardé et que ton ennemi est déjà au courant de cette information. Néanmoins, il ignore une chose : la clé qui permet de réduire à néant le sortilège de ton ancêtre est dans un temple caché au sommet de ton monde. Le seul moyen de l'arrêter est de détruire cette clé. Toi seul, en tant que maitre des runes en a le pouvoir. Il faudra impérativement que la clé soit proche de la prison de mon père pour que la destruction de l'un entraine la destruction de l'autre et empêche le Malachor de rejoindre votre monde une bonne fois pour toutes.

Tes ancêtres ont eu peur de faire cela, sachant que la mort du Malachor entrainerait la mort de tous les mages et créatures de magie de votre monde. Ce qu'ils ignoraient, c'est que le Malachor pouvait volontairement obtenir le même résultat par la force de sa volonté. Aujourd'hui, grâce à moi, ce risque n'existe plus.

Ce message pourrait s'arrêter là. Mais je me dois de te dire une dernière chose, une chose capitale : ta quête ne sera que souffrance et tristesse. Je te trahirai de nombreuses fois, je te mentirai. Je sais que tu as traversé l'enfer pour acquérir de nouveaux pouvoirs grâce au dragon d'or, sache que ceci n'est rien en comparaison de ce que tu vas traverser par ma faute.

Tu devras sacrifier les choses les plus chères à ton cœur pour réussir ce que nulle autre créature vivante dans l'univers n'a réussi : réduire à néant un Malachor. Mais un jour, tu devras faire appel à moi. Ce jour-là, tu me haïras, à un point que tu ne peux imaginer aujourd'hui. Mais tu ne devras pas hésiter une seule seconde. Mon plan pour sauver ton monde et ma vie ne tient qu'à un fil… et il est entre tes mains.

Ta pire ennemie »

Lux reposa le parchemin d'une main tremblante. N'ayant pas le courage de le lire à haute voix, Killian avait dû le donner à son ami pour en faire la lecture aux membres des Wizards. Ils étaient tous les sept dans une ruine de ce qui devait être une salle de restaurant.

- Je suis perdu. Elle nous veut du bien ou du mal ? demanda Icy d'une voix tremblante.

Personne n'osa répondre, car personne n'avait de réponse à cette question. Ils venaient de réaliser un exploit : vaincre un dragon. Mais aujourd'hui on leur annonçait qu'ils devaient en faire encore plus et surtout que leur ennemi n'était pas en train de devenir fou dans un coin reculé de la planète. Il était là, tapi dans l'ombre à élaborer un nouveau plan et que contrairement à eux, il avait continué à chercher un moyen de faire revenir le Malachor.

- Nous avons été négligents, chuchota Killian à lui-même.
- Qu'est-ce que tu veux dire ? demanda Goliath.

- Nous nous sommes satisfaits de la situation. Nous aurions dû continuer nos recherches plus activement sur le Malachor. Maintenant, on est une fois de plus dans l'urgence.
- Calme-toi. Qui te dit que ce message n'est pas un piège ou qu'il ne fait pas partie d'un plan pour nous manipuler !

Killian réfléchit une minute à la situation, mais son esprit était en ébullition. Il espérait par-dessus tout qu'il ne venait de lire qu'un tissu de mensonges. Mais au fond de lui, il était persuadé que ce message venait bien de la Furia.

- Avant de nous emballer, intervint Lux, nous devons vérifier l'information. C'est plutôt simple. Il nous suffit d'aller à l'académie de magie qui se situe en Chine. Si nous y trouvons la prison du Malachor, alors nous pourrons considérer que ce message vient bien de la Furia et qu'elle cherche, comme nous, un moyen de vaincre son père.
- Mais pourquoi se limiter à son plan ? continua Ambre. On n'est pas ses moutons ! On a réussi pour le moment à toujours s'en sortir et sans elle. Pas question de prendre au sérieux ce message. (Elle planta son regard dans celui de Killian). On se met en chasse, on trouve Antonio et cette fois, on fait en sorte qu'il ne pose plus jamais un problème.

Tout le monde attendit la réaction du maitre des runes à ces propos. Ce dernier fixait le sol tel un enfant perdu. Pour la première fois depuis bien longtemps, Killian regretta sa vie d'avant. La magie, la constitution des Wizards, l'excitation d'être une personne si particulière, tout cela avait aujourd'hui un goût amer dans sa bouche. L'insouciance mélangée à sa supériorité l'avait rendu vantard. La sanction était aujourd'hui réelle et méritée.

- Ambre, tu penses réellement au fond de toi que jusqu'à présent nous avons toujours réussi à protéger le monde ? Ronce n'est encore de ce monde que par le caprice d'un monstre qui se joue de nous. Il en va de même pour ma femme et mes enfants. Tu as réussi à survivre uniquement grâce à ton sortilège du phénix. N'importe qui d'autre serait mort en affrontant Antonio. La vérité, c'est que nous avons eu de la chance.
- Ce n'est pas…
- Vrai !? s'énerva le maitre des runes. Antonio est toujours vivant et sur le point de faire revivre la pire créature que le monde n'ait jamais connue ! N'était-ce pas ce que nous étions censés empêcher en allant au Venezuela ?! Sans l'aide providentielle de la Furia, nous serions là à festoyer pour avoir tué un lézard pendant que notre véritable ennemi touche à son but. Non Ambre, on

n'a réussi à rien pour le moment. On s'est pris pour une bande de super héros. Les gens nous adulent, on a fait la une des journaux, mais nous n'avons réussi à rien ! C'est du vent !

Killian finit sa dernière phrase en hurlant, laissant un silence pesant s'installer dans le groupe. Ses filles se cachèrent derrière Arthur devant sa colère et Goliath rapprocha Ambre de lui. Killian voulut enchainer lorsqu'une douleur cuisante se fit sentir sur son tibia. Ronce venait de lui mettre un coup de pied. Éberlué, Killian la regarda avec des yeux ronds.

- T'as fini ? Ça y est t'es calmé ?

Séché, le maitre des runes ne pipa mot. Même Fangore qui s'était faite discrète face à la colère de son maitre pencha la tête sur le côté, surprise de la réaction de la petite fille.

- Oui, on a eu de la chance pour le moment. Mais sans nous, ça fait longtemps que le Malachor serait de retour, que notre académie serait détruite, que le Président serait mort... (elle leva les bras au ciel, désespérée par la situation), bref, tout ça c'est nous qui l'avons empêché ! Alors, arrête de ne voir que le côté négatif et dis-nous ce qu'on doit faire, gros bêta !

Le chef des Wizards aurait voulu attraper cette fillette pour la secouer comme un prunier, mais il ne put s'empêcher de sentir un fou rire lui monter aux lèvres.

- Tu m'as frappé ? Et tu m'as traité de...gros bêta ?
- Oui ! Et ne t'avise plus de nous refaire une crise de pessimisme ou je te réduis l'autre tibia en bouillie.

Lux avança vers son ami, le visage plein de respect. Il écarta doucement la petite fille et posa une main sur l'épaule du maitre des runes. Son regard plein de sagesse transperça le chef des Wizards qui baissa instantanément les yeux, honteux de son comportement.

- Je suis désolé les amis.
- De quoi ? lui répondit le mage de lumière. D'avoir peur pour nous ou pour ta famille ? Ce message fait froid dans le dos et personne ne peut te reprocher de le prendre au sérieux. Mais il nous faut rester vigilants. Si j'étais Antonio, je chercherais à nous mettre sur la touche, car nous sommes les seuls à pouvoir l'arrêter et il le sait très bien. La peur reste sa meilleure arme. Si ce message vient de la Furia, il faudra nous poser et en discuter afin de savoir ce que nous allons faire, ensemble. Il faut aller en Chine vérifier cette information. Je m'y rendrai si tu veux ?

Killian réfléchit un long moment. Soit le message venait d'Antonio, soit de la Furia. Une fois de plus, son instinct lui disait que la deuxième possibilité était la bonne. La façon dont le message était arrivé et certains détails dans le texte. Antonio n'aurait eu qu'à se faire discret encore un peu de temps afin de réaliser ses projets, pourquoi provoquer ses pires ennemis ? Pourquoi leur tendre un piège alors qu'ils ne se préoccupaient plus de lui ?

- Non. J'ai fait l'erreur une fois et elle m'a servi de leçon. C'est tous ensemble que nous irons en Chine. Et pas un mot du message à Axelle.

Ils furent accueillis en véritables héros par les autorités hongroises. Pressés de rentrer chez eux, les compagnons acceptèrent les félicitations et se prêtèrent au jeu des photographes, mais sans réelle conviction. Ils déclinèrent malgré l'insistance du ministre des Affaires étrangères, une invitation à diner par le chef de l'État. Killian et Lux avaient la possibilité de rentrer en droners, ce qui leur permit de discuter un peu plus en privé de la situation.

« Comment comptes-tu t'y prendre ? commença le mage de lumière. Nous n'avons aucun contact avec l'académie de Chine, ils ont même refusé l'argent que nous leur avions envoyé ».

« Je vais avoir besoin du général Boison. Il nous faut un moyen de rentrer sur le sol chinois incognito. Si le message dit vrai, alors il ne faut pas qu'Antonio nous voie venir. Je veux pouvoir lui tomber dessus quand il ne s'y attendra pas ».

« Pas comme au Mexique. »

« Exactement. Il s'est servi de nous pour arriver à ses fins. Ambre n'a pas tort sur un point : je ne vais pas me plier au bon vouloir des envies de la Furia. Nous aussi, on va jouer, mais avec nos propres règles ».

« Je suis d'accord. Si seulement nous pouvions communiquer avec elle, face à face. Nous pourrions enfin avoir des réponses à nos questions. »

Killian ne répondit pas et laissa s'installer un lourd silence entre les deux compagnons. Son esprit analysa ce que venait de dire son ami. Tous les mages savaient ce qui faisait apparaitre la Furia, il leur suffisait…

« Ne me dis pas que tu y penses ? Je disais ça comme ça ! »

« Mais l'idée est loin d'être bête. »

« N'y pense pas, Ronce en a assez souffert, souviens-toi de ce qu'elle a dit la dernière fois. Il y aura un prix à payer, même pour elle. »

« Je sais, il est hors de question de lui demander ça. En revanche, on sait qu'il faut pousser un mage dans ses derniers retranchements pour la faire apparaitre. Et des mages dont nous n'avons rien à faire, il y en a. »

« Tu ne penses pas à… »

« Si. »

« C'est totalement illégal ! »

« Si tu as une autre proposition, je suis preneur. »

« C'est immoral Killian. Je veux dire, même s'ils sont là-bas pour de bonnes raisons, tu n'auras pas le droit de faire ça sur l'un d'entre eux. »

Killian fixait l'horizon. Le droit, il s'en fichait. Des mots se répétaient en boucle dans son esprit depuis qu'il avait lu le message que lui avait remis ce Bashanor. « Tu devras sacrifier les choses les plus chères à ton cœur ».

« Je mets au défi qui que ce soit de m'en empêcher. »

Lumio avait ses yeux rivés sur un texte assez farfelu d'un mage de lumière vivant peu après la naissance de Jésus Christ. Il riait intérieurement des propos tenus par l'auteur, principalement en matière de magie. Il était confortablement installé dans la bibliothèque des mages de son obédience.

Alors que les mages de l'ancienne génération avaient plusieurs siècles derrière eux de pratiques, ils semblaient encore plus en retard que la génération actuelle, principalement à cause des guerres de rivalités, qui les empêchaient de se plonger uniquement dans l'apprentissage et le perfectionnement de leur art.

Il entendit une porte s'ouvrir pour faire apparaitre Braise qui s'approchait d'un pas guilleret jusqu'au mage de lumière.

- Ils l'ont fait !

Le vieil homme posa ses lunettes et regarda l'autre membre du Conseil avec un sourire satisfait. Il savait très bien de quoi le mage de feu parlait : les Wizards avaient réussi à vaincre le dragon.

- Décidément, ils nous surprendront toujours.
- Ou alors ils exagèrent ! répondit le rouquin sans y croire. Si ça se trouve, les dragons ne sont que des lézards un peu plus gros et bêtes comme leurs pieds.

Nul besoin de réponse. Lumio savait que le dragon avait rasé une petite ville de Hongrie et que l'armée locale n'avait pas réussi à l'arrêter. Non, cette créature devait être terrifiante et le groupe mené par Killian avait encore accompli un exploit.

- Ils sont sur le chemin du retour ?
- Oui. J'ai hâte qu'Icy me raconte ça !
- Tu l'apprécies vraiment cette petite on dirait.

Le mage de feu détourna le regard, gêné par la question.

- Elle est un peu comme moi. C'est une chouette gamine qui laisse ses émotions parfois décider pour elle. Je pense qu'elle deviendra une grande magicienne, si ce n'est déjà fait. Elle me fait penser à...

Il coupa sa phrase en plein milieu et Lumio lui fit simplement un signe de tête pour lui montrer qu'il comprenait.

Un petit rire dans la salle les alerta qu'ils n'étaient pas seuls. Un homme vêtu d'une longue cape noire sortit de derrière l'une des lourdes étagères qui composaient la pièce. Sa démarche était saccadée et il semblait déformé au niveau de l'une de ses épaules.

- Bonsoir messieurs, je pensais pouvoir me faufiler ici discrètement. Mais c'est une agréable surprise de vous y trouver tous les deux. La vie est véritablement pleine de surprises.

La voix de l'homme, fortement influencée par un accent italien, semblait sortir des enfers. Chaque mot était prononcé avec la volonté d'une arrière-pensée démoniaque.

Braise se plaça instinctivement devant Lumio qui se leva, inquiet de la situation.

- Qui que vous soyez, vous n'êtes pas le bienvenu. Sortez d'ici.

Le mage de feu voulut se préparer à lancer un sort lorsqu'il vit une dizaine de silhouettes sortir des ombres de la pièce. Ils étaient tous en habit de camouflage noir et semblaient tous de bonne taille. L'un d'entre eux se plaça à côté de l'inconnu. C'était un véritable colosse. Il enleva sa cagoule pour dévoiler un visage marqué de plusieurs cicatrices. Son regard était d'une froideur peu commune et n'exprimait aucun sentiment, bon ou mauvais.

- On ne doit pas trainer, dit-il sans quitter des yeux les deux membres du Conseil.
- Faites ce que vous avez à faire, moi je dois aller chercher quelque chose.

Lumio et Braise virent l'étau se resserrer doucement autour d'eux. Comme si la dizaine de mages qui les entouraient n'était qu'un seul homme. Le colosse se joignit à ses compagnons et remit sa cagoule sans laisser filtrer aucune émotion.

Braise laissa la magie envahir son esprit. Si ses adversaires pensaient que le combat allait être facile, ils allaient fortement déchanter.

- Approchez, bande de bâtards !

Les agresseurs obtempérèrent, laissant le destin choisir pour eux l'issue du combat à venir.

Killian et Lux furent les premiers à arriver et ils avaient hâte de se poser dans un endroit confortable. Entre le retour du Venezuela et ses douze heures d'avion, suivis du vol en droners et du combat contre le dragon, leur corps leur montrait plusieurs signaux d'épuisement.

« Voilà l'académie, enfin une bonne douche et un lit moelleux ! commença le maitre des runes, plein d'espoir. »

« C'est normal toutes ces lumières ? Répondit Lux les yeux plissés vers leur destination. »

Killian fixa l'horizon plus attentivement et se mit à accélérer, un mauvais pressentiment s'emparant de lui.

Ils découvrirent quelques minutes plus tard que le bâtiment des mages de lumière était en feu et les mages de l'eau étaient déjà en action pour l'éteindre. Tout le monde semblait affolé jusqu'à l'arrivée des deux compagnons qui créa un silence oppressant. Killian se jeta hors de son véhicule et voulut courir jusqu'au loft pour vérifier qu'Axelle et Laurana allaient bien lorsqu'il les vit se diriger vers lui. Sa femme avait les yeux rougis et elle se jeta littéralement dans ses bras.

- Que s'est-il passé mon amour ? Tout le monde va bien ?

Aucun son ne sortit de la bouche de son épouse qui le regardait les yeux remplis de larmes. Elle éclata en sanglots en le serrant fort contre elle, son corps secoué de spasmes l'inquiétait et il lui caressa les cheveux, espérant comprendre la situation rapidement.

Lux semblait en pleine discussion avec les autres membres du Conseil et le maitre des runes vit des larmes sur les joues de Terra qui s'écroula dans les bras du mage de lumière.

- Reste ici mon amour, je vais rejoindre les autres. Je dois en savoir plus.

- Non ! Reste là ! Ils sont morts, Killian. Oh mon dieu ! Ils sont morts tous les deux. C'est horrible !
- De qui parles-tu ?
- Lumio et Braise, ils sont morts !

Elle éclata à nouveau en sanglots, laissant un Killian pétrifié. Le choc était tel qu'il n'osa plus bouger ou même parler.

Il sentit une présence dans son dos et se tourna pour faire face à un Lux décomposé. Les yeux rouges, l'air hagard, tout démontrait dans son comportement qu'il venait de faire la même découverte que lui.

- Ils... ils sont morts Killian. Lumio et Braise.
- Comment ?
- Ils se sont fait attaquer. On ne sait pas par qui ni combien ils étaient. Ils ont réussi à en tuer six, on ne leur a laissé aucune chance.

Six... Killian imagina la scène et le nombre potentiel d'agresseurs auxquels les deux mages avaient dû faire face.

L'esprit du maitre des runes était en effervescence. Y avait-il un lien entre cette attaque et la lettre qu'il avait reçue quelques heures auparavant ?

Il croisa le regard de son ami et il comprit instantanément que la question était aussi sur ses lèvres, mais qu'il ne dirait rien en présence d'Axelle.

Ils aidèrent autant que faire se peut les mages de l'eau ainsi que les mages de lumière qui étaient désespérés par la perte de leur chef. La tristesse et la peur se lisaient sur tous les visages.

Killian se tourna pour voir les phares d'une voiture rentrer dans l'enceinte de l'académie. Cinq individus en sortirent qui regardèrent la scène avec effroi.

Les cinq derniers Wizards coururent vers eux sans quitter le bâtiment des mages de lumière des yeux.

- Killian ! qu'est ce qui se passe ? demanda Goliath à peine arrivé.

Le maitre des runes regarda son ami et chercha les mots. Comment pouvait-on annoncer cela ?

- L'académie a été attaquée durant notre absence. Le bâtiment des mages de lumière a été incendié.
- Et tout le monde va bien ? demanda Ambre.

Killian se racla la gorge pour éclaircir sa voix tremblante. Il n'avait pas encore assimilé le choc et lâcha d'un trait :

- Lumio et Braise sont morts.

Un silence pesant accueillit la nouvelle jusqu'à une petite voix qui se mit à sangloter :

- Non...tu mens...

Icy se mit à courir dans la direction du bâtiment fumant, mais son père l'attrapa de ses bras puissants.

- Laisse-moi ! Non, je ne veux pas ! Ce n'est pas juste ! Ce n'est pas juste...

Plaquant son visage contre lui. Killian ne put s'empêcher de pleurer aussi devant les sanglots de sa fille. Il pouvait ressentir toute la violence de sa peine et tout le monde resta muet devant la tristesse de l'enfant. Tous savaient qu'elle s'était liée d'amitié avec le mage de feu, principalement à cause de leur affrontement. Il s'était passé quelque chose qu'eux deux seulement savaient et avaient ressenti durant l'affrontement, les liant à jamais.

Killian ajusta sa cravate noire, le visage impassible. Axelle enfilait sa robe dans un parfait silence. Le couple n'avait que peu échangé durant ces quatre jours. Chacun faisait son deuil à sa façon : l'un avait l'esprit focalisé sur des décisions à prendre, l'autre attendait avec fatalité les conséquences de ce qui venait de se passer. Une seule chose était sûre : plus rien ne serait comme avant.

- Je vais descendre. Je te laisse dire aux filles que c'est l'heure.

Elle hocha la tête en silence et ferma les yeux. Elle sentit les lèvres douces de son mari se poser sur les siennes avant de sortir, sans prononcer un mot de plus.

Elle appela les filles, mais seules Hadès et Laurana lui répondirent. Icy passa devant elle comme un zombie, les yeux rivés devant elle, sans expression.

Le trajet jusqu'à l'église se passa en silence. Une pluie battante accompagna le groupe jusqu'à l'immense prairie bordant l'académie, lieu choisi pour l'emplacement des sépultures des deux membres du Conseil.

Le monde amassé était impressionnant. Tous les mages de l'académie étaient présents. À cela se rajoutait un grand nombre de magiciens ayant pu faire le déplacement ainsi que des personnes que Killian et sa famille ne connaissaient pas.

- Il fallait que ce soit sous la pluie, lâcha Goliath en colère. Braise aurait détesté ça.

Personne ne répondit à la mention du mage de feu.

- Aucun des deux, répondit la petite Ronce. Lumio aurait aimé avoir du soleil aujourd'hui. Ce n'est pas juste.

Tout le monde se rassembla et ce fut Terra qui fit un discours en l'honneur du mage de lumière. Même si elle dut s'arrêter plusieurs fois pour éponger ses larmes. Ses paroles furent réconfortantes et pleines d'éloges pour celui qui avait utilisé ses dernières années pour aider les mages du mieux qu'il le pouvait.

La surprise se lut sur plusieurs visages quand une femme et un petit garçon d'une dizaine d'années montèrent sur le podium en bois pour lire un texte en l'honneur de Braise.

- Qui est-ce ? demanda Ambre.
- C'est la femme de Braise et son petit garçon. Elle l'a quitté quand il a découvert ses pouvoirs et incendié leur appartement.

Freya surprit tout le monde par sa connaissance de la vie de Braise. Il ne fallait pas oublier qu'elle était aussi membre du Conseil et qu'elle le connaissait depuis bien plus longtemps que les Wizards.

Le discours fut simple, mais touchant. Le petit garçon se dirigea vers le cercueil prêt à être mis en terre et se pencha dessus avant de pleurer. La mère voulut le tirer en arrière pour le prendre dans ses bras, mais il refusa de lâcher le cercueil, hurlant sa peine.

La pluie devint de plus en plus forte, mais Killian s'étonna de ne plus être mouillé. Il put voir le regard interrogateur de la foule devant ce phénomène et plusieurs personnes levèrent la tête pour regarder le ciel et ses sombres nuages. Même le petit garçon et sa mère se calmèrent pour lever les yeux vers le ciel.

Le bruit de la pluie était assourdissant, tel un déluge sur un toit de verre et pourtant, plus aucune goutte ne les touchait. L'eau semblait ne se diriger que vers un seul point dont les gens s'écartaient de plus en plus vite.

Icy se tenait au centre du maelstrom devant le regard médusé de sa famille et de ses amis. La pluie tournoyait autour d'elle sans même l'effleurer, comme si l'élément voulait protéger sa nouvelle maitresse.

Les Wizards échangèrent un regard d'incompréhension devant le phénomène surnaturel qui se déroulait sous leurs yeux ébahis : Icy ne dégageait aucune énergie. Elle ne semblait pas faire volontairement cette transformation climatique, comme si l'eau elle-même choisissait de venir protéger la fille de l'Enchanteur.

Cette dernière contemplait le cercueil du mage de feu sans réussir à verser la moindre larme. Ses poings serrés réclamaient quelque chose sans qu'elle ne réussisse à mettre le doigt dessus. Était-elle normalement constituée ? Pourquoi n'arrivait-elle plus à pleurer son ami disparu ? Elle chercha au plus profond de son être pour essayer de s'apaiser, mais la colère semblait avoir pris le dessus sur toutes ses autres émotions, même dans un moment pareil. Le message devint petit à petit transparent à ses yeux. Son esprit ne voulait pas de peine ni de tristesse : il voulait du sang.

Ses poings se détendirent lorsqu'elle réalisa enfin ce qu'elle désirait par-dessus tout. La pluie redevint normale et tout le monde se détendit, sauf les Wizards.

Ils virent le regard d'une petite fille changer. Lui qui n'était qu'innocence quelques jours auparavant était devenu froid comme la glace.

Chapitre 6

La salle du Conseil improvisée dans le grand arbre des mages de la terre était aussi magnifique que calme. Placée au centre de l'immense tronc, la « pièce » était d'un raffinement exceptionnel. Le bois était sculpté de manière à créer une table et des chaises naturelles, comme si l'arbre lui-même leur en faisait cadeau. Le feuillage vert et dense s'intensifiait au fur et à mesure que Killian levait les yeux vers ce qui aurait dû être un plafond.

Ce fut le seul moment où il quitta du regard les deux places vides situées autour de la table, destinées normalement à Lumio et Braise.

- Killian ? commença Freya d'une petite voix. Tu nous as demandé de nous réunir ?

Cela faisait maintenant deux jours que l'enterrement avait eu lieu. Même si le maitre des runes trouvait cela beaucoup trop court, il connaissait aussi la menace qui pesait sur le monde. Il essaya de freiner la colère qui montait en lui, devant l'urgence du moment qui l'empêchait de faire son deuil normalement.

- Oui et j'en suis désolé. Je dois vous informer que nous allons partir pour un voyage. Un voyage important avec tous les Wizards. J'ai rendez-vous cet après-midi avec le général Boison qui doit nous faire rentrer incognito sur le sol chinois. Je ne peux pas vraiment vous en dire plus, mais c'est en rapport avec l'attaque du dragon et certainement avec celle de l'académie. Ce voyage doit rester secret, c'est primordial.

La surprise se lut sur tous les visages pour faire place à de l'inquiétude.

- Tous les Wizards ? Vous allez laisser l'académie sans défense ?

- C'est vous sa défense maintenant. Là où nous allons, j'aurai besoin de tout le monde. Sachez que ça ne me plait pas, ma femme et ma fille sont ici. Nous... sommes responsables de ce qui vient de se passer. Nous avons sous-estimé, même négligés, notre ennemi. Il faut que vous entrainiez plus intensivement les mages, il faut mettre en place des tours de garde. Nous sommes en guerre. Une guerre silencieuse dont le monde n'a pas conscience, mais cela reste une guerre et nous ne nous y sommes pas préparés. Je peux compter sur vous ?

Terra se leva avec lenteur et regarda autour d'elle. Inconsciemment, tout le monde l'avait suivie après la disparition de Lumio. On pouvait sentir néanmoins que le rôle de chef ne lui plaisait pas du tout et qu'elle regrettait l'ancien mage de lumière.

- Tu peux compter sur nous. Sache que je pense que tu as entièrement raison. Nous avons été aveugles, ce n'est pas faute d'avoir eu pourtant un grand nombre d'alertes. Nous nous sommes reposés uniquement sur toi et tes compagnons pour défendre notre académie, mais aussi notre monde. J'ai honte ! Comme tu l'as dit, nous sommes en guerre. Même moi qui suis contre la violence, je ne peux le nier et par-dessus tout, je ne veux pas que Lumio et Braise soient morts pour rien. Il faut que leur mort nous ouvre les yeux, à tous !

Tout le monde se leva afin de saluer le discours de la mage de la terre. Il était évident que ses paroles étaient justes et chaque mage présent décida de lui apporter son soutien.

Le maitre des runes était fier de voir une telle évolution dans le comportement des membres du Conseil. Il se rappela le jour de son arrivée : il n'était qu'une curiosité, obligeant même le Conseil à se demander s'il était véritablement un mage et non un charlatan.

Killian attendit avec impatience le général Boison qui arriva dans la pièce dans un costume sombre bardé de ses décorations militaires. Il semblait affecté au plus haut point par la mort de Lumio et celle de Braise :

- Je vous présente toutes mes condoléances. Nous avons perdu deux mages qui ont beaucoup contribué aux bonnes relations avec notre gouvernement et qui, je pense, en ont fait beaucoup pour cette académie.
- En effet, répondit Killian. Ils nous manquent beaucoup.

L'homme se racla la gorge avant de s'asseoir dans l'un des fauteuils qu'on lui proposait.

- Avant que vous me disiez pourquoi vous m'avez fait venir, sachez que j'ai des informations importantes à vous communiquer.

Le colonel sortit un ordinateur d'un sac et afficha une vidéo, montrant deux hommes descendre d'un train. Killian reconnut instantanément Antonio. En revanche, le deuxième, qui était un colosse, lui était inconnu.

- Votre homme est en vie. Ce sont des images d'Interpole dans une petite gare au sud de la Russie, vers la frontière chinoise. Elle date de ce matin. De plus, nous avons constaté une grande migration de Corporems. La plupart des clans de l'est de l'Europe viennent de partir aussi pour la Russie.

Killian réfléchit à l'annonce que venait de lui faire le militaire. Il se rappela des paroles de Léopardo sur les Corporems d'Amérique du Sud. Son sang se figea lorsque les pièces du puzzle se formèrent dans son esprit :

- Antonio a de nouveaux alliés !
- Les Corporems et ils sont nombreux. Vous voyez cet homme qui l'accompagne ?
- Oui, qui est-ce ?
- C'est un Russe, il s'appelle Igor, dit « le Grizzly ». Il est resté trois mois enfermé dans un centre médical soviétique pour « observation » avant de réussir à s'enfuir. Il est le chef d'un clan de plus de cinquante Corporems de Pologne maintenant. On le surveillait de près lorsque son clan et lui ont disparu il y a un petit mois.

Le maitre des runes essaya de réfléchir à la situation, mais son esprit n'arrivait à se concentrer que sur une question à la fois.

- Combien... de mages a-t-il bien pu enrôler ?
- Environ deux cents, de ce que nous en savons. Les clans de Corporems étaient très surveillés. On savait très bien qu'ils voulaient se venger des traitements qu'ils avaient subis. Mais on ne pensait pas à ça.
- Ils sont bien plus nombreux, je ne vous en avais pas parlé, mais ils ont constaté le même phénomène en Amérique du Sud...

Ce fut au tour du général de pâlir à l'annonce du chef des Wizards.

- Ça veut dire...
- Qu'ils sont beaucoup plus nombreux, on n'a aucun moyen de pouvoir les dénombrer. Général, j'ai besoin d'être introduit avec mon équipe en Chine avec le plus de discrétion possible. Si j'utilise les droners, je prends un

énorme risque. Nous allons devoir traverser un nombre d'espaces aériens bien trop important et je ne veux pas que mon ennemi me voie venir.

L'homme caressa son visage glabre, comme s'il regrettait de s'être rasé le matin même. Il semblait réfléchir à la situation et un sourire se dessina sur ses lèvres, comme s'il venait d'avoir un éclair de lucidité.

- Bien, je pense avoir une solution. Soyez prêts dans deux jours, une heure avant le lever du soleil. Un hélicoptère passera vous prendre à deux kilomètres au nord de l'académie.
- Très bien, je vous fais confiance pour que cette opération soit la plus discrète possible.
- Elle le sera, soyez-en certain !

Le sourire sur les lèvres du militaire fit craindre le pire au maitre des runes. Mais ce dernier avait une entière confiance en lui. Même s'il n'avait pas toujours été d'agréable compagnie, il avait toujours œuvré pour l'académie avec détermination et c'est grâce à lui qu'il avait pu repérer d'où provenait l'attaque sur le Président français. Killian décida qu'il était temps d'aborder le deuxième sujet :

- J'ai une autre requête général.
- Je vous écoute, mon garçon.
- Je vous préviens, ce n'est pas légal.

- Deux jours ? C'est court… chuchota Axelle en apprenant la nouvelle à table. Tu vas prendre les filles avec toi ? Tu es sûr que c'est une bonne idée ?

Tout le monde avait les yeux rivés sur Killian. Ce dernier semblait tendu comme un arc et rempli de doute.

- Si tu penses que c'est une mauvaise idée, alors elles resteront. Je pense qu'Antonio est venu ici avec un groupe de Corporems. Pourquoi ? Je n'en ai aucune idée. Mon avis, c'est que nous aurions dû être tous ensemble au Venezuela et c'est mon erreur. Si Ambre n'avait pas insisté pour venir avec nous, nous n'aurions même été que trois et je ne serai peut-être plus de ce monde pour en parler.

La tension dans la pièce était palpable. Chaque personne se rappelait avec douleur le retour des « quatre » compagnons et de leur affrontement avec Antonio.

La mère de famille regarda ses deux filles avec amour. À ses yeux, elles n'étaient que deux petites filles sans défense. Or, elle avait devant elle deux redoutables magiciennes et l'issue du combat qui s'annonçait pouvait bien dépendre de ses filles. Elle voulut répondre à son mari, mais c'est Icy qui prit la parole en premier.

- Moi j'y vais.

Axelle voulut intervenir, mais Killian lui posa discrètement une main sur le bras en lui faisant un signe de tête.

La mage de l'eau avait les yeux fixés à la table. Aucune émotion ne semblait être en mesure de l'affecter et tout le monde savait pourquoi elle désirait venir.

Sans un mot, elle se leva et sortit de la pièce. Cette discussion ne l'intéressait plus maintenant qu'elle avait dit ce qu'elle avait à dire.

- Killian, que lui arrive-t-il ?

Le maitre des runes baissa les yeux, ne voulant pas affronter le regard suppliant de sa femme. Tous les autres mages firent de même à l'exception d'Hadès qui semblait elle aussi vouloir connaitre la réponse.

- Elle… lutte contre la Furia, annonça Lux pour aider le père de la petite fille. La mort de Braise a fait naitre en elle une envie de vengeance. On a tous ressenti sa peine et sa colère lors de l'enterrement. Elle ne vient pas pour nous aider dans notre quête. Elle ne vient que pour le venger.
- Alors elle ne doit pas y aller ! protesta la mère de famille au bord de la panique.
- C'est inutile, chuchota Ambre.

L'intervention de la mage de feu surprit tout le monde. Cette dernière avait connu une croissance rapide et était désormais presque redevenue elle-même.

- Elle est en chasse. Si elle reste, l'un de nous doit rester pour la surveiller. Tu sais comment cela va finir, dit-elle en fixant le maitre des runes. Elle va s'enfuir de l'académie et elle le traquera seule. En la gardant avec nous, on pourra intervenir le moment voulu.

Malheureusement, tout le monde savait qu'Ambre avait raison. Icy n'avait qu'une idée en tête : venger la mort de Braise. Bizarrement, c'était aussi l'objectif de leur mission, donc en restant avec l'ensemble du groupe, ils pourraient la surveiller.

- Très bien, prends-les avec toi, commença la mère de famille. Mais… Hadès ?
- Oui maman ?
- Tu surveilles ta sœur avec Arthur. (Elle fixa Killian d'un air déterminé). Elle ne vient que pour ça.

Le maitre des runes regarda sa femme, terrorisée par la situation, et hocha la tête sans hésiter. Ce compromis serait certainement le meilleur qu'il pourrait obtenir.

- Très bien. Arthur sera le garde du corps d'Icy. Ça me semble être une bonne idée.

Le sujet étant clos, l'atmosphère se détendit un peu et Goliath en profita pour poser une question qui lui brûlait les lèvres depuis un moment.

- Tu penses que cet Igor est celui qui a attaqué l'académie ?
- Aucune idée, répondit le maitre des runes. J'espère le savoir un jour.

Axelle se racla la gorge et sortit un petit ordinateur d'une sacoche. Elle était pâle et sa main tremblait lorsqu'elle posa l'appareil sur la table.

- Tu as dit que le général t'avait montré une vidéo de lui ?
- Oui pourquoi ?
- J'ai... enfin Scarlett... avec le système de sécurité...
- De quoi parles-tu mon amour ?
- J'ai des images de l'attaque.

Tout le monde se leva pour se positionner face à l'écran à l'exception de Ronce et Hadès. Tout le monde put voir l'arrivée d'Antonio et du fameux « Grizzly ». N'ayant pas le son, ils retinrent leur souffle lorsque Braise déploya son énergie, ce qui brisa les caméras, alors qu'il était entouré d'une dizaine d'individus.

- C'est lui, souffla Killian.

Un bruit de verre brisé fit sursauter tout le monde et même Axelle poussa un petit hurlement.

Icy, que tout le monde pensait au lit, était venue dans la cuisine se servir un verre d'eau. Elle avait, par malchance, regardé la vidéo sans que personne ne la remarque. Elle avait vu la scène et ses yeux fixaient, tels deux couteaux, le visage d'Igor. Elle connut son premier moment de joie depuis la mort de son ami : elle connaissait enfin le visage de celui qu'elle devait tuer.

- On se pèle ! dit Ambre fatiguée d'attendre.

Killian était assis dans une salle froide et humide en compagnie d'Ambre, Goliath et Lux.

Les deux jours avaient servi aux Wizards à tromper leur ennemi. Ils enchainèrent les interviews grâce à Sonia et son blog afin de faire croire que le groupe de mages resterait à l'académie pour la sécuriser, le temps que le calme revienne.

L'objectif était qu'Antonio comprenne le plus tard possible que les Wizards se dirigeaient vers le sol chinois. Ainsi, il agirait en premier et se retrouverait à découvert. Même si le maitre des runes espérait peu d'un tel plan, il se dit qu'il n'avait rien à perdre.

Mais pour l'heure, le général avait accompli un véritable miracle, accédant favorablement à sa deuxième requête.

- Tu peux nous dire ce qu'on fait dans cet endroit ? C'est glauque.
- C'est une prison, répondit Lux voyant que son compagnon tardait à répondre. Elle a été créée pour des mages.

Le couple de magiciens fronça le nez en écoutant la réponse du mage de lumière.

- Vous pensiez que les mages qu'on nous envoyait maitriser finissaient où ? Dans une prison standard ? intervint le maitre des runes. C'est moi, à la demande de l'armée, qui fabrique les cellules. Voilà pourquoi je m'absente régulièrement et pourquoi je ne m'entraine pas tout le temps avec vous.

Ses compagnons furent surpris par la réponse, mais la trouvèrent assez logique. Ils ne s'étaient jamais demandés ce que devenaient les mages « fauteurs de troubles ». Maintenant, ils avaient la réponse.

- Et donc, pourquoi nous y avoir emmenés ? demanda Ambre.
- Lux a eu comme idée…
- Ah non ! Ne me mets pas ça sur le dos ! Je suis formellement opposé à cette idée. Je ne suis là que pour éviter que les choses dérapent !
- Alors j'ai eu comme idée, après que Lux me l'ait soufflée (ce dernier leva les yeux au ciel), de prendre contact avec la Furia. Et comme il est hors de question d'utiliser Ronce…

Goliath et Ambre n'eurent pas besoin d'en entendre plus pour comprendre le plan de leur chef.

- Tu vas faire venir la Furia dans notre monde par le biais d'un autre mage.
- C'est un super plan, confia Ambre. Mais comment doit-on procéder ?

Lux sembla dégoûté par la question et même Killian baissa les yeux pour cacher la honte de sa réponse.

- Il va falloir en torturer un.

Contre toute attente, aucun de ses deux compagnons ne parut surpris ou gêné par l'annonce du maitre des runes.

- Qui as-tu choisi ? demanda la mage de feu sans se démonter.

N'en revenant pas, Killian bégaya des paroles incompréhensibles avant de se reprendre :

- Ça ne vous fait rien ? Vous ne me faites pas la morale ? Me dire que c'est ignoble, immoral ! Quoi d'autre Lux ?
- Abject, répondit le mage de lumière désespéré par la situation.
- Voilà ! Abject !

Goliath se leva et vint s'accroupir devant son chef pour se retrouver à son niveau :

- Killian. Notre ennemi n'a que faire de la morale. Il tue des femmes, des enfants (sa voix se brisa), des pères de famille. Les choses ont changé et l'on ne peut plus se contenter d'agir comme de nobles justiciers. Si Lux est venu, c'est parce qu'il sait au fond de lui que même si l'idée n'est pas très morale, elle reste nécessaire. Nous ne pourrons jamais vaincre Antonio en nous comportant comme de preux chevaliers ! C'est à la télé ça !

Ambre fixa Killian qui comprit qu'elle n'en pensait pas moins. Même Lux préféra regarder ailleurs afin de ne pas donner raison à son camarade, même si…

- OK, c'est bon à entendre.
- Et donc, qui est l'heureux élu ? redemanda la jeune femme.
- Vous allez voir.

Le général vint les chercher quelques minutes plus tard. Son visage sérieux et tendu montrait qu'il n'approuvait pas forcément ce plan, mais comme les autres, il le trouvait nécessaire.

- L'homme est dans une nouvelle cellule. Vous avez une heure. Comme il n'a aucune existence juridique, si ça devait mal tourner, on ne nous posera aucune question.
- Merci général, je sais que je vous demande beaucoup, je suis désolé.

Pour la première fois, l'homme se planta devant le mage avec assurance.

- Je suis un soldat et je sais qu'en temps de guerre on doit parfois prendre des décisions difficiles. Le principal est de l'assumer, de vivre avec. Si vous êtes capable de ça, c'est que vous avez pris la bonne décision.

Il se tourna sans attendre de réponse et se dirigea dans un couloir, suivi des compagnons qui trouvaient l'endroit de plus en plus glauque. La petite troupe arriva devant une porte métallique gravée d'une rune couleur rubis. Le général Boison ouvrit la porte et pénétra dans la cellule. Les Wizards virent un homme d'une soixantaine d'années attaché les bras en l'air avec des chaines. Il portait un collier autour du cou et juste un caleçon en guise de vêtement.

- Il est exactement comme vous l'aviez demandé.
- Merci général, on prend le relais.

L'homme sortit sans en demander plus. « C'est ce qui est bien avec les militaires, se dit Killian. Ils font ce qui doit être fait sans se préoccuper du reste. »

Ambre, Lux et Goliath reconnurent « Silas ». Un Mentalus qui utilisait sa magie pour entrainer des femmes dans des coins obscurs et abuser d'elles. L'homme ne leur avait toujours inspiré que du dégoût et le retrouver ainsi enchainé ne les dérangea absolument pas.

- Bonjour Silas, ça fait un bail, commença Killian.

L'homme paniqua en voyant les quatre mages dans sa nouvelle cellule.

- Ce n'est pas moi les mecs ! Je ne suis pas sorti d'ici depuis presque un an !
- Tais-toi, on n'est pas là pour ça.

Le maitre des runes sembla hésiter le temps d'un instant. Cet homme, aussi cruel qu'il fût, n'allait pas comprendre ce qui allait lui arriver. Comment allait-il procéder d'ailleurs ?

La mage de feu vit le doute s'installer chez son compagnon et avança sans se démonter pour se planter devant le prisonnier. Ce dernier ne put s'empêcher de passer sa langue sur ses lèvres sèches à l'approche de la superbe jeune femme qui avait retrouvé son âge normal, ses vices reprenant instinctivement le dessus.

Ce fut le déclic pour les trois mages restants de la pièce. Ils prirent conscience qu'Ambre avait volontairement provoqué l'homme pour leur dire « regardez, c'est un monstre, rien de plus ».

Goliath s'avança d'un pas lourd, sans réussir à détourner l'attention du sadique qui continuait de dévisager la jeune femme. Ils purent entendre une côte se briser sous l'effet du poing du colosse qui venait de s'abattre.

- Tu ne la regardes pas.

L'homme toussa, ce qui lui arracha un nouveau cri de douleur. Le Corporem regarda sa compagne avant d'attraper le prisonnier par les cheveux pour le redresser. Ambre posa une main sur son torse :

- Je vais t'apprendre à ne pas forcément apprécier le contact d'une femme.

La peau de l'individu située sous les doigts de la jeune femme se mit à grésiller comme s'il venait d'être mis sur un barbecue. Son visage devint rouge et il hurla de nouveau.

Killian assista à la scène les bras croisés, impassible, pendant que Lux se maudissait déjà d'être venu.

La séance dura ainsi plus d'une demi-heure et le dénommé Silas pendait désormais lamentablement par les bras, ses jambes ne voulant plus le porter.

- Bon, il faut aller plus loin, dit Goliath d'un air déterminé.
- Tu as raison, répondit Ambre. S'il n'a plus besoin de ses jambes…

L'homme gémit en voyant les bras du Corporem grossir et ses doigts devenir d'énormes griffes acérées.

- Mais vous voulez quoi bordel ?
- Rien, c'est juste par plaisir, répondit le colosse qui saisissait déjà une jambe pour l'arracher à son propriétaire.

Lux, qui était au bord de l'arrêt cardiaque, s'approcha des deux bourreaux en hurlant :

- Ça suffit ! C'est bon, ça ne marche pas, on remballe !
- Hors de question, répliqua le Corporem qui planta ses griffes dans la cuisse de l'homme qui se mit de nouveau à hurler.

Le mage de lumière voyait rouge. Il ne reconnaissait plus ses amis. Comment pouvaient-ils être d'accord avec ça ? Il se tourna vers Killian pour y trouver de l'aide, mais seul un sourire narquois lui répondit.

- Il n'est rien Lux, laisse-les s'amuser un peu.

Le plus âgé des Wizards eut le tournis en écoutant ces paroles. Il s'appuya contre un mur pour reprendre son souffle. « Ils sont tous fous… ils sont tous devenus complètement fous… il me faut de l'aide, je ne peux pas les laisser faire… je ne peux pas… »

La Furia ouvrit les yeux pour découvrir une scène qui lui fit chaud au cœur. Un homme se faisait torturer par trois membres des Wizards. Elle baissa les yeux pour découvrir qui était son hôte et fut surprise de voir qu'elle avait un total contrôle de son corps. Aucune pulsion destructrice ne semblait l'obliger à agir contre sa volonté.

- Quelle surprise ! s'exclama l'entité en s'étirant. De toute ta joyeuse bande de héros du dimanche, je ne pensais vraiment pas que le mage de lumière serait le prochain à se faire avoir. Comme quoi, il ne faut pas avoir de préjugés !

Les trois compagnons se regroupèrent. Goliath était tendu comme un arc, prêt à se jeter sur elle au moindre mouvement suspect.

- Alors finalement, c'est le plan « B » qui a marché, chuchota Ambre en se tournant vers le maitre des runes.

Lux se tenait dans un coin de la pièce. Les yeux luisants d'une puissance incontrôlée, ses traits avaient légèrement changé, comme s'il était aujourd'hui un hybride entre une femme et un homme. Ce changement d'apparence permit au maitre des runes de faire abstraction de l'état de son ami pour se concentrer sur sa mission.

- Bonjour Omnihibi.

L'intéressée pencha la tête sur le côté et sourit. Être en face d'un adversaire aussi surprenant lui faisait du bien.

- Bonjour Killian. Je ne te cache pas que je suis surprise. C'est donc volontaire. Tu es prêt à sacrifier un ami à toi pour me voir. Dans quel but ? Me détruire ? Je préfère te prévenir que c'est affreusement ridicule. Ma véritable apparence et mon véritable corps ne subiront aucune séquelle de notre affrontement. Seul ton ami mourra dans l'histoire.
- Je ne veux pas vous affronter, juste discuter et éclaircir certains points. Quant à mon ami, vous vous en irez en le laissant en vie, comme vous l'avez fait avec Ronce.

La Furia fit la moue :

- Cela demande beaucoup d'énergie. Pourquoi ferais-je cela ?

Killian vit l'occasion d'avoir une réponse à sa première question, celle qui donnait tout son sens à son futur voyage :

- Pour que je reste l'un de vos pions. Tuez-le et je disparais avec ma famille et mes amis et vous vous débrouillerez seule avec ton père. À moins que j'aie mal lu le message que vous m'avez envoyé ?

L'entité éclata de rire. Le pire dans cette histoire, c'est que Killian trouva la situation effectivement amusante. Sans qu'il en ait conscience, quelque chose d'important était en train de se jouer et il aimait se retrouver confronté enfin à elle.

- Alors comme ça tu doutes de la provenance du message ?
- Je doutais…
- Et qui d'autre que moi aurait pu faire cela ?
- Antonio ?
- Antonio ! Cette raclure de démoniste ? Tu penses bien que s'il connaissait ne serait-ce qu'un dragonnet à peine sorti de son œuf, il s'en servirait pour essayer de réduire cette planète en cendres ! Alors un dragon adulte ! Un peu de sérieux !

Les trois mages se sentirent un peu honteux devant la colère de la Furia. Cette dernière semblait réellement outrée.

- Alors on s'ennuie à faire un plan en or massif pour en mettre plein la vue et voilà qu'on doute de vous. C'est vexant.

Un gémissement dans le coin opposé de la pièce attira son attention. Elle renifla un peu avant de froncer des sourcils :

- C'est quoi ça ?
- C'était le premier appât. Lux n'était là que si... bref, j'espérais que vous prendriez possession de cet homme plutôt que mon ami.
- Vous l'avez torturé ! cria-t-elle en souriant. Mais où est passé le preux chevalier de mon histoire ?!

Elle joignit ses deux mains ensemble avant de les porter à son visage comme une petite fille émue.

- Mon Killian a grandi, il torture les gens maintenant. Je suis si fière de toi. De vous tous d'ailleurs !

Le faux air de tragédie dans sa voix agaça les trois mages qui sentaient une pointe de colère les envahir.

- Et qu'a-t-il fait ce brave homme pour se retrouver dans pareille situation ?
- Il violait et tuait des femmes, répondit Ambre dans un souffle.

Les yeux de la Furia se rétrécirent lorsqu'elle entendit la réponse de la mage de feu. Elle se tourna lentement vers Silas et le toisa comme un être inférieur.

- Alors comme ça on aime faire du mal à de pauvres créatures sans défense ? Ça nous fait un point commun...

Avant que l'homme ne puisse ouvrir la bouche, elle leva une main et un rayon de lumière fusa dans sa direction, le frappant directement à la poitrine et ne laissant qu'un trou béant, là où quelques secondes auparavant se trouvait encore son cœur.

Le prisonnier mourut sur le coup, laissant les trois Wizards interdits devant l'agissement aussi surprenant qu'efficace de la Furia. Cette dernière leva son index vers sa bouche et souffla dessus comme si elle tenait un revolver dans sa main.

- Alors, où en étions-nous ? Ah oui ! mon message. Je dois bien admettre que vous êtes tous très surprenants. Avoir eu le courage de me faire venir jusqu'ici, chapeau !

Killian qui se remettait à peine de ce qu'il venait de voir s'avança vers elle avec beaucoup moins d'assurance qu'il ne l'aurait voulu :

- Que voulez-vous en fait ?
- Nous avons un but commun, je ne peux en dire plus.
- Mais pourquoi ne pas simplement nous allier ? Pourquoi tant de mystère ? Vous voulez prendre sa place et détruire par la suite notre monde ?

Le corps de Lux se figea dans une grimace d'horreur. L'expression exagérée fit reculer Killian qui trouva son ami méconnaissable pendant un court instant.

- Mais quelle idée tordue, mon cher Enchanteur ! Alors on veut vous aider et voilà comment on est remercié !
- Alors, expliquez-moi pourquoi parler de trahison ?

Reprenant son sérieux, la Furia s'approcha doucement du maitre des runes, une expression bizarre dans le regard, comme si elle le jugeait afin de savoir s'il était apte à entendre ce qu'elle avait à dire.

- Très bien, tu veux jouer cartes sur table ?
- Ça changerait.

Plantant ses yeux dans les siens, la Furia fit grandir son pouvoir. Lux dégagea une énergie si importante que les trois compagnons durent plaquer leurs mains sur leurs oreilles, tant la pression dans la pièce devint insoutenable.

- Penses-tu pouvoir tuer le Malachor sans moi ? Crois-tu être celui qui réussira pareil exploit ?! Sache que le dragon noir que tu as vaincu n'était que pour moi un insecte que j'aurais pu tuer d'un claquement de doigts.

Les trois mages tombèrent au sol, terrassés par l'aura de l'entité qui continuait son monologue sans pitié.

- J'ai sauvé Antonio. JE lui ai dit d'attaquer votre académie sachant que vous seriez tous allés affronter le dragon. Je tire les cartes ET je les joue. Ne pense pas un seul instant faire le poids face à moi.

La pression cessa soudainement et les trois compagnons retrouvèrent leurs esprits. Goliath et Ambre se serrèrent l'un contre l'autre, terrorisés. Killian se retrouva à genoux et vit le visage du mage de lumière se placer à quelques centimètres du sien.

- Malgré ce que les apparences peuvent faire croire, je suis dans ton camp. Nous n'avons pas les mêmes procédés, mais nous recherchons le même résultat.
- Pourquoi… pourquoi avoir fait cela ?
- T'ai-je fait peur ? ma puissance t'a-t-elle effrayé ?
- Oui.

Elle l'attrapa par le col et approcha son visage encore plus près du sien.

- Ma puissance n'est que brindille face à celle du Malachor !

Cette phrase anéantit les espoirs du maitre des runes. Comment une puissance aussi imposante pouvait-elle être insignifiante face au Malachor ? Était-il donc invincible?

- Mon père a vaincu des centaines de dragons avant de se faire piéger. À vous tous, je suis certaine que vous avez dû tout donner pour en vaincre ne serait-ce qu'un seul ! Et les noirs ne font pas de magie !

Killian se souvint du combat et se rappela les pouvoirs de Naox. La Furia avait raison, comment avait-il fait pour oublier ce détail ? Le couple toujours blotti l'un contre l'autre croisa le regard du maitre des runes, ce qui lui confirma qu'eux aussi avaient oublié ce « léger » détail.

- Un autre dragon vous aurait exterminés sans même avoir à lever une griffe.
- Mais pourquoi avoir sauvé Antonio ? Pourquoi avoir tué Braise et Lumio ?

La Furia le lâcha pour se relever, le laissant ainsi seul à terre. Elle le toisa et pour la première fois, il sentit la confiance de cette créature vaciller. Comme si la question lui posait un réel problème.

- Celui que tu appelles Antonio est vital dans mon plan. Je ne peux t'en dire plus. Quant à tes amis, ce n'est pas un acte que j'ai commandité. Antonio devait rentrer et sortir de l'académie sans être vu.

Le visage de la Furia se crispa et Killian la vit tanguer un court instant. Son souffle s'accéléra et elle posa un regard fiévreux sur son interlocuteur.

- Il est temps pour moi de rentrer. En guise de ma bonne fois, je te rends ton compagnon, même si cela me coûte beaucoup d'énergie. Pense à mes paroles et je sais que tu feras les bons choix. M'avoir fait venir ici était très risqué, mais je ne regrette pas de t'avoir choisi. À nous deux, nous détruirons le Malachor !

Lux s'écroula au sol, inconscient. Ses trois compagnons se dirigèrent vers lui et furent rassurés en sentant son cœur battre à un rythme normal.

- Je pensais que le plan « A » marcherait, dit Killian. Bravo pour l'idée du plan « B » Goliath.
- Killian, il faut que j'arrête de te soumettre des idées un peu trop débiles parfois, commença le Corporem qui sentait le fou rire arriver.
- Il a raison, on doit arrêter les plans débiles, finit Ambre avec un sourire en coin. Avoir fait croire à Lux qu'on allait arracher une jambe à un mec… y'en a pas un pour arrêter l'autre.
- Au moins, on a ce qu'on était venu chercher, même peut-être plus, termina le maitre des runes.

Ils regardèrent le cadavre de Silas dans le coin de la pièce qui continuait à se balancer au bout de ses chaines.

- Il ne manquera à personne, dit Ambre d'un air dégoûté.

La Furia s'écroula sur le sol de son monde. Avoir laissé en vie cet humain l'avait épuisée. Néanmoins, elle savait cela nécessaire pour gagner la confiance du maitre des runes. Sans lui, son plan ne valait plus grand-chose.

- Surprenant mon cher Killian. Je n'aurais jamais imaginé que tu m'aurais volontairement invoquée. Comme quoi ma grande, il ne faut jamais croire que la partie est gagnée d'avance.

Bashanor arriva en courant lorsqu'il vit sa maitresse se matérialiser puis 'effondrer au sol.

- Laissez-moi vous aider.

Il lui tendit une main qu'elle ignora. Elle avait envie de rire et elle s'étira, faisant craquer le reste des ossements qui se trouvaient sous elle.

L'Elronesh contempla les formes de sa maitresse à travers son casque et lutta pour garder le contrôle de ses émotions.

- Allons, mon bon Bashanor, tu te fais du mal pour rien. Les plaisirs de la chair ne sont pas au programme pour toi. Amène-moi plutôt à manger, j'ai besoin de reprendre des forces.

Chapitre 7

Antonio s'éveilla comme tous les matins avec une douleur au niveau de son bras. Transformé par une « déesse », il possédait aujourd'hui un membre doté de facultés terrifiantes. Cependant, ce dernier lui causait des souffrances qui parfois le clouaient au lit pendant plusieurs heures.

Il tourna la tête pour trouver Igor devant la télévision. L'homme ne semblait pas avoir remarqué qu'il s'était réveillé et l'ecclésiastique profita de ce moment de paix pour se remémorer son histoire.

Le retour de la magie dans ce monde avait ruiné toute sa raison de vivre jusqu'au moment où lui-même avait été victime de cette malédiction. De ce jour, il trouva un nouveau sens à sa vie.

Il maitrisa le mal qui s'en prenait à lui, il le domina. Il comprit qu'une mission lui avait été confiée et il réussit à pénétrer dans la Bibliothèque interdite du Vatican. Sa déception fut immense lorsqu'il réalisa que sa croyance n'était en fait basée que sur un tissu de mensonges, mais une fois de plus sa persévérance et son obstination lui ouvrirent un nouveau chemin : celui de la vérité. Il allait annihiler la magie. Il serait cet homme-là, celui qui montrerait à l'Homme le vrai visage de Dieu. Ce dernier ferait de lui son messie et une nouvelle religion, SA religion, écraserait toutes les autres.

Il comprit aussi qu'il était bien plus puissant que les autres mages. Son insouciance et sa détermination l'avaient empêché de former un bouclier avec son esprit. Il avait laissé la magie se déverser dans son âme pour la consumer et lui donner la puissance nécessaire pour accomplir son destin.

Il réussit à remettre sur pied l'ordre du dernier divin, accompagné de quelques adeptes qui le suivirent aveuglément. Son plan était dans un premier temps d'éradiquer en Europe la menace des autres magiciens.

Tout aurait pu se passer à merveille s'il n'y avait pas eu l'apparition de ce mage si particulier : le maitre des runes. Ce dernier avait réussi à sauver avec ses compagnons l'académie de France.

Depuis, c'était catastrophe sur catastrophe. La perte du seul ouvrage qu'il avait réussi à voler à l'église catholique, de ses disciples en Hongrie, de son bras et pour finir… de son démon.

Il aurait sombré dans la folie si la déesse ne l'avait sauvé et remis sur pied. Elle avait même réussi à le consoler de la perte de son familier en le fusionnant avec lui. Il pouvait depuis entendre ses gémissements de l'intérieur de son âme, lui rappelant seconde après seconde qui était le maitre.

C'est dans sa fuite qu'il rencontra Igor. Un Corporem qui n'avait qu'un seul objectif dans la vie : se venger des hommes. Outre le fait que beaucoup de Corporems avaient le même objectif que lui, il était aussi un meneur né et un mage très puissant.

Antonio hésitait à lui donner son secret sur l'utilisation de la magie. Contrairement aux Wizards, qui gardaient très certainement cela par pur égoïsme, lui ne voulait pas se retrouver face à un mage plus puissant que lui (ce qu'il prenait pour de la survie et non de l'égoïsme !). Il avait parfaitement conscience que leur alliance était « temporaire ».

Le Grizzly avait réussi, grâce à lui, à s'allier avec d'autres clans de Corporems afin de faire renaitre le Malachor. Il espérait pouvoir négocier de rentrer à son service afin que l'entité épargne les siens et qu'il lui laisse la planète une fois vidée de ses occupants.

Un plan ambitieux : si la première partie était compatible avec celle d'Antonio, la deuxième ne verrait jamais le jour. Le Malachor, dans sa toute-puissance, saurait qui lui avait redonné vie. Qui, depuis bientôt trois ans, avait tout sacrifié pour lui. Ce jour-là, il ne faudrait pas qu'un demi-millier de Corporems puissent avoir le dessus et donc… les laisser dans l'ignorance de l'utilisation de la vraie magie semblait nécessaire.

- Antonio, vous devriez voir ça.

L'ex-homme d'Église tourna la tête vers son interlocuteur, réalisant que ce dernier avait parfaitement conscience qu'il était réveillé.

- Je t'écoute.

- Les Wizards, ils vont avoir un emploi du temps bien chargé dans les prochaines semaines. On a laissé un sacré bazar là-bas. C'est plutôt une bonne chose non ?

Antonio ferma les yeux afin d'éviter de montrer son exaspération. « C'est le problème quand on est l'élu, il faut savoir accepter que les autres ne connaissent pas la vérité sur tout », se dit-il.

- Ils viendront. Ils sont peut-être même déjà en chemin.
- Ce n'est pas ce qu'ils disent à la télé.
- ELLE m'a dit qu'ils viendraient.

Le Corporem haussa les épaules. Il avait aussi peu confiance en un ancien catholique qu'en une déesse que seul son associé avait vue. Il y avait aussi les dires de son disciple et la mutation d'Antonio. Mais avec les démonistes, on pouvait s'attendre à tout.

- Alors on ne change rien ? Le plan reste le même ?
- Oui, mais ne t'en fais pas, les choses vont certainement s'accélérer. Avoir éliminé deux membres du Conseil aura motivé nos « amis » à presser le pas.

Le Corporem se leva pour s'étirer. Partagé entre l'impatience et le scepticisme, il se planta devant son associé afin de mettre les choses au clair :

- Je vais voir mes hommes. Ils 's'impatientent. Je vous conseille de dire à votre « copine » de passer à la vitesse supérieure.

Pour la première fois, Antonio du retenir la colère qui montait en lui. Au prix de nouveaux lancements dans son épaule, il se leva pour faire face au Corporem qui semblait d'humeur intrépide.

Les deux individus se firent face. La différence de corpulence n'empêcha pas l'hybride de rapidement impressionner son interlocuteur. Le tissu glissa sur son torse, dévoilant son membre nouvellement greffé par la Furia.

- Je tolère beaucoup de choses de ta part ou de celle de tes hommes. Mais je ne tolèrerai en revanche aucun propos blasphématoire.

La puissance dégagée par le démoniste fit reculer le Corporem. Ce dernier ne comprenait pas d'où venait une telle énergie. La seule chose qui se racontait à son sujet était qu'il avait affronté deux Wizards seul et qu'il avait survécu, ce qui paraissait être un véritable exploit.

- Pardon, il faut les comprendre. Nous sommes au chaud dans cet appartement. Ce n'est pas le cas de mes hommes qui attendent dans une forêt à quatre-vingts kilomètres d'ici.

Antonio posa sa main sur l'épaule du colosse. La colère s'était évaporée avec la douleur. Son bras semblait vouloir le laisser en paix, jusqu'à la prochaine fois.

- Je m'excuse aussi. Toi et tes hommes avez accompli des miracles. Tu peux leur dire qu'ils vont bientôt pouvoir passer à l'action et qu'ils seront bientôt récompensés, tu as ma parole.

La tension s'apaisa sans disparaitre totalement et les deux hommes en eurent parfaitement conscience. L'un comme l'autre savaient que leur association était provisoire, encore fallait-il qu'elle dure assez longtemps pour leur être profitable.

- Surtout…
- Je ferai attention aux filles.

Killian coupa Axelle qui allait encore lui faire promettre d'être vigilant, surtout avec Icy.

Il embrassa sa femme pour la dernière fois avant de rejoindre les autres qui l'attendaient à la lisière de la forêt bordant l'académie.

- Ce n'est pas trop tôt ! On va être en retard, chuchota Goliath à l'attention du maitre des runes.
- Désolé, tout le monde n'amène pas l'amour de sa vie dans ses sacs.
- Ne t'en fais pas ! Tu vas la revoir bientôt.

Killian aurait bien aimé répondre que oui, mais quelque chose au fond de lui l'en empêchait. Il avait conscience que ce voyage était différent des autres.

Partir pour le Venezuela avait eu pourtant le même but, mais Lux était resté en arrière et le recrutement de ses filles avait laissé comme un point d'ancrage géographique pour son esprit. Or, à cet instant, Killian ne regardait que devant lui, obsédé par l'idée de retrouver Antonio et d'en finir une bonne fois pour toutes.

Tous les Wizards marchaient d'un pas silencieux vers le point de rendez-vous où un hélicoptère les attendait. Ils grimpèrent à bord pour découvrir le général en tenue militaire, un gros cigare à la bouche.

- Alors c'est parti ?
- On est au complet. Quel est le programme ?

L'appareil prit de l'altitude sans faire plus de bruit qu'un moteur de voiture, ce qui surprit tous les nouveaux passagers. Un sourire se dessina sur le visage de leur « hôte » qui les regarda d'un air satisfait.

- Direction l'aéroport. Un vol diplomatique prévu depuis plusieurs mois vous y attend. Vous voyagerez en soute. Une fois là-bas, vous aurez huit heures de camion. La bonne nouvelle, c'est que vous serez à moins de vingt kilomètres de l'académie de magie de Pékin.
- Eh ben ! Ça ne rigole pas quand on vous demande un coup de main chez les militaires, s'exclama Ambre impressionné.

Pour le coup, l'homme parut plus gêné qu'autre chose et se racla la gorge avant de prendre la parole.

- En fait, comme je viens de vous le dire, ce vol est prévu depuis longtemps et vous me remercierez plus tard, finit-il par dire un sourire aux lèvres.

- J'ai comme le sentiment qu'on s'est fait avoir, marmonna Goliath les bras croisés, assis sur une botte de paille.
- Il a dit qu'il nous transporterait en Chine incognito, pas qu'il le ferait en première classe, lui répondit Lux d'un air amusé.

Le Corporem regarda une dernière fois autour de lui pour « admirer » ce qui allait lui servir de moyen de transport pendant presque douze heures.

Installé dans la soute d'un avion-cargo militaire en compagnie de cinq magnifiques chevaux et d'assez de foin pour les nourrir environ trois semaines, Goliath rongeait son frein avec amertume.

- La prochaine fois qu'on doit négocier un transport, je m'en occupe. C'est ce que j'appelle douze heures d'avion en dernière classe moi !
- Arrête de râler, lui répondit Ambre. Le fait est que nous devions arriver incognito.

L'homme lui tira la langue, tel un enfant de cinq ans et reporta son attention sur le maitre des runes qui semblait perdu dans ses pensées. Il se glissa jusqu'à lui et le poussa du coude pour attirer son attention.

- Quoi ?
- Allez… tu me fais voir ?
- De quoi me parles-tu ?
- De ces runes sur ton magnifique corps d'homme, vas-y, explique.

Plusieurs regards semblèrent converger vers Killian qui se sentit tout à coup mal à l'aise. Même ses propres filles le regardaient en coin, certainement dans l'espoir d'en apprendre plus sur ce qu'elles avaient vu lors de l'affrontement avec le dragon.

Pris au piège, il se décida à retrousser les manches de son *teeshirt*, dévoilant ainsi ses avant-bras.

Tout le monde se rapprocha à l'exception de Lux qui détourna le regard, comme si de mauvais souvenirs venaient tout à coup d'envahir son champ de vision.

La petite Ronce passa son doigt sur sa peau nue, remontant du poignet au coude, en effleurant à chaque fois les runes couleur rubis qui se découpaient sur sa chair.

- Ça te fait mal ? demanda-t-elle d'une petite voix.
- Plus maintenant.
- Le processus a été douloureux ? l'interrogea Ambre.

Killian voulut lui répondre, mais la présence de ses filles le fit hésiter. Il croisa le regard de Lux qui l'incita à poursuivre tout en restant évasif sur certains détails.

- C'est une expérience que je ne souhaite à personne. Si j'avais su à l'avance ce qui allait se passer, je ne l'aurais peut-être pas fait.
- Tant que ça ? répondit Goliath qui semblait plutôt sceptique.

Lux se racla la gorge, montrant son envie d'intervenir. Il lui fallait trouver les bons mots afin de ne choquer personne, tout en étant le plus précis possible.

- Je pense que Killian se souviendra de cette épreuve toute sa vie. Ce qu'il a fait pour en arriver là, libre à lui de vous le raconter. Mais ne doute pas de l'horreur qu'il a pu vivre, que nous avons tous vécue d'ailleurs. Car Axelle comme moi ne l'oubliera pas non plus.

Le Corporem sembla hésiter, puis renonça à répondre. Quelque chose dans le regard du mage de lumière l'empêcha de lancer une pique. Il préféra rester sur un plan plus technique.

- Combien en as-tu gravé sur ton corps ?
- Soixante-sept.
- Waouh ! Ah quand même ! Au moins, tu n'as pas fait cela pour rien. Sacré coup de poing que tu lui as mis à ce dragon noir.
- Oui, j'admets que la puissance de ces runes est impressionnante. Quant au nombre, j'étais parti pour en faire plus, mais... disons que je n'ai pas réussi à aller plus loin dans le processus. J'espère que nous n'en payerons pas le prix fort.

Cette dernière phrase plongea tout le monde dans un mutisme assez gênant. Ce fut Ambre qui cassa ce silence glacial pour aborder un autre sujet, tout aussi important.

- Une fois là-bas, qu'allons-nous faire ?

Killian remit les manches de son teeshirt en place, le cœur plus léger. Changer de sujet n'était pas pour lui déplaire et il remarqua le clin d'œil de la mage de feu. Cette complicité avec la plus sauvage des Wizards lui avait manqué.

- Je ne te l'ai pas encore dit, mais c'est bon de te revoir parmi nous et je suis désolé pour…

La jeune femme lui posa un doigt sur ses lèvres.

- On parlera de ça une autre fois. J'ai insisté pour venir au Venezuela, tu n'as rien à te reprocher. Alors, réponds à ma question.

Le maitre des runes sourit et enleva l'index de la belle mage de feu de son visage pour lui répondre.

- Comme tu veux. Je pense qu'on peut considérer la lettre de la Furia comme authentique.
- D'ailleurs, j'aimerais bien un jour en discuter, on m'a roulé dans la farine, intervint Lux exaspéré.

Tout le monde se mit à rire. Goliath n'avait pas manqué de faire un récit détaillé de leur séjour dans la prison des mages-renégats. Mimant le mage de lumière possédé par la Furia le plus souvent possible.

- On t'en doit une, c'est indéniable, répliqua Killian avant de poursuivre. Nous avons donc deux objectifs : découvrir ce qui se trouve dans l'académie de magie de Pékin et trouver la fameuse clé.
- *Blarkha oom babadi* ?

Tout le monde se tourna vers Arthur qui venait de parler pour la première fois. Seule Hadès ne sembla pas perturbée plus que ça, mais comprit la confusion sur le visage de ses amis et de son père.

- Oui, alors pour faire court, j'essaye de lui apprendre à parler. Mais comme on se comprend mentalement, il commence par sa langue, celle des démons. Il demande si tu sais où elle se trouve cette fameuse clé.

L'imposant démon sourit à pleines dents, heureux d'avoir posé une question aussi judicieuse. Killian se reprit et tenta de reprendre le fil de la discussion comme si de rien n'était.

- Eh bien on en a une vague idée. Le sommet du monde est forcément une montagne ou quelque chose comme ça. Par chance, la chaine de montagnes de l'Himalaya ne sera pas très loin. L'ennui, c'est que la zone est vaste.
- Peut-être que l'académie de Pékin pourra nous aider ? demanda la petite Ronce.

Killian aurait bien aimé croire aussi en cela. Mais plusieurs signes l'incitaient à rester vigilant. Cette académie n'avait envoyé aucun participant pour le recrutement des deux derniers Wizards et les subventions que tentait de lui faire parvenir l'académie de France étaient toujours revenues sans réponse de leur part. Dernier point non négligeable : « si » la Furia ne leur avait pas menti, les mages de cette académie détenaient un artefact d'une puissance inégalée, contenant un monstre aux pouvoirs sans limites et ils n'avaient pas jugé bon d'avertir les autres académies de la planète.

- Nous verrons sur place, mais j'ai comme le pressentiment que nous n'aurons peut-être pas le même accueil qu'au Venezuela.

Un rapide coup d'œil à ses compagnons lui confirma que ses craintes étaient partagées.

Une main secoua l'épaule du maitre des runes qui ouvrit un œil sans pour autant sentir la fatigue le quitter. Les compagnons discutèrent une grande partie du voyage et ce n'était pas ces deux heures de sommeil dans le foin qui lui avaient permis de récupérer un peu de ces dernières semaines.

Un homme habillé en tenue militaire se tenait devant lui, le visage sérieux.

- Enchanteur. Vous et votre groupe devez vous cacher dans le foin. Nous atterrissons dans moins d'une heure. Les chevaux ainsi que le fourrage seront transportés dans une résidence à quelques kilomètres de l'académie de magie. Nous ne pourrons pas vous amener plus près, vous devrez faire le reste par vos propres moyens.
- Merci lieutenant. Pour qui sont ces chevaux ?
- C'est un cadeau de notre gouvernement à un ministre chinois. Vous n'êtes peut-être pas au courant, mais la Chine nous a effectué il y a quelques mois une commande massive d'armes. Ce geste est à but diplomatique.

Les autres membres du groupe sortaient doucement de leur léthargie. Lux, qui entendit les derniers mots prononcés par l'officier, leva les yeux au ciel.

- On leur offre des purs-sangs pour leur faire de la lèche, car ils nous achètent des armes !
- Ainsi va le monde, répondit Killian franchement dégoûté. Mais ça arrange bien nos affaires.

Tout le monde se cacha à l'intérieur du foin. Les adultes pestaient pendant que les trois petites filles s'en amusaient. Cette disparité de comportement fit réaliser au maitre des runes que presque la moitié de leur groupe n'était en fait constitué que d'enfants, ce qui fit monter une certaine angoisse en lui. Avait-il pris la bonne décision de les prendre avec lui ? S'il devait leur arriver quelque chose, il ne se le pardonnerait jamais.

Une main ferme lui saisit l'épaule et le regard de Goliath se planta dans le sien. Il était rare de voir le Corporem avec un air sérieux et Killian ne sut pas quoi en penser au premier abord.

- Tu as eu raison de tous nous emmener. Souviens-toi du combat de Ronce à l'académie de Caracas et de ton combat contre Antonio. Notre force c'est ça. C'est lorsque nous sommes tous ensemble que nous réalisons des prodiges.

Même s'il ne le dit pas à voix haute, Killian remercia intérieurement son compagnon, car il avait raison. Leur force ne résidait pas dans leurs pouvoirs, mais dans leur union. Ensemble, ils avaient vaincu un dragon. Ensemble, ils avaient surpris la Furia en l'invoquant. C'est ensemble qu'ils arriveraient à vaincre Antonio et empêcher le retour du Malachor.

Une fois l'avion posé, ils furent transportés pendant plusieurs heures dans un camion et Goliath put continuer à pester sur le confort de leur voyage. Il finit par se transformer en chat et se blottit contre Ambre. Cette dernière souffla d'exaspération, mais au moins le groupe obtint le silence tant attendu.

Les chevaux ainsi que le fourrage furent placés dans les écuries d'une magnifique propriété. Les Wizards durent attendre encore plusieurs heures cachés avant que la nuit ne tombe et leur permettent de pouvoir sortir en toute sécurité. Ils se rassemblèrent dans l'un des box où trônait un magnifique mâle couleur ébène. Le cheval ne semblait pas perturbé par leur présence, mais il frappait régulièrement le sol de son sabot, certainement agacé d'avoir été enfermé aussi longtemps.

Killian prit son téléphone pour activer son GPS, relié directement à Scarlett. Il savait qu'Axelle n'avait certainement pas dû quitter sa position et devait se trouver derrière son écran, à suivre le moindre de ses déplacements.

- Bon, nous sommes là. L'académie est à dix-sept kilomètres au nord. Elle a été construite presque à flanc de la grande muraille.
- Un choix bizarre non ? commenta Ambre.
- En effet, ils doivent avoir leurs raisons. En route.

La première à tourner les talons fut Icy. Toujours silencieuse, la petite fille n'avait que faire des discussions sur la localisation d'un bâtiment.

Cette froideur dans son attitude perturbait son père qui jeta un rapide coup d'œil à Hadès. Cette dernière partit se mettre au niveau de sa sœur pour lui faire la conversation.

- Ça lui passera, chuchota Lux pendant que le reste du groupe se mettait en route.
- Je l'espère, car je ne supporte plus cette dureté dans ses yeux.

Chapitre 8

Naox, le grand dragon d'or, était allongé de tout son long. Incapable de tenir entièrement de la sorte sur sa saillie, il était à même le sol dans la clairière.

La vie d'un dragon solitaire n'était pas très excitante, mais cela lui convenait très bien. Rares étaient les membres de son espèce cherchant l'aventure. Vivre des millénaires forgeait la patience et l'observation du monde qui l'entourait avec un certain détachement.

Pourtant, depuis plusieurs mois, sa vie connaissait de multiples mésaventures, principalement grâce aux Wizards et pour la première fois de sa vie, il regrettait d'être seul. Cette contradiction d'envie le perturbait. Ceci aurait pu s'arrêter là, mais le rêve qu'il faisait maintenant depuis plusieurs semaines ne semblait pas vouloir libérer son esprit de son emprise. Cherchant à y échapper, le grand dragon d'or dormait le moins possible, ce qui était un réel handicap pour lui : les dragons adoraient dormir. C'est dans le sommeil qu'ils récupéraient l'énergie dont ils avaient tant besoin et qu'ils pouvaient obtenir des souvenirs de leur passé, ainsi que de celui de leurs parents.

Pour lui, c'était le plus beau pouvoir des dragons. Être capable de voir la vie de ceux qui l'avaient mis au monde. Vivre la vie de ses parents était fascinant, mais depuis un certain temps, la même vision revenait sans cesse : celle de sa naissance.

Était-ce bien réel ? Était-il réellement destiné à se sacrifier pour un humain ? Ridicule ! Il les détestait. Par leur faute, il était le dernier dragon vivant sur cette planète et il avait appris par la mémoire de ses parents que les dragons de cet univers ne se mélangeaient que très rarement. Même chez les membres de sa race, il y avait du sectarisme.

Les mages de la petite académie voisine lui avaient raconté qu'un dragon avait été vaincu par les Wizards quelques jours auparavant. La colère, la déception et l'incompréhension s'étaient répandues en lui. Les deux premières, car il n'aurait jamais imaginé que les Wizards, en l'ayant côtoyé, se permettraient de tuer un membre de sa race sans lui en parler. Le troisième sentiment était plutôt dû au fait qu'il se demandait comment les Wizards, aussi puissants soient-ils, avaient réussi à vaincre un dragon ?

Ce ne fut que lorsque l'histoire fut terminée qu'il comprit : le dragon était un noir, « un dragon sans pouvoir et sans gloire ». Telles étaient les paroles de son père lorsque celui-ci parlait des dragons noirs.

Il fut tiré de ses pensées par un pressentiment bizarre. Comme si la magie de son être voulait le prévenir d'un grand danger. Il sentit une énergie typique des mages venir à lui, mais quelque chose était différent. La puissance de l'individu en question était bien supérieure à celle des mages qu'il avait l'habitude de côtoyer. Ceci décupla sa curiosité et il se positionna au milieu des arbres, tel un serpent. Capable de prouesse en matière de camouflage, il se savait presque invisible aux yeux des humains lorsqu'il le désirait.

Une femme d'une quarantaine d'années pénétra dans la clairière d'un pas assuré, presque provocateur. Elle dégageait une énergie incroyable qui fit frissonner le dragon sans réellement lui faire peur.

- Qui es-tu ?

La voix forte du dragon résonna dans la clairière tel un grondement. Il put voir la femme tourner sur elle-même sans réussir à le trouver. Il aimait se jouer des yeux des humains. Mais pour la première fois, il le faisait par prudence et non par jeu.

Ses craintes s'amplifièrent lorsqu'il sentit une présence pénétrer son esprit. Il la repoussa avec force, ce qui l'obligea à descendre de ses arbres avec fracas, négligeant sa discrétion pour hurler de rage face à cette inconnue.

- Comment oses-tu t'immiscer dans mes pensées ? Tu dois être folle pour…

Le dragon s'arrêta de parler lorsque la jeune femme se tourna pour lui faire face. Ses traits étaient tirés, ses joues creuses et ses lèvres semblaient ne plus avoir de sang. Son corps était d'une maigreur sans pareille à tel point que le dragon se demanda comment il avait réussi à la porter jusqu'ici.

Mais ce qui surprit le dragon fut ses yeux : ils brillaient d'une lumière bien particulière. Un phénomène qu'il avait déjà vu au travers d'autres personnes et qu'on lui avait déjà raconté.

- Alors tu es venue, finalement…

- Et ce ne fut pas une mince affaire. Je viens de marcher presque cinquante kilomètres avec ce corps si faible pour te trouver.

Le dragon retroussa ses babines et gronda :

- Ce corps ne fera pas de vieux os face à moi.

La Furia souffla, lasse de toujours entendre le même discours.

- Pourquoi tout le monde veut-il se battre avec moi ?! Qui te dit que je suis venue pour te tuer ? Regarde un peu ça ! (Elle leva son bras chétif et maigre face au dragon) Tu penses que je viendrais t'affronter avec un corps comme celui-là ? Un Mentalus en plus ? Allons, un peu de sérieux... je n'ai déjà pas beaucoup de temps, alors ne le perdons pas en discussion stérile.

Le dragon analysa les arguments de son interlocutrice et se calma. Il était clair que le danger était inexistant. Elle dégageait une puissance terrifiante, mais n'avait aucun moyen de l'utiliser contre lui : le corps de son hôte avait déjà un pied dans la tombe.

- Alors c'est vrai, la fille du Malachor est en vie. Ça ne te lasse pas de passer de personne désespérée en personne désespérée ?

La Furia ne se vexa pas de la pique du dragon, elle sourit de son visage fatigué :

- Il faut bien subsister et je pense réellement rendre service parfois. Cette femme a rendu fou son fils qui a fini par se suicider. Elle n'avait même pas conscience de ses pouvoirs et partageait continuellement ses pensées avec lui. Je pense que la mort la délivrera. Mais bon, assez parlé de ma généreuse personne, toi et moi devons discuter.

Le dragon se glissa avec légèreté sur sa saillie. Cette position surélevée lui permettait d'éviter d'être surpris par-derrière et son ennemie n'aurait pas d'autre moyen pour s'enfuir que de lui tourner le dos.

- Parle, mais sois brève, ma patience ainsi que l'énergie de ton hôte sont limitées.
- Tu ne devrais pas me mépriser de la sorte. Je pourrais revenir avec un corps plus puissant... je n'ai pas qu'une vie.
- Tu continues de parler pour ne rien dire. Tes menaces n'ont aucun effet sur moi, je ne te redoute pas, la mort non plus d'ailleurs.

La Furia surprit un éclat bizarre dans les yeux de la créature, comme un amusement. Elle en profita pour contempler Naox d'un nouvel œil. Contrairement à Rakhaox, il avait un certain charme ainsi que de la prestance. Il représentait réellement toute la noblesse de la race des dragons, ce qu'elle apprécia.

- Ne commençons pas à nous chamailler. Je ne le souhaite pas.

Elle se hissa avec raideur jusqu'à la saillie, dévoilant ainsi la réelle faiblesse de son corps actuel. Ayant parfaitement conscience que son temps était compté, elle préféra aller droit au but.

- Je tenais à te remercier.

Son interlocuteur souleva une paupière, laissant entendre qu'il ne comprenait pas ses propos, chose qui l'amusa.

- En aidant le maitre des runes, tu m'as aussi aidée. Néanmoins, pour avoir pu contempler la scène dans l'esprit de son compagnon, on ne peut pas dire que tu y sois allé de main morte.
- Un tel pouvoir nécessite un prix.

Un petit rire s'échappa du corps de la Furia, laissant des lèvres craquelées sur son passage.

- Tiens donc ? Et quel fut le prix pour tes pouvoirs ?
- Je te laisse poser la question à ton géniteur.

La réponse moucha l'entité. Pourquoi n'arrivait-elle pas à faire plier ce dragon ? Il y avait quelque chose en lui qui « l'effrayait ». Or, rien ne lui faisait peur, jamais.

- Je te trouve courageux, dragon. Rakhaox a plié le genou devant moi, plutôt facilement. Apparemment, ça ne sera pas ton cas.
- Je te félicite pour ton discernement. Alors, vas-tu enfin me dire pourquoi tu t'es évertuée à trainer ce corps malheureux jusqu'à ma clairière ?

Le dragon racla ses griffes sur la roche avoisinante, créant un bruit d'éboulement qui se répercuta dans la vallée. La tension qui régnait entre les deux individus fit fuir la plupart des animaux environnants. Pour la première fois, la Furia se sentit en infériorité. Elle prit conscience qu'elle n'avait aucun moyen de pression sur la créature qui lui faisait face et le corps qu'elle avait en sa possession était faible et dépourvu de magie offensive.

- Je suis venue te demander de ne pas me faire obstacle.

Le dragon pencha la tête sur le côté, attendant la suite, mais rien ne vint.

- C'est tout ? Je ne pensais pas être un pion sur ton échiquier.
- Justement, j'aimerais que tu n'en sois pas un. Or, je m'aperçois que tes interventions, même si pour le moment me sont plutôt favorables, pourraient devenir gênantes.

Naox planta ses yeux dans les siens durant un long moment, cherchant à en savoir plus. Au même titre qu'il avait réussi à repousser l'attaque mentale de l'entité, cette dernière lui bloquait l'accès à son esprit grâce aux pouvoirs décuplés de son hôte.

- Alors voilà l'intérêt d'avoir choisi un hôte Mentalus.
- Nous avons tous nos petits secrets.
- Et tu savais qu'en venant ici sans ce pouvoir, je les percerais. C'est habile.
- Ne me complimente pas, je trouve que j'ai aussi beaucoup de chance. J'agis toujours en fonction de celui que je possède.

Le corps de la femme céda, la faisant chuter au sol. Elle essaya de se relever, mais sans résultat. Ses jambes semblaient ne plus vouloir lui obéir.

- Foutu corps d'humain, quelle idée d'être aussi faible, accèdes-tu à ma requête, dragon ?

Naox souleva sa tête pour la positionner au-dessus de la Furia. Cette dernière put contempler encore une fois la magnificence de la créature qui se tenait face à elle.

- Je ferai selon mon bon vouloir, comme je l'ai toujours fait. Si je ne t'ai pas réduite en cendres dès ton arrivée, c'est uniquement parce que tu as épargné la petite Ronce. Cela te laisse le bénéfice du doute.
- Alors un jour, nous devrons nous affronter et cela causera la fin de ce monde.
- Soit, nous nous affronterons et je gagnerai encore.
- Encore ? Je ne vois pas pourquoi.

Le dragon souffla un long trait de feu qui embrasa la roche sur plus de cinquante mètres. Lorsque le calme fut revenu, il ne restait plus rien du corps qui avait servi d'hôte à la Furia.

- Eh oui, encore, souffla Naox avec amusement.

- On va moisir ici encore combien de temps, Killian ?!
- Jamais il n'arrête de se plaindre ton homme ? chuchota l'interpellé à l'attention d'Ambre.
- Ignore-le. Qu'est-ce qu'on fait maintenant ?

Les Wizards se tenaient à la limite de ce qui servait de mur d'enceinte à un campement militaire. L'immeuble qui servait d'académie était gardé par une véritable armée.

- Je ne m'attendais pas à ça. C'est une véritable base militaire.

- Pourquoi ne pas tout simplement aller se présenter ? Nous ne venons pas en ennemis, dit Lux.
- Encore faudrait-il qu'ils nous en laissent le temps. Vous allez rester ici. Je vais y aller seul. Si ça tourne mal…

Un bruit dans les fourrés tout proches l'interrompit. Sans crier gare, une dizaine d'hommes en tenue de camouflage se dressèrent autour d'eux, équipés de fusils mitrailleurs.

- Tu crois que c'est maintenant qu'il faut leur dire que nous ne sommes pas leurs ennemis ?

Killian regarda Lux d'un air sévère. L'un des hommes cria quelque chose en chinois aux compagnons qui ne purent que répliquer qu'ils ne comprenaient pas. Le maitre des runes vit ses filles paniquer, ignorant qu'il avait la faculté de mettre hors d'état de nuire toutes ces armes à feu.

- Scarlett ? On a besoin d'une traduction.

L'IA toujours active dans l'oreillette du maitre des runes s'activa. L'homme répéta une fois de plus sa phrase en hurlant.

« Qui êtes-vous ? Que faites-vous ici ? »

- Nous sommes les Wizards.

Killian fit un large cercle avec ses bras pour montrer ses compagnons. Le militaire parla dans son oreillette et pointa ses armes encore plus farouchement vers les compagnons en hurlant d'autres paroles.

« Il vous demande de lever les mains et vous êtes a priori en état d'arrestation. »

À la grande surprise de ses amis et ses enfants, Killian leva les mains en affichant un grand sourire.

- Killian ? On ne va pas se laisse faire ? commença Goliath qui dansait d'un pied sur l'autre.
- Calme-toi, on ne risque rien et c'est peut-être le meilleur moyen de rencontrer les bonnes personnes.

Ils se résignèrent à suivre l'exemple de leur chef, sans trop savoir pourquoi. Le maitre des runes put voir ses filles venir vers lui, terrorisées.

- Calmez-vous les filles. On ne risque rien.

Ils furent emmenés en direction du camp. Killian put voir l'ampleur des installations à la disposition de l'académie de magie. Hélicoptères, chars d'assaut et artilleries lourdes étaient au rendez-vous. Il y avait au moins un millier de soldats répartis dans trois structures entourant le bâtiment principal. Lux ne put s'empêcher d'avoir un petit rire qui surprit tout le monde.

- Tu avais une fois de plus raison Killian, l'accueil n'a pas du tout été le même qu'au Venezuela.

Tout le monde les regardait comme des bêtes curieuses. Ils étaient escortés par la dizaine de militaires qui les avaient surpris.

- On est vraiment mal partis. J'espère qu'ils ne vont pas tous nous laisser moisir trop longtemps dans une cellule, ça va m'énerver, lança Goliath d'un air mauvais à l'un des militaires qui ne comprit rien à ses paroles.
- Tous ? Certainement pas, ta fille n'est déjà plus avec nous.

Ambre et Goliath tournèrent frénétiquement la tête en marchant pour s'apercevoir que Ronce ne faisait déjà plus partie des prisonniers.

- Elle est trop forte ! s'exclama Ambre pleine de fierté pour sa fille adoptive.
- Calme-toi, répondit Killian. Si l'un d'entre eux parle notre langue, il pourrait comprendre.

Ils furent emmenés dans une grande tente où on leur présenta des chaises. À leur grande surprise, ils ne furent pas menottés ou attachés et Killian put conserver Fangore qui se baladait toujours à ses côtés comme si de rien n'était.

- Pour le côté incognito, on a vraiment des progrès à faire, s'esclaffa Goliath en donnant un coup de coude au maitre des runes.
- Tu l'as dit. Espérons que ces gens-là savent tenir leur langue.
- Nous savons faire cela.

Le groupe de compagnons se tourna pour faire face à un homme d'une soixantaine d'années. Il n'était pas très grand, mais affichait une assurance que Killian avait rarement vue. Ses cheveux blancs contrastaient avec son habit de camouflage noir. Il portait sur son torse un nombre de médailles impressionnant.

D'un pas assuré, il se dirigea vers Killian en le dévisageant, puis fit les cent pas dans la pièce en les regardant un par un.

- Il manque la petite fille.

Il prononça des mots dans sa langue et cinq de ses hommes partirent au pas de course à l'extérieur de la tente.

- Alors voici les fameux « Wizards ».
- Et vous êtes ? demanda Killian.
- Je suis Wang Hu, ministre du Surnaturel et chef des armées responsable de la protection du territoire face aux menaces d'ordre magique.

Le titre surprit les compagnons qui ne connaissaient même pas l'existence d'un tel ministère dans un gouvernement, chinois ou autre.

- Mr Wang. Je sais que les apparences sont contre nous, mais nous ne venons pas en ennemis, bien au contraire.
- Alors, dites à votre mage de la terre, la dénommée Ronce, de nous rejoindre.

Killian regarda les parents adoptifs de la petite fille. Aucun des deux ne bougea d'un pouce, refusant catégoriquement de l'exposer au moindre danger.

L'homme ne sembla pas s'en offusquer et cria un ordre en chinois. Les cinq derniers hommes sortirent de la tente, les laissant seuls avec le ministre.

Ce dernier se dirigea vers Killian pour mettre un genou à terre. Surprenant tout le monde, il tendit une main vers Fangore qui frotta sa tête spectrale avant de se diriger vers son maitre.

- Vous êtes un mage.
- Et vous êtes détenteur de l'obédience sacrée : la magie runique. Comble du comble, vous possédez un esprit ancien. Cela fait de vous quelqu'un non seulement d'unique, mais aussi de chanceux. Comme d'avoir une fille possédant un démon majeur.

Les membres des Wizards restèrent sans voix. Outre le fait que leur interlocuteur était un mage, il semblait en connaitre bien plus sur la magie qu'eux.

- Nous pouvons soit apprendre les uns des autres dans le respect et le calme, soit nous apprendrons ce que nous voulons par la force. À vous de choisir.

Sur ces dernières paroles, la tente s'envola pour dévoiler un cercle de mages. Killian tourna sur lui-même, pris de panique. Il y avait une cinquantaine d'individus qui les regardaient sans bouger. Les Wizards se mirent dos à dos et purent distinguer des mages de toutes les obédiences. Ils étaient faciles à différencier, car chacun d'entre eux portait une tenue bien distincte, comme s'il affichait avec fierté d'appartenir au monde de la magie.

- Vous êtes ici chez nous. Dites à la petite fille de venir et il ne vous sera fait aucun mal.
- Même pas en rêve, lui cria Goliath. Pourquoi vous ferions-nous confiance ?
- Et nous ? hurla Hu, surprenant tout le monde. Nous vous avons attrapés à quelques mètres de notre base, vous cachant comme des voleurs dans les herbes hautes après vous être introduits illégalement sur notre territoire ! C'est à vous de gagner notre confiance, me semble-t-il, pas l'inverse !

Un raclement de gorge surprit Killian qui sentait la situation lui échapper. Lux se tourna vers le ministre avant de s'agenouiller vers le sol.

- Ronce, reviens ici s'il te plait.
- Mais tu es fou, cria Ambre ! Laisse-la ! Elle est en sécurité, elle, au moins.

Tout le monde recula d'un pas en voyant la tête de la petite fille sortir de la terre. Elle semblait partagée entre l'idée de rester cachée et sortir de sa cachette pour apaiser les esprits, ou donner une bonne correction à tous ces mages qui menaçaient ses amis.

- Merci Ronce, dit le ministre à son intention en approchant les mains levées.

Il posa un genou au sol pour faire face au visage qui sortait de terre. Il ne montra aucun signe d'agressivité et lui tendit la main.

- C'est un honneur. On raconte que vous avez à vous toute seule, vaincu les meilleurs mages de l'académie de Caracas. Est-ce vrai ?

La petite fille rougit avant de sortir une main du sol pour la tendre au militaire qui la saisit pour tirer doucement vers lui. Une fois sortie de terre, elle se secoua comme un animal sortant d'une rivière avant de regarder timidement autour d'elle.

- Vous n'allez pas leur faire de mal ?

L'homme la regarda ainsi que les deux filles de Killian. Il semblait être réellement perturbé par la situation et regarda le maitre des runes d'un air sévère.

- Quel homme risquerait la vie de trois petites filles si loin de chez elles ?
- Un homme qui sait ce que vous cachez au dernier étage de ce bâtiment.

Killian pointa du doigt l'immeuble qui s'élevait non loin de lui et qui abritait la plus mystérieuse académie de magie de leur monde. Grâce à l'aide de Scarlett, il venait de crier cette phrase en chinois.

Un grand silence gênant s'abattit sur le lieu. Les mages reculèrent, les militaires stoppèrent leur activité et même le ministre se releva, le visage décomposé. Reprenant sa langue natale, Killian avança prudemment vers l'homme en parlant plus doucement.

- Nous sommes juste venus vérifier cette information et connaitre vos intentions. Cela fait maintenant deux ans que nous nous battons, dans le plus grand secret, pour empêcher que le monde ne bascule dans l'horreur et à première vue, vous faites la même chose.

Le militaire se ressaisit et lui dit d'un ton plus formel :

- Retrouvons-nous dans l'académie. J'écouterai votre histoire avec attention et si vous dites la vérité, je vous conterai la nôtre. Marché conclu ?

La main tendue fit chaud au cœur du maitre des runes. Chaque rencontre était une épreuve, mais chaque fois, l'être humain montrait sa capacité à s'ouvrir aux autres lorsque sa vie était en jeu. Il avait en face de lui un homme qui avait très certainement combattu pour son pays, puis maintenant pour le monde entier, dans le plus grand secret, comme lui, et cela méritait son respect le plus total.

- Marché conclu.

Il les conduisit à l'intérieur de l'académie. Le lieu surprit tout le monde, car, au premier abord, ils eurent l'impression de rentrer dans le gratte-ciel d'une grande firme capitaliste cotée en bourse. Le grand hall blanc du rez-de-chaussée était vide avec uniquement un comptoir où une jeune femme attendait que quelqu'un se présente. Derrière elle se trouvaient quatre ascenseurs.

- Ça nous change de chez nous, ou de Caracas, dit Ambre avec froideur.
- Nous n'avons pas la même appréhension de la magie que vous, lui répondit leur guide sans s'offusquer le moins du monde.

Ils arrivèrent au comptoir où la jeune femme parla en chinois avec le militaire avant de l'accompagner à l'un des ascenseurs en se munissant d'une carte magnétique. Killian fut impressionné par le système de sécurité. Il y avait des caméras partout et lorsque la porte de l'ascenseur s'ouvrit, il se retrouva nez à nez avec deux agents de sécurité en costume sombre. Ces derniers s'écartèrent pour les laisser entrer.

L'appareil pouvait contenir facilement une trentaine de personnes, se dit Killian qui croisa le regard impressionné de Lux.

- Il est clair que nous n'avons pas la même perception de la magie. Nous sommes restés plus… naturels. Vous êtes hi Tech.

L'homme ne lui répondit pas et se contenta de sourire. Il pressa le bouton du dernier étage, le numéro vingt-six. Le maitre des runes remarqua alors qu'il n'y avait pas d'étages entre celui-ci et le numéro vingt.

Les membres du groupe, malgré la place qu'ils avaient autour d'eux, se sentirent rapidement mal à l'aise. Plus l'ascenseur montait, plus quelque chose se serrait dans leur poitrine. Ce ne fut que lorsqu'ils franchirent le vingtième étage qu'un hurlement leur déchira les tympans.

Fixant la paroi sans comprendre, Killian réalisa que quelque chose se trouvait derrière ce mur. Une énergie qu'il ne connaissait pas semblait vouloir déchirer le monde pour exploser à la vue de tous. Son esprit était comme harcelé par une présence qui cherchait une échappatoire à n'importe quel prix.

Tous les Wizards s'étaient plaqués à la paroi de l'ascenseur la plus éloignée du phénomène. Ce n'est qu'en arrivant au vingt-sixième étage que la sensation s'atténua pour ensuite disparaitre.

Les portes de l'ascenseur s'ouvrirent, mais seul Hu sortit, le visage sombre.

- Qu'est-ce… qu'est-ce que c'était ? s'efforça de dire Killian entre deux claquements de dents.
- Ce pour quoi vous êtes venus. Vous, vous avez créé des académies pour vivre en paix ; nous, nous en avons créé une juste pour le retenir.

Personne n'osa encore bouger. Se pouvait-il que ce soit réellement le Malachor qui puisse dégager une telle énergie maléfique, une telle colère ?

- Mais, il est libre ?
- Absolument pas. Ce que vous avez ressenti, c'est ce qu'il est capable de faire à travers sa prison. Je vous laisse imaginer de quoi il serait capable, dehors.

Deuxième choc. Killian en tomba presque à genoux. Même dans ses pires cauchemars, il n'aurait jamais imaginé cela.

Les compagnons sortirent de l'ascenseur l'esprit encore sonné par ce qu'ils venaient de ressentir.

Le denier étage du bâtiment n'était qu'une vaste salle de conférence, capable d'accueillir une centaine de personnes. Entièrement vitrée, elle permettait d'avoir une vue à trois-cent-soixante degrés. Après le cauchemar qu'ils venaient de vivre, ils purent contempler le plus beau lever de soleil de leur vie.

Au nord, à quelques dizaines de mètres seulement, se trouvait la grande muraille, vestige de l'ancien temps d'un peuple voulant se défendre contre un envahisseur. La singularité de ceci frappa instantanément Killian. Au sud, l'horizon dévoilait la naissance de Pékin et ses banlieues. Le contraste entre les deux panoramas rendait l'instant unique et un sourire se dessina sur les lèvres de leur hôte qui semblait être habitué à tout ceci.

- Il est inconcevable de voir tant de beauté à côté d'une chose si horrible n'est-ce pas ? Nous l'appelons le salon de l'espoir. Il est ici pour nous rappeler, à chaque instant, pourquoi nous sommes là.
- Mais pourquoi avoir gardé cela pour vous ?

L'homme s'installa sur une chaise et invita les compagnons à le rejoindre. Il attendit que tout le monde soit confortablement installé pour s'adresser au maitre des runes.

- Nous avions un marché. Votre histoire contre la nôtre et non l'inverse…

Killian s'apaisa, se rappelant qu'il avait devant lui un allié. L'instant était primordial et il prit la décision de tout révéler, comme aux membres de l'académie de Caracas, toute leur histoire. Il vit le grincement de dents de Goliath lorsqu'il parla de la mort d'Ambre et de sa transformation, ou le regard froid de sa fille se poser sur lui en racontant la mort de Braise. Il lui raconta tout.

Ce ne fut qu'une fois le récit terminé que Killian réalisa l'ampleur de ce qu'il avait vécu. Lui, qui n'était encore qu'un petit commerçant de la cité phocéenne il y a encore quelques années. Lui, qui n'avait même pas fait son service militaire. Son groupe était composé d'un ancien prêtre, d'une ex-junkie, d'un gars des cités et de trois petites filles. Il releva la tête, les yeux encore rougis par l'émotion d'avoir raconté toute son histoire, avec les passages difficiles que cela comportait.

La froideur du visage qui se trouvait devant lui l'inquiéta. Hu le dévisageait de ses yeux en amande. Il sentait le jugement de l'homme d'expérience. Ce dernier se leva pour se diriger vers la vitre du côté nord de la pièce, laissant un silence lourd s'installer entre les membres du groupe.

Cette attitude affecta encore plus le maitre des runes, lui rappelant les manies d'un homme qu'il avait particulièrement apprécié : Lumio.

Il sentit une petite pression sur son bras et il fut surpris de trouver Fangore à ses côtés. Elle désirait lui montrer son soutien après ce moment difficile et Killian prit son visage entre ses mains et posa son front contre le sien :

- Oui ma belle, heureusement que tu es là. Je t'ai délaissée dernièrement, alors que tu es celle qui m'a toujours accompagné et protégé.

Il remarqua que Hu lui faisait un signe pour l'inviter à le rejoindre près de la fenêtre. Surpris, le chef du groupe se leva et se dirigea d'un pas prudent vers son hôte, accompagné de son dragon spectral.

Arrivé à son niveau, il remarqua l'air triste du militaire. Ce dernier fixait l'horizon par-delà la grande muraille. Deux larmes avaient creusé un sillon lumineux sur ses joues.

- Je suis un homme d'honneur, vous comprenez ce que cela veut dire ?

Killian acquiesça sans émettre le moindre son. Il ne comprenait pas la tournure de cet entretien et moins encore ce qui se passait ici, mais il savait que de cet instant dépendrait beaucoup.

- Avez-vous confiance en eux, sont-ils capables de garder un secret ?
- Je leur confierais ma vie, sans hésiter.

L'homme se tourna pour se diriger vers la grande table où il reprit place dans son fauteuil.

- Très bien, vous avez tenu votre parole. Je ne pensais pas que le danger était aussi imminent. Il semblerait qu'une nouvelle menace se présente à nous.
- Vous voulez dire que toute cette armada, ce n'est pas pour l'attroupement des Corporems à la frontière nord de votre pays ?
- Je pense que c'est à mon tour de vous raconter notre histoire.

Chapitre 9

- Dès les premiers signes du retour de la magie dans notre monde, l'ensemble des moines bouddhistes s'est réuni et a formé une délégation spéciale pour s'entretenir avec notre gouvernement. Ils nous firent part d'une menace, un monstre qui avait été vaincu un millénaire auparavant sur notre territoire.
- Attendez, le coupa Killian. Vous êtes en train de me dire que Tindarius a vaincu le Malachor ici ? En Chine ?
- Exactement. Vous avez découvert que les pyramides étaient des téléporteurs. Peu de gens le savent, mais la Chine en a plus d'une centaine. Il faut savoir que nos mages n'ont pas eu la même soif du pouvoir que leurs confrères européens. Ils œuvraient ensemble à développer leur savoir et leur magie. Les moines bouddhistes étaient les gardiens de ce savoir. Avec la perte de la Bibliothèque Maya, une grande partie de cette connaissance s'est perdue.

Les Wizards montrèrent des signes d'incompréhension, quel pouvait être le rapport entre les Mayas et les mages peuplant l'Asie ?

- Pour faire simple, les Mayas étaient connus pour être la « Suisse » de l'époque sur le plan magique. Ils s'étaient proposé de garder le savoir de chaque mage en un lieu qui ne serait pas accessible à l'être humain sans pouvoir. Les moines bouddhistes cheminaient à travers l'Asie pour récupérer les ouvrages et les porter aux Mayas. Lorsque nous avons eu vent de la destruction de l'ile de Pâques, tous nos espoirs de résister à la créature qui se trouve sous vos pieds se sont envolés.
- Pourquoi ? intervint Goliath.

- Car il se trouvait un ouvrage décrivant parfaitement quel rituel avait permis d'enfermer le Malachor. Nous avions envoyé une équipe sur place pour effectuer des recherches. Elle a disparu dans l'explosion.

Les compagnons restèrent sans voix. Killian avait toujours su que la perte de la bibliothèque maya était un désastre sur le plan de la culture et de la connaissance. Mais jamais il n'avait pensé qu'elle aurait pu être un outil pour vaincre le Malachor.

- Qu'avons-nous fait ? chuchota Ambre qui se rappela son sortilège ayant réduit l'ile en cendres.
- Vous ne pouviez pas savoir et vous n'étiez pas seuls. Cet Antonio, c'est donc lui qui cherche à faire revenir parmi nous le Malachor ?
- Oui, répondit Killian. Il est la source de tous nos soucis. Mais il a trouvé des alliés de poids.
- Les Corporems vont être un souci, mais nous avons un grand nombre de mages à notre disposition, nous avons cinq académies comme celle-là.

L'annonce fut un choc pour les compagnons qui se regardèrent sans comprendre.

- Cinq ?
- Oui, quatre d'entre elles sont secrètes. Elles devaient être le deuxième rempart contre cette créature si elle arrivait à s'échapper.
- Attendez, intervint Lux. Vous venez de nous dire que vous n'aviez pas connaissance d'Antonio et de ses intentions. Alors, pourquoi mettre tant de mesures de sécurité ? Pas que je m'en plaigne, mais...

La mine déconfite du militaire ne laissait rien présager de bon. Les compagnons comprirent d'eux-mêmes qu'un autre danger planait sur la résurrection du Malachor.

- Venez avec moi. Votre arrivée, maitre des runes, est peut-être providentielle. Nous hésitions à vous contacter. Ne nous jugez pas trop vite, la confiance est quelque chose que nous avons du mal à accorder et les attaques des académies européennes nous laissaient supposer que la soif de pouvoir de votre continent n'était pas...
- Terminée ? Finit Killian à la place de Hu.
- Exactement. On ne vous connait que par la télévision. Je dois bien admettre que je vous imaginais autrement.

Il se leva pour se diriger vers l'ascenseur et regarda le groupe qui se levait pour le suivre.

- Les enfants devraient peut-être rester ici.

Le chef des Wizards regarda les trois petites filles sans trop savoir quoi répondre. Comme à son habitude, Ronce ignora la remarque de l'adulte pour s'avancer vers l'ascenseur. En passant devant Killian, elle ne put s'empêcher de lui dire le fond de sa pensée.

- On va encore me mettre à l'écart pour que de toute façon ça soit moi qui règle le problème, alors autant que je vienne.

Goliath et Ambre ne purent s'empêcher de sourire. Mais ils furent étonnés de voir Icy s'avancer avec un air déterminé. Sa sœur qui avait comme consigne (ou ordre divin) de sa mère de ne pas quitter son ainée s'avança avec bien moins d'assurance et tout le monde put l'entendre dire à Arthur :

- Si ça fait peur, cache-moi les yeux mon grand.

Elle se plaça à côté du groupe et regarda Hu d'un air très sérieux.

- Je ne vais pas rester ici toute seule et si ma mère apprend que j'ai laissé ma sœur sans défense… bref, vous ne la connaissez pas, mais je vivrai certainement un moment bien plus horrible que ce que je vais voir dans quelques instants !

Un sourire se dessina sur les lèvres du militaire qui regarda le chef des Wizards avec amusement :

- Le moins que l'on puisse dire, c'est que votre groupe ne manque pas de courage.

L'ascenseur s'ouvrit et c'est avec une certaine appréhension que le groupe y pénétra. Ils virent le ministre chinois appuyer sur le bouton du vingtième étage.

La descente fut aussi douloureuse que la montée. Tout le monde pâlit lorsqu'ils ressentirent l'énergie du Malachor pénétrer leur esprit pour chercher une échappatoire et Hadès se pelotonna contre Arthur pour que ce dernier la réconforte. Killian remarqua que le démon ne semblait pas du tout affecté par l'énergie que pouvait dégager leur pire ennemi et se rappela que leur hôte semblait en savoir beaucoup sur lui.

L'ascenseur s'arrêta. Il s'ouvrit sur une deuxième porte métallique comportant un volant, à l'image des sous-marins.

Hu posa sa main sur la porte et dégagea un cercle de puissance. La porte se mit à chauffer et un mécanisme s'enclencha.

Ce qui choqua le plus Killian fut de ne même pas ressentir la magie du militaire. L'énergie dégagée par le Malachor empêchait toute résonnance avec une autre magie, couvrant l'intégralité de l'espace.

- Vous ne semblez pas affecté, comment faites-vous ? demanda Ambre en se tenant la tête, soutenue par Goliath.
- Question d'habitude. Je viens souvent contempler ce que vous allez découvrir afin de me rappeler chaque jour que notre monde peut basculer dans l'horreur à tout moment.

La roue métallique se mit à tourner avant de rester bloquée dans une nouvelle position. Le militaire tira sur un levier et la lourde porte s'ouvrit.
Killian et ses amis pénétrèrent dans un vaste hall, haut de plus de vingt mètres. Dépourvu de décoration ou autre ornement inutile, ce n'était qu'un cube sans fenêtre, aux parois, sol et plafond en béton. Des projecteurs éclairaient la pièce dans sa totalité et une série de L.E.D rouges clignotaient un peu partout.

À deux mètres du sol, lévitant comme par magie, un cercle de métal aux proportions démesurées se présentait à eux. L'objet dégageait quelque chose de malsain, comme si la noirceur du monde était concentrée uniquement en ces lieux.

L'objet mesurait une dizaine de mètres de diamètre sur un bon mètre de hauteur. Creux en son centre, le métal faisait tout de même presque cinquante centimètres d'épaisseur.

Le maitre des runes réalisa l'ampleur du génie qu'il avait fallu pour forger pareil ouvrage, surtout à l'époque. Il se souvint de la quantité d'énergie qu'il lui avait fallu pour ne serait-ce que modifier l'aspect de deux poutres de chemin de fer, le jour de son épreuve. Alors forger pareil instrument, à l'époque, avait dû être un véritable défi pour son créateur.

Leur guide s'avança pour venir se placer au centre de la pièce, sous la prison du Malachor.

- Enchanteur, venez par ici.

Killian hésita et il sentit la main de sa fille ainée le saisir par le bras.

- N'y va pas ! Cette chose, elle est horrible.

Des larmes coulaient sur le visage de la petite fille qui semblait avoir du mal à tenir debout. Il la prit dans ses bras pour la porter jusqu'à Arthur qui fixait l'objet en suspension avec une attention particulière.

- Prends-la s'il te plait.

Le démon s'exécuta, se retrouvant avec les deux petites filles à porter, mais il ne s'en plaignit pas. L'Enchanteur put voir Goliath faisant la même chose avec Ronce qui était au bord du malaise tout en soutenant Ambre qui haletait.

Le maitre des runes prit la décision de faire sortir tout le monde, conscient que la situation n'était pas tenable. Peu importe ce que le maitre des lieux tenait à lui montrer, cela attendrait.

Mais une énergie nouvelle envahit la pièce. Trois cercles de puissance apparurent derrière eux et lorsque le maitre des runes se retourna, il put voir un Lux rayonnant de puissance. Son corps n'était plus qu'un flot de lumière ininterrompu et l'aura qu'il dégageait semblait faire fuir la présence du Malachor qui hurla pour aller se réfugier dans sa prison de ténèbres.

L'homme politique, toujours au centre du cercle de métal, en resta bouche bée, signe qu'aucun mage de lumière avant Lux n'avait réussi pareil exploit.

- Bien joué mon ami ! cria Killian qui se sentit libéré de la pression mentale qu'exerçait le monstre sur sa personne.
- Ne te réjouis pas trop vite, lui répondit l'intéressé. Je ne tiendrai pas longtemps, il est puissant, rien à voir avec ce que nous avons connu par le passé. Il est loin et pourtant, il est capable de me défier avec une rage dont tu n'as pas conscience. Va !

Les compagnons se détendirent à l'exception du plus vieux membre du groupe qui semblait tendu comme un arc.

Killian courut vers le centre de la pièce, conscient du peu de temps qu'il avait devant lui. Lorsqu'il arriva au niveau de Hu, il put constater qu'un grand nombre de runes étaient gravées sur la face intérieure du cercle de métal. À sa grande surprise, les runes étaient blanches.

- Qu'est-ce que cela ? Je n'ai jamais vu de telles runes.
- Là n'est pas notre problème, regardez la structure de plus près.

Le maitre des runes obtempéra et s'approcha à grands pas du métal. Ce dernier n'était qu'un vulgaire morceau de fer démesurément grand. Les runes blanches brillaient d'une lumière douce, bien plus faible que celle qu'il possédait sur son propre corps.

- Je ne vois rien d'anormal.
- Regardez de plus près.

Killian approcha plus près son visage. Il ne lui fallut que quelques secondes pour comprendre l'horreur qu'il avait sous les yeux.

Le métal était fissuré à de multiples endroits. Certaines runes étaient presque éteintes. La rouille avait commencé à ronger certaines parties du cercle, laissant s'échapper de fines particules au sol.

- Mon Dieu ! La prison…

- Elle se détériore. Afin de la maintenir le plus longtemps possible en état de fonctionnement, nous avons construit cette pièce qui est en fait le plus grand aimant au monde. Il exerce une pression constante sur la structure dans son intégralité pour l'empêcher de se disloquer. Son créateur était certainement un génie, mais il avait sous-estimé une chose importante.
- Le temps, finit Killian en chuchotant à la place de Hu. Le fer n'est pas un métal avec une durée de vie infinie. C'est déjà un miracle qu'il ait tenu aussi longtemps.
- Surtout là où nous l'avons trouvé.
- C'est-à-dire ?
- À dix mètres sous la terre, ici même. Nous n'avons même pas osé le transporter. Nous l'avons simplement surélevé.
- Sortons d'ici, mais cette discussion est loin d'être finie.
- J'en ai parfaitement conscience.

Ils se retrouvèrent au dernier étage de l'édifice. Les Wizards étaient plongés dans leurs réflexions à l'exception de Lux qui sirotait un thé pour se remettre de ce qu'il venait d'accomplir.

- Mage blanc, commença l'homme politique. Vous forcez mon respect. Nous n'avions jamais réussi pareil exploit. Je me demandais si la rumeur concernant les Wizards était vraie, vous venez de m'en donner la preuve.
- Merci, Mr Wang, répondit le vieil homme, incapable d'en dire plus.

Goliath, qui ne supportait plus cette attente silencieuse, commença à exprimer à haute voix ses pensées :

- Donc, si je résume bien la situation, on a d'un côté un taré qui veut ressusciter le Malachor et de l'autre une prison qui va nous lâcher dans un temps…

  Il laissa sa phrase en suspens, laissant son hôte finir à sa place.
- Nous n'avons pas réussi à définir pendant combien de temps la prison va rester active.
- Super ! s'exclama le Corporem. On est vraiment bien avancé ! Et maintenant, que faisons-nous ? Tu peux la réparer, Killian ?

Le maitre des runes leva la tête et ferma les yeux. Il réfléchissait à cela depuis un moment et était arrivé à une conclusion bien décevante.

- Je ne pense pas que ce soit une bonne idée.

- Pourquoi ? demanda Hu l'air particulièrement déçu.
- Pour commencer, les runes qu'il y a sur le cadran intérieur me sont inconnues. Leur couleur, leur pouvoir, c'est un véritable mystère pour moi. Après, le métal est particulièrement abîmé et par conséquent friable. Je n'ai aucune idée de ce qui pourrait arriver si je détériorais l'une des runes ou la structure en elle-même.

Goliath ne semblait pas spécialement satisfait de la réponse, comme le reste des membres des Wizards.

- Alors quoi ? On attend que l'ordre du dernier divin vienne le libérer ou que le temps s'en charge ?

Ambre allait intervenir pour calmer son compagnon, mais ce fut Ronce qui s'immisça dans la conversation à la plus grande surprise du reste du groupe.

- Il reste le plan de la Furia, non ?
- J'allais y venir, répliqua Killian. Ce n'est pas franchement pour me plaire, mais nous n'avons pas tellement le choix.

Mr Wang parut sceptique et fronça les sourcils :

- Vous parlez de la fille de ce monstre ? Peut-on lui faire confiance ?
- Absolument pas, répliqua le maitre des runes. Mais je n'ai rien d'autre à proposer. Il nous faut maintenant trouver cette « clé » et la ramener ici pour pouvoir détruire la prison.

Une fois de plus, l'Asiatique ne sembla pas vraiment adhérer au plan :

- Je ne vous cache pas que l'idée d'approcher une clé de cette chose ne me rassure pas, imaginez que vous vous soyez fait duper et que cette clé ouvre notre monde au Malachor.
- Ce qui parait bizarre, intervint Lux, c'est que la prison ressemble au symbole de l'ordre du dernier divin.

Tout le monde contempla le mage de lumière qui avait repris quelques couleurs et qui regardait l'horizon, comme si de rien n'était. Il surprit l'étonnement dans le regard de ses compagnons et haussa les épaules :

- Vous n'aviez rien remarqué ? Un grand cercle incomplet ! C'est cocasse. Je ne sais pas s'il y a un rapport, mais j'ai une théorie sur les runes de couleur blanche.

Lux se leva pour s'approcher de Killian.

- Lève ton épée, mon garçon.

Killian s'exécuta sans même réfléchir, piqué par la curiosité.

- On est plutôt novices dans ce domaine, mais...

Le mage de lumière se concentra. Se sentant encore très faible, il n'osa pas dépasser le premier cercle de puissance. Son énergie se concentra dans le creux de sa main et une lumière légèrement bleutée s'en dégagea.

- Vas-y Killian, fabrique une nouvelle rune au travers de ma magie. Souviens-toi, Tindarius était accompagné de douze mages de lumière pour vaincre le Malachor.

Le maitre des runes positionna sa lame sous la lumière et se concentra. Voulant mettre toutes les chances de son côté, il ne dégagea lui aussi qu'un seul cercle de puissance, afin d'équilibrer la magie des deux sorts. Il visualisa dans son esprit ce qu'il désirait comme effet et laissa la magie couler dans celle de Lux pour finir dans son épée.

Quand le processus fut terminé, tout le monde put voir la nouvelle rune sur le bout de la lame. Elle était d'une blancheur immaculée, mais ne brillait pas avec une grande intensité.

Le mage de lumière s'effondra sur une chaise, le souffle court :

- Voilà au moins un mystère de résolu, ne m'en demande pas plus pour aujourd'hui.

Killian ne répondit pas. Il était en admiration devant le travail accompli. Son cerveau s'activait à savoir comment utiliser cette nouvelle information.

- On pourrait donc refaire une prison ?

Lux regarda son ami avec bienveillance. Il n'était pas du genre à vouloir donner de l'espoir pour rien, mais l'encouragement était toujours bon à entendre.

- Je pense qu'il reste encore beaucoup de chemin à faire. Mais nous tenons là le début d'une piste.

Le ministre se leva, très excité par la situation. Ce qu'il venait de voir lui redonnait enfin l'espoir qu'il avait perdu au fil des mois et c'est avec euphorie qu'il s'adressa aux compagnons.

- Restez avec nous ! je vous en prie. Je mettrai à votre disposition des mages de lumière pour que votre ami ne s'épuise pas et vous aurez un accès libre à la prison pour l'étudier.

Le maitre des runes regarda ses amis afin d'obtenir leur avis. Il put constater que les enfants ne semblaient pas vraiment comprendre la situation. Lux se remettait doucement de ses émotions et Goliath fit un signe de tête indiquant son indifférence. Seule Ambre semblait perdue dans ses réflexions.

- Un souci Ambre ?

La jeune fille regarda son ami comme pour le jauger. Elle semblait partagée entre l'idée de se taire et partager avec lui le fond de ses pensées.

- C'est une bonne idée, mais assez aléatoire. Tu vas peut-être trouver comment refaire une prison ou buter sur un problème pendant des semaines. Je serais d'avis de ne pas négliger la piste de la Furia.
- Tiens donc, tu étais la première...
- Oui, je sais ! Mais elle avait raison pour la prison. Devons-nous, en sachant cela, ignorer totalement ses recommandations ? Imaginons qu'elle ait raison pour la clé ?

Killian s'enfonça dans son siège et se mit à réfléchir aux paroles de la mage de feu. Ambre n'était pas du genre à changer d'avis facilement. La voir ainsi jouer la carte de la sécurité ne rassura pas le maitre des runes.

- Je ne vais pas pouvoir travailler sur l'étude de la prison et faire les recherches avec vous. Lux non plus d'ailleurs.
- On va se charger de trouver la clé, répondit la mage de feu avec assurance.
- Hum.

Tout le monde se tourna vers Hu qui semblait gêné, comme un petit garçon pris en faute.

- Pour être honnête, je pense que nous sommes en possession de la clé. Même si je n'en suis pas certain.

L'incompréhension se lisant sur tous les visages, il enchaina rapidement :

- Comprenez bien, vous dites que cette clé se trouverait « au sommet du monde » ? C'est bien cela ?
- Oui, répondit timidement Killian.
- Depuis le retour de la magie, un temple nous est interdit. Nous savons, par des écrits, qu'une relique y est cachée. Les moines qui y vivent sont d'étranges personnages, mais sont vénérés par notre peuple et notre gouvernement. Nous n'avons jamais osé y entrer de force.
- En quoi cela a-t-il un rapport avec notre affaire ? répondit Goliath.

L'homme politique planta ses yeux dans ceux du Corporem et annonça d'une voix tendue :

- Ce temple est dans les cavernes du mont Makalu, qui veut dire Malachor en mandarin. Il a été pendant très longtemps un lieu de prière que l'on nommait : le toit du monde.

Les compagnons restèrent sans voix en écoutant la nouvelle. Ambre fixa Killian d'un air satisfait :

- Voilà une bonne nouvelle. Reste ici avec Lux, on va partir pour ce temple et revenir avec la clé. On verra après quelles seront nos options.
- Bonne idée, répondit Killian. Prends tout le monde avec toi, Lux et moi nous serons en sécurité ici, pour le moment.
- Je crains, Enchanteur, que ça ne soit pas si facile.

L'intervention de Hu brisa l'élan de positivité que la nouvelle avait créé. L'homme politique se leva et arpenta la pièce, cherchant les mots pour bien se faire comprendre.

- Ce temple nous est interdit. Les moines ont fait vœu de silence et la seule chose que nous savons, c'est que ce sont eux qui choisissent qui est autorisé à y pénétrer. De plus, l'ascension est délicate. Je vous parle de quatre mille mètres d'ascension avec une température à moins vingt degrés. C'est dans une passe où aucun appareil n'osera s'engager. Les vents y sont terribles.

Killian réalisa l'ampleur de la tâche et surtout ce que cela impliquait.

- Vous êtes en train de me dire que vous refusez de les obliger de nous recevoir ?
- C'est exactement cela. Tous ceux que nous avons envoyés sont revenus bredouilles, certains ont même péri dans l'ascension. Cette montagne, depuis le retour de la magie, est comme possédée. Contrairement à vous, nous respectons les traditions et les temples bouddhistes ne doivent pas être violentés, jamais. De plus, sachez que beaucoup ont renoncé après avoir commencé l'ascension, c'est une véritable épreuve. Seul un homme a réussi à y rentrer et nous ne l'avons jamais revu.
- Qu'est-ce qu'il avait de différent ?
- C'était un mage de l'eau.

Pour la première fois, la petite Icy releva la tête. Cette discussion, depuis le début, ne l'intéressait pas. Elle attendait le moment propice pour justement dire à son père qu'elle resterait ici. Pas par peur, mais uniquement, car son ennemi risquait de venir précisément là où elle se trouvait actuellement.

Or, elle put voir les visages se tourner lentement vers elle, comme si en un instant, elle devenait le personnage principal d'une pièce de théâtre.

Elle allait se mettre à crier qu'il était hors de question qu'elle y aille, mais elle croisa le regard de son père. Ce dernier la regardait comme si l'on venait de lui arracher le cœur.

Icy réalisa la souffrance qui devait lui matraquer le cerveau à cet instant précis. D'un côté, on parlait de sa fille chérie, qu'il ne voulait exposer à aucun danger et de l'autre, sauver le monde.

Ce fut Ambre qui parla la première, consciente que la situation devenait critique :

- On va avoir un vrai problème. Killian, je ne vais pas pouvoir monter là-haut. Personne ne va pouvoir et il est hors de question qu'elle monte seule.

Elle se tourna vers Hu, le visage suppliant.

- Il faut envoyer d'autres mages de l'eau de cette académie, qu'ils rentrent dans ce temple et qu'ils nous disent ce qu'ils y trouveront !

La colère dans la voix de la mage de feu surprit tout le monde, surtout Icy.

- Il est hors de question qu'on envoie Icy là-bas ! Je vous préviens, le premier qui ose ne serait-ce qu'en faire la suggestion...
- Je vais y aller.

Ambre, coupée dans son élan de colère, regarda la petite fille qui venait de prendre la parole. Les mots lui manquaient, elle était partagée entre l'idée d'aller la prendre dans ses bras et de s'enfuir avec, ou de la secouer comme un prunier en lui hurlant dessus.

Icy, quant à elle, fixait son père d'un œil plein de compassion. Elle l'avait tellement déçu par le passé qu'elle allait lui prouver sa véritable appartenance aux Wizards. Mettant de côté ses intentions personnelles pour faire passer l'intérêt du groupe, du monde, en priorité.

Elle serra les poings et tout le monde vit une larme couler sur sa joue. Elle se maudit de montrer ainsi de la faiblesse, car tous devaient penser qu'elle avait peur. En fait, ses larmes étaient celles de la colère : elle priait intérieurement pour que les Corporems n'attaquent pas durant son absence.

- Tu n'iras pas seule, dit une grosse voix derrière elle.

Elle se tourna pour faire face à Goliath qui la regardait avec beaucoup de fierté. Avait-il compris ? se demanda la petite fille. Quoi qu'il en soit, il regarda son père dans les yeux et annonça d'une voix forte :

- J'y vais avec elle.

Chapitre 10

Les Wizards étaient installés dans un appartement relativement grand, réservé en temps normal aux visites officielles du gouvernement chinois.

Situé au premier étage de la tour, il n'offrait pas la superbe vue de la salle de conférence, mais son confort et ses équipements laissèrent sans voix le groupe d'amis.

Hadès, Ronce et Lux s'installèrent confortablement dans le canapé du petit salon alors que les autres allèrent s'enfermer dans une chambre afin de « parler » de la situation.

Hu était derrière le comptoir d'un petit bar pour se servir un whisky et proposa au mage de lumière un verre afin de se remettre de toutes ces émotions.

- Sans façon. Je sens que je vais bientôt devoir intervenir dans la discussion de l'autre pièce, même si je m'en passerais bien !

En effet, on pouvait entendre Ambre et Goliath se crier dessus, alors qu'Icy et Killian restaient silencieux.

- Le sujet est délicat, répondit Hu en buvant une gorgée de son nectar. Je ne saurais pas quoi faire si cela devait m'arriver. Il y a une grande complicité dans votre groupe, c'est chose rare dans le monde de la magie.

Hadès regarda son démon qui dormait paisiblement en boule dans un coin de la pièce. Elle prit une petite couverture et lui posa dessus, à la plus grande surprise de l'homme politique.

- Il est aussi très rare de voir un tel comportement entre une démoniste et son familier, surtout avec un démon majeur.

Lux et la petite fille regardèrent leur interlocuteur avec attention.

- Vous ne savez pas, n'est-ce pas ?

Hadès regarda Lux sans comprendre, mais ce dernier ne semblait pas plus avancé, même totalement perdu.

- Je ne suis peut-être pas le mieux placé pour vous en parler. Je vous invite à vous rendre demain matin dans les deux étages de cette tour qui sont réservés à votre obédience. Je vais les avertir de votre visite.

La porte de l'une des chambres s'ouvrit pour laisser sortir une Ambre rouge-écarlate. Cette dernière fonça droit devant elle pour se diriger vers l'ascenseur. Personne n'osa lui adresser la parole et c'est dans un parfait silence qu'elle disparut, engloutie par les portes de l'appareil.

Icy, Goliath et Killian sortirent peu de temps après elle. Ce dernier semblait amorphe. Le mage de lumière se dirigea vers lui et lui posa une main sur l'épaule. Le maitre des runes regarda sa fille avant de reporter son attention sur son ami.

- Alors ? Qu'avez-vous décidé ?
- Icy partira demain avec Goliath pour le mont Makalu.

Il se tourna vers Hu, tel un zombie.

- Monsieur le ministre, je sais que nous sommes ici depuis peu de temps et vos invités malgré notre approche peu orthodoxe. Mais j'ai un service à vous demander.

L'homme politique chinois, qui en profita pour servir quatre verres de whisky, ne releva même pas la tête.

- Vos amis auront une escorte. Elle vous attendra demain matin à la première heure.

Il prit les quatre verres entre ses doigts et les distribua. Killian n'avait jamais été un grand fan de cet alcool, mais il but le sien cul sec, ce qui lui brûla la gorge, mais eut le mérite de lui remettre les idées en place.

Il n'en voulait pas à Goliath. Ce dernier avait lourdement insisté pour ce voyage, mettant en avant l'importance de la piste avancée par la Furia. Ils avaient du temps, l'utiliser à bon escient était primordial au vu de la situation.

En définitive, Ambre était furieuse contre elle-même. C'est elle qui avait la première émise l'hypothèse d'aller chercher la clé. Devoir insister pour ne pas suivre sa propre idée s'était retourné contre elle. Goliath savait parfaitement cela et préféra laisser à sa compagne du temps pour se calmer.

Icy s'installa à côté d'Hadès qui regardait une chaine du câble avec la petite Ronce. Elle n'avait pas spécialement peur. Contrairement aux autres, l'idée de partir dans un milieu froid et hostile lui plaisait.

- Merci. Je voudrais bien accompagner ma fille, mais...

- Votre place est ici, la sienne est ailleurs. Le destin nous joue parfois des tours dans la vie, à nous de l'accepter ou de nous y opposer, répondit Mr Wang.
- Êtes-vous en train de me dire que je devrais partir avec elle ?

Hu porta le verre à ses lèvres et but une longue gorgée avant de regarder le maitre des runes dans les yeux.

- Non. Mais je comprends votre envie de le faire. Je n'aimerais pas être à votre place. Je vais vous laisser, il faut que j'organise le transport pour demain et je vais aussi former une escouade pour aller espionner les Corporems. Garder un œil sur eux pourrait nous donner l'avantage.
- Bonne idée.
- Après le départ de votre fille et de Goliath, nous parlerons aussi de vous. Nous savons peut-être des choses sur votre obédience que vous ignorez, au même titre que votre fille ira faire un tour chez nos démonistes.

Killian médita un moment sur ces paroles. Entre voyager à travers le monde ou penser à la protection de leur académie, en apprendre plus sur son obédience n'avait jamais été sa priorité. Or, le Vatican lui avait déjà montré que le sujet n'était pas sans importance.

- Et pour nous ? plaisanta Lux tout en se désignant avec Ronce.

Leur interlocuteur se mit à rire, l'air un peu embarrassé.

- En ce qui vous concerne, je pense que vous devriez venir pour nous enseigner des choses et non l'inverse. Votre prestation dans la salle du Malachor était impressionnante.
- Et moi alors ?! s'époumona la petite Ronce. Moi aussi je peux être impressionnante !

L'homme leva les mains en signe de reddition.

- Je n'en doute absolument pas, votre réputation n'est plus à faire.

Tout le monde sourit, appréciant ce moment un peu moins sérieux. Killian aperçut Goliath qui se dirigeait discrètement vers l'ascenseur. Son ami s'en rendit compte et lui fit un sourire timide, avant de disparaitre.

Le Corporem ne voulait pas partir en laissant un conflit naitre avec Ambre. Il sortit du bâtiment pour se retrouver au milieu du camp militaire.

Il chercha du regard sa bien-aimée, mais sans résultats. Il déambula un moment, saluant les soldats qui le regardaient bizarrement.

« Autant chercher une aiguille dans une botte de foin. » Se dit-il à lui-même.

Il savait que la mage de feu aimait s'isoler lorsqu'elle était contrariée et particulièrement depuis son séjour dans le corps d'un phénix.

Ses pas l'amenèrent au pied de la merveille qui se dressait devant lui : la Grande Muraille de Chine.

« Autant en profiter, en plus de là-haut j'aurai de la hauteur pour chercher Ambre ».

Il grimpa les marches quatre par quatre et se retrouva rapidement sur le chemin de ronde ancestral. Il resta là un moment, silencieux. La journée avait passé tellement vite que le soleil avait déjà commencé à décliner, affichant un tourbillon de couleurs à l'horizon. Il bailla à s'en décrocher la mâchoire, se rappelant que sa dernière nuit de sommeil confortablement installé remontait à deux jours.

- Ce n'est pourtant pas encore l'heure de dormir.

Il tourna la tête pour faire face à Ambre. Assise sur un rempart encore intact, elle regardait le soleil qui illuminait son visage et ses cheveux couleur de feu.

Il approcha doucement, réfléchissant aux mots qui pourraient l'apaiser :

- Écoute.
- Ne t'en fais pas, je ne suis pas en colère.
- Ce n'est pas vraiment ce que j'ai pu constater il y a encore quelques minutes.
- C'était nécessaire.

Sa mâchoire en tomba. Il pensait trouver sa compagne encore hystérique, devoir au début crier, puis se radoucir, la faire rire et pour finir la prendre dans ses bras.

- Nécessaire ? Ce n'était pas nécessaire qu'on s'engueule !
- Si, pour Killian.

Passée la surprise, le Corporem tenta de résoudre l'énigme des paroles de la belle Ambre qui le regardait avec tristesse. Il vint s'asseoir à côté d'elle et d'instinct elle posa sa tête sur son épaule.

- Je ne comprends pas, en quoi Killian…
- Il est terrorisé. Il ne s'attendait pas à ce que sa fille se retrouve sur le devant de la scène. Il l'a emmenée avec nous pour qu'on la surveille, pas pour qu'on lui confie une mission aussi importante et dangereuse. Il ne pouvait pas montrer sa désapprobation, cela l'aurait décrédibilisé face à Hu, comme chef de notre groupe.

Goliath n'avait pas du tout pensé à cela. Il imagina un instant se mettre à la place du maitre des runes. Même si Ronce n'était que sa fille adoptive depuis moins d'un an, aurait-il accepté pareille situation ?

- Même si cela me coûte, continua-t-elle, je suis d'accord avec toi. Icy est la mieux placée pour cette mission et l'expérience nous a déjà montré par le passé que nous ne pouvons faire confiance à personne. Tous ces Chinois sont au courant de la menace depuis plus de trois ans et personne n'a jugé bon de prévenir les autres nations.

Caressant sa chevelure, Goliath écoutait sa dulcinée sans piper mot. Elle avait raison sur toute la ligne. Autant sur les capacités extraordinaires d'Icy que dans le comportement de cette académie.

La mage de feu tourna son visage vers le sien. Elle le regardait avec un sérieux rare, mais il y avait quelque chose d'autre qu'il eut du mal à percevoir : de l'inquiétude. Il voulut lui caresser le visage, mais elle lui attrapa la main, l'empêchant de la déconcentrer :

- Fais attention à ces moines.
- Allons mon cœur, ce n'est pas une poignée de moines qui vont…
- Je ne rigole pas ! dit-elle avec tellement de hargne que l'air détendu du Corporem disparut en un éclair. Souviens-toi du Vatican, de ce que l'académie de Caracas nous a raconté sur le culte musulman et ce qu'on a vécu à cause des pourfendeurs d'Allah !

Le Corporem se ressaisit. Il fit le rapprochement entre les différents évènements et les responsables :

- Les religieux.
- Oui, on ne peut pas dire qu'ils aient été de notre côté pour le moment. Je pars du principe qu'ils ne feront pas exception à la règle. Crois-tu qu'ils aimeraient que tout le monde sache que Bouddha n'était peut-être qu'un Mentalus très puissant qui bernait tout le monde, se faisant passer pour l'être le plus charismatique de l'Orient, insufflant la bonne parole ? Ou un mage de l'air capable de faire léviter sa personne ? Quoi qu'il en soit, ils connaissent, comme les autres, le secret de la magie depuis le début et n'ont rien dit !

Ils revinrent tous les deux ensemble à l'appartement. Les mages leur portèrent un repas qui leur fit du bien après cette journée et les filles de Killian restèrent un long moment au téléphone avec leur mère, malgré le décalage horaire. D'elle-même, Icy cacha son départ pour le mont Makalu, espérant que tout se passe bien. Elle put voir par la suite le conflit intérieur dans le regard de son père.

Ils dinèrent rapidement et tout le monde partit se coucher tôt, espérant que la nuit porterait conseil. Killian, qui partageait sa chambre avec ses deux filles (et Arthur !) se leva en pleine nuit pour boire, ne trouvant pas le sommeil, certainement à cause des ronflements du démon. Du moins, c'est ce qu'il essayait de se dire, alors qu'il connaissait très bien la véritable raison : le départ de sa fille ajouté à ce qu'il venait de découvrir sur la prison du Malachor assombrissait l'avenir de ce voyage.

Il s'appuya sur le comptoir de la cuisine et souffla. Il aurait aimé trouver une solution adéquate à la situation, ne pas exposer sa propre fille au danger, réparer la prison du Malachor d'un coup de baguette magique !

« Que tu es drôle Killian, un coup de baguette magique !» se dit-il en s'amusant lui-même.

- Toi non plus, tu ne trouves pas le sommeil ?

Killian leva la tête et fut surpris de trouver Lux sur le canapé.

- Il n'y avait pas assez de chambres ?
- Bien sûr que si, je suis avec Ronce, mais le sommeil ne vient pas.

Le maitre des runes vint s'installer à côté de son ami et tenta une approche comique :

- Elle ronfle aussi fort qu'Arthur ?
- Même pas ! Avec tout ce qu'elle a vécu dans sa vie, elle arrive à dormir comme un bébé.
- C'est vrai ? Alors que t'arrive-t-il ?

Le mage de lumière se pencha en avant, appuyant ses coudes sur ses genoux. Pour la première fois, l'âge plus avancé de son ami frappa Killian. Ses traits étaient tirés, son teint était plus pâle que d'habitude.

- J'ai un mauvais pressentiment.
- Sur Icy ? Leur voyage ?

L'homme posa une main sur l'épaule du père de famille pour le rassurer et le calmer.

- Non. Vois-tu, lorsque j'ai repoussé le Malachor, nous nous sommes, comment dire ? Nos pensées se sont heurtées. Ce ne fut qu'un simple effleurement, mais j'ai pu apercevoir une partie de ce qu'il est vraiment.
- Et ça donne quoi ?
- Là est justement le problème. Il ne souhaite rien d'autre que...

- Que ?
- Se venger, de toi.

Le maitre des runes fixa son ami avec incompréhension. En quoi le Malachor avait-il des raisons de lui en vouloir ?

- Quelle idée stupide, nous ne nous sommes jamais rencontrés.
- Pas toi, Killian. Toi, le maitre des runes. Il a pensé à lui pendant plus de mille ans. Sa haine envers ton prédécesseur est palpable, elle hante son esprit, seconde après seconde depuis un millénaire. S'il sort de cette prison, il fera tout pour te détruire et ensuite seulement, il nous massacrera tous. Cette créature ne prend du plaisir que dans le combat, c'est une véritable abomination.

Fixant son verre d'eau comme si la solution à ses problèmes s'y trouvait, Killian ne répondit rien, laissant son ami perplexe.

- Killian ? Tu as entendu ce que je viens de dire ?
- Oui. N'en parle à personne d'autre s'il te plait.

Son ami plissa des yeux en essayant de découvrir ce qu'il avait derrière la tête.

- Ne fais pas l'imbécile Killian. Jouer au héros ne nous aidera pas.
- Personne ne parle de jouer au héros, mais je compte bien utiliser cette information à mon avantage.

Vautrée dans son trône fait d'ossements, elle attendait ce moment avec impatience.

- Que c'est long ! s'exclama la Furia.
- Vous ne devriez pas faire confiance aux humains, lui répondit Bashanor avec dégoût.

Hélas, il avait parfaitement raison. Certains humains, comme ce Killian, pouvaient la surprendre. D'autres, comme cet Antonio, n'étaient bons qu'à être manipulés.

- C'est un fanatique, il fera ce que je lui ai dit, c'est l'intérêt d'un fanatique d'ailleurs.
- Vous êtes différente depuis votre dernier passage dans leur monde.

Elle toisa son serviteur avec une froideur rarement égalée. Pour la première fois depuis sa dernière résurrection, elle hésita à occire le pauvre Bashanor qui plia un genou à terre sous le regard oppressant de sa maitresse.

Elle n'était pas différente, elle était angoissée. Fasciner l'ecclésiastique avait été un jeu d'enfant. Terroriser le maitre des runes avait été épuisant et risqué. Le pire étant de ne pas savoir si cela avait fonctionné.

Mais ce dragon l'avait humiliée. Ce n'était pas la première fois de sa vie que cela arrivait et l'Elronesh à genou devant elle en savait quelque chose. En revanche, cela ne lui était plus arrivé depuis un demi-millénaire.

Naox restait pour elle un véritable mystère. Elle avait questionné Bashanor sur les capacités d'un dragon d'or, mais il lui apprit qu'il n'avait même pas connaissance de cette race de dragon.

Dans quel camp était-il ? Il semblait détaché de tout. Elle ne vit qu'à un seul moment de l'intérêt chez la créature : la petite Ronce.

- Décidément, cette petite fille ne laisse personne indifférent.

Elle remarqua Bashanor qui semblait s'être transformé en statue de pierre, le genou à terre.

- Relève-toi, l'envie de te tuer m'est passée. Mais ne me parle plus de mon état d'esprit.

Il se releva sans dire un mot, pas vraiment rassuré. Il hésita un moment avant de prendre la parole. Devait-il s'excuser ? Ou bien faire comme si de rien n'était et passer à autre chose ?

Il prit sa décision et leva la tête pour s'adresser à sa maitresse. Il la trouva inerte sur son trône, comme si la vie l'avait quittée en un instant.

Il s'assit sur le sol en tailleur et dégrafa une partie de sa lourde veste en cuir.

- Alors finalement, ils l'ont fait.

La Furia ouvrit les yeux et un chagrin immense l'envahit. Un voile rouge couvrait son champ de vision, l'incitant à massacrer tout ce qu'elle verrait.

Elle se força à se calmer et reprit le contrôle de ses émotions, non sans effort. Son souffle ralentit et ses muscles se détendirent. Elle fouilla rapidement la mémoire de son nouvel hôte et une vague de dégoût l'envahit. Elle ne connaitrait donc jamais une histoire qu'il lui plairait de lire…

Elle ouvrit les yeux pour les poser sur un homme à genoux devant elle. L'un de ses bras pendait le long de son corps pour venir se planter dans le sol rocailleux qui se trouvait devant lui. En guise de main, une lame faite d'os était présente, signe qu'elle se trouvait en face de la bonne personne.

En tournant la tête, elle put voir une femme et un petit garçon morts, égorgés, juste à côté d'elle.

Assise et attachée à une chaise, elle était éblouie par les phares d'une voiture qui illuminait la clairière plutôt glauque dans laquelle elle se trouvait.

- Je ne te félicite pas pour la mise en scène, tu aurais pu m'éviter ça.

L'homme répondit sans se relever ni la regarder.

- Je vous présente mes excuses, vous invoquer a été beaucoup plus difficile que prévu. J'ai caché les cadavres précédents, mais celui-ci a craqué très rapidement.

« Rapidement ! » se dit la Furia avec horreur, « tu viens de massacrer sa femme et son fils sous ses yeux ! ».

- Détache-moi, nous devons parler.

L'homme s'exécuta une fois de plus sans parler. Libre, la Furia s'étira. Elle respira et apprécia l'air qui l'entourait. Le temps était glacial, mais cela ne l'affecta pas, seul le corps de son hôte en souffrait.

- Alors, comment évolue ta quête, mon enfant ?

Elle vit une étincelle de plaisir dans le regard de l'homme. « Quel imbécile ! Les fanatiques sont vraiment les pires humains qui peuplent cette planète ».

- Tout se passe à merveille. J'ai trouvé des alliés puissants. Nous attendons votre signal, comme prévu. Nos espions vous ont donné une fois de plus raison, les Wizards sont arrivés à l'académie et ils vont partir pour faire ce que nous sommes incapables de faire : récupérer la clé.
- Très bien. Pas de nouvelles du dragon ?
- Aucune.

La Furia réfléchit un moment. Tout se déroulait comme elle l'avait prédit, mais quelque chose dans l'attitude de l'homme portait à croire qu'il était tendu.

- Quelque chose ne va pas ?

L'homme hésita. Il ne voulait ni la décevoir ni l'inquiéter pour rien. Mais le regard perçant de sa déesse vint à bout de ses réticences :

- Ce n'est pas le maitre des runes qui partira pour le temple sacré, mais sa fille.
- Pourquoi cela ?
- Il semblerait que seule elle puisse récupérer la clé. De plus...

- Parle !
- Il semblerait que les Wizards aient découvert quelque chose. Killian va travailler sur une nouvelle prison magique.

Un petit rire se fit entendre dans la clairière. Il se transforma petit à petit en un véritable fou rire qui laissa Antonio dans la plus grande incompréhension.

- Vous allez bien ?

Consciente du regard étonné de « son disciple », elle essaya de se calmer. Il lui fallait garder son statut de déesse aux yeux de cet imbécile.

- Oui, même très bien. L'imbécilité de cet ignorant est sans limites. Ne t'en fais pas pour cela, qu'il perde son énergie à ça ne me dérange pas.

Elle réalisa néanmoins que l'attitude de son pion ne lui convenait absolument pas. Or, si seulement une personne n'agissait pas comme elle le prévoyait, tout son plan tomberait à l'eau.

- Il n'a pas l'air décidé à faire ce qu'on lui demande.
- Il a toujours été une source d'ennui, répondit l'ancien démoniste.
- Tu vas devoir t'en occuper.
- Avec plaisir, le tuer me procurera beaucoup de joie.
- Non !

La colère de sa déesse le projeta à terre. Terrifié, il plaqua son visage au sol, espérant savoir ce qui avait bien pu la mettre dans un tel état.

- Je t'interdis de toucher à un seul cheveu du maitre des runes ! Tu as compris ?!
- Oui, j'ai cru que…
- Ne crois rien et écoute.

Elle se pencha vers lui et murmura une longue phrase à son oreille. Les yeux d'Antonio s'arrondirent de stupeur et un rictus déforma son visage.

- Oh merci !

La Furia recula pour regarder le fou qui se tenait devant elle.

- Tu as donc bien compris ?
- Oui, ce sera fait.
- Attends le bon moment, comme je te l'ai dit.

Le corps de la Furia chuta au sol. Son hôte venant de mourir, elle n'avait plus sa place dans ce monde. Antonio se releva, encore tremblant, mais heureux.

- Tu peux sortir.

Igor sortit de l'ombre, le visage blafard. Il se dirigea d'un pas tremblant vers l'hybride qui le fixait avec des yeux de dément.

- Alors ? Convaincu ? Je pense que vous avez enfin senti sa puissance.

Le Corporem contourna le corps au sol, comme si le diable en personne l'habitait :

- Qu'est-ce que c'était ? Je n'ai jamais senti une énergie comme celle-là !
- Elle est notre déesse, arrivée dans notre monde pour le sauver et je suis son élu pour faire venir son père dans notre plan d'existence.

Igor ne dit rien, mais son inquiétude venait de franchir un nouveau cap. Cette créature avait un pouvoir immense, on pouvait donc en déduire que son géniteur était de la même trempe.

- J'espère que tu es sûr de toi. Si cette famille de dieux veut s'en prendre à nous, je ne vois pas ce que l'on pourra y faire.
- Pourquoi feraient-ils ça ? C'est nous qui allons leur offrir ce qu'ils désirent le plus : venir dans notre monde !

Attrapant les corps de la femme et de l'enfant, le Corporem regarda son associé de biais, ne laissant paraitre aucune émotion.

- Je te laisse le corps de l'homme, je ne touche pas à ça.

Il partit pour s'enfoncer dans la forêt, laissant Antonio seul, qui méditait sur les dernières paroles de la Furia.

- Oh Killian, qu'il me tarde de te revoir !

La Furia se réveilla sur son trône. Bashanor n'avait pas bougé d'un millimètre, comme à son habitude quand elle s'évadait dans le corps d'un humain.
L'Elronesh remarqua le réveil de sa maitresse et se leva.

- Tout va bien, maitresse ?

Le visage de la jeune femme était de marbre. Sans dire un mot, elle se leva et pointa un doigt vers Bashanor qui la regarda sans comprendre. Un éclair bleu vrilla l'espace et disloqua le corps de son serviteur. La détonation résonna encore de longues secondes et lorsque le silence revint, elle hurla.

C'était un hurlement de rage et de tristesse. Elle ne comprenait pas pourquoi elle se sentait aussi perturbée par l'ordre qu'elle venait de donner à Antonio. Elle avait tué Bashanor pour qu'il ne la voie pas ainsi : faible. Car pour elle, à cet instant précis, elle se sentait faible et vulnérable. Jamais son père n'aurait eu le moindre scrupule à le faire.

Elle tomba à genoux et respira un grand coup, ce qui lui fit mal aux sinus. L'air de ce monde était une véritable horreur. Elle réalisa qu'elle haïssait plus que tout cet endroit. Ces paysages désertiques (bon, elle en était un peu responsable c'est vrai !), ce ciel toujours sombre et sans étoiles, c'était sa prison ou encore pire : son tombeau. Elle aurait pu abandonner, se laisser mourir ici.

Mais non, elle allait se battre pour survivre, pour échapper à cet endroit et pour y arriver, elle ne devait pas avoir peur de faire le nécessaire. Son plan était le bon, elle irait jusqu'au bout !

« Je vais reprendre des forces puis je ferai revivre cet imbécile de Bashanor. Quant à toi Killian, tu vas malheureusement continuer de souffrir à ma place. »

Chapitre 11

Killian regarda sa fille comme s'il la voyait pour la dernière fois, mais il ne dit rien. Il la serra dans ses bras et la garda un moment, pour lui.

- Je t'aime, ma puce.
- Moi aussi, papa.

Il relâcha à contrecœur son étreinte et refoula l'envie de crier qu'il était contre tout ça, sachant au fond de lui que c'était nécessaire.

Il reporta son attention sur Goliath. Ce dernier regardait la vingtaine d'hommes armés monter dans le véhicule militaire qui allait les transporter.

- Goliath...

Le Corporem plongea son regard dans celui de son ami, lui indiquant que les paroles ne serviraient à rien, car il savait pertinemment ce qui allait être dit. Oui, il veillerait sur elle au péril de sa vie. Quoi qu'il en coûte, Icy reviendrait en bonne santé.

Killian lui fit un signe de tête en remerciement et souleva sa fille pour la porter dans le camion.

- Ne prends aucun risque inutile et écoute Goliath.
- Promis.

Le moteur de l'engin hurla au démarrage, sonnant ainsi la fin des adieux. La température particulièrement froide fit greloter les compagnons qui voyaient leurs amis s'en aller.

Hadès vint se coller à son père. Cette attitude le choqua, car peu démonstrative de ses émotions en général, elle avait totalement arrêté avec l'arrivée d'Arthur. Ce dernier semblait être le seul à qui elle puisse se confier.

- Ça va ma chérie ?

- Non, Icy est partie, sans moi. Maman m'avait dit de rester avec elle !

Son père la prit dans ses bras et la serra fort.

- Tu ne peux pas la suivre là où elle va. Goliath prend le relais.

Hu, gêné par la situation, s'approcha du maitre des runes avec discrétion.

- Rentrons, nous avons des choses à vous montrer.

Killian regarda une dernière fois la route qu'avait empruntée le véhicule qui lui avait volé son enfant et tourna les talons.

- Je vous suis, par pitié changez-moi les idées.

Certains auraient pu croire que le challenge était insurmontable. Mais le ministre chinois avait plusieurs cordes à son arc. Il ramena le reste des Wizards dans leur appartement où les attendait un jeune homme.

Âgé d'à peine dix-huit ans, il avait les caractéristiques physiques de son peuple. Yeux en amande, cheveux noirs et un visage d'enfant. Ce qui étonna tout le monde fut la petite créature nichée sur son épaule.

D'une trentaine de centimètres de haut, on aurait dit une belle jeune femme. Sa peau était couleur chocolat et une paire d'ailes à l'image de celles des chauves-souris géantes pendaient dans son dos. De longs cheveux noirs la rendaient particulièrement gracieuse. Ses yeux, en revanche, firent frémir tout le monde : deux petits globes rouges sans pupille les fixaient avec avidité.

- Je vous présente Tehn. Un jeune démoniste de talent, commença Hu. Et voici sa succube. Pour des questions pratiques, je me suis dit que nous serions aussi bien ici pour discuter démonologie que d'aller dans leur quartier.

Les deux intéressés firent un petit signe de la main. La synchronisation dans leur geste fit rire Ronce.

- On dirait une marionnette.
- Pas marionnette.

La petite fille recula, choquée par la voix nasillarde de la créature.

- N'aie pas peur, intervint le jeune homme. Elle n'est pas du tout méchante. Son aspect et sa voix jouent contre elle, mais elle ne te fera rien de mal.

En s'approchant pour leur serrer la main, Ambre put voir deux petites canines dépasser de ses lèvres.

- Cette créature me fait froid dans le dos. C'est bizarre, Arthur ne me fait pas cet effet.

- C'est normal, intervint Tehn. Pyris est une succube, une créature qui manipule le mental de ses proies pour s'abreuver de leur sang. Ton esprit de mage ressent le danger d'une telle créature. Mais Pyris se nourrit uniquement de petits animaux.
- Pyris gentille !

La voix de la petite créature fit frissonner la jeune femme. Hadès s'approcha de la succube et lui sourit. Cette dernière aurait bien voulu lui rendre la pareille, mais le regard d'Arthur l'en dissuada.

- Que se passe-t-il ? demanda-t-elle.

Tehn s'approcha d'Arthur sans le toucher, il tourna autour comme un scientifique devant une découverte.

- C'est bel et bien un démon majeur. Il a l'ascendant sur les démons comme Pyris. Vous vous entendez bien ?

La question surprit les compagnons. C'était la deuxième fois qu'on la leur posait :

- On s'adore, depuis le premier jour. Hein mon grand ?

L'air sérieux du démon disparut instantanément et un grand sourire se dessina sur ses lèvres. Il se frappa le torse avec son poing en signe d'assentiment.

- C'est incroyable, répondit le démoniste. Mr Wang m'a expliqué que vous ne connaissiez pas la différence entre les catégories de démons, permettez-moi de remédier à cela.

Ils s'installèrent dans les canapés afin d'écouter le jeune Tehn :

- Il existe trois types de démons. Les démons mineurs qui sont généralement des démons plus cérébraux qu'autre chose.
- Comme le vôtre ? demanda Lux.
- Exactement. Pyris est un démon mineur : elle est faible physiquement, mais ses pouvoirs sont incroyables et portent sur l'esprit des gens. Elle est capable de faire des choses très complexes, mais elle est très dépendante de moi pour survivre.

Hadès buvait les paroles du jeune homme, avide d'en savoir plus.

- Il y a ensuite les démons combattants. Ce sont des démons avec très souvent des aptitudes physiques importantes. Pour finir, il y a les démons majeurs : ils nous ressemblent par leur aspect humanoïde. Leurs capacités varient beaucoup en fonction de leur maitre. La particularité est que ces démons sont très rarement contrôlables.

Killian fronça les sourcils en regardant celui qu'il avait toujours vu protéger sa fille envers et contre tout.

- Pourrait-il se retourner contre elle ?
- Impossible. Une fois que le lien est fait, un démon donnerait sa vie sans hésiter pour son maitre ou sa maitresse. Vous ne comprenez pas, car vous n'êtes pas l'un d'entre nous : ce démon se trancherait la gorge sans hésiter juste pour lui faire plaisir. Le risque était à sa naissance, le démon aurait pu essayer de la tuer pour être libre et retourner dans son plan d'existence.

Soulagé, le maitre des runes se détendit. Une question en amenant une autre…

- D'où viennent vos démons ?

Le jeune homme se cala dans son fauteuil et jeta un coup d'œil très discret au ministre chinois resté jusqu'à présent silencieux. Ce denier lui fit un petit signe de tête, l'autorisant ainsi à continuer.

- Ils viennent de leur monde. Nous ne connaissons pas l'origine de la connivence qu'il y a entre les démons et les mages, mais nous savons qu'à une certaine époque, les mages se rendaient régulièrement dans ce plan d'existence pour choisir leur démon.

L'annonce choqua les compagnons.

- Ils voyageaient entre les mondes ? demanda Lux sans y croire.
- Pas vraiment, mage de lumière. Voyez-vous, notre obédience est la seule qui s'annonce. Forte fièvre, chute de tension, votre fille a dû particulièrement développer ces symptômes et la naissance a dû être terrible ?

Killian se demanda s'il devait garder secret l'accouchement de sa fille. Mais la sincérité et l'honnêteté dont faisait preuve son interlocuteur l'incitèrent à être le plus franc possible.

- Nous avons effectivement constaté cela et notre académie a créé une salle d'accouchement facilitant l'apparition du démon. Une histoire de jeu de lumière pour créer des ombres particulières.

Ce fut au tour des deux chinois d'être particulièrement surpris et étonnés.

- Est-ce que cela fonctionne ? demanda Hu plein d'espoir.
- Ma fille a fait sortir son démon en quelques minutes, une fois menée dans cette salle.
- Incroyable, murmura Tehn. Il faudra que j'aille visiter votre académie, nous avons décidément beaucoup de choses à apprendre les uns des autres.

Le maitre des runes comprit au son de la voix de son interlocuteur que Freya avait réellement dû faire du bon travail avec sa fille.

Une fois remis de son excitation, le jeune continua son histoire.

- Donc, certains mages avaient réussi à créer un passage vers le monde des démons. Si un démoniste était détecté par ses confrères, ils l'emmenaient là-bas pour lui faire choisir un démon avant la naissance !
- Incroyable ! s'extasia Ambre.

Le visage de Tehn s'assombrit, il ne partageait clairement pas l'optimisme de la mage de feu.

- Beaucoup de tragédies pour peu de réussites. Dès qu'un enfant présentait des symptômes, on l'envoyait aux mages et ces derniers le menaient dans le monde des démons. Cela finissait presque à chaque fois en festin pour ces derniers qui dévoraient les enfants qui n'avaient qu'une simple grippe.

Le sourire disparut sur les visages des Wizards, ils réalisaient que l'on parlait d'une époque où les gens se basaient sur de simples croyances.

- De plus, le danger qui pèse sur notre monde vient de là. Un mage a essayé de rejoindre le monde des démons. Que s'est-il passé ce jour-là ? Personne ne le saura, je pense, mais il atterrit dans le monde du Malachor.

Killian devint plus sérieux, écoutant la suite avec impatience.

- Ce dernier lui laissa la vie s'il lui jurait fidélité et consacrait son existence à trouver un moyen de l'amener dans notre monde. Ce fut l'ère sombre des démonistes qui s'allièrent sous sa bannière pour accomplir la volonté du Malachor.
- Belzebuth… chuchota Lux sans y croire. Il n'y arriva pas, mais son descendant…
- Prit la tête d'un ordre catholique appelé l'ordre des derniers divins et y arriva, finit Tehn avec une pointe de tristesse.

Un long silence prit possession du groupe. Désormais, ils connaissaient toute l'histoire. En y réfléchissant bien, Killian se dit que la première génération de mages avait été une véritable catastrophe pour son monde.

Les guerres de religion au nom de dieux qui n'existaient même pas avaient causé la mort de millions de personnes. Même aujourd'hui leur problème venait principalement d'un fanatique.

Les mages avaient aussi emmené dans leur monde une créature qui avait failli, il y a un millénaire, tous les exterminer.

- Bref, reprit Tehn conscient du malaise créé par son histoire. Le monde des démons est organisé de manière bien différente au nôtre. Il ne connait pas la notion de territoire. Les démons vivent par race en formant des clans. Lorsqu'un démoniste voit sa naissance arriver, un démon disparait de son plan d'existence pour venir dans le nôtre. Il oublie tout de sa vie d'avant et il est mû par un besoin de servir le démoniste. Lorsque ce dernier meurt et uniquement de mort naturelle, le démon est renvoyé dans son monde, plus puissant qu'avant : il évolue, en démon majeur.

Hadès regarda d'un œil nouveau Arthur. Son démon était donc… une deuxième main ? Mais puisqu'il avait déjà servi un mage, cela voulait dire…

- Mon démon a plus de mille ans !

Le jeune homme sourit.

- Tu es très intelligente. Oui, il a plus de mille ans. Il faut une chance incroyable pour qu'un démon revienne dans notre monde une deuxième fois. Tout ce que nous savons, c'est que ces démons sont capables de résister à la tentation de servir leur maitre. Dans leur monde, ils sont considérés comme des princes. Néanmoins, lorsqu'un démoniste réussit à dompter un démon majeur, on peut être sûr qu'il deviendra très puissant.

La petite fille pencha la tête sur le côté. Elle avait beau essayer de se rappeler la naissance d'Arthur, rien ne lui faisait penser qu'elle avait réussi à le dompter. Elle l'avait trouvé magnifique, voilà tout.

- Je vais donc devenir très puissante ?

Tout le monde se mit à rire. Voyant l'incompréhension se peindre sur le visage de sa fille, Killian intervint :

- Tu es « déjà » très puissante. Avant même de devenir une Wizards. N'oublie pas la facilité avec laquelle tu as passé les épreuves.
- Nous avons tous vu ça à la télé, intervint Hu. À vous maintenant, maitre des runes.

L'attention se reporta sur Killian qui ne comprit pas les mots de son interlocuteur. Sans autre préambule, ce dernier sortit une pierre lisse de sa poche. Elle était gravée d'une rune rougeoyante et en un éclair, le bras de son porteur se retrouva au milieu d'un cercle de feu.

Les compagnons, de peur, voulurent s'écarter du mage qui les calma de son autre main.

- Restez assis. Je vous présente une simple rune du feu. Les mages de mon obédience s'en servaient pour décupler leurs pouvoirs, un peu dans le même genre que ce que vous m'avez rapporté concernant Ambre au Mexique avec son armure.

Killian regarda la pierre. Elle était en fait taillée comme un galet, mais c'était du métal et la rune dessus semblait pouvoir être utilisée par n'importe quel être humain.

- J'ai découvert que je pouvais faire cela au Vatican. Des hommes nous ont attaqués avec des armes fabriquées par un maitre des runes.
- En effet, ce que vous ne savez pas, c'est que les maitres des runes précédents en avaient fait leur métier. Ce qui se retourna contre eux.

L'effet de la pierre perdit en intensité pour rapidement disparaitre. Killian se saisit de l'objet pour le regarder. Il n'avait rien d'exceptionnel, mais la rune gravée dessus avait les particularités de celles qui pouvaient être utilisées par n'importe qui.

- Que voulez-vous dire par métier ?

L'homme sembla réfléchir un moment avant de répondre. Ayant la volonté de bien se faire comprendre, il commença l'histoire par son début :

- Nos ancêtres ont mis du temps pour comprendre qu'il n'y avait qu'un maitre des runes à la fois. Même s'ils avaient les téléporteurs, ils n'avaient pas la même facilité de communication qu'aujourd'hui.

Il fit une pause pour boire une gorgée de thé et s'installa plus confortablement :

- Lorsque les maitres des runes réalisèrent cela, ils se mirent, chacun à leur tour, au service d'un mage ou d'un seigneur puissant pour lui octroyer des pouvoirs grâce aux runes. Ils vécurent ainsi dans l'opulence pendant un temps. Nous n'avons pas beaucoup d'informations sur cette période. En revanche, nous en savons plus sur la suivante : conscient du pouvoir que pouvait leur accorder un maitre des runes dans leur camp, un premier seigneur enferma l'un d'entre vous et l'obligea à travailler pour lui, comme un esclave.
- Mais pourquoi ? demanda Ronce.
- Pour le pouvoir et surtout, pour ne pas le perdre. Un maitre des runes peut normalement briser n'importe lequel de ses enchantements. Certains maitres en avaient fait les frais quand l'enchanteur avait changé de camp.

Killian se sentit mal à l'aise, comprenant soudainement le passé d'une grande partie de ses prédécesseurs.

- Ils ont donc vécu en esclaves ?
- Pour la plupart d'entre eux, oui. Dès qu'un maitre des runes mourait, il réapparaissait forcément ailleurs. Tous les seigneurs partaient à sa

recherche : les rois, les papes, les chefs de clans. Peu importe l'époque, le nouveau maitre des runes était traqué comme une bête pour servir à nouveau.

Goliath se frotta les tempes comme s'il réfléchissait à un problème trop compliqué pour lui.

- Pourtant, Tindarius a forgé Excalibur pour lui et il ne semblait pas esclave de qui que ce soit ?

Un sourire se dessina sur les lèvres du ministre chinois qui s'amusait de connaitre la fin de l'histoire.

- Tindarius a tué tous ceux qui désirèrent l'enfermer. Il fut le premier capable de réaliser pareil exploit et il brisa ainsi le cycle infernal dans lequel son obédience était tombée. Il vécut une partie de sa vie en Europe, mais il vint rapidement trouver la paix ici : en Asie. Il y mourut en affrontant le Malachor dans un combat titanesque.

Hadès se colla à Arthur. Même si elle connaissait ce passage de l'histoire, elle ne pouvait s'empêcher de faire un lien entre leur père et ce fameux Tindarius.

- Nous connaissons cette partie de l'histoire, enchaina Lux. Même si depuis notre arrivée, nous nous en faisons une idée plus précise.
- Vous connaissez peut-être l'histoire, mais vous ne savez rien de ça !

Hu venait de pointer son doigt sur l'épée de Killian. Ce dernier regarda son arme sans comprendre et instantanément, Fangore vint se frotter contre lui. Le dragon spectral fixait son maitre comme s'il était la chose la plus importante au monde.

- Que savez-vous sur elle ? C'est un esprit supérieur c'est ça ?
- Ancien. Mais le nom n'est pas du tout représentatif.

Il saisit son téléphone pour passer un appel. Même si les compagnons ne comprirent pas un mot de la « conversation », celle-ci se limitant à une phrase au ton très autoritaire, ils comprirent que leur interlocuteur venait juste de passer un ordre.

- Voyez-vous, mon cher Killian, l'esprit de votre arme vient du fait que la personne qui a forgé cette épée y a mis tout son cœur. Une partie de son âme s'est déversée dans le métal, créant un esprit beaucoup plus affiné, beaucoup plus intelligent.

Killian baissa la tête vers son dragon et contempla ses grands yeux fantomatiques. Pour lui, il l'avait toujours considéré comme incroyable, mais il n'aurait jamais pensé que le créateur de l'arme en était la cause.

- C'est ce qui fait que c'est aussi rare ? demanda Ambre.

- Pas rare, mademoiselle : exceptionnel. À l'époque et même encore aujourd'hui, un artisan fait rarement cela avec passion et dévouement.

Un bruit de porte se fit entendre et deux hommes en costume sombre apparurent. Ils portaient une mallette assez longue. Sans dire un mot, ils la posèrent sur la table basse et sortirent de la pièce, laissant tout le monde interdit.
Hu montra la mallette d'une main sans quitter le regard de l'enchanteur.

- Un présent. Ou le paiement d'une dette, voyez cela comme vous voudrez.

Le maitre des runes effleura la mallette d'un doigt. Elle sentait bon le cuir entretenu et il remarqua les gravures sur la poignée. Cet objet était une véritable œuvre d'art à lui tout seul.

Il regarda une dernière fois Hu qui semblait retenir sa respiration. Ses doigts glissèrent jusqu'aux deux accroches représentées par deux ailes dorées qui glissèrent l'une sur l'autre sans effort. Il y eut le fameux « clic » l'informant qu'elle était ouverte et prête à dévoiler son trésor.

D'un geste lent, ne sachant ce qu'il allait trouver, Killian souleva la partie supérieure de la mallette pour découvrir un fourreau. Une épée, comme il n'en avait jamais vue, semblait y dormir d'un sommeil profond.

La poignée était faite du corps d'un ange et la garde de ses ailes. Il put sentir l'or pur de là où il était. Les détails de l'objet étaient tout simplement irréels. Aucun forgeron n'aurait pu réaliser pareil ouvrage sans l'aide d'un maitre des runes.

« Et encore ! » se dit Killian, « Fangore fait pâle figure à côté de la finesse de celle-ci ».

Il voulut la saisir, mais il jeta un dernier coup d'œil au ministre pour voir si cela ne le dérangeait pas. Ce dernier lui fit signe de continuer, le visage en sueur.

- Nous gardons cette épée depuis plus de mille ans. Je voulais être certain que vous la méritiez avant de vous la donner.

Sans vraiment l'écouter, Killian effleura l'arme d'un doigt puis recula. Son regard se posa sur Fangore pour voir sa réaction. Partenaire depuis le début, il se demanda si elle pouvait être jalouse ? Pouvait-il la décevoir en admirant une autre arme qu'elle ?

- Si tu ne veux pas ma belle…

Le comportement de l'intéressée surprit tout le monde. Le petit dragon fantomatique se dirigea doucement vers la mallette, puis sa queue se mit à remuer vivement, comme si elle avait hâte elle aussi de découvrir le secret de cette épée.

- Tu es sûre ?

Le dragon hocha frénétiquement la tête, ce qui fit sourire son maitre.

- Alors, voyons voir ce qui se cache à l'intérieur.

Il se concentra et appela l'esprit de l'épée. Une vapeur bleue se dégagea de l'arme et tout le monde à l'exception de Killian s'enfonça dans son fauteuil, peu rassuré.

La forme vaporeuse prit petit à petit corps. Ce ne fut qu'une simple forme humanoïde dans les premières secondes, mais très rapidement, une paire d'ailes se dessina dans son dos et un véritable ange se présenta au groupe.

Il semblait perdu, mais son attention fut rapidement attirée par Fangore qui semblait le boire du regard. Les deux êtres se regardèrent sans oser se toucher, puis l'ange se mit à genoux et prit dans ses bras le dragon qui frotta son cou en retour.

- Ça a l'air de matcher entre les deux ! s'exclama Ambre en donnant un petit coup de coude à Killian.

Gêné, le maitre des runes ne savait pas trop quoi en penser. Fangore semblait réellement heureuse de retrouver un autre esprit ancien, mais Killian se voyait mal s'harnacher continuellement de deux armes. Il reporta son attention sur le fourreau et put y voir une inscription : « Rex Petram ».

- « Rex » c'est roi non ? demanda-t-il à Lux.
- La traduction littérale est « roi du rocher », répondit l'intéressé le visage blême. Killian, c'est…
- L'arme de Tindarius, termina Hu à sa place. Vous la connaissez sous le nom d'Excalibur.

Le chef des Wizards saisit l'arme par la poignée et la retira de son fourreau qu'il reposa délicatement dans la mallette. La lame était relativement simple comparé à la garde. Se souvenant du dessin qu'il avait vu dans la bibliothèque du Vatican, Killian confirma son premier diagnostic : l'arme était d'un niveau bien inférieur à Fangore.

- L'arme est magnifique, mais je ne peux l'accepter. C'est un trésor, il appartient à votre peuple. De plus, ses runes sont assez simples, Fangore est beaucoup plus puissante.

Hu s'enfonça dans son fauteuil et sourit, révélant par la même occasion qu'il n'en avait pas fini avec les révélations.

- Vous n'avez donc jamais remarqué que les runes sur votre épée étaient beaucoup plus puissantes que sur un autre support ?

Surpris par la remarque, le maitre des runes ne sut quoi répondre. Il aimait généralement utiliser les runes de son épée en priorité. Était-ce son subconscient qui l'aidait à faire les bons choix ? Quoi qu'il en soit, il ne s'était jamais penché sur la question.

- À vrai dire, non. Mais il est vrai que leur utilisation me vient plus naturellement.
- C'est normal. Faites un comparatif une fois et vous verrez bien. Quoi qu'il en soit, au vu de la menace qui pèse sur notre monde, je pense qu'avoir en votre possession deux esprits anciens n'est pas un avantage dont on peut se passer.

Le regard de Killian se posa sur ses amis et aucun ne sembla en mesure de contredire l'homme politique.

- Que dois-je en faire ?
- À vous de voir, je n'en ai aucune idée, mais je suis certain que vous saurez en faire bon usage.

Chapitre 12

Le camion s'arrêta brutalement, manquant de projeter Icy sur Goliath. Ce dernier semblait perdu dans ses pensées et ne réussit qu'in extremis à rattraper la jeune fille.

La route leur avait semblé interminable et laborieuse. Secouée dans tous les sens, Icy était bien contente d'être enfin arrivée. Elle sauta du camion avec agilité et sentit l'air frais sur son visage. Elle souffla avec la bouche et s'amusa de voir autant de fumée en sortir. Elle voulut faire une blague au Corporem, mais elle réalisa, en observant son escorte, que les autres ne vivaient pas forcément la morsure du froid comme elle.

Les militaires semblaient transits, mais aucun d'eux ne laissa échapper la moindre plainte. C'était les mêmes hommes qui les avaient surpris à leur arrivée à l'académie. Elle en conclut que leur entrainement était particulièrement efficace.

Goliath, quant à lui, utilisa rapidement sa magie pour se transformer en un tigre aux poils particulièrement longs. Il s'approcha doucement de la jeune fille et lui parla d'une voix très différente de celle utilisée d'habitude :

- Monte sur mon dos.
- Mais tu parles ! s'exclama la petite fille amusée. On dirait la voix d'un chaton.
  Elle s'exécuta avec souplesse en essayant de ne pas trop tirer sur ses poils.
- Tu es superbe comme ça.
- J'ai surtout beaucoup moins froid !

Une rafale obligea Goliath à se plaquer au sol alors que plusieurs soldats devaient mettre un genou à terre. Le capitaine du groupe vint jusqu'à eux et dû presque crier pour se faire entendre.

- Mes hommes doivent s'équiper avant de pouvoir commencer l'ascension. Laissez-nous dix minutes.
- Pas de problème capitaine, répondit le Corporem.

Une deuxième rafale encore plus violente obligea les hommes à rentrer dans le camion pour s'équiper.

Icy sentit quelque chose de bizarre dans le climat. Comme si ce dernier était porteur d'un message. En *teeshirt*, elle ne souffrait absolument pas du froid, son corps semblait être en parfaite harmonie avec l'instant présent et elle réalisa soudainement que sa place était ici, ce qui n'était pas le cas de tout le monde. Sans prévenir, elle descendit du dos de Goliath et se dirigea vers le capitaine qui luttait avec ses hommes pour les regrouper. Le Corporem la suivit plus par curiosité qu'autre chose.

- Capitaine, vous pouvez rentrer. Goliath et moi nous y arriverons plus facilement seuls. Vos hommes vont risquer inutilement leur vie.
- J'ai des ordres, jeune fille.

Elle regarda Goliath d'un air désespéré : être une enfant était véritablement un calvaire parfois.

Son partenaire s'avança et planta ses yeux dans ceux du militaire :

- Elle a raison. Vous allez plus nous ralentir qu'autre chose. Notre magie va nous permettre d'avancer rapidement, ce qui ne va pas être votre cas. Or, je n'ai pas envie de rester ici plus longtemps que nécessaire, je supporte ce froid, ça ne veut pas dire que je l'apprécie beaucoup.

Après un court moment de réflexion, l'homme sortit un petit objet noir de l'une de ses poches et le tendit à la petite fille :

- Mes hommes et moi attendrons votre retour dans le dernier village que nous avons traversé à deux kilomètres. C'est une balise de détresse, si vous rencontrez le moindre souci, déclenchez-là et nous ferons notre possible pour vous rejoindre.

Il les salua et donna l'ordre à ses hommes de partir pour le village. Même si aucun ne le montra ouvertement, les deux compagnons purent voir un soulagement se dessiner sur les visages.

- Tu as eu raison, commença Goliath.
- Une gamine n'a jamais raison.

Sans en dire plus, elle tourna les talons pour prendre la direction du sentier. Le Corporem leva la tête pour tenter de voir le sommet du mont Makalu, mais sans résultat. La montagne qui se présentait à eux semblait faire son maximum pour les repousser. Un brouillard épais avalait la plus grande partie du massif rocheux, ce qui ne présageait rien de bon pour la grimpée qui s'annonçait déjà bien difficile.

- Attends, je dois faire une pause.

Goliath haletait. Son souffle était rauque et il ne sentait plus le bout de ses doigts. Il avait pris la forme d'un gorille aux poils longs plutôt imposant pour continuer l'ascension de la montagne.

La paroi qu'ils essayaient de grimper était quasiment à la verticale et sa forme de tigre lui avait fait défaut. Le vent continuait de s'en prendre à eux avec rage, l'empêchant de grimper aussi vite qu'il l'aurait voulu.

Icy le regardait d'en haut. Elle avait pris la tête pour créer des prises de glace à son ami. Elle utilisa sa magie pour créer une plateforme d'eau gelée à même la montagne qui se transforma petit à petit en véritable igloo.

Remerciant intérieurement la petite fille, le Corporem utilisa ses dernières forces pour se hisser sur la plateforme. Heureusement, elle lui avait fait une entrée assez grande pour lui et il eut juste besoin de se pencher un peu pour s'introduire dans l'abri de fortune.

La différence de température l'impressionna. Même si comme beaucoup de monde, il connaissait l'existence de ce moyen de survie utilisé par les Esquimaux, jamais il n'aurait imaginé que cela soit aussi efficace.

S'affalant sur le sol gelé, il laissa ses muscles se détendre. Puis, il réalisa que leur abri était littéralement suspendu dans le vide.

- Tu es sûre que l'on ne va pas s'écraser au sol ? demanda-t-il sans grande conviction.
- Pas de risque, l'abri est collé à la montagne. Il y a une épaisseur de neige et de glace pour y coller un immeuble.

Icy le regardait avec tristesse. Elle aurait pu monter seule. À plusieurs reprises, elle l'avait supplié de redescendre, mais le colosse avait systématiquement refusé.

- Je peux te créer un abri plus important un peu plus loin, tu n'auras qu'à m'attendre là-bas et je passerai te prendre sur le chemin du retour.

Goliath ouvrit un œil déjà bien endormi et sourit :

- Tu ne te débarrasseras pas de moi comme ça. J'ai promis à ton père de t'accompagner, je ne compte pas faillir à ma promesse.

- Tu as peur de mon père ?
- Pas du tout, se mit à rire le Corporem qui commençait à se sentir un peu mieux. En revanche, ta mère…

Ils rirent tous les deux. Icy remercia intérieurement le Corporem d'être toujours de bonne humeur. Bizarrement, de tous, c'était finalement avec lui qu'elle se sentait le mieux. Une fois de plus, elle ne sut s'il réussit à décrypter ses pensées lorsqu'il prononça les paroles suivantes :

- Tu sais, je te comprends. Plus que tu ne le croies.
- Je ne vois pas de quoi tu parles ?
- La colère que tu ressens.

Icy se figea, préférant ne pas répondre. Elle repensa à Braise et effectivement, la colère ressurgit instantanément.

- Même si Ambre a survécu, dans ma tête c'est comme si Antonio l'avait tuée. Il a osé essayer ! Quand je vois la rage que j'ai contre cet homme, je me dis que ta colère est bien réelle.

Icy se surprit à apprécier les paroles de son compagnon de voyage. La comprenait-il vraiment ?

- Merci, nous n'étions pas amis depuis très longtemps, mais…
- C'est lors de votre affrontement ?
- Oui.

Honteuse, la petite baissa la tête. Elle se refusa à pleurer, mais une vérité, qui lui pesait sur le cœur, voulait sortir :

- Il m'a battue ce jour-là. J'ai fait preuve d'arrogance face à un adversaire bien plus fort que moi. J'étais à bout de force, j'allais abandonner…
- Et il l'a fait avant toi.
- Oui, il a été gentil.

Goliath réfléchit un instant. Il n'avait pas beaucoup côtoyé le mage de feu et le début de leurs rapports n'avait pas été des plus plaisants. Néanmoins, il avait appris à l'apprécier et lui faire confiance. Il se remémora cette fabuleuse soirée où Killian avait voulu essayer ses runes de résistance à la chaleur.

- Il n'a pas été gentil. Il a été juste.

La petite fille le regarda sans comprendre.

- Il t'a laissé la victoire, car il pensait t'écraser. Au lieu de cela, tu l'as obligé à puiser toute l'énergie qu'il possédait pour te vaincre. Et encore, j'appellerai ça un match nul. Il a simplement vu en toi ce que tu refuses la plupart du temps de montrer : que tu es une vraie Wizards.

Touchée par les paroles du Corporem, Icy ne répondit rien. Elle repensa à son ami, son mentor. Suite à cela, il l'avait conseillée, protégée et consolée quand elle était triste.

Elle appuya son dos contre la paroi de l'igloo et se détendit. Il ne fallut que quelques minutes pour que de gros ronflements brisent ce silence. Goliath s'était endormi, épuisé par ces dernières heures d'ascension.

L'escalade dura encore plusieurs heures. Le vent semblait vouloir les projeter vers le bas de la montagne et Goliath dut plusieurs fois s'interrompre pour ne pas craquer.

Soudainement, ils traversèrent la zone nuageuse pour se retrouver dans un endroit bien différent. Le vent cessa et un ciel bleu azur se présenta à eux. Icy scruta tout autour d'elle pour constater qu'ils étaient au milieu d'un cyclone. Tout autour d'elle, le ciel semblait se déchainer jusqu'aux cieux. Ils étaient entourés d'une véritable barrière de nuages noirs chargés d'éclairs. Seule la pointe du mont Makalu semblait épargnée, telle une oasis au milieu d'un désert.

- Je me disais bien que ce temps n'était pas naturel, haleta le Corporem avant de s'asseoir sur une petite protubérance de glace.

Icy se positionna à côté de lui et regarda le sommet de la montagne qui se dressait devant eux. Ses vêtements étaient en piteux état, mais elle semblait ne pas du tout avoir souffert du froid.

- C'est dommage, on n'arrivera pas au sommet avant le coucher du soleil, tu vas devoir créer un nouvel igloo.

Icy était en pleine réflexion sur la création d'une suite de prises qui aurait pu leur faire gagner quelques mètres lorsqu'une idée lui traversa l'esprit.

- Maintenant que le temps nous est favorable, pourquoi n'irait-on pas là-haut en volant ?
- Je ne savais pas que tu pouvais voler ! ricana le Corporem avant de remarquer que la petite fille le regardait avec insistance. Tu plaisantes j'espère ? J'ai fait quelques vols avec Ambre, mais je peux te garantir que ça n'avait rien d'exceptionnel. Il fait beaucoup plus froid ici et je risque de ne pas y arriver si je dois te tenir dans des serres !

Le regard de l'enfant s'intensifia avant qu'une pointe de malice y apparaisse et glace le sang du Corporem.

- Personne ne te parle de me prendre dans tes serres, je me voyais plutôt sur ton dos. Le dos d'un dragon par exemple.

Choqué par l'idée, Goliath manqua de glisser. Sa peau d'ébène contrastait avec le blanc de la paroi enneigée et les deux grands yeux ronds qu'il faisait firent rire la petite fille.

- Ne te fous pas de moi ! Je n'ai jamais volé en dragon ! Je suis trop gros, c'est un coup à tomber et me briser la nuque !
- Allez ! Ça sera plus amusant que la grimpette !

La petite fille créa une plateforme de glace et s'y installa, attendant que le Corporem la rejoigne. Elle put l'entendre râler durant tout le processus.

- N'imagine pas une seule seconde pouvoir m'avoir comme ça. Il est hors de question que je te fasse prendre le moindre risque !

Il passa sa tête par-dessus le rebord pour se hisser et découvrit une Icy avec un grand sourire.

- Ne fais pas ton rabat-joie, on gagnerait un temps incroyable ! Pense à l'avenir de notre monde !

Désespéré, le Corporem finit de se hisser sur la plateforme. Le sourire radieux d'Icy l'empêcha de se mettre en colère. Cela faisait tellement longtemps qu'il ne l'avait pas vue dans cet état !

- Je pense que l'avenir de notre monde t'importe peu à cet instant présent.

Elle le regardait avec ses grands yeux. Elle pencha la tête sur le côté et lui fit une petite moue d'enfant gâtée faisant un caprice (technique volée à sa sœur Laurana).

- Oh c'est bon ! Arrête-moi ça de suite ! râla le Corporem en se cachant le visage. On va le faire ton vol de dragon.
- Youpiiiiii !

Goliath pencha son buste dans le vide pour regarder les nuages gris chargés d'éclairs qui se trouvaient une cinquantaine de mètres plus bas.

- Je n'ai pas intérêt de retomber là-dedans.

À peine eût-il fini sa phrase qu'il put voir la plateforme créée par Icy s'agrandir. La petite fille, en pleine concentration, avait de la matière à profusion avec les neiges éternelles qui se trouvaient tout autour de sa personne. En quelques secondes, ce fut un véritable pont d'envol qui se trouva sous leurs pieds.

- Tu seras plus à l'aise comme ça ! lâcha-t-elle une fois son œuvre terminée.

Tout en se plaçant au centre de la plateforme, Goliath laissa l'énergie traverser son corps. En même temps que trois cercles de puissance s'échappaient de

sa personne, il réfléchit à un effet légèrement différent. En quelques secondes seulement, son corps se modifia sous les yeux ébahis d'Icy qui contempla le sort de son ami.
Un magnifique dragon aux écailles bleues se dressa devant cette dernière. Elle remarqua aussi une différence : l'aspect du dragon ressemblait fortement à celui qu'ils avaient affronté en Hongrie. Ses ailes étaient faites de plumes et une crinière argentée courait sur toute la longueur de son cou.

- Très ressemblant, dit-elle en lui caressant les écailles.

Les mouvements de Goliath l'impressionnèrent. La grâce du reptile était comme « naturelle » pour le Corporem. Il semblait réellement à l'aise dans ce corps.

- Je vais faire un premier vol seul, histoire de voir si c'est faisable. Attends-moi ici.

Elle ne répondit rien, impressionnée par la créature qui se trouvait devant elle. Même s'il était de taille risible face à un vrai dragon, elle se tenait tout de même face à une créature faisant presque cinq mètres au garrot.

Goliath se positionna au bord de la plateforme. Il eut un petit moment d'hésitation. Il connaissait la sensation de voler, mais pas avec un corps aussi lourd. Lorsqu'il se transformait en aigle à l'époque pour accompagner Ambre, les courants aériens l'avaient porté sans aucun effort. Mais on parlait d'un animal d'une quinzaine de kilos à tout casser, pas d'une bête de plusieurs tonnes.

Ses griffes se crispèrent sur la glace et il s'élança, les yeux fermés. Le vent fouetta rapidement son long museau sans pour autant le gêner. Il étendit ses ailes de toute leur longueur et arqua son corps pour faire une première tentative et planer.

Un silence religieux vint recouvrir le tumulte de la chute vertigineuse qu'il venait d'accomplir. En ouvrant les yeux, Goliath se vit bercé par la brise comme s'il n'était qu'une simple hirondelle. Deux battements lui permirent d'accomplir un virage parfait pour se diriger vers la plateforme où se tenait Icy, complètement médusée par ce qu'elle admirait.

Ses battements d'ailes devinrent plus frénétiques sans pour autant être anarchiques au moment de l'atterrissage et c'est avec douleur que ses pattes arrière touchèrent le sol avant ses pattes avant.

- Whaou ! C'était trop beau ! cria la petite fille en se jetant à son cou. Alors ? C'est bon, on y va ?

Le Corporem n'était pas peu fier de sa prestation. Il remarqua néanmoins que la jointure entre son dos et ses ailes le démangeait, comme des muscles qui n'auraient pas servi depuis longtemps.

- Monte sur mon dos. Je vais longer le flanc de la montagne au cas où, on ne sait jamais.

La petite fille ne se le fit pas dire deux fois et grimpa le long de la patte avant du dragon pour se hisser sur son dos. Une fois la tâche accomplie, elle écarta les jambes pour en avoir une de chaque côté de son cou et se cramponna à sa crinière.

- Je ne te fais pas mal ?
- Je sens à peine ton poids, et tu me fais l'effet d'un bébé qui me tire les cheveux : rien d'insurmontable.

La grosse voix du Corporem porta loin dans le vent, impressionnant une fois de plus la petite fille. Mais ce ne fut rien en comparaison de la vision qui s'ensuivit. Le métabolisme d'un dragon était fait de telle sorte que son long cou pouvait pendre dans le vide alors que son corps reposait toujours sur la terre ferme.

Icy eut un moment d'effroi lorsque la créature se plaça au bord de la plateforme, lui laissant comme seule vision les grondements des nuages vers le bas et le ciel bleu azur au-dessus d'elle.

- D'un coup, là, je le sens un peu moyen !

Tordant son cou pour placer son visage face au sien, Goliath eut un petit rictus qui la fit trembler des pieds à la tête :

- C'est bien toi qui voulais faire cette petite virée ?

Sans autre préambule, Icy sentit les pattes arrière du dragon se baisser violemment pour, d'un puissant bond, le projeter dans le vide.

Elle cria. Elle aurait bien aimé crier encore plus, mais l'air vint à manquer. Plaquée contre le cou du dragon, elle se cramponnait comme si sa vie en dépendait (en fait, sa vie en dépendait !) et pria pour que cela se termine le plus vite possible.

Puis tout devint très calme. Elle pensa, le temps d'une fraction de seconde, qu'ils s'étaient déjà posés. Lorsqu'elle rouvrit les yeux, c'était pour contempler le paysage qui s'offrait à elle.

Les courants d'air portaient Goliath qui continuait de s'élever dans le ciel en faisant le tour de la montagne. Ce dernier n'avait plus besoin de battre des ailes et la petite fille se sentit bercée par les mouvements fluides de son ami.

- C'est magnifique.

Elle contempla une dernière fois la barrière de nuages qui empêchait le dragon de voler dans n'importe quelle direction avant de reporter son attention sur le mont Makalu.

- Là ! cria-t-elle à son compagnon en pointant quelque chose du doigt.

Goliath plissa les yeux et put voir un ponton en pierre dépassant de quelques mètres de la montagne, au détour d'une crevasse.

- Ça doit être le temple, accroche-toi.

Le Corporem se rapprocha le plus possible du cercle extérieur de la « zone calme » pour frôler les nuages menaçants et ainsi se positionner au mieux pour arriver face au temple. La manœuvre impressionna la petite fille qui crut voir sa dernière heure arriver lorsqu'un éclair illumina la tempête se trouvant à quelques mètres d'elle.

Puis le dragon vira d'un coup sec avant de déployer ses grandes ailes pour ralentir. Ses pattes arrière touchèrent le sol glacé de la roche sans causer plus de bruit que celui d'un simple oiseau.

Il baissa son cou pour laisser descendre la petite Icy qui constata que ses jambes tremblaient malgré ses efforts.

- Le vol t'a convenu ? se moqua le Corporem qui préféra garder sa forme de dragon pour l'instant.
- Le début et la fin pas vraiment...

Il aurait voulu rire, mais son attention fut attirée par quatre perchoirs. Quatre protubérances de pierre. On aurait dit des petits cloitres surplombants la zone d'atterrissage utilisée par le dragon. Il distingua un homme, chauve, en tenue de moine bouddhiste, assis en tailleur dans chacun de ces quatre « mini » bâtiments. Ils semblaient regarder l'horizon et n'avaient a priori même pas remarqué l'arrivée des deux mages.

- Que font-ils ? demanda Icy.
- Je n'en ai aucune idée, répondit Goliath de sa grosse voix de dragon. Pardonnez-moi, messieurs, nous venons de loin ! L'un d'entre vous parlerait-il notre langue ?

Aucun des moines ne bougea ou ne sembla affecté par l'annonce du Corporem.

- Sympa l'accueil, commenta ce dernier.

Ils se dirigèrent vers l'unique porte qui leur faisait face. Cette dernière, faite de bois était encastrée à même la roche. Elle aurait pu laisser passer Goliath sous cette forme sans aucun souci, ce qui impressionna l'homme.

- Comment ont-ils réussi à monter cela ici ? se demanda-t-il à voix haute. La magie est nécessairement l'instrument de la création de cet endroit.

En levant la tête, ils purent voir des meurtrières sur plusieurs étages, signes que le sommet de la montagne n'était en fait qu'une vaste caverne aménagée. Aucun signe ostentatoire ou symbole n'était représenté sur la façade, affichant ainsi une sobriété exemplaire.

Icy se prépara pour frapper à la porte lorsque cette dernière grinça. Le Corporem repoussa la petite fille de sa queue afin de la protéger, juste au cas où.

- Qu'est-ce que tu fais ? C'est un temple avec des moines !
- Fais-moi confiance, tant qu'ils ne nous ont pas prouvé qu'ils sont nos alliés, ce sont nos ennemis.

La mage de l'eau ne comprit pas, mais respecta la prudence de son ami. La porte massive s'ouvrit sur quelques centimètres dans un grincement sonore pour laisser passer un homme de petite taille, au crâne chauve et portant la même tenue que les autres moines.

- Bienvenue.

L'accent de l'homme les surprit. Sa voix, à peine audible, semblait sortir d'un corps sans vie. Son regard se porta sur le dragon et un signe de dégoût se dessina sur son visage. Lorsqu'il baissa son regard sur Icy, ils purent y voir de la contrariété.

- Un instant.

C'est devant deux compagnons ébahis que l'homme referma la porte et disparut à l'intérieur. Les bras ballants, Icy resta interdite.

- Nous ne sommes, a priori, pas les bienvenus.
- Surtout moi, répliqua le Corporem qui en profita pour s'asseoir.

Ils patientèrent ainsi de longues minutes avant que la porte ne se rouvre. L'homme leur fit face à nouveau et s'adressa au dragon pour commencer :

- Vous n'êtes pas autorisé à entrer dans le temple. Votre magie est impure.

Son regard se posa ensuite sur Icy qui put y lire une sorte de "dégout" :

- Vous, vous pouvez me suivre. Mais vous ne devez vous adresser à personne. Suis-je clair ?

Goliath gronda, ce qui fit reculer l'homme de quelques centimètres.

- Hors de question que la petite entre là-dedans sans moi !

Bien que déstabilisé ,le moine ne flancha pas. Il se campa devant le Corporem et annonça d'une voix plus forte :

- Seuls les élémentalistes de l'eau sont autorisés à entrer dans notre temple. Vous, les mages de la chair, n'êtes pas les bienvenus. Si vous refusez de respecter nos règles, vous pouvez faire demi-tour et rentrer chez vous.

Sentant la rupture du dialogue se rapprocher à grands pas, la petite fille s'avança prudemment vers l'homme et tenta de calmer le jeu :

- Reste ici Goliath. Je vais allez voir à l'intérieur.

- Hors de question, on ne les connait pas et je ne te laisse pas seule avec ces crânes chauves.

Elle posa sa petite main sur son énorme museau et lui murmura des paroles à l'oreille.

- Ne t'en fais pas pour moi. On doit savoir pour la clé, je te promets de faire de mon mieux.

Goliath fut perdu pendant un moment. Laisser seule la fille de Killian ne lui disait rien qui vaille, mais ne pas réussir à rentrer dans ce temple risquait de mettre toute la mission en échec.

- Vas-y. (Il se tourna ensuite vers le moine.) Faites-lui du mal et je vous jure qu'une montagne ne suffira pas à m'empêcher de tous vous massacrer.

L'homme ne répondit pas à la provocation et se déplaça sur le côté, laissant ainsi l'espace nécessaire à Icy pour passer.

- Comme je vous l'ai dit, une fois à l'intérieur, vous ne devez vous adresser à personne, sauf si l'on vous y autorise.

L'ainée des filles de Killian jeta un dernier coup d'œil à son ami, avant d'être engloutie par l'obscurité du temple.

Goliath resta ainsi seul. Il se roula en boule et se coucha pour tenter de calmer sa colère naissante. Les quatre moines sur leur perchoir n'avaient pas bougé d'un millimètre durant toute la discussion. Il perçut une certaine magie se dégager d'eux et il se demanda s'ils n'étaient pas à l'origine du climat du mont Makalu.

- Quel est ton nom ?
- Icy.

La petite fille répondit le plus simplement possible, consciente qu'on observait ses moindres faits et gestes.

Elle suivait le moine qui ne prenait même pas la peine de se retourner pour lui parler. Ils progressèrent dans un escalier fait à même la roche. De temps en temps, elle pouvait distinguer dans une alcôve un moine en pleine méditation. Chaque fois, elle avait droit au même traitement : ils ouvraient les yeux et semblaient très surpris par sa présence, puis ils affichaient clairement un air de désapprobation.

Cette ascension lui fit comprendre que son corps était plus fatigué qu'elle ne l'avait cru. Ses cuisses commençaient à la faire souffrir ainsi que son dos.

L'escalier déboucha dans une vaste salle où quatre grandes cheminées réchauffaient l'atmosphère. Aucune décoration, aucun trophée ou signe ostentatoire ne trônait dans la pièce. Un coussin était disposé au centre de la salle face à trois moines confortablement installés. Eux aussi avaient des coussins, mais démesurément grands, leur permettant ainsi de s'allonger.

Les trois individus fixèrent les deux nouveaux arrivants sans dire un mot. Le moine ayant servi de guide à la petite fille lui désigna le coussin libre avant de sortir de la pièce dans le plus grand silence. Icy ne se fit pas prier et s'installa en tailleur, contente de pouvoir enfin s'asseoir.

Les trois hommes l'observèrent un certain temps sans parler. Ni avec elle ni entre eux. Pendant un moment, elle se demanda s'ils n'étaient pas des Mentalus. Ainsi, ils auraient été capables de fouiller son esprit et par conséquent aucune discussion n'était nécessaire. Elle en profita pour les regarder avec plus d'attention. Ils étaient plus vieux que son père, mais ce n'était pas des vieillards. Leur tenue était légèrement différente. La robe qu'ils portaient était pourpre et or. Leur crâne chauve était tatoué d'un symbole qu'elle ne connaissait pas composé de quatre signes.

L'homme au centre des trois souffla fort. Comme s'il tentait de se calmer ou qu'une douleur s'était emparée de lui. Puis son visage se détendit et il regarda ses deux confrères l'un après l'autre qui lui donnèrent leur accord d'un petit signe de tête.

- Comment t'appelles-tu ? demanda-t-il à Icy d'une voix monotone.
- Icy.

L'homme sembla méditer sur la réponse de la petite fille.

- Pourquoi es-tu ici ?

Ce fut au tour d'Icy de faire patienter ses interlocuteurs. Elle hésita longuement sur la réponse qu'elle devait donner.

- Tu ne sais pas ce que tu fais ici ? demanda l'homme sans paraitre agacé le moins du monde.
- C'est juste que mon ami dehors vous aurait mieux expliqué que moi. C'est assez compliqué.
- Ton ami n'est pas là. C'est à toi que je pose cette question.

Une certitude s'insinua dans l'esprit de la jeune fille : elle n'aimait pas cet endroit, mais il l'attirait. Elle n'aimait pas ces personnes, mais elle les comprenait.

Cette sensation lui fit comprendre qu'elle était ici à sa place, mais pas comme ces gens le voulaient. Il manquait quelque chose que son esprit n'arrivait pas à lui montrer.

- Nous sommes…
- Tu es. Ton compagnon n'est plus là.

Une petite fille normale aurait dû être impressionnée par la situation et le ton impérieux de son interlocuteur. Mais Icy n'était pas « normale ». Une rage venue du plus profond d'elle se réveilla, tel un serpent lové dans son esprit qui venait de refaire surface. La légère accalmie qu'avait réussi à créer Goliath durant le voyage venait de disparaitre.

Elle avait réussi les épreuves pour devenir Wizards, elle avait participé à un combat contre un dragon, elle avait perdu un être cher et elle venait de grimper une montagne à mains nues. Ce n'était pas trois moines qui allaient l'arrêter maintenant.

- Je suis venue chercher un artefact qui est en votre possession depuis presque mille ans. La clé d'une prison où est retenu le Malachor, un monstre que votre comportement grotesque n'arrêtera pas s'il revenait dans notre monde.

Les trois hommes manquèrent de tomber de leur coussin. Icy n'aurait pas pu dire s'ils étaient en colère ou honteux tellement leurs visages s'empourprèrent rapidement.

- Tu nous dois le respect ! cria l'un des moines en la montrant du doigt. Déjà, nous t'avons laissée entrer bien que tu ne sois pas un mage de l'eau !
- Je suis un mage de l'eau, s'énerva Icy.
- Non, tu n'es pas un homme !

Mouchée, la petite fille ne comprit pas instantanément les paroles du moine. Puis elle réalisa qu'elle n'avait vu aucune femme depuis son arrivée.

- C'est ça qui vous pose un problème ?
- Les femmes ne sont pas admises dans ce temple, normalement, répondit l'homme au centre en foudroyant l'autre du regard. Mais la règle la plus sacrée de notre temple est de laisser tous les mages de l'eau entrer, pour essayer de passer l'épreuve.
- Quelle épreuve ? demanda la petite fille.
- L'épreuve de la clé.

Chapitre 13

Le maitre des runes était la proie d'un sommeil agité. Cela faisait déjà plusieurs jours qu'il tentait de percer les secrets de la prison du Malachor : sans résultats.

Il avait beau essayer avec Lux et Ambre toutes les hypothèses possibles et inimaginables, rien de ce qu'il créait n'arrivait à la cheville de l'œuvre antique de son prédécesseur.

Bizarrement, cela n'était pas la seule chose qui le tracassait. Sa conscience était malmenée par un autre problème qui aurait pu être minimisé, mais son esprit semblait vouloir le tourmenter avec cela alors que des soucis bien plus graves étaient devant sa porte. Il s'agissait de Fangore ainsi que d'Excalibur.

Killian avait bien compris que les deux esprits s'appréciaient. Autre point important : il avait parfaitement conscience de la chance qui se présentait à lui en mettant à sa disposition deux esprits anciens. Néanmoins, il ne voulait pas utiliser les deux armes. Sa fidélité envers Fangore faisait barrage avec l'autre épée et au plus profond de lui, il savait qu'il ne devait pas l'ignorer.

Sentant le trouble dans l'esprit de son maitre, le dragon spectral prit forme en dehors de l'épée et posa les yeux sur lui. Elle s'approcha du lit et bondit dessus, ne causant même pas un courant d'air grâce à sa forme vaporeuse. Son regard se durcit lorsqu'elle vit le visage transpirant de son maitre dépasser de la couverture. Elle ne supportait pas de le voir souffrir ainsi. Elle avait ragé intérieurement quand Naox avait gravé les runes sur son corps, mais n'avait pu intervenir. Or, cette fois, même si la douleur n'était pas physique, elle souffrait de voir son maitre se torturer l'esprit.

Son corps se dématérialisa pour s'introduire dans celui de Killian. Durant tout le processus, elle ne quitta pas des yeux l'autre épée, s'assurant qu'elle était toujours bien là, en sommeil.

Cling, cling !

Un bruit de marteau réveilla Killian. Acier contre acier, le rythme régulier semblait l'inciter à émerger d'un sommeil bien lourd.

Ses paupières s'ouvrirent pour lui faire découvrir un paysage bien différent de la chambre dans laquelle il s'était couché.

La chose le perturba, mais ce ne fut rien face à une nouvelle découverte : il flottait. Tel un petit fantôme, son corps lévitait, lui donnant l'impression d'être dans du coton.

Il se trouvait dans une étable… non, une forge. Deux hommes discutaient sans avoir l'air de se préoccuper de lui. L'un d'eux devait être le forgeron avec son tablier et sa paire de gants épais. L'homme était dans la fleur de l'âge et semblait bâti comme un ours. Son visage sale, marqué par de vilaines traces de charbon lui donnait un air de fou, mais son regard était animé d'une intelligence particulière.

L'autre avait l'apparence d'un roi. Ses longs cheveux blonds étaient attachés par une lanière de cuir et il semblait propre sur lui. Un bouclier pendait à son bras gauche. Killian focalisa son attention sur l'objet, se rappelant instantanément de l'avoir vu accroché au mur dans la bibliothèque du Vatican.

« Le bouclier de Tindarius ! », se dit-il intérieurement, réalisant qu'il ne pouvait pas parler. Cette curiosité lui donna envie d'en savoir un peu plus sur la situation. Il semblait être capable de réfléchir et de se déplacer, même si la scène était entourée non pas de mur, de fenêtres et d'une porte, mais d'un brouillard opaque dans lequel il n'aurait voulu s'aventurer pour rien au monde.

Son odorat avait disparu ainsi que son sens du toucher. Seules la vue ainsi que l'ouïe semblaient être en état de fonctionner. Il voulut se diriger vers le brouillard pour en connaitre un peu plus la substance lorsque les bribes d'une conversation entre les deux hommes attirèrent son attention.

- Merci, monseigneur, pour ce métal.
- Ne m'appelle pas comme ça ! répondit Tindarius avec un sourire en coin. Je ne peux faire confiance qu'à toi.
- Je le sais, mon frère.

L'homme contemplait quelque chose sur la table et Killian tenta de s'approcher pour voir de quoi il en retournait. Il y découvrit un tas non négligeable de métal couvert de runes. Les deux hommes semblaient absorbés par ce qu'ils voyaient.

- Je vais te forger la plus belle arme que le monde ait jamais connue.
- Elle sera belle, répondit Tindarius. Mais elle sera surtout exceptionnelle, car je serai avec toi.

La scène changea, dévoilant les deux hommes travaillant le métal sous ses yeux. Killian put voir un moment de l'histoire qui le laissa sans voix : la création d'Excalibur. Alors que le forgeron travaillait le métal dans sa globalité, Tindarius semblait profiter de l'état de fusion pour modeler la garde avec une précision inégalable. Malgré les heures qui semblaient défiler sous ses yeux, le maitre des runes ne se lassa pas de voir la passion qui semblait avoir envahi l'esprit des deux hommes. Ils travaillèrent d'arrache-pied sans jamais se plaindre ou souffler. Chaque étape semblait être une victoire sur la vie. Lorsque tout fut terminé, il put voir Tindarius brandir l'arme, les yeux humides :

- Elle est splendide. Je ne pensais pas que nous arriverions à un tel résultat.
- Tu sous-estimais mes capacités ? répondit le forgeron.
- Bien sûr que non, mais je ne pensais pas être à la hauteur de la tâche.

Il finit sa phrase en enroulant l'arme dans une couverture.

- Que dois-je faire du métal qui reste ?
- Prends-le pour paiement, tu l'as bien mérité.

Tindarius s'approcha du forgeron et lui posa une main sur l'épaule tout en approchant son visage du sien :

- Ne parle à personne de ma venue ni de ce que tu as fait pour moi. Si des gens l'apprenaient, nous serions tous deux traqués comme des chiens.
- Tu as ma parole. Quant à toi, fais attention à cette bande de démonistes. Je ne les sens pas, vraiment pas.

Tindarius se rinça le visage avec une écuelle prévue à cet effet avant de rattacher ses longs cheveux blonds. Il s'équipa de son bouclier ainsi que de sa nouvelle épée avant de se diriger vers la sortie. Juste avant de franchir le seuil de la porte, Killian put entendre :

- Je vais enchanter cette épée avant de m'occuper d'eux. Je suis d'accord avec toi, ils sont dangereux.

La vision changea encore une fois pour faire apparaitre le forgeron en plein travail. Il forgeait une nouvelle épée et Killian le sentit tendu.
Chaque geste était calculé et étudié de façon à être parfait. La vision s'accéléra pour se figer à un moment bien précis. L'homme était assis dans un fauteuil à bascule, dans une pièce à vivre, un feu de cheminée pour seule source de lumière. Il avait une nouvelle arme sur ses genoux : Fangore, à son état d'origine.

Ce qui surprit le maitre des runes fut la présence de l'esprit de l'arme, non loin du forgeron. Cette dernière avait la forme d'une femme de petite taille, comme lorsqu'il l'avait rencontrée. Un torchon à la main, l'homme enduisait l'arme d'une huile pour la protéger du temps tout en couvant l'esprit fantomatique du regard, révélant ainsi à Killian sa nature de magicien :

- Jamais je n'ai fait d'arme aussi parfaite, même pas pour mon frère. Elle devrait être pour un roi et non pour un vulgaire fantassin.

Il brandit l'arme devant lui en réfléchissant, comme s'il était en proie à une vision :

- La prochaine fois que je verrai Tindarius, je lui dirai qu'il faut utiliser tout le métal pour ne faire qu'une seule arme. Je reforgerai les deux épées pour n'en faire qu'une seule, même si cela doit me coûter une année de travail. Travailler du métal runique fut la plus belle chose qui me soit arrivée.

La vision changea encore une fois. Le forgeron se tenait debout, au milieu de la pièce. Entouré par quatre hommes, il avait le regard de celui qui connaissait son destin. Les nouveaux arrivants étaient accompagnés de démons. L'un d'entre eux s'approcha du créateur de Fangore, l'air mauvais :

- Je te repose la question une dernière fois : où est ton frère et pourquoi est-il venu te voir ?

Killian crut, le temps d'une seconde, que le frère de Tindarius pouvait le voir. Il aurait juré que l'homme lui souriait. Mû par une volonté d'être fidèle à son ami et son frère, il tendit la main vers le feu de cheminée. Ce dernier sembla bondir du foyer pour venir se concentrer dans sa main avant d'être jeté sur l'un des démonistes.

Malheureusement, la réaction des trois autres fut immédiate et leurs démons se jetèrent sur le pauvre homme.

Une fois mort, ses agresseurs mirent le feu à la maison avant de sortir, sans prendre la peine d'emporter leur acolyte calciné par le forgeron.

Killian put voir Fangore pleurer sur le corps de son maitre. Les démonistes n'avaient pas remarqué l'arme trônant au-dessus de la cheminée. Juste avant d'être entièrement englouti par les flammes, il put voir l'esprit de son arme le regarder avec intensité et pour la première fois, il entendit le son cristallin de sa voix :

- Le métal n'aurait dû servir qu'à faire une seule arme. Nous ne sommes qu'un.

Killian se réveilla en sursaut... par terre. Arthur ronflait à en faire trembler les murs et prenait tout le lit à lui seul. La petite Hadès dormait paisiblement sur son torse, montant et descendant au rythme de sa respiration.

- Je vois que je suis le seul à avoir passé une mauvaise nuit, se dit-il à lui-même.

Il eut un moment de surprise en voyant Fangore sortir délicatement de son propre corps avant de se présenter à lui. Inquiet, il se remémora son rêve et fixa son familier.

- C'est toi qui m'as montré ces visions ? lui chuchota-t-il.

L'esprit s'approcha de lui et colla son visage spectral au sien en signe d'assentiment. Leurs regards se croisèrent et il put voir une grande tristesse dans les yeux de la petite dragonelle.

Il enfila un pantalon et une chemise sans dire un mot avant de sortir de la pièce. Il se colla à la porte de la chambre d'Ambre et frappa discrètement.

Ne sentant aucune réaction, il insista plus fort et entendit le bruit de quelqu'un se levant. La porte s'entrouvrit pour faire apparaitre une Ambre complètement hirsute.

- Killian ! C'est sept heures du matin! Je n'ai pas réussi à dormir de la nuit, car je m'inquiète pour Goliath. Qu'est-ce que tu veux ?

Elle put voir le sérieux dans le regard de son ami. Ce dernier tenait une épée dans chaque main et au vu de sa mine fatiguée, elle en déduisit qu'il n'avait pas passé une meilleure nuit qu'elle.

- J'ai besoin d'un feu. D'un grand feu.

Elle passa une main sur son visage et s'approcha de lui.

- Grand comment ?
- Assez grand pour faire fondre deux épées enchantées. On va avoir besoin de Ronce aussi.

La mise en place demandée par le maitre des runes eut le mérite de créer l'animation de la matinée et c'est un Mr Wang quelque peu perturbé qui fit son entrée dans le camp militaire bordant l'académie. Il se planta devant la création des trois mages qui s'affairaient à faire quelque chose qu'il ne comprenait pas.

La petite Ronce semblait faire une cheminée de roche et de boue tandis que le maitre des runes, aidé par Ambre, semblait tordre du métal en fusion.

De nombreux militaires ainsi que des mages de l'académie regardaient ce petit monde s'agiter et le ministre se dirigea vers Lux et Hadès restés en retrait pour en savoir un peu plus.

- Qu'est-ce qui se passe ici ?
- Pas la moindre idée. Il s'est réveillé avec une seule idée en tête, créer une forge. Je ne sais pas ce qu'il veut en faire, mais lui a l'air de savoir parfaitement ce qu'il fait.
- Espérons-le.

Lux regarda sa montre puis se tourna vers l'homme politique.

- Vous êtes là bien tôt ?
- J'ai des nouvelles. Je ne sais pas si elles sont bonnes ou mauvaises, mais nous savons que les Corporems sont à une centaine de kilomètres au nord de notre position. Ils sont à l'arrêt et ont l'air d'attendre quelque chose. Je suis venu ici parler à mes lieutenants pour définir une stratégie.

Le mage de lumière ne répondit rien, ne voulant pas mal interpréter les propos de son interlocuteur. Il est vrai que savoir les Corporems aussi près d'eux n'était pas pour lui plaire, mais il avait appris à ne pas paniquer pour rien. Si les Corporems désiraient prendre cette position, ils devaient certainement savoir que les pertes seraient énormes, pour les deux camps.

- Espérons que les choses se calment d'elles-mêmes lorsqu'Icy reviendra avec la clé.
- Oui, espérons, répondit Hu sans grande conviction.

Il reporta son attention sur Ronce qui semblait savoir exactement ce qu'elle faisait. Ne voulant pas attendre plus longtemps, il se dirigea d'un pas décidé vers le maitre des runes qui semblait en pleine concentration avec la mage de feu.

- Hummm.

Killian ouvrit les yeux pour voir le ministre chinois à ses côtés.

- Bonjour Mr Wang. Vous êtes bien matinal !

- Je vous retourne le compliment. Puis-je savoir ce que vous faites en plein milieu de mon camp militaire ? En quoi une forge va-t-elle nous permettre de contrer soit le Malachor, soit les Corporems ?

Il put voir l'énorme bloc de fonte sur lequel travaillaient les deux mages. Il ne devait pas être loin des deux mètres de long sur un peu plus de trente centimètres de large. En son centre était moulée la forme d'une épée aux proportions extravagantes.

- Vous n'aviez pas assez de deux épées que vous en voulez une nouvelle ?
- J'en ai justement une de trop ! J'ai fait un rêve cette nuit ou j'ai eu une vision, je ne sais pas en fait. Il semblerait que mon épée et Excalibur aient eu le même créateur.

Hu écarquilla les yeux en apprenant la nouvelle.

- En êtes-vous certain ?
- On peut dire ça. Ça expliquerait pourquoi toutes mes tentatives d'améliorer Fangore avec un métal différent du sien ont échoué ! Il lui fallait un métal et une puissance identique !

Cette fois-ci, c'est la mâchoire de l'homme politique qui manqua de tomber au sol.

- Vous… vous allez faire fondre Excalibur ! Il en est hors de question !
- Je suis désolé, mais cette épée m'appartient désormais, j'ai pourtant lourdement insisté pour ne pas devenir son propriétaire, ce qui arrive aujourd'hui est un peu de votre faute.

Killian s'amusa à voir le visage du ministre devenir livide. Même Ambre se demanda, le temps d'un instant, s'il n'allait pas défaillir.

- Ne vous inquiétez pas. Il sait ce qu'il fait la plupart du temps.

Le chef des Wizards se mit à rire alors que leur interlocuteur faisait la grimace.

- Vous allez peut-être anéantir deux esprits anciens, vous vous en rendez compte ?

Reprenant un air sérieux, Killian plongea son regard dans celui de l'homme politique chinois. Ce dernier vit pour la première fois le chef des Wizards à la place qu'il devait être. Non pas un simple mage parmi tant d'autres, mais l'Enchanteur. Le mage détenteur de l'obédience la plus puissante au monde et chef du groupe de magiciens ayant accompli des choses qu'aucune académie n'avait ne serait-ce qu'envisagées.

- Fangore est ma plus fidèle amie. Je ne ferai jamais cela sans son accord et son soutien. C'est elle qui m'a montré la solution. Je suis le premier à avoir très peur de ce qui va se passer, mais j'ai foi en elle.

Ronce se dirigea vers eux en sautillant, fière de sa création.

- Le volcan miniature de monsieur est prêt !

Killian jeta un regard à la création de la plus jeune membre des Wizards. Il sembla, le temps d'un instant, inquiet.

- Es-tu certaine que cela tiendra ?

La petite fille fronça les sourcils tout en foudroyant son interlocuteur du regard :

- Un volcan je te dis ! Je la mets au défi de lui causer une seule fissure.

Ambre, qui n'était pas loin, fit un sourire carnassier à la petite fille, lui montrant qu'elle acceptait le défi que venait de lui proposer sa fille adoptive.

- Bien, enchaina Killian. Si tout le monde est prêt, nous allons commencer.

Ces paroles firent reculer une partie du public qui avait du mal à réaliser l'importance de l'instant présent.

Killian saisit ses deux épées et les plaça dans un énorme récipient en fonte qu'il déposa avec l'aide de ses pouvoirs à l'intérieur du four.

Une boule au ventre se forma à l'intérieur de lui lorsqu'il vit les deux armes l'une contre l'autre. Il invoqua l'esprit de Fangore qui se jeta instantanément sur lui. Elle semblait surexcitée par la situation.

- Salut ma belle, tu es prête ?

Elle hocha frénétiquement la tête, ce qui rassura le maitre des runes.

- Je vois que tu n'as pas peur, c'est plutôt bon signe, car je préfère être honnête : on improvise un peu là.

Il ne sut si elle souriait, mais elle semblait se moquer un peu de lui, comme si…

- Tu trouves que ça ne change pas de nos habitudes ?

Elle sautilla pour lui faire comprendre qu'il avait bien compris. Levant les yeux au ciel, Killian s'éloigna en regardant ses compagnons.

- Voilà qu'elle se met à se moquer de nous !

Une fois arrivé au niveau d'Ambre, il allait encore une fois lui rappeler le processus, mais cette dernière le devança :

- Je sais ! Je fais monter le four en température et lorsque les armes seront sous leur forme liquide, il faudra que je contienne la chaleur pour que tu transvases le tout dans le moule. Arrête de t'angoisser, tout va bien se passer.

Sous le regard médusé des spectateurs, militaires et mages de l'académie, Ambre se positionna derrière la cheminée créée par Ronce. La structure devait faire presque cinq mètres de haut. Elle était constituée d'énormes rochers à sa base.

Chaque étage était constitué de pierres de plus en plus petites, le tout étant recouvert d'une boue concoctée par la mage de la terre. Durcie par sa magie, la forge semblait littéralement indestructible.

- On va voir ce que ça donne, murmura la mage de feu à elle-même.

Elle positionna ses deux mains devant elle et se concentra. La chaleur de son corps monta progressivement, mais la jeune femme savait qu'il lui faudrait beaucoup de magie pour arriver au résultat attendu.

Du coin de l'œil, elle put voir le maitre des runes angoisser. Elle lui sourit avant de dégager trois cercles de puissance, preuve qu'elle n'avait rien à envier à ses pouvoirs.

Des gémissements se firent entendre dans le public, lui donnant l'impression que beaucoup de monde n'avait jamais vu un sort du troisième cercle.

Une boule incandescente se forma entre ses mains. Sa taille ne dépassait pas celle d'un ballon de football, mais son aura fit reculer encore plus les gens. Le sol sous la jeune femme commença par noircir avant de se transformer en braises rougeoyantes.

Elle s'approcha du four et plongea ses deux mains dans un orifice prévu à cet effet. Tout le monde put voir rapidement des flammes de plusieurs mètres sortir par la cheminée.

Le maitre des runes tenta de regarder à l'intérieur de la forge, mais la chaleur était telle qu'il lui était impossible de se placer devant. Il projeta son esprit pour déceler le métal et put constater par lui-même que les épées n'avaient pas commencé à fondre.

Les spectateurs s'agitèrent en voyant le visage crispé de la mage de feu qui continuait à fournir la chaleur nécessaire à la forge pour fonctionner.

- Killian ! cria-t-elle. où en est-on ?
- Pas encore ! Lâche tout !

Le visage rouge et en sueur, la jeune fille puisa dans ses réserves. Trois nouveaux cercles de puissance irradièrent de son corps et une explosion se fit entendre à l'intérieur de la forge. Le temps d'un instant, le silence envahit l'espace puis, telle une éruption volcanique, la cheminée cracha des flammes bleues en continu tout en faisant le bruit d'un immense chalumeau.

Les spectateurs se mirent les mains sur les oreilles et fermèrent les yeux devant l'intensité du bruit et de la chaleur.

Un craquement se fit entendre et un petit morceau de la cheminée tomba au sol, manquant de peu la mage de feu qui ne bougea pas d'un millimètre, absorbée par sa tâche.

- Ambre ! Arrête ! Je pense qu'on est bon ! hurla le maitre des runes.

L'intéressée stoppa sa magie et tomba à genoux. Tout le monde put voir les ecchymoses sur ses bras lorsqu'elle les sortit du four.

- Ma grande, je vais encore avoir besoin de toi.

Killian avait déjà commencé la deuxième étape de son plan : l'énorme marmite en fonte accueillant les deux épées flottait dans les airs. Elles étaient désormais sous leur forme liquide et Killian eut du mal à la sortir de la forge par la seule force de sa pensée. Chargée en magie, des éclairs de feu s'en échappaient, frappant le sol ou la cheminée. Ambre se concentra, tentant d'absorber les éclairs sur elle.

La petite Ronce fixait sa cheminée d'un air déçu. Mais lorsque son regard se porta sur sa mère adoptive, elle fut la première à comprendre la catastrophe qui s'annonçait :

- Killian ! Elle va s'évanouir !

Sa phrase à peine finie, le maitre des runes put voir la mage de feu s'écrouler au sol. D'instinct, il activa l'une de ses runes gravées sur son corps pour déployer un bouclier. Les éclairs de feu reprirent de plus belle, frappant aléatoirement autour de la marmite.

Les gens hurlèrent de peur lorsqu'ils comprirent la situation. Redoutant un désastre, Killian hésita, le temps d'un instant, à renvoyer la marmite dans la forge.

Les éclairs continuaient de frapper un peu partout, mais sans encore avoir fait de victime. Les militaires et les mages présents commencèrent à se disperser.

C'est les yeux pleins de larmes que le maitre des runes prit la décision d'en finir, au risque de perdre l'esprit de son arme. Tout le monde put voir la marmite flotter en direction de la forge lorsqu'un homme et un démon lui firent barrage.

Lux et Arthur étaient là, l'un avec les bras ouverts comme s'il allait prendre la marmite entre ses bras, les mains diffusant une lumière continue, l'autre caché derrière un monstrueux bouclier grand comme lui. D'un côté comme de l'autre, les deux compagnons se chargèrent d'encaisser les éclairs qui continuaient de zébrer l'atmosphère.

Reprenant ses esprits, Killian remercia intérieurement ses amis et utilisa sa magie pour déplacer le moule jusqu'au récipient. Lorsque l'opération fut terminée, il

pencha la marmite et un liquide doré s'en échappa. Le nectar était épais et il crépita en entrant en contact avec la surface froide du moule.
Killian ne voulait pas faire une lame et une garde. Grâce à sa magie, il allait créer son épée d'une seule pièce.

Le liquide s'écoula lentement jusqu'à ce que la marmite soit entièrement vide. Épuisé par l'effort et la chaleur insoutenable du métal en fusion, Killian s'écroula en même temps que le récipient qui fit un bruit sourd lorsqu'il percuta le sol.

Un silence pesant régna pendant un long moment. Tout le monde retint sa respiration, ne sachant plus quoi penser. Ronce se jeta sur sa mère adoptive et lui posa délicatement la tête sur ses genoux, alors que Lux se dirigeait vers son ami toujours au sol :

- On n'avait pas dit « plus d'improvisation » ?

Ne se donnant même pas la peine d'ouvrir les yeux, Killian lui répondit avec un faible sourire.

- Un jour, il faudra vraiment qu'on t'écoute.
- J'apprécierai. Outre le fait qu'Ambre et toi êtes dans un sale état, vous auriez pu blesser du monde.
- Au lieu de m'enfoncer, aide-moi à me relever veux-tu ?

Le vieil homme leva les yeux au ciel et tendit la main à son ami qui la saisit avec raideur.

Un bruit métallique alerta les deux hommes qui tournèrent la tête en direction d'Arthur. Ce dernier avait entre ses mains une arme ressemblant à une lance. Il s'évertuait à tenter d'ouvrir le moule en faisant pression sur la ligne de jonction entre les deux parties des énormes plaques de fonte.

Un bruit de ventouse informa le public que le démon venait de réussir sa besogne et c'est d'un simple coup de botte qu'il renversa la partie supérieure du moule. Un nuage de vapeur rendit la scène encore plus mystérieuse et personne, pas même le maitre des runes n'osa s'avancer. Sous le regard médusé des spectateurs, Arthur brandit sa pique en métal qui se transforma en nuage noir. Glissant sur lui comme un serpent, la forme vaporeuse se matérialisa sur sa main pour former un gantelet métallique.

Avec une certaine solennité, le démon se saisit de l'arme nouvellement créée. Le contact du métal encore chaud sur le gantelet du démon créa un nouveau nuage de vapeur. Grâce à la forge, tout le monde avait oublié l'air glacial de la saison. Maintenant que les choses revenaient à la normale, c'est un véritable brouillard qui se forma autour d'Arthur qui s'avança lentement vers le père de sa maitresse.

Le soleil qui semblait vouloir s'obstiner à percer la brume offrait au maitre des runes un contre-jour qui rendit la scène identique à celle d'un vieux film : en noir et blanc. Au milieu d'un contour vaporeux se déplaçait un être entièrement fait de noirceur, tenant une épée aux proportions démesurées dans l'une de ses mains.

Ce ne fut que lorsque ce dernier se trouva à quelques centimètres de lui qu'il put voir l'air sérieux sur le visage du démon. Personne n'était habitué à voir Arthur sans son sourire juvénile qui semblait ne jamais vouloir le quitter. Les deux êtres se regardèrent quelques secondes, puis le démon tendit l'arme à son propriétaire qui sembla hésiter.

Devant lui se tenait une épée d'une splendeur encore jamais égalée. Sa magie l'avait aidé à créer un moule unique. Fait d'une seule pièce, l'arme devait être d'une solidité à toute épreuve. Il lui faudrait encore l'aiguiser, l'enchanter avec de nouvelles runes, mais ce n'était pas ce qui l'inquiétait. Il ferma les yeux et tenta d'appeler l'esprit se trouvant à l'intérieur de l'objet. Il sentit comme une présence, un effleurement mental tel une caresse voulant le prendre dans ses bras. Killian frissonna, ne reconnaissant pas son amie.

Deux grandes ailes fantomatiques se déployèrent devant l'assemblée présente. Leurs battements laissèrent des traces spectrales dans leur sillage, laissant parfois tomber une plume au passage et Killian comprit que ce n'était pas Fangore qui avait gagné ce combat.

Il tomba à genoux. Envahi par la tristesse et le désespoir. Le froid, la douleur… plus rien ne semblait pouvoir l'atteindre. Une chose s'imposa à lui, aussi logique qu'inévitable : il ne voulait pas de cette arme.

Il voulut repousser l'objet que le démon lui tendait, mais lorsque sa main effleura le métal, il put voir le visage de Fangore se déployer hors de l'arme. Cette dernière n'avait plus rien à voir avec ce qu'il avait connu. Plus grande, elle faisait pratiquement sa taille et ses ailes la rendaient plus impressionnante que jamais.

Ayant gravé la garde à l'image de Naox, qui lui avait révélé la véritable apparence des dragons, son amie ressemblait désormais en tout point à l'un d'entre eux. Une grande crinière lévitait au-dessus de son long cou, lui donnant un aspect fantomatique, mais aussi une sensation de légèreté malgré sa masse imposante.

- C'est… c'est toi ?

La question franchit ses lèvres sans y croire. Il savait qu'elle ne pourrait lui répondre et qu'il ne connaitrait peut-être jamais la vérité, mais il espérait.

Elle pencha la tête et blottit son visage contre son torse. Cette sensation eut l'effet d'un électrochoc pour le maitre des runes qui se vit transporté loin en arrière, dans une chambre de l'académie de magie, bien avant qu'elle ne devienne le repère des Wizards. Il se revit, cherchant un nom à une petite créature qui ne voulait pas s'éloigner de lui. Il se rappela la tête du petit dragon qui s'était posée sur son torse à l'évocation de son nom pour la première fois, de l'intensité du moment et de la complicité que les deux individus venaient de créer sans même le savoir.

Laissant ses larmes couler, le maitre des runes prit son dragon dans ses bras et pleura, de soulagement.

- Bienvenue parmi nous, ma belle.

Chapitre 14

Cela faisait maintenant trois semaines qu'Icy priait. Elle avait bien compris que forcer la main des moines ne lui apporterait rien, si ce n'est leur mépris.

Elle troqua ses vêtements usés contre une robe similaire à celle des moines peuplant ce temple. Bien que trop grande, l'habit avait le mérite d'être confortable et léger.

Une fois assurée que son ami Corporem était nourri et abrité de la tempête, la petite fille put se concentrer à sa première mission : trouver la paix intérieure. Se détacher de tout et être capable de focaliser son esprit sur l'instant présent. Le problème était justement là : Icy ne voulait pas cela. Elle ne voulait pas faire abstraction de la mission qu'on lui avait confiée ni de la mort de Braise. C'était justement ses motivations.

Or les moines lui avaient imposé une retraite spirituelle nécessaire pour trouver la paix intérieure et lui permettre par la suite de passer l'épreuve.

L'épreuve : elle ne savait absolument pas en quoi elle consistait ni ce qu'on attendait d'elle. Les habitants du monastère faisaient tout pour l'éviter.

La salle mise à sa disposition était creusée à même la montagne. Pourvue d'une simple meurtrière, la petite fille n'avait qu'un fin rayon de soleil pour l'éclairer et une paillasse pour se coucher lorsqu'elle désirait dormir. Deux repas lui étaient amenés quotidiennement, principalement composés de riz et de soja.

Plus le temps passait, plus l'angoisse de la petite fille grandissait, créant un malaise, car, comme elle l'avait appris durant ces trois semaines : l'angoisse était une ennemie farouche dans la recherche de la paix intérieure.

Ce malaise provenait du temps que la petite fille gâchait. Elle savait son père sans nouvelles d'elle et cela l'inquiétait. Peut-être avait-elle réussi à calmer les envies de Goliath de réduire ce monastère en poussière, mais si son père débarquait, rien ni personne ne pourrait contenir sa colère lorsqu'il aurait pris connaissance de la situation.

Le temps était donc l'ennemi de la petite fille et cela pour plusieurs raisons. La plus évidente était la possibilité que le Malachor revienne dans leur monde avant qu'elle ne revienne avec cette fameuse clé. Mais s'il y a une chose que l'ainée des trois sœurs ne pouvait faire, c'était bien se mentir à elle-même. La véritable raison était que plus elle passait de temps ici, plus ses chances de se retrouver face au meurtrier de Braise diminuaient.

Assise en tailleur, elle semblait pourtant respirer le calme intérieur. Mais plus elle cherchait cette « foutue » paix intérieure, plus elle rageait intérieurement. Ce qui la révulsait par-dessus tout était la condescendance de ses hôtes devant l'urgence de la situation.

Un bruit à l'extérieur de la pièce l'alerta. Elle jeta un coup d'œil rapide sur la meurtrière avant que son regard ne glisse sur le rayon de soleil qui n'était désormais qu'à quelques millimètres de son pied. La marque ainsi faite sur le sol semblait délimiter la pièce en deux, plongeant son corps complètement dans l'obscurité. Chaque jour, à la même heure, une personne différente venait la questionner et chaque jour, elle repartait sans lui avoir apporté de réponses à ses propres interrogations.

Un bruit de sandales raclant le sol lui fit comprendre que l'homme avait le pas lourd. Sa démarche était aussi boiteuse, car un pied frappait systématiquement le sol plus vite que l'autre et un « toc » très singulier lui confirma qu'il avait besoin d'une canne pour se déplacer.

- Est-ce que je te dérange ? Commença le vieil homme tout en apparaissant dans l'ouverture de la pièce.
- Non.

Elle avait rapidement compris que les phrases longues les agaçaient et leur faisaient comprendre aussi qu'elle n'était pas maitresse d'elle-même.

L'homme était effectivement vieux et gros. Sa robe de moine ne lui arrivait que tout juste aux genoux et un bâton de bois rudimentaire lui servait de troisième jambe. Dénué de cheveux comme l'ensemble des habitants du monastère, l'homme semblait d'une autre époque, comme un fantôme vadrouillant dans un monde qui le dépassait.

- Je te sens calme.
- Je le suis.

Le vieillard sourit. Icy n'aurait pu interpréter la chose et s'y refusa, ne voulant montrer ni déception ni satisfaction à son interlocuteur.

- Pourquoi es-tu ici ?
- Pour la clé.

Il parut apprécier la franchise de la petite fille, mais la question suivante la déstabilisa.

- Et si je refusais que tu t'en empares ?

Sa réflexion fut rapide. Il était évident que s'emporter jouerait contre elle. Une phrase de sa mère lui revint à l'esprit. C'était lors d'un diner pendant lequel ses parents parlaient de quelque chose d'horrible : la politique. Elle se souvint d'une phrase dite durant le repas et qui l'avait, à l'époque, choquée.

« Tous les mêmes ! Si une question les dérange, ils répondent par une autre question et hop ! »

- Je me demanderai pourquoi vous feriez une chose pareille ?

Un sourcil du vieil homme se souleva.

- Tu ne te mettras pas en colère.
- Tout dépendrait de votre réponse.

L'homme sourit une fois de plus et leva un doigt vers le plafond de pierre.

- Sais-tu ce qui se trouve au sommet de cette montagne ?
- Non.
- Il y a une salle avec un puit. À l'intérieur se trouve la clé. Tous ceux qui ont essayé de la récupérer ne sont jamais revenus. Imagine que je refuse que tu tentes ta chance pour ta propre sécurité. Quelle serait ta réaction ?

La mage de l'eau ferma les yeux et tenta de se calmer. Son cœur battait la chamade suite aux dernières paroles de l'ancien. Lui disait-il la vérité ? Venait-il de lui donner le lieu de l'épreuve ? La mort pouvait-elle être l'une des issues possibles ? Parmi toutes ces questions, il lui fallait trouver une réponse. Devait-elle dire qu'elle ne risquait rien ? Qu'elle serait forte ? La banalité de ces phrases sonna comme un vase vide dans son esprit. Puis elle se rappela comment elle avait été traitée depuis son arrivée. La rudesse de l'endroit ainsi que du climat. Sa sécurité et son bien-être étaient deux états qui ne semblaient absolument pas les inquiéter :

- Vous ne ferez pas cela, car ma sécurité vous importe peu.

Une autre évidence s'imposa à elle. Les moines de ce temple semblaient faire grand cas de cette épreuve ainsi que des potentiels candidats. La préparation forcée pour toute personne désirant récupérer la clé malgré le danger qui semblait peser sur elle fit réaliser une chose importante à la mage de l'eau :

- Vous voulez la clé. En fait, elle est ici, mais pas en votre possession.

L'homme sembla impressionné par la réponse de la jeune fille. Il posa ses deux mains sur son bâton comme si son âge avancé venait tout juste de lui tomber dessus.

- Que ferais-tu si la récupérais ?
- Je l'apporterais à mon père. Lui saura quoi en faire et comment sauver notre monde.
- Mieux que nous ?
- Je ne vous connais pas. Lui, oui.
- Suis-moi.

Sans y croire et luttant contre l'envie de partir en courant derrière le vieil homme, Icy se releva avec raideur pour se placer à côté de lui. L'ascension fut longue et pénible. Le long escalier en colimaçon semblait ne jamais vouloir finir. Ce n'est que longtemps après que la petite fille ait arrêté de compter les marches que le vieil homme s'arrêta pour la laisser pénétrer en premier dans une salle bien différente de ce qu'elle avait déjà vu dans le temple.

De grandes ouvertures semblaient avoir été taillées dans la roche pour transformer l'endroit en un véritable cloitre naturel. Pour la première fois depuis trois semaines, la petite fille pouvait sentir la lumière du soleil réchauffer sa peau. Ce n'était pas quelque chose qu'elle recherchait au quotidien, mais sa chambre était beaucoup trop sombre pour elle.

Les trois hommes qu'elle avait déjà rencontrés se tenaient là, debout. Leurs visages reflétaient le doute et la contradiction, signe qu'ils n'étaient certainement pas tous du même avis concernant sa personne et sa venue en ce lieu.

Au milieu des trois hommes se trouvait un puit dans lequel une eau cristalline venait vitrifier la surface. Une telle singularité frappa la jeune fille, car même si elle ne craignait pas véritablement le froid, son organisme ainsi que les lèvres bleues des trois moines étaient des signes irréfutables que la température était très en dessous du zéro.

Elle s'approcha doucement sans dire un mot et se plaça devant les trois hommes sans quitter du regard la surface du puit qui semblait chanter quelque chose pour elle. Elle fut tirée de ses visions par l'un des hommes qui l'aborda sans ménagement.

- Il est temps pour toi de passer l'épreuve, et ce malgré ton ignorance et ton manque de sagesse.

Un deuxième moine enchaina, sans laisser à la petite fille le temps de répondre.

- Nous ne voulons plus d'une femme ici.

Ces paroles réveillèrent la colère de la petite fille qui plongea son regard glacial dans celui des deux hommes qui venaient de s'adresser à elle.

Le troisième, celui qui avait été le plus « conciliant » lors de son dernier entretien, s'avança vers elle un demi-sourire au coin des lèvres.

- Ne te formalise pas pour cela. Nous ne te demandons pas de croire en nos coutumes et nos traditions. L'important est que nous ne transgressions pas nos lois en te laissant passer l'épreuve.

Icy ne voulut pas polémiquer. La seule chose qu'elle désirait se trouvait là, juste devant elle. Ignorant les deux autres moines, elle s'adressa au troisième d'une voix forte :

- Que dois-je faire ? Plonger là-dedans et revenir avec la clé ?
- C'est aussi simple que ça.

La voix de l'homme était détachée de toute émotion, ce qui n'empêcha pas Icy de trouver son attitude bizarre. Il semblait tourner volontairement le dos à ses deux acolytes. Il s'agenouilla avec lenteur face à elle et prit ses mains dans les siennes.

- Que Bouddha t'accompagne dans ta quête, mon enfant.

Il lui embrassa le front comme un père aurait embrassé sa fille, ce qu'elle ne comprit pas immédiatement. C'est lorsqu'elle sentit l'homme lui glisser quelque chose entre les doigts que ses motivations devinrent claires pour elle : il désirait l'aider, et cela contre la volonté des autres moines.

- Merci.

Elle ne sut quoi dire d'autre devant la gentillesse de l'homme qui semblait lutter entre ses convictions religieuses et personnelles.

Il se redressa pour lui faire face une dernière fois, puis avec une certaine tristesse, se tourna vers ses deux complices.

- Retirons-nous, mes amis. Il est temps de la laisser seule face à son destin.

Ils obéirent non sans la toiser une dernière fois. « Haïe parce que je suis une fille ». Cette réalité la choqua et les paroles de Goliath lui revinrent à l'esprit : les religieux et particulièrement les fanatiques étaient tous dangereux. L'homme avait créé quelque chose dont l'absurdité n'avait aucune limite : la foi. Elle se demanda, le temps d'une fraction de seconde, comment les femmes pouvaient adhérer à cela ?

Elle ne connaissait pas toutes les formes de religions du monde, mais du peu qu'elle en savait, la femme était toujours traitée avec mépris sans jamais pouvoir être l'égale de l'homme.

Elle haussa les épaules, sachant qu'elle ne résoudrait pas ce mystère aujourd'hui et se concentra sur le puit qui se tenait devant elle.

Dépourvu de faïence ou de décoration, ce n'était que de la roche brute dépassant du sol rocailleux sur lequel elle se trouvait.

S'assurant qu'elle était seule, elle entrouvrit sa main pour découvrir ce que l'homme lui avait donné : un cristal bleu.

L'objet, bien que simple, était pour la petite fille magnifique. Elle le porta jusqu'à son visage et sentit une vague de chaleur l'envahir. Une magie qu'elle ne connaissait pas semblait prendre possession d'elle. Sa fatigue disparut ainsi que sa faim. Elle sentit comme une énergie nouvelle couler dans ses veines et son esprit devint plus alerte. Une fois sa magie utilisée, l'objet redevint un simple caillou que l'on aurait pu trouver n' importe où.

Ragaillardie par le pouvoir de la pierre, elle s'approcha du puit et effleura de sa main l'eau qui semblait être figée dans le temps.

La première chose qui frappa la petite fille fut la froideur de ce contact. Telle une lame de rasoir, l'eau lui brûla le bout des doigts tout en l'attirant à elle.

- Tu ne devrais pas être liquide toi, se chuchota-t-elle en se frottant la main endolorie par le récent contact avec le liquide.

Malgré ses aptitudes avec cet élément, Icy utilisa un sort du deuxième cercle pour se constituer une armure de givre qui, l'espérait-elle, la protègerait de ce froid peu naturel.

Elle tenta l'expérience une nouvelle fois et l'eau sembla « gouter » ce nouveau contact avec plus de douceur. Prenant de l'assurance, Icy y plongea entièrement la main, laissant son organisme décider à sa place de ce qui était bien ou pas pour lui.

Après une minute, elle décida que l'heure était venue de faire le grand saut. Elle grimpa sur la roche, plongea ses jambes dans le bassin et se pencha pour voir le fond du puit. Elle n'y discerna que noirceur et ténèbres, ce qui ne la rassura pas et elle se demanda si c'était une bonne idée de plonger dans un puit au sommet d'une montagne, sans savoir ce qui allait lui arriver.

- Heureusement que papa n'est pas là, jamais il ne m'aurait laissée plonger là-dedans et il aurait eu raison.

Elle se pinça le nez, une vieille habitude gardée de ses cours de plongée, avant de se laisser glisser dans les ténèbres.

Combien de temps cela faisait-il qu'elle « coulait » ? Le temps passait comme une lente caresse sur l'esprit de la petite fille. Il lui semblait qu'une éternité venait de s'écouler alors que son intuition lui soufflait que cela ne faisait pas si longtemps.

Le froid avait envahi son corps, l'engourdissant de façon agréable.

C'était comme retrouver une sensation perdue. Elle n'avait pas eu froid depuis si longtemps qu'elle en avait oublié l'effet que cela pouvait avoir.

Cette situation lui fit penser aux épreuves pour devenir une Wizards et particulièrement celle des démonistes. Ce long tunnel obscur et malsain lui avait fait forte impression à tel point qu'elle avait failli, ce jour-là, abandonner.

Mais cette fois-ci, elle était dans son élément et nulle vile créature ne tentait de l'arrêter.

Sa robe flottait autour d'elle, créant un nuage de douceur dans ce froid glacial qui, malgré son obédience censée la protéger, lui gelait les os. Une chose était certaine, cette eau n'était pas « normale ». Largement en dessous du zéro degré fatal à sa forme liquide, elle semblait être vivante et la guider vers un endroit bien précis.

Elle pencha sa tête vers le bas et découvrit une lueur. Premier changement dans cette lente chute vers la noirceur des tréfonds de notre monde qui semblait ne plus vouloir la relâcher.

Les battements de son cœur s'accélèrent, car elle réalisa que le dénouement n'était pas loin. Elle sentit un courant encore plus froid lui transpercer les membres inférieurs lorsqu'elle déboucha dans une immense caverne.

Alors que son corps continuait de tomber dans ce gouffre sans fin, elle put contempler la plus belle chose que son jeune âge lui ait permis de voir : un ciel étoilé au fond d'une grotte sous-marine.

La taille de la cavité dépassait l'entendement et elle comprit que sa descente l'avait menée bien plus bas que le monastère. Plusieurs minutes passèrent avant que ses pieds ne touchent le sol de la caverne.

Cette dernière était composée de la même roche sur les murs et le plafond. Noire comme le jais, elle semblait parsemée de petits morceaux de quartz reflétant la lumière, ce qui lui donna l'impression de se trouver dans l'espace.

Son esprit vif réalisa alors une chose anormale : pour refléter une lumière, il en fallait une ! Elle pivota sur elle-même pour en trouver la source.

Elle crut percevoir quelque chose sur sa droite et elle décida de s'y rendre non pas en nageant, mais en marchant afin de lui permettre de contempler la splendeur du lieu le plus longtemps possible.

Son pied buta sur quelque chose de dur. Son cœur se serra dans sa poitrine lorsqu'elle identifia ce qui lui barrait le passage : un corps d'être humain.

Elle le contourna avec plus de largesse que nécessaire et un début de panique s'empara d'elle. Un homme d'une trentaine d'années se tenait non loin d'elle, totalement congelé, toujours en position de nageur.

Parfaitement conservé par le froid, l'homme semblait être mort en allant dans la même direction qu'elle. Tentant de reprendre le dessus sur ses émotions, la petite fille continua sa lente marche vers la source lumineuse.

L'envie de faire demi-tour devint plus forte lorsqu'elle découvrit un deuxième cadavre : une femme bien plus âgée que ses propres parents.

Elle resta là un moment à contempler cette étrangère, figée dans le temps, dans une posture qui semblait indiquer qu'elle aussi nageait avec frénésie dans la direction de la lumière.

Sept corps de plus semblèrent accueillir la jeune fille dans cet endroit qui au premier abord lui avait semblé magnifique et qu'elle qualifiait désormais de morbide.

Néanmoins, son périple toucha à sa fin, car il lui sembla distinguer une forme non loin d'elle. Son approche fut ralentie par un courant encore plus froid que le précédent, mettant à mal son armure de givre. Elle comprit que le temps lui était compté, car, malgré son énergie galvanisée par le cristal du moine, ses forces commençaient à diminuer et le froid s'insinuait de plus en plus en elle.

Les derniers mètres lui révélèrent que la source de lumière venait d'un dixième corps.

Ce dernier n'était pas comme les autres, il reposait sur un trône fait de glace et tout indiquait dans sa posture ainsi que dans ses atouts qu'il devait être un ancien roi, ou quelque chose dans ce genre.

Icy s'approcha avec prudence pour découvrir qu'il s'agissait d'un jeune homme. Sa beauté fit rougir la jeune fille qui du haut de ses treize ans, n'en avait jamais vu d'aussi parfait.

Son nez droit, son menton carré ainsi que ses arcades sourcilières prononcées lui donnait réellement l'air d'une statue presque inhumaine.

Il portait une armure faite d'écailles bleues ainsi qu'une couronne en or représentant deux dauphins sur le point de se toucher.

La lumière provenait en fait de deux objets bien singuliers : sous sa main gauche était posé un anneau de métal gravé de plusieurs runes blanches qui perçaient l'obscurité pour se refléter sur la roche de la caverne engloutie.

Dans sa main droite reposait un trident fait d'or et d'argent. Un grand nombre de runes bleues brillaient sur le long manche, créant une atmosphère particulière.

« Qui es-tu toi ? » se demanda Icy en contemplant le jeune homme.

Elle fit le tour du trône pour s'assurer que rien d'autre ne lui avait échappé et se positionna à nouveau face à l'étranger. Les runes blanches sur le disque de métal lui laissèrent penser qu'elle était en présence de la fameuse clé, tant convoitée par les moines ainsi que par les Wizards.

Elle hésita longuement avant de s'en emparer puis, le froid la rappelant à l'ordre, elle souleva la main du mort pour dégager l'objet et s'en saisir.

Elle voulut faire demi-tour pour rentrer le plus rapidement possible lorsqu'une sensation bizarre s'empara d'elle. L'eau semblait frémir à son contact et un courant légèrement plus chaud souleva sa main libre pour la diriger à nouveau vers l'ancien maitre des lieux.

N'écoutant que son instinct et surtout son élément, la petite fille s'approcha à nouveau du bel inconnu et hésita.

« Ce n'est pas bien de voler un mort. »

L'eau sembla s'agiter, comme si sa proximité avec le cadavre créait une réaction avec l'élément et Icy, sans pouvoir se l'expliquer, voulut poser sa main sur la joue de l'individu.

Elle eut l'impression de toucher une statue de pierre tellement la peau de l'homme était lisse et dure.

Son esprit de petite fille prit peur lorsqu'elle crut voir les yeux bouger pour la regarder.

« Tu regardes trop la télévision toi », se dit-elle. Puis son regard se posa sur le trident. Plus grande qu'elle, l'arme était de toute beauté.

« Seul un roi peut avoir une arme comme celle-là. Peut-être que je pourrai... ».

D'une main fébrile, elle toucha la hampe de l'objet qui réagit à son contact en amplifiant la douce lumière des runes, comme si elles se réveillaient après une longue nuit de sommeil.

Icy put ressentir toute l'énergie de l'arme et un nouveau courant d'eau lui referma les doigts dessus. Crédule, la jeune fille espéra que ce qu'elle avait vu dans de nombreux films allait se reproduire sous ses yeux. Mais la main du cadavre ne s'ouvrit pas toute seule pour libérer l'arme, ce qui aurait montré qu'elle lui était destinée.

Non, la réalité était bien moins romancée et c'est avec un « crac » muet à cause de l'eau que la main antique se brisa lorsqu'elle lui arracha le trident.

Le membre brisé glissa le long de l'arme pour frapper le sol en soulevant un petit nuage de sable, libérant ainsi de manière définitive le trident.

Icy regarda une dernière fois le sublime visage du garçon avant de repartir en arrière. Elle nagea jusqu'à voir au-dessus d'elle la bouche du puit remontant à la surface. Elle réalisa alors qu'elle était bien plus épuisée que ce qu'elle pensait. Ses jambes la firent souffrir lorsqu'elle se mit à les battre pour remonter vers la surface.

Elle s'aperçut aussi que le trident pesait lourd et son bras commençait à lui faire mal à force de lever l'arme pour ne pas la lâcher.

Elle s'agrippa aux parois du puit lorsqu'elle l'atteignit et commença la deuxième partie de l'ascension.

Même si elle n'avait pas besoin d'air à proprement parler, elle se sentit faiblir de plus en plus et ses membres commencèrent à s'engourdir.

Ne pouvant utiliser que ses jambes dans le conduit remontant à la surface, elle se cogna plusieurs fois le dos et les épaules et bientôt, un long filet de sang traina dans son sillage.

Alors que ses forces l'abandonnaient, elle joua le tout pour le tout et se concentra pour faire naitre en elle une magie nécessaire à son évasion.

Un cercle de puissance se dégagea de son être et l'eau se mit à tourbillonner autour d'elle. Un courant venu de la grotte se mit à la pousser par le bas et, tel le bouchon d'une bouteille, elle se sentit comme expulsée.

Elle ne compta pas le nombre de chocs que son corps subit avant d'être éjecté du puit. Son corps léger et frêle vola dans les airs avant de retomber lourdement sur le sol, lui faisant ainsi lâcher la clé et le trident qui rebondirent sur le sol, créant une cacophonie métallique qui résonna dans le cloitre.

Allongée sur le ventre, elle gémit de douleur en tentant de se redresser. Son corps meurtri et épuisé semblait ne plus vouloir lui obéir et c'est seulement après un effort qui manqua lui faire tourner de l'œil qu'elle réussit à se mettre à genoux. Elle examina son corps pour n'y découvrir que quelques entailles et contusions, rien de bien dramatique.

Un bruit de raclement lui fit tourner la tête et elle s'aperçut que le gentil moine était là, penché sur la clé. Ses yeux exprimaient la convoitise dans toute sa splendeur. Il tourna ensuite lentement son visage vers le sien et lui fit un grand sourire.

- Je te félicite, mon enfant. Les autres ne te pensaient absolument pas capable d'un pareil exploit. Tu peux être fière de toi. Dommage que tu sois si crédule.

Il se leva pour se diriger paisiblement vers la sortie où deux hommes munis de sabres l'attendaient. Il se pencha vers l'un d'entre eux et lui parla d'une voix claire :

- Ne la faites pas souffrir plus que nécessaire.

Après lui avoir jeté un dernier coup d'œil, il disparut dans les escaliers tel un voleur emportant son butin.

Icy regarda la scène tel un fantôme. Épuisée, le corps ankylosé et blessé, elle n'avait plus ni la volonté ni la force de combattre : elle avait failli.

Elle baissa la tête et attendit patiemment son heure. Le bruit des bottes sur le sol de pierre résonnait tout en lui indiquant que les hommes seraient bientôt à son niveau.

Puis ce fut la fournaise. Un cri ravagea ses tympans, la projetant au sol, puis il y eut un souffle ardent qui l'obligea à se recroqueviller sur elle-même, les mains sur ses oreilles.

Cela dura plusieurs secondes pendant lesquelles elle cria de peur, d'angoisse, mais aussi de souffrance.

Elle ne réalisa pas tout de suite ce qui venait de se passer. Roulée en boule sur elle-même, elle ouvrit avec prudence les yeux pour découvrir ses deux bourreaux totalement calcinés. Une ombre gigantesque voila la lumière du soleil et la petite fille découvrit un Goliath sous sa forme de dragon s'avançant doucement vers elle.

- Viens vite, d'autres vont rappliquer ! Tu as la clé ?

Elle se redressa, trop heureuse pour y croire. Puis son faible sourire disparut à la mention de la clé.

- Ils me l'ont volée ! J'ai réussi à la récupérer, mais je n'ai pas réussi à la garder.

Elle s'attendit à trouver un Goliath particulièrement en colère suite à cette annonce, mais le dragon rejeta sa tête sur le côté, lui exposant ainsi son cou.

- On s'en fiche, le plus important est que tu ailles bien. Monte ! Il nous faut filer le plus rapidement possible.

La petite fille agrippa la crinière du dragon pour se jeter dessus lorsque son œil se posa sur le trident.

- Attends une seconde.

Elle clopina jusqu'à l'arme et la ramassa avec ses deux mains, réalisant le poids qu'elle faisait en dehors de l'eau pour la première fois.

- Il pèse une tonne !

Elle se hissa tant bien que mal sur le dos du dragon qui courut vers le rebord du cloitre. Les nuages lointains formant la barrière de tempêtes semblaient se rapprocher de seconde en seconde vers la montagne. Le dragon chercha une faille avant d'abandonner l'idée et déclara d'une voix inquiète :

- On va devoir traverser la tempête, tu es prête ?
- J'ai le choix ?

Ignorant la réponse de la jeune fille, le dragon sauta dans le vide avant de déployer ses grandes ailes. Il profita de la zone calme pour se stabiliser au maximum avant de pénétrer dans le maelstrom.

Dès les premières secondes, des bourrasques l'empêchèrent de se positionner comme il le désirait et rapidement, il dut lutter pour garder l'horizon devant lui.

Les éclairs foudroyaient l'air autour d'eux. Goliath luttait autant que possible pour protéger la fille de Killian qui se cramponnait en hurlant de peur.

En effet, cette dernière était terrorisée. La foudre, le vent, la pluie, les éléments semblaient se déchainer pour les mettre à bas.

Un éclair frappa Goliath au niveau de son dos, à quelques mètres de la petite fille qui cria lorsqu'elle vit les écailles de son ami rougir et lorsque son cri de douleur perça la tempête.

Elle comprit que la situation ne pourrait pas durer beaucoup plus longtemps ainsi. Son ami, bien que fort, ne pourrait résister à plusieurs attaques de ce type.

« Je ne peux peut-être rien faire pour le vent et la foudre, mais pour la pluie... » se dit-elle pour se donner du courage.

Elle utilisa le peu de force qu'il lui restait pour se mettre debout sur le pauvre Goliath.

La vitesse lui faisait mal aux yeux et chaque flash lumineux faisait bondir son cœur dans sa poitrine. Lorsqu'elle voulut canaliser son énergie, elle sentit comme une décharge électrique dans son bras tenant le trident et elle s'aperçut que les runes de ce dernier brillaient de mille feux. Elles dansaient sur le manche comme si elles attendaient un signal, une impulsion.

Laissant son instinct décider à sa place, la petite fille brandit le trident devant elle et se concentra, libérant sa puissance pour activer la magie ancestrale que contenait l'arme.

La pluie sembla soudain « s'arrêter ». L'eau se mit à ne plus répondre aux lois de l'apesanteur et pendant quelques secondes, Icy contempla ce spectacle avec des yeux d'enfant.

Puis la magie opéra. L'eau se mit à suivre le dragon pour bientôt le dépasser tout en s'agglomérant. Une véritable tornade faite d'eau de pluie semblait désormais protéger les deux compagnons dans la tempête.

Goliath, qui ne comprit rien à ce qui arrivait pencha son cou pour regarder la fillette qui, désormais debout sur son dos, semblait être parfaitement maitre de la situation.

- Combien de temps penses-tu pouvoir faire cela?
- Aucune idée, lui répondit-elle en criant.

Un éclair encore plus puissant que le dernier frappa la tornade sans réussir à la disloquer. Néanmoins, Icy se dit que les choses n'étaient pas encore gagnées.

« Espérons que ce soit suffisant », pensa le Corporem qui battit des ailes avec encore plus de frénésie.

Chapitre 15

Les quatre Corporems regardaient leurs cibles monter dans la voiture. Du haut de leur immeuble, ils avaient une vue imprenable sur l'objectif qu'ils s'étaient fixé.

- On n'aura peut-être pas d'autre occasion.

Celle qui venait de parler était la seule femme du groupe. Elle dépassait les autres d'une bonne tête et sa chevelure blonde descendait bas dans son dos ainsi que sur son visage, cachant la vilaine balafre qui mutilait son œil et une partie de sa joue.

Elle aurait pu, grâce à ses pouvoirs, la faire disparaitre, mais elle s'y refusait. Cette cicatrice était désormais une amie fidèle qui chaque jour lui rappelait ce qu'elle avait enduré dans le centre de recherche de Saint-Pétersbourg.

Depuis son évasion, elle ne vivait plus que pour servir son libérateur : Igor, le Grizzly.

Elle se souvint de l'homme ouvrant d'un simple coup d'épaule la porte de sa cellule, pour la prendre ensuite dans ses bras.

Ils avaient traversé tous les deux les steppes gelées de la Sibérie pour fuir leurs tortionnaires qui semblaient ne jamais se lasser d'en vouloir à leur vie.

Lorsque les pays se réunirent pour décider d'un commun accord de l'avenir des mages et de la création des académies, ils oublièrent le mal qui avait déjà été fait aux Corporems, au « peuple Corporems ».

L'injure de ne pas les reconnaitre comme des victimes avait creusé un fossé entre l'humanité et eux.

Ils avaient vécu cachés, la plupart du temps. Puis ils réussirent à rejoindre l'Ukraine et pour la première fois depuis ce qui leur sembla une éternité, ils connurent la paix.

Ce calme et cette sérénité furent de courte durée. Une nuit, alors que tout semblait calme, un commando de l'armée rouge infiltra leur communauté et ce fut un véritable bain de sang.

Soucieux de ne laisser aucune preuve susceptible de faire ressurgir ce sombre passé, le gouvernement russe avait donné l'ordre d'exterminer tous les Corporems « étudiés » par leur pays.

Elle comprit ce jour-là qu'ils ne trouveraient nulle part la paix dans ce monde, à moins de le changer.

Dans leur deuxième exil, ils croisèrent la route d'un prophète qui criait à qui voulait l'entendre qu'il allait ressusciter un dieu qui détruirait les hommes et que ceux qui l'aideraient seraient épargnés.

Il y a encore peu de temps, Igor semblait douter de la santé mentale de l'homme. Mutilé de façon incompréhensible, mi-homme mi-démon, personne ne voulait lui faire confiance.

Or, quelques jours auparavant, c'est de la peur qu'elle put lire dans le regard de l'homme qu'aujourd'hui, elle aimait.

Il l'avait envoyée ici, pour accomplir une mission de la plus haute importance. Une mission capitale dans la réussite de leur projet.

Et une chose était certaine pour elle : elle ne le décevrait jamais.

- On va les suivre. Dès qu'elles seront sorties de la ville, on s'en occupe.

- Laurana, mets ça dans le coffre s'il te plait.

La petite fille saisit le paquet que sa mère lui tendait et le porta à l'arrière du véhicule.

- Tu as de la chance d'avoir des filles aussi gentilles et serviables, dit Terra d'une voix monocorde.

Décelant de la tristesse, Axelle comprit que le sujet des enfants n'était pas à prendre à la légère.

- Tu as…
- Des enfants ?

- Oui.
- Non et ne me regarde pas comme cela, enchaina la belle Espagnole. Je n'ai pas trouvé l'homme de ma vie quand cela m'était possible.

Sentant un sujet plus agréable en perspective, la mère de famille bifurqua dessus en s'installant sur le siège conducteur de sa voiture.

- L'homme de ta vie est enfin arrivé ?
- Peut-être, répondit la mage de la terre, un sourire en coin.

Axelle démarra la voiture tout en lui jetant un regard complice.

Elles prirent la route en direction de l'académie de magie. Cette sortie avait fait du bien à la mère de famille. Angoissant pour son mari et ses deux filles qui se trouvaient dans un pays lointain pour essayer de sauver le monde, elle en avait oublié que la vie continuait et que sa dernière fille n'était pas une statue dans le loft, immobile et silencieuse.

- Tu as des nouvelles d'eux ? demanda la mage de la terre.
- Oui, même si c'est moins fréquent qu'au début. Ça va faire bientôt un mois que nous sommes séparés d'eux. Ils me manquent.
- À moi aussi, répondit Terra dans un souffle. Il me manque.

Alors qu'elles allaient bifurquer sur une nouvelle route, deux motards les dépassèrent comme des fous furieux.

- Ils sont malades ces deux-là ! cria Axelle.

Ses yeux s'agrandirent lorsqu'elle les vit se placer en travers de la route un peu plus loin. C'est là qu'elle remarqua leur corpulence : c'était de vrais colosses. Habillés en noir, ils descendirent de leur moto respective pour se placer face à leur véhicule.

- Fais demi-tour, chuchota Terra. Je ne le sens pas.

Axelle pila. Le bruit des roues glissant sur l'asphalte fit hurler Laurana qui s'était assoupie sur le siège arrière de la voiture.

Enclenchant la marche arrière, la mère de famille se tourna pour faire demi-tour. Son cœur se figea dans sa poitrine lorsqu'elle aperçut deux autres motards dans leur dos qui descendaient aussi de leur bolide.

- Mince on est coincé ! cria-t-elle à Terra.
- Alors, accélère ! Fonce leur dedans !

Prenant son courage à deux mains, elle enclencha la première et accéléra. Le véhicule s'élança en faisant hurler son moteur.

La main crispée sur le pommeau de vitesse, Axelle semblait prête à écraser les deux individus qui ne montraient aucune volonté à vouloir s'écarter.

Leur casque faisait d'eux des robots aux yeux des deux femmes à l'avant du véhicule. L'un des deux marcha lentement dans la direction de la voiture. Bâti comme un colosse, il avait la démarche féline, presque féminine, se dit Axelle qui semblait voir la scène au ralenti. Elle se tourna vers Terra qui avait déjà compris ce qui allait se passer.

Un cercle de puissance se dégagea de cet être en plein milieu de la route. Son casque tomba au sol, dévoilant un visage de femme mutilé, mais déterminé. Le poing et la mâchoire serrés, elle fixait la voiture fonçant sur elle comme un ennemi à abattre.

Axelle ferma les yeux et appuya sur la pédale de l'accélérateur. La peur au ventre, elle attendit la collision, espérant ne pas perdre le contrôle de son véhicule.

Elle ne sut dire si le mot « collision » fut le bon. Mais le choc fut bien plus impressionnant que ce à quoi elle s'attendait. Lorsqu'elle ouvrit les yeux, elle découvrit un monde bien étrange et au ralenti.

La voiture était dans les airs, le toit plongeant en direction du sol. La mère de famille eut tout juste le temps de réaliser ce qui lui arrivait avant de penser à sa fille ainsi qu'à Terra. Les deux autres passagers du véhicule avaient le visage déformé par la terreur provoquée par la situation.

L'atterrissage fut encore plus rude. Les airbags amortirent les coups qui semblaient pleuvoir sur le corps d'Axelle. La peur pour sa progéniture lui broya les intestins et lorsque le dernier tonneau mit la voiture à l'envers, elle se surprit à être toujours en un seul morceau.

Son cou craqua lorsqu'elle tenta de se tourner pour voir sa fille. Elle la vit, inerte à l'arrière du véhicule. Un soulagement l'envahit lorsqu'elle vit sa poitrine se soulever. Elle voulut l'atteindre avec son bras, mais entre la ceinture de sécurité, la tête en bas et la tôle froissée, elle comprit bien vite que ses efforts resteraient vains.

Son esprit vif se mit en route et elle analysa la situation. Son regard se posa sur la fenêtre où elle aperçut quatre paires de bottes se diriger vers l'épave dans laquelle elles se trouvaient.

Ils venaient pour elles, mais pas pour Terra. Il était évident que la mage de la terre n'était pas la cible de l'attaque. De sa main encore valide, elle attrapa le médaillon que lui avait forgé son mari, l'amour de sa vie.

Les yeux pleins de larmes, elle regarda sa fille une dernière fois et se maudit d'être coincée de la sorte. Si elle ne pouvait la protéger, elle pouvait en revanche rester avec elle.

À sa demande, la rune s'activa pour former un bouclier autour de sa personne. Voir la magie ainsi fonctionner la rassura.

- Je sais que tu m'engueuleras, mais... dit-elle en pensant à Killian.

Elle arracha le médaillon autour de son cou et le posa sur la poitrine de la nouvelle chef de l'académie de magie.

Au même moment, les portes de la voiture furent arrachées comme de vulgaires morceaux de cartons. Une force colossale la tira par les cheveux et l'expulsa du véhicule.

Elle hurla de douleur et de peur. Son corps roula sur lui-même et elle lutta pour ne pas s'évanouir. La terreur s'empara d'elle lorsqu'elle vit l'un de ses agresseurs prendre sa fille dans ses bras, toujours inerte.

- Non ! Laissez-la ! Ce n'est qu'une enfant !

La femme qui l'avait jetée hors de la voiture se tourna vers elle et la fixa d'un œil mauvais. Axelle remarqua sa main ensanglantée pendant le long de son bras. Se pouvait-il qu'elle ait réussi d'un simple coup de poing à faire voltiger leur voiture dans les airs ?

- Pourquoi ? Les Corporems qui n'étaient que des enfants te préoccupaient, à l'époque ? lui répondit sèchement la femme en s'avançant vers elle d'un pas farouche.

Sans autre formalité, elle lui assena un violent coup sur la tempe, ce qui fit voir des étoiles à la mère de famille.

Axelle sentit un autre coup lui faire perdre toute notion d'espace et de temps et son esprit commença à sombrer dans le néant. Elle aurait voulu pleurer en sachant qu'elle n'avait pas réussi à protéger la seule fille que Killian lui avait laissée.

Pendant qu'elle sombrait dans l'inconscience, elle put entendre une dernière phrase, dite par son ennemie :

- Brûlez la voiture, pas de témoin.

Igor raccrocha son téléphone, l'air satisfait. Son acolyte allait bien et elle avait rempli sa mission. Décidément, tout allait pour le mieux et il se demanda s'il ne devait pas commencer à croire en la même chose qu'Antonio : une force supérieure.

Il se dirigea vers le salon et entra sans frapper. Sa surprise fut grande en apercevant un moine bouddhiste assis dans un fauteuil en compagnie du démoniste.

Les deux hommes semblaient en pleine conversation et Antonio se leva à l'approche du Corporem qui ne sut pas s'il était de trop.

- Mon cher Igor, venez nous rejoindre !

La bonne humeur du chef de l'ordre du dernier divin le surprit, ayant plutôt l'habitude de le voir aigri par la douleur de son bras ou mélancolique dans le meilleur des cas.

L'inconnu était un moine bouddhiste au visage de poupon. Il était à l'aise avec son verre de vin et semblait faire peu de cas de ses engagements envers sa doctrine.

- Qui est-ce ?
- Je vous présente frère Shinoï. Ce dernier a eu la gentillesse de nous faire parvenir ceci.

Il pointa son doigt vers un morceau métallique parfaitement rectangulaire trônant sur la table. Des runes couleur perle dansaient sur l'une des surfaces.

- Impossible, c'est...
- La clé, oui. Comme l'avait prédit notre déesse, les Wizards ont réussi l'épreuve et frère Shinoï s'est chargé de la leur subtiliser.

L'homme leva son verre en signe de reconnaissance et sourit au Corporem qui venait de comprendre la situation.

- Cela veut dire ?
- Que vous pouvez dire à vos hommes qu'il est temps. Je vous laisse leur annoncer. C'est maintenant que nos chemins se séparent, mon ami.

Les deux hommes s'étreignirent comme de vieux amis alors qu'ils n'en étaient pas. Mais pour l'un comme pour l'autre, ce moment était synonyme d'un nouveau départ, d'une nouvelle vie.

- Le temps de réunir tout le monde et je lance l'attaque. Frère Shinoï, vous joindrez-vous à nous ?

L'homme au crâne lisse regardait son verre de vin avec passion. Lorsqu'il se tourna vers le Corporem, un large sourire s'étendit sur ses lèvres en soupesant une enveloppe qui semblait bien garnie.

- Chacun ses motivations, pour ma part, mes objectifs sont atteints, répondit l'homme en levant son paquet. S'en est fini de vivre dans une montagne avec un climat déplorable pour garder je ne sais quelle relique de nos imbéciles d'ancêtres.

Le Corporem leva un sourcil, plus dégoûté qu'autre chose. Même si les motivations d'Antonio ne lui convenaient pas, au moins faisait-il cela par conviction. Cet homme, en revanche, faisait cela pour son profit personnel, rien de plus.

- Eh bien, bonne continuation, ironisa le russe. Ne vous étouffez pas avec cet argent, ce serait dommage.

Il tourna les talons et sortit de la pièce. Le moine se mit à rire doucement, comme si la remarque l'amusait.

- Encore un qui pense qu'on ne vaut rien si l'on n'embrasse pas sa cause.
- Ne vous préoccupez pas de lui, répondit Antonio en retournant s'asseoir. S'il survit à la bataille, notre maitre s'occupera de lui à ma demande.
- Qui me dit qu'il ne s'occupera pas de moi aussi ?

Antonio posa son verre et dévisagea l'homme avec insistance.

- Igor est un homme parfait pour arriver à mes fins. Vous, en revanche, êtes un homme intelligent et pragmatique. Vous êtes typiquement le genre d'homme à avoir à ses côtés pour garder le pouvoir. Soyez prêt à répondre à l'appel du Malachor, le moment venu.

Frère Shinoï salua son nouveau maitre bien bas avant de finir son verre d'un seul trait.

- À la gloire du Malachor.
- Au dernier des divins, répondit Antonio des flammes dans ses yeux.

Chapitre 16

Lux était préoccupé. Il avait toujours été homme à être préoccupé.

Mais là, il était inquiet. Non pas parce qu'un monstre désirait revenir dans son monde pour éradiquer la race humaine, mais parce qu'il ne savait pas comment l'en empêcher.

Ils avaient essayé beaucoup de choses pour tenter de faire une copie de la prison du Malachor : sans succès. Le pire dans tout ça était que le maitre des runes semblait parfaitement en être conscient et ne semblait pas en faire grand cas.

Ce dernier avait déjà abandonné l'affaire depuis un moment et passait le plus clair de son temps avec Fangore pour en apprendre plus sur elle et ses nouvelles capacités.

Autre point important : Icy et Goliath étaient désormais sur le chemin du retour, mais sans la clé.

La nouvelle aurait pu être considérée comme mauvaise, mais une fois de plus, le maitre des runes ne semblait pas s'en inquiéter. Pour lui, savoir que sa fille allait bien lui suffisait. D'après les dires de la jeune fille, il leur faudrait quelques jours de repos avant de pouvoir rentrer. N'ayant pas plus de détails sur ce qu'avaient vécu les deux mages au mont Makalu, ils devraient se contenter d'attendre leur retour pour en savoir plus.

Lux était donc préoccupé. Pour la première fois, les Wizards semblaient, malgré tout ce qu'ils avaient appris ces dernières semaines, ne pas être en mesure de contrer leur adversaire. Comme si une force supérieure s'opposait à eux en permanence, contrariant leurs projets.

Décidé à briser cette malédiction, il prit le chemin de la grande muraille, persuadé d'y trouver le chef des Wizards. Son esprit absorbé par ses pensées fut néanmoins troublé par l'agitation du camp militaire entourant l'académie de magie. Dans le tumulte, Lux tenta de demander aux militaires sur son chemin quelle était la raison de tant d'agitation.

Il ne lui fallut pas longtemps pour réussir à trouver Hu qui vociférait des ordres tout en étant appuyé sur une carte qui faisait office de table sous la tente de commandement.

- Monsieur le ministre, l'apostropha le mage de lumière le plus discrètement possible.

L'homme lui fit face avec vivacité et son visage préoccupé l'inquiéta immédiatement.

- Que se passe-t-il ?
- Les Corporems sont en route. Ils n'avancent pas vite et ont positionné des éclaireurs partout entre leurs forces et les nôtres. Nous nous préparons à une attaque dans les prochains jours.

Lux resta interdit face à la nouvelle. Une attaque massive des Corporems ne pouvait avoir qu'un seul but véritable : la libération du Malachor.

- Il faut prévenir Killian immédiatement ainsi que les autres académies !
- Votre ami est déjà au courant. Pour le reste, nous étions préparés à cela. Je ne sais pas ce qu'ils espèrent en nous attaquant.
- De quoi parlez-vous ? Ils viennent pour libérer le Malachor !
- Certainement. Mais ce sont des Corporems ! que vont-ils faire ? Attaquer de front une base militaire protégeant une académie de magie ? Je trouve cela bien audacieux, presque stupide, stratégiquement parlant.

Le mage de lumière fut stupéfié devant l'assurance de l'homme qui se trouvait face à lui.

- Vous pensez réellement gagner aussi facilement ?
- Je le pense, en effet. Vous semblez oublier pourquoi ce lieu a été créé à la base. La menace qui pèse sur nous est bien plus importante qu'un demi-millier de Corporems en colère.

Ne voulant pas en entendre davantage, Lux se retira sans répondre à son interlocuteur. Comment pouvait-il autant sous-estimer ses adversaires ?

« C'est qu'ils n'ont jamais eu affaire à Antonio. C'est un homme intelligent, il a forcément un plan. Foncer tête baissée sur nous, ce n'est pas son genre. »

Se ressaisissant, le mage de lumière grimpa quatre par quatre les marches montant à la grande muraille. Il ne lui fallut que quelques minutes avant de trouver Killian.

Ce dernier était debout sur les remparts, le regard pointé vers la brume qui descendait du nord vers eux.

- C'est à croire que la météo est avec eux ! ironisa Lux en guise d'introduction.

Mais la tirade n'eut pas l'effet escompté. Son ami ne daigna même pas tourner la tête dans sa direction et ce ne fut que lorsqu'il arriva à son niveau qu'il put découvrir deux sillons brillants le long des joues du maitre des runes.

- Killian ? Ça ne va pas ?

Fangore, que Lux n'avait même pas remarqué, se positionna entre lui et son maitre. Son regard avait changé depuis sa transformation. Une lueur plus farouche semblait désormais animer le dragon spectral. Quelque chose d'autre était différent, mais il ne sut ce que c'était.

- Killian ?
- Axelle et Laurana... elles ont disparu. Elles étaient sorties avec Terra lorsqu'elles ont été attaquées par quatre Corporems.

Le mage de lumière blêmit en écoutant les paroles de son ami. Il ne pouvait imaginer la peine ainsi que la frustration qu'il devait vivre à cet instant.

- Je suis désolé Killian. Il faut partir à leur recherche !
- On ne peut pas.

Le ton du maitre des runes était sans équivoque et Lux, d'un naturel intelligent, connaissait déjà les prochaines paroles de son ami.

- Les Corporems vont nous attaquer incessamment sous peu. Le véritable danger pour l'humanité est ici. Antonio a toujours eu un coup d'avance, toujours.
- Tu as dit que Terra était avec au moment où...
- Oui. J'avais donné à ma femme un pendentif avec une rune de protection. Je ne sais pas pourquoi, mais il a fini entre les mains de Terra, ce qui lui a permis de survivre à l'affrontement et nous faire un récit détaillé de l'attaque.
- Elle ne l'a pas utilisé pour elle ?
- Il faut croire que non.

Lux baissa les yeux vers Fangore. Elle faisait office de rempart entre son maitre et lui, même si cela ne servait à rien, car son corps spectral ne pouvait interférer avec le monde des vivants.

- Laisse-moi passer, je ne veux aucun mal à ton maitre.

Il ne sut si elle l'avait compris ou pas, mais son agressivité laissa place à une immense tristesse et elle s'écarta afin de lui laisser le chemin libre. Ses années comme prêtre lui avaient donné les réflexes à avoir face au malheur et à la tristesse. Il savait que chaque humain réagissait de manière différente et il préféra y aller en douceur avec son ami.

- Nous devons trouver Antonio et le faire parler. Seul lui peut nous conduire rapidement à ta femme et ta fille.
- Je suis entièrement d'accord.

Le ton de son ami fit frémir le mage de lumière. C'est à ce moment qu'il prit du recul avec ce qui se trouvait en face de lui.

Toujours très simplement habillé, le maitre des runes n'avait qu'un teeshirt à manche longue sur lui et un jean. Ses manches relevées permettaient de voir une première série de runes gravées à même son corps, dégageant une puissance déjà impressionnante.

Mais Lux n'avait pas vu l'arme de Killian depuis qu'il l'avait à nouveau enchantée. Pourvue uniquement de runes du troisième cercle et presque aussi grande que son utilisateur, elle aurait impressionné n'importe qui.

« Voilà ce qui a changé chez Fangore ! » En effet, le dragon spectral n'était quasiment plus composé de sa couleur originelle : le bleu. Presque entièrement rouge, le dragon semblait être composé d'une rivière de sang.

- Tu es devenu bien plus puissant que nous, laissa échapper Lux avec une pointe de frayeur.
- Pas assez pour protéger ma famille, répondit le chef de Wizards d'un ton glacial.
- Tu n'y es pour rien. Lorsque vous êtes partis chasser Antonio en Amérique du sud, je suis resté à l'académie et nous avons perdu Ambre. Tu as pensé cette fois que le danger serait loin d'elles et tout le monde était d'accord avec ça. On ne peut pas être partout et protéger tout le monde.
- Je vais être honnête Lux, je n'ai que faire de tout le monde à cet instant.
- Je sais que tu ne le penses pas, sinon tu serais déjà reparti.

Killian souffla et quelque chose qui ressemblait à un sourire voilé apparut de manière bien timide sur le visage du maitre des runes.

- Tu me connais décidément bien.

Il se tourna vers son ami et craqua. Tombant à genoux, le plus puissant des mages se sentait perdu. Il n'avait plus aucune idée de ce qu'il devait faire et le monde semblait s'écrouler sous ses pieds.

- Oh mon dieu Lux, c'est ma femme et ma fille !

L'ex-homme d'Église prit son ami dans ses bras ; il savait qu'aucune parole ne l'aiderait dans un moment pareil.

- Je sais que c'est beaucoup te demander, mais tu vas devoir rester concentré sur la bataille à venir. Hu est persuadé que ce ne sera qu'une formalité, or toi et moi…
- Nous connaissons Antonio, réussit à dire Killian. S'il attaque cette position, c'est qu'il pense pouvoir gagner.
- Ou tout au moins arriver à ses fins.
- De toute façon, continua-t-il en se relevant, ma meilleure chance de retrouver ma famille est de me confronter à lui et il le sait.
- Ce n'est pas pour enfoncer le couteau, mais on ne peut plus compter sur le plan de la Furia. Avec la perte de la clé…
- Oui, décidément, il semblerait que personne ne veuille sauver ce monde à part nous.
- Alors que faisons-nous ?

Killian essuya son visage d'un revers de main et jeta un dernier coup d'œil au brouillard qui semblait vouloir les engloutir dans les prochaines heures.

- On ne dit rien à mes filles concernant leur mère et leur sœur pour le moment. Icy est déjà très perturbée et doit se sentir coupable pour la clé, je ne voudrais pas en rajouter et la voir se faire envahir par la Furia.
- Pour le reste ? La bataille ?
- On sera en première ligne. Le premier qui voit Antonio avertit les autres, il reste notre priorité. Il faut prévenir Goliath et Icy qu'ils doivent revenir le plus rapidement possible.
- Tu penses vraiment qu'Icy doit revenir ? Elle risque d'être obsédée à l'idée de retrouver le Grizzly.

Le maitre des runes aurait bien voulu donner raison à son ami. Mais quelque chose, au plus profond de lui, lui soufflait de faire revenir sa fille pour l'avoir à ses côtés. S'il la mettait à l'écart, elle lui en voudrait toute sa vie.

- Hadès restera avec elle. Icy a un rôle à jouer dans cette bataille et je ne compte pas ménager nos ennemis en nous privant de deux Wizards.

Goliath était dans son lit. La vieille auberge dans laquelle il se trouvait était d'un charme peu commun. Malgré le froid mordant qui sévissait à l'extérieur, il régnait une douce chaleur provenant d'une cheminée centrale. Le mobilier de la pièce était composé de deux lits ainsi que d'une commode. Même si le tout était minimaliste, les deux amis trouvèrent l'endroit particulièrement confortable après avoir passé trois semaines dans une grotte à plus de cinq mille mètres d'altitude. La petite Icy était assise sur son lit, regardant par la fenêtre la neige tomber sur la vallée.

Un bruit de pas se fit entendre à l'extérieur, suivi d'une personne qui frappa avec insistance à leur porte.

- Oui ? cria le colosse en rémission.
- Un appel pour vous, c'est important.
- Entrez.

L'homme ne se fit pas prier, trop heureux d'échapper au froid polaire qui semblait avoir envahi le nord du pays. Il s'approcha ensuite de Goliath et constata que sa blessure au flanc avait déjà bien cicatrisé, mais il restait néanmoins assez faible.

Leur fuite du monastère avait duré plus de trois heures et malgré les efforts d'Icy pour protéger le Corporem, ce dernier s'écrasa au sol sous sa forme de dragon. Il fallut plusieurs jours aux équipes de recherche pour réussir à venir les secourir, grâce à la balise que leur avaient donnée les militaires peu avant leur départ.

- Un appel du maitre des runes.

Le visage du colosse s'éclaira d'un sourire à la mention de son ami et il saisit le téléphone dès que celui-ci fut à sa portée. L'homme sortit de la pièce aussitôt sa besogne terminée.

- Killian !

« Salut mon grand, tu vas mieux ? »

- Autant que faire se peut. Je serai vite remis, tu me connais.

« Oui, surtout que l'on va avoir besoin de vous, il faut que vous rentriez. »

- Un souci ?

« Les Corporems se dirigent vers nous, ta présence ne serait pas de trop, ainsi que celle d'Icy. Au fait, comment va-t-elle ? »

- Pas terrible. Elle s'en veut.

« Ce n'est pas de sa faute. »

- Je suis entièrement d'accord, elle a assuré, vraiment.

Comprenant qu'on parlait d'elle, l'intéressée se tourna vers Goliath pour tenter de suivre la conversation.

« Je n'en doute pas. Je compte sur toi pour nous revenir vite. »

- Pas de soucis, t'es sûr que ça va ?

« Oui, on est juste un peu sur les dents ici. Reviens vite, je te veux près d'Ambre pour le combat qui s'annonce. »

Goliath sentit que son ami ne lui disait pas tout. Rien que le fait qu'il parle d'Ambre pour changer de sujet lui fit comprendre que le maitre des runes n'était pas du tout serein.

- OK, on arrive Killian.

« Merci, faites vite. »

Goliath raccrocha le téléphone, songeur. Son ami avait l'air réellement préoccupé et cela l'inquiétait énormément. Il jeta sa couverture sur le côté, à la plus grande surprise d'Icy qui se leva d'un bond pour aider son ami.

- Qu'est-ce que tu fais ?! Reste au lit !

Le Corporem ignora la petite fille et se mit debout sur ses jambes. Malgré ses blessures, il réussit à se tenir bien droit et son corps sembla répondre à ses attentes.

- Donne-moi mon teeshirt, s'il te plait.

Elle obtempéra sans dire un mot. Il l'enfila lui aussi dans le plus grand silence, grimaçant lorsqu'il dut passer ses bras dans les manches.

- Toi qui sembles ne pas souffrir du froid, va chercher le commandant de cette expédition et dis-lui que nous rentrons, maintenant.
- Mais tu n'es pas en état ! s'insurgea la petite fille.
- Tu es certaine de vouloir t'occuper de ma santé ? Les Corporems ont décidé de passer à l'offensive, c'est une question de jours.

Icy serra les dents en écoutant la nouvelle. Enfin, son ennemi décidait de sortir au grand jour. Sans dire un mot de plus, elle se dirigea vers la porte pour aller trouver le commandant.

- Attends, s'il refuse de partir maintenant...
- Il ne refusera pas.

En un éclair, Goliath retrouva la petite fille assoiffée de vengeance et pleine de haine. Il avait espéré que cette excursion lui fasse oublier sa peine et sa rancœur, en vain.

Maintenant que la réalité venait de leur revenir en pleine figure, il comprit toute l'illusion de la chose : elle n'avait rien oublié. Tapi dans l'ombre, le serpent de la vengeance était toujours là, dans le cœur de la petite fille.

Bashanor se tenait là, devant sa maitresse, sans oser émettre le moindre son. Sa dernière mort était toujours dans son esprit et encore aujourd'hui, il réfléchissait à ce qui avait poussé sa maitresse à faire cela. Il était clair que son dernier passage dans le monde des humains l'avait éprouvée. En fait, ses deux derniers passages, car le dragon dénommé Naox semblait lui aussi être un élément perturbateur du plan de la reine de ce monde.

Cette dernière lui tournait le dos, enfilant son armure méthodiquement. Ce comportement perturba d'autant plus l'Elronesh qui se demanda pourquoi elle ne faisait pas cela par magie. Elle semblait vouloir le faire elle-même et prenait un soin particulier à faire la chose méticuleusement.

- Puis-je vous aider, maitresse ?
- Non.

La réponse, cinglante, fit transpirer l'homme sanglier qui imagina déjà sa future mort.

- Allez-vous encore m'abattre ?
- As-tu souffert la dernière fois ?

Il allait répondre que oui : il était mort ! Mais il se rappela de la puissance de destruction qu'elle avait utilisée contre lui et de la rapidité avec laquelle il avait trépassé. À y repenser, il n'avait pas tellement souffert, en comparaison de ses morts précédentes.

- J'ai connu bien pire.

Elle se tourna vers lui et il baissa les yeux. Non pas qu'il eut peur, mais parce que pour la deuxième fois de sa vie, il se surprit à la trouver attirante.

Vêtue de son armure de plate noire et or lui moulant le corps, la Furia était à ses yeux la guerrière parfaite. Ses longs cheveux noirs descendaient en cascade sur ses épaules et la pâleur de sa peau contrastait avec son équipement, la rendant tout simplement divine.

- Nous nous sommes fait bien du mal, mon cher Bashanor.

Elle sembla hésiter, puis son ton se radoucit :

- Je te demande pardon pour la dernière fois. Au vu de ma situation, je n'aurai peut-être plus l'occasion de te le dire.

Bashanor releva la tête et elle put y lire de l'incompréhension.

- Dans quelques jours, nous saurons si mon plan aura fonctionné et je ne vois pas cinquante dénouements possibles. Soit l'Enchanteur empêche Antonio de faire revenir mon père dans son monde et nous serons coincés ici pour l'éternité.

- Soit ?
- Soit il échoue et mon père revient dans cet univers avec la possibilité de me faire exécuter à la minute même où il posera une griffe dans ce monde.
- Est-ce pour cela que vous vous êtes équipée de la sorte ?
- Non, répondit-elle en riant. Dans les deux cas, cette armure, aussi belle et puissante soit-elle, ne me servira à rien.
- J'en viens presque à me demander ce que vous préfèreriez.

Elle sourit devant l'incertitude de son serviteur. Ce qu'elle voulait : voilà la question qui pouvait tout changer. Elle se demanda pendant une seconde où en serait le monde sans elle puis elle se ravisa.
« Si tu doutes, tu es morte ! »

- Ne t'occupe pas de ce que je veux, tu le sauras bien assez vite.

Chapitre 17

À l'aube du deuxième jour, Killian se tenait sur les remparts de la grande muraille. Mais cette fois, il n'était pas seul. Des centaines de soldats et de mages se tenaient à ses côtés.

Malgré l'imminence du combat, il n'arrivait pas à se résoudre à penser à autre chose qu'à Axelle et Laurana. Des dizaines de questions semblaient vouloir torturer son esprit avec sadisme : où étaient-elles ? Étaient-elles toujours en vie ? Leur avait-on fait du mal ?

Il passa une main sur son visage et se força à concentrer son attention sur l'horizon. Un bien piètre réconfort, car on n'y voyait pas à plus de dix mètres.

- Saleté de brouillard ! râla Hu, heureusement que nous avons des détecteurs thermiques.

Killian ne répondit pas et jeta un coup d'œil à Lux qui leva les yeux au ciel en signe d'indignation.

- On dirait que cette muraille a été construite pour ce jour et non pour les Huns, dit Ambre avec humour.

Ce fut au ministre chinois de lever les yeux au ciel.

- Les Huns devaient venir bien plus à l'ouest de notre position actuelle. Il n'y a eu ici que quelques escarmouches insignifiantes.

La jeune femme haussa les épaules, montrant ainsi qu'elle n'en avait en fait rien à faire.

- On s'ennuie. On ne va pas rester là toute la journée à attendre de les voir grimper aux murailles ?

- Je suis d'accord, c'est trop long, mais j'attends le rapport de mon éclaireur, lui répondit Killian très calmement.
- Vous avez un homme sur place ? s'inquiéta Hu en écoutant les paroles du maitre des runes.
- Pas un homme. Ronce est là-bas et à moins d'être métamorphosés en ver de terre, je ne vois pas ce que les Corporems pourraient lui faire.

Killian réfléchit un moment avant de réaliser que ce brouillard allait être un véritable problème.

- Ambre, tu ne peux rien faire contre ça ?
- Tu as vu l'épaisseur de ce machin ? Ça risque de me demander beaucoup trop d'énergie. Mais je peux essayer.
- Non, répondit Killian. Hu, les mages de votre académie ne pourraient-ils pas nous donner un coup de pouce sur ce coup-là ?

L'homme acquiesça et partit sur les remparts, laissant seuls les membres des Wizards.

- Enfin seuls, souffla Killian soulagé.

Lux, qui était resté bien silencieux jusqu'à présent, trouva le moment idéal pour prendre la parole.

- Tu as quelque chose en tête, mon garçon ?

Killian hésita puis se tourna vers ses amis. Il regarda Hadès et il eut une terrible vague de peine. La pauvre petite fille ne savait pas pour sa mère et sa sœur et il se demanda s'il avait fait le bon choix.

- Nos deux cibles prioritaires sont Igor et Antonio. Nous, nous ne sommes là que pour eux deux, c'est compris ? Il y a ici une armée qui est là pour protéger cette académie.

Tous acquiescèrent, croyant que Killian leur disait cela pour les garder tous en sécurité et ne pas mettre leur vie en péril.

Une douce brise leur caressa le visage en provenance du sud. Lorsque les compagnons se retournèrent, ils découvrirent plusieurs mages alignés sur le tronçon de la muraille, les bras dirigés vers le nord.

- Ils utilisent des mages du vent, c'est ingénieux, commença Lux.
- En effet, profitons-en pour souffler un peu, bientôt nous y verrons sur plusieurs centaines de mètres.

Une petite main émergea du sol pour agripper la cheville d'Hadès qui hurla de peur. Arthur souleva sa maitresse d'une main, mais ne sembla pas plus inquiet que ça et se mit même à rire.

- Ronce ! s'insurgea Killian ! Tu nous as flanqué la peur de notre vie !

La petite fille sortit du sol, le visage illuminé par un immense sourire.

- Et me revoilà ! Je vous ai manqué ?
- Arrête tes bêtises et dis-nous où sont les Corporems, répondit Lux assez froidement.

Elle lui tira la langue avant de rejoindre Ambre pour se blottir dans ses bras. Cette dernière lui tira aussi la langue, afin de montrer qu'elle était de tout cœur avec sa fille adoptive.

- Ils sont à moins d'un kilomètre, je pense. Ils avancent lentement et à découvert, même pas transformés.

Le récit de la petite fille glaça le sang des trois adultes présents. Ils réalisèrent bien vite que quelque chose n'allait pas.

- Ils ne peuvent pas être aussi stupides, se murmura Lux à lui-même.
- Je suis d'accord. Soyons d'autant plus vigilants, confirma Killian. Je vais prévenir Hu tout en essayant de lui faire comprendre d'être vraiment sur ses gardes.

Le visage fermé, il se dirigea vers le ministre chinois, laissant ses amis seuls.

- Quel est le problème ? demanda Ambre.

Le visage de Lux se ferma et un coup d'œil rapide vers Hadès lui fit comprendre que ce n'était pas le moment. Ambre lui fit un signe discret qu'elle avait compris et préféra changer de sujet.

- À ton avis, qu'est-ce qu'ils nous préparent ces Corporems ?
- Aucune idée... mais jamais je ne viendrais attaquer ces murailles sans être certain de vaincre, répondit Lux.

Hadès grimpa sur l'épaule de son démon afin d'avoir un meilleur point d'observation. La ligne d'horizon commençait à être dégagée et la grande plaine était enfin visible dans sa quasi-totalité. Elle plissa les yeux pour voir le plus loin possible et il lui sembla voir quelque chose. Un petit point noir sortant de la lisière de la jungle de bambou qui se trouvait au loin. Quelques secondes plus tard, un deuxième point apparut. Rapidement, elle en vit des dizaines apparaitre.

- Je crois qu'ils sont là.

Les compagnons regardèrent dans la même direction que la démoniste et purent voir l'horrible spectacle qui se présentait à eux.

- Mais combien sont-ils ? demanda Ambre qui observait la nuée de Corporems grandir.
- Killian ! hurla Lux à pleins poumons.

Le maitre des runes était déjà en train de se diriger vers eux, le visage toujours aussi fermé. Seul le mage de lumière pouvait imaginer l'état d'esprit de son ami.

« Sa femme et sa fille ont été enlevées par un psychopathe, son autre fille a risqué sa vie pour rien. Il pense avoir la responsabilité des Wizards à lui seul et pour couronner le tout, il se prépare à subir une attaque massive de mages qui veulent libérer la créature la plus terrifiante de l'univers par fanatisme ! »

- Hu reste confiant, commença Killian l'air maussade.
- Ils sont beaucoup plus nombreux que prévu, s'inquiéta Lux en voyant le nombre d'assaillants grandir de façon continue.

Le maitre des runes posa son regard sur la nuée d'ennemis qui ne semblait pas vouloir s'arrêter de grossir.

- En effet. On se limite quand même à notre plan. Cette bataille ne nous concerne pas. Il nous faut trouver Igor et surtout Antonio, c'est notre priorité et personne ne se risque à les affronter seul ! On agit en groupe, ensemble.

Tous hochèrent la tête, conscients de l'enjeu, mais aussi du danger de la situation. Tout en sachant être supérieurs en termes de puissance, ils savaient qu'ils ne pourraient se battre à un contre cent.

- Hadès, continua le maitre des runes. Tu restes près de moi, quoi qu'il arrive. Si l'on trouve nos deux objectifs, Antonio reste prioritaire et c'est Ambre et moi qui nous en occuperons. Ronce, Hadès et Lux, vous affronterez Igor.

Un sourire carnassier apparut sur les lèvres d'Ambre qui réalisa le message que lui passait le maitre des runes : elle aurait le droit à sa revanche.

Killian se dirigea vers sa fille et la prit dans ses bras. Cette marque d'attention, dans un moment pareil, surprit la petite fille.

- Écoute-moi ma puce. Ne te retrouve jamais seule. Quoi qu'il arrive, tu restes près de Lux ou de moi. Mais quoi qu'il arrive, je t'interdis de te retrouver seule ! Tu as compris ?
- Oui papa.

La scène surprit tout le monde. Jamais Killian n'avait fait cela en présence des autres membres du groupe, ce qui alerta d'autant plus Ambre sur le fait que quelque chose ne tournait pas rond.

Une vague de hurlements, tel des cris de défi, monta de la forêt dans leur direction. Les Corporems semblaient prêts à attaquer, malgré le comité d'accueil qui leur était réservé par l'armée chinoise et l'académie de magie.

Au même moment, le ministre commença un discours d'encouragement, tout en chinois, ce qui empêcha les Wizards d'en comprendre la moindre syllabe.

- Il y met du cœur, dit Lux un rien moqueur. Il y a assez d'armes sur ces remparts pour contenir une invasion bien plus importante.
- Il fait bien son travail, le contredit Killian. Il a peut-être compris que le danger est réel. N'oublie pas que les Corporems sont des êtres bien différents des autres mages. Leur capacité de régénération peut faire d'eux des adversaires redoutables.

À peine eut-il fini sa phrase qu'il put voir plusieurs membres de l'armée ennemie s'avancer. Une cinquantaine, tout au plus. Ce fut le signal pour les militaires sur les remparts qui se mirent en position de combat, fusil pointé vers leurs adversaires.

Killian entendit dans son dos, en bas de la muraille, du côté de l'académie, les moteurs de différentes armes longue portée se mettre en action, prêtes à cracher le feu de l'enfer sur les Corporems.

- Préparez-vous, murmura Killian à son équipe. Soit ça va être un bain de sang, soit les Corporems vont réellement nous surprendre.

Des cercles de puissance apparurent dans la plaine, comme si le destin voulait répondre au maitre des runes. La cinquantaine de Corporems qui s'était avancée sembla muter, utilisant leur obédience de façon surprenante. Ils grandirent tous pour dépasser les trois mètres et leur peau changea pour devenir métallique. Killian sentit son cœur bondir dans sa poitrine lorsque ces Corporems se collèrent les uns aux autres, formant un cordon protecteur pour le reste de l'armée.

Conscient du danger, le ministre hurla un ordre et trois missiles furent tirés d'une aire de lancement non loin de lui.

Les Wizards regardèrent avec attention les trois projectiles fuser vers leur cible. Killian prit instinctivement Hadès dans ses bras et resserra de son autre main sa prise sur Fangore qui elle aussi suivait l'action avec attention.

L'impact, bien que lointain, résonna dans la vallée tout en faisant naitre un immense nuage de poussière et de flammes. Surpris par la puissance utilisée par le ministre chinois, il se prépara à voir les rangs ennemis lourdement décimés après cette première attaque.

- Ce qui est certain, commença Lux, c'est que Hu veut leur montrer dès le début qui est le patron !
- Espérons que cela suffise, répondit Ambre d'un air froid. J'ai comme un mauvais pressentiment.

Comme si elle avait le pouvoir de prédire l'avenir, Ambre ne fut pas surprise, contrairement aux autres compagnons, de ne trouver aucune perte chez leurs ennemis.

Toujours indemne, la cinquantaine de Corporems transformée était toujours là, bien qu'un peu noircit par les déflagrations. Killian pouvait presque ressentir leurs sourires sur leurs visages, les narguant de cette première victoire.

- Ambre, commença le maitre des runes. J'ai bien peur que tu aies raison. Préparez-vous, nous n'allons pas échapper à un corps à corps.

Comme si ses adversaires l'avaient entendu, les Corporems vinrent se placer par centaines derrière leurs boucliers humains, qui se mirent à avancer lentement en direction des murailles.

La riposte ne se fit pas attendre et Hu déclencha un véritable déluge de feu sur la vague de Corporems qui descendait la vallée : lance-missile, fusil d'assaut... la guerre venait de commencer. Hadès et Ronce durent se mettre les mains sur les oreilles tant elles furent surprises de la violence de l'instant présent.

Rapidement, la plaine qui se trouvait devant eux fut transformée en véritable champ de bataille. Des explosions résonnèrent, tel un feu d'artifice, d'horreur et de désolation.

Les Corporems faisant office de boucliers encaissèrent la majorité des projectiles, mais quelques tirs réussirent à faire mouche et ce que Killian redoutait arriva. Des gens allaient s'entretuer sans raison, car il savait, au plus profond de lui-même, que les Corporems avaient dû être manipulés pour en arriver là. Antonio avait profité de leur haine et de leur colère pour en faire des ennemis de l'humanité.

Voyant le déluge de feu s'abattre sur les leurs, les « boucliers » accélérèrent. Leurs pas lourds résonnèrent dans la vallée entre chaque explosion. Les Corporems accueillirent cela en poussant des cris de défis à l'encontre des militaires qui gardaient leur sang-froid sur les murailles.

L'appréhension montait déjà bien assez pour le maitre des runes qui n'avait jamais pris part, comme aucun de ses amis, à une véritable bataille. Jamais il n'aurait cru que les choses pouvaient être pires que cela, et pourtant, lorsqu'il entendit un rugissement bien plus puissant que les autres, son cœur faillit bondir de sa poitrine.

Goliath venait d'arriver en forme de dragon dans la vallée par le côté nord, survolant ainsi leurs ennemis. La chose aurait pu s'arrêter là, mais il put distinguer une forme sur le dos de son ami. Une forme regardant vers le bas qui, sans crier gare, sauta.

Ce fut le début du chaos. Killian, venant de comprendre que sa propre fille venait de se jeter en plein milieu d'une nuée de Corporems, rentra dans une phase de panique, surtout lorsqu'il put voir Goliath qui battit frénétiquement des ailes. En effet, ce dernier avait l'air aussi perturbé que le chef des Wizards sur l'attitude de sa passagère.

- Killian ! hurla Lux au milieu du vacarme, on fait quoi ?

Sans même lui laisser le temps de répondre, Killian put voir Arthur, portant Hadès dans ses bras, sauter de la muraille. Rapide comme l'éclair, le démon chargea seul dans la plaine en direction de la vague d'ennemis.

- Et merde ! mais qu'est-ce qu'elles ont aujourd'hui ces deux-là ?! hurla Killian envahi par une soudaine colère.

Il jeta un coup d'œil à son équipe qui semblait figée dans le temps. Ne sachant clairement pas ce qu'ils devaient faire.

- Moi j'y vais, je dois aller les chercher. Vous, rest…
- N'y pense même pas, on vient avec toi, lui répondit Ambre avec défi. On est les Wizards, on reste ensemble.

Killian put voir la détermination dans les yeux de ses amis et il retrouva soudainement ce qui les avait unis par le passé : l'amitié. Ensemble, ils pouvaient tout réussir, car c'était leur force.

Ronce monta sur le rebord du rempart et regarda le chef des Wizards avec son petit sourire démoniaque :

- Si ça, ce n'est pas le truc le plus fou qu'on ait fait !

Se jetant dans le vide, elle donna le signal pour les autres qui la suivirent. Chacun se réceptionna à sa façon grâce à son obédience, puis ils partirent au pas de course pour rejoindre Hadès qui se trouvait déjà loin devant eux. Ils ne virent, à aucun moment, le ministre tenter de leur hurler quelque chose…

Icy se trouvait sur le dos de Goliath. Ne pouvant plus attendre lorsqu'elle apprit que la bataille était sur le point de commencer, ils avaient décidé de quitter le groupe de militaires qui les escortait pour avancer plus vite grâce à la forme de dragon du Corporem.

Lorsqu'ils arrivèrent dans la plaine, Goliath s'en voulut de ne pas avoir eu un sens de l'orientation plus précis en réalisant qu'il survolait l'armée adverse.

- Mais qu'est-ce que tu fais ? hurla Icy pour se moquer de son ami.
- Désolé, mais on ne peut pas dire que je vole au-dessus de la Chine tous les jours !

Icy se pencha pour regarder en contrebas. Les Corporems déferlaient dans la vallée telle une marée sans fin. Pourtant l'improbable se produisit : Igor était là, sous ses yeux au milieu de ses hommes.

Tous ses instincts de survie disparurent : la logique, la raison, son esprit ne se concentra plus que sur une chose, la promesse qu'elle s'était faite à elle-même, à savoir venger Braise.

Serrant plus fort le trident qui ne la lâchait désormais plus, elle sauta dans le vide.

La chute eut le mérite de lui remettre les idées en place. Elle venait de sauter du dos d'un dragon pour se jeter au milieu de centaines de Corporems en colère. Au niveau de son plan, elle se mettait un magnifique zéro sur vingt.

« Bon, c'est trop tard maintenant pour les remords ! » N'écoutant que son courage, elle utilisa la puissance qui était en elle. Trois cercles de puissance illuminèrent le ciel, ce qui interpella un grand nombre de Corporems et lorsqu'elle atterrit sur le sol dur de la plaine, ce ne fut pas une petite fille qui fit face à l'armée du Grizzly, mais bel et bien une guerrière, porteuse d'une armure de givre et d'un trident couvert de runes.

Elle entendit Goliath se poser à une cinquantaine de mètres, certainement par sa faute. Les visages inamicaux qui l'entouraient lui firent comprendre qu'elle ne pourrait pas le rejoindre sans combattre.

Un violent coup de poing dans son dos la projeta en avant. Elle se releva avec rapidité, n'ayant pas vraiment trouvé cela douloureux. Ce fut en revanche un déclencheur efficace pour raviver sa colère. Brandissant son trident avec un air de défi, elle harangua ses adversaires qui lui faisaient face :

- Alors comme ça, on n'a pas le courage de m'affronter en face !

La dizaine de Corporems qui s'était arrêtée pour lui faire face se mit à rire et l'homme qui venait de la frapper s'avança doucement vers elle, un air sadique sur le visage.

- Tu es bien arrogante, petite.

« Petite… »

La colère d'Icy se transforma en haine. Elle pointa son trident vers son ennemi qui se mit à rire.

- Quoi ? Tu vas me planter ça dans le corps ? Essaye pour voir !

D'une voix résolue et provocatrice, Icy ne se laissa pas démonter et provoqua son adversaire :

- Je vous attends, mais je vous préviens, je serai sans pitié.

Laissant ses sentiments prendre le dessus, elle se mit à hurler tel un cyclone. L'air autour d'elle devint un blizzard qui fit reculer ses assaillants.

- Je cherche le Grizzly !!! Et le premier qui m'empêchera de le trouver, je l'envoie six pieds sous terre.

Avec une force qui épata tout le monde, elle activa une rune de son trident et le lança sur le Corporem qui lui faisait face. L'arme vola avec une trajectoire parfaite pour plonger dans son torse et le changea instantanément en bloc de glace.

Avant même que les autres Corporems réagissent, Icy courut vers son arme pour la récupérer. Lorsque sa main se posa sur le long manche métallique pourvu de runes, le corps de son adversaire explosa.

Un sourire de satisfaction se dessina sur ses lèvres. Maintenant, enfin, elle allait être prise au sérieux.

Ronce, Ambre, Lux et Killian étaient au milieu de la mêlée et bizarrement, rien ne se passait comme prévu. Le seul ennemi qu'ils trouvèrent dans la plaine fut : le vent. Chaque Corporem qui arrivait à leur niveau et désirant les combattre faisait immédiatement volte-face lorsque ses yeux se posaient sur le maitre des runes. Du coup, les compagnons ressemblaient plus à un banc de saumons tentant de remonter une rivière qu'à un groupe de combattants au milieu des rangs ennemis.

- Mais qu'est-ce qu'ils ont tous ? On dirait qu'ils ne veulent pas nous affronter ?

Sans prévenir, Ronce utilisa sa magie et l'un des Corporems (assez malchanceux pour être près d'elle) fut immobilisé par une prison de terre jusqu'au niveau des cuisses. La petite fille en profita pour s'avancer vers lui d'un pas décidé sous le regard ahuri de ses camarades.

- Salut ! On peut savoir pourquoi vous ne voulez pas nous affronter ? Enfin surtout lui ! finit-elle par dire en pointant son doigt sur le maitre des runes.
- Libère-moi, sale peste !

Une pierre grosse comme son crâne vola pour s'y écraser dessus. L'homme vacilla et, retenu par sa prison de terre, il ne put tomber, mais il était clairement sonné.

- Tu n'as pas l'air d'avoir compris. Je pose une question et tu réponds, le jeu est pourtant simple.

Le Corporem essuya le sang qui coulait de son front et regarda Ronce comme s'il avait le diable en face de lui.

- On ne doit pas toucher à l'Enchanteur, ordre du Grizzly.

Ronce libéra l'homme qui ne demanda pas son reste et partit comme une fusée autant pour rejoindre ses camarades que pour s'éloigner de sa tortionnaire.

- Je n'y comprends plus rien, cria Lux au milieu du tumulte. Pourquoi ne doivent-ils pas te faire de mal ?
- Je n'en sais rien et je m'en fiche ! Restez derrière moi, il faut retrouver Hadès et Icy ! Sans parler de Goliath !

Killian, suivi de ses amis qui ignorèrent sa remarque, repartit dans le tumulte de la bataille, le ventre noué par la peur que quelque chose arrive aux deux petites filles ainsi qu'à leur ami.

Une rumeur.

Voilà ce qui émoustillait le chef des Corporems. Ce n'était pas une rumeur des plus incroyables, mais elle avait eu l'intérêt de rendre cette bataille plus intéressante.

Ses troupes avançaient. Certes, il avait des pertes, mais ses « golgoths » de métal étaient toujours là, concentrant sur eux la puissance du feu ennemi. Bientôt, ils seraient aux remparts et le massacre pourrait commencer.

Il avait vu, comme tout le monde, une petite fille sauter du dos d'un dragon pour se jeter dans la bataille. L'étrangeté de la situation aurait pu s'arrêter là, mais une rumeur était née : cette fameuse petite fille le cherchait.

Eh bien soit, c'est d'un pas tranquille que le Corporem suivit les traces de la jeune fille.

La première statue de glace l'amusa. « Elle a du style », se dit-il en caressant l'œuvre de sa future adversaire. Les suivantes n'eurent pas le même effet : elles créèrent d'abord de l'agacement, puis de la colère.

Il arriva dans une zone où un calme inhabituel régnait. Le bruit des explosions et des tirs ennemis semblait lui parvenir de beaucoup plus loin et la réalité semblait avoir déserté les lieux. Il ne comprit qu'à ce moment-là que ses pas l'avaient conduit à l'arrière du champ de bataille : il avait simplement rebroussé chemin.

La petite fille se tenait là, au milieu de six statues de glace et le fixait avec avidité. Une vingtaine de Corporems l'entouraient sans réussir à trouver le courage de l'approcher.

- Écartez-vous ! Elle est à moi !

Il voulut s'avancer vers cette enfant qui osait lui faire obstacle, mais rien ne se passa comme prévu.

Pour commencer, le visage de son ennemi était... effrayant. Lorsque les yeux d'Icy se posèrent sur lui, ils devinrent durs et froids comme la glace. Elle ignora les autres Corporems et avança vers lui. Jamais il n'avait vu quelqu'un le regarder comme cela.

Quant à son corps, quelque chose n'allait pas. Ses jambes semblaient ne plus vouloir répondre à son appel. La panique monta en lui lorsqu'il sentit la présence d'Icy qui s'approchait toujours aussi lentement de lui.

Il hurla de rage et puisa dans sa magie pour lever sa jambe droite et un « crac » sonore se fit entendre !

- Enfin ! hurla-t-il de joie, pensant être libéré du maléfice.

Sa jambe levée, il était certain de pouvoir enfin avancer. Mais à la place de cela, il « tomba ». Pas de très haut, mais assez pour le surprendre. Il était désormais dans une position assez invraisemblable.

Son pied et une partie de son mollet étaient restés au sol, complètement gelés et ce n'était que le reste de sa jambe qui avait bien voulu se soulever : il s'était amputé d'une jambe !

- Sale garce ! Qu'est-ce que tu m'as fait !

Seul le silence lui répondit. Icy ne voulait pas lui parler, du moins pas encore. Consciente qu'elle utilisait toutes ses réserves de magie pour neutraliser le Corporem, elle savait désormais que c'était un voyage sans retour.

Elle ne voulait pas lui parler, mais pas non plus le combattre. Elle voulait qu'il prenne conscience que la mort venait pour lui. Il fallait que la peur le dévore, qu'elle lui broie les entrailles.

- À l'aide ! hurla le Grizzly à ses soldats qui semblaient tétanisés par le spectacle qui s'offrait à eux.

Conscient que le danger était réel, il saisit son autre jambe avec ses mains pour essayer de la décoller du sol. Pour la première fois de sa vie, cette situation lui rappela son échappée en Sibérie, lorsqu'il avait dû nager dans une eau frôlant les zéro degré. Ses doigts craquèrent lorsqu'ils saisirent sa cuisse.

Dans un hurlement de douleur et d'agonie, un nouveau craquement sonore horrifia les spectateurs qui n'en crurent pas leurs yeux : les deux avant-bras du Corporem se brisèrent, laissant ses mains collées à sa cuisse.

L'homme leva ses deux moignons devant ses yeux et hurla. Ce n'était pas un cri de douleur, mais de terreur. Totalement anesthésié par la glace, il ne pouvait pas prétendre souffrir du traitement de la mage de l'eau. Du moins pas physiquement.

En revanche, il était mentalement anéanti. Un genou à terre, l'autre jambe brisée, les deux bras sectionnés, il ne pouvait que regarder les derniers pas de la jeune fille qui vint se placer juste devant lui. Elle posa un genou au sol pour se retrouver à son niveau. Ses yeux, d'un bleu azur, finirent d'achever son adversaire qui dans sa folie naissante, voulut la frapper. Hélas, les restes de son bras se brisèrent sur le visage d'Icy, ce qui la fit sourire.

Le souffle de l'homme s'accéléra lorsqu'elle s'approcha pour se positionner juste devant lui, à quelques centimètres.

- Tu ne me connais pas. Je m'appelle Icy, fille de l'Enchanteur. Tu as tué, comme un lâche, quelqu'un qui m'était cher.

Ses paroles étaient à peine audibles, comme si personne d'autre qu'eux deux ne devait les entendre.

- J'ai traversé la moitié de cette planète juste pour venir te tuer.

Les yeux de l'homme s'arrondirent lorsqu'il réalisa la folie de celle qui se tenait devant lui.

Elle positionna la pointe de son trident sur le poitrail de son ennemi et plaça une main sur sa nuque, collant ainsi son front au sien :

- Ça, c'est pour Lumio.

D'un geste vif, elle planta les trois dents de son arme jusqu'au manche ce qui brisa les os et lacéra la chair de son adversaire qui hurla de douleur. Luttant pour sa survie, ce dernier activa sa capacité de régénération à son maximum, priant pour qu'un miracle le sauve.

- Et ça, c'est pour Braise !

Elle laissa sa magie s'échapper de son corps. Elle passa dans son arme pour aller se déverser avec lenteur dans le corps du Grizzly qui se pétrifia sur place, conscient de ce qui allait arriver.

Lors de son affrontement avec son père, au stade de France, Icy avait réfléchi à une stratégie. C'était dans sa nature de faire cela. Mauvaise perdante, elle avait toujours mis toutes les chances de son côté pour arriver à ses fins.

Pour ce jour, elle avait là aussi travaillé en amont de la pire façon qui soit. Son esprit, obsédé depuis plusieurs semaines par l'idée de tuer cet homme, l'avait poussée à faire des recherches sur les Corporems et plus particulièrement sur le corps humain en général. Composé à soixante-dix pour cent d'eau, elle avait rapidement compris qu'il était dans ses capacités de faire réellement souffrir un homme, surtout lorsqu'elle apprit grâce à Goliath que c'était le sang des Corporems qui leur permettait de se régénérer.

Sa magie se diffusa dans le corps de son ennemi au travers de son sang qu'elle transforma en véritable rivière de douleur. Transformant chaque goutte en bille de cristal gelé pour dévaster le corps de son adversaire, ce dernier se vit lentement, mais sûrement, totalement désintégré.

Sa magie se diffusa dans le corps de son ennemi au travers de son sang qu'elle transforma en véritable rivière de douleur. Transformé en cristaux de glace, le flux sanguin déchira littéralement le corps du Corporem.

Dans sa rage et sa haine, Icy se surprit à vouloir dépasser la méchanceté pour laisser libre cours au sadisme. Elle pulvérisa les membres inférieurs de l'homme, puis son torse. Son visage resta là, collé au sien encore un moment avant qu'elle ne se décide à le désintégrer.

Vidée de son énergie, la petite fille laissa tomber son arme. Quelque chose de brisé en elle se répara. Comme si sa vie venait de retrouver soudainement un intérêt. Ironique, se dit-elle comprenant qu'elle n'avait même plus la force de se relever et que ses ennemis n'allaient pas tarder à le comprendre. De premiers chuchotements parvinrent à ses oreilles, laissant courir la rumeur que le chef des Corporems venait de périr face à une petite fille. Puis, il y eut les premières remarques et elle sentit la colère monter dans les rangs ennemis.

Tout bascula lorsque son visage heurta le sol. Exténuée, elle se laissa ainsi tomber, espérant rapidement sombrer dans l'inconscience. Néanmoins, son instinct de survie réussit à lui faire maintenir son armure de givre.

« Elle est morte ? », lança un premier Corporem. « Non regarde, sa poitrine se soulève », répondit un deuxième. « Vite, il faut l'achever ! » enchaina un troisième, ce qui engendra une vague d'approbation.

Un premier s'élança et lui donna un violent coup de pied dans le ventre qui la propulsa dans les airs. Pas assez fort pour briser son armure, elle se retrouva néanmoins les bras en croix, regardant le ciel et sachant que la mort n'allait pas tarder à venir elle aussi la chercher.

Elle sentit des coups de pied au niveau de ses hanches, ses jambes, son visage. Il y eut un premier craquement, signe que son armure n'en avait plus pour très longtemps. Elle ferma les yeux, espérant que cela irait vite. Elle avait vengé son ami, le reste lui importait peu.

Un nouveau coup fit voler en éclat tout une partie de son armure. « Voilà, on y est. »

Ou pas ? Car rien d'autre ne vint. Elle décida d'ouvrir un œil et remarqua que ses assaillants reculaient comme s'ils craignaient quelque chose.

Se forçant à tourner la tête, elle aperçut une forme qu'elle connaissait bien courir dans sa direction.

Arthur, armé d'un sabre aux proportions peu raisonnables, vêtu de son teeshirt préféré avec « i love pink » inscrit dessus, fonçait dans sa direction en hurlant. Couvert de sang, le démon ressemblait à une apparition directement sortie d'un film d'horreur.

La chose aurait pu être, à n'en pas douter, une source de peur. La réaction des Corporems devint plus compréhensible si l'on rajoutait le dragon qui se trouvait juste derrière le démon de sa sœur, lui aussi hurlant de rage.

Le combat fut aussi rapide qu'inintéressant. Les Corporems furent taillés en pièces par les deux Wizards et les derniers encore debout détalèrent sans demander leur reste.

Le combat terminé, Arthur vint se placer au-dessus de la mage de l'eau, qui n'en revenait toujours pas d'être toujours en vie.

- Normalement, c'est la grande sœur qui sauve la petite et pas l'inverse, non?

La voix de sa sœur dans le corps de l'imposant démon la fit sourire.

- On va dire que pour aujourd'hui on inverse les rôles !
- Si tu veux, même si tu ne m'as jamais sauvé la vie.

Arthur tendit une main à la jeune fille qui la saisit pour se relever. Elle réalisa que son corps entier lui faisait mal. Elle avait usé de magie avec bien trop d'imprudence pour arriver à ses fins et elle avait failli le payer de sa vie.

- Icy ! Hadès !

Entendant le cri de leur père, les deux jeunes filles se retournèrent. Tout le groupe était désormais présent et Killian fixa son ainée avec soulagement.

Cette dernière le regarda comme pour la première fois. Malgré la douleur et les courbatures naissantes, elle se mit à courir dans sa direction pour se jeter dans ses bras.

Elle pleura à chaudes larmes dans les bras de son père qui la serra fort contre elle.

- Ne me refais plus jamais ça ! J'ai eu la peur de ma vie.

Voyant que sa fille n'arrivait pas à se calmer, il lui saisit le visage avec ses deux mains pour la consoler.

- Tout va bien ma puce. Calme-toi !
- Il est mort ! lui hurla-t-elle dessus. Braise est mort, papa ! Je suis si triste !

Réalisant ce qu'il se passait, il la souleva pour la plaquer contre lui. Enfin, elle pouvait commencer son deuil, enfin il allait retrouver sa fille et non plus cette enfant apathique ne vivant que pour la vengeance.

- Oui ma puce, il est mort, mais il serait si fier de toi.

Chapitre 18

Le groupe des Wizards était enfin au complet et se trouvait désormais à l'arrière des combats.

La mort d'Igor dit « le Grizzly » créa une véritable discorde dans les rangs ennemis et Hu en profita pour utiliser les forces qu'il avait en réserve : l'aviation.

Hélicoptères de combat et avions de chasse survolèrent le champ de bataille et très rapidement, les Corporems restants se dispersèrent pour tenter de retrouver le couvert de la forêt.

- Décidément, notre ami le ministre a plus d'un tour dans son sac ! s'écria Goliath qui venait de reprendre forme humaine.

Ambre se jeta littéralement à son cou, ce qui le fit grimacer de douleur. Déjà affaibli par son épopée avec Icy, la mage de feu put contempler de très nombreuses blessures recouvrant le corps du Corporem qui semblait lutter pour tenir debout.

- Mon Dieu, dans quel état ils t'ont mis !

Ignorant sa compagne, le Corporem tituba jusqu'à Killian qui tenait toujours sa fille dans ses bras.

- Toi ! hurla-t-il en s'adressant à Icy, j'ai grimpé une montagne dans le blizzard ! J'ai attendu trois semaines dans le froid, à manger du riz congelé en t'attendant ! Je suis venu à ton secours, en haut de ce fichu monastère ! J'ai même réussi à te faire rire quand mes doigts de pieds congelaient ! J'ai volé au milieu d'une tempête tout en me faisant foudroyer pour toi et tu me lâches comme ça ?! En plein milieu d'un champ de bataille !

Personne ne sut si ce fut le visage du Corporem ou la situation en elle-même, mais la petite fille sécha ses larmes pour regarder son ami en souriant. Quittant les bras de son père, elle se jeta dans ceux du Corporem. Ce dernier n'osa plus parler, la colère ayant disparu à l'instant même où Icy l'entoura de ses petits bras.

- Merci pour tout, je te demande pardon.

Gêné, le colosse lui tapota l'épaule.

- Ce n'est pas grave, la montagne n'était pas si haute en fait et la tempête pas si forte.

Le maitre des runes aurait aimé rire de la situation. Rire de son ami qui ne savait comment gérer une petite fille triste et joyeuse à la fois. Rire des retrouvailles avec sa fille. Rire de leur victoire.

Mais son esprit ne pouvait se reposer sur cela, car quelque chose de plus fort monopolisait son attention : la disparition de sa femme et de sa plus jeune fille.

Une deuxième chose attira son attention : un hélicoptère de transport militaire qui venait dans leur direction. L'appareil se posa non loin d'eux et ils découvrirent un ministre chinois bien souriant sur la rampe de débarquement.

- Je sens qu'il va nous dire « je vous avais prévenus », râla Ambre tout en voyant l'homme s'avancer vers eux.
- Pour le coup, je suis heureux que ce soit le cas, répondit Lux. Enfin, avec Killian qui semblait devoir rester en vie à leurs yeux, cette bataille fut facile pour nous.

La mâchoire de Goliath faillit se décrocher lorsqu'il s'opposa au mage de lumière :

- Facile ? FACILE !? Mes vêtements sont en lambeaux, j'ai des blessures partout et lui, il a trouvé ça facile !

Le ministre chinois arriva à leur niveau, un sourire radieux sur le visage.

- Ne dites rien ! Par pitié ! lui dit Goliath. Si vous me dites que ça a été facile, je me transforme en pingouin pour aller vivre sur la banquise !

L'homme leva les bras en signe de reddition, puis fit le signe d'une fermeture éclair sur sa bouche ce qui fit rire presque tout le monde.

- Alors ? Quelle est la suite ? demanda Lux.
- Le gros de mes hommes est parti à la poursuite des Corporems. J'ai donné ordre uniquement de les capturer, je ne veux pas être celui qui empire la situation, ils ont plus besoin d'aide qu'autre chose.

Ambre regarda son compagnon qui parut, le temps d'un instant, soulagé. Même s'il ne montrait que rarement de l'empathie avec son obédience, elle savait qu'au plus profond de lui, cette situation avec les Corporems le dérangeait.

- Avez-vous trouvé Antonio ? demanda Killian le plus innocemment du monde.

- Non, il semblerait qu'il n'ait pas participé à la bataille et le chef des Corporems, Igor, est introuvable.

Tous se tournèrent vers Icy qui sembla enfouir plus profondément son visage dans la puissante musculature de son ami.

- Le Grizzly n'est plus un problème, nous nous en sommes occupés, répondit Killian avec une pointe de tristesse qui étonna tout le monde, à l'exception de Lux.

Le maitre des runes n'avait encore rien dit, mais si sa priorité était de trouver Antonio, il y aurait eu une chance qu'Igor puisse aussi le renseigner sur le lieu de détention de sa famille.

- Dommage, le prendre vivant aurait été un plus pour tenter d'apaiser la situation. C'est ce que j'ai essayé de vous dire lorsque je vous ai tous vu sauter des remparts ce qui, en passant, était relativement stupide et dangereux. Je suis même étonné de vous trouver tous en parfaite santé !

Goliath leva les yeux au ciel, désespéré d'être décidément invisible aux yeux de tous.

- Vous avez raison. Mais certaines choses échappent parfois à notre contrôle, je pense que vous pouvez comprendre cela, répliqua Lux avec son calme naturel.

L'homme hocha la tête tout en gardant son air sérieux. Sa déception était palpable, mais Icy ne s'en voulut pas une seule seconde : Igor avait eu ce qu'il méritait.

Ils se dirigèrent tous vers l'hélicoptère pour rentrer à la base derrière les remparts. Ce fut juste avant le décollage que Killian sentit quelque chose d'inhabituel. Voyant que ses amis réagissaient aussi, il courut à l'extérieur de l'appareil.

- Attendez ! hurla Hu dans son casque. Mais qu'est-ce qui lui prend ? demanda-t-il au reste du groupe.

Ces derniers se levèrent sans même prendre la peine de lui répondre. Lorsqu'ils sortirent de l'hélicoptère, ils trouvèrent leur ami droit comme un piquet, fixant le sud, telle une statue. Son visage semblait avoir perdu de ses couleurs et ses traits respiraient la fatigue, comme s'il avait vieilli en quelques secondes.

Un hurlement se fit entendre en provenance de l'académie de magie. La puissance du rugissement fit frémir les Wizards qui comprirent instantanément ce qui venait de se produire.

Voilà où se trouvait Antonio. Obsédés par l'attaque des Corporems, ils avaient oublié la pire chose chez un fanatique : sacrifier des centaines de vies pour arriver à ses fins était le cadet de ses soucis. Tout cela n'avait été qu'une diversion !

Killian se tourna vers ses amis. Puis ce fut vers ses filles. Il chercha dans son esprit les mots justes, les mots appropriés à cet instant. Ce qu'il redoutait par-dessus tout venait de se produire, le Malachor était en train de revenir dans leur monde : ils avaient échoué.

- Il faut qu'on se rende sur place et espérer qu'un sommeil de mille ans lui ait laissé quelques séquelles.

Lux vint se placer à ses côtés et lui posa une main sur l'épaule. Il avait une vague idée de ce que son ami pouvait ressentir et il sut qu'aucune parole ne pourrait l'aider.

- Eh bien, allons chasser cet enfoiré ! se mit à vociférer Goliath en posant Icy. Au moins, on sera enfin débarrassés de cette histoire. J'en ai marre de courir après un fantôme. Je préfère que ça finisse comme ça ! Un bon combat, lui contre nous !

La confiance et la bonne humeur de son ami firent sourire le maitre des runes qui, bizarrement, pensait un peu la même chose. Ils avaient échoué, ce qui ne voulait pas dire qu'ils avaient perdu.

- Bien parlé ! répondit Ronce.

Elle se dirigea vers ses amis et tendit la main dans le vide. Personne ne comprit ce qu'elle faisant jusqu'au moment où elle prononça les paroles suivantes :

- Ensemble pour toujours !

Killian reconnut bien là la cadette du groupe et se souvint de ses débuts à l'académie de Lyon. Il fut le premier à poser sa main sur la sienne et à lui répondre.

- Ensemble pour toujours !

Tous suivirent, heureux de voir que leur plus grande force était toujours présente. Cette force qui les avait accompagnés depuis le début de leurs aventures sans jamais les lâcher : l'amitié.

Mais comme toute force, elle devait être mise à l'épreuve et Killian le comprit quelques secondes plus tard lorsque les cieux s'embrasèrent autour de l'académie et que deux dragons descendirent du ciel pour venir se poser autour du bâtiment abritant le Malachor.

Accroupis derrière les remparts de la grande muraille, les compagnons regardaient cette fois dans la direction opposée à celle du matin, ce qui ne manqua pas d'amuser Goliath.

- Pourquoi ris-tu?! s'énerva Ambre en chuchotant.
- Ce matin, on craignait une attaque du nord, maintenant on se demande comment on va aller vers le sud. À chaque fois qu'on élabore des plans, ça tourne au vinaigre.
- Que proposes-tu? continua Lux.
- Taisez-vous, s'énerva Killian qui avait l'impression d'avoir à faire à une bande de gamins surexcités. Je n'arrive pas à réfléchir.

En effet, le maitre des runes ne s'attendait pas à ce que la situation se soit autant dégradée. Le temps d'arriver près des remparts, les deux dragons avaient fait le ménage.

C'est un véritable carnage que le groupe découvrit aux abords du bâtiment abritant l'académie de magie. Ils avaient espéré, jusqu'au hurlement indiquant qu'un affrontement sanglant avait lieu, que les dragons étaient venus pour leur prêter main-forte.

Leur deuxième surprise fut la différence entre ces créatures et les dragons qu'ils avaient déjà aperçus. L'un semblait avoir un corps fait de sable en perpétuel mouvement et l'autre de glace avec des aspérités tranchantes comme des lames de rasoir.

- C'est tout réfléchi, continua Goliath en ignorant son ami. On va s'occuper de ces créatures et toi, tu files au vingtième étage pour dire bonjour à notre ami commun.
- Hors de question ! Je ne vais pas abandonner mes filles !

Goliath jeta un coup d'œil à Ambre, Ronce et Lux qui le lui rendirent tout en hochant la tête : le message était clair.

- Tu as raison, enchaina le Corporem. Prends tes filles avec toi, notre priorité c'est le Malachor, pas ces choses. On va faire diversion.
- Hors de…

Une main se posa sur son épaule et Lux plongea ses yeux dans les siens :

- On ne te demande pas ton avis, Killian. Tu nous as toujours protégés, mais aujourd'hui c'est à nous de couvrir tes arrières. Nos chances de tuer le Malachor diminuent chaque minute, alors dépêchez-vous.

Il vit ses compagnons se lever pour faire face aux deux dragons gardant l'entrée de l'académie. Toujours accroupi, il put voir ses deux filles à ses côtés ainsi qu'Arthur qui semblait prêt à bondir sur les deux créatures au moindre signal de sa maitresse.

Goliath se dressa aussi fièrement que possible sur les remparts et hurla d'une voix puissante au dragon le plus proche :

- Eh ! Le glaçon sur pattes, on peut savoir ce que tu fiches ici avec ton copain qui s'est cru obligé d'amener une plage avec lui !

Le Corporem se tourna ensuite vers Killian pour lui dire avec discrétion :

- Bonne chance mon ami, on se voit une fois tout cela terminé.

Killian lui fit un signe de tête, les larmes aux yeux. Jamais ils ne pourraient combattre deux dragons. Chacune de ces créatures était de la taille du bâtiment, au moins dans leur longueur et leur tête frôlait le huitième étage.

Prêts à se sacrifier, les Wizards lui offraient le champ libre pour tenter sa chance contre le Malachor. Un geste qu'il ne pourrait jamais oublier.

Ambre, Ronce et Lux imitèrent leur ami et se levèrent pour monter sur les remparts, telles quatre lumières incarnant l'espoir.

Le maitre des runes salua le courage de ses amis et prit la direction d'un escalier se trouvant à plusieurs dizaines de mètres à l'Est. Un coup d'œil discret lui indiqua que le dragon avait répondu à la provocation de son ami.

Goliath aperçut le maitre des runes s'éloignant discrètement et cela le fit sourire. Il prit la main de sa bien-aimée et jeta un regard à ses amis qui se tenaient fièrement à ses côtés. Ambre lui répondit par un sourire avant de ramener son attention sur le dragon de glace qui s'avançait doucement dans leur direction.

- Qui êtes-vous, humains, pour oser vous présenter à nous ainsi ? N'avez-vous donc pas peur de la mort ?!

Ils virent que l'autre dragon restait sagement devant l'entrée du bâtiment alors que Killian patientait derrière l'épave d'un char d'assaut, attendant le moment propice pour passer.

Ce fut Lux qui prit la parole en premier, espérant en savoir plus sur la situation :

- Nous sommes les Wizards. Certains pourraient nous comparer à un groupe de héros, mais on a tendance à louper un peu tout ce qu'on entreprend. Et vous ? Pourquoi êtes-vous ici ?

La bouche du dragon se craquela et un rire cristallin s'en dégagea.

- Je suis un dragon d'Uranus, je suis venu accueillir le Malachor pour lui faire allégeance. Nos ancêtres de cette planète ont fait la bêtise de se rebeller face à lui et il n'y a qu'à voir comment cela a fini pour eux pour comprendre qu'ils avaient fait le mauvais choix.

- Ça va poser un problème, répondit Ambre. Nous venons pour tuer le Malachor.

Dodelinant sa tête de gauche à droite, le dragon rit de plus belle devant l'arrogance de ces quatre humains.

- Vous ? Décidément, la race humaine est de loin la moins intelligente de cette galaxie. Vous ne savez jamais lorsque la défaite est proche ni respecter plus fort que vous.

La créature se campa sur ses pattes arrière et poussa un hurlement qui leur glaça le sang. La température était déjà froide pour la saison, mais une fois son œuvre achevée, l'air ambiant sembla se figer. La température chuta et Ambre dut déployer sa magie pour que ses camarades ne se mettent pas à geler sur place.

La surprise fut le deuxième hurlement. Il ne vint pas de l'autre dragon qui leva la tête vers le ciel, inquiet.

Inquiet, car un troisième dragon fendit le ciel telle une comète envoyée par la planète elle-même. Ses ailes d'or irradièrent d'une lumière qui fit reculer les deux autres créatures qui resserrèrent les rangs.

Naox se posa non loin des compagnons avec majesté. Sa carrure impressionnante et ses écailles faites d'or lui donnaient une allure bien plus prestigieuse que ses deux cousins, qu'il toisa sans ménagement.

- Tu es venu ! cria Ronce folle de joie.

Surprenant tout le monde, le dragon étira son long cou pour laisser la jeune fille lui grimper dessus, ce qu'elle fit sans attendre. Puis il reporta son attention sur les deux dragons qui le regardaient en grognant, la bave aux lèvres.

- Est-ce qu'Uranus et Venus sont devenus des ennemis de la vie ? N'avez-vous donc plus d'honneur pour vous allier à une créature comme le Malachor ?
- De l'honneur ? répondit le dragon fait de sable. Regarde où l'honneur a conduit la racccce des dragons terresssstre.

Sachant pertinemment qu'il n'arriverait pas à les raisonner, le dragon d'or déposa avec douceur la petite fille qui aurait bien voulu le chevaucher plus longtemps pour faire face à ses deux congénères.

- Je suis là pour venger mes parents alors je vous conseille ne pas vous mettre en travers de mon chemin.

Il poussa ensuite un cri de défi auquel répondirent les deux dragons gardant l'académie.

Les compagnons se placèrent à côté de leur ami, réalisant que ce combat qui devait être si inégal venait de prendre une tout autre tournure.

Killian, quant à lui, vit l'ouverture qu'il attendait. Les deux dragons étaient désormais prêts au combat, délaissant ainsi complètement la garde de l'entrée de l'académie.

Il fit signe à ses filles de le suivre alors que le combat était imminent. La dernière image qu'il vit en pénétrant dans l'immense bâtiment fut les deux dragons qui se jetèrent sur Naox, crocs et griffes déployés, prêts à répandre la mort.

La bataille faisait rage à l'extérieur et la première chose qu'ils firent fut de traverser le hall pour atteindre les ascenseurs derrière le comptoir de l'accueil, désormais vide. Malheureusement, ils constatèrent que ces derniers étaient hors services et le regard de Killian se posa sur une porte désignant les escaliers de secours.

Un hurlement se fit entendre et Icy se tourna par réflexe en brandissant son trident. Le combat à l'extérieur était d'une violence sans égale et la petite fille se surprit à voir ses mains trembler de peur.

Hadès était dans les bras d'Arthur et semblait elle aussi terrorisée par la situation.

Elles sentirent des mains fermes les saisir pour les tirer en arrière. Leur père venait d'ouvrir la porte donnant sur la cage d'escalier et semblait vouloir quitter cet endroit le plus rapidement possible.

- Suivez-moi !

Les deux fillettes se ressaisirent et filèrent vers les escaliers. Ils grimpèrent le plus rapidement possible les cinq premiers étages avec parfois des moments de pause forcés, lorsqu'un choc faisait trembler la structure ou qu'un hurlement se faisait entendre de l'extérieur.

Le maitre des runes imagina le combat titanesque qu'étaient en train de livrer ses amis, pour lui permettre d'atteindre le Malachor.

Avant de continuer l'ascension, il lui restait une dernière chose à faire. Il se tourna lentement vers Hadès et lui sourit.

- Ça va, ma puce ?
- Ça va, lui répondit la petite fille du bout des lèvres. Ça a l'air d'être l'enfer deh…

Un violent coup de poing dans l'estomac la plia en deux tandis que Killian terminait son œuvre en plaçant sa main sur le crâne de son enfant et invoqua sa magie. Sa fille s'évanouit en tombant dans ses bras tel un bébé.

Arthur hurla et banda ses muscles, prêt à se jeter sur celui qui venait de faire du mal à sa maitresse. Il saisit d'une main le teeshirt de Killian et lui hurla littéralement dessus, mais l'homme ne cilla pas.

Icy paniqua et se recroquevilla sur elle-même, pensant que son père devenait fou.

- Calme-toi, dit ce dernier à l'attention d'Arthur qui avait le poing levé. Je veux que tu ailles la mettre à l'abri.

Le démon écarquilla les yeux et un conflit intérieur prit forme dans les méandres de son esprit. « Faire du mal à celui qui fait mal, ou mettre à l'abri la maitresse ? » Il plongea son regard dans celui de Killian et il y découvrit une chose que seul lui connaissait : l'amour envers Hadès. Son geste n'était pas dirigé par la méchanceté, mais l'amour que cet homme avait envers sa fille, sa maitresse.

Le démon lâcha le maitre des runes et prit dans ses bras l'enfant inconsciente, sans pour autant lâcher le père de famille du regard.

- J'ai un autre service à te demander, mon grand. Ta maitresse voudrait aussi que sa sœur soit saine et sauve, souviens-toi de la mission que lui a confiée Axelle. Prends-la avec toi, s'il te plait.
- Mais ça ne va pas ! hurla l'ainée des trois sœurs. Je viens avec toi ! C'est trop dang…

Ayant déjà chargé Hadès sur son épaule, le démon venait de saisir Icy par la taille.

- Mais lâche-moi, sale bête ! Non, arrête !

Le démon fit demi-tour et commença à descendre les marches pour atteindre la sortie. Juste avant de faire le premier virage, il jeta un dernier coup d'œil au maitre des runes qui tendit le poing vers lui et leva un pouce.

- Merci, mon grand.

Le démon resserra sa prise sur Icy qui se débattait comme une diablesse et continua sa descente.

« Bon choix », se dit-il après mûre réflexion.

Un nouveau tremblement faillit faire perdre l'équilibre de Killian qui s'adossa contre un mur. Il était enfin seul et par conséquent, enfin libre d'utiliser sa magie à son maximum et sans avoir à veiller sur ses filles. Il invoqua Fangore qui se fit un plaisir de venir à ses côtés. Le beau dragon spectral semblait avoir compris la situation et elle porta son regard vers les escaliers, sachant que c'était le chemin à suivre.

- Oui ma belle, notre rendez-vous nous attend. J'espère que nous sommes prêts ?

Ils commencèrent l'ascension vers les étages supérieurs, sachant que c'était un voyage sans retour.

Le calme était revenu dans la vallée et aux abords de l'académie. La petite Ronce était adossée à un cadavre de dragon, le regard perdu dans le vague. Jamais elle n'avait combattu avec autant de détermination et jamais elle n'avait eu d'adversaires aussi terribles.

Le silence qui régnait désormais sur le lieu du combat s'apparentait à celui d'une église. Aussi loin qu'elle se souvenait, jamais elle n'avait connu un silence aussi parfait que celui du dimanche matin, quand ses parents la trainaient dans cet endroit froid et austère.

Et aujourd'hui, alors qu'il venait d'y avoir une bataille avec un demi-millier de Corporems, un combat épique contre deux dragons et la résurrection de la créature la plus terrible de l'univers, le calme et la sérénité semblaient avoir envahi ce lieu.

« Mourir dans le calme, après tout cela, n'est pas un peu ironique ? » se dit-elle en appuyant un peu plus fort sur sa blessure.

Ce geste n'empêcha pas le sang de s'échapper de son corps à flots réguliers. Une plaie partant de son ventre et remontant jusqu'à son épaule l'avait mise à bas, mais la victoire était sienne.

Une respiration bien plus puissante résonna à ses oreilles et elle utilisa ses dernières forces pour voir Naox lâcher le cou du deuxième dragon.

Son ami était dans un sale état : une aile lui avait été arrachée et un œil semblait avoir été définitivement clos. Plusieurs cornes de sa crête étaient brisées et l'une de ses pattes avant trainait le long de son corps tel un poids mort.

Son œil restant se posa sur la petite fille et une certaine tristesse l'envahit. Il avait vu ses compagnons se sacrifier les uns après les autres pour lui attirer la victoire, mais cela ne l'affectait pas : ils avaient fait leur choix.

Mais elle, cette petite créature effrontée qui avait osé grimper sur lui pendant qu'il dormait, qui avait grandi seule dans la tristesse et qui avait subi l'intrusion cérébrale de la Furia à deux reprises était sur le point de perdre la vie et cela le dérangeait.

Il traina son corps et posa son énorme tête mutilée juste à côté d'elle. Il gémit de douleur lorsque ses muscles se détendirent, comprenant qu'il était bien plus mal en point que ce qu'il pensait.

- C'était un beau combat, Princesse de la terre.

Elle sourit, aimant instantanément ce nom.

- Merci. Alors je suis une princesse ?
- À mes yeux, certainement.
- En plus, qui meurt à côté d'un dragon si ce n'est une princesse ?

Ce fut au dragon de sourire devant l'humour de cette petite humaine.

- Même la mort ne semble pas te faire peur. Tu savais ce qui t'attendait en te jetant entre le dragon d'Uranus et moi, tu m'as offert la victoire.

Les yeux de la petite fille se voilèrent légèrement et le dragon comprit que le moment était venu pour elle. C'est dans un dernier souffle qu'elle dit d'une voix à peine audible :

- Je n'ai pas peur… de la mort… car… je vais revoir mes parents biologiques et… mes parents adoptifs…

Les yeux de la petite fille se fermèrent pour la dernière fois et sa tête tomba légèrement sur le côté. Elle ressemblait désormais à une jolie poupée aux cheveux bouclés que l'on posait sur une étagère. Ses bras glissèrent le long de son corps et la vie quitta la plus jeune des Wizards avec comme seul témoin une créature de légende.

Une rage s'empara du dragon qui s'en voulut de ne plus avoir assez de force pour utiliser ses pouvoirs et soigner ainsi la seule humaine qui en valait la peine à ses yeux.

Cette rage se transforma en une colère calculatrice et le dragon fit rapidement un inventaire de son propre état. Il arriva à la conclusion qu'il n'était plus du tout objectif concernant la situation.

- Ah, mon pauvre, tu en viens à te demander si tu ne vas pas mourir de tes blessures pour sauver cette jeune fille, se dit-il à lui-même. Alors, autant faire ce qui te semble juste.

Il lui fallait faire vite, ne sachant absolument pas comment fonctionnait cette magie qu'il n'avait encore jamais utilisée et pour cause : elle lui coûterait la vie.

Il en appela non pas à la magie, mais à ses propres capacités, recherchant au plus profond de lui-même cette énergie capable d'accomplir ce miracle.

Ses écailles se mirent à scintiller dans l'obscurité naissante et le corps entier du dragon devint une véritable voie lactée miniature et tourbillonnante.

Complètement désintégré par le phénomène, le corps du dragon s'immisça par la blessure de la petite fille pour lui insuffler la vie.

Une fois le silence revenu, seul un bruit de respiration se fit entendre, comme une renaissance miraculeuse. Le thorax de la petite fille se souleva à nouveau et sa blessure se referma. Ses yeux mirent du temps à s'ouvrir, comme si elle s'extirpait d'un sommeil long de plusieurs heures.

Il n'y avait plus trace de Naox, mais pour tout le reste, rien ne semblait avoir changé. Elle jeta un coup d'œil à la blessure qui aurait dû lui être fatale et elle ne trouva à la place qu'une grande cicatrice à peine rosée.

- Mais qu'est-ce qui a bien pu se passer ? se demanda la petite fille tout en essayant de se relever.
- Toi morte, toi revenue !

Ronce chercha d'où provenait cette petite voix nasillarde qui semblait s'adresser à elle. Son regard tomba sur une petite créature qui se tenait juste devant sa personne, mais bien plus bas ! Haute d'à peine une trentaine de centimètres, elle était particulièrement moche.

De grandes oreilles pointues ainsi qu'un nez crochu semblaient être la base de ce visage au menton pointu. Deux yeux qui semblaient particulièrement malins étaient enfoncés dans des orbites aux arcades proéminentes.

Malgré sa petite taille, la créature était vive et possédait une longue queue de rat qui dansait autour d'elle. Ne possédant qu'un pantalon trop court, Ronce put distinguer la peau rouge de la créature qui devenait violette vers ses jambes. Tout lui donnait un air de véritable petit diable, ce qui lui plut énormément.

- Mais qui es-tu, toi ?
- Moi ? Je suis ton démon.
- Mon démon ?
- Oui, toi démoniste, toi avoir un démon.

La petite fille ne comprit rien aux paroles du lutin et mit un genou à terre. Elle se concentra et un petit golem de terre sortit du sol, juste devant la créature.

- Tu te trompes, je suis une mage de la terre.
- Moi pas trompé, moi sorti de ton ombre. Toi être une démoniste maintenant.

Ronce délaissa la petite créature pour regarder autour d'elle. Les deux dragons ennemis étaient en train de se décomposer sous ses yeux comme l'avait fait Rakhaox.

Elle chercha ensuite dans les décombres ses parents adoptifs. Goliath avait réussi à ramper jusqu'au corps d'Ambre avant de trépasser.

Elle en était donc là, seule et abandonnée de tous. Ses parents étaient morts, ses parents adoptifs étaient morts et Lux aussi gisait un peu plus loin. Elle repensa au dernier moment du mage de lumière qui avait réussi à la protéger contre le dragon de glace pendant qu'elle contrôlait le dragon fait de sable grâce à sa magie. Tout cela aurait fait le récit d'un combat épique avec une fin tragique.

Bien évidemment, elle aurait voulu pleurer dans un instant pareil, mais son instinct essayait de lui dire qu'il y avait quelque chose de plus important à faire pour le moment. Elle essaya de se concentrer, mais le petit démon qui semblait ne pas vouloir l'abandonner tira sur ses vêtements avec hargne tout en lui montrant le bâtiment de l'académie.

- Ton ami, là-haut.
- Killian ! s'écria la petite fille en se frappant le front. Mais oui ! Il faut l'aider !

Au même moment, elle put voir le haut du bâtiment exploser. Des débris enflammés volèrent dans tous les sens, mais la partie inférieure de la structure tint bon.

- Il faut le rejoindre ! Mais comment faire ?
- Toi mage de l'air... toi voler ! lui répondit le démon en haussant les épaules comme s'il s'adressait à une attardée.
- Faut savoir ? Un coup je suis démoniste, un coup mage de l'air !
- Tu es tout ça. Mon dernier maitre s'en est assuré en se sacrifiant.

La petite fille resta bouche bée. De qui pouvait bien parler ce petit monstre ?

- Qui est ton dernier maitre ?
- Naox, le dragon. J'étais son démon il y a encore quelques minutes.

Cette fois-ci, elle était abasourdie ! Voilà comment elle avait réussi à s'en sortir ! Naox lui avait fait don de sa vie, mais pourquoi ?

- Je ne t'avais jamais vu avant.
- Moi caché. Moi nettoyer ses écailles et ses dents. Lui bon maitre.
- Comment t'appelait-il ?
- Gloup. Mon ancien nom est Gloup.

Elle porta son regard vers le haut du bâtiment. Il y avait donc un ennemi là-haut bien plus terrifiant que tout ce qu'elle avait bien pu connaitre par le passé.

Sa gorge se serra en pensant à tous ceux qui étaient morts pour qu'elle ait la vie sauve.

- Eh bien Gloup, répondit Ronce en essuyant ses larmes, il est temps d'aller aider mon ami, tu te sens d'attaque ?

Chapitre 19

Killian monta les dernières marches menant au vingtième étage du bâtiment. Essoufflé, il pesta contre celui qui avait décidé de mettre cette foutue prison aussi haut. La grande porte en métal lui faisait dorénavant face.

L'énergie qui se dégageait de l'autre côté était inimaginable. Quelque chose vivait dans l'air, empêchant même sa propre magie de se propager.

Sentant son courage l'abandonner, il resserra sa prise sur son arme et jeta un coup d'œil à Fangore. Cette dernière semblait elle aussi fascinée par l'aura que le Malachor dégageait. Car à n'en pas douter, personne d'autre que lui n'aurait pu produire un tel effet.

D'une main tremblante, le maitre des runes posa sa main libre sur la porte et activa sa magie, dévoilant ainsi sous ses yeux ébahis le spectacle qu'il avait tant essayé d'éviter.

Les restes de la prison étaient au sol, brisée tel un vulgaire jouet. Antonio se tenait là, à genoux, les bras levés vers le ciel. Tout dans son attitude, son visage, représentait le fanatisme. Killian put voir que l'homme avait changé. Une difformité semblait avoir pris possession de son corps, comme s'il avait fusionné avec son démon.

Devant lui se tenait une créature. Elle était de la même taille que les démons qui avaient attaqué l'académie de Lyon, trois ans auparavant.

Sa peau était blanche, presque translucide et des veines bordeaux pulsaient un sang fraichement retrouvé. Deux bras colossaux se terminaient par des mains aux allures titanesques. Elles auraient pu saisir Killian et le broyer sans aucune difficulté. Des cornes semblaient vouloir se disputer son visage ainsi que son dos, lui donnant un air de porc-épic en bien plus terrifiant. Une bouche armée de crocs acérés était entrouverte, laissant à chaque respiration une quantité non négligeable de bave couler sur son torse musclé. Pour finir, deux yeux noirs, sans paupières, fixaient le démoniste.

- Je me présente à toi ! Je suis ton libérateur, je suis celui qui a été élu pour te rendre la vie.

La créature ne broncha pas. Ses narines se dilatèrent pour aspirer l'oxygène qui lui brûlait à nouveau les poumons. Il détaillait chaque senteur et en perçut une qu'il connaissait bien, qu'il ne pourrait jamais oublier.

Son regard se tourna lentement vers Killian, délaissant ainsi Antonio dont le visage se crispa devant le manque d'intérêt de son interlocuteur fraichement libéré.

Le maitre des runes comprit, quant à lui, que le Malachor venait juste de réussir à se libérer complètement de sa prison.

- Toi !

Killian ne vit pas la bouche de la créature bouger. Mais le son résonna dans la pièce tel un grondement venu des enfers.

- Alors voilà le nouveau maitre des runes ! Tu te présentes à moi, affaibli par un millénaire de captivité, pensant peut-être pouvoir me faire mordre la poussière ?

Killian aurait voulu lui répondre, mais quelque chose l'en empêcha. Une force si puissante que son estomac se noua, annihilant toute sa volonté et son courage. Il était au summum de sa puissance et de son art, il dépassait de loin tous les maitres des runes n'ayant jamais existé et malgré tout, il était cloué par la peur.

- Permets-moi de t'offrir une victoire sans combat, ô prince des ténèbres, tenta d'intervenir Antonio. Il est d'ores et déjà vaincu, par moi !

Animé par la folie, il leva son bras démoniaque et invoqua ses pouvoirs. Un portail dimensionnel s'ouvrit, offrant une vision bien différente de la salle dans laquelle ils se trouvaient.

Le maitre des runes put discerner une forêt, simple et verdoyante.

Mais ce ne fut pas tout, deux humains que Killian ne connaissait pas étaient face au portail. Bien bâtis, ils portaient deux corps sur leurs épaules et le cœur du maitre des runes se serra.

Sans préambule, les deux individus jetèrent par le portail ce qui les encombrait.

La scène se déroula, pour Killian, comme au ralenti. Le temps sembla disparaitre à ses yeux lorsqu'il entendit le bruit sourd des corps d'Axelle et Laurana retomber dans la salle dans laquelle il se trouvait.

Il contempla leurs visages, ternes et inertes, spectacle qui le hanterait à jamais. La vision était pour lui la preuve irréfutable de son échec. Son chagrin, si éphémère soit-il, car la mort le trouverait bientôt, serait son châtiment.

Sa femme, sa raison de vivre, et sa fille, pleine de douceur, étaient mortes par sa faute. Les marques sur leur cou, signe de strangulation, lui firent réaliser l'horreur qu'elles avaient vécue sans qu'il soit auprès d'elle.

Il tomba à genoux et ferma les yeux. Bien évidemment il restait Icy, Hadès et ses amis, mais le cœur lui manqua pour continuer un combat perdu d'avance. Sentant la bile monter au fond de sa gorge, il baissa la tête, espérant que le coup fatal viendrait vite. Il était las de combattre maintenant que la défaite était sous ses yeux.

- Regarde-le ! enchaina Antonio. Voici ton cadeau ! Le maitre des runes à genoux devant toi, prêt à...

D'un geste rapide et d'une précision terrifiante, le Malachor l'envoya valser contre un mur de la salle. Le son d'os brisés et de chair broyée atteignit ses oreilles avec une force qui fit frémir d'horreur le maitre des runes.

- Misérable, comment oses-tu prétendre connaitre mes envies ! Le maitre des runes devait être combatif et non un misérable mage à genoux prêt à mourir, car il n'a pas le courage de venger sa famille ! Je donnerai le corps de ces deux chiennes à mes Elronesh, certains d'entre eux peuvent faire beaucoup de choses de deux cadavres.

Killian écouta les paroles du Malachor comme un breuvage. Seules l'horreur et l'abomination semblaient pouvoir sortir de cette monstrueuse bouche.

« Ces deux chiennes... »

Les paroles rebondirent dans le cerveau du maitre des runes. Chaque fois qu'elles se répétaient, un électrochoc lui vrillait l'esprit, lui faisant perdre toute notion de la réalité. Sa femme, sa fille, ne pouvaient même pas trouver le repos dans la mort, même là, il voulait continuer à les insulter, à les faire souffrir.

Des flashs de son passé l'aveuglèrent. L'un d'eux lui rappela une vision de sa jeunesse où une jeune fille était adossée à un pilier devant l'amphithéâtre de la faculté qu'il fréquentait à Aix-en-Provence. Il se souvint de cette petite brune qui le regardait par-dessous ses cheveux, espérant ne pas être remarquée.

Il se souvint de la première fois qu'elle se dirigea vers lui d'un pas indécis, lui demandant son prénom du bout des lèvres et de sa réponse : « Killian ».

Il se souvint de la salle d'accouchement où leur première fille, Lana, vit le jour. De ces moments de rires et de larmes d'être parents, pour la première fois.

Il se souvint du malaise qu'il ne manqua pas de faire lorsqu'il apprit que sa femme était à nouveau enceinte seulement deux mois après avoir donné naissance à sa fille ainée et des rires qui s'ensuivirent.

Il se souvint l'avoir demandée en mariage à l'annonce de sa troisième grossesse et de cette fête si particulière.

Sa vie défila devant ses yeux, tel un torrent que rien ne pouvait arrêter. Voilà ce qu'il venait de perdre quelques secondes auparavant : sa vie entière venait de lui être arrachée.

Comme si cela ne suffisait pas, on voulait prendre aussi la dignité de sa femme et de sa fille. Deux êtres dont l'innocence à ses yeux était sans limites.

Une vague de rage, de haine et de colère envahit son esprit et balaya toute notion de bien en un instant.

C'est un maitre des runes bien différent qui releva la tête vers son ennemi, un sourire délicat apparaissant sur ses lèvres.

- Non !

Killian chuta sur un tas d'os. Le temps qu'il se relève, il réalisa qu'il ne savait absolument pas où il se trouvait.

- Tu es dans mon monde, enfin celui du Malachor.

D'un geste vif, il tourna sur lui-même pour découvrir une femme sur un trône. D'une grande beauté, cette dernière le dévisageait avec avidité. Elle portait une armure particulièrement bien travaillée et ses longs cheveux noirs lui descendaient sur les épaules, finissant sur ses cuisses.

- Qui êtes-vous ?

La question provoqua l'hilarité de son interlocutrice qui tenta de se ressaisir rapidement.

- Allons, mon cher Killian, as-tu besoin de me reconnaitre pour savoir qui je suis ?
- La Furia !
- Bravo, lui dit-elle en faisant semblant d'applaudir. Il semblerait que malgré tous tes efforts, tu aies lamentablement échoué.

La phrase le crucifia sur place, lui faisant baisser les yeux. Oui, il avait échoué et « lamentablement » semblait être un adjectif particulièrement bien adapté à la situation.

- Alors je vais finir comme ça. Vous allez prendre mon corps et c'est par ma voix que vous allez retrouver votre père. Décidément, mon échec est total.

Elle leva un sourcil, comme si la remarque aurait pu lui plaire et Killian sentit le conflit dans les yeux de l'entité.

- Oui, cela pourrait finir ainsi. Mais je n'ai pas créé l'arme la puis puissante du monde humain pour la voir disparaitre. Je te propose de prendre ton corps pour tuer mon père, définitivement.

Cette fois, ce fut l'incompréhension qui envahit le maitre des runes.

- Vous voulez… je ne comprends plus rien.
- Sache que cet échec n'est pas le tien, j'ai tout fait pour créer cet instant : toi, moi, le Malachor. Tout cela est mon plan.
- Ma femme, ma fille…
- Sont mortes par ma faute, par ma volonté, aussi.

Le maitre des runes fut surpris de ne trouver aucune joie ni colère dans les propos de la Furia, cette dernière détourna même le regard, le temps d'un instant.

- Il me fallait ton corps pour affronter mon père dans ton monde. Je n'ai pas trouvé d'autre moyen pour que tu me le donnes. Souviens-toi de mon message : je te trahirai, je te ferai souffrir comme personne, mais notre cause est commune. Je vous ai envoyés chercher la clé pour qu'Antonio la vole et libère le Malachor au moment où je le souhaitais, afin que tu sois là, prêt à te battre contre lui.

Oui, il se souvint de ce qu'il n'avait pas voulu prendre au sérieux. La portée de ces paroles lui était aujourd'hui entièrement révélée.

- Pensez-vous pouvoir le vaincre ?
- Je n'en sais rien. Mais si je n'y arrive pas aujourd'hui, au moment où il est le plus faible, je n'y arriverai jamais et ton monde, comme ma vie, seront réduits à néant par notre ennemi commun.

Déstabilisé, Killian s'aperçut qu'il ne réussissait pas à la haïr. Certes, il aurait été facile de déchainer sa colère contre la responsable de la mort de sa famille.

Mais il avait vu le Malachor et pour la première fois de sa vie, il avait réalisé que son adversaire était bien plus puissant que lui. Autre fait important, ses émotions n'arrivaient pas à s'exprimer comme il le désirait.

- Je suppose que tout cela n'est qu'imagination ? Je ne suis pas vraiment ici ?

- En effet. J'ai déjà pris possession de ton corps. Plus les années passent, plus mon contrôle sur les mages que je possède est précis, me permettant même parfois de communiquer avec eux. Je pensais que cela te ferait du bien de savoir pourquoi ta famille est morte. Car n'en doute pas, ce n'est pas de ta faute.
- Bizarrement, je n'éprouve pas vraiment de colère et vos paroles ne me font pas vraiment du bien ni du mal d'ailleurs.
- C'est normal. Ton esprit est déjà en sommeil. Tes émotions sont bridées par la force de mon esprit qui s'impose au tien.

Killian s'étonna d'avoir une clarté d'esprit comme rarement il en avait eu l'occasion. Comme s'il avait passé une excellente nuit de sommeil réparatrice.

- L'avenir de notre monde est donc entre vos mains, c'est assez ironique.
- En fait, il est entre les nôtres. Je t'ai utilisé pour te donner l'envie de devenir plus fort et tu es allé plus loin que mes espérances. Maintenant, nous allons savoir si cela va suffire.
- Oui, nous allons enfin savoir.

La Furia ouvrit les yeux pour la première fois de sa vie dans le corps d'un maitre des runes. Elle sentit tout de suite la différence avec les autres mages que Killian n'avait jamais pu percevoir : la magie runique était exceptionnelle. Les runes sur son corps dégageaient une puissance qu'elle n'avait jamais eu l'occasion de contempler et semblaient ne demander aucun effort à l'utilisation.

Une fois cette agréable sensation assimilée, elle leva les yeux vers celui qui lui avait donné la vie.

Son père semblait perplexe. Sentant un changement dans l'énergie de son adversaire, il semblait sur ses gardes.

- Bonjour, père…

Ses deux petits yeux noirs rétrécirent et sa bouche se figea dans un rictus démoniaque. La Furia put lire de la surprise, mais, le temps d'une fraction de seconde, il lui sembla aussi voir de la peur.

- Toi ? Tu es donc toujours en vie et je vois que tu peux toujours contrôler le corps de ces humains.

- Oui, père. J'œuvre depuis longtemps pour ton retour dans ce monde. C'est moi qui ai montré à cet imbécile comment te faire revenir.

Elle dit cela en pointant nonchalamment son doigt vers les restes d'Antonio qui gisaient contre le mur de la salle.

Le Malachor parut sceptique, mais son visage se détendit et c'est avec un air plus léger qu'il cracha les paroles suivantes :

- Alors comme ça, les Elronesh t'ont libérée ?
- Pas du tout. Je me suis libérée et je les ai tous tués. Je règne désormais sur ton monde, mais il est vide de toute forme de vie.

Cette fois, c'est de la contrariété qu'elle vit naitre sur le visage de son géniteur. Les Elronesh étaient sa création après tout.

- Attends-tu de moi de la reconnaissance pour m'avoir fait sortir de ce trou puant qu'est le vide sidéral ?

La question ébranla la Furia. Pouvait-il réellement l'être ? Était-il en mesure de savoir à quel point elle avait souffert par sa faute ? Puis elle s'aperçut que certaines de ses veines devenaient plus rouges, plus épaisses. La pâleur de sa peau avait changé de façon presque imperceptible.

« Il gagne du temps ! » se dit-elle, comprenant que rien ne pouvait attendrir un monstre comme lui.

- Non père, je n'attends plus rien de toi depuis bien longtemps, si ce n'est ta mort.

Elle bondit sans prévenir vers son adversaire en brandissant Fangore et déchaina la magie de Killian, décuplée par ses pouvoirs.

Bien qu'affaibli, le Malachor répliqua avec une énergie bien supérieure à tout ce qu'elle avait déjà connu.

Un combat de titans prit forme. La Furia était en mesure d'utiliser les runes de Killian tout en les faisant se régénérer instantanément alors que le Malachor était une véritable créature des enfers du fait de sa mobilité et de sa puissance.

L'énergie produite par un tel affrontement fragilisa la structure même du bâtiment, provoquant un craquement sonore qui raisonna dans la vallée, tel un signal de détresse.

Les deux derniers étages du bâtiment s'écroulèrent alors que les deux combattants se faisaient face. À aucun moment, ils ne se préoccupèrent des débris qui leur tombaient dessus. Pour l'un, les blocs de béton se fracassèrent sur lui comme de vulgaires morceaux de carton, pour l'autre, c'est un bouclier magique qui empêcha les blocs de plusieurs centaines de kilos de l'écraser.

De nouveau à l'air libre, le Malachor comme la Furia semblèrent satisfaits de la situation.

Une fois le calme revenu, les deux combattants se ruèrent à nouveau l'un sur l'autre. Tout aurait pu continuer comme cela une éternité, mais la Furia comprit que les pouvoirs du Malachor ne cessaient de grandir. Retrouvant peu à peu la force de son passé, la créature semblait plus vive et plus forte. Ses poings devenaient précis, son souffle plus régulier.

« Il est temps d'en finir », se dit l'entité dans le corps du maitre des runes. Pour la première fois, elle activa les runes sur Fangore et se rua sur son ennemi avec toute la rage accumulée lors du dernier millénaire. Des éclairs rougeoyants embrasèrent l'air autour d'elle, accompagnant son geste de vengeance. Le bruit sourd d'une arme plongeant dans la chair arriva jusqu'à ses oreilles, suivi d'un cri de douleur qu'elle rêvait d'entendre depuis une éternité. Sentant l'adrénaline lui monter au cerveau, la Furia frappa. Elle frappa encore et encore, déversant sa rage sur celui qui lui avait fait vivre l'enfer sans raison.

Elle se téléporta et frappa encore. Le sang de son ennemi inonda son visage encore une fois avant qu'elle ne se téléporte une dernière fois sur l'épaule de son ennemi. Elle arma un premier coup qui s'enfonça loin dans sa gorge. Elle retira l'épée pour frapper une deuxième fois, mais son geste fut stoppé par l'une des mains de son ennemi qui profita de sa rage et de son manque de prudence pour refermer ses doigts sur son corps frêle d'humain.

Elle sentit ses os se briser et elle hurla de rage, laissant à Killian les hurlements de douleur au fin fond de son esprit.

Lentement, son adversaire l'amena devant son visage. Elle put remarquer le carnage qu'elle avait occasionné dans sa folie : un bras sectionné, de multiples blessures aux jambes et aux cuisses et pour finir, la tête de son père ne tenait plus que par une partie de son cou.

- Bravo, ma fille, jamais je n'aurais pensé que tu puisses me laisser dans un état pareil, je remercie mes ancêtres que personne en dehors de toi ne soit en mesure de me combattre.

Il resserra sa prise et elle entendit Killian gémir de douleur. Avec la mort de son hôte, le combat allait être rapidement terminé. Ce qui engendrerait son retour dans son monde, à attendre celui du Malachor et un nouveau combat, qu'elle ne gagnerait pas.

- Je n'ai aucun regret, lui cracha-t-elle à la figure. Tu as transformé ma vie en horreur à cause de ce que je suis ! Je te maudis !

- Oui ! Énerve-toi ! Que c'est bon de sentir ta défaite tout en me permettant d'écraser ce maitre des runes.

Il allait donner le coup fatal lorsqu'un trident se planta dans son avant-bras. Une petite fille se tenait à présent juste là, sous ses yeux ébahis.

Hadès, qui avait repris connaissance, avait ordonné à Arthur de libérer Icy et ensemble, elles avaient repris le chemin menant à la salle du Malachor, pour y trouver cette vision d'horreur.

Icy concentra son énergie et le bras du démon gela. Elle hurla de rage et de peur, voyant le corps de son père meurtri entre les doigts du Malachor.

- Maintenant, Hadès !

Arthur sortit de derrière les décombres, équipé d'un grand sabre à deux mains et bondit. D'un geste précis et puissant, il trancha la deuxième main gelée du Malachor qui hurla de douleur.

Tous tombèrent au sol. L'avant-bras du Malachor explosa en cristaux de glace lorsqu'il frappa le béton, libérant ainsi le corps du maitre des runes.

- Papa ! hurlèrent les deux fillettes en se dirigeant vers lui.

La Furia aurait bien aimé leur dire de ne pas se préoccuper de leur père, mais le corps de ce dernier était au bord de la mort, l'empêchant ainsi de les prévenir que le danger était toujours présent. Ses yeux s'arrondirent d'horreur lorsqu'elle vit son père donner un coup de pied dans les décombres, fauchant par la même occasion Icy et Arthur.

Un bruit sourd d'os brisés atteignit les oreilles de l'entité qui ferma les yeux de dégoût. Les deux corps volèrent dans les airs pour basculer en dehors du bâtiment, loin dans le vide.

Elle entendit le cri d'horreur de Killian qui, même passif, venait d'assister à la mort de ses deux dernières filles en direct. Les pleurs et les hurlements de l'homme lui brisèrent le cœur, jamais elle n'avait perçu pareille tristesse dans l'esprit de l'un de ses hôtes.

Le Malachor chancela, luttant pour rester sur ses deux jambes. Il avait désormais les deux bras sectionnés, mais son visage affichait toujours un sourire victorieux.

- On peut dire que tu auras bien préparé mon arrivée ! Maintenant, je vais tuer cet avorton qui te sert de corps. Ensuite, je me régénèrerai et je viendrai t'abattre dans mon monde. J'ai déjà hâte d'y être !

Il fit un pas vers elle et lui lança un regard qui la terrorisa. Des souvenirs enfouis au plus profond d'elle revinrent à la surface et elle revit son père, à l'époque, la confier aux Elronesh alors qu'elle n'était qu'une petite fille. Elle sentit à nouveau la peur lui tordre les boyaux lorsqu'elle entendit la phrase qui changea sa vie : « je veux qu'elle souffre... pour l'éternité ». Elle comprit que son père n'allait pas simplement la tuer, il allait la faire souffrir pour avoir osé le défier. Elle pleura de rage d'être arrivée si près du but et d'avoir échoué.

Puis elle vit son père reculer d'un pas. Il ne la regardait plus, mais semblait obnubilé par quelque chose se trouvant derrière elle. Forçant les muscles de son cou à répondre, elle réussit légèrement à pencher sa tête pour découvrir ce qui intéressait plus son père que sa propre fille agonisant juste devant lui.

Les cheveux flottant dans les airs et irradiant d'une puissance qu'elle ne lui connaissait pas, la Furia observa Ronce lévitant pour atteindre le rebord du bâtiment.

Cette dernière posa un regard sombre sur le Malachor qui la regardait en plissant des yeux, comme s'il cherchait une réponse à une question que lui seul connaissait.

- Ton odeur, dit le monstre, est différente de celle des humains. Tu sens ma race, mais aussi quelque chose d'autre, que je connais...

  Il écarquilla les yeux et cette fois, ce fut de la colère qui embrasa son regard.

- Tu sens le dragon ! Cette vermine qui a osé s'en prendre à moi dans le passé, offrant par la même occasion la victoire au maitre des runes, à l'époque.

Ronce ne répondit rien. Elle observa la Furia en silence, consciente que la situation était critique. Le corps du maitre des runes était dans un sale état et elle avait vu Icy, Hadès et Arthur tomber du bâtiment, morts.

En gros, il ne restait qu'elle, mais son adversaire semblait lui aussi à bout de souffle, prêt à rendre les armes.

Elle balaya du regard le chaos qui se trouvait autour d'elle et son regard buta sur deux cadavres gisant au milieu des décombres. Le premier l'attrista lorsqu'elle découvrit Axelle et son cœur se serra quand elle réalisa que cela avait dû être le déclencheur pour que la Furia envahisse le corps du maitre des runes.

« Comment Axelle a-t-elle bien pu se retrouver ici ? Elle devrait être tranquillement installée au loft, avec... »

Lorsque son regard se posa sur le deuxième cadavre, quelque chose se brisa en elle et un flash de lumière lui brûla les yeux. Ses pouvoirs de Mentalus la submergèrent, la faisant sombrer dans le chaos de son esprit.

- Papa, papa !

L'homme enleva ses lunettes et posa son journal. Il fit un sourire à sa fille qui semblait déborder de joie.

- Qu'y a-t-il Émilie ?
- J'ai trouvé ce que je veux pour Noël !

Sa mère entra dans le salon avec un plat fumant. La petite fille passa sa langue sur ses lèvres en sentant la bonne odeur des lasagnes faites maison par sa maman : un délice !

- Ce n'est pas trop tôt ! Le père Noël désespérait d'avoir ta lettre.

Elle fit un clin d'œil au père qui sourit. Pour ses deux parents, Émilie était le centre du monde, leur source de bonheur.

- La voilà, répondit-elle en lui donnant un petit bout de papier, je n'ai mis qu'une seule chose dessus !
- Une seule ? s'étonna son père. On avait dit pas de château ! Le père Noël ne peut pas mettre un immense château dans notre jardin.
- Ce n'est pas un château ! s'écria la petite fille, les yeux pleins de malice.
- Voyons ça fit sa mère en la regardant en coin.

Elle se concentra pour décrypter l'écriture de son enfant :

- Une… petite… sœur !
- Ouiiiiiii !!!

Les deux parents en restèrent bouche bée. Connaissant le caractère de leur fille, ils n'avaient pas encore osé lui annoncer la nouvelle. La mère de famille toucha son ventre et un large sourire apparut sur son visage.

- Eh bien écoute, il semblerait que le père Noël le savait, car…

« Ding dong »

La sonnette de la maison retentit, cassant cet instant magique. Le père d'Émilie se dirigea vers la porte :

- Ça doit être le plombier pour cette maudite fuite.

En effet, il ouvrit la porte derrière laquelle un homme attendait, une mallette à outils à côté de lui.

- Bonjour, je viens pour le dépannage en plomberie, je m'appelle Jack !

Ronce fut renvoyée dans le présent avec une violence qu'elle ne put contrôler.

De toute sa vie, elle n'avait jamais rien demandé et pourtant, le destin semblait vouloir s'acharner contre elle. Ses parents avaient été assassinés sous ses yeux et, sans l'aide des Wizards, elle n'aurait peut-être jamais réussi à refaire surface tant sa peine était immense. Puis elle avait perdu ses parents adoptifs, ses amis et le seul bon dragon qu'elle connaissait. Sa vie n'était pavée que de douleur et d'épreuves.

Mais elle avait réussi à avoir une chose. Une chose véritablement importante pour elle : Laurana. Cette petite fille était aujourd'hui tout pour elle. C'était la sœur qu'elle avait demandée et c'était la seule chose que cette horrible vie semblait avoir voulu lui donner.

Et maintenant, même ça, on venait de le lui enlever. Elle pensa à l'horreur qu'avait dû vivre la petite fille et ces sentiments de tristesse et d'impuissance la submergèrent. Elle reporta son attention sur le Malachor et elle hurla. Jamais une telle rage n'était sortie de sa bouche :

- Je vais te massacrer !

Décidément, le plan de la Furia avait été aussi brillant que catastrophique.

N'ayant aucun contrôle sur son pouvoir lui permettant de prendre possession d'un être humain, elle avait réussi un véritable tour de force : faire revenir son père à un instant précis avec un comité d'accueil qu'elle avait choisi tout en étant capable de prendre possession du mage le plus puissant du monde humain. Il y avait de quoi être fière !

Et pourtant, elle venait de subir un échec cuisant. Même tout cela n'avait pas eu raison du Malachor.

Elle attendait avec fatalisme la mort de son corps. « Bon Dieu qu'il est résistant ce Killian ! J'en connais qui auraient déjà passé l'arme à gauche ! » se dit-elle réellement surprise.

L'arrivée de Ronce ne raviva aucun espoir. Elle connaissait la véritable nature du Malachor. Même si la petite fille avait l'air d'avoir énormément changé et même si elle arrivait à vaincre son père sous cette forme, jamais elle ne saurait comment faire pour l'anéantir définitivement.

En revanche, jamais elle n'aurait cru pouvoir passer d'un corps à un autre ! Ronce était comme une vieille connaissance pour elle, ayant déjà répondu à son appel par deux fois. Lorsqu'elle sentit la petite fille perdre le contrôle, elle comprit qu'une nouvelle chance lui était offerte.

C'est avec voracité que l'entité plongea à nouveau dans ce corps pour se retrouver face à ... Naox !

Elle heurta le dragon à l'intérieur même de l'esprit de la petite fille. Ce dernier était couché et semblait particulièrement serein, comme s'il l'attendait.

- Te voilà enfin.
- Que fais-tu ici ? Comment arrives-tu à loger dans une si petite tête !
- L'esprit de Ronce est désormais sous ma protection, tu ne peux lui faire aucun mal.
- Écarte-toi ! Le Malachor est juste devant elle, je dois l'arrêter !

La patte du dragon s'écrasa sur elle, lui vrillant les sens et occasionnant une douleur qu'elle n'avait jamais ressentie. L'entité crut, le temps d'un instant, que son heure était venue. Elle réalisa avec horreur que dans l'esprit de la petite fille, le dragon était son maitre.

- Je t'avais prévenue que je te vaincrai, encore.

Les paroles du dragon la mouchèrent, lui faisant réaliser que depuis tout ce temps, il savait.

- Oui, je suis vaincue. Mais je dois prendre le contrôle de Ronce, il le faut, sinon nous sommes tous perdus.
- C'est évident. Mais maintenant tu sais que je peux te briser quand bon me semble, alors fais ce que tu as à faire, mais un conseil : ne touche pas à un cheveu de cette petite fille ou ce que t'a fait vivre ton père ne sera qu'amusement en comparaison du traitement que je te réserve.

La Furia réalisa avec terreur que le dragon disait vrai. Son père avait réussi à torturer son corps, mais lui pouvait piéger son esprit ici pour toujours.

- Marché conclu, répondit-elle les yeux exorbités par la peur.
- Alors, amuse-toi bien, car tu t'apprêtes à vivre quelque chose... de différent.

« Diffèrent » La Furia trouva le descriptif réducteur en comparaison de la vérité.

Projetée dans le corps de Ronce, elle reprit enfin vie. Une énergie nouvelle et inconnue perfusa son esprit de sensations qui lui firent l'effet d'un bain glacé en plein milieu d'un désert.

La magie était différente désormais et il lui sembla que son esprit était bien plus vif et alerte qu'avec les autres mages qu'elle avait contrôlés par le passé.

Elle regarda ses mains sans y croire, oubliant son père qui la dévisageait avec colère.

- Je ne sais pas ce que tu es, petite bâtarde, mais tu vas mourir comme tous les autres !

La Furia releva la tête et sourit. Dans sa colère, le Malachor n'avait même pas remarqué qu'elle avait pris possession du corps de la gamine.

- Est-ce une façon de parler à sa fille ?

La réplique le pétrifia. Il porta son regard sur le maitre des runes et put voir qu'il était inerte, sans vie. Il comprit ce qui venait de se passer et recula d'un pas.

- Tu as déjà perdu une fois, n'as-tu donc aucune fierté pour être prête à recommencer ?

C'est avec assurance que sa fille se mit à avancer vers lui. Consciente des nouveaux pouvoirs de Ronce, elle ne voulut pas faire la même erreur que précédemment et engagea le combat sans écouter son père.

Dans un ultime effort, il tenta de lui assener un violent coup de pied, mais elle utilisa ses nouveaux pouvoirs pour le repousser : grâce au vent.

Elle invoqua une tornade qui bloqua le Malachor. Ce dernier mit les restes de ses deux bras devant son visage pour se protéger, mais quelque chose dans l'air changea.

Cumulant la magie de l'air avec le feu, elle réussit à créer un cyclone flamboyant qui engloutit son père.

Lorsque ce fut terminé, la créature avait un genou à terre, le souffle rauque. Utilisant maintenant ses pouvoirs de Corporem, la Furia bondit sur son ennemi pour atterrir sur son épaule.

Elle saisit à deux mains la gorge de ce dernier et tira de toutes ses forces, arrachant l'énorme tête du corps de son père.

Galvanisée par sa victoire, elle la jeta au sol et resta là un moment, sur le corps inerte de son père, à regarder la tête rouler avant de buter sur un débris du bâtiment.

Une fois son souffle redevenu calme, elle sauta à terre et s'agenouilla devant le visage figé du Malachor. Elle avança sa main et l'enfonça profondément dans la cavité orbitaire. Un liquide visqueux et nauséabond se dégagea du corps et la bouche du Malachor se tordit de douleur.

- Eh oui ! Je sais que tu n'es pas mort.

Elle finit par enfoncer presque son bras en entier avant de sentir du bout des doigts ce qu'elle cherchait et retira sa main d'un coup sec, tombant à la renverse.

Le corps et la tête du Malachor changèrent instantanément de couleur, virant au gris cendré, comme si l'on venait d'enlever tout le sang de la créature en une fraction de seconde.

Elle secoua sa main pour faire tomber les morceaux de cerveaux agglutinés et découvrit son précieux trésor : une sphère parfaite, pas plus grosse qu'une balle de golf. On aurait dit un rubis parfaitement taillé et lisse. Il émettait des pulsions, comme les battements d'un cœur au ralenti.

- Bonjour père, j'imagine que pour la première fois de ta vie, tu éprouves de la peur ? Oh! ne t'embêtes pas à me répondre, je vais tout savoir !

Utilisant ses pouvoirs de Mentalus, la Furia fouilla la mémoire de son père, cherchant LA réponse à LA question. Elle revit le combat contre les dragons et l'Enchanteur mille ans auparavant, les guerres, les massacres et enfin… l'arrivée sur terre. Elle chercha consciencieusement et finit par trouver, enfin.

Son visage se décomposa, car ce qu'elle désirait par-dessus tout lui était désormais inaccessible et c'est un rire tonitruant qui lui remplit l'esprit. De colère, elle brisa la sphère, tuant ainsi le Malachor une bonne fois pour toutes. Mais le rire continua.

- Naox !

« Eh oui ma chère, j'ai vu ce que tu cherchais dans l'esprit de ton père. Je dois dire que la réponse m'amuse beaucoup. Les Wizards étaient peut-être les seuls à pouvoir répondre à cette demande. Question : combien de temps vas-tu devoir attendre avant de pouvoir réussir à prendre contact et convaincre un être humain de t'aider ? »

La Furia ragea intérieurement, car le dragon disait vrai ! Elle avait sauvé le monde, vaincu la créature la plus puissante de l'univers (est-ce que cela ne faisait pas d'elle la nouvelle créature la plus puissante ?) et elle allait devoir retourner dans son monde froid et austère, peut-être pour l'éternité !

Un mouvement attira son attention : la cage thoracique du maitre des runes se souleva.

- Il est vivant !?

Elle courut vers lui et découvrit Killian, ou du moins ce qu'il en restait. L'homme avait la cage thoracique broyée ainsi que les jambes, il semblait vivre ses derniers instants, lorsqu'une forme vaporeuse sortit de son corps.

Elle reconnut Fangore, bien que cette dernière ait changé, plus grande et plus impressionnante qu'avant, le dragon spectral n'en était pas pour autant en bon état. Son aura d'ordinaire bleue était désormais blanche et presque invisible. Elle tomba contre son maitre qui luttait contre la mort à chaque respiration, n'arrivant même pas à retourner dans l'épée. Son corps se désagrégea devant la Furia qui vit les runes sur l'arme s'éteindre les unes après les autres.

- Elle s'est sacrifiée pour te garder en vie. On peut dire que tu avais une amie fidèle.

Le maitre des runes hoqueta et elle réalisa que sa vie ne tenait plus qu'à un fil. Elle posa un genou à terre et lui prit la main, mûe par la volonté de tenter une dernière chose :

- Je peux te sauver, ou sauver Ronce. À toi de voir.

Le doigt du maitre des runes se tendit avec difficulté avant de frapper la poitrine de la petite fille possédée.

- Très bon choix, mon ami, je n'en attendais pas moins de ta part.

Elle ne sut si l'homme était mort avant ou après sa phrase, mais lorsqu'elle le regarda à nouveau, la vie l'avait quitté.

« C'est un brave qui s'en va », dit Naox.

- Oui.

« Il est temps de rentrer chez toi ».

- Ce n'est pas chez moi, je ne veux pas y retourner.

« Alors je vais devoir te tuer ».

- Pas nécessairement, je te propose un marché.

« Un marché ? Crois-tu que je t'accorderai ma confiance, croyant que tu feras ta part ? »

- Oui, car cette fois je vais payer d'avance !

Chapitre 20

Laurana se tourna dans son lit et son nez buta sur quelque chose. Elle tendit son museau et respira à pleins poumons. Dieu que cela sentait bon ! Un pied !

Elle avait toujours aimé les pieds. C'était une chose qui la fascinait. De toute petite, elle avait toujours voué une admiration pour les pieds et n'était en rien dégoûtée par ce qui dérangeait la plupart des gens.

Par exemple, elle adorait se couper les ongles avec les dents ou en tenir un dans ses bras pour dormir.

Par chance, sa sœur de cœur était particulièrement généreuse avec ses pieds. Ronce dormait généralement dans le même lit qu'elle en mode « tête bèche ». Elle avait donc tout le loisir de tenir l'un de ses pieds, chaque nuit, dans son sommeil.

Elle en connaissait aussi parfaitement l'odeur et elle reconnut immédiatement celui de la mage de la terre. Les yeux encore lourds de sommeil, la petite fille en tira des conclusions bien à elle :

« Alors c'est ça le paradis ? Je vais vivre dans un rêve avec le pied d'Émilie pour l'éternité ? Ce n'est pas si mal ! »

Elle attrapa ce pied avec ses deux mains et frotta le bout de son nez dans le creux de la voute plantaire. Un petit rire à l'opposé du lit se fit entendre, signe que les chatouilles faisaient leurs effets.

« Ils ont même mis les rires de Ronce ! Ils sont trop forts! »

Se disant qu'elle était au paradis, elle pouvait certainement faire ce qu'elle voulait ! Sans crier gare, elle mordit ce pied si appétissant.

- Aïe ! Mais t'es folle !

Laurana se redressa sur le lit et se força à ouvrir les yeux. Émilie était juste là, se tenant le pied, mais affichant un sourire démesurément grand. La chambre était identique à ses souvenirs, absolument rien n'avait changé. Elle toucha son corps, incapable de prononcer le moindre son. Ses mains glissèrent sur son cou et son sang se figea dans ses veines lorsque le souvenir de sa mort s'imposa à elle.

Avec une douceur qui ne s'appliquerait normalement pas à une petite fille de huit ans, Ronce se redressa et prit son amie dans ses bras. Cette dernière fondit en larmes. Les sanglots agitaient le corps de la petite fille qui réalisait qu'elle n'était pas morte...

- J'ai fait... un horrible cauchemar...

Ronce serra Laurana encore plus fort contre elle et se refusa à lui dire la vérité. Elle ne savait absolument pas ce qu'elle faisait là, toutes les deux dans la chambre, mais elle se jura qu'à partir de ce jour, elle la protègerait envers et contre tout.

- Calme-toi, ma sœur, plus personne ne pourra te faire de mal... je veillerai sur toi désormais.

Ambre s'étira. La sensation lui fit bizarre et quelque chose de lourd l'empêcha de pouvoir pleinement profiter de ce moment.

Elle ouvrit ses yeux et découvrit le visage de Goliath. Sa peau d'ébène contrastait avec la sienne. Son regard était à la fois dur et doux, comme s'il essayait de se convaincre qu'il n'avait pas à faire à une vision.

Elle leva sa main et la porta à son visage. Il accueillit ce geste en fermant les yeux, absorbant avec amour ce contact.

- Qu'est-ce qu'on fait ici ? dit-elle d'une petite voix.

Il sembla ne pas vouloir répondre, puis ses yeux s'embuèrent.

- Je n'en sais rien, nous avons été tués par les dragons. Ça, j'en suis certain.
- Moi aussi.

Ils restèrent là un moment à se contempler puis, n'y résistant plus, elle se jeta contre ses lèvres avec la frénésie propre à son obédience. Elle ne voulait plus réfléchir au « pourquoi » ni au « comment ». Il était là, elle était là, rien d'autre ne comptait. Il bascula en arrière et elle lui grimpa dessus. Elle s'amusa à regarder son collier serti de toutes les runes que Killian avait offert au Corporem pour se protéger de la fureur de la jeune femme.

- Elles ne suffiront pas aujourd'hui !
- J'espère bien, lui répondit-il avec un sourire en coin.

Hadès était assise en tailleur sur le lit, Arthur en face d'elle. Leurs visages étaient la parfaite représentation de l'incompréhension.

- Qu'est-ce qui s'est passé ?

Arthur ne répondit rien, mais regarda sa maitresse avec adoration. Il se pencha en avant et posa sa tête sur les cuisses de la petite fille qui fut surprise par la tendresse de ce contact, surtout sans qu'elle l'y autorise.

Elle lui passa une main sur le crâne et caressa sa corne noire. Un son se dégagea du démon qui la désarçonna. Cela ressemblait à un ronronnement, mais très vite elle put comparer ça à un grondement. Arthur semblait en transe de plaisir et replia ses jambes sur lui-même pour se retrouver en position fœtale.

- Moi veux rester avec toi toujours.

Il sentit quelque chose d'humide lui couler sur l'épaule. N'osant pas regarder sa maitresse pleurer, il ferma les yeux et laissa la douceur de cette dernière s'occuper de lui, encore un peu.

Killian fixait Axelle dans son sommeil. Il n'arrivait pas à trouver les mots, même dans son esprit, pour décrire sa beauté. Il l'avait toujours trouvée particulièrement attirante, surtout dans son sommeil. Une jambe en dehors de la couette, une main près de son visage, elle avait toujours gardé ce sommeil de petite fille.

Il sentit une présence à ses côtés et put voir que Fangore était elle aussi allongée sur le lit, frottant son dos comme un chat désirant attirer l'attention.

« Tu sais ce qu'on fait là ? » lui demanda-t-il intérieurement.

Elle secoua vivement la tête de gauche à droite, indiquant par ce fait qu'elle n'en avait aucune idée.

Il tendit sa main et caressa son cou spectral. Même s'il ne sentait rien, ses sens semblaient vouloir le tromper en lui procurant des sensations particulières comme à chaque fois.
Un frisson lui parcourut la colonne vertébrale lorsque les doigts d'Axelle se refermèrent sur son biceps. Il pencha sa tête et la dévisagea un long moment sans rien dire.

Apeurée, la jeune femme s'était approchée de lui et Killian sentit ses tremblements malgré la chaleur de la pièce.

- Tout va bien, je suis là.
- Je suis morte.
- Non, a priori. Je me demande depuis tout à l'heure si nous sommes au paradis.

Elle leva sur lui un regard interrogateur qui se changea rapidement en peur.

- Toi aussi tu as été...
- Oui. J'ai échoué, mais Ronce l'a eu. Je n'ai pas compris comment d'ailleurs. Mais je l'ai vue tuer le Malachor, avant de mourir.

Il plongea son visage dans ses cheveux bouclés et inspira à fond, retenant ainsi le plus de saveur possible de son odeur.

- Si c'est le paradis, ça me va parfaitement.
- Et nos filles ?

Il ne répondit pas, les larmes venant facilement à l'énonciation de ses filles disparues.

- Elles aussi...
- Oui.

Axelle fondit en larmes. Ses trois filles étaient donc mortes et a priori elle ne les reverrait plus jamais. Sa tristesse finit de briser la carapace que le maitre des runes tentait d'afficher et lui aussi céda, pleurant à chaudes larmes ses enfants.

- Maman ? Papa ?

Les deux parents se redressèrent comme un seul être en entendant la voix d'Icy. Cette dernière se tenait dans l'encadrement de la porte de leur chambre en short et teeshirt. Son trident à la main, elle semblait désorientée, voire perdue.

- Qu'est-ce qui s'est passé ? On est morts ?

Animée d'une nouvelle énergie, Axelle bondit hors du lit et se jeta sur sa progéniture qui en laissa tomber son arme. Fangore sautait elle aussi dans tous les sens, affichant une joie que Killian ne comprenait pas.

« Tout semble si réel ! Je n'ai vraiment pas la sensation d'être mort ».

Un sentiment bizarre s'empara de lui et il se leva sans dire un mot sous le regard médusé de sa femme et de sa fille qui semblaient ne plus vouloir se décrocher l'une de l'autre.

- Que fais-tu ?
- Je vais voir Hadès et Laurana.

Il fonça dans le couloir du loft et son cœur se mit à battre la chamade en entendant des bruits en provenance de la chambre de Laurana.

Incapable de faire un pas de plus, il se délecta du son qui parvenait à ses oreilles : elles jouaient. Ronce et Laurana jouaient toutes les deux.

Une nouvelle émotion envahit le maitre des runes qui sentit à nouveau les larmes affluer, mais cette fois de façon bien différente. Il continua son chemin et se positionna devant la porte d'Hadès. Il entrouvrit cette dernière et contempla sa fille qui câlinait son démon comme un bébé.
Elle s'aperçut de la présence de son père et un immense sourire apparut sur son visage d'ange.

- Papa !

Ce dernier pénétra dans la chambre et fonça sur le lit pour la prendre dans ses bras. Jamais il n'aurait cru pouvoir un jour être si heureux.

- Mon bébé !

Il sentit des bras puissants autour de lui le serrer comme un étau.

- Salut Arthur ! Moi aussi je suis content de te revoir.

Ils descendirent tous ensemble dans la grande cuisine du loft. Toute la petite famille manqua de s'étouffer tellement la chaleur était intense au rez-de-chaussée et Axelle se précipita sur les fenêtres.

- Qu'est-ce qui se passe ici ? On dirait qu'on vient de rentrer dans une voiture qui est restée en plein soleil au mois d'août.

Killian ne dit rien, mais se mit à sourire. Sa femme remarqua le changement d'humeur de son mari et lui jeta un regard interrogateur.

- Quoi ?
- Je pense qu'Ambre et Goliath sont eux aussi ici.

À peine eut-il fini sa phrase que la porte de la chambre du couple s'ouvrit pour laisser passer une Ambre toute guillerette, tenant juste un drap autour d'elle.

Lorsqu'elle se retrouva nez à nez avec les autres habitants du loft, son visage se pétrifia et elle pencha sa tête sur le côté en tordant sa bouche, espérant ainsi projeter du son non pas devant, mais derrière elle :

- Je pense qu'on ne va pas prendre le petit déjeuner au lit, on n'est pas les seuls dans notre paradis.
- Ah bon ? répondit la voix grave du Corporem qui déboula dans la cuisine en caleçon.

Décontenancé de voir autant de monde dans la cuisine, le colosse tenta de se cacher derrière sa compagne tout en affichant un sourire béat.

- Salut, les amis, c'est cool de vous revoir ici ! Alors finalement on est tous morts ?

L'humour du Corporem n'eut pas l'effet escompté et un silence gêné s'installa, empêchant qui que ce soit de répondre, à l'exception d'une personne :

- Pas moi ! répondit Ronce avec innocence. N'est-ce pas Gloup ?

Tout le monde se tourna vers la petite fille qui semblait avoir perdu la tête.

- Gloup ? demanda Ambre.
- Oui, c'est mon démon, car je suis démoniste maintenant ! Et mage de l'eau aussi, et de l'air, du feu aussi. En fait, je suis capable d'utiliser toutes les magies, sauf la tienne Killian.

Elle constata que tout le monde la regardait comme une bête curieuse, particulièrement lorsque le fameux Gloup fit son apparition. Minuscule démon aux oreilles pointues et au visage presque aussi malicieux que celui de sa propriétaire, il eut le mérite de les faire réagir.

- Mais comment ? s'étonna Goliath.
- C'est Naox. Il s'est sacrifié pour moi et a priori il est désormais une espèce d'ange gardien. Il est en moi et il me permet d'être comme lui, je peux contrôler toutes les obédiences.

Killian essaya d'assimiler l'information et remarqua qu'il manquait justement, une obédience dans le groupe.

- Où est Lux ?

La question ébranla tout le monde. Il manquait effectivement le plus âgé des Wizards. Ce fut Killian qui partit en trombe vers la zone du loft qui était réservée à son ami, suivi de près par les autres habitants.

Il ouvrit la porte sans même prendre le temps de frapper. Son cœur se figea lorsqu'il ne trouva personne dans le lit.

- Lux !? cria-t-il en espérant avoir une réponse de la salle de bain du mage de lumière.

Seul le silence lui répondit et Killian sentit son cœur se figer dans sa poitrine. Pourquoi n'était-il pas là ?

Axelle, les mains sur la poitrine, entra discrètement dans la pièce. Elle fit un tour sur elle-même et se positionna face à la fenêtre qui était grande ouverte. Elle se retourna vers les compagnons, un immense sourire sur les lèvres.

- Il va bien. Il a juste fait le mur.

La mère de famille commençait ses explications lorsqu'elle discerna l'ignorance sur le visage de tous.

- Le lit était fait quand il est parti et la fenêtre était fermée. Son placard est grand ouvert et la douche vient tout juste d'être utilisée. Donc, sauf si Boucle d'Or aussi a été ressuscitée, Lux est juste sorti par la fenêtre. Ça ne serait pas la première fois.
- Mais pour quoi faire ?

Sa femme le prit par le bas et le sortit avec douceur de la pièce.

- Lux a peut-être quelqu'un à voir en urgence. Imagine que tu ne te sois pas réveillé près de moi, qu'aurais-tu fait ?

Les yeux du maitre des runes s'agrandirent de stupéfaction.

- Lux… une… non ? Tu plaisantes ?!
- Pas du tout. Il te le dira le jour où il sera prêt.
- On n'a pas fini de le charrier ! s'exclama Goliath.
- C'est peut-être justement pour ça qu'on n'est pas au courant, enchaina Ambre en lui donnant un coup de coude dans les côtes.

Killian se tourna à nouveau vers Ronce, le visage faussement sévère :

- Bon, revenons à toi. Tu sais ce qui s'est passé après que nous ayons vaincu le Malachor ?

La petite fille se tourna pour se diriger dans le salon. Le fait qu'elle ne réponde pas inquiéta Ambre qui voulut l'attraper par les épaules, mais elle se figea quand elle vit le visage de l'ex-mage de la terre. Ses yeux brillaient d'une puissance que tout le monde ne connaissait que trop bien : celle de la Furia.

- Oh non !
- Salut, « maman », répondit la petite fille dont les traits avaient, comme d'habitude, légèrement changé. On devrait tous aller dans le salon, nous avons beaucoup de choses à nous dire et je n'ai pas énormément de temps.

Dans un silence quasi parfait, tout le monde se réunit autour de la table tout en gardant une bonne distance avec le corps de Ronce. Cette dernière s'assit directement sur le dossier du canapé en les regardant s'installer.

- Joli spectacle. La famille réunie au grand complet ou presque, où est le mage de lumière ?

- Sorti, répondit Killian en faisant un pas en avant. Laissez-nous ! Le Malachor est mort, partez vivre loin d'ici, mais laissez-nous en paix !

La Furia pencha la tête sur le côté, comme si elle avait à faire à un petit garçon capricieux.

- Mon cher Killian, j'apprécierais pour commencer des remerciements. C'est moi qui vous ai rendu la vie, à tous. Enfin sauf à Ronce puisqu'elle a l'air décidé à ne jamais mourir !
- Pourquoi ? lui répondit-il réellement surpris.
- Car j'ai un service à vous demander. Un énorme service et je dois bien admettre qu'avec tout ce que je vous ai fait vivre, vous méritiez une belle récompense.
- Encore un service ! Nous n'en avons pas déjà fait assez ? chuchota Axelle, les larmes aux yeux en serrant Laurana contre elle.

La Furia porta son regard sur les deux filles. Son cœur se serra, sachant pertinemment ce qu'elles avaient dû endurer.

- Je suis désolée pour ce qui vous est arrivé. Peut-être qu'un jour Killian te racontera toute l'histoire, mais même lui n'aurait rien pu faire contre le Malachor. Il me fallait intervenir.

Elle se leva d'un bon pour venir se placer devant la mère de famille. Tout le monde recula à l'exception du maitre des runes qui observa l'entité avec attention.

Étant le seul à avoir discuté avec elle peu de temps avant sa mort, il avait compris une chose qui ne se voyait pas forcément au premier abord : il ne pensait pas que la Furia était fondamentalement mauvaise. C'était une espèce de déesse qui avait grandi seule, dans la torture, et qui désirait échapper à sa condition par tous les moyens possibles.

La Furia mit un genou à terre pour faire face à la petite fille terrorisée. Elle l'observa un moment puis avec une douceur qui stupéfia sa mère, replaça une mèche de ses cheveux derrière son oreille pour dégager son visage.

- Ce que l'on t'a fait est horrible. J'ai essayé, dans ma tête, de chercher un moyen de l'éviter. Malheureusement, je n'ai pas réussi. Maintenant, ton sacrifice est, à n'en pas douter, ce qui a sauvé tout le monde ici. Les autres ne le savent pas encore, mais tu m'as permis de prendre possession de ton père et de Ronce. Sans cela, jamais nous n'aurions pu arrêter mon géniteur dans sa soif de vengeance et de destruction. Cette victoire, que je voulais mienne, est tienne.

Elle se releva et fixa la mère de famille un instant. Elle aurait voulu aussi la réconforter, mais la noirceur du regard d'Axelle l'en dissuada.

Mettant de côté la chose pour arriver à ses fins, elle préféra faire à nouveau face à tout le monde.

- Comme je vous l'ai dit, j'ai un service à vous demander. J'ai passé un accord avec le dragon qui vit désormais dans le corps de Ronce. Je vous rendais à tous la vie contre une autorisation de vous demander un service. Avouez que ce n'est pas si mal.
- Naox ? Il vit désormais dans le corps de Ronce, réellement ? demanda Goliath ahuri par la nouvelle.
- Oui et je peux vous garantir qu'il a en ce moment même ma vie entre ses griffes. Venir vous parler est à mes risques et périls.

Le silence qui s'ensuivit encouragea la Furia à continuer, sachant que l'instant fatidique n'était plus très loin.

- Seul Killian est au courant. Mais je suis coincée dans le monde du Malachor, pour l'éternité. Un monde où j'ai été torturée pendant un demi-millénaire juste parce que je suis née femme !

Tout le monde put sentir la colère de cette révélation dans la bouche de la Furia qui tentait, malgré tout, de se contrôler.

- Lorsque je réussis à me libérer, je compris une chose : une menace pesait sur vous comme sur moi.
- Le retour de votre père, continua Killian.
- Oui. Si j'avais réussi à me libérer de ma prison, alors lui aussi, un jour, en aurait été capable. C'était inévitable. Passive et coincée dans mon monde, j'étais résolue à devenir plus forte pour l'affronter, tout en sachant que cela ne suffirait pas. Puis je suis tombée sur toi. Un maitre des runes puissant. Puis sur cette horreur d'Antonio. Je n'ai pas hésité une seconde et j'ai travaillé jour et nuit pour créer l'instant parfait : faire revenir mon père dans votre monde face à moi dans le corps de Killian.
- Pourquoi ne pas nous avoir simplement informés de votre plan ? se scandalisa Ambre.
- Impossible ! répondit la Furia. Je ne peux prendre le contrôle que d'un humain qui perd les pédales ! Même vous avez constaté que le processus est totalement imprévisible.

Les compagnons repensèrent à la tentative de l'invoquer dans la prison et durent bien admettre que cela n'avait pas été aisé.

- J'ai œuvré pour réunir les plus puissants mages de votre monde face à mon père dès sa sortie, là où il serait le plus vulnérable. Vous avez vu l'état de la prison, imaginez qu'il soit sorti sans un vrai comité d'accueil. Qu'il ait pris le temps de se régénérer avant de commencer son œuvre de destruction ?!
- Jamais nous ne l'aurions vaincu, finit Killian en chuchotant.
- Jamais, en effet. Vous n'aviez pas des centaines de dragons à lui lancer à la figure comme vos ancêtres pour vous laisser le temps de vous préparer.

Le récit ébranla les compagnons qui comprirent à quel point ils étaient passés près de la catastrophe. Tout ne s'était joué qu'à un fil.

- Et que voulez-vous maintenant ? demanda Hadès qui ne semblait pas vraiment affectée par la situation.
- Je veux quitter ma prison. J'ai appris en fouillant l'esprit de mon père, comment je devais m'y prendre. Je ne souhaite pas faire de mal à votre monde, je souhaite juste… vivre.

Elle déglutit, sachant que tout ce qu'elle avait fait par le passé risquait de se retourner contre elle.

- J'ai besoin que l'un de vous sacrifie ses pouvoirs. C'est ma porte de sortie. Un humain doit me faire don de sa magie pour me permettre de passer entre les mondes.

Ce qui se passa ensuite échappa à tout contrôle. Tout le monde se mit à parler en même temps et une véritable cacophonie résonna bientôt dans la pièce.

- Hors de question ! hurla Goliath.
- Elle nous a tous ressuscités ! lui répondit Hadès sur le même ton.
- On n'est pas sûrs de ses intentions, enchaina Icy.

La Furia, quant à elle, baissa les yeux. Elle pouvait entendre à l'intérieur Naox rire de la situation.

« Je t'avais prévenue, après ce que tu leur as fait vivre, jamais ils ne t'accorderont pareil sacrifice. Ils restent des humains. »

Elle s'appuya contre le canapé, car la tête lui tournait. Pourquoi rester pour voir cela ? Elle avait sauvé un monde et personne n'en saurait jamais rien, car elle finirait sa vie dans ce trou puant qui était son monde.

Il était temps de libérer la petite Ronce qui n'avait de toute façon pas pris part à la discussion. Elle allait enclencher le processus quand une main se posa sur la sienne, causant par la même occasion un silence religieux dans la pièce.

Ambre se tenait devant elle. Son regard était différent de celui des autres et la Furia pénétra son esprit pour en connaitre la raison. Elle chercha dans les évènements récents et remarqua que la mage de feu la laissait totalement vagabonder dans les méandres de ses souvenirs. Ce n'est qu'après avoir remonté la scène de la dispute qu'elle trouva ce qu'elle cherchait : l'espoir.

L'espoir était né dans l'esprit de la jeune femme après les paroles de la Furia. L'espoir d'une vie de femme, d'une vie sentimentale, d'une vie de mère.

- Prends mes pouvoirs, s'il te plait.

Goliath était sous le choc. Il essaya d'avancer vers elle, mais elle l'arrêta du regard. Jamais il ne l'avait vue aussi déterminée.

- Non ! Ne m'approche pas et écoute-moi. M'aimerais-tu autant si j'étais une humaine sans pouvoir ?
- Mais bien sûr, répondit-il le plus calmement possible. Tes pouvoirs ne sont rien pour moi, mais si ça se trouve c'est risqué. Pourquoi ferais-tu cela pour elle ?

Des larmes se mirent à couler sur les joues de la mage de feu et tout le monde sentit la chaleur se dégager de son corps, envahissant la pièce tel un incendie invisible.

- Je ne le fais pas pour elle, mais pour nous ! Je veux pouvoir me jeter dans tes bras quand l'envie me prend. Je veux t'embrasser sans entendre « attends, je mets le collier » ! Je veux pouvoir avoir un enfant de toi sans le faire rôtir dans mon ventre ! Je ne veux pas finir comme Braise, loin de ceux que j'aime, loin de toi !

Elle se tourna vers la Furia, plus déterminée que jamais.

- Il y a un risque pour moi ?
- A priori, aucun.
- Alors prends mes pouvoirs, je n'en veux plus.

Chapitre 21

Six mois plus tard

Icy était à vélo sur le chemin du retour. Elle adorait sa nouvelle vie ! Proche de la mer, elle habitait désormais Biarritz. Enfin, ils habitaient tous à Biarritz.

Elle voulait rentrer le plus vite possible pour aider sa mère à préparer la fête qui aurait lieu ce soir, chez eux.

« Deux possibilités, le pont ou la rivière ? » Cette question n'était née dans son esprit que pour l'amuser. Elle braqua son guidon et fonça droit sur le cours d'eau. Ce dernier se gelait instantanément sous les roues de son VTT, lui permettant ainsi de gagner de précieuses minutes.

Elle jeta un coup d'œil sur la berge pour trouver un point de sortie lorsqu'elle loucha sur Benoit. Un beau garçon de la troisième trois. Ce n'était pas la première fois qu'elle le voyait sur ce chemin, mais elle n'avait jamais trouvé le courage de l'aborder. Ce dernier la regardait la bouche ouverte, prêt à gober une mouche.

Elle réalisa que faire du vélo sur de l'eau qui gelait sur son passage, en plein mois de juin, avec vingt-cinq degrés, pouvait légèrement perturber un adolescent.

Fascinée par la beauté du garçon, elle ne vit pas la pierre qui dépassait devant elle et son vélo s'écrasa lamentablement contre la protubérance rocheuse pour l'envoyer valser dans la rivière.

Trempée, la jeune fille se mit à rire toute seule. Elle devrait « encore » demander à son père de réparer son vélo.

Un bruit de pas dans l'eau l'avertit que quelqu'un venait : c'était Benoit.

- Lana, ça va ? Ou... Icy ?

Son cœur se figea. Icy, l'une des héroïnes de la bataille du Malachor, déjà célèbre pour être devenue une Wizards presque deux ans en arrière et désormais une célébrité pour avoir sauvé le monde.

- Euh, Lana c'est bien et oui ça va, tu m'as perturbée.

« Quelle idiote ! Pourquoi t'as dit ça ?! » se dit-elle intérieurement.

- Ah oui ? En bien j'espère ? Ça te dit qu'on fasse la route ensemble ? Je porterai ton vélo, il est cassé.

La jeune fille le dévisagea. Il la regardait avec un grand sourire. Elle tenta de cacher le rouge qui lui montait aux joues et répondit faiblement :

- Merci.
- De rien, ça faisait longtemps que je voulais te parler, mais ce n'est pas facile.

Icy se releva, écarlate. Décidément, c'était vraiment une belle journée.

Hadès était en cours, en plein contrôle de mathématiques. Elle qui n'avait jamais eu le contact facile avec les gens, elle pouvait être fière d'être aujourd'hui la star de sa classe. Certains auraient pu croire qu'être l'une des héroïnes de la bataille du Malachor en était la cause : eh bien pas du tout !

Elle jeta un coup d'œil à madame Leblanc, professeur diabolique enseignant la pire matière au monde, pour vérifier que son horrible nez était à nouveau penché sur son roman pendant qu'elle torturait ses élèves avec une évaluation particulièrement difficile.

« OK, c'est le moment. » Elle lança l'ordre mental à Arthur et une pancarte apparut discrètement par la fenêtre, assez visible pour que tout le monde la voie. Dessus étaient affichés les résultats de cette fameuse équation dans laquelle se trouvait ce « x » que tout le monde devait s'évertuer à résoudre.

Habitués à cela, tous les élèves jetèrent de discrets coups d'œil afin d'inscrire la solution salvatrice sur leur feuille.

Pendant ce temps, Arthur se tenait quatre étages plus bas, tenant un poteau de plus de vingt mètres de haut où il avait fixé la pancarte avec la solution.

Comme d'habitude, le pion du collège, Bernard, passa faire son tour d'inspection. Comme d'habitude, il tomba nez à nez avec le démon et se figea, car comme d'habitude, Arthur montra les dents et gronda, faisant fuir l'homme qui, terrorisé, ne dirait jamais rien à personne.

Après avoir ri de bon cœur, il reçut l'ordre de changer la pancarte pour l'exercice suivant.

Décidément, il adorait faire plaisir à sa maitresse, c'était une belle journée.

Axelle et Killian attendaient patiemment dans la salle d'attente. Normalement, cela n'aurait dû prendre qu'une demi-heure au maximum. Or, cela faisait déjà bien deux heures qu'ils patientaient dans le plus grand silence.

- Ce n'est pas normal, murmura Axelle au bord de l'évanouissement. Ça doit mal se passer.

Killian releva le nez de son journal et sourit.

- Tout va bien. Si c'est long, c'est que c'est bon signe. Ce qui m'embête, c'est qu'on va être en retard au barbecue.
- Toi et la nourriture ! Sans rire !

La porte devant eux s'ouvrit, clouant le bec à Axelle qui se leva tel un ressort qu'on venait enfin de libérer.

Une femme aux traits tirés, les cheveux attachés avec de grosses lunettes, tenait Laurana par les épaules et semblait sur le point de se jeter sur eux.

- Avez-vous triché ?

Les deux parents se regardèrent sans comprendre.

- Triché ? répondit Axelle. Pas du tout ! On ne sait même pas quel test elle allait passer !

La femme s'avança vers eux, très perturbée.

- Votre fille a des facilités concernant certaines matières.
- Oui, elle est très intelligente et très logique, c'est pour cela que nous avions pensé à votre école, répondit Killian.

La femme parut gênée, mais continua :

- Ses niveaux en français et histoire sont normaux, elle est plutôt bonne en maths.
- Ce n'est donc pas suffisant, c'est ça ? s'inquiéta Axelle.
- En fait, concernant la géométrie et la physique...
- Oui ?

- Elle a un niveau que nous n'avons pas pu tester. Nos tests sont limités au BAC.

L'information monta lentement jusqu'au cerveau des deux parents, leur faisant écarquiller les yeux au fur et à mesure.

- Le BAC ! s'exclama Killian. Vous voulez dire…
- Qu'elle aurait passé le BAC sans problèmes dans ces matières. C'est du jamais vu. Nous allons vous communiquer l'adresse d'une autre école, en Suisse, qui sera plus à même de s'occuper de votre fille.

Axelle, Laurana et Killian repartirent chez eux un peu perdus. Ils se demandaient maintenant ce qu'ils allaient pouvoir faire.

C'était une drôle de journée.

Ils arrivèrent tous les trois dans l'immense propriété dont ils avaient fait l'acquisition avec les autres Wizards.

Tous s'étaient demandé après la bataille du Malachor s'ils allaient vivre séparément.

Une chose fut certaine, ils ne voulaient plus vivre à l'académie. De bons, mais de trop mauvais souvenirs y étaient présents.

Il ne leur fallut que quelques jours pour s'apercevoir que cette vie en communauté, entre eux, leur était aujourd'hui nécessaire. Les Wizards ne formeraient qu'un, pour toujours.

Ils prirent donc la décision de chercher un endroit qui plairait à tout le monde et ils décidèrent d'un commun accord de s'installer non loin de Biarritz, près de l'océan.

Laurana se jeta en dehors de la voiture pour courir rejoindre Ronce qui jouait déjà dans l'herbe, pendant qu'Ambre se faisait bronzer sur un transat au bord de la piscine.

- Salut Ambre ! s'écria la petite fille. Alors ils poussent ?

La jeune femme enleva ses lunettes de soleil et fit un immense sourire à la cadette du maitre des runes. Caressant son ventre arrondi par la grossesse, l'ancienne mage du feu prit son air malheureux.

- Ils ont été terribles avec moi. Il faut les gronder !

N'attendant que ça, la petite fille plongea à genoux et posa ses lèvres sur le gros ventre d'Ambre qui se mit à rire.

- Salut ! C'est Laurana, faut dormir maintenant et laisser tata Ambre se reposer et bronzer !

Ronce arriva au pas de course en voyant sa sœur de cœur près de sa mère adoptive et fit la moue.

- Ils n'écoutent rien ! Quelle idée d'avoir des jumeaux, des garçons en plus !

Laurana se redressa. Elle dépassait presque Ronce désormais qui semblait être figée dans le temps. Ses cheveux ne poussaient plus, ses traits semblaient ne plus vieillir.

Gloup, son nouveau compagnon de jeu (ou de torture) était toujours avec elle, à l'image d'Arthur avec Hadès, mais avec beaucoup moins de passion.

Neuro avait tenté de communiquer avec Naox par l'esprit, apprenant ainsi que Ronce aurait désormais non seulement ses pouvoirs, mais aussi sa longévité : elle était désormais une Drakinne, la seule de son espèce.

Killian et Axelle découvrirent Icy et Hadès dans la piscine, elles s'amusaient à se faire des passes pendant qu'Arthur nageait pour intercepter la balle.

Ils sentirent aussi la bonne odeur du barbecue et ils découvrirent l'un des nouveaux colocataires faisant cuire les premières côtes de bœuf.

- Bashanor aux fourneaux ! Si ça ce n'est pas incroyable !

Incroyable était bien trop faible pour décrire la vision du couple. Du haut de ses deux mètres, avec sa tête de sanglier, Bashanor, dernier représentant des Elronesh, était équipé d'un tablier, de sandales, d'un short et d'une spatule et faisait cuire la viande.

- Ma maitresse voulait vous faire plaisir.

À peine son nom fut-il prononcé que la Furia sortit de la cuisine pour se positionner à côté de l'homme sanglier et posa sur la desserte un plat monstrueusement garni de saucisses.

Axelle contempla la nouvelle colocataire du groupe. Contre toute attente, la demande vint d'elle, trouvant les Wizards bien plus intéressants que les autres humains et Killian trouva l'idée de l'avoir à l'œil plus rassurant.

- Arrête de m'appeler maitresse, je te rappelle que nous sommes désormais amants. Ça fait bizarre, tout le monde trouve ça bizarre.
- Je t'ai prêté serment d'allégeance, tu es ma maitresse.

Elle leva les yeux au ciel et repartit dans la cuisine de sa démarche si féline.

Le maitre des runes fit un tour d'horizon et remarqua que deux personnes manquaient à l'appel.

- Où sont Goliath et Lux ?
- Goliath se change, il vient juste d'arriver. Pas de nouvelle du mage de lumière, répondit l'homme sanglier qui ne lâchait pas ses steaks du regard.

En effet, le Corporem sortit quelques minutes plus tard de la maison, en short, pour se jeter sur les lèvres de sa femme. Cette dernière lui rendit son baiser et il vint retrouver ensuite Axelle et Killian qui discutaient au bord de la piscine.

- Alors les tourtereaux, comment ça s'est passé ?
- Plutôt bien, répondit Axelle de manière assez énigmatique. Et toi monsieur le PDG de « Corposécurity », bonne journée ?

Le colosse à la peau d'ébène sourit. Il était désormais le patron d'une petite entreprise de sécurité ayant comme salariés uniquement des Corporems. Ses services étaient aujourd'hui particulièrement recherchés et certains contrats avec des états venaient d'être signés.

- Très bonne. On va certainement s'occuper du voyage du Président en Russie le mois prochain.
- Eh bien mon cher, te voilà dans le monde des affaires, le taquina le maitre des runes.
- Chacun trouve sa voie, et je ne suis plus tout seul maintenant.

Il fixa la belle Ambre qui le couvait du regard au loin. La voir ainsi heureuse était tout ce qu'il désirait. Il n'avait jamais été aussi heureux de sa vie.

Ils se rassemblèrent tous autour de la grande table prévue à cet effet pour le diner, une fois les dizaines de saucisses cuites par le courageux Bashanor. Il fallait au moins cela pour satisfaire l'appétit de ce dernier, d'Arthur et de Goliath qui à eux trois pouvaient engloutir une quantité impressionnante de nourriture.

Alors qu'ils s'installaient, un bruit de moteur se fit entendre et tout le monde put voir la magnifique « Triumph Spitfire 1500 » de Lux entrer sur la propriété pour se garer à côté des autres véhicules.

Les yeux des compagnons s'agrandirent lorsqu'ils réalisèrent qu'il n'était pas seul, mais accompagné d'une très belle femme. La quarantaine, les cheveux presque noirs, cette dernière leur fit un petit signe de main lorsque Lux lui prit le bras pour la mener vers ses amis.

- Terra ! s'écria Killian sans y croire.
- Bonsoir les amis, j'espère ne pas vous déranger.

Axelle se leva et la prit dans ses bras. Au courant depuis déjà un bon moment, elle avait gardé le secret pour le mage de lumière qui désirait l'annoncer lui-même. Ce dernier était d'ailleurs gêné et osait à peine regarder ses amis.

- Sacré cachotier ! s'écria Goliath en reposant son verre de bière.

Le mage de lumière allait répondre quand une explosion illumina le parking de la propriété. Agissant par réflexe, Goliath se positionna devant Ambre et tous les Wizards se mirent en position de combat. Seule la Furia, qui semblait ne pas connaitre la peur, tourna lentement son regard vers cette source d'agitation.

Ils découvrirent la voiture de Lux en flammes, totalement anéantie. Killian invoqua Fangore qui apparut non loin de lui, la queue entre les jambes, l'air coupable. Son regard se posa sur son épée qui était plantée, un peu plus loin, dans le sol. Ronce était assise non loin, le visage blême, et Laurana avait la main posée sur la garde.

L'ensemble des regards convergèrent vers elles, réalisant qu'une des runes de l'arme était désormais éteinte : une rune d'éclair.

- Papa… commença Icy. C'est toi qui as utilisé cette rune ?
- Non ! Seul un maitre des runes peut l'utiliser, répondit l'intéressé sans y croire.
- Hé bien… il semblerait que tu ne sois plus le seul, répondit la Furia un sourire aux lèvres.

Laurana, quant à elle, se mit à réfléchir comme jamais. Lux regardait sa voiture et sa mâchoire allait bientôt toucher le sol s'il continuait à l'ouvrir ainsi. Goliath commençait à avoir une crise de fou rire avec Ambre. La Furia l'applaudissait et son père la regardait avec des yeux de hibou.

Sa mère fronça les sourcils. JAMAIS sa mère n'avait froncé les sourcils contre elle. Elle était parfaitement consciente qu'elle avait fait une bêtise ; d'un autre côté, ce n'était pas entièrement de sa faute. Elle avait senti quelque chose de bizarre en elle et les runes de l'épée de son père l'avaient appelé. Voulant juste entendre leurs paroles, elle en avait choisi une au hasard et avait tenté de lui parler.

Ce qui suivit en revanche, n'était pas vraiment ce à quoi elle s'attendait.

Faire exploser une voiture, c'était quand même un coup à se faire gronder ! Alors il était temps de sortir son arme secrète, celle qui lui permettait de sortir de n'importe quelle situation.

Elle fit monter ses larmes le plus rapidement possible, croisa ses petites mains et pencha la tête sur le côté. Il ne lui restait plus qu'à dire la formule magique lui permettant de se sortir de ce mauvais pas :

- Oups…

FIN